S0-AYS-714

LANGENSCHEIDTS
UNIVERSAL-WÖRTERBUCH

ENGLISCH

ENGLISCH-DEUTSCH
DEUTSCH-ENGLISCH

Neubearbeitung

in der neuen deutschen Rechtschreibung

LANGENSCHEIDT
BERLIN · MÜNCHEN · WIEN
ZÜRICH · NEW YORK

Bearbeitet von
Holger Freese, Helga Krüger, Brigitte Wolters

Inhaltsverzeichnis

Ergänzende Hinweise, für die wir jederzeit dankbar sind, bitten wir zu richten an:
Langenscheidt-Verlag, Postfach 40 11 20, 80711 München

Als Warenzeichen geschützte Wörter sind durch das Zeichen kenntlich gemacht. Ein Fehlen dieses Zeichens ist keine Gewähr dafür, dass dieses Wort als Handelsname frei verwendet werden darf.

Auflage:	*8.*	*7.*	*6.*	*5.*	*4.*	*Letzte Zahl*
Jahr:	*2002*	*2001*	*2000*	*1999*	*98*	*maßgebl*

© 1997 Langenscheidt KG, Berlin und München
Druck: Druckhaus Langenscheidt, Berlin-Schöneberg
Printed in Germany · ISBN 3-468-18123-X

Hinweise für den Benutzer

1. Stichwort. Das Wörterverzeichnis ist alphabetisch geordnet und verzeichnet im englisch-deutschen Teil auch die unregelmäßigen Verb- und Pluralformen an ihrer alphabetischen Stelle. Im deutsch-englischen Teil werden die Umlautbuchstaben ä, ö, ü wie a, o, u behandelt. Das „ß" wird wie „ss" eingeordnet.

Die Angabe der weiblichen Formen erfolgt im deutsch-englischen Teil im Stichwort normalerweise durch eingeklammertes „(in)", z. B. „Lehrer(in)" oder durch die Genusangabe, z. B. „Abgeordnete *m, f*".

Die **Tilde** (~, bei Wechsel von Groß- und Kleinschreibung des Anfangsbuchstabens ♀) ersetzt entweder das ganze Stichwort oder den vor dem senkrechten Strich (|) stehenden Teil:

export ... **~ation** ... **~er** = exportation ... exporter
hang| glide ... **~ gliding** = hang gliding
Bade|anstalt ... **~anzug** = Badeanzug
house ... **♀ of Commons** = House of Commons
Beginn ... **♀en** = beginnen

Die Tilde ersetzt in Anwendungsbeispielen das unmittelbar vorangehende halbfette Stichwort, das auch selbst mit einer Tilde gebildet sein kann:

distance ... ***in the ~*** = in the distance
after ... **~noon** ... ***good ~*** = good afternoon
ab|beißen ...; **~biegen** ... ***nach rechts (links) ~*** = ... abbiegen

2. Aussprache. 2.1 Die Aussprache des englischen Stichworts steht in eckigen Klammern und wird durch die Symbole der International Phonetic Association wiedergegeben. (Erklärung der phonetischen Zeichen siehe hinterer Buchdeckel innen!)

Häufig wird auch nur eine Teilumschrift gegeben, z. B. **blotting paper** ['blɒtıŋ-].

Bei zusammengesetzten Stichwörtern ohne Angabe der Aussprache gilt die Aussprache der jeweiligen Einzelbestandteile:

desktop 'publishing [=desk - tɒp - 'pʌblıʃ - ıŋ]

2.2 Die **Betonung** der englischen Wörter wird durch das Zeichen ' für den Hauptakzent vor der zu betonenden Silbe angegeben:

onion ['ʌnjən] – **advantage** [əd'vɑːntıdʒ]
'lightpen – **'bank account**
dis'loyal – **good-'looking**

In einem Fall wie **occasion** [ə'keıʒn] ... **~al** (= **oc'casional**) ist der Betonungsakzent in dem Teil des Stichworts enthalten, für den die Tilde steht.

2.3 Endsilben ohne Lautschrift. Um Raum zu sparen, werden die häufigsten Endungen der englischen Stichwörter hier einmal mit Lautschrift aufgelistet. Sie erscheinen im Wörterverzeichnis in der Regel ohne Umschrift (sofern keine Ausnahmen vorliegen).

-ability [-ə'bılətı]
-able [-əbl]
-age [-ıdʒ]
-al [-(ə)l]
-ally [-əlı]
-an [-ən]
-ance [-əns]
-ancy [-ənsı]
-ant [-ənt]
-ar [-ə]
-ary [-ərı]
-ation [-eıʃn]
-cious [-ʃəs]
-cy [-sı]
-dom [-dəm]
-ed [-d; -t; -ıd]*
-edness [-dnıs; -tnıs; -ıdnıs]*
-ee [-iː]
-en [-n]
-ence [-əns]
-ency [-ənsı]
-ent [-ənt]
-er [-ə]
-ery [-ərı]
-ess [-ıs]
-ful [-fʊl; -fl]
-hood [-hʊd]
-ial [-əl]
-ian [-jən; -ıən]
-ible [-əbl]
-ic(s) [-ık(s)]
-ical [-ıkl]
-ie [-ı]
-ily [-ılı; -əlı]
-iness [-ınıs]
-ing [-ıŋ]
-ion → -tion; -(s)ion
-ish [-ıʃ]

-ism [-ɪzəm]
-ist [-ɪst]
-istic [-ɪstɪk]
-ite [-aɪt]
-ity [-ətɪ; -ɪtɪ]
-ive [-ɪv]
-ization [-aɪ'zeɪʃn]
-ize [-aɪz]
-izing [-aɪzɪŋ]
-less [-lɪs]
-ly [-lɪ]

-ment(s) [-mənt(s)]
-ness [-nɪs]
-oid [-ɔɪd]
-or [-ə]
-ory [-ərɪ; -rɪ]
-o(u)r [-ə]
-ous [-əs]
-ry [-rɪ]
-ship [-ʃɪp]
-(s)sion [-ʃn]
-sive [-sɪv]

-some [-səm]
-ties [-tɪz]
-tion [-ʃn]
-tional [-ʃənl; -ʃnl]
-tious [-ʃəs]
-trous [-trəs]
-try [-trɪ]
-ty [-tɪ]
-ward(s) [-wəd(z)]
-y [-ɪ]

* [-d] nach Vokalen und stimmhaften Konsonanten
[-t] nach stimmlosen Konsonanten
[-ɪd] nach auslautendem d und t

Plural -s:
[-z] nach Vokalen und stimmhaften Konsonanten
[-s] nach stimmlosen Konsonanten

Das englische Alphabet

a [eɪ]	j [dʒeɪ]	s [es]
b [biː]	k [keɪ]	t [tiː]
c [siː]	l [el]	u [juː]
d [diː]	m [em]	v [viː]
e [iː]	n [en]	w ['dʌbljuː]
f [ef]	o [əʊ]	x [eks]
g [dʒiː]	p [piː]	y [waɪ]
h [eɪtʃ]	q [kjuː]	z [zed]
i [aɪ]	r [ɑː]	

3. Arabische Ziffern. Ein Wechsel der Wortart innerhalb eines Stichwortartikels wird durch halbfette arabische Ziffern gekennzeichnet. Die Wortart wird nur dann angegeben, wenn dies zum Verständnis notwendig ist:

control ... **1.** beherrschen ... **2.** Kontrolle *f*
but ... **1.** *cj* aber, jedoch ... **2.** *prp* außer
bloß 1. *adj* bare ... **2.** *adv* just, only

4. Sachgebiet. Das Sachgebiet, dem ein Stichwort oder eine seiner Bedeutungen angehört, wird durch Abkürzungen oder ausgeschriebene Hinweise kenntlich gemacht. Die vor einer Übersetzung stehende abgekürzte Sachgebietsbezeichnung gilt für die folgenden durch Komma getrennten Übersetzungen. Steht im englisch-deutschen Teil hinter der Sachgebietsbezeichnung ein Doppelpunkt, so gilt sie für mehrere folgende Übersetzungen, auch wenn diese durch ein Semikolon voneinander abgetrennt sind:

manager ... *econ.*: Manager(in); Führungskraft *f*; ...

5. Sprachebene. Die Kennzeichnung der Sprachebene durch Abkürzungen wie F, *sl.* etc. bezieht sich auf das jeweilige Stichwort. Die Übersetzung wurde möglichst so gewählt, dass sie auf der gleichen Sprachebene wie das Stichwort liegt.

6. Grammatische Hinweise. Eine Liste der unregelmäßigen englischen Verben befindet sich im Anhang auf S. 573.

Im englisch-deutschen Teil stehen die unregelmäßigen Verbformen bzw. bei Substantiven die unregelmäßigen Pluralformen in runden Klammern hinter dem Stichwort:

do ... (***did, done***) – **bring** ... (***brought***)
shelf ... (*pl* ***shelves*** [ʃelvz])

Im deutsch-englischen Teil werden die unregelmäßigen englischen Verben mit einem Stern * gekennzeichnet:

baden ... have* (*od.* take*) a bath; ... swim*

7. Übersetzungen. Sinnverwandte Übersetzungen eines Stichworts werden durch Komma voneinander getrennt. Unterschiedliche Bedeutungen eines Wortes werden durch ein Semikolon getrennt.

Unübersetzbare Stichwörter werden in *Kursivschrift* erläutert:

baked potatoes *pl ungeschälte, im Ofen gebackene Kartoffeln*

Die Angabe der weiblichen Formen erfolgt bei den Übersetzungen im englisch-deutschen Teil durch eingeklammertes „(in)", z. B. „Lehrer(in)", durch „-in", z. B. „Beamt|e, -in" oder durch die Genusangabe, z. B. „Abgeordnete *m, f*".

Vor der Übersetzung stehen im englisch-deutschen Teil (kursiv) die Akkusativobjekte von Verben und mit Doppelpunkt kursive Erläuterungen zur Übersetzung:

abandon ... *Hoffnung etc.* aufgeben
blow² ... *Reifen*: platzen; *Sicherung*: durchbrennen

Im deutsch-englischen Teil wird ein Doppelpunkt gesetzt:

befolgen ... *Vorschrift*: *a.* observe; *Gebote*: keep*
Bauer¹ ... *Schach*: pawn

Hinter der Übersetzung kann (kursiv und in Klammern) ein Substantiv zur Erläuterung stehen:

beat ... Runde *f* ... (*e-s Polizisten*)

Wird das Stichwort (Verb, Adjektiv oder Substantiv) von bestimmten Präpositionen regiert, so werden diese mit den deutschen bzw. englischen Entsprechungen, der jeweiligen Bedeutung zugeordnet, angegeben:

aim ... zielen (***at*** auf, nach)
indication ... (***of***) (An)Zeichen *n* (für), Hinweis *m* (auf)
Bericht *m* report (***über*** on)

Hat eine Präposition in der Übersetzung keine direkte Entsprechung, so wird nur die Rektion gegeben:

correspond ... (***with, to***) entsprechen (*dat*)

8. Anwendungsbeispiele in ***Auszeichnungsschrift*** und ihre Übersetzungen stehen nach der Grundübersetzung eines Stichworts bzw. bei der Wortart, auf die sich das Beispiel bezieht:

mean¹ ... meinen ... ***be ~t for*** bestimmt sein für
catch ... **1.** ... *v/t* (auf-, ein)fangen ... ***~ (a) cold*** sich erkälten
Beginn ... start; ***zu ~*** at the beginning

9. Rechtschreibung. Unterschiede in der britischen und amerikanischen Rechtschreibung werden wie folgt angegeben:

catalogue *bsd. Brt.*, catalog *Am.* / deutsch-engl.: catalog(ue)
colo(u)r (= *Am.* color)
travel(l)er (= *Am.* traveler)
kidnap(p)er (= *Am.* kidnaper)
centre *Brt.*, center *Am.* / deutsch-engl.: cent|re, *Am.* -er
hit-and-run offence (*Am.* offense) / deutsch-engl.: offen|ce, *Am.* -se
paralyse *Brt.*, paralyze *Am.* / deutsch-engl.: paraly|se, *Am.* -ze

10. Abkürzungen

a. also, auch
Abk. Abkürzung, *abbreviation*
acc accusative, Akkusativ
adj adjective, Adjektiv, Eigenschaftswort
adv adverb, Adverb, Umstandswort
agr. agriculture, Landwirtschaft
Am. (*originally or chiefly*) *American English*, (ursprünglich oder hauptsächlich) amerikanisches Englisch
amer. amerikanisch, *American*
anat. anatomy, Anatomie, Körperbaulehre
arch. architecture, Architektur
astr. astronomy, Astronomie; *astrology*, Astrologie
attr attributive, attributiv, beifügend
aviat. aviation, Luftfahrt
biol. biology, Biologie
bot. botany, Botanik, Pflanzenkunde
brit. britisch, *British*
Brt. British English, britisches Englisch
bsd. besonders, *especially*
chem. chemistry, Chemie
cj conjunction, Konjunktion, Bindewort
comp comparative, Komparativ, Höherstufe
cond conditional, konditional, Bedingungs...
contp. contemptuously, verächtlich
dat dative, Dativ
econ. economic term, Wirtschaft
EDV elektronische Datenverarbeitung, *electronic data processing*
e-e eine, *a* (*an*)
electr. electrical engineering, Elektrotechnik
e-m einem, *to a* (*an*)
e-n einen, *a* (*an*)

e-r einer, *of a (an), to a (an)*
e-s eines, *of a (an)*
et. etwas, *something*
etc. etcetera, usw.
euphem. euphemistic, euphemistisch, verhüllend
F familiär, *familiar*, umgangssprachlich, *colloquial*
f feminine, weiblich
fig. figuratively, bildlich, im übertragenen Sinn
gastr. gastronomy, Kochkunst
GB Great Britain, Großbritannien
gen genitive, Genitiv
geogr. geography, Geographie, Erdkunde
geol. geology, Geologie
ger gerund, Gerundium
gr. grammar, Grammatik
hist. history, Geschichte; *historical*, inhaltlich veraltet
hunt. hunting, Jagd
impers impersonal, unpersönlich
int interjection, Interjektion, Ausruf
j. jemand, *someone*
j-m jemandem, *to someone*
j-n jemanden, *someone*
j-s jemandes, *of someone*
jur. jurisprudence, Rechtswissenschaft
konstr. konstruiert, *constructed*
ling. linguistics, Sprachwissenschaft
m masculine, männlich
math. mathematics, Mathematik
m-e meine, *my*
med. medicine, Medizin
metall. metallurgy, Hüttenkunde
meteor. meteorology, Wetterkunde
mil. military, militärisch
min. mineralogy, Gesteinskunde
m-m meinem, *to my*
m-n meinen, *my*
mot. motoring, Kraftfahrwesen
m-r meiner, *of my, to my*
m-s meines, *of my*
mst meistens, *mostly, usually*
mus. musical term, Musik
n neuter, sächlich
naut. nautical term, Schifffahrt
nom nominative, Nominativ
od. oder, *or*
opt. optics, Optik
o.s. oneself, sich
östr. österreichisch, *Austrian*
paint. painting, Malerei
parl. parliamentary term, parlamentarischer Ausdruck
pass passive, Passiv
ped. pedagogy, Schulwesen
pers personal, persönlich
phls. philosophy, Philosophie
phot. photography, Fotografie
phys. physics, Physik
physiol. physiology, Physiologie
pl plural, Plural, Mehrzahl
poet. poetic, dichterisch

pol. politics, Politik
poss possessive, possessiv, besitzanzeigend
post. post and telecommunications, Post- u. Fernmeldewesen
pp past participle, Partizip Perfekt, Mittelwort der Vergangenheit
pred predicative, prädikativ, als Aussage gebraucht
pres present, Präsens, Gegenwart
pres p present participle, Partizip Präsens, Mittelwort der Gegenwart
pret preterite, Präteritum, 1. Vergangenheit
print. printing, Buchdruck
pron pronoun, Pronomen, Fürwort
prp preposition, Präposition, Verhältniswort
psych. psychology, Psychologie
rail. railway, Eisenbahn
reflex reflexive, reflexiv, rückbezüglich
rel. religion, Religion
schott. schottisch, *Scottish*
s-e seine, *his*, *one's*
sg singular, Singular, Einzahl
sl. slang, Slang
s-m seinem, *to his*, *to one's*
s-n seinen, *his*, *one's*
s.o. someone, jemand
s-r seiner, *of his*, *of one's*, *to his*, *to one's*
s-s seines, *of his*, *of one's*
s.th. something, etwas
su substantive, Substantiv, Hauptwort
südd. süddeutsch, *Southern German*
sup superlative, Superlativ, Höchststufe
tech. technology, Technik
tel. telephony, Fernsprechwesen; *telegraphy*, Telegrafie
thea. theatre, Theater
TV television, Fernsehen
typ. typography, Buchdruck
u. und, *and*
univ. university, Hochschulwesen
USA United States, Vereinigte Staaten
V *vulgar*, vulgär, unanständig
v/aux auxiliary verb, Hilfszeitwort
vb verb, Verb, Zeitwort
vet. veterinary medicine, Tiermedizin
v/i intransitive verb, intransitives Verb
v/t transitive verb, transitives Verb
z. B. zum Beispiel, *for instance*
zo. zoology, Zoologie
zs.-, *Zs.-* zusammen, *together*
Zssg(n) Zusammensetzung (-en), *compound word(s)*

→ siehe, *see*, *refer to*
® *registered trademark*, eingetragenes Warenzeichen

Englisch-Deutsches Wörterverzeichnis

A

a [ə, *betont* eɪ], *vor Vokal*: **an** [ən, *betont* æn] ein(e)
abandon [ə'bændən] verlassen; *Hoffnung etc.* aufgeben
abbey ['æbɪ] Abtei *f*
abbreviate [ə'briːvieɪt] (ab-) kürzen; **abbrevi'ation** Abkürzung *f*
ABC [eɪ biː 'siː] Abc *n*
abdicate ['æbdɪkeɪt] *Amt etc.* niederlegen; abdanken
abdomen ['æbdəmen] Unterleib *m*; **abdominal** [æb'dɒmɪnl] Unterleibs...
abhorrent [əb'hɒrənt] verhasst, zuwider
ability [ə'bɪlətɪ] Fähigkeit *f*
able ['eɪbl] fähig, tüchtig, geschickt; ***be ~ to*** können
abnormal [æb'nɔːml] anomal; abnorm
aboard [ə'bɔːd] an Bord
abolish [ə'bɒlɪʃ] abschaffen
abominable [ə'bɒmɪnəbl] abscheulich, scheußlich
aboriginal [æbə'rɪdʒənl] eingeboren, einheimisch
abortion [ə'bɔːʃn] Fehlgeburt *f*; Schwangerschaftsabbruch *m*, Abtreibung *f*
about [ə'baʊt] **1.** *prp* um (... herum); herum in (*dat*); um, gegen (**~ *noon***); über (*acc*); bei, auf (*dat*), an (*dat*); im Begriff, dabei; **2.** *adv* herum, umher; in der Nähe; etwa, ungefähr
above [ə'bʌv] **1.** *prp* über, oberhalb; über, mehr als; **~ *all*** vor allem; **2.** *adv* oben; darüber (hinaus); **3.** *adj* obig, oben erwähnt
abridge [ə'brɪdʒ] kürzen
abroad [ə'brɔːd] im *od.* ins Ausland; überall(hin)
abrupt [ə'brʌpt] abrupt, plötzlich; kurz, schroff
abscess ['æbsɪs] Abszess *m*
absence ['æbsəns] Abwesenheit *f*; Fehlen *n*
absent ['æbsənt] abwesend; geistesabwesend; ***be ~*** fehlen; **~-'minded** zerstreut
absolute ['æbsəluːt] absolut; vollkommen, völlig
absolve [əb'zɒlv] frei-, lossprechen
absorb [əb'sɔːb] absorbieren, auf-, einsaugen; ***~ed in*** vertieft in
abstinent ['æbstɪnənt] abstinent, enthaltsam
abstract ['æbstrækt] abstrakt
absurd [əb'sɜːd] absurd; lächerlich

abundant [əˈbʌndənt] reichlich (vorhanden)
abuse 1. [əˈbjuːs] Missbrauch *m*; Beschimpfung(en *pl.*) *f*; **~ of drugs** Drogenmissbrauch *m*; **2.** [əˈbjuːz] missbrauchen; beschimpfen; **abusive** [əˈbjuːsɪv] beleidigend
abyss [əˈbɪs] Abgrund *m*
academic [ækəˈdemɪk] akademisch
academy [əˈkædəmɪ] Akademie *f*
accelerate [əkˈseləreɪt] beschleunigen; Gas geben; **acˈcelerator** Gaspedal *n*
accent [ˈæksent] Akzent *m*
accept [əkˈsept] annehmen; akzeptieren
access [ˈækses] (**to**) Zugang *m* (zu); *Computer*: Zugriff *m* (auf); *fig.* Zutritt *m* (zu); **ˈ~ code** *Computer*: Zugriffscode *m*
accessible [əkˈsesəbl] (leicht) zugänglich
accessory [əkˈsesərɪ] *jur.* Mitschuldige *m*, *f*; *pl* Zubehör *n*, *Mode*: Accessoires *pl*; *tech.* Zubehör(teile *pl*) *n*
ˈaccess| road Zufahrts- *od.* Zubringerstraße *f*; **ˈ~ time** *Computer*: Zugriffszeit *f*
accident [ˈæksɪdənt] Unfall *m*, Unglück(sfall *m*) *n*; **by ~** zufällig; **~al** [æksɪˈdentl] zufällig; versehentlich
acclimate [əˈklaɪmət] → **acˈclimatize** (sich) akklimatisieren (**to** an)
accommodate [əˈkɒmədeɪt] unterbringen; Platz haben für, fassen; anpassen (**to** *dat od.* an *acc*); **accommoˈdation** Unterkunft *f*
accompany [əˈkʌmpənɪ] begleiten
accomplice [əˈkʌmplɪs] Komplizle *m*, -in *f*
accomplish [əˈkʌmplɪʃ] erreichen; leisten; **~ed** fähig, tüchtig; vollendet
accord [əˈkɔːd] Übereinstimmung *f*; **of one's own ~** von selbst; **~ance: in ~ with** entsprechend
according [əˈkɔːdɪŋ]: **~ to** laut, nach; **~ly** entsprechend
account [əˈkaʊnt] **1.** Konto *n*; Rechnung *f*; Bericht *m*; Rechenschaft *f*; **give an ~ of** Bericht erstatten über; **on no ~** auf keinen Fall; **take ~ of, take into ~** berücksichtigen; **2. ~ for** Rechenschaft über *et.* ablegen; (sich) erklären; **~ant** Buchhalter(in)
accumulate [əˈkjuːmjʊleɪt] (sich) ansammeln *od.* (an-) häufen; **acˈcumulator** Akkumulator *m*
accurate [ˈækjʊrət] genau
accusation [ækjuːˈzeɪʃn] Anklage *f*; An-, Beschuldigung *f*; **accuse** [əˈkjuːz] anklagen; beschuldigen; **acˈcused: the ~** der *od.* die Angeklagte, die Angeklagten *pl*
accustom [əˈkʌstəm] gewöhnen (**to** an); **get ~ed to** sich

gewöhnen an; **~ed** gewohnt
ace [eɪs] Ass *n* (*a. fig.*)
ache [eɪk] **1.** schmerzen, wehtun; **2.** *anhaltender* Schmerz
achieve [ə'tʃiːv] *Ziel* erreichen, *Erfolg* erzielen; **~ment** Leistung *f*
acid ['æsɪd] **1.** sauer; **2.** Säure *f*; **~ 'rain** saurer Regen
acknowledge [ək'nɒlɪdʒ] anerkennen; zugeben; *Empfang* bestätigen; **ac'knowledg(e)ment** Anerkennung *f*; Bestätigung *f*
acoustics [ə'kuːstɪks] *pl e-s Raumes*: Akustik *f*
acquaint [ə'kweɪnt] bekannt machen; ***be ~ed with*** kennen; **~ance** Bekanntschaft *f*; Bekannte *m*, *f*
acquire [ə'kwaɪə] erwerben
acquit [ə'kwɪt] freisprechen
acrid ['ækrɪd] scharf, beißend
across [ə'krɒs] **1.** *prp* (quer) über; (quer) durch; auf der anderen Seite von (*od. gen*); **2.** *adv* (quer) hin- *od.* herüber; (quer) durch; drüben
act [ækt] **1.** handeln; sich verhalten *od.* benehmen; (ein-) wirken; *thea.* spielen; **2.** Tat *f*, Handlung *f*; *thea.* Akt *m*
action ['ækʃn] Handlung *f* (*a. thea.*), Tat *f*; *Film etc.*: Action *f*; (Ein)Wirkung *f*; *jur.* Klage *f*, Prozess *m*; *mil.* Gefecht *n*, Einsatz *m*
active ['æktɪv] aktiv; tätig; lebhaft
activity [æk'tɪvətɪ] Aktivität *f*; *pl* Aktivität *f*, Betätigung *f*
actor ['æktə] Schauspieler *m*;
actress ['æktrɪs] Schauspielerin *f*
actual ['æktʃʊəl] wirklich
acute [ə'kjuːt] scharf(sinnig); spitz; *med.* akut
ad [æd] F → ***advertisement***
adapt [ə'dæpt] (sich) anpassen; *Text* bearbeiten; **~able** anpassungsfähig; **~ation** [ædæp'teɪʃn] Anpassung *f*; Bearbeitung *f*; **~er, ~or** [ə'dæptə] Adapter *m*
add [æd] hinzufügen
adder ['ædə] Natter *f*
addict ['ædɪkt] Süchtige *m*, *f*; **~ed** [ə'dɪktɪd]: ***be ~ to alcohol*** *od.* ***drugs*** alkohol- *od.* drogenabhängig sein
addition [ə'dɪʃn] Hinzufügen *n*, Zusatz *m*; *math.* Addition *f*; **~al** zusätzlich
address [ə'dres] **1.** adressieren; *Worte* richten (***to*** an), *j-n* anreden *od.* ansprechen; **2.** Adresse *f*, Anschrift *f*; Rede *f*, Ansprache *f*; **addressee** [ædre'siː] Empfänger(in)
adequate ['ædɪkwət] angemessen
adhere [əd'hɪə]: **~ *to*** haften *od.* kleben an; *fig.* festhalten an
adhesive [əd'hiːsɪv] Klebstoff *m*; **~ 'plaster** Heftpflaster *n*; **~ 'tape** Klebeband *n*, Klebstreifen *m*; *Am.* Heftpflaster *n*

adjacent [ə'dʒeɪsənt] angrenzend, -stoßend (*to* an)
adjoin [ə'dʒɔɪn] (an)grenzen *od.* (-)stoßen an
adjourn [ə'dʒɜːn] verschieben, (sich) vertagen
adjust [ə'dʒʌst] anpassen; *tech.* einstellen, regulieren; **~able** verstellbar
administer [əd'mɪnɪstə] verwalten; *Arznei* geben, verabreichen; **adminis'tration** Verwaltung *f*; *bsd. Am.* Regierung *f*
admirable ['ædmərəbl] bewundernswert, großartig
admiral ['ædmərəl] Admiral *m*
admiration [ædmə'reɪʃn] Bewunderung *f*
admire [əd'maɪə] bewundern; verehren; **ad'mirer** Verehrer(in)
admissible [əd'mɪsəbl] zulässig; **ad'mission** Ein-, Zutritt *m*; Aufnahme *f*; Eintritt(sgeld *n*) *m*; Eingeständnis *n*; **~ free** Eintritt frei
admit [əd'mɪt] zugeben; (her)einlassen; zulassen
adolescent [ædəʊ'lesnt] Jugendliche *m*, *f*
adopt [ə'dɒpt] adoptieren; **~ion** Adoption *f*
adorable [ə'dɔːrəbl] bezaubernd, entzückend; **adore** [ə'dɔː] anbeten, verehren
adult ['ædʌlt] **1.** Erwachsene *m*, *f*; **2.** erwachsen
adultery [ə'dʌltərɪ] Ehebruch *m*

advance [əd'vɑːns] **1.** *v/t* vorrücken, -schieben; *Zeitpunkt* vorverlegen; (be)fördern; *Geld* vorauszahlen, vorschießen; *v/i* vordringen, -rücken; Fortschritte machen; **2.** Vorrücken *n*; Fortschritt *m*; Vorschuss *m*; (Preis)Erhöhung *f*; **in ~** im Voraus; vorher; **~ booking** Vor(aus)bestellung *f*; *thea.* Vorverkauf *m*; **ad'vanced** vorgerückt, fortgeschritten; fortschrittlich; **~ payment** Vorauszahlung *f*
advantage [əd'vɑːntɪdʒ] Vorteil *m* (*a. Sport*); **take ~ of** ausnutzen; **advantageous** [ædvən'teɪdʒəs] vorteilhaft, günstig
adventure [əd'ventʃə] Abenteuer *n*; **ad'venturer** Abenteurer *m*; **ad'venturous** abenteuerlustig; abenteuerlich
adversary ['ædvəsərɪ] Gegner(in)
advertise ['ædvətaɪz] inserieren; Reklame machen (für), werben für; **~ment** [əd'vɜːtɪsmənt] Anzeige *f*, Inserat *n*; **advertising** ['ædvətaɪzɪŋ] Werbung *f*, Reklame *f*
advice [əd'vaɪs] Rat(schlag) *m*
advisable [əd'vaɪzəbl] ratsam; **advise** [əd'vaɪz] *j-m* raten; *j-n* beraten; **ad'viser** Berater(in)
Aegean 'Sea [iːdʒiːən-] *das* Ägäische Meer, *die* Ägäis

aerial ['eərɪəl] **1.** *bsd. Brt.* Antenne *f*; **2.** Luft...
aeroplane ['eərəpleɪn] *Brt.* Flugzeug *n*
aerosol ['eərəsɒl] Sprühdose *f*
aesthetic [iːs'θetik] ästhetisch
affair [ə'feə] Angelegenheit *f*; Affäre *f*
affect [ə'fekt] beeinflussen; *med.* angreifen, befallen; bewegen, rühren
affection [ə'fekʃn] Liebe *f*, Zuneigung *f*; **~ate** [ə'fekʃnət] liebevoll, herzlich
affirm [ə'fɜːm] versichern; beteuern; bestätigen; **~ation** [æfə'meɪʃn] Versicherung *f*; Beteuerung *f*; Bestätigung *f*
affirmative [ə'fɜːmətɪv]: ***answer/reply in the ~*** bejahen
afflict [ə'flɪkt] plagen
'affluent society ['æflʊənt-] Wohlstandsgesellschaft *f*
afford [ə'fɔːd] sich leisten
affront [ə'frʌnt] Beleidigung *f*
afraid [ə'freɪd]: ***be ~ (of)*** sich fürchten *od.* Angst haben (vor)
Africa ['æfrɪkə] Afrika *n*; **'African 1.** afrikanisch; **2.** Afrikaner(in)
after ['ɑːftə] **1.** *prp*: nach; hinter (... her); ***~ all*** schließlich; doch; **2.** *adv* nachher, hinterher, danach; **3.** *adj* später; **4.** *cj* nachdem; **~'noon** Nachmittag *m*; ***in the ~*** am Nachmittag; ***this ~*** heute Nachmittag; ***good ~*** guten Tag!
'afterward(s *Brt.*) später, nachher, hinterher
again [ə'gen] wieder; noch einmal
against [ə'genst] gegen; an
age [eɪdʒ] **1.** Alter *n*; ***at the ~ of*** im Alter von; ***of ~*** volljährig; ***under ~*** minderjährig; ***for ~s*** seit e-r Ewigkeit; **2.** alt werden *od.* machen
aged¹ [eɪdʒd]: ***~ seven*** sieben Jahre alt
aged² ['eɪdʒɪd] alt, betagt
agency ['eɪdʒənsɪ] Agentur *f*; Geschäftsstelle *f*, Büro *n*
agent ['eɪdʒənt] Agent *m*, Vertreter *m*; Makler *m*; Wirkstoff *m*, Mittel *n*
aggression [ə'greʃn] Angriff *m*, Aggression *f*; **aggressive** [ə'gresɪv] aggressiv; **ag'gressor** Angreifer *m*
agile ['ædʒaɪl] flink, behänd
agitate ['ædʒɪteɪt] *j-n* aufwiegeln, -hetzen; schütteln, (um)rühren; **agi'tation** Aufregung *f*; Agitation *f*
ago [ə'gəʊ] *zeitlich*: vor
agonizing ['ægənaɪzɪŋ] qualvoll; **agony** ['ægənɪ] Qual *f*
agree [ə'griː] *v/i* übereinstimmen; einig werden, sich einigen; zustimmen, einverstanden sein; *Speise*: bekommen; *v/t* vereinbaren; *bsd. Brt.* sich einigen auf; **~able** [ə'grɪ–] angenehm; **~ment** [ə'griː–] Übereinstimmung *f*; Vereinbarung *f*; Abkommen *n*

agriculture ['ægrɪkʌltʃə] Landwirtschaft *f*
ahead [ə'hed] vorn; voraus, vorwärts
aid [eɪd] **1.** helfen; **2.** Hilfe *f*
AIDS, Aids [eɪdz] Aids *n*
ailing ['eɪlɪŋ] kränkelnd
aim [eɪm] **1.** *v/i* zielen (**at** auf, nach); beabsichtigen (**at** *acc*); *v/t Waffe* richten (**at** auf); **2.** Ziel *n*; Absicht *f*
air [eə] **1.** Luft *f*; ***by*** ~ auf dem Luftweg; ***in the open*** ~ im Freien; ***on the*** ~ im Rundfunk *od.* Fernsehen; **2.** (aus)lüften; **'~bag** Airbag *m*; **'~brake** Druckluftbremse *f*; **'~bus** Airbus *m*, Großraumflugzeug *n*; **'~-conditioned** mit Klimaanlage; **'~-conditioning** Klimaanlage *f*; **'~craft** (*pl* ***-craft***) Flugzeug *n*; **'~field** Flugplatz *m*; **'~ force** Luftwaffe *f*; **'~ hostess** Stewardess *f*; **'~ letter** Luftpost(leicht)brief *m*; **'~line** Fluggesellschaft *f*; **'~mail** Luftpost *f*; ***by*** ~ mit Luftpost; **'~plane** *Am.* Flugzeug *n*; **'~ pollution** Luftverschmutzung *f*; **'~port** Flughafen *m*; **'~sick** luftkrank; **'~ terminal** Flughafenabfertigungsgebäude *n*; **'~tight** luftdicht; **'~ traffic** Flugverkehr *m*; **~ 'traffic control** Flugsicherung *f*; **~ 'traffic controller** Fluglotse *m*; **'~way** Fluggesellschaft *f*
airy ['eərɪ] luftig
aisle [aɪl] *arch.* Seitenschiff *n*; Gang *m*
ajar [ə'dʒɑː] *Tür*: angelehnt
alarm [ə'lɑːm] **1.** Alarm *m*; Alarmvorrichtung *f*, -anlage *f*; Weckvorrichtung *f* (*e-s Weckers*); Wecker *m*; Angst *f*; **2.** alarmieren; beunruhigen; **~ clock** Wecker *m*
album ['ælbəm] Album *n* (*a. Langspielplatte*)
alcohol ['ælkəhɒl] Alkohol *m*;
alco'holic 1. alkoholisch; **2.** Alkoholiker(in)
ale [eɪl] Ale *n* (*helles, obergäriges Bier*)
alert [ə'lɜːt] **1.** auf der Hut (**to** for), wachsam; **2.** (Alarm-)Bereitschaft *f*; Alarm(signal *n*) *m*; ***on*** ~ in Alarmbereitschaft; **3.** warnen (**to** vor), alarmieren
algae ['ældʒiː] *pl* Algen *pl*
alibi ['ælɪbaɪ] Alibi *n*
alien ['eɪljən] **1.** ausländisch; fremd; **2.** Ausländer(in); Außerirdische *m, f*
alike [ə'laɪk] gleich; ähnlich
alimony ['ælɪmənɪ] Unterhalt(szahlung *f*) *m*
alive [ə'laɪv] lebend, am Leben; lebendig; lebhaft
all [ɔːl] **1.** *adj* all, ganz; jede(r, -s), alle *pl*; **2.** *adv* ganz, gänzlich; **3.** *pron* alles; ~ ***at once*** auf einmal; ~ ***but*** beinahe, fast; ~ ***of us*** wir alle; ~ ***over*** überall; ~ ***right*** in Ordnung; ~ ***the better*** um so besser; ~ ***the time*** die ganze Zeit; ***not***

***at** ~* überhaupt nicht; ***not at** ~* nichts zu danken!; ***two** ~* *Sport*: 2:2
alleged [ə'ledʒd] angeblich
allergic [ə'lɜːdʒɪk] allergisch (***to*** gegen); **allergy** ['ælədʒɪ] Allergie *f*
alley ['ælɪ] Gasse *f*; Pfad *m*; *Bowling, Kegeln*: Bahn *f*
alliance [ə'laɪəns] Bund *m*, Bündnis *n*; **allied** [ə'laɪd, *attr* 'ælaɪd] verbündet
alligator ['ælɪgeɪtə] Alligator *m*
allocate ['æləʊkeɪt] zuteilen
allot [ə'lɒt] zuteilen, zuweisen
allow [ə'laʊ] erlauben, gestatten; bewilligen, gewähren; zugestehen; anerkennen, gelten lassen; ~ ***for*** in Betracht ziehen, berücksichtigen; ***be ~ed to do s.th.*** et. tun dürfen; **~ance** Erlaubnis *f*; Bewilligung *f*; Zuschuss *m*; *Am.* Taschengeld *n*; ***make ~(s) for*** berücksichtigen
alloy ['ælɔɪ] Legierung *f*
all-'round vielseitig
allude [ə'luːd]: ~ ***to*** anspielen auf
alluring [ə'ljʊərɪŋ] verlockend
allusion [ə'luːʒn] Anspielung *f*
ally 1. ['ælaɪ] Verbündete *m, f*; **2.** [ə'laɪ]: ~ ***o.s.*** sich vereinigen *od.* verbünden (***to, with*** mit)
almighty [ɔːl'maɪtɪ] allmächtig
almond ['ɑːmənd] Mandel *f*
almost ['ɔːlməʊst] fast, beinahe
alone [ə'ləʊn] allein
along [ə'lɒŋ] **1.** *prp* entlang, längs; **2.** *adv* weiter, vorwärts; ***all ~*** F die ganze Zeit
aloud [ə'laʊd] laut
alphabet ['ælfəbet] Alphabet *n*
already [ɔːl'redɪ] bereits, schon
Alsation [æl'seɪʃən] *bsd. Brt.* Deutscher Schäferhund
also ['ɔːlsəʊ] auch, ebenfalls
altar ['ɔːltə] Altar *m*
alter ['ɔːltə] (sich) (ver)ändern; ab-, umändern; **alter'ation** (Ver)Änderung *f*
alternate 1. [ɔːl'tɜːnət] abwechselnd; **2.** ['ɔːltəneɪt] abwechseln (lassen); **alternating 'current** Wechselstrom *m*
alternative [ɔːl'tɜːnətɪv] **1.** alternativ, wahlweise; **2.** Alternative *f*, Wahl *f*
although [ɔːl'ðəʊ] obwohl
altitude ['æltɪtjuːd] Höhe *f*
altogether [ɔːltə'geðə] insgesamt; ganz (u. gar), völlig
aluminium [æljʊ'mɪnɪəm] *Brt.*, **aluminum** [ə'luːmənəm] *Am.* Aluminium *n*
always ['ɔːlweɪz] immer
am[1] [æm] *ich* bin
am[2], **AM** [eɪ 'em] ***ante meridiem*** (= ***before noon***) morgens, vorm., vormittags
amalgamate [ə'mælgəmeɪt] *econ.* fusionieren
amateur ['æmətə] Amateur

(-in); Dilettant(in); Hobby...
amaze [ə'meɪz] in (Er)Staunen setzen, verblüffen; **a'mazing** erstaunlich
ambassador [æm'bæsədə] *pol.* Botschafter *m*; **ambassadress** [æm'bæsədrɪs] *pol.* Botschafterin *f*
amber ['æmbə] Bernstein *m*; *Verkehrsampel*: Gelb(licht) *n*; ***at ~*** bei Gelb
ambiguous [æm'bɪgjʊəs] zwei-, mehr-, vieldeutig
ambition [æm'bɪʃn] Ehrgeiz *m*; **am'bitious** ehrgeizig
ambulance ['æmbjʊləns] Krankenwagen *m*
ambush ['æmbʊʃ] auflauern
amen [ɑː'men] *int* amen!
amends [ə'mendz] *sg* (Schaden)Ersatz *m*
amenity [ə'miːnətɪ] *oft pl* Annehmlichkeit(en *pl*) *f*
America [ə'merɪkə] Amerika *n*; **A'merican 1.** amerikanisch; **2.** Amerikaner(in)
amiable ['eɪmjəbl] liebenswürdig, freundlich
ammunition [æmjʊ'nɪʃn] Munition *f*
amnesty ['æmnəstɪ] Amnestie *f*
among(st) [ə'mʌŋ(st)] (mitten) unter, zwischen
amount [ə'maʊnt] **1.** Betrag *m*, Summe *f*; Menge *f*; **2.** ***~ to*** sich belaufen auf, betragen; hinauslaufen auf
ample ['æmpl] weit, groß, geräumig; reichlich
amplifier ['æmplɪfaɪə] Verstärker *m*; **amplify** ['æmplɪfaɪ] verstärken
amputate ['æmpjʊteɪt] amputieren, abnehmen
amuse [ə'mjuːz] (***o.s*** sich) amüsieren, unterhalten
a'musement Unterhaltung *f*; Zeitvertreib *m*; **~ park** Vergnügungs-, Freizeitpark *m*
a'musing amüsant; unterhaltsam
an [ən, *betont* æn] ein(e)
anaemia [ə'niːmjə] Anämie *f*
analogy [ə'nælədʒɪ] Analogie *f*, Entsprechung *f*
analyse *bsd. Brt.*, **analyze** *Am.* ['ænəlaɪz] analysieren;
analysis [ə'næləsɪs] (*pl* **-ses** [-siːz]) Analyse *f*
anatomy [ə'nætəmɪ] Anatomie *f*
ancestor ['ænsestə] Vorfahr *m*; **ancestress** ['ænsestrɪs] Vorfahrin *f*
anchor ['æŋkə] **1.** Anker *m*; **2.** (ver)ankern
anchovy ['æntʃəvɪ] Anschovis *f*, Sardelle *f*
ancient ['eɪnʃənt] (ur)alt
and [ænd] und
anemia *Am.* → ***anaemia***
angel ['eɪndʒəl] Engel *m*
anger ['æŋgə] **1.** Zorn *m*, Ärger *m*, Wut *f*; **2.** (ver)ärgern
angle[1] ['æŋgl] Winkel *m*
angle[2] ['æŋgl] angeln; **'angler** Angler(in)
Anglican ['æŋglɪkən] **1.** anglikanisch; **2.** Anglikaner(in)

angry ['æŋgrɪ] verärgert, ärgerlich, böse
anguish ['æŋgwɪʃ] Qual *f*
angular ['æŋgjʊlə] wink(e)lig
animal ['ænɪml] Tier *n*
animate ['ænɪmət] lebhaft, angeregt; **animated car'toon** [ænɪmeɪtɪd-] Zeichentrickfilm *m*; **animation** [ænɪ'meɪʃn] Animation *f*, bewegtes Bild; Lebhaftigkeit *f*
animosity [ænɪ'mɒsətɪ] Feindseligkeit *f*
ankle ['æŋkl] (Fuß)Knöchel *m*
annex(e *Brt.*) ['æneks] Anbau *m*, Nebengebäude *n*
anniversary [ænɪ'vɜːsərɪ] Jahrestag *m*
announce [ə'naʊns] ankündigen; bekanntgeben; *TV etc.*: ansagen; durchsagen; **~ment** Ankündigung *f*; Bekanntgabe *f*; *TV etc.*: Ansage *f*; Durchsage *f*; **an'nouncer** *TV etc.*: Ansager(in), Sprecher(in)
annoy [ə'nɔɪ] ärgern; ***be ~ed*** sich ärgern; **~ing** ärgerlich; lästig
annual ['ænjʊəl] jährlich
annul [ə'nʌl] annullieren
anonymous [ə'nɒnɪməs] anonym
anorak ['ænəræk] Anorak *m*
another [ə'nʌðə] ein anderer, e-e andere, ein anderes; noch ein(e, -er, -es)
answer ['ɑːnsə] **1.** Antwort *f* (***to*** auf); **2.** antworten (auf *od.* ***to*** auf); beantworten; ***~ the bell*** *od.* ***door*** die Tür öffnen, aufmachen; ***~ the telephone*** ans Telefon gehen; **'~ing machine** Anrufbeantworter *m*
ant [ænt] Ameise *f*
antelope ['æntɪləʊp] Antilope *f*
antenna[1] [æn'tenə] (*pl* ***-nae*** [-niː]) *zo.* Fühler *m*
antenna[2] [æn'tenə] (*pl* ***-nas***) *bsd. Am.* Antenne *f*
anthem ['ænθəm] Hymne *f*
antibiotic [æntɪbaɪ'ɒtɪk] Antibiotikum *n*
anticipate [æn'tɪsɪpeɪt] voraussehen, (-)ahnen; erwarten; zuvorkommen; **antici'pation** (Vor)Ahnung *f*; Erwartung *f*; Vorwegnahme *f*
anti|clockwise [æntɪ'klɒkwaɪz] entgegen dem Uhrzeigersinn; **~dote** ['æntɪdəʊt] Gegengift *n*, -mittel *n*; **'~freeze** Frostschutzmittel *n*; **~-lock 'braking system** Antiblockiersystem *n*
antipathy [æn'tɪpəθɪ] Antipathie *f*, Abneigung *f*
antiquated ['æntɪkweɪtɪd] veraltet
antique [æn'tiːk] **1.** antik, alt; **2.** Antiquität *f*
antiquity [æn'tɪkwətɪ] Altertum *n*
antiseptic [æntɪ'septɪk] **1.** Antiseptikum *n*; **2.** antiseptisch
antisocial [æntɪ'səʊʃl] asozial; ungesellig

antlers ['æntləz] *pl* Geweih *n*
anxiety [æŋ'zaɪətɪ] Angst *f*, Sorge *f*
anxious ['æŋkʃəs] besorgt; bestrebt (***to do*** zu tun)
any ['enɪ] **1.** *adj u. pron* (irgend)ein(e), einige *pl*, etwas; jede(r, -s) (beliebige); ***not ~*** kein; **2.** *adv* irgend(wie), (noch) etwas; **'~body** (irgend)jemand; jeder; **'~how** irgendwie; jedenfalls; **'~one** → ***anybody***; **'~thing** (irgend)etwas; alles; ***~ else?*** sonst noch etwas?; ***not ~*** nichts; **'~way** → ***anyhow***; **'~where** irgendwo(hin); überall
apart [ə'pɑːt] einzeln, für sich; beiseite; ***~ from*** abgesehen von
apartment [ə'pɑːtmənt] *Am.* Wohnung *f*
apathetic [æpə'θetɪk] apathisch, teilnahmslos
ape [eɪp] (Menschen)Affe *m*
aperture ['æpətjʊə] Öffnung *f*; *phot*. Blende *f*
apologize [ə'pɒlədʒaɪz] sich entschuldigen (***for*** für; ***to*** bei); **a'pology** Entschuldigung *f*
apoplexy ['æpəʊpleksɪ] Schlaganfall *m*
appal(**l** *Am.*) [ə'pɔːl] erschrecken, entsetzen; **ap'palling** F erschreckend, entsetzlich
apparatus [æpə'reɪtəs] (*pl* ***-tus, -tuses***) Apparat *m*
apparent [ə'pærənt] offenbar, -sichtlich; scheinbar
appeal [ə'piːl] **1.** *jur*. Berufung einlegen; ***~ to*** *j-n* dringend bitten (***for*** um); appellieren an, sich wenden an; gefallen, zusagen; **2.** *jur*. Berufung *f*, Revision *f*; dringende Bitte; Anziehung(skraft) *f*, Wirkung *f*
appear [ə'pɪə] (er)scheinen; ***~ on television*** im Fernsehen auftreten; **~ance** Erscheinen *n*, Auftreten *n*; Aussehen *n*, *das* Äußere; *mst pl* (An)Schein *m*
appendicitis [əpendɪ'saɪtɪs] Blinddarmentzündung *f*
appendix [ə'pendɪks] (*pl* ***-dixes, -dices*** [-dɪsiːz]) Blinddarm *m*; *Buch*: Anhang *m*
appetite ['æpɪtaɪt] (***for***) Appetit *m* (auf); Verlangen *n* (nach); **appetizing** ['æpɪtaɪzɪŋ] appetitanregend
applaud [ə'plɔːd] applaudieren, Beifall spenden; **applause** [ə'plɔːz] Applaus *m*, Beifall *m*
apple ['æpl] Apfel *m*; **~ 'pie** gedeckter Apfelkuchen; **~ 'sauce** Apfelmus *n*
appliance [ə'plaɪəns] Gerät *n*
applicable ['æplɪkəbl] anwendbar (***to*** auf); zutreffend
applicant ['æplɪkənt] Antragsteller(in); Bewerber(in); **appli'cation** Anwendung *f*; Gesuch *n*, Antrag *m*; Bewerbung *f*
apply [ə'plaɪ] *v/i* sich bewer-

ben (***for*** um); beantragen (***for*** *acc*); zutreffen (***to*** auf); *v/t* (***to***) auflegen, -tragen (auf); anwenden (auf); verwenden (für)
appoint [ə'pɔɪnt] ernennen *od.* berufen zu; festsetzen, bestimmen; **~ment** Verabredung *f*, Termin *m*; Ernennung *f*, Berufung *f*
appreciate [ə'pri:ʃɪeɪt] schätzen, würdigen, zu schätzen wissen; dankbar sein für
apprehension [æprɪ'henʃn] Besorgnis *f*; **appre'hensive** besorgt (***for*** um)
apprentice [ə'prentɪs] **1.** Auszubildende *m, f*, Lehrling *m*; **2.** in die Lehre geben; **~ship** Lehrzeit *f*; Lehre *f*
approach [ə'prəʊtʃ] **1.** sich nähern (*dat*); herangehen *od.* herantreten an; **2.** Nahen *n*; Annäherung *f*; Zugang *m*
appropriate [ə'prəʊprɪət] passend, geeignet
approval [ə'pru:vl] Billigung *f*; Anerkennung *f*; **approve** [ə'pru:v] billigen, genehmigen
approximate [ə'prɒksɪmət] annähernd, ungefähr
apricot ['eɪprɪkɒt] Aprikose *f*
April ['eɪprəl] April *m*
apron ['eɪprən] Schürze *f*
aquaplaning ['ækwəpleɪnɪŋ] *Brt.* Aquaplaning *n*
Aquarius [ə'kweərɪəs] *astr.* Wassermann *m*
aquatic [ə'kwætɪk] Wasser...
aquiline ['ækwɪlaɪn] Adler...; '**~ nose** Adlernase *f*
Arab ['ærəb] Araber(in); '**Arabic** arabisch
arbiter ['ɑ:bɪtə] Schiedsrichter *m*
arbitrary ['ɑ:bɪtrərɪ] willkürlich, eigenmächtig
arbitrate ['ɑ:bɪtreɪt] schlichten
arcade [ɑ:'keɪd] Arkade *f*
arch[1] [ɑ:tʃ] **1.** Bogen *m*; Gewölbe *n*; Wölbung *f*; **2.** (sich) wölben; krümmen
arch[2] [ɑ:tʃ] Erz...
arch|angel ['ɑ:keɪndʒəl] Erzengel *m*; **~bishop** [ɑ:tʃ'bɪʃəp] Erzbischof *m*
archer ['ɑ:tʃə] Bogenschütze *m*; '**archery** Bogenschießen *n*
architect ['ɑ:kɪtekt] Architekt(in); **architecture** ['ɑ:kɪtektʃə] Architektur *f*
archives ['ɑ:kaɪvz] *pl* Archiv *n*
arctic ['ɑ:ktɪk] arktisch
ardent ['ɑ:dənt] *fig.* feurig, glühend; begeistert, eifrig
are [ɑ:] *du* bist, *wir, sie, Sie* sind, *ihr* seid
area ['eərɪə] Fläche *f*; Gebiet *n*; Bereich *m*; '**~ code** *Am. tel.* Vorwahl(nummer) *f*
arena [ə'ri:nə] Arena *f*
argue ['ɑ:gju:] argumentieren; streiten; diskutieren
argument ['ɑ:gjʊmənt] Argument *n*; Streit *m*
Aries ['eəri:z] *astr.* Widder *m*

arise [ə'raɪz] (***arose, arisen***) entstehen; auftauchen; **arisen** [ə'rɪzn] *pp von* ***arise***
arithmetic [ə'rɪθmətɪk] Rechnen *n*
ark [ɑːk] Arche *f*
arm[1] [ɑːm] Arm *m*; Armlehne *f*; Ärmel *m*
arm[2] [ɑːm] (**o.s.** sich) bewaffnen; aufrüsten
armament ['ɑːməmənt] Aufrüstung *f*
'armchair Sessel *m*
armistice ['ɑːmɪstɪs] Waffenstillstand *m*
armo(u)r ['ɑːmə] **1.** Rüstung *f*, Panzer *m* (*a. zo.*); **2.** panzern
'armpit Achselhöhle *f*
arms [ɑːmz] *pl* Waffen *pl*
army ['ɑːmɪ] Armee *f*, Heer *n*
aroma [ə'rəʊmə] Aroma *n*
arose [ə'rəʊz] *pret von* ***arise***
around [ə'raʊnd] **1.** *adv* (rings)herum; umher, herum; in der Nähe, da; **2.** *prp* um (... herum); in ... herum
arouse [ə'raʊz] (auf)wecken; aufrütteln; erregen
arrange [ə'reɪndʒ] (an)ordnen; festsetzen, -legen; arrangieren; vereinbaren; **~ment** Anordnung *f*; Vereinbarung *f*; Vorkehrung *f*
arrears [ə'rɪəz] *pl* Rückstand *m*, -stände *pl*
arrest [ə'rest] **1.** verhaften; **2.** Verhaftung *f*
arrival [ə'raɪvl] Ankunft *f*; **arrive** [ə'raɪv] (an)kommen, eintreffen
arrow ['ærəʊ] Pfeil *m*
arsenic ['ɑːsnɪk] Arsen *n*
arson ['ɑːsn] Brandstiftung *f*
art [ɑːt] Kunst *f*; *pl* Geisteswissenschaften *pl*
artery ['ɑːtərɪ] Arterie *f*, Schlagader *f*; (Haupt)Verkehrsader *f*
'art gallery Gemäldegalerie *f*
article ['ɑːtɪkl] Artikel *m*
articulate 1. [ɑː'tɪkjʊlət] klar; *zo.* gegliedert; **2.** [ɑː'tɪkjʊleɪt] deutlich (aus)sprechen
artificial [ɑːtɪ'fɪʃl] künstlich
artisan [ɑːtɪ'zæn] (Kunst-) Handwerker *m*
artist ['ɑːtɪst] Künstler(in); **ar'tistic** künstlerisch
as [æz] **1.** *adv* ebenso; wie (z. B.); **2.** *cj* (so) wie; als, während; da, weil; **~ ... ~** (eben)so ... wie; **~ *for*** was ... (an)betrifft; **~ *Hamlet*** als Hamlet
asbestos [æs'bestəs] Asbest *m*
ascend [ə'send] (auf)steigen; ansteigen; besteigen
As'cension Day [ə'senʃn-] Himmelfahrtstag *m*
ascent [ə'sent] Aufstieg *m*; Besteigung *f*; Steigung *f*
ash[1] [æʃ] Esche(nholz *n*) *f*
ash[2] [æʃ] *a.* **~*es*** *pl* Asche *f*
ashamed [ə'ʃeɪmd]: ***be ~ of*** sich schämen (*gen*)
'ash|bin, '~can *Am.* → ***dustbin***

ashore [ə'ʃɔː]: ***go*** ~ an Land gehen
'ashtray Aschenbecher *m*
Ash 'Wednesday Aschermittwoch *m*
Asia ['eɪʃə] Asien *n*; **Asian** ['eɪʃn], **Asiatic** [eɪʃɪ'ætɪk] **1.** asiatisch; **2.** Asiat(in)
aside [ə'saɪd] beiseite, auf die Seite
ask [ɑːsk] fragen (nach); bitten (***s.o.*** [***for***] ***s.th.*** j. um et.)
askew [ə'skjuː] schief
asleep [ə'sliːp] schlafend; ***be*** (***fast, sound***) ~ (fest) schlafen; ***fall*** ~ einschlafen
asparagus [ə'spærəgəs] Spargel *m*
aspect ['æspekt] Aspekt *m*, Seite *f*, Gesichtspunkt *m*
aspic ['æspɪk] Aspik *m*, *n*
ass [æs] Esel *m*
assassin [ə'sæsɪn] (*bsd.* politischer) Mörder, Attentäter *m*; **~ate** [ə'sæsɪneɪt] *pol.* ermorden; **~ation** [əsæsɪ'neɪʃn] (politischer) Mord, Ermordung *f*, Attentat *n*
assault [ə'sɔːlt] **1.** Angriff *m*; **2.** angreifen; überfallen
assemblage [ə'semblɪdʒ] (An)Sammlung *f*; Versammlung *f*; *tech.* Montage *f*;
as'semble (sich) versammeln; *tech.* montieren
assembly [ə'semblɪ] Versammlung *f*; *tech.* Montage *f*; **~ line** Fließband *n*
assert [ə'sɜːt] behaupten, erklären; geltend machen
assess [ə'ses] *Kosten* festsetzen; schätzen, (be)werten
asset ['æset] *econ.* Aktivposten *m*; *fig.* Plus *n*, Gewinn *m*; *pl*: Aktiva *pl*; *jur.* Vermögen *n*; Konkursmasse *f*
assign [ə'saɪn] an-, zuweisen, zuteilen; bestimmen; **~ment** An-, Zuweisung *f*; Aufgabe *f*, Arbeit *f*, Auftrag *m*
assimilate [ə'sɪmɪleɪt] (sich) angleichen *od.* anpassen
assist [ə'sɪst] *j-m* helfen, beistehen; **~ance** Hilfe *f*, Beistand *m*; **~ant** Assistent(in), Mitarbeiter(in); (***shop***) ~ *Brt.* Verkäufer(in)
associate 1. [ə'səʊʃɪeɪt] vereinigen, -binden; assoziieren; verkehren; **2.** [ə'səʊʃɪət] *econ.* Teilhaber(in); **association** [əsəʊʃɪ'eɪʃn] Vereinigung *f*, Verbindung *f*; Verein *m*; Assoziation *f*
assorted [ə'sɔːtɪd] gemischt;
as'sortment *econ.* Sortiment *n*, Auswahl *f*
assume [ə'sjuːm] annehmen
assurance [ə'ʃɔːrəns] Zu-, Versicherung *f*; *bsd. Brt.* (Lebens)Versicherung *f*; Sicherheit *f*, Gewissheit *f*; Selbstsicherheit *f*; **assure** [ə'ʃɔː] *j-m* versichern; *bsd. Brt. Leben* versichern; **as'sured 1.** überzeugt, sicher; **2.** *bsd. Brt.* Versicherte *m*, *f*
asthma ['æsmə] Asthma *n*
astonish [ə'stɒnɪʃ] in Erstaunen setzen; ***be*** **~*ed*** erstaunt

sein (*at* über); **~ing** erstaunlich; **~ment** (Er)Staunen *n*

astrology [ə'strɒlədʒɪ] Astrologie *f*

astronaut ['æstrənɔ:t] Astronaut(in), Raumfahrer(in)

astronomy [ə'strɒnəmɪ] Astronomie *f*

asylum [ə'saɪləm] Asyl *n*

at [æt] *prp Ort*: in, an, bei, auf; *Richtung*: auf, nach, gegen, zu; *Beschäftigung*: bei, beschäftigt mit, in; *Art u. Weise*, *Zustand*: in, bei, zu, unter; *Preis etc.*: für, um; *Zeit*, *Alter*: um, bei; *~ the cleaner's* in der Reinigung; *~ the door* an der Tür; *~ 10 pounds* für 10 Pfund; *~ 18* mit 18 (Jahren); *~ 5 o'clock* um 5 Uhr; → *all* 3

ate [et] *pret von* ***eat***

athlete ['æθli:t] (Leicht)Athlet(in), Sportler(in); **athletic** [æθ'letɪk] athletisch; **ath'letics** *sg* Leichtathletik *f*

Atlantic [ət'læntɪk] **1.** *a. ~ Ocean der* Atlantik; **2.** atlantisch

atmosphere ['ætməsfɪə] Atmosphäre *f*

atom ['ætəm] Atom *n*; **'~ bomb** Atombombe *f*

atomic [ə'tɒmɪk] atomar, Atom...; **~ 'bomb** Atombombe *f*; **~ 'energy** Atomenergie *f*; **~ 'pile** Atomreaktor *m*; **~ 'power** Atomkraft *f*; **~ 'waste** Atommüll *m*

atomizer ['ætəʊmaɪzə] Zerstäuber *m*

atrocious [ə'trəʊʃəs] scheußlich; grausam

attach [ə'tætʃ] (*to*) befestigen, anbringen (an), anheften, ankleben (an); *Wichtigkeit etc.* beimessen; *be ~ed to s.o.* an j-m hängen

attack [ə'tæk] **1.** angreifen; **2.** Angriff *m*; *med.* Anfall *m*

attempt [ə'tempt] **1.** versuchen; **2.** Versuch *m*

attend [ə'tend] *v/t* teilnehmen an, *Vorlesung etc.* besuchen; (ärztlich) behandeln; *Kranke* pflegen; *v/i* anwesend sein; erscheinen; *~ to j-n* (*in e-m Geschäft*) bedienen; *~ to* sich kümmern um; **~ance** Anwesenheit *f*, Erscheinen *n*; Besucher(zahl *f*) *pl*, Teilnehmer *pl*; **~ant** Begleiter(in); Aufseher(in); (*Tank*)Wart *m*

attention [ə'tenʃn] Aufmerksamkeit *f*; **at'tentive** aufmerksam

attic ['ætɪk] Dachboden *m*

attitude ['ætɪtju:d] (Ein)Stellung *f*; Haltung *f*

attorney [ə'tɜ:nɪ] *Am.* (Rechts)Anwalt *m*, (-)Anwältin *f*; Bevollmächtigte *m*, *f*; *power of ~* Vollmacht *f*

attract [ə'trækt] anziehen; *Aufmerksamkeit* erregen; *fig.* anlocken; **~ion** Anziehung(skraft) *f*; Reiz *m*; Attraktion *f*; **~ive** anziehend; attraktiv; reizvoll

attribute [ə'trɪbjuːt] zuschreiben (*to dat*); zurückführen (*to* auf)
auction ['ɔːkʃn] **1.** Auktion *f*, Versteigerung *f*; **2.** *mst* ~ **off** versteigern
audacious [ɔː'deɪʃəs] kühn, verwegen; dreist
audible ['ɔːdəbl] hörbar
audience ['ɔːdjəns] Publikum *n*, Zuhörer *pl*, Zuschauer *pl*, Besucher *pl*; Audienz *f*
audit ['ɔːdɪt] *econ.* **1.** prüfen; **2.** Buchprüfung *f*
auditorium [ɔːdɪ'tɔːrɪəm] Zuschauerraum *m*; *Am.* Vortrags-, Konzertsaal *m*
August ['ɔːgəst] August *m*
aunt [ɑːnt] Tante *f*
austere [ɒ'stɪə] streng
Australia [ɒ'streɪljə] Australien *n*; **Aus'tralian 1.** australisch; **2.** Australier(in)
Austria ['ɒstrɪə] Österreich *n*; **'Austrian 1.** österreichisch; **2.** Österreicher(in)
authentic [ɔː'θentɪk] authentisch; echt
author ['ɔːθə] Urheber(in); Autor(in), Verfasser(in)
authoritative [ɔː'θɒrɪtətɪv] gebieterisch, herrisch; maßgebend
authority [ɔː'θɒrətɪ] Autorität *f*; Vollmacht *f*; Kapazität *f*; *mst pl* Behörde(n *pl*) *f*
authorize ['ɔːθəraɪz] autorisieren
autobiography [ɔːtəʊbaɪ'ɒgrəfɪ] Autobiographie *f*
autograph ['ɔːtəgrɑːf] Autogramm *n*
automate ['ɔːtəʊmeɪt] automatisieren
automatic [ɔːtə'mætɪk] automatisch; ~ **'teller machine** *Am.* Geldautomat *m*
automobile ['ɔːtəməʊbiːl] *bsd. Am.* Auto(mobil) *n*
autonomy [ɔː'tɒnəmɪ] Autonomie *f*
autumn ['ɔːtəm] Herbst *m*
auxiliary [ɔːg'zɪljərɪ] **1.** Hilfs...; **2.** Hilfsverb *n*
available [ə'veɪləbl] erhältlich, lieferbar; verfügbar
avalanche ['ævəlɑːntʃ] Lawine *f*
avarice ['ævərɪs] Habgier *f*
avenue ['ævənjuː] Allee *f*; Hauptstraße *f*
average ['ævərɪdʒ] **1.** Durchschnitt *m*; **2.** durchschnittlich, Durchschnitts...
aversion [ə'vɜːʃn] Abneigung *f*
aviary ['eɪvjərɪ] Voliere *f*
aviation [eɪvɪ'eɪʃn] Luftfahrt *f*
avoid [ə'vɔɪd] (ver)meiden, ausweichen
awake [ə'weɪk] **1.** wach; **2.** (*awoke od. awaked, awoken*) *v/t* (auf)wecken; *v/i* auf-, erwachen
award [ə'wɔːd] **1.** Preis *m*, Auszeichnung *f*; **2.** *Preis etc.* verleihen
aware [ə'weə]: ***be ~ of s.th.*** et. wissen *od.* kennen, sich e-r

Sache bewusst sein; ***become ~ of s.th.*** et. merken

away [ə'weɪ] **1.** *adv u. adj* weg, fort; (weit) entfernt; immer weiter, drauflos; **2.** *adj Sport*: Auswärts...

awe [ɔ:] Furcht *f*, Respekt *m*

awful ['ɔ:fʊl] furchtbar

awkward ['ɔ:kwəd] unangenehm; ungeschickt, linkisch; *Zeitpunkt etc.*: ungünstig; unhandlich, sperrig

awl [ɔ:l] Ahle *f*, Pfriem *m*

awning ['ɔ:nɪŋ] Plane *f*; Markise *f*

awoke [ə'wəʊk] *pret von* ***awake*** 2; **a'woken** *pp von* ***awake*** 2

awry [ə'raɪ] schief

ax(e) [æks] Axt *f*, Beil *n*

axis ['æksɪs] (*pl* ***axes*** [-si:z]) Achse *f*

axle ['æksl] (Rad)Achse *f*

azure ['æʒə] azur-, himmelblau

B

baboon [bə'bu:n] Pavian *m*

baby ['beɪbɪ] Baby *n*, Säugling *m*; **'~ carriage** *Am.* Kinderwagen *m*; **'~hood** Säuglingsalter *n*; **'~-sit (-*sat*)** babysitten; **'~-sitter** Babysitter(in)

bachelor ['bætʃələ] Junggeselle *m*; **'~ girl** Junggesellin *f*

back [bæk] **1.** *su* Rücken *m*; Rückseite *f*; (Rück)Lehne *f*; hinterer *od.* rückwärtiger Teil; *Sport*: Verteidiger *m*; **2.** *adj* rückwärtig, Hinter...; **3.** *adv* zurück; rückwärts; **4.** *v/t a.* ***~ up*** zurückbewegen, zurückstoßen mit (*Auto*); *a.* ***~ up*** unterstützen; *v/i oft* ***~ up*** sich rückwärts bewegen, zurückgehen *od.* -fahren, *mot. a.* zurückstoßen; **'~bone** Rückgrat *n*; **'~comb** *Haar* toupieren; **'~ground** Hintergrund *m*; **'~hand** *Sport*: Rückhand *f*; **'~heeler** *Fußball*: Hackentrick *m*; **'~ing** Unterstützung *f*; **'~pack** *bsd. großer* Rucksack; **'~packer** Rucksacktourist(in); **'~packing** Rucksacktourismus *m*; **'~ seat** Rücksitz *m*; **'~space (key)** Rück(stell)taste *f*; **'~stairs** *pl* Hintertreppe *f*; **'~stroke** Rückenschwimmen *n*; **'~up** Unterstützung *f*; *Computer*: Back-up *n*, Sicherungskopie *f*; *Am. mot.* (Rück)Stau *m*

'backward **1.** *adj* Rückwärts...; zurückgeblieben; rückständig; **2.** *adv a.* **'backwards** rückwärts, zurück

bacon ['beɪkən] Frühstücks-, Schinkenspeck *m*

bacteria [bæk'tɪərɪə] *pl* Bakterien *pl*

bad [bæd] schlecht; böse, schlimm; ***go*** ~ schlecht werden, verderben
badge [bædʒ] Abzeichen *n*; Button *m*; Dienstmarke *f*
badger ['bædʒə] Dachs *m*
bad-'tempered schlecht gelaunt
baffle ['bæfl] verwirren
bag [bæg] Beutel *m*; Sack *m*; Tüte *f*; Tasche *f*
baggage ['bægɪdʒ] *bsd. Am.* (Reise)Gepäck *n*; '~ **car** *Am. rail.* Gepäckwagen *m*; '~ **check** *Am.* Gepäckschein *m*; '~ **claim** *aviat.* Gepäckausgabe *f*; '~ **room** *Am.* Gepäckaufbewahrung *f*
baggy ['bægɪ] F bauschig; *Hose*: ausgebeult
'bagpipes *pl* Dudelsack *m*
bail [beɪl] **1.** Kaution *f*; **2.** ~ ***s.o. out*** j-n gegen Kaution freibekommen
bait [beɪt] Köder *m* (*a. fig.*)
bake [beɪk] backen; ~***d potatoes*** *pl ungeschälte, im Ofen gebackene Kartoffeln*; **'baker** Bäcker *m*; **'bakery** Bäckerei *f*
balance ['bæləns] **1.** *su* Waage *f*; Gleichgewicht *n* (*a. fig.*); *econ.* Guthaben *n*; Rest *m*; **2.** *v/t* ab-, erwägen; im Gleichgewicht halten; *Konten etc.* ausgleichen; *v/i* balancieren; *econ.* sich ausgleichen; **'balanced** ausgewogen, ausgeglichen; '~ **sheet** *econ.* Bilanz *f*
balcony ['bælkənɪ] Balkon *m*
bald [bɔːld] kahl
bale [beɪl] *econ.* Ballen *m*
ball[1] [bɔːl] Ball *m*; Kugel *f*; (*Hand-, Fuß*)Ballen *m*; Knäuel *m*, *n*
ball[2] [bɔːl] *Tanzen*: Ball *m*
ballad ['bæləd] Ballade *f*
ball 'bearing Kugellager *n*
ballet ['bæleɪ] Ballett *n*
balloon [bə'luːn] Ballon *m*
ballot ['bælət] Stimmzettel *m*; (*bsd.* geheime) Wahl; '~ **box** Wahlurne *f*
ballpoint ['bɔːlpɔɪnt], ~ **'pen** Kugelschreiber *m*, F Kuli *m*
'ballroom Ball-, Tanzsaal *m*
balls [bɔːlz] *pl* V *Hoden*: Eier *pl*
balm [bɑːm] Balsam *m*
Baltic 'Sea [bɔːltɪk-] *die* Ostsee
balustrade [bælə'streɪd] Balustrade *f*
bamboo [bæm'buː] Bambus *m*
ban [bæn] **1.** (amtliches) Verbot; **2.** verbieten
banana [bə'nɑːnə] Banane *f*
band [bænd] Band *n*; Streifen *m*; Schar *f*, Gruppe *f*, Bande *f*; (Musik)Kapelle *f*, (*Jazz-, Rock- etc.*)Band *f*
bandage ['bændɪdʒ] **1.** Bandage *f*; Binde *f*; Verband *m*; *Am.* (Heft)Pflaster *n*; **2.** bandagieren; verbinden
bang [bæŋ] **1.** heftiger Schlag; Knall *m*; *mst pl Frisur*: Pony *m*; **2.** *Tür* zuschlagen; V bumsen; ~ (***away***) ballern

bangle ['bæŋgl] Armreif *m*
banish ['bænɪʃ] verbannen
banister ['bænɪstə] *a. pl* Treppengeländer *n*
bank¹ [bæŋk] *econ.* Bank *f*; (*Blut-*, *Daten- etc.*)Bank *f*
bank² [bæŋk] (*Fluss- etc.*)Ufer *n*; (Erd)Wall *m*; Böschung *f*; (*Sand-*, *Wolken*)Bank *f*
'bank| account Bankkonto *n*; **'~ bill** *Am.* → ***bank note***; **'~book** Sparbuch *n*; **'~ code** Bankleitzahl *f*; **'~er** Bankier *m*, F Banker *m*; **~ 'holiday** *Brt.* Bankfeiertag *m*; **'~ note** Banknote *f*, Geldschein *m*
bankrupt ['bæŋkrʌpt] **1.** bankrott; ***go ~*** in Konkurs gehen, Bankrott machen; **2.** Bankrott machen; **bankruptcy** ['bæŋkrəptsɪ] Bankrott *m*
banner ['bænə] Transparent *n*
banns [bænz] *pl* Aufgebot *n*
banquet ['bæŋkwɪt] Bankett *n*
banter ['bæntə] necken
baptism ['bæptɪzəm] Taufe *f*;
baptize [bæp'taɪz] taufen
bar [bɑː] **1.** Stange *f*, Stab *m*; Riegel *m*; (Tor-, Quer-, Sprung)Latte *f*; Schranke *f*; (*Gold- etc.*)Barren *m*; *mus.* Taktstrich *m*; *mus. ein* Takt; (dicker) Strich; *Hotel*: Bar *f*; Lokal *n*, Imbissstube *f*; *pl* Gitter *n*; ***a ~ of chocolate*** ein Riegel (*a.* e-e Tafel) Schokolade; ***a ~ of soap*** ein Riegel *od.* Stück Seife; **2.** zu-, verriegeln; (ver)hindern
barbed 'wire [bɑːbd-] Stacheldraht *m*
barber ['bɑːbə] (Herren)Friseur *m*, (-)Frisör *m*
'bar code Strichkode *m*
bare [beə] **1.** nackt; kahl; leer; knapp; **2.** entblößen; **'~foot** barfuß
barely ['beəlɪ] kaum
bargain ['bɑːgɪn] **1.** Geschäft *n*, Handel *m*; vorteilhaftes Geschäft; **2.** (ver)handeln
bark¹ [bɑːk] Rinde *f*, Borke *f*
bark² [bɑːk] bellen
barley ['bɑːlɪ] Gerste *f*
barn [bɑːn] Scheune *f*
barometer [bə'rɒmɪtə] Barometer *n*
barracks ['bærəks] *sg* Kaserne *f*
barrel ['bærəl] Fass *n*; (Gewehr)Lauf *m*
barren ['bærən] unfruchtbar
barricade [bærɪ'keɪd] Barrikade *f*
barrier ['bærɪə] Schranke *f*, Barriere *f*, Sperre *f*; *fig.* Hindernis *n*
barrister ['bærɪstə] *Brt.* (plädierender) Anwalt
barrow ['bærəʊ] Karre(n *m*) *f*
barter ['bɑːtə] (ein)tauschen
base¹ [beɪs] gemein
base² [beɪs] **1.** Basis *f*, Grundlage *f*, Fundament *n*; *mil.* Standort *m*; *mil.* Stützpunkt *m*; **2.** gründen, stützen (***on*** auf)
'base|ball Baseball(spiel *n*) *m*; **'~less** grundlos; **'~line**

Grundlinie *f*; '**~ment** Kellergeschoss *n*, *östr*. -geschoß *n*
basic ['beɪsɪk] **1.** grundlegend, Grund...; **2.** *pl* Grundlagen *pl*; '**~ally** im Grunde
basin ['beɪsn] Becken *n*; Schale *f*, Schüssel *f*
basis ['beɪsɪs] (*pl* **-ses** [-siːz]) Basis *f*; Grundlage *f*
bask [bɑːsk] sich sonnen
basket ['bɑːskɪt] Korb *m*; '**~ball** Basketball(spiel *n*) *m*
bass [beɪs] *mus*. Bass *m*
bastard ['bɑːstəd] Bastard *m*
bat¹ [bæt] Schlagholz *n*, Schläger *m*
bat² [bæt] Fledermaus *f*
batch [bætʃ] Stoß *m*, Stapel *m*
bath [bɑːθ] **1.** (*pl* **baths** [bɑːðz]) Bad(ewanne *f*) *n*; ***have a ~*** *Brt*., ***take a ~*** *Am*. baden, ein Bad nehmen; **2.** *Brt*. baden
bathe [beɪð] *v/t Wunde*, *Am*. *Kind* baden; *v/i* baden, schwimmen; *Am*. baden, ein Bad nehmen
'**bathing| costume** ['beɪðɪŋ-], '**~ suit** Badeanzug *m*
'**bath|robe** Bademantel *m*; *Am*. Morgenrock *m*; '**~room** Badezimmer *n*; *Am*. Toilette *f*; '**~ towel** Badetuch *n*
baton ['bætən] Taktstock *m*; *Sport*: (Staffel)Stab *m*
batter ['bætə] Rührteig *m*
battery ['bætəɪ] Batterie *f*
battle ['bætl] Schlacht *f* (**of** bei); *fig*. Kampf *m*
bawl [bɔːl] brüllen, schreien
bay [beɪ] Bai *f*, Bucht *f*; Erker *m*; **~** '**window** Erkerfenster *n*
bazaar [bə'zɑː] Basar *m*
BC [biː 'siː] ***before Christ*** v.Chr., vor Christus
be [biː] (**was** *od*. **were, been**) sein; *Passiv*, *beruflich*: werden; ***how much is*** (**are**) **...?** was kostet (kosten) ...?; ***there is, there are*** es gibt
beach [biːtʃ] Strand *m*
beacon ['biːkən] Leucht-, Signalfeuer *n*
bead [biːd] (*Glas- etc*.)Perle *f*
beak [biːk] Schnabel *m*
beaker ['biːkə] Becher *m*
beam [biːm] **1.** Balken *m*; (Leit)Strahl *m*; strahlendes Lächeln; **2.** strahlen
bean [biːn] Bohne *f*
bear¹ [beə] Bär *m*
bear² [beə] (**bore, borne** *od*. *geboren*: **born**) tragen; zur Welt bringen; ertragen, ausstehen; '**~able** erträglich
beard [bɪəd] Bart *m*
bearer ['beərə] Träger(in); Überbringer(in)
bearing ['beərɪŋ] Haltung *f*
beast [biːst] Tier *n*; Bestie *f*; **~ of** '**prey** Raubtier *n*
beat [biːt] **1.** (***beat, beaten*** *od*. ***beat***) schlagen; (ver)prügeln; besiegen; übertreffen; ***~ it!*** F hau ab!; **2.** Schlag *m*; *mus*. Takt *m*; Beat(musik *f*) *m*; Runde *f*, Revier *n* (*e-s Polizisten*); '**~en** *pp von* **beat** 1
beautiful ['bjuːtəfʊl] schön
beauty ['bjuːtɪ] Schönheit *f*

beaver ['biːvə] Biber *m*
became [bɪ'keɪm] *pret von* ***become***
because [bɪ'kɒz] weil; ~ ***of*** wegen
beckon ['bekən] (zu)winken
become [bɪ'kʌm] (***became, become***) werden (***of*** aus)
bed [bed] Bett *n*; *Tier*: Lager *n*; Beet *n*; ~ ***and breakfast*** Zimmer *n* mit Frühstück; '**~clothes** *pl* Bettwäsche *f*
bedding ['bedɪŋ] Bettzeug *n*; Streu *f*
'**bed|ridden** bettlägerig; '**~room** Schlafzimmer *n*; '**~side:** ***at the*** ~ am Bett; '**~sit** F, **~-'sitter** *Brt.* möbliertes Zimmer; Einzimmerappartement *n*; '**~spread** Tagesdecke *f*; '**~stead** Bettgestell *n*
bee [biː] Biene *f*
beech [biːtʃ] Buche *f*
beef [biːf] Rindfleisch *n*; ~ '**tea** (Rind)Fleischbrühe *f*
'**bee|hive** Bienenkorb *m*, -stock *m*; '**~line:** ***make a*** ~ ***for*** F schnurstracks zugehen auf
been [biːn] *pp von* ***be***
beeper ['biːpə] *Am.* → ***bleeper***
beer [bɪə] Bier *n*
beet [biːt] (Runkel)Rübe *f*
beetle ['biːtl] Käfer *m*
beetroot ['biːtruːt] Rote Beete
before [bɪ'fɔː] **1.** *prp* vor; **2.** *adv räumlich*: vorn, voran; *zeitlich*: vorher, früher; **3.** *cj* bevor, ehe; **~hand** zuvor, im Voraus
beg [beg] *et.* erbitten (***of s.o.*** von j-m); betteln (um)
began [bɪ'gæn] *pret von* ***begin***
beget [bɪ'get] (***begot, begotten***) *Kind* zeugen
beggar ['begə] Bettler(in)
begin [bɪ'gɪn] (***began, begun***) beginnen, anfangen; **be'ginner** Anfänger(in); **be'ginning** Beginn *m*, Anfang *m*
begot [bɪ'gɒt] *pret von* ***beget***; **be'gotten** *pp von* ***beget***
begun [bɪ'gʌn] *pp von* ***begin***
behalf [bɪ'hɑːf]: ***on*** (*Am. a* ***in***) ~ ***of*** im Namen von
behave [bɪ'heɪv] sich benehmen; **behavio(u)r** [bɪ'heɪvjə] Benehmen *n*, Betragen *n*
behind [bɪ'haɪnd] **1.** *prp* hinter; **2.** *adv* hinten, dahinter; nach hinten; **3.** *adj* im Rückstand; **4.** *su* F Hintern *m*
being ['biːɪŋ] (Da)Sein *n*; Wesen *n*
belated [bɪ'leɪtɪd] verspätet
belch [beltʃ] aufstoßen, rülpsen; *Rauch etc.* speien
belfry ['belfrɪ] Glockenturm *m*
Belgian ['beldʒən] **1.** belgisch; **2.** Belgier(in); **Belgium** ['beldʒəm] Belgien *n*
belief [bɪ'liːf] Glaube *m*
believe [bɪ'liːv] glauben (***in*** an); **be'liever** Gläubige *m, f*
bell [bel] Glocke *f*; Klingel *f*

belligerent [bɪ'lɪdʒərənt] streitlustig, aggressiv
bellow ['beləʊ] brüllen
bellows ['beləʊz] *pl, sg* Blasebalg *m*
belly ['belɪ] Bauch *m*; Magen *m*
belong [bɪ'lɒŋ] gehören; **~ings** *pl* Habseligkeiten *pl*
beloved [bɪ'lʌvɪd] geliebt
below [bɪ'ləʊ] **1.** *adv* unten; hinunter, nach unten; **2.** *prp* unter(halb)
belt [belt] Gürtel *m*; Gurt *m*; Zone *f*, Gebiet *n*; *tech.* Treibriemen *m*; **'~way** *Am.* → ***ring road***
bench [bentʃ] (Sitz- *etc.*)Bank *f*
bend [bend] **1.** (***bent***) (sich) biegen *od.* krümmen; beugen; **2.** Biegung *f*, Kurve *f*
beneath [bɪ'ni:θ] *prp* unter(halb)
benediction [benɪ'dɪkʃn] Segen *m*
benefactor ['benɪfæktə] Wohltäter *m*
beneficial [benɪ'fɪʃl] wohltuend; vorteilhaft, günstig
benefit ['benɪfɪt] **1.** Nutzen *m*, Vorteil *m*; (*Sozial-, Versicherungs- etc.*)Leistung *f*; (*Arbeitslosen*)Unterstützung *f*; (*Kranken*)Geld *n*; **~ *concert*** Wohltätigkeitskonzert *n*; **2.** nützen; **~ *by*** *od.* ***from*** Vorteil haben von *od.* durch
benevolent [bɪ'nevələnt] wohltätig; wohlwollend
benign [bɪ'naɪn] *med.* gutartig
bent [bent] *pret u. pp von* **bend** 1
bereaved [bɪ'ri:vd] Hinterbliebene *m, f*
beret ['bereɪ] Baskenmütze *f*
berry ['berɪ; *in Zssgn* 'bərɪ] Beere *f*
berth [bɜ:θ] *naut.* Liege-, Ankerplatz *m*; *naut.* Koje *f*; *rail.* (Schlafwagen)Bett *n*
beside [bɪ'saɪd] *prp* neben; **~ *o.s.*** außer sich (***with*** vor); → ***point*** 1; **be'sides 1.** *adv* außerdem; **2.** *prp* außer, neben
best [best] **1.** *adj* best, größt, meist; **~ *before*** *Lebensmittel*: haltbar bis; **2.** *adv* am besten; **3.** *su der, die, das* Beste; ***at* ~** bestenfalls; ***make the* ~ *of*** das Beste machen aus; ***all the* ~!** alles Gute!; **~ *be'fore date*, ~ *'by date*** *Lebensmittel*: Mindesthaltbarkeitsdatum *n*; **~'seller** Bestseller *m*
bet [bet] **1.** Wette *f*; **2.** (***bet*** *od.* ***betted***) wetten; ***you* ~** F und ob!
betray [bɪ'treɪ] verraten; **be'trayal** Verrat *m*
better ['betə] **1.** *adj, adv* besser; **2.** *su das* Bessere
between [bɪ'twi:n] **1.** *prp* zwischen; unter; **2.** *adv* dazwischen
beverage ['bevərɪdʒ] Getränk *n*
beware [bɪ'weə] sich in Acht nehmen, sich hüten
bewilder [bɪ'wɪldə] verwirren

beyond [bɪ'jɒnd] **1.** *adv* darüber hinaus; **2.** *prp* jenseits; über ... hinaus
bias ['baɪəs] Neigung *f*; Vorurteil *n*; '**bias(s)ed** voreingenommen; *jur.* befangen
bib [bɪb] Lätzchen *n*
Bible ['baɪbl] Bibel *f*
biblical ['bɪblɪkl] biblisch
bibliography [bɪblɪ'ɒgrəfɪ] Bibliographie *f*
bicker ['bɪkə] sich zanken
bicycle ['baɪsɪkl] Fahrrad *n*
bid [bɪd] **1.** (***bid***) *econ.* bieten; **2.** *econ.* Gebot *n*, Angebot *n*
bier [bɪə] (Toten)Bahre *f*
big [bɪg] groß; F großspurig
bigamy ['bɪgəmɪ] Bigamie *f*
bike [baɪk] F (Fahr)Rad *n*; '**biker** *bsd. in Gruppen*: Motorradfahrer(in); Radfahrer(in), Radler(in)
bilateral [baɪ'lætərəl] bilateral
bilberry ['bɪlbərɪ] Blau-, Heidelbeere *f*
bile [baɪl] Galle *f*
bilingual [baɪ'lɪŋgwəl] zweisprachig
bill[1] [bɪl] Schnabel *m*
bill[2] [bɪl] Rechnung *f*; *pol.* (Gesetzes)Vorlage *f*; Plakat *n*; *Am.* Banknote *f*, Geldschein *m*; '**~board** *Am.* Reklametafel *f*; '**~fold** *Am.* Brieftasche *f*
billion ['bɪljən] Milliarde *f*
bill| of de'livery *econ.* Lieferschein *m*; **~ of ex'change** *econ.* Wechsel *m*
bin [bɪn] (großer) Behälter
bind [baɪnd] (***bound***) (zs.-) binden; '**~er** (*Akten- etc.*-) Deckel *m*; '**~ing 1.** (Buch-) Einband *m*; Einfassung *f*, Borte *f*; (Ski)Bindung *f*; **2.** bindend, verbindlich
binoculars [bɪ'nɒkjʊləz] *pl* Fernglas *n*
biodegradable [baɪəʊdɪ'greɪdəbl] biologisch abbaubar
biography [baɪ'ɒgrəfɪ] Biographie *f*
biological [baɪəʊ'lɒdʒɪkl] biologisch; **biology** [baɪ'ɒlədʒɪ] Biologie *f*
biorhythms ['baɪəʊrɪðəmz] *pl* Biorhythmus *m*
biotope ['baɪəʊtəʊp] Biotop *n*
birch [bɜːtʃ] Birke *f*
bird [bɜːd] Vogel *m*; **~ of 'passage** Zugvogel *m*; **~ of 'prey** Raubvogel *m*; '**~ sanctuary** Vogelschutzgebiet *n*; **~'s-eye 'view** Vogelperspektive *f*
biro® ['baɪərəʊ] *Brt.* Kugelschreiber *m*
birth [bɜːθ] Geburt *f*; Herkunft *f*; ***give ~ to*** gebären, zur Welt bringen; ***date of ~*** Geburtsdatum *n*; '**~ certificate** Geburtsurkunde *f*; '**~ control** Geburtenregelung *f*; '**~day** Geburtstag *m*; ***happy ~!*** alles Gute *od.* herzlichen Glückwunsch zum Geburtstag!; '**~place** Geburtsort *m*

biscuit ['bɪskɪt] *Brt.* Keks *m, n*
bishop ['bɪʃəp] Bischof *m*; *Schach*: Läufer *m*
bit¹ [bɪt] Stück(chen) *n*; **a ~** ein bisschen; ziemlich
bit² [bɪt] *Computer*: Bit *n*
bit³ [bɪt] *pret von* **bite** 1
bitch [bɪtʃ] Hündin *f*; *sl. von e-r Frau*: Miststück *n*
bite [baɪt] **1.** (***bit, bitten***) (an)beißen; *Insekt*: beißen, stechen; *Pfeffer*: brennen; **2.** Biss *m*; F Bissen *m*, Happen *m*
bitten ['bɪtn] *pp von* **bite** 1
bitter ['bɪtə] **1.** bitter; *fig.* verbittert; **2.** *pl* Magenbitter *m*
black [blæk] **1.** schwarz; **2.** Schwarze *m, f*; **3.** schwarz machen; **'~berry** Brombeere *f*; **'~bird** Amsel *f*; **'~board** (Schul-, Wand)Tafel *f*; **'~en** schwarz machen *od.* werden; **~ 'eye** blaues Auge, Veilchen *n*; **'~head** *med.* Mitesser *m*; **~ 'ice** Glatteis *n*; **'~mail 1.** Erpressung *f*; **2.** *j-n* erpressen; **'~mailer** Erpresser(in); **'~out** Black-out *n, m*; Ohnmacht *f*; **~ 'pudding** Blutwurst *f*
bladder ['blædə] *anat.* Blase *f*
blade [bleɪd] Klinge *f*; (*Säge-, Schulter- etc.*)Blatt *n*; (*Propeller*)Flügel *m*; *bot.* Halm *m*
blame [bleɪm] **1.** tadeln; **~ *s.o. for s.th.*** j-m die Schuld geben an et.; **2.** Tadel *m*; Schuld *f*
blancmange [blə'mɒndʒ] Pudding *m*
blank [blæŋk] **1.** leer; unbeschrieben; *econ.* Blanko...; **2.** freier Raum, Lücke *f*; unbeschriebenes Blatt; *Lotterie*: Niete *f*
blanket ['blæŋkɪt] **1.** (Woll-, Bett)Decke *f*; **2.** zudecken
blare [bleə] *Radio etc.*: brüllen, plärren; *Trompete*: schmettern
blast [blɑːst] **1.** Windstoß *m*; Explosion *f*; lauter Ton; **2.** sprengen; **~*!*** verdammt!; **'~ furnace** Hochofen *m*; **'~-off** *Rakete*: Start *m*
blaze [bleɪz] **1.** Flamme(n *pl*) *f*, Feuer *n*; **2.** lodern
blazer ['bleɪzə] Blazer *m*
bleach [bliːtʃ] bleichen
bleak [bliːk] öde, kahl; *fig.* trost-, freudlos, trüb, düster
bleat [bliːt] blöken
bled [bled] *pret u. pp von* ***bleed***
bleed [bliːd] (***bled***) bluten; *fig.* F schröpfen; **'~ing** Bluten *n*, Blutung *f*
bleep [bliːp] Piepton *m*; **'~er** *Brt.* F Piepser *m* (*Funkrufempfänger*)
blemish ['blemɪʃ] **1.** Fehler *m*; Makel *m*; **2.** verunstalten
blend [blend] **1.** (sich) (ver-) mischen; *Wein* verschneiden; **2.** Mischung *f*; Verschnitt *m*; **'~er** Mixer *m*
bless [bles] (***blessed*** *od.* ***blest***) segnen; (***God***) **~ *you!*** alles Gute!; Gesundheit!; **'~ed** selig, gesegnet; **'~ing** Segen *m*

blest [blest] *pret u. pp von* ***bless***
blew [blu:] *pret von* ***blow²***
blind [blaɪnd] **1.** blind (*fig.* ***to*** gegenüber); *Kurve etc.*: unübersichtlich; **2.** blenden; blind machen (*fig.* ***to*** für, gegen); **3.** Rouleau *n*, Rollo *n*, Jalousie *f*; ***the ~ pl*** die Blinden *pl*; **~ 'alley** Sackgasse *f*; **'~fold** *j-m* die Augen verbinden; **'~ spot** *mot. Rückspiegel*: toter Winkel
blink [blɪŋk] blinzeln, zwinkern; blinken
bliss [blɪs] (Glück)Seligkeit *f*
blister ['blɪstə] Blase *f*
blizzard ['blɪzəd] Blizzard *m*
bloated ['bləʊtɪd] aufgedunsen, aufgebläht
bloc [blɒk] *pol.* Block *m*
block [blɒk] **1.** Block *m*, Klotz *m*; Baustein *m*, (Bau)Klötzchen *n*; (*Schreib-*, *Notiz-*) Block *m*; *Am.* (Häuser-) Block *m*; *tech.* Verstopfung *f*; *a.* ***~ of flats*** *Brt.* Wohnhaus *n*; **2.** *a.* ***~ up*** (ab-, ver)sperren, blockieren, verstopfen
blockade [blɒ'keɪd] **1.** Blockade *f*; **2.** blockieren
blockage ['blɒkɪdʒ] Blockade *f*; Blockierung *f*
blockbuster ['blɒkbʌstə] F Kassenmagnet *m*
block 'letters *pl* Blockschrift *f*
bloke [bləʊk] *Brt.* F Kerl *m*
blond [blɒnd] blond; hell
blood [blʌd] Blut *n*; ***in cold ~*** kaltblütig; **'~ bank** Blutbank *f*; **'~ donor** Blutspender(in); **'~ group** Blutgruppe *f*; **'~ poisoning** Blutvergiftung *f*; **'~ pressure** Blutdruck *m*; **'~ relation** Blutsverwandte *m*, *f*; **'~ sample** Blutprobe *f*; **'~ transfusion** Bluttransfusion *f*; **'~ vessel** Blutgefäß *n*
bloody ['blʌdɪ] blutig; *Brt.* F verdammt, verflucht
bloom [blu:m] **1.** Blüte *f*; **2.** blühen
blossom ['blɒsəm] *bsd. bei Bäumen* **1.** Blüte *f*; **2.** blühen
blot [blɒt] Klecks *m*, Fleck *m*; *fig.* Makel *m*
'blotting paper ['blɒtɪŋ-] Löschpapier *n*
blouse [blaʊz] Bluse *f*
blow¹ [bləʊ] Schlag *m*, Stoß *m*
blow² [bləʊ] (***blew, blown***) blasen, wehen; keuchen, schnaufen; explodieren; *Reifen*: platzen; *Sicherung*: durchbrennen; ***~ one's nose*** sich die Nase putzen; ***~ up*** (in die Luft) sprengen; *Foto* vergrößern; in die Luft fliegen; explodieren (*a. fig.*); **'~-dry** föhnen
blown [bləʊn] *pp von* ***blow²***
'blow-up *phot.* Vergrößerung *f*
blue [blu:] blau; F melancholisch, traurig; **'~bell** *bsd.* wilde Hyazinthe; **'~berry** Blau-, Heidelbeere *f*
blues [blu:z] *pl od. sing mus.* Blues *m*; F Melancholie *f*

bluff¹ [blʌf] Steilufer *n*
bluff² [blʌf] bluffen
blunder ['blʌndə] **1.** Fehler *m*, Schnitzer *m*; **2.** e-n (groben) Fehler machen
blunt [blʌnt] stumpf; *fig.* offen; '**~ly** frei heraus
blur [blɜː]: ***become ~red*** verschwimmen; ***~red*** *Umrisse, a. phot.*: verschwommen
blush [blʌʃ] **1.** erröten, rot werden; **2.** Erröten *n*
BO [biː 'əʊ] → ***body odo(u)r***
boar [bɔː] Eber *m*; Keiler *m*
board [bɔːd] **1.** Brett *n*, Diele *f*, Planke *f*; (*Anschlag-, Schach- etc.*)Brett *n*; (Wand-) Tafel *f*; Pappe *f*; Ausschuss *m*, Kommission *f*; ***~ and lodging*** Unterkunft *f* u. Verpflegung; ***on ~*** an Bord; im Zug *od.* Bus; **2.** dielen, verschalen; an Bord gehen; *Zug, Bus*: einsteigen in; wohnen (***with*** bei); '**~er** Pensionsgast *m*; Internatsschüler(in)
'**boarding| card** *aviat.* Bordkarte *f*; '**~house** Pension *f*, Fremdenheim *n*; '**~ school** Internat *n*
board of 'directors Aufsichtsrat *m*
boast [bəʊst] prahlen
boat [bəʊt] Boot *n*; Schiff *n*
bob¹ [bɒb] sich auf u. ab bewegen
bob² [bɒb] *Haare* kurz schneiden
bobsleigh ['bɒbsleɪ] *a.* ***bobsled*** *Sport*: Bob *m*
bodice ['bɒdɪs] Mieder *n*
bodily ['bɒdɪlɪ] körperlich
body ['bɒdɪ] Körper *m*; (*oft* ***dead ~***) Leiche *f*; Gruppe *f*; *mot.* Karosserie *f*; '**~guard** Leibwache *f*; Leibwächter *m*; '**~ odo(u)r** Körpergeruch *m*; '**~work** Karosserie *f*
bog [bɒg] Sumpf *m*, Morast *m*
boil¹ [bɔɪl] kochen, sieden
boil² [bɔɪl] Geschwür *n*, Furunkel *m, n*
'**boiler** Dampfkessel *m*; Boiler *m*; '**~ suit** Overall *m*
'**boiling point** Siedepunkt *m*
boisterous ['bɔɪstərəs] stürmisch; lärmend; wild
bold [bəʊld] kühn; dreist
bolt¹ [bəʊlt] **1.** Bolzen *m*; Riegel *m*; Blitz(strahl) *m*; **2.** *v/t* verriegeln; *v/i* davonlaufen
bolt² [bəʊlt]: ***~ upright*** kerzengerade
bomb [bɒm] **1.** Bombe *f*; **2.** bombardieren
bond [bɒnd] *econ.* Schuldverschreibung *f*, Obligation *f*; *pl fig.* Bande *pl*
bone [bəʊn] Knochen *m*; Gräte *f*
bonfire ['bɒnfaɪə] Feuer *n* im Freien
bonnet ['bɒnɪt] Haube *f*; *Brt.* Motorhaube *f*
bonus ['bəʊnəs] Bonus *m*, Prämie *f*; Gratifikation *f*
boo [buː] *int* buh!
book [bʊk] **1.** Buch *n*; Heft *n*;

(*Notiz*)Block *m*; **2.** *Reise etc.* buchen; *Eintritts-, Fahrkarte* lösen; *Platz etc.* reservieren lassen; (vor)bestellen; *Gepäck* aufgeben; *Sport*: verwarnen; **~ in** *bsd. Brt.* sich (*im Hotel*) eintragen; **~ in at** absteigen in; **~ed up** ausgebucht, ausverkauft, *Hotel*: belegt; **'~case** Bücherschrank *m*; **'~ing clerk** Schalterbeamt|e *m*, -in *f*; **'~ing office** Fahrkartenschalter *m*; **'~keeper** Buchhalter(in); **'~keeping** Buchhaltung *f*, -führung *f*; **'~seller** Buchhändler(in); **'~shop** Buchhandlung *f*

boom¹ [buːm] dröhnen

boom² [buːm] Boom *m*, Aufschwung *m*, Hochkonjunktur *f*

boost [buːst] **1.** hochschieben; *Preise* in die Höhe treiben; *Produktion etc.* ankurbeln; *electr. Spannung* verstärken; *tech. Druck* erhöhen; *fig.* stärken, Auftrieb geben; **2.** Auftrieb *m*; (Ver)Stärkung *f*

boot¹ [buːt] Stiefel *m*; *Brt. mot.* Kofferraum *m*

boot² [buːt]: **~ (up)** *Computer*: laden

booth [buːð] (Markt- *etc.*)Bude *f*; (Messe)Stand *m*; (Wahl- *etc.*)Kabine *f*; (Telefon)Zelle *f*

'bootlace Schnürsenkel *m*

booze [buːz] F **1.** saufen; **2.** *von Alkohol*: Zeug *n*, Stoff *m*

border ['bɔːdə] **1.** Rand *m*; Einfassung *f*; Grenze *f*; **2.** einfassen; grenzen (**on** an)

bore¹ [bɔː] *pret von* **bear²**

bore² [bɔː] **1.** *j-n* langweilen; **be ~d** sich langweilen; **2.** Langweiler *m*; *bsd. Brt.* F langweilige *od.* lästige Sache

bore³ [bɔː] **1.** bohren; **2.** Bohrloch *n*; *tech.* Kaliber *n*

boring ['bɔːrɪŋ] langweilig

born [bɔːn] **1.** *pp von* **bear²**; **2.** *adj* geboren

borne [bɔːn] *pp von* **bear²**

borrow ['bɒrəʊ] (sich) *et.* (aus)borgen *od.* leihen

bosom ['bʊzəm] Busen *m*

boss [bɒs] F Boss *m*, Chef *m*; **'bossy** herrisch

botanical [bə'tænɪkl] botanisch

botany ['bɒtənɪ] Botanik *f*

botch [bɒtʃ] verpfuschen

both [bəʊθ] beide(s); **~ ... and** sowohl ... als (auch)

bother ['bɒðə] **1.** belästigen, stören; **don't ~!** bemühen Sie sich nicht!; **2.** Belästigung *f*, Störung *f*, Mühe *f*

bottle ['bɒtl] **1.** Flasche *f*; **2.** in Flaschen abfüllen; **'~ bank** *Brt.* Altglascontainer *m*; **'~neck** *fig.* Engpass *m*

bottom ['bɒtəm] Boden *m*, *Berg*: Fuß *m*, Unterseite *f*; Grund(lage *f*) *m*; F Hintern *m*

bought [bɔːt] *pret u. pp von* **buy**

boulder ['bəʊldə] Felsbrocken *m*, Findling *m*
bounce [baʊns] *Ball*: aufprallen *od.* aufspringen (lassen); springen, hüpfen, stürmen; F *Scheck*: platzen
bound[1] [baʊnd] **1.** *pret u. pp von* ***bind***; **2.** *adj*: ***be ~ to do s.th.*** et. tun müssen
bound[2] [baʊnd] **1.** Sprung *m*, Satz *m*; **2.** springen, hüpfen; auf-, abprallen
bound[3] [baʊnd] unterwegs (***for*** nach)
bound[4] [baʊnd] begrenzen
boundary ['baʊndərɪ] Grenze *f*
'**boundless** grenzenlos
bounds [baʊndz] Grenze *f*, *fig. a.* Schranke *f*
bouquet [bʊ'keɪ] Bukett *n*, Strauß *m*; *Wein*: Blume *f*
bow[1] [baʊ] **1.** *v/i* sich verbeugen (***to*** vor); *v/t* beugen, *Kopf* neigen; **2.** Verbeugung *f*
bow[2] [bəʊ] Bogen *m*; Schleife *f*
bow[3] [baʊ] *naut.* Bug *m*
bowel ['baʊəl] Darm *m*, *pl a.* Eingeweide *pl*
bowl[1] [bəʊl] Schale *f*, Schüssel *f*; (*Zucker*)Dose *f*; Napf *m*; (*Pfeifen*)Kopf *m*
bowl[2] [bəʊl] **1.** *Bowlingkugel* rollen; *Kricketball* werfen; **2.** (*Bowling-*, *Kegel*)Kugel *f*
'**bowling** Bowling *n*; Kegeln *n*; '**~ alley** Bowling-, Kegelbahn *f*
box[1] [bɒks] Kasten *m*, Kiste *f*; Schachtel *f*; Postfach *n*; *thea.* Loge *f*
box[2] [bɒks] boxen; '**~er** Boxer *m*; '**~ing** Boxen *n*, Boxsport *m*
'**Boxing Day** *Brt.* der zweite Weihnachtsfeiertag
'**box| number** Chiffre *f*; '**~ office** Theaterkasse *f*
boy [bɔɪ] Junge *m*, Knabe *m*
boycott ['bɔɪkɒt] boykottieren
'**boy|friend** Freund *m* (*e-s Mädchens*); '**~ish** jungenhaft; '**~ scout** Pfadfinder *m*
BR [biː 'ɑː] ***British Rail*** (*Eisenbahn in Großbritannien*)
bra [brɑː] Büstenhalter *m*, BH *m*
brace [breɪs] **1.** *tech.* Strebe *f*, Stützbalken *m*; (Zahn-) Spange *f*; **2.** *tech.* verstreben
bracelet ['breɪslɪt] Armband *n*
braces ['breɪsɪz] *pl Brt.* Hosenträger *pl*
bracket ['brækɪt] *tech.* Träger *m*, Stütze *f*; *print.* Klammer *f*
brag [bræg] prahlen
braid [breɪd] **1.** Borte *f*; *Am.* Zopf *m*; **2.** *Am.* flechten
brain [breɪn] *anat.* Gehirn *n*; *oft pl fig.* Verstand *m*; '**~storm:** ***have a ~*** *Brt.* F geistig weggetreten sein; *Am.* → ***brainwave***; '**~storming** Brainstorming *n*; '**~washing** Gehirnwäsche *f*; '**~wave** Geistesblitz *m*
brake [breɪk] **1.** Bremse *f*; **2.** bremsen

branch [brɑːntʃ] **1.** Ast *m*, Zweig *m*; Branche *f*; Filiale *f*, Zweigstelle *f*; *fig.* Zweig *m*; **2.** *oft* ~ **off** sich verzweigen; abzweigen
brand [brænd] (Handels-, Schutz)Marke *f*, Warenzeichen *n*; *Ware*: Sorte *f*
brand-'new (funkel)nagelneu
brass [brɑːs] Messing *n*; ~ **'band** Blaskapelle *f*
brat [bræt] Balg *m*, *n*, Gör *n*
brave [breɪv] tapfer, mutig
brawl [brɔːl] Rauferei *f*
breach [briːtʃ] *fig.* Bruch *m*
bread [bred] Brot *n*
breadth [bretθ] Breite *f*
break [breɪk] **1.** (***broke***, ***broken***) *v/t* (ab-, auf-, durch-, zer)brechen; zerschlagen, -trümmern, kaputtmachen; (*a.* ~ ***in***) *Tiere* zähmen, abrichten, *Pferd* zureiten; *Kode etc.* knacken; *Nachricht* (schonend) mitteilen; *v/i* brechen (*a. fig.*); (zer)brechen, (-)reißen, kaputtgehen; *Wetter*: umschlagen; *Tag*: anbrechen; ~ ***down*** ein-, niederreißen; *Haus* abreißen; zs.-brechen (*a. fig.*); *tech.* versagen; *mot.* e-e Panne haben; scheitern; ~ ***in*** einbrechen; ~ ***into*** in *ein Haus etc.* einbrechen; ~ ***off*** abbrechen; ~ ***out*** ausbrechen; ~ ***up*** abbrechen, beenden; (sich) auflösen; *Ehe etc.*: zerbrechen, auseinandergehen; **2.** Bruch *m* (*a. fig.*); Pause *f*, Unterbrechung *f*; Umschwung *m*; F Chance *f*; ***have/take a*** ~ e-e Pause machen; **'~age** Bruch *m*
'breakdown Zs.-bruch *m* (*a. fig.*); *mot.* Panne *f*; ***nervous*** ~ Nervenzusammenbruch *m*; **'~ service** *mot.* Pannendienst *m*, -hilfe *f*
breakfast ['brekfəst] **1.** Frühstück *n*; ***have*** ~ → **2.** frühstücken
breast [brest] Brust *f*; **'~stroke** Brustschwimmen *n*
breath [breθ] Atem(zug) *m*
breathalyser ['breθəlaɪzə] *mot.* F Alkoholtestgerät *n*, Röhrchen *n*
breathe [briːð] atmen
'breathless atemlos;
'breathtaking atemberaubend
bred [bred] *pret u. pp von* ***breed*** 1
breeches ['brɪtʃɪs] *pl* Kniebund-, Reithose *f*
breed [briːd] **1.** (***bred***) sich fortpflanzen; *Tiere etc.* züchten; **2.** Rasse *f*, Zucht *f*; **'~er** Züchter(in); Zuchttier *n*; *phys.* Brüter *m*; **'~ing** Fortpflanzung *f*; (Tier-)Zucht *f*; Erziehung *f*
breeze [briːz] Brise *f*
brew [bruː] *Bier* brauen; *Tee etc.* zubereiten, aufbrühen; **'~er** Brauer *m*; **~ery** ['brʊərɪ] Brauerei *f*
bribe [braɪb] **1.** bestechen; **2.**

Bestechungsgeld *n*, -geschenk *n*; '**bribery** Bestechung *f*
brick [brɪk] Ziegel(stein) *m*, Backstein *m*; *Brt.* Baustein *m*; (Bau)Klötzchen *n*; '**~layer** Maurer *m*
bride [braɪd] Braut *f*; **~groom** ['braɪdgrʊm] Bräutigam *m*; '**bridesmaid** Brautjungfer *f*
bridge [brɪdʒ] Brücke *f*
bridle ['braɪdl] **1.** Zaum *m*; Zügel *m*; **2.** (auf)zäumen; zügeln; '**~ path** Reitweg *m*
brief [bri:f] **1.** kurz; knapp; **2.** instruieren, genaue Anweisungen geben; '**~case** Aktentasche *f*
briefs [bri:fs] *pl* Slip *m*
bright [braɪt] hell, glänzend, strahlend; heiter; gescheit; '**~en** *a.* **~ up** heller machen, auf-, erhellen; aufheitern; sich aufhellen
brilliance ['brɪljəns] Glanz *m*; *fig.* Brillanz *f*; '**brilliant 1.** glänzend; hervorragend, brillant; **2.** Brillant *m*
brim [brɪm] Rand *m*; Krempe *f*; '**~ful(l)** randvoll
bring [brɪŋ] (***brought***) (mit-, her)bringen; *j-n* dazu bringen (***to do*** zu tun); **~ *about*** zustande bringen; bewirken; **~ *round*** *Ohnmächtigen* wieder zu sich bringen; **~ *up*** *Kind* auf-, großziehen
brink [brɪŋk] Rand *m* (*a. fig.*)
brisk [brɪsk] flott; lebhaft
bristle ['brɪsl] **1.** Borste *f*; (Bart)Stoppel *f*; **2.** *a.* **~ *up*** *Fell*: sich sträuben
British ['brɪtɪʃ] **1.** britisch; **2.** ***the* ~** *pl* die Briten *pl*
brittle ['brɪtl] spröde
broad [brɔ:d] breit; weit; *Tag*: hell; *Wink etc.*: deutlich; *Witz*: derb; *Akzent*: breit, stark; allgemein; '**~cast 1.** *TV etc.*: Sendung *f*; Übertragung *f*; **2.** (***-cast***) im Rundfunk *od.* Fernsehen bringen; übertragen; senden; '**~caster** Rundfunk-, Fernsehsprecher(in); '**~en** verbreitern, erweitern; '**~ jump** *Am.* Weitsprung *m*; '**~minded** tolerant
brochure ['brəʊʃə] Broschüre *f*, Prospekt *m*
broke [brəʊk] **1.** *pret von* ***break*** 1; **2.** F pleite
broken ['brəʊkən] **1.** *pp von* ***break*** 1; **2.** zerbrochen, kaputt; gebrochen; zerrüttet; **~-'hearted** untröstlich
broker ['brəʊkə] Makler(in)
bronchitis [brɒŋ'kaɪtɪs] Bronchitis *f*
bronze [brɒnz] Bronze *f*
brooch [brəʊtʃ] Brosche *f*
brood [bru:d] **1.** Brut *f*; **2.** brüten (*a. fig.*)
brook [brʊk] Bach *m*
broom [bru:m] Besen *m*
broth [brɒθ] (Fleisch)Brühe *f*
brothel ['brɒθl] Bordell *n*
brother ['brʌðə] Bruder *m*; **~s *and sisters*** *pl* Geschwister *pl*; '**~-in-law** Schwager *m*; '**~ly** brüderlich

brought [brɔːt] *pret u. pp von* ***bring***
brow [braʊ] (Augen)Braue *f*; Stirn *f*
brown [braʊn] **1.** braun; **2.** bräunen; braun werden
browse [braʊz] grasen, weiden; *fig.* schmökern
bruise [bruːz] **1.** Quetschung *f*, blauer Fleck; **2.** quetschen; *Frucht* anstoßen
brush [brʌʃ] **1.** Bürste *f*; Pinsel *m*; Handfeger *m*; Unterholz *n*; **2.** bürsten; fegen; streifen; *~* ***up*** *Kenntnisse* auffrischen
Brussels sprouts [brʌsl-'spraʊts] *pl* Rosenkohl *m*
brutal ['bruːtl] brutal; **~ity** [bruː'tælətɪ] Brutalität *f*
brute [bruːt] Scheusal *n*
BSE [biː es 'iː] ***bovine spongiform encephalitis*** (= ***mad cow disease***) BSE, Rinderwahnsinn *m*
bubble ['bʌbl] **1.** (*Luft- etc.*) Blase *f*; **2.** sprudeln
buck¹ [bʌk] **1.** Bock *m*; **2.** bocken
buck² [bʌk] *Am. sl.* Dollar *m*
bucket ['bʌkɪt] Eimer *m*
buckle ['bʌkl] **1.** Schnalle *f*, Spange *f*; **2.** *~* ***on*** umschnallen
'**buckskin** Wildleder *n*
bud [bʌd] **1.** Knospe *f*; **2.** knospen
buddy ['bʌdɪ] F Kumpel *m*
budgerigar ['bʌdʒərɪgɑː] Wellensittich *m*
budget ['bʌdʒɪt] Budget *n*, Etat *m*
buff [bʌf] F *in Zssgn*: ...fan *m*; ...experte *m*
buffalo ['bʌfələʊ] (*pl* **-lo[e]s**) Büffel *m*
buffer ['bʌfə] *tech.* Puffer *m*
buffet¹ ['bʊfeɪ] (*Frühstücks- etc.*)Büfett *n*, Theke *f*
buffet² ['bʌfɪt] Anrichte *f*
bug [bʌg] **1.** *zo.* Wanze *f*; *Am.* Insekt *n*; *Abhörgerät*: F Wanze *f*; *Computer*: Programmfehler *m*; **2.** F Wanzen anbringen in
buggy ['bʌgɪ] *Am.* Kinderwagen *m*
build [bɪld] **1.** (***built***) (er)bauen, errichten; **2.** Körperbau *m*, Statur *f*; '**~er** Erbauer *m*; Bauunternehmer *m*; '**~ing** Gebäude *n*; Bau...
built [bɪlt] *pret u. pp von* ***build*** 1; **~-'in** eingebaut, Einbau...
bulb [bʌlb] Zwiebel *f*, Knolle *f*; *electr.* (Glüh)Birne *f*
bulge [bʌldʒ] **1.** Ausbuchtung *f*; **2.** sich (aus)bauchen; hervorquellen
bulk [bʌlk] Umfang *m*, Größe *f*; Großteil *m*; '**bulky** sperrig
bull [bʊl] Bulle *m*, Stier *m*; '**~dog** Bulldogge *f*; '**~doze** planieren
bullet ['bʊlɪt] Kugel *f*
bulletin ['bʊlətɪn] Bulletin *n*, Tagesbericht *m*; '**~ board** *Am.* schwarzes Brett
bullock ['bʊlək] Ochse *m*

'bull's-eye: ***hit the ~*** ins Schwarze treffen (*a. fig.*)
bully ['bʊlɪ] **1.** Tyrann *m*; **2.** tyrannisieren
bum [bʌm] *Am.* F **1.** Gammler *m*; Nichtstuer *m*; **2.** schnorren; ***~ around, ~ about*** herumgammeln
bumblebee ['bʌmblbiː] Hummel *f*
bump [bʌmp] **1.** stoßen; rammen; prallen; zs.-stoßen; holpern; **2.** Beule *f*; Unebenheit *f*; Schlag *m*, Stoß *m*; **'~er** Stoßstange *f*
'bumpy holprig, uneben
bun [bʌn] süßes Brötchen; (Haar)Knoten *m*
bunch [bʌntʃ] Bündel *n*, Bund *n*; F Verein *m*, Haufen *m*; ***~ of flowers*** Blumenstrauß *m*; ***~ of grapes*** Weintraube *f*
bundle ['bʌndl] **1.** Bündel *n*, Bund *n*; **2.** *a.* ***~ up*** bündeln
bungalow ['bʌŋgələʊ] Bungalow *m*
bungle ['bʌŋgl] verpfuschen
bunk [bʌŋk] Koje *f*; **'~ bed** Etagenbett *n*
bunny ['bʌnɪ] Häschen *n*
buoy [bɔɪ] Boje *f*
burden ['bɜːdn] **1.** Last *f*, *fig. a.* Bürde *f*; **2.** belasten
burger ['bɜːgə] *gastr.* Hamburger *m*
burglar ['bɜːglə] Einbrecher *m*; **'~ize** *Am.* einbrechen in
'burglary Einbruch *m*
burgle ['bɜːgl] einbrechen in
burial ['berɪəl] Begräbnis *n*, Beerdigung *f*
burly ['bɜːlɪ] stämmig
burn [bɜːn] **1.** (***burnt*** *od.* ***burned***) (ver)brennen; **2.** Verbrennung *f*, Brandwunde *f*
burnt [bɜːnt] *pret u. pp von* ***burn*** 1
burp [bɜːp] F rülpsen
burst [bɜːst] (***burst***) (zer)platzen; zerspringen; explodieren; (auf)sprengen; ***~ into tears*** in Tränen ausbrechen
bury ['berɪ] ver-, begraben; beerdigen
bus [bʌs] (*pl* ***-es, -ses***) Bus *m*
bush [bʊʃ] Busch *m*, Gebüsch *n*
bushy ['bʊʃɪ] buschig
business ['bɪznɪs] Geschäft *n*; Arbeit *f*, Beschäftigung *f*, Beruf *m*; Angelegenheit *f*, Sache *f*; Aufgabe *f*; ***on ~*** geschäftlich; ***that's none of your ~*** das geht Sie nichts an; → ***mind*** 2; **'~ hours** *pl* Geschäftszeit *f*; **'~like** sachlich; **'~man** (*pl* ***-men***) Geschäftsmann *m*; **'~ trip** Geschäftsreise *f*; **'~woman** (*pl* ***-women***) Geschäftsfrau *f*
'bus stop Bushaltestelle *f*
bust[1] [bʌst] Büste *f*
bust[2] [bʌst]: ***go ~*** F Pleite gehen
bustle ['bʌsl] **1.** geschäftig hin u. her eilen; **2.** geschäftiges Treiben
busy ['bɪzɪ] **1.** beschäftigt; geschäftig, fleißig; *Straße:*

belebt; *Tag*: arbeitsreich; *Am. tel.* besetzt; **2.** (**o.s.** sich) beschäftigen; **'~ signal** *Am. tel.* Besetztzeichen *n*

but [bʌt] **1.** *cj* aber, jedoch; sondern; außer, als; **~ *then*** (***again***) and(e)rerseits; ***he could not ~ laugh*** er musste einfach lachen; **2.** *prp* außer; ***the last ~ one*** der vorletzte; ***the next ~ one*** der übernächste; ***nothing ~*** nichts als

butcher ['bʊtʃə] Fleischer *m*, Metzger *m*

butter ['bʌtə] **1.** Butter *f*; **2.** mit Butter bestreichen; **'~cup** Butterblume *f*; **'~fly** Schmetterling *m*, Falter *m*

buttocks ['bʌtəks] *pl* Gesäß *n*

button ['bʌtn] **1.** Knopf *m*; Button *m*, (Ansteck)Plakette *f*; **2.** *mst* **~ *up*** zuknöpfen; **'~hole** Knopfloch *n*

buxom ['bʌksəm] drall

buy [baɪ] (***bought***) (an-, ein-) kaufen; **'~er** Käufer(in)

buzz [bʌz] **1.** summen, surren; **2.** Summen *n*, Surren *n*

buzzard ['bʌzəd] Bussard *m*

buzzer ['bʌzə] Summer *m*

by [baɪ] **1.** *prp räumlich*: (nahe *od.* dicht) bei *od.* an, neben (***side ~ side*** Seite an Seite); vorbei *od.* vorüber an; *zeitlich*: bis um, bis spätestens; *Tageszeit*: während, bei (**~ *day*** bei Tage); per, mit, durch (**~ *bus*** mit dem Bus); nach, ...weise (**~ *the dozen*** dutzendweise); nach, gemäß (**~ *my watch*** nach *od.* auf m-r Uhr); von (**~ *nature*** von Natur aus); *Urheber, Ursache*: von, durch (***a play ~ ...*** ein Stück von ...; **~ *o.s.*** allein); um (**~ *an inch*** um 1 Zoll); *math.* mal (**2 ~ 4**); *math. geteilt* durch (**6 ~ 3**); **2.** *adv* vorbei, vorüber (→ ***go by, pass by***); nahe, dabei; beiseite (→ ***put by***)

by... [baɪ] Neben...; Seiten...

bye [baɪ], **bye-'bye** *int* F Wiedersehen!, tschüs!

'by|-election Nachwahl *f*; **'~gone 1.** vergangen; **2.** ***let ~s be ~s*** lass(t) das Vergangene ruhen; **'~pass** Umgehungsstraße *f*; Umleitung *f*; *med.* Bypass *m*; **'~-product** Nebenprodukt *n*; **'~road** Nebenstraße *f*; **'~stander** Zuschauer(in)

byte [baɪt] *Computer*: Byte *n*

C

C *Celsius* C, Celsius

cab [kæb] Taxi *n*

cabbage ['kæbɪdʒ] Kohl *m*

cabin ['kæbɪn] Hütte *f*; Kabine *f*; *naut. a.* Kajüte *f*

cabinet ['kæbɪnɪt] *pol.* Kabinett *n*; (*Kartei- etc.*)Schrank *m*; Vitrine *f*

cable ['keɪbl] **1.** Kabel *n*; (Draht)Seil *n*; **2.** telegrafieren; *TV* verkabeln; '**~ car** Seilbahn *f*; '**~ railway** Drahtseilbahn *f*; **~ 'television, ~ TV** [-tiː'viː] Kabelfernsehen *n*

'**cab| rank,** '**~stand** Taxistand *m*

cackle ['kækl] gackern

cactus ['kæktəs] (*pl* **-tuses, -ti** [-taɪ]) Kaktus *m*

café, cafe ['kæfeɪ] Café *n*

cafeteria [kæfɪ'tɪərɪə] Cafeteria *f*, *a.* Kantine *f*

cage [keɪdʒ] Käfig *m*

cake [keɪk] Kuchen *m*, Torte *f*; *Schokolade*: Tafel *f*; *Seife*: Stück *n*, Riegel *m*

calamity [kə'læmətɪ] Katastrophe *f*

calculate ['kælkjʊleɪt] berechnen; kalkulieren, schätzen; **calcu'lation** Berechnung *f*, Kalkulation *f*; '**calculator** *Gerät*: Rechner *m*

calendar ['kælɪndə] Kalender *m*

calf[1] [kɑːf] (*pl* **calves** [kɑːvz]) Kalb *n*

calf[2] [kɑːf] (*pl* **calves** [kɑːvz]) Wade *f*

calibre *Brt.*, **caliber** *Am.* ['kælɪbə] Kaliber *n*

call [kɔːl] **1.** (auf)rufen; (ein)berufen; *tel.* anrufen; nennen; *Aufmerksamkeit* lenken (**to** auf); **be ~ed** heißen; **~ s.o. names** j-n beschimpfen; **~ at** besuchen; *Hafen* anlaufen; **~ back** *tel.* zurückrufen; **~ for** rufen nach; um *Hilfe* rufen; *et.* fordern, verlangen; abholen; **~ off** absagen; **~ on s.o.** j-n besuchen; **2.** (Auf)Ruf *m*; *tel.* Anruf *m*, Gespräch *n*; Aufforderung *f*; (kurzer) Besuch; **on ~** auf Abruf; **be on ~** Bereitschaftsdienst haben; **make a ~** telefonieren; '**~ box** Telefonzelle *f*; '**~er** Anrufer(in); Besucher(in)

callous ['kæləs] gefühllos

calm [kɑːm] **1.** still, ruhig; windstill; **2.** (Wind)Stille *f*; Ruhe *f*; **3.** *oft* **~ down** besänftigen, (sich) beruhigen

calorie ['kælərɪ] Kalorie *f*; **high** *od.* **rich in ~s** *pred* kalorienreich; **low in ~s** *pred* kalorienarm, -reduziert; → **high-calorie, low-calorie**

calves [kɑːvz] *pl von* **calf**[1,2]

came [keɪm] *pret von* **come**

camel ['kæml] Kamel *n*

camera ['kæmərə] Kamera *f*, Fotoapparat *m*

camomile ['kæməʊmaɪl] Kamille *f*

camp [kæmp] **1.** (*Zelt*)Lager *n*; **2.** zelten, campen

campaign [kæm'peɪn] Kampagne *f*; *pol.* Wahlkampf *m*

camp| '**bed** *Brt.* Feldbett *n*; '**~er** Camper(in); *Am.* Campingbus *m*, Wohnmobil *n*; '**~ground** *bsd. Am.* → **campsite**; '**~ing** Camping *n*,

Zelten *n*; '**~site** Lagerplatz *m*; Camping-, Zeltplatz *m*
can[1] [kæn] *v/aux* (*pret* **could**) *ich, du etc.* kann(st) *etc.*
can[2] [kæn] **1.** Kanne *f*; (Blech-, Konserven)Dose *f*, (-)Büchse *f*; **2.** eindosen
Canada ['kænədə] Kanada *n*;
Canadian [kə'neɪdjən] **1.** kanadisch; **2.** Kanadier(in)
canal [kə'næl] Kanal *m*
canary [kə'neərɪ] Kanarienvogel *m*
cancel ['kænsl] streichen; absagen, ausfallen lassen; rückgängig machen; *Fahrschein etc.* entwerten; *Abonnement* kündigen
cancer ['kænsə] Krebs *m*
Cancer ['kænsə] *astr.* Krebs *m*
candid ['kændɪd] offen
candidate ['kændɪdət] Kandidat(in), Bewerber(in)
candle ['kændl] Kerze *f*; '**~stick** Kerzenleuchter *m*
cando(u)r ['kændə] Offenheit *f*, Aufrichtigkeit *f*
candy ['kændɪ] *bsd. Am.* Süßigkeiten *pl*; Bonbon *m*, *n*
cane [keɪn] *bot.* Rohr *n*; Stock *m*
canned [kænd] Dosen..., Büchsen...; **~ 'fruit** Obstkonserven *pl*
cannon ['kænən] Kanone *f*
cannot ['kænɒt] *ich, du etc.* kann(st) *etc.* nicht
canny ['kænɪ] gerissen, schlau
canoe [kə'nu:] Kanu *n*
'**can opener** *bsd. Am.* → **tin opener**
cant [kænt] Jargon *m*
can't [kɑ:nt] → **cannot**
canteen [kæn'ti:n] Kantine *f*; Feldflasche *f*
canvas ['kænvəs] Segeltuch *n*; Zeltleinwand *f*; *paint.* Leinwand *f*
cap [kæp] Mütze *f*, Kappe *f*; (*Verschluss*)Kappe *f*
capable ['keɪpəbl] fähig (**of** zu)
capacity [kə'pæsətɪ] (Raum-)Inhalt *m*; Kapazität *f*; (Leistungs)Fähigkeit *f*
cape[1] [keɪp] Umhang *m*
cape[2] [keɪp] *mst* ♀ Kap *n*
capital ['kæpɪtl] Hauptstadt *f*; Großbuchstabe *m*; *econ.* Kapital *n*; **capitalism** ['kæpɪtəlɪzəm] Kapitalismus *m*
capital| 'letter Großbuchstabe *m*; **~ 'punishment** Todesstrafe *f*
capricious [kə'prɪʃəs] launenhaft
Capricorn ['kæprɪkɔ:n] *astr.* Steinbock *m*
capsize [kæp'saɪz] kentern
capsule ['kæpsju:l] Kapsel *f*
captain ['kæptɪn] (*aviat.* Flug)Kapitän *m*; *mil.* Hauptmann *m*; *Sport*: Kapitän *m*, Spielführer *m*
caption ['kæpʃn] Bildüber-, -unterschrift *f*; Untertitel *m*
captivate ['kæptɪveɪt] *fig.* gefangen nehmen, fesseln
captive ['kæptɪv] Gefangene

m, *f*; **cap'tivity** Gefangenschaft *f*
capture ['kæptʃə] fangen, gefangen nehmen
car [kɑː] Auto *n*; Wagen *m*; *Ballon*: Gondel *f*; *Aufzug*, *Seilbahn*: Kabine *f*
caravan ['kærəvæn] Karawane *f*; *Brt*. Wohnwagen *m*
caraway ['kærəweɪ] Kümmel *m*
carbohydrate [kɑːbəʊ'haɪdreɪt] Kohle(n)hydrat *n*
carbon ['kɑːbən] Kohlenstoff *m*; *a*. **~ paper** Kohlepapier *n*
carburettor *Brt*., **carburetor** *Am*. [kɑːbə'retə] Vergaser *m*
card [kɑːd] Karte *f*; '**~board** Pappe *f*
cardiac ['kɑːdɪæk] Herz...
cardigan ['kɑːdɪgən] Strickjacke *f*
cardinal ['kɑːdɪnl] *rel*. Kardinal *m*
cardinal 'number [kɑːdɪnl-] Kardinal-, Grundzahl *f*
'**card| index** Kartei *f*; '**~ phone** Kartentelefon *n*
care [keə] **1.** Sorge *f*; Sorgfalt *f*, Vorsicht *f*; Fürsorge *f*; **~ of** (*Abk*. **c/o**) *Adresse*: bei ...; ***take ~ of*** aufpassen auf; sich kümmern um; ***with ~!*** Vorsicht!; **2. *~ about*** sich kümmern um; ***~ for*** sorgen für, sich kümmern um; ***I don't ~!*** meinetwegen
career [kə'rɪə] Karriere *f*
'**care|free** sorgenfrei; '**~ful** vorsichtig; ***be ~!*** pass auf!, gib Acht!; '**~less** nachlässig; unachtsam
caress [kə'res] **1.** Liebkosung *f*; **2.** liebkosen; streicheln
'**caretaker** Hausmeister *m*
'**car ferry** Autofähre *f*
cargo ['kɑːgəʊ] (*pl* **cargo[e]s**) Ladung *f*
'**car hire** Autovermietung *f*
caricature ['kærɪkətjʊə] Karikatur *f*
caries ['keəriːz] Karies *f*
carnation [kɑː'neɪʃn] Nelke *f*
carnival ['kɑːnɪvl] Karneval *m*
carol ['kærəl] Weihnachtslied *n*
carp [kɑːp] Karpfen *m*
'**car park** *Brt*. Parkplatz *m*; Parkhaus *n*
carpenter ['kɑːpəntə] Zimmermann *m*
carpet ['kɑːpɪt] Teppich *m*
'**car| pool** Fahrgemeinschaft *f*; '**~ rental** *Am*. Autovermietung *f*; '**~ repair shop** Autoreparaturwerkstatt *f*
carriage ['kærɪdʒ] *Brt*. *rail*. (Personen)Wagen *m*
carrier ['kærɪə] Spediteur *m*; *Fahrrad*: Gepäckträger *m*; '**~ bag** *Brt*. Tragetüte *f*
carrot ['kærət] Karotte *f*, Mohrrübe *f*
carry ['kærɪ] tragen; befördern; bei sich haben *od*. tragen; **~ *on*** fortführen, -setzen; betreiben; ***~ out, ~ through*** durch-, ausführen; '**~cot** *Brt*. (Baby)Tragetasche *f*
cart [kɑːt] Karren *m*
carton ['kɑːtən] Karton *m*;

Milch etc.: Tüte *f*; *Zigaretten*: Stange *f*
cartoon [kɑːˈtuːn] Cartoon *m, n*; Karikatur *f*; Zeichentrickfilm *m*
cartridge [ˈkɑːtrɪdʒ] Patrone *f*; *phot.* (Film)Patrone *f*; Tonabnehmer *m*
carve [kɑːv] *Fleisch* zerlegen, tranchieren; schnitzen; meißeln; ˈ**carving** Schnitzerei *f*
ˈ**car wash** Autowäsche *f*; Waschanlage *f*, -straße *f*
case[1] [keɪs] Fall *m*; ***in*** **~** falls
case[2] [keɪs] Kiste *f*, Kasten *m*; Koffer *m*; Etui *n*
cash [kæʃ] **1.** Bargeld *n*; Barzahlung *f*; **~ *down*** gegen bar; ***in*** **~** bar; **~ *on delivery*** (*Abk.* **COD**) (per) Nachnahme; ***short of*** **~** knapp bei Kasse; **2.** *Scheck etc.* einlösen; ˈ**~ desk** Kasse *f*; ˈ**~ dispenser** *bsd. Brt.* Geldautomat *m*
cashier [kæˈʃɪə] Kassierer(in)
cask [kɑːsk] Fass *n*
casket [ˈkɑːskɪt] Kästchen *n*; *bsd. Am.* Sarg *m*
cassette [kəˈset] (*Film-*, *Musik*)Kassette *f*; **~ player** Kassettenrekorder *m*; **~ radio** Radiorekorder *m*; **~ recorder** Kassettenrekorder *m*
cast [kɑːst] **1.** (***cast***) (ab-, aus)werfen; *tech.* gießen, formen; *thea. Stück* besetzen; *Rollen* verteilen (***to*** an); **~ *off*** *naut.* losmachen; *Maschen* abnehmen; **2.** Wurf *m*; Guss(form *f*) *m*; Abdruck *m*; *med.* Gips(verband) *m*; *thea.* Besetzung *f*
caste [kɑːst] Kaste *f*
caster → ***castor***
cast-ˈiron gusseisern
castle [ˈkɑːsl] Burg *f*; Schloss *n*; *Schach*: Turm *m*
castor [ˈkɑːstə] Laufrolle *f*; (Salz- *etc.*)Streuer *m*
castrate [kæˈstreɪt] kastrieren
casual [ˈkæʒʊəl] zufällig; gelegentlich; *Bemerkung*: beiläufig; *Blick*: flüchtig; lässig
casualty [ˈkæʒʊəltɪ] Verletzte *m, f*, Verunglückte *m, f*; *mil.* Verwundete *m*, Gefallene *m*; *pl* Opfer *pl* (*e-r Katastrophe*), *mil.* Verluste *pl*; ˈ**~ (department)** *Krankenhaus*: Notaufnahme *f*; ˈ**~ ward** *Krankenhaus*: Unfallstation *f*
casual ˈwear Freizeitkleidung *f*
cat [kæt] Katze *f*
catalogue *bsd. Brt.*, **catalog** *Am.* [ˈkætəlɒg] **1.** Katalog *m*; **2.** katalogisieren
catalytic converter [kætəlɪtɪk kənˈvɜːtə] *mot.* Katalysator *m*
catarrh [kəˈtɑː] Katarrh *m*
catastrophe [kəˈtæstrəfɪ] Katastrophe *f*
catch [kætʃ] **1.** (***caught***) *v/t* (auf-, ein)fangen; packen, fassen, ergreifen; *Zug etc.* (noch) kriegen; verstehen; hängen bleiben mit; sich *e-e Krankheit* holen; **~ (*a*) *cold*** sich erkälten; *v/i* sich verfangen, hängen bleiben; klem-

men; ~ **up** (**with**) einholen; **2.** Fangen *n*; Fang *m*, Beute *f*; Haken *m* (*a. fig.*); (*Tür*)Klinke *f*; Verschluss *m*; '**~er** Fänger *m*; '**~ing** packend; *med.* ansteckend (*a. fig.*); '**~word** Schlagwort *n*; Stichwort *n*
category ['kætəgərɪ] Kategorie *f*
cater ['keɪtə]: ~ **for** Speisen u. Getränke liefern für; sorgen für; '**~er** Lieferant *m*, Lieferfirma *f*
caterpillar ['kætəpɪlə] Raupe *f*; ~ '**tractor**® Raupenschlepper *m*
cathedral [kə'θiːdrəl] Dom *m*, Kathedrale *f*
Catholic ['kæθəlɪk] **1.** katholisch; **2.** Katholik(in)
catkin ['kætkɪn] *bot.* Kätzchen *n*
cattle ['kætl] (Rind)Vieh *n*
caught [kɔːt] *pret u. pp von* **catch** 1
cauliflower ['kɒlɪflaʊə] Blumenkohl *m*
cause [kɔːz] **1.** Ursache *f*; Grund *m*; Sache *f*; **2.** verursachen; veranlassen
caution ['kɔːʃn] **1.** Vorsicht *f*; (Ver)Warnung *f*; **2.** (ver-)warnen
cautious ['kɔːʃəs] vorsichtig
cave [keɪv] Höhle *f*
cavern ['kævən] große Höhle
cavity ['kævətɪ] *Zahn*: Loch *n*
CD [siː 'diː] **compact disc** CD(-Platte) *f*
cease [siːs] aufhören; beenden; '**~fire** Feuereinstellung *f*; Waffenstillstand *m*
ceiling ['siːlɪŋ] Decke *f*
celebrate ['selɪbreɪt] feiern; '**celebrated** berühmt; **cele'bration** Feier *f*
celebrity [sɪ'lebrətɪ] Berühmtheit *f*
celery ['selərɪ] Sellerie *m*, *f*
cell [sel] Zelle *f*
cellar ['selə] Keller *m*
cello ['tʃeləʊ] Cello *n*
cement [sɪ'ment] **1.** Zement *m*; Kitt *m*; **2.** zementieren; (ver)kitten
cemetery ['semɪtrɪ] Friedhof *m*
cent [sent] *Am.* Cent *m*
centenary [sen'tiːnərɪ], **centennial** [sen'tenjəl] *Am.* Hundertjahrfeier *f*
center *Am.* → **centre**
centi|grade ['sentɪgreɪd]: **10 degrees** ~ 10 Grad Celsius; '**~metre** *Brt.*, '**~meter** *Am.* Zentimeter *m*, *n*
central ['sentrəl] zentral; Haupt...; Mittel(punkts)...; ~ '**heating** Zentralheizung *f*; '**~ize** zentralisieren; ~ '**locking** Zentralverriegelung *f*
centre *Brt.*, **center** *Am.* ['sentə] **1.** Mitte *f*, *a. fig.* Zentrum *n*, Mittelpunkt *m*; *Fußball*: Flanke *f*; **2.** *tech.* zentrieren
century ['sentʃʊrɪ] Jahrhundert *n*
ceramics [sɪ'ræmɪks] *pl* Keramik *f*
cereal ['sɪərɪəl] Getreide

(-pflanze *f*) *n*; Frühstücksflocken *pl*
ceremony ['serɪmənɪ] Zeremonie *f*; Feier *f*
certain ['sɜːtn] sicher; bestimmt; ***a ~ Mr S.*** ein gewisser Herr S.; **'~ly** sicher, bestimmt
certificate [sə'tɪfɪkət] Bescheinigung *f*; Zeugnis *n*
certify ['sɜːtɪfaɪ] bescheinigen
CFC [siː ef 'siː] ***chlorofluorocarbon*** FCKW, Fluorchlorkohlenwasserstoff *m*
chafe [tʃeɪf] (sich) aufreiben; warm reiben
chain [tʃeɪn] **1.** Kette *f*; **2.** (an)ketten; fesseln; **'~-smoker** Kettenraucher(in); **'~ store** Kettenladen *m*
chair [tʃeə] Stuhl *m*, Sessel *m*; *fig.* Vorsitz *m*; **'~ lift** Sessellift *m*; **'~man** (*pl* ***-men***) Vorsitzende *m*; **'~woman** (*pl* ***-women***) Vorsitzende *f*
chalk [tʃɔːk] Kreide *f*
challenge ['tʃælɪndʒ] **1.** Herausforderung *f*; **2.** herausfordern; **'challenger** *bsd. Sport*: Herausforderer *m*, -forderin *f*
chamber ['tʃeɪmbə] Kammer *f*; **'~maid** Zimmermädchen *n*
chamois ['ʃæmwɑː] Gämse *f*
'chamois (leather) ['ʃæmɪ-] Polier-, Fensterleder *n*
champagne [ʃæm'peɪn] Champagner *m*; Sekt *m*
champion ['tʃæmpjən] *Sport*: Meister(in); Verfechter(in); **'~ship** Meisterschaft *f*
chance [tʃɑːns] **1.** Zufall *m*; Chance *f*, (günstige) Gelegenheit; Aussicht *f* (**of** auf); Möglichkeit *f*; ***by ~*** zufällig; ***take a ~*** es darauf ankommen lassen; ***take no ~s*** nichts riskieren (wollen); **2.** riskieren; **3.** zufällig
chancellor ['tʃɑːnsələ] Kanzler *m*
change [tʃeɪndʒ] **1.** (sich) (ver)ändern; (ver)tauschen; (aus)wechseln; *Geld* (um-) wechseln; *mot., tech.* schalten; sich umziehen; ***~ trains/planes*** umsteigen; **2.** (Ver-) Änderung *f*, Wechsel *m*; (Aus)Tausch *m*; Wechselgeld *n*; Kleingeld *n*; ***for a ~*** zur Abwechslung; **'~ machine** Münzwechsler *m*
'changing room *Sport*: Umkleidekabine *f*
channel ['tʃænl] Kanal *m*
chaos ['keɪɒs] Chaos *n*
chap [tʃæp] F Bursche *m*
chapel ['tʃæpl] Kapelle *f*
chaplain ['tʃæplɪn] Kaplan *m*
chapped [tʃæpt] *Hände, Lippen*: aufgesprungen, rissig
chapter ['tʃæptə] Kapitel *n*
char [tʃɑː] verkohlen
character ['kærəktə] Charakter *m*; *Roman etc.*: Figur *f*, Gestalt *f*; Schriftzeichen *n*, Buchstabe *m*; **~'istic** charakteristisch (**of** für); **'~ize** charakterisieren

charge [tʃɑːdʒ] **1.** *Batterie etc.* (auf)laden, *Gewehr etc.* laden; beauftragen (**with** mit); *j-n* beschuldigen *od.* anklagen (**with** *e-r Sache*) (*a. jur.*); berechnen, verlangen, fordern (**for** für); **2.** *Batterie, Gewehr etc.*: Ladung *f*; Preis *m*; Forderung *f*; Gebühr *f*; *a. pl* Unkosten *pl*, Spesen *pl*; Beschuldigung *f*, *a. jur.* Anklage(punkt *m*) *f*; Schützling *m*; **free of ~** kostenlos; **be in ~ of** verantwortlich sein für
charitable ['tʃærətəbl] wohltätig
charity ['tʃærətɪ] Nächstenliebe *f*; Wohltätigkeit *f*
charm [tʃɑːm] **1.** Charme *m*; Zauber *m*; Talisman *m*, Amulett *n*; **2.** bezaubern; '**~ing** charmant, bezaubernd
chart [tʃɑːt] (*See-, Himmels-, Wetter*)Karte *f*; Diagramm *n*, Schaubild *n*; *pl* Charts *pl*, Hitliste(n *pl*) *f*
charter ['tʃɑːtə] **1.** Urkunde *f*; Charta *f*; Chartern *n*; **2.** chartern; '**~ flight** Charterflug *m*
charwoman ['tʃɑːwʊmən] (*pl* **-women**) Putzfrau *f*
chase [tʃeɪs] **1.** jagen, Jagd machen auf; rasen, rennen; *a.* **~ away** verjagen, -treiben; **2.** (Hetz)Jagd *f*
chasm ['kæzəm] Kluft *f*, Abgrund *m* (*a. fig.*)
chassis ['ʃæsɪ] (*pl* **chassis** ['ʃæsɪz]) Fahrgestell *n*
chaste [tʃeɪst] keusch
chat [tʃæt] F **1.** plaudern, schwatzen; **2.** Geplauder *n*, Schwatz *m*; '**~ show** *Brt. TV* Talk-Show *f*
chatter ['tʃætə] **1.** plappern, schwatzen, schnattern; *Zähne*: klappern; **2.** Geplapper *n*, Geschnatter *n*; Klappern *n*; '**~box** F Plappermaul *n*
chatty ['tʃætɪ] F geschwätzig
chauffeur ['ʃəʊfə] Chauffeur *m*
cheap [tʃiːp] billig; schäbig
cheat [tʃiːt] **1.** betrügen, F schummeln; **2.** Betrug *m*
check [tʃek] **1.** Schach(stellung *f*) *n*; Hemmnis *n*, Hindernis *n* (**on** für); Einhalt *m*; Kontrolle *f*; *Am.* Scheck *m* (**for** über); *Am.* Rechnung *f*; *Am.* Gepäckschein *m*; *Am.* Garderobenmarke *f*; Karomuster *n*; **hold** *od.* **keep in ~** *fig.* in Schach halten; **keep a ~ on** unter Kontrolle halten; **2.** *v/i* (plötzlich) innehalten; **~ in** sich (*in e-m Hotel*) anmelden; *aviat.* einchecken; **~ out** *aus e-m Hotel* abreisen; **~ up** (**on**) *e-e Sache* nachprüfen, *e-e Sache, j-n* überprüfen; *v/t* Schach bieten; hemmen, hindern; drosseln, bremsen; zurückhalten; checken, kontrollieren, überprüfen; *Am. auf e-r Liste* abhaken; *Am.* in der Garderobe abgeben; (als Reisegepäck) aufgeben; '**~book** *Am.* Scheckbuch *n*, -heft *n*; '**~ card** *Am.* Scheckkarte *f*

checked [tʃekt] kariert
checkers ['tʃekəz] *sg Am.* Damespiel *n*
'**check-in** *Hotel*: Anmeldung *f*; *aviat.* Einchecken *n*; '**~ counter** *aviat.* Abfertigungsschalter *m*
'**checking account** *Am.* Girokonto *n*
'**check|list** Check-, Kontrollliste *f*; '**~mate 1.** (Schach-)Matt *n*; **2.** (schach-)matt setzen; '**~out** *Hotel*: Abreise *f*; *Supermarkt*: Kasse *f*; '**~point** Kontrollpunkt *m*; '**~room** *Am.* Garderobe *f*; *Am.* Gepäckaufbewahrung *f*; '**~up** *med.* Check-up *m*
cheek [tʃiːk] Backe *f*, Wange *f*; F Frechheit *f*; '**~bone** Backenknochen *m*
cheeky ['tʃiːkɪ] F frech
cheer [tʃɪə] **1.** Hoch(ruf *m*) *n*, Beifall(sruf) *m*; **~s** *Sport*: Anfeuerung(srufe *pl*) *f*; **~s!** *Brt.* F prost!; **2.** *v/t* Beifall spenden, hochleben lassen; *a.* **~ on** anfeuern; *a.* **~ up** aufmuntern; *v/i* Beifall spenden, jubeln; *a.* **~ up** Mut fassen; **~ up!** Kopf hoch!; '**~ful** vergnügt, fröhlich; *Raum, Wetter etc.*: freundlich, heiter
cheerio [tʃɪərɪ'əʊ] *int Brt.* F machs gut!, tschüs!; prost!
'**cheerless** freudlos; *Raum, Wetter etc.*: unfreundlich
cheese [tʃiːz] Käse *m*
cheetah ['tʃiːtə] Gepard *m*
chef [ʃef] Küchenchef *m*
chemical ['kemɪkl] **1.** chemisch; **2.** Chemikalie *f*
chemist ['kemɪst] Chemiker (-in); Apotheker(in); Drogist(in); '**chemistry** Chemie *f*; **chemist's shop** Apotheke *f*; Drogerie *f*
cheque [tʃek] *Brt.* Scheck *m*; '**~ account** *Brt.* Girokonto *n*; '**~ card** *Brt.* Scheckkarte *f*
cherry ['tʃerɪ] Kirsche *f*
chess [tʃes] Schach(spiel) *n*; '**~board** Schachbrett *n*
chest [tʃest] Kiste *f*; Truhe *f*; *anat.* Brust(kasten *m*) *f*
chestnut ['tʃesnʌt] **1.** Kastanie *f*; **2.** kastanienbraun
chest of drawers [tʃest əv 'drɔːz] Kommode *f*
chew [tʃuː] kauen; '**~ing gum** Kaugummi *m*
chick [tʃɪk] Küken *n*
chicken ['tʃɪkɪn] Huhn *n*; Küken *n*; *als Nahrung*: Hähnchen *n*, Hühnchen *n*; **~ pox** ['tʃɪkɪnpɒks] Windpocken *pl*
chicory ['tʃɪkərɪ] Chicorée *m, f*
chief [tʃiːf] **1.** Chef *m*; Häuptling *m*; **2.** wichtigst; erst, oberst; '**~ly** hauptsächlich
chilblain ['tʃɪlbleɪn] Frostbeule *f*
child [tʃaɪld] (*pl* **children** ['tʃɪldrən]) Kind *n*; '**~ abuse** Kindesmisshandlung *f*; '**~birth** Geburt *f*, Entbindung *f*; '**~hood** Kindheit *f*; '**~ish** kindlich; kindisch; '**~less** kinderlos; '**~like** kindlich; **~**

minder ['tʃaɪldmaɪndə] *Brt.* Tagesmutter *f*
children ['tʃɪldrən] *pl von* ***child***
chill [tʃɪl] **1.** kühlen; *j-n* frösteln lassen; **2.** Kälte *f*; Frösteln *n*; Erkältung *f*; **3.** *adj* → **'chilly** kalt, frostig, kühl
chime [tʃaɪm] **1.** Läuten *n*; *mst pl* Glockenspiel *n*; **2.** läuten; *Uhr*: schlagen
chimney ['tʃɪmnɪ] Schornstein *m*
chimpanzee [tʃɪmpən'ziː] Schimpanse *m*
chin [tʃɪn] Kinn *n*
china ['tʃaɪnə] Porzellan *n*
China ['tʃaɪnə] China *n*; **Chinese** [tʃaɪ'niːz] **1.** chinesisch; **2.** Chines|e *m*, -in *f*
chink [tʃɪŋk] Ritze *f*, Spalt *m*
chip [tʃɪp] **1.** Splitter *m*, Span *m*; Spielmarke *f*; *Computer*: Chip *m*; **2.** an-, abschlagen
chips [tʃɪps] *pl Brt.* Pommes frites *pl*, F Fritten *pl*; *Am.* (Kartoffel)Chips *pl*
chirp [tʃɜːp] zwitschern
chisel ['tʃɪzl] Meißel *m*
chive(s *pl*) [tʃaɪv(z)] Schnittlauch *m*
chlorine ['klɔːriːn] Chlor *n*
chocolate ['tʃɒkələt] Schokolade *f*; Praline *f*; *pl* Pralinen *pl*, Konfekt *n*
choice [tʃɔɪs] **1.** Wahl *f*; Auswahl *f*; **2.** ausgesucht (gut)
choir ['kwaɪə] Chor *m*
choke [tʃəʊk] **1.** ersticken; *a.* **~ *up*** verstopfen; **2.** *mot.* Choke *m*, Luftklappe *f*
cholesterol [kə'lestərɒl] Cholesterin *n*
choose [tʃuːz] (***chose, chosen***) (aus)wählen
chop [tʃɒp] **1.** (zer)hacken; **~ *down*** fällen; **2.** Hieb *m*, Schlag *m*; *gastr.* Kotelett *n*; **'chopper** Hackmesser *n*; F Hubschrauber *m*
chord [kɔːd] Saite *f*; Akkord *m*
chore [tʃɔː] unangenehme Aufgabe; *pl* Hausarbeit *f*
chorus ['kɔːrəs] Chor *m*; Refrain *m*; *Revue*: Tanzgruppe *f*
chose [tʃəʊz] *pret*, **chosen** ['tʃəʊzn] *pp von* ***choose***
Christ [kraɪst] Christus *m*
christen ['krɪsn] taufen
Christian ['krɪstʃən] **1.** christlich; **2.** Christ(in)
Christianity [krɪstɪ'ænətɪ] Christentum *n*
'Christian name Vorname *m*
Christmas ['krɪsməs] Weihnachten *n u. pl*; ***at*** **~** zu Weihnachten; → ***merry***; **~ 'Day** erster Weihnachtsfeiertag; **~ 'Eve** Heiliger Abend
chrome [krəʊm] Chrom *n*
chromium ['krəʊmɪəm] *Metall*: Chrom *n*
chronic ['krɒnɪk] chronisch
chronicle ['krɒnɪkl] Chronik *f*
chronological [krɒnə'lɒdʒɪkl] chronologisch
chrysanthemum [krɪ'sænθəməm] Chrysantheme *f*
chubby ['tʃʌbɪ] rundlich

chuckle ['tʃʌkl]: ~ (***to o.s.***) (stillvergnügt) in sich hineinlachen
chum [tʃʌm] F Kumpel *m*
chunk [tʃʌŋk] Klotz *m*, (dickes) Stück
church [tʃɜːtʃ] Kirche *f*; **'~yard** Kirch-, Friedhof *m*
chute [ʃuːt] Rutsche *f*, Rutschbahn *f*; F Fallschirm *m*
cider ['saɪdə] Apfelwein *m*
cigar [sɪ'gɑː] Zigarre *f*
cigarette [sɪgə'ret] Zigarette *f*
Cinderella [sɪndə'relə] Aschenbrödel *n*, -puttel *n*
cinders ['sɪndəz] *pl* Asche *f*
'cinder track Aschenbahn *f*
'cinecamera ['sɪnɪkæmərə] (Schmal)Filmkamera *f*
cinema ['sɪnəmə] *Brt.* Kino *n*
cinnamon ['sɪnəmən] Zimt *m*
cipher ['saɪfə] Chiffre *f*
circle ['sɜːkl] **1.** Kreis *m*; *thea.* Rang *m*; *fig.* Kreislauf *m*; **2.** (um)kreisen
circuit ['sɜːkɪt] Runde *f*, Rundreise *f*, -flug *m*; *electr.* Strom-, Schaltkreis *m*
circular ['sɜːkjʊlə] **1.** (kreis-) rund, kreisförmig; Kreis...; **2.** Rundschreiben *n*
circulate ['sɜːkjʊleɪt] zirkulieren, im Umlauf sein; in Umlauf setzen; **circu'lation** (*a.* Blut)Kreislauf *m*; *econ.* Umlauf *m*
circumstance ['sɜːkəmstəns] Umstand *m*; *mst pl* (Sach-) Lage *f*; *pl* Verhältnisse *pl*; ***in/under no ~s*** auf keinen Fall; ***in/under the ~s*** unter diesen Umständen
circus ['sɜːkəs] Zirkus *m*
CIS [siː aɪ 'es] ***Commonwealth of Independent States*** *die* GUS, *die* Gemeinschaft unabhängiger Staaten
cistern ['sɪstən] Wasserbehälter *m*; *Toilette*: Spülkasten *m*
citizen ['sɪtɪzn] Bürger(in); Staatsangehörige *m*, *f*; **'~ship** Staatsangehörigkeit *f*
city ['sɪtɪ] (Groß)Stadt *f*; ***the*** **≗** die (Londoner) City; **~ 'centre** *Brt.* Innenstadt *f*, City *f*; **~ 'hall** Rathaus *n*
civic ['sɪvɪk] städtisch, Stadt...; **'civics** *sg* Staatsbürgerkunde *f*
civil ['sɪvl] staatlich, Staats...; (staats)bürgerlich, Bürger...; Zivil...; *jur.* zivilrechtlich; höflich
civilian [sɪ'vɪljən] **1.** Zivilist *m*; **2.** Zivil...
civilization [sɪvɪlaɪ'zeɪʃn] Zivilisation *f*, Kultur *f*; **'civilize** zivilisieren
civil| 'rights *pl* (Staats)Bürgerrechte *pl*; **~ 'servant** Staatsbeamt|e *m*, -in *f*; **~ 'service** Staatsdienst *m*; **~ 'war** Bürgerkrieg *m*
claim [kleɪm] **1.** beanspruchen; fordern; behaupten; **2.** Anspruch *m*, Anrecht *n* (***to*** auf); Forderung *f*; Behauptung *f*

clammy ['klæmɪ] feuchtkalt, klamm
clamo(u)r ['klæmə] lautstark verlangen (***for*** nach)
clamp [klæmp] Zwinge *f*
clan [klæn] Clan *m*, Sippe *f*
clap [klæp] **1.** klatschen; **2.** Klatschen *n*; Klaps *m*
claret ['klærət] roter Bordeaux(wein); Rotwein *m*
clarinet [klærə'net] Klarinette *f*
clarity ['klærətɪ] Klarheit *f*
clash [klæʃ] **1.** zs.-stoßen; nicht zs.-passen; **2.** Zs.-stoß *m*; Konflikt *m*
clasp [klɑːsp] **1.** Schnalle *f*, Spange *f*, (Schnapp)Verschluss *m*; Griff *m*; **2.** umklammern, (er)greifen; ein-, zuhaken, befestigen; '**~ knife** (*pl* - ***knives***) Taschenmesser *n*
class [klɑːs] **1.** Klasse *f*; (Bevölkerungs)Schicht *f*; (Schul-) Klasse *f*; (Unterrichts)Stunde *f*; Kurs *m*; *Am. Schulabgänger etc.*: Jahrgang *m*; **2.** einteilen, -ordnen, -stufen
classic ['klæsɪk] **1.** klassisch; **2.** Klassiker *m*; '**~al** klassisch
classification [klæsɪfɪ'keɪʃn] Klassifizierung *f*, Einteilung *f*; **classified** ['klæsɪfaɪd] *mil., pol.* geheim; **~ *ad*** Kleinanzeige *f*; '**classify** klassifizieren, einstufen
'**class|mate** Mitschüler(in); '**~room** Klassenzimmer *n*
clatter ['klætə] klappern
clause [klɔːz] *jur.* Klausel *f*
claw [klɔː] **1.** Klaue *f*, Kralle *f*; *Krebs*: Schere *f*; **2.** (zer-) kratzen; umkrallen, packen
clay [kleɪ] Ton *m*, Lehm *m*
clean [kliːn] **1.** *adj* rein, sauber; *Drogen*: *sl.* clean; **2.** *adv* völlig; **3.** *v/t* reinigen, säubern, putzen; **~ *out*** reinigen; **~ *up*** gründlich reinigen; aufräumen; '**~er** Reiniger *m*; Rein(e)machefrau *f*, (*Fenster- etc.*)Putzer *m*; **~'s** *Brt.*, **~s** *pl Am. Geschäft*: Reinigung *f*
cleanse [klenz] reinigen, säubern; '**cleanser** Reinigungsmittel *n*
clear [klɪə] **1.** klar; hell; rein; deutlich; frei (***of*** von); *econ.* Netto..., Rein...; **2.** *v/t* reinigen; wegräumen (*oft* **~ *away***); (ab)räumen; *Computer*: löschen; *jur.* freisprechen; *v/i* klar *od.* hell werden; *Wetter*: aufklaren; *Nebel*: sich verziehen; **~ *out*** auf-, ausräumen; F abhauen; **~ *up*** aufräumen; *Verbrechen* aufklären; *Wetter*: aufklaren; '**~ance** Räumung *f*; Freigabe *f*; '**~ance sale** Räumungsverkauf *m*; '**~ing** Lichtung *f*
cleft [kleft] Spalt *m*, Spalte *f*
clement ['klemənt] *Wetter*: mild
clench [klentʃ] *Lippen etc.* (fest) zs.-pressen, *Zähne* zs.-beißen, *Faust* ballen

clergy ['klɜːdʒɪ] *die* Geistlichen *pl*; '**~man** (*pl* **-men**) Geistliche *m*
clerk [klɑːk] (Büro- *etc.*)Angestellte *m*, *f*, (Bank-, Post)Beamt|e *m*, -in *f*; *Am.* Verkäufer(in)
clever ['klevə] klug; geschickt
click [klɪk] **1.** Klicken *n*; **2.** klicken; zu-, einschnappen; **~ on** *Computer*: anklicken
client ['klaɪənt] *jur.* Klient(in), Mandant(in); Kund|e *m*, -in *f*
cliff [klɪf] Klippe *f*
climate ['klaɪmɪt] Klima *n*
climax ['klaɪmæks] Höhepunkt *m*
climb [klaɪm] klettern (auf); (er-, be)steigen; '**~er** Bergsteiger(in); *bot.* Kletterpflanze *f*
cling [klɪŋ] (**clung**) (**to**) kleben (an); sich klammern (an); sich (an)schmiegen (an); '**~film** Frischhaltefolie *f*
clinic ['klɪnɪk] Klinik *f*; '**~al** klinisch
clink [klɪŋk] **1.** klingen *od.* klirren (lassen); **2.** Klirren *n*
clip[1] [klɪp] **1.** (Heft-, Büro- *etc.*)Klammer *f*; (*Ohr*)Klipp *m*; **2.** *a.* **~ on** anklammern
clip[2] [klɪp] **1.** (aus)schneiden; scheren; **2.** Schnitt *m*; (*Film-* *etc.*)Ausschnitt *m*; (*Video-*) Clip *m*; Schur *f*
clippers ['klɪpəz] *pl*, *a.* **pair of ~** (*Nagel-* *etc.*)Schere *f*; Haarschneidemaschine *f*
'**clipping** *bsd. Am.* (*Zeitungs-*) Ausschnitt *m*
clitoris ['klɪtərɪs] Klitoris *f*
cloak [kləʊk] Umhang *m*; '**~room** Garderobe *f*; *Brt.* Toilette *f*
clock [klɒk] **1.** Uhr *f*; ***it's 4 o'clock*** es ist 4 Uhr; **2.** *Sport*: *Zeit* stoppen; **~ in**, **~ on** einstempeln; **~ out**, **~ off** ausstempeln; '**~wise** im Uhrzeigersinn; '**~work** Uhrwerk *n*; **like ~** wie am Schnürchen
clod [klɒd] (Erd)Klumpen *m*
clog [klɒg] **1.** (Holz)Klotz *m*; Holzschuh *m*; **2.** *a.* **~ up** verstopfen
cloister ['klɔɪstə] Kreuzgang *m*; Kloster *n*
close 1. [kləʊz] *v/t* (ab-, ver-, zu)schließen, zumachen; *Betrieb etc.*: schließen; *Straße*: (ab)sperren; beenden; *v/i* sich schließen; schließen, zumachen; **~ down** *Geschäft* schließen, *Betrieb* stilllegen; **~ up** (ab-, ver-, zu)schließen; aufrücken, -schließen; **2.** [kləʊs] *adj* nah; *Ergebnis*: knapp; genau, gründlich; stickig, schwül; eng (anliegend); *Freund*: eng, *Verwandte(r)*: nah; **3.** [kləʊs] *adv* eng, nahe; **~ by** ganz in der Nähe; **4.** [kləʊz] *su* Ende *n*
closed [kləʊzd] geschlossen; gesperrt (**to** für)
closet ['klɒzɪt] (Wand-) Schrank *m*

close-up ['kləʊsʌp] *phot. etc.*: Nah-, Großaufnahme *f*
'**closing| date** ['kləʊzɪŋ-] Einsendeschluss *m*; '**~ time** Laden-, Geschäftsschluss *m*; Polizeistunde *f*
clot [klɒt] **1.** Klumpen *m*, Klümpchen *n*; **2.** gerinnen
cloth [klɒθ] Stoff *m*, Tuch *n*; Lappen *m*, Tuch *n*
clothe [kləʊð] kleiden
clothes [kləʊðz] *pl* Kleider *pl*, Kleidung *f*; '**~line** Wäscheleine *f*; '**~ peg** *Brt.*, '**~pin** *Am.* Wäscheklammer *f*
cloud [klaʊd] **1.** Wolke *f*; **2.** (sich) bewölken; (sich) trüben; '**~burst** Wolkenbruch *m*; '**cloudy** bewölkt; trüb
clove [kləʊv] Gewürznelke *f*
clover ['kləʊvə] Klee *m*
clown [klaʊn] Clown *m*
club [klʌb] **1.** Knüppel *m*; (Golf)Schläger *m*; Klub *m*; *Karten*: Kreuz *n*; → ***heart***; **2.** einknüppeln auf, prügeln
cluck [klʌk] gackern; glucken
clue [klu:] Anhaltspunkt *m*, Spur *f*
clump [klʌmp] Klumpen *m*
clumsy ['klʌmzɪ] unbeholfen
clung [klʌŋ] *pret u. pp von* ***cling***
clutch [klʌtʃ] **1.** umklammern; (er)greifen; **2.** Kupplung *f*
c/o [si: 'əʊ] ***care of*** bei
Co [kəʊ] ***company*** *econ.* Gesellschaft *f*
coach [kəʊtʃ] **1.** Reisebus *m*; *Brt. rail.* (Personen)Wagen *m*; Kutsche *f*; *Sport*: Trainer(in); Nachhilfelehrer(in); **2.** *Sport*: trainieren; Nachhilfeunterricht geben
coagulate [kəʊ'ægjʊleɪt] gerinnen (lassen)
coal [kəʊl] Kohle *f*
coalition [kəʊə'lɪʃn] Koalition *f*
'**coalmine** Kohlenbergwerk *n*
coarse [kɔ:s] grob; vulgär
coast [kəʊst] **1.** Küste *f*; **2.** *Fahrrad*: im Freilauf fahren; '**~guard** Küstenwache *f*
coat [kəʊt] **1.** Mantel *m*; Fell *n*; Anstrich *m*, Schicht *f*; **2.** *mit Glasur*: überziehen; *mit Farbe*: (an)streichen; '**~ing** Anstrich *m*, Schicht *f*
coat of 'arms Wappen *n*
coax [kəʊks] überreden
cob [kɒb] Maiskolben *m*
cobweb ['kɒbweb] Spinnwebe *f*
cocaine [kəʊ'keɪn] Kokain *n*
cock[1] [kɒk] *zo.* Hahn *m*; V *Penis*: Schwanz *m*
cock[2] [kɒk] aufrichten
cockatoo [kɒkə'tu:] Kakadu *m*
cockchafer ['kɒktʃeɪfə] Maikäfer *m*
'**cockpit** Cockpit *n*
cockroach ['kɒkrəʊtʃ] Schabe *f*
cocoa ['kəʊkəʊ] Kakao *m*
coconut ['kəʊkənʌt] Kokosnuss *f*
cocoon [kə'ku:n] Kokon *m*

cod [kɒd] *a.* ***codfish*** Kabeljau *m*, Dorsch *m*
COD [siː əʊ 'diː] ***cash*** (*Am.* ***collect***) ***on delivery*** per Nachnahme
coddle ['kɒdl] verhätscheln
code [kəʊd] **1.** Kode *m*; **2.** verschlüsseln, chiffrieren
cod-liver 'oil Lebertran *m*
coexist [kəʊɪg'zɪst] nebeneinander bestehen; **~ence** Koexistenz *f*
coffee ['kɒfɪ] Kaffee *m*; **'~ bar** *Brt.* Café *n*
coffin ['kɒfɪn] Sarg *m*
cog [kɒg] (Rad)Zahn *m*; **'~wheel** Zahnrad *n*
coherent [kəʊ'hɪərənt] zs.-hängend
coil [kɔɪl] **1.** Rolle *f*; Spule *f*; Spirale *f*; **2.** *a.* **~ *up*** aufrollen, (auf)wickeln; sich zs.-rollen
coin [kɔɪn] Münze *f*
coincide [kəʊɪn'saɪd] zs.-fallen; übereinstimmen; **coincidence** [kəʊ'ɪnsɪdəns] Zufall *m*; Übereinstimmung *f*
cold [kəʊld] **1.** kalt; ***I'm*** (***feeling***) **~** mir ist kalt; **2.** Kälte *f*; Erkältung *f*; ***have a*** **~** erkältet sein; → ***catch*** 1
coleslaw ['kəʊlslɔː] Krautsalat *m*
colic ['kɒlɪk] Kolik *f*
collaborate [kə'læbəreɪt] zs.-arbeiten
collapse [kə'læps] **1.** zs.-brechen; einstürzen; **2.** Zs.-bruch *m*; **col'lapsible** zs.-klappbar, Falt/Klapp...
collar ['kɒlə] Kragen *m*; *Hund*: Halsband *n*; **'~bone** Schlüsselbein *n*
colleague ['kɒliːg] Kolleg|e *m*, -in *f*
collect [kə'lekt] *v/t* (ein-) sammeln; *Daten* erfassen; *Geld* kassieren; abholen; *v/i* sich (ver)sammeln; **~ed** *fig.* gefasst; **~ion** Sammlung *f*; *econ.* Eintreibung *f*; Abholung *f*; *bsd. Brt. Briefkasten*: Leerung *f*; *rel.* Kollekte *f*; **~ive** gemeinsam; **~or** Sammler(in); Steuereinnehmer *m*
college ['kɒlɪdʒ] College *n*; Fachhochschule *f*
collide [kə'laɪd] zs.-stoßen
collision [kə'lɪʒn] Zs.-stoß *m*
colloquial [kə'ləʊkwɪəl] umgangssprachlich
colon¹ ['kəʊlən] *anat.* Dickdarm *m*
colon² ['kəʊlən] Doppelpunkt *m*
colonel ['kɜːnl] Oberst *m*
colony ['kɒlənɪ] Kolonie *f*
colo(u)r ['kʌlə] **1.** Farbe *f*; *pl mil.* Fahne *f*, *naut.* Flagge *f*; Farb...; **2.** färben; sich (ver-) färben; erröten; **'~ bar** Rassenschranke *f*; **'~-blind** farbenblind; **'~ed** bunt; farbig; **'~fast** farbecht; **'~ful** farbenprächtig; *fig.* farbig, bunt
column ['kɒləm] Säule *f*; *print.* Spalte *f*
comb [kəʊm] **1.** Kamm *m*; **2.** kämmen
combat ['kɒmbæt] Kampf *m*

combination [kɒmbɪ'neɪʃn] Verbindung *f*, Kombination *f*; **combine 1.** [kəm'baɪn] (sich) verbinden; **2.** ['kɒmbaɪn] *econ.* Konzern *m*; *a.* ~ ***harvester*** Mähdrescher *m*
combustible [kəm'bʌstəbl] brennbar; **com'bustion** Verbrennung *f*
come [kʌm] (**came, come**) kommen; kommen, gelangen; kommen, geschehen, sich ereignen; ~ ***about*** geschehen, passieren; ~ ***across*** auf *j-n od. et.* stoßen; ~ ***along*** mitkommen, -gehen; ~ ***apart*** auseinander fallen; ~ ***away*** sich lösen; ~ ***by*** zu *et.* kommen; ~ ***down*** *Preise*: sinken; ~ ***for*** abholen kommen, kommen wegen; ~ ***home*** nach Hause (*östr.*, *Schweiz*: *a.* nachhause) kommen; ~ ***in*** hereinkommen; *Nachricht etc.*: eintreffen; *Zug*: einlaufen; ~ ***in!*** herein!; ~ ***off*** *Knopf etc.*: ab-, losgehen; ~ ***on!*** los!, komm!; ~ ***out*** herauskommen; ~ ***round*** wieder zu sich kommen; ~ ***through*** durchkommen; *Krankheit etc.* überstehen; ~ ***to*** sich belaufen auf; wieder zu sich kommen; ~ ***to see*** besuchen
comedian [kə'miːdjən] Komiker *m*
comedy ['kɒmədɪ] Komödie *f*
comfort ['kʌmfət] **1.** Komfort *m*, Bequemlichkeit *f*; Trost *m*; **2.** trösten; '**~able** komfortabel, bequem
comic(al) ['kɒmɪk(əl)] komisch, humoristisch
comics ['kɒmɪks] *pl* Comics *pl*; Comichefte *pl*
comma ['kɒmə] Komma *n*
command [kə'mɑːnd] **1.** befehlen; *mil.* kommandieren; verfügen über; beherrschen; **2.** Befehl *m*; Beherrschung *f*; *mil.* Kommando *n*; **~er** Kommandeur *m*, Befehlshaber *m*; **~ment** Gebot *n*
commemorate [kə'meməreɪt] gedenken (*gen*); **commemo'ration: *in*** ~ ***of*** zum Gedenken an
comment ['kɒment] **1.** (***on***) Kommentar *m* (zu); Bemerkung *f* (zu); Anmerkung *f* (zu); ***no*** **~!** kein Kommentar!; **2.** (***on***) kommentieren (*acc*); sich äußern (über); **~ary** ['kɒməntərɪ] Kommentar *m* (***on*** zu); **~ator** ['kɒmənteɪtə] Kommentator *m*, *TV etc.*: *a.* Reporter(in)
commerce ['kɒmɜːs] Handel *m*
commercial [kə'mɜːʃl] **1.** Handels...; kommerziell, finanziell; **2.** *TV etc.*: Werbespot *m*; **~ize** [kə'mɜːʃəlaɪz] kommerzialisieren, vermarkten; ~ '**television** Werbefernsehen *n*
commission [kə'mɪʃn] **1.** Auftrag *m*; Kommission *f* (*a. econ.*), Ausschuss *m*; Provision *f*; **2.** beauftragen; *et.* in

Auftrag geben; **~er** Beauftragte *m,f*; *Am.* Polizeichef *m*
commit [kə'mɪt] *Verbrechen etc.* begehen; verpflichten (**to** zu), festlegen (**to** auf); **~ment** Verpflichtung *f*; Engagement *n*
committee [kə'mɪtɪ] Ausschuss *m*, Komitee *n*
common ['kɒmən] **1.** gemeinsam; allgemein; alltäglich; *Volk*: einfach; **2.** Gemeindeland *n*; **in ~** gemeinsam; '**~er** Bürgerliche *m,f*; **♀ 'Market** Gemeinsamer Markt; '**~place 1.** alltäglich; **2.** Gemeinplatz *m*; '**Commons** *pl*: **the ~** *Brt. parl.* das Unterhaus; **~ 'sense** gesunder Menschenverstand
commotion [kə'məʊʃn] Aufregung *f*; Aufruhr *m*
communal ['kɒmjʊnl] Gemeinde...; Gemeinschafts...
communicate [kə'mju:nɪkeɪt] *v/t* mitteilen; *Krankheit* übertragen (**to** auf); *v/i* sich verständigen; sich verständlich machen; **communi'cation** Verständigung *f*, Kommunikation *f*; Verbindung *f*; **communicative** [kə'mju:nɪkətɪv] gesprächig
Communion [kə'mju:njən] *rel.* Kommunion *f*, Abendmahl *n*
communism ['kɒmjʊnɪzəm] Kommunismus *m*; '**communist 1.** kommunistisch; **2.** Kommunist(in)
community [kə'mju:nətɪ] Gemeinschaft *f*; Gemeinde *f*
commu'tation ticket [kɒmju:'teɪʃn-] *Am. rail. etc.* Dauer-, Zeitkarte *f*
commute [kə'mju:t] *rail. etc.* pendeln; **com'muter** Pendler(in); **com'muter train** Pendler-, Nahverkehrszug *m*
compact 1. [kəm'pækt] *adj* kompakt; eng, klein; *Stil*: knapp; **2.** ['kɒmpækt] Puderdose *f*; **~ 'disc → CD**
companion [kəm'pænjən] Begleiter(in); Gefährt|e *m*, -in *f*; Handbuch *n*; **~ship** Gesellschaft *f*
company ['kʌmpənɪ] Gesellschaft *f*; *econ.* Gesellschaft *f*, Firma *f*; *mil.* Kompanie *f*; *thea.* Truppe *f*; **keep s.o. ~** j-m Gesellschaft leisten
comparable ['kɒmpərəbl] vergleichbar; **comparative** [kəm'pærətɪv] *adj* verhältnismäßig; **compare** [kəm'peə] vergleichen; sich vergleichen (lassen); **comparison** [kəm'pærɪsn] Vergleich *m*
compartment [kəm'pɑ:tmənt] Fach *n*; *rail.* Abteil *n*
compass ['kʌmpəs] Kompass *m*; *pl*, *a.* **pair of ~es** Zirkel *m*
compassion [kəm'pæʃn] Mitleid *n*; **~ate** [kəm'pæʃənət] mitfühlend
compatible [kəm'pætəbl]: **be ~ (with)** passen (zu), *Computer etc.*: kompatibel (mit)

compel [kəm'pel] zwingen
compensate ['kɒmpenseɪt] *j-n* entschädigen; *et.* ersetzen; **compen'sation** Ausgleich *m*; (Schaden)Ersatz *m*, Entschädigung *f*
compete [kəm'pi:t] sich bewerben (***for*** um); konkurrieren; *Sport*: (am Wettkampf) teilnehmen
competence ['kɒmpɪtəns] Können *n*; **'compitent** fähig, tüchtig; sachkundig
competition [kɒmpɪ'tɪʃn] Wettbewerb *m*; Konkurrenz *f*; **competitive** [kəm'petətɪv] konkurrierend; konkurrenzfähig; **competitor** [kəm'petɪtə] Mitbewerber(in); Konkurrent(in); *Sport*: Teilnehmer(in)
compile [kəm'paɪl] zs.-stellen
complacent [kəm'pleɪsnt] selbstzufrieden
complain [kəm'pleɪn] sich beklagen *od.* beschweren (***about*** über; ***to*** bei); **com'plaint** Klage *f*, Beschwerde *f*; *med.* Leiden *n*
complete [kəm'pli:t] **1.** vollständig; vollzählig; **2.** vervollständigen; beenden
complexion [kəm'plekʃn] Gesichtsfarbe *f*, Teint *m*
complicate ['kɒmplɪkeɪt] komplizieren; **'complicated** kompliziert; **compli'cation** Komplikation *f*
compliment 1. ['kɒmplɪmənt] Kompliment *n*; **2.** ['kɒmplɪment] *j-m* ein Kompliment machen (***on*** für)
component [kəm'pəʊnənt] (Bestand)Teil *m*
compose [kəm'pəʊz] *mus.* komponieren; ***be ~d of*** bestehen *od.* sich zs.-setzen aus; ***~ o.s.*** sich beruhigen; **com'posed** gefasst; **com'poser** Komponist(in);
composition [kɒmpə'zɪʃn] Komposition *f*; Zs.-setzung *f*; Aufsatz *m*; **composure** [kəm'pəʊʒə] Fassung *f*, Gelassenheit *f*
compound ['kɒmpaʊnd] **1.** Zs.-setzung *f*; *chem.* Verbindung *f*; *gr.* zs.-gesetztes Wort; **2.** zs.-gesetzt; **~ 'interest** Zinseszinsen *pl*
comprehension [kɒmprɪ'henʃn] Verständnis *n*; **compre'hensive 1.** umfassend; **2.** *a.* ***~ school*** *Brt.* Gesamtschule *f*
compromise ['kɒmprəmaɪz] **1.** Kompromiss *m*; **2.** *v/i* e-n Kompromiss schließen; *v/t* kompromittieren
compulsion [kəm'pʌlʃn] Zwang *m*; **com'pulsive** zwingend, Zwangs...; *psych.* zwanghaft; **com'pulsory** obligatorisch, Pflicht...
compunction [kəm'pʌŋkʃn] Gewissensbisse *pl*
computer [kəm'pju:tə] Computer *m*, Rechner *m*; **~-con'trolled** computergesteuert; **~ game** Computer-

spiel *n*; **~ize** (sich) auf Computer umstellen; **~ 'science** Informatik *f*; **~ 'scientist** Informatiker(in); **~ 'virus** Computervirus *m*

comrade ['kɒmreɪd] Kamerad *m*; (Partei)Genosse *m*

conceal [kən'siːl] verbergen, -stecken; verheimlichen

conceit [kən'siːt] Einbildung *f*; **~ed** eingebildet

conceivable [kən'siːvəbl] denkbar; **conceive** [kən'siːv] *v/t* sich *et.* vorstellen *od.* denken; *Kind* empfangen; *v/i* schwanger werden

concentrate ['kɒnsəntreɪt] (sich) konzentrieren

conception [kən'sepʃn] Vorstellung *f*, Begriff *m*; *biol.* Empfängnis *f*

concern [kən'sɜːn] **1.** betreffen, angehen; beunruhigen; **~ *o.s. with*** sich beschäftigen mit; **2.** Angelegenheit *f*; Sorge *f*; *econ.* Geschäft *n*, Unternehmen *n*; **~ed** besorgt

concert ['kɒnsət] Konzert *n*

concerto [kən'tʃeətəʊ] (Solo)Konzert *n*

concession [kən'seʃn] Zugeständnis *n*; Konzession *f*

conciliatory [kən'sɪlɪətərɪ] versöhnlich

concise [kən'saɪs] kurz, knapp

conclusion [kən'kluːʒn] (Schluss)Folgerung *f*; (Ab-) Schluss *m*, Ende *n*; **conclusive** [kən'kluːsɪv] schlüssig

concrete[1] ['kɒŋkriːt] konkret

concrete[2] ['kɒŋkriːt] Beton *m*

concussion [kən'kʌʃn] Gehirnerschütterung *f*

condemn [kən'dem] verurteilen; für unbewohnbar erklären; **~ation** [kɒndem'neɪʃn] Verurteilung *f*

condensation [kɒnden'seɪʃn] Kondensation *f*; **condense** [kən'dens] kondensieren; zs.-fassen; **condensed 'milk** Kondensmilch *f*

condescending [kɒndɪ'sendɪŋ] herablassend

condition [kən'dɪʃn] Zustand *m*; *Sport*: Form *f*; Bedingung *f*; *pl* Verhältnisse *pl*; ***on ~ that*** unter der Bedingung, dass; **~al** [kən'dɪʃənl] bedingt, abhängig

condo ['kɒndəʊ] *Am.* → ***condominium***

condole [kən'dəʊl] sein Beileid ausdrücken; **condolence** *oft pl* Beileid *n*

condom ['kɒndəm] Kondom *n, m*

condominium [kɒndə'mɪnɪəm] *Am.*, *a.* ***condo*** Eigentumswohnung *f*

conduct 1. [kən'dʌkt] führen; *phys.* leiten; *mus.* dirigieren; **~*ed tour*** Führung *f* (***of*** durch); **2.** ['kɒndʌkt] Führung *f*; Verhalten *n*, Betragen *n*; **~or** [kən'dʌktə] *mus.* Dirigent *m*; *phys.* Leiter *m*; Schaffner *m*; *Am.* Zugbegleiter *m*

cone [kəʊn] Kegel *m*; *Am.* Eistüte *f*; *bot.* Zapfen *m*
confection [kən'fekʃn] Konfekt *n*; **~er** Konditor *m*; **~ery** Süßwaren *pl*; Konditorei *f*
confederation [kənfedə'reɪʃn] Bund *m*; Bündnis *n*
conference ['kɒnfərəns] Konferenz *f*
confess [kən'fes] gestehen; beichten; **confession** [kən'feʃn] Geständnis *n*; Beichte *f*; **confessor** [kən'fesə] Beichtvater *m*
confide [kən'faɪd]: **~ *in s.o.*** sich j-m anvertrauen
confidence ['kɒnfɪdəns] Vertrauen *n*; Selbstvertrauen *n*; **'confident** überzeugt, sicher; **confidential** [kɒnfɪ'denʃl] vertraulich
confine [kən'faɪn] beschränken; einsperren; ***be ~d of*** *med.* entbunden werden von; **~ment** Haft *f*; Entbindung *f*
confirm [kən'fɜːm] bestätigen; *rel.*: konfirmieren; firmen; **confirmation** [kɒnfə'meɪʃn] Bestätigung *f*; *rel.*: Konfirmation *f*; Firmung *f*
confiscate ['kɒnfɪskeɪt] beschlagnahmen, konfiszieren
conflict 1. ['kɒnflɪkt] Konflikt *m*; **2.** [kən'flɪkt] im Widerspruch stehen (***with*** zu)
conform [kən'fɔːm] (sich) anpassen (***to*** *dat*, an)
confront [kən'frʌnt] gegenüberstehen; konfrontieren
confuse [kən'fjuːz] verwechseln; verwirren; **con'fused** verwirrt; verlegen; verworren; **con'fusing** verwirrend; **confusion** [kən'fjuːʒn] Verwirrung *f*; Durcheinander *n*
congested [kən'dʒestɪd] überfüllt; verstopft; **con'gestion** Blutandrang *m*; *a.* ***traffic ~*** (Verkehrs)Stau *m*
congratulate [kən'grætʃʊleɪt] *j-n* beglückwünschen; *j-m* gratulieren; **congratu'lation** Glückwunsch *m*; ***~s!*** (ich) gratuliere!, herzlichen Glückwunsch!
congregate ['kɒŋgrɪgeɪt] sich versammeln; **congre'gation** *rel.* Gemeinde *f*
congress ['kɒŋgres] Kongress *m*
conifer ['kɒnɪfə] Nadelbaum *m*
conjunctivitis [kəndʒʌŋktɪ'vaɪtɪs] Bindehautentzündung *f*
conjure ['kʌndʒə] zaubern; **~ *up*** heraufbeschwören; **'conjurer, 'conjuror** Zauberer *m*, Zauberkünstler *m*
connect [kə'nekt] verbinden; *electr.* anschließen (***to*** an); *rail. etc.* Anschluss haben (***with*** an); **~ed** verbunden; (logisch) zs.-hängend; **~ion** Verbindung *f*; Anschluss *m*; Zs.-hang *m*
conquer ['kɒŋkə] erobern; besiegen; **'~or** Eroberer *m*
conquest ['kɒŋkwest] Eroberung *f*

conscience ['kɒnʃəns] Gewissen *n*
conscientious [kɒnʃɪ'enʃəs] gewissenhaft; **~ ob'jector** Wehrdienstverweigerer *m*
conscious ['kɒnʃəs] bei Bewusstsein; bewusst; **'~ness** Bewusstsein *n*
conscript 1. [kən'skrɪpt] *mil.* einberufen; **2.** ['kɒnskrɪpt] *mil.* Wehr(dienst)pflichtige *m*; **~ion** [kən'skrɪpʃn] *mil.*: Einberufung *f*; Wehrpflicht *f*
consecutive [kən'sekjʊtɪv] aufeinander folgend
consent [kən'sent] **1.** zustimmen; **2.** Zustimmung *f*
consequence ['kɒnsɪkwəns] Folge *f*, Konsequenz *f*; Bedeutung *f*; **'consequently** folglich, daher
conservation [kɒnsə'veɪʃn] Erhaltung *f*; Natur-, Umweltschutz *m*; **conser'vationist** Natur-, Umweltschützer(in)
conservative [kən'sɜːvətɪv] **1.** konservativ; **2.** *pol. mst* ♀ Konservative *m, f*
conservatory [kən'sɜːvətrɪ] Treibhaus *n*; Wintergarten *m*
conserve [kən'sɜːv] erhalten, konservieren
consider [kən'sɪdə] nachdenken über; halten für; sich überlegen; berücksichtigen; **~able** beträchtlich; **~ably** bedeutend, (sehr) viel; **~ate** [kən'sɪdərət] aufmerksam, rücksichtsvoll; **~ation** [kənsɪdə'reɪʃn] Erwägung *f*, Überlegung *f*; Rücksicht (-nahme) *f*; **~ing: ~ *that*** in Anbetracht der Tatsache, dass
consignment [kən'saɪnmənt] (Waren)Sendung *f*
consist [kən'sɪst]: **~ *of*** bestehen aus; **~ent** übereinstimmend; konsequent; *Leistung*: beständig
consolation [kɒnsə'leɪʃn] Trost *m*; **console** [kən'səʊl] trösten
consonant ['kɒnsənənt] Konsonant *m*, Mitlaut *m*
conspicuous [kən'spɪkjʊəs] auffallend; deutlich sichtbar
conspiracy [kən'spɪrəsɪ] Verschwörung *f*; **conspire** [kən'spaɪə] sich verschwören
constable ['kʌnstəbl] *Brit.* Polizist *m*
constant ['kɒnstənt] konstant; ständig, (an)dauernd
consternation [kɒnstə'neɪʃn] Bestürzung *f*
constipated ['kɒnstɪpeɪtɪd] *med.* verstopft; **consti'pation** *med.* Verstopfung *f*
constituency [kən'stɪtjʊənsɪ] Wählerschaft *f*; Wahlkreis *m*; **con'stituent** Bestandteil *m*; *pol.* Wähler(in)
constitution [kɒnstɪ'tjuːʃn] *pol.* Verfassung *f*; Konstitution *f*, körperliche Verfassung; **~al** konstitutionell; *pol.* verfassungsmäßig

constrained [kən'streɪnd] gezwungen, unnatürlich
construct [kən'strʌkt] bauen, konstruieren; **~ion** Konstruktion *f*; Bau(werk *n*) *m*; ***under ~*** im Bau (befindlich); **~ion site** Baustelle *f*; **~ive** konstruktiv; **~or** Erbauer *m*, Konstrukteur *m*
consul ['kɒnsəl] Konsul *m*; **~ate** ['kɒnsjʊlət] Konsulat *n*; **~ate 'general** Generalkonsulat *n*; **~ 'general** Generalkonsul *m*
consult [kən'sʌlt] *v/t* konsultieren; nachschlagen in; *v/i* (sich) beraten; **~ant** Berater(in); *Brt.* Facharzt *m*, -ärztin *f*; **~ation** [kɒnsəl'teɪʃn] Konsultation *f*
con'sulting| hours *pl* Sprechstunde *f*; **~ room** Sprechzimmer *n*
consumer [kən'sjuːmə] Verbraucher(in); **~ goods** *pl* Konsumgüter *pl*; **~ society** Konsumgesellschaft *f*
contact ['kɒntækt] **1.** Berührung *f*; Kontakt *m*; Kontaktperson *f* (*a. med.*); Verbindung *f*; **2.** sich in Verbindung setzen mit; **'~ lens** Kontaktlinse *f*, Haftschale *f*
contagious [kən'teɪdʒəs] ansteckend (*a. fig.*)
contain [kən'teɪn] enthalten; **~er** Behälter *m*; Container *m*
contaminate [kən'tæmɪneɪt] verunreinigen; verseuchen; ***~d soil*** Altlasten *pl*; **contami'nation** Verunreinigung *f*; Verseuchung *f*
contemplate ['kɒntempleɪt] nachdenken über
contemporary [kən'tempərərɪ] **1.** zeitgenössisch; **2.** Zeitgenoss|e *m*, -in *f*
contempt [kən'tempt] Verachtung *f*; **~ible** verabscheuungswürdig
contemptuous [kən'temptʃʊəs] verächtlich
content [kən'tent]: ***~ o.s. with*** sich begnügen mit; **~ed** zufrieden
contents ['kɒntents] *pl* Inhalt *m*
contest ['kɒntest] (Wett-)Kampf *m*; Wettbewerb *m*; **~ant** [kən'testənt] (Wettkampf)Teilnehmer(in)
context ['kɒntekst] Zs.-hang *m*
continent ['kɒntɪnənt] Kontinent *m*, Erdteil *m*; ***the*** **♀** *Brt.* das (europäische) Festland; **~al** [kɒntɪ'nentl] kontinental
continual [kən'tɪnjʊəl] andauernd, ständig; immer wiederkehrend; **continu'ation** Fortsetzung *f*; Fortbestand *m*, -dauer *f*; **continue** [kən'tɪnjuː] *v/t* fortsetzen, -fahren mit; beibehalten; ***to be ~d*** Fortsetzung folgt; *v/i* fortdauern; andauern, anhalten; fortfahren, weitermachen; **continuity** [kɒntɪ'njuːətɪ] Kontinuität *f*; **continuous** [kən'tɪnjʊəs] ununterbrochen

contort [kən'tɔːt] verzerren
contour ['kɒntʊə] Kontur *f*, Umriss *m*
contraception [kɒntrə'sepʃn] Empfängnisverhütung *f*; **contra'ceptive** empfängnisverhütend(es Mittel)
contract 1. ['kɒntrækt] Vertrag *m*; **2.** [kən'trækt] (sich) zs.-ziehen; e-n Vertrag abschließen; sich vertraglich verpflichten; **~or** [kən'træktə] *a.* ***building ~*** Bauunternehmer *m*
contradict [kɒntrə'dɪkt] widersprechen; **~ion** Widerspruch *m*; **~ory** (sich) widersprechend
contrary ['kɒntrərɪ] **1.** Gegenteil *n*; ***on the ~*** im Gegenteil; **2.** entgegengesetzt (***to*** *dat*); gegensätzlich
contrast 1. ['kɒntrɑːst] Gegensatz *m*; Kontrast *m*; **2.** [kən'trɑːst] *v/t* gegenüberstellen, vergleichen; *v/i* sich abheben (***with*** von, gegen)
contribute [kən'trɪbjuːt] beitragen (***to*** zu); spenden (***to*** für); **contribution** [kɒntrɪ'bjuːʃn] Beitrag *m*
control [kən'trəʊl] **1.** beherrschen, die Kontrolle haben über; kontrollieren, überwachen; (staatlich) lenken; *tech.* steuern, regulieren; **2.** Kontrolle *f*, Herrschaft *f*, Macht *f*, Beherrschung *f*; *tech.* Regler *m*; *mst pl tech.* Steuerung *f*, Steuervorrichtung *f*; ***get under ~*** unter Kontrolle bringen; ***get out of ~*** außer Kontrolle geraten; ***lose ~ of*** die Herrschaft *od.* Kontrolle verlieren über; **~ centre** (*Am.* **center**) Kontrollzentrum *n*; **~ desk** Schaltpult *n*; **con'troller** Fluglotse *m*; **~ panel** Schalttafel *f*; **~ tower** *aviat.* Kontrollturm *m*, Tower *m*
controversial [kɒntrə'vɜːʃl] umstritten; **controversy** ['kɒntrəvɜːsɪ] Kontroverse *f*
convalesce [kɒnvə'les] gesund werden; **conva'lescence** Rekonvaleszenz *f*, Genesung *f*; **conva'lescent** Rekonvaleszent(in)
convenience [kən'viːnjəns] Annehmlichkeit *f*, Bequemlichkeit *f*; *Brt.* Toilette *f*; ***all (modern) ~s*** aller Komfort; **con'venient** bequem; günstig, passend
convent ['kɒnvənt] (Nonnen)Kloster *n*
convention [kən'venʃn] Konvention *f*; Tagung *f*, Versammlung *f*; **~al** konventionell
conversation [kɒnvə'seɪʃn] Konversation *f*, Gespräch *n*, Unterhaltung *f*
conversion [kən'vɜːʃn] Um-, Verwandlung *f*; *math.* Umrechnung *f*; *rel.* Bekehrung *f*; **~ table** Umrechnungstabelle *f*
convert [kən'vɜːt] um-, ver-

wandeln; *math.* umrechnen; *rel.* bekehren; **~ible 1.** umverwandelbar; **2.** *mot.* Kabrio(lett) *n*
convey [kən'veɪ] überbringen, -mitteln; befördern; **~ance** Beförderung *f*, Transport *m*; **~er (belt)** Förderband *n*
convict 1. [kən'vɪkt] *jur.* verurteilen (**of** wegen); **2.** ['kɒnvɪkt] Strafgefangene *m, f*; Verurteilte *m, f*; **~ion** [kən'vɪkʃn] *jur.* Verurteilung *f*; Überzeugung *f*
convince [kən'vɪns] überzeugen; **con'vincing** überzeugend
convoy ['kɒnvɔɪ] Konvoi *m*
convulsion [kən'vʌlʃn] Krampf *m*, Zuckung *f*; **con'vulsive** krampfhaft
coo [ku:] gurren
cook [kʊk] **1.** kochen; **2.** Koch *m*; Köchin *f*; **'~book** *bsd. Am.* Kochbuch *n*; **~er** *Brt.* Herd *m*; **'~ery** Kochen *n*, Kochkunst *f*; **'~ery book** *bsd. Brt.* Kochbuch *n*
cookie ['kʊkɪ] *Am.* (süßer) Keks, Plätzchen *n*
cool [ku:l] **1.** kühl; *fig.* kalt(blütig), gelassen; **2.** (sich) abkühlen
cooperate [kəʊ'ɒpəreɪt] zs.-arbeiten; **coope'ration** Zs.-arbeit *f*, Mitwirkung *f*, Hilfe *f*; **cooperative** [kəʊ'ɒpərətɪv] zs.-arbeitend; kooperativ, hilfsbereit; Genossenschafts...; Genossenschafts...
coordinate [kəʊ'ɔ:dɪneɪt] koordinieren, abstimmen
cop [kɒp] F *Polizist(in)*: Bulle *m*
cope [kəʊp]: **~ with** fertig werden mit
copier ['kɒpɪə] Kopiergerät *n*, Kopierer *m*
copilot ['kəʊpaɪlət] Kopilot *m*
copious ['kəʊpjəs] reichlich
copper ['kɒpə] **1.** Kupfer *n*; Kupfermünze *f*; **2.** kupfern
copy ['kɒpɪ] **1.** Kopie *f*; Abschrift *f*; Nachbildung *f*; Durchschlag *m*, -schrift *f*; *Buch etc.*: Exemplar *n*; ***fair* ~** Reinschrift *f*; ***rough* ~** Rohentwurf *m*; **2.** kopieren, abschreiben; e-e Kopie anfertigen von; nachbilden, nachahmen; **'~right** Urheberrecht *n*, Copyright *n*
coral ['kɒrəl] Koralle *f*
cord [kɔ:d] Schnur *f* (*a. electr.*), Strick *m*; Kordsamt *m*; **'~less** schnurlos
cordon ['kɔ:dn]: **~ *off*** abriegeln, absperren
corduroy ['kɔ:dərɔɪ] Kord(-samt) *m*; *pl* Kordhose *f*
core [kɔ:] **1.** Kerngehäuse *n*; Kern *m*, *fig. a. das* Innerste; **2.** entkernen; **'~ time** *Brt.* Kernzeit *f*
cork [kɔ:k] **1.** Kork(en) *m*; **2.** zukorken; **'~screw** Korkenzieher *m*
corn[1] [kɔ:n] **1.** Korn *n*, Getreide *n*; *Am.* Mais *m*; **2.** (ein)pökeln

corn² [kɔːn] *med.* Hühnerauge *n*
corner ['kɔːnə] **1.** Ecke *f*; Winkel *m*; *bsd. mot.* Kurve *f*; *Fußball*: Eckball *m*, Ecke *f*; *fig.* Klemme *f*; **2.** Eck...; **3.** *fig.* in die Enge treiben; **'~ed** ...eckig; **'~ kick** *Fußball*: Eckstoß *m*; **'~ shop** *Brt.* Tante-Emma-Laden *m*
cornet ['kɔːnɪt] *Brt.* Eistüte *f*
coronary ['kɒrənərɪ] F Herzinfarkt *m*
coronation [kɒrə'neɪʃn] Krönung *f*
coroner ['kɒrənə] Coroner *m* (*Untersuchungsbeamter*)
corporate ['kɔːpərət] gemeinsam; Firmen...; **corporation** [kɔːpə'reɪʃn] Gesellschaft *f*, Firma *f*; *Am.* Aktiengesellschaft *f*
corpse [kɔːps] Leiche *f*
corral [kə'rɑːl, *Am.* kə'ræl] Korral *m*, Hürde *f*, Pferch *m*
correct [kə'rekt] **1.** korrekt, richtig, *Zeit*: *a.* genau; **2.** korrigieren, berichtigen, verbessern; **~ion** Korrektur *f*
correspond [kɒrɪ'spɒnd] (***with, to***) entsprechen (*dat*), übereinstimmen (mit); korrespondieren; **~ence** Entsprechung *f*, Übereinstimmung *f*; Korrespondenz *f*, Briefwechsel *m*; **~ent** Korrespondent(in); Briefpartner (-in); **~ing** entsprechend
corridor ['kɒrɪdɔː] Korridor *m*, Flur *m*, Gang *m*
corrode [kə'rəʊd] rosten; **corrosion** [kə'rəʊʒn] Korrosion *f*
'corrugated iron ['kɒrəgeɪtɪd-] Wellblech *n*
corrupt [kə'rʌpt] **1.** korrupt; bestechlich; **2.** bestechen; **~ion** Korruption *f*; Bestechung *f*
cosmetic [kɒz'metɪk] **1.** Kosmetikartikel *m*; **2.** kosmetisch; **cosmetician** [kɒzmə'tɪʃn] Kosmetikerin *f*
cosmonaut ['kɒzmənɔːt] Kosmonaut(in), Raumfahrer(in)
cost [kɒst] **1.** Kosten *pl*; Preis *m*; **2.** (***cost***) kosten; **'~ly** kostspielig, teuer; **~ of 'living** Lebenshaltungskosten *pl*
costume ['kɒstjuːm] Kostüm *n*; Tracht *f*; **'~ jewel(le)ry** Modeschmuck *m*
cosy ['kəʊzɪ] gemütlich
cot [kɒt] Kinderbett(chen) *n*
cottage ['kɒtɪdʒ] Cottage *n*, (kleines) Landhaus; **~ 'cheese** Hüttenkäse *m*
cotton ['kɒtn] Baumwolle *f*; (Baumwoll)Garn *n*; **~ 'wool** *Brt.* Watte *f*
couch [kaʊtʃ] Couch *f*
couchette [kuː'ʃet] *rail. im Liegewagen*: Platz *m*
cough [kɒf] **1.** husten; **2.** Husten *m*
could [kʊd] *pret von* **can¹**
council ['kaʊnsl] Rat(sversammlung *f*) *m*; *Brt.* Ge-

meinderat *m*; ***municipal*** ~ Stadtrat *m*; '**~house** *Brt.* gemeindeeigenes Wohnhaus;
council(l)or ['kaʊnsələ] Ratsmitglied *n*, Stadtrat *m*, -rätin *f*
counsel ['kaʊnsl] **1.** (Rechts)Anwalt *m*; Beratung *f*; **2.** beraten; **counsel(l)or** ['kaʊnslə] Berater(in); *Am.* Anwalt *m*
count[1] [kaʊnt] zählen; ~ ***on*** zählen auf, sich verlassen auf, rechnen mit
count[2] [kaʊnt] Graf *m*
'**countdown** Count-down *m*
counter[1] ['kaʊntə] *tech.* Zähler *m*; Spielmarke *f*
counter[2] ['kaʊntə] Ladentisch *m*; Theke *f*; Schalter *m*
counter[3] ['kaʊntə] entgegen (***to*** *dat*); Gegen...
counter|'act entgegenwirken; *Wirkung* neutralisieren; **~'balance** *v/t* ein Gegengewicht bilden zu, ausgleichen; **~'clockwise** *Am.* → ***anticlockwise***; **~'espionage** Spionageabwehr *f*; **~feit** ['kaʊntəfɪt] **1.** falsch, gefälscht; **2.** *Geld etc.* fälschen; '**~foil** (Kontroll)Abschnitt *m*; '**~part** Gegenstück *n*; genaue Entsprechung
countess ['kaʊntɪs] Gräfin *f*
'**countless** zahllos, unzählig
country ['kʌntrɪ] Land *n*; ***in the*** ~ auf dem Lande; '**~man** (*pl* **-men**) Landsmann *m*; Landbewohner *m*; '**~side** (ländliche) Gegend; Landschaft *f*; '**~woman** (*pl* **-women**) Landsmännin *f*; Landbewohnerin *f*
county ['kaʊntɪ] *Brt.* Grafschaft *f*; *Am.* (Land)Kreis *m*
couple ['kʌpl] **1.** Paar *n*; ***a*** ~ ***of*** zwei; F ein paar; **2.** (zs.-)koppeln; verbinden
coupon ['ku:pɒn] Gutschein *m*; Kupon *m*, Bestellzettel *m*
courage ['kʌrɪdʒ] Mut *m*;
courageous [kə'reɪdʒəs] mutig
courier ['kʊrɪə] Eilbote *m*, Kurier *m*; Reiseleiter(in)
course [kɔ:s] Kurs *m*; (*Renn-*) Bahn *f*, (-)Strecke *f*; (*Golf-*) Platz *m*; (Ver)Lauf *m*; *Speisen*: Gang *m*; Kurs *m*, Lehrgang *m*; ***of*** ~ natürlich
court [kɔ:t] *jur.* Gericht(shof *m*) *n*; Hof *m* (*a. e-s Fürsten*); (*Tennis- etc.*)Platz *m*
courteous ['kɜ:tjəs] höflich;
courtesy ['kɜ:tɪsɪ] Höflichkeit *f*
'**court|house** Gerichtsgebäude *n*; '**~room** Gerichtssaal *m*; '**~yard** Hof *m*
cousin ['kʌzn] Cousin *m*, Vetter *m*; Cousine *f*
cove [kəʊv] kleine Bucht
cover ['kʌvə] **1.** (be-, zu)decken; sich erstrecken über; *Presse etc.*: berichten über; ~ ***up*** verheimlichen, -tuschen; **2.** Decke *f*; Deckel *m*; Titelseite *f*; Einband *m*; (Schall-platten)Hülle *f*; Überzug *m*,

Bezug *m*; Abdeck-, Schutzhaube *f*; *mil. etc.* Deckung *f*; Schutz *m*; *econ.* Deckung *f*, Sicherheit *f*; Gedeck *n*; **'~age** Versicherungsschutz *m*, (Schadens)Deckung *f*; *Presse*: Berichterstattung *f*
cow [kaʊ] Kuh *f*
coward ['kaʊəd] Feigling *m*; **cowardice** ['kaʊədɪs] Feigheit *f*; **'~ly** feig(e)
cower ['kaʊə] kauern
cowslip ['kaʊslɪp] Schlüsselblume *f*; *Am.* Sumpfdotterblume *f*
coy [kɔɪ] schüchtern
cozy ['kəʊzɪ] *Am.* → ***cosy***
CPU [siː piː 'juː] ***central processing unit*** *Computer*: Zentraleinheit *f*
crab [kræb] Krabbe *f*; Taschenkrebs *m*
crack [kræk] **1.** krachen; knallen (mit); (zer)springen; *Stimme*: überschnappen; *fig.* (*a.* **~ up**) zs.-brechen; *et.* zerbrechen; *Nuss*, F *Kode*, *Safe etc.* knacken; *Witz* reißen; ***get ~ing*** F loslegen; **2.** *su* Knall *m*; Sprung *m*, Riss *m*; Spalt(e *f*) *m*, Ritze *f*; **3.** *adj* F erstklassig
'cracker *ungesüßter Keks*: Cracker *m*, Kräcker *m*; Schwärmer *m*, Knallfrosch *m*, Knallbonbon *m*, *n*
crackle ['krækl] knistern
cradle ['kreɪdl] **1.** Wiege *f*; **2.** wiegen, schaukeln
craft¹ [krɑːft] Boot(e *pl*) *n*, Schiff(e *pl*) *n*, Flugzeug(e *pl*) *n*, Raumfahrzeug(e *pl*) *n*
craft² [krɑːft] Handwerk *n*; **'craftsman** (*pl* **-men**) Handwerker *m*
crag [kræg] Felsenspitze *f*
cram [kræm] (voll)stopfen
cramp¹ [kræmp] Krampf *m*
cramp² [kræmp] *tech.* Krampe *f*, Klammer *f*
cranberry ['krænbərɪ] Preiselbeere *f*
crane¹ [kreɪn] *tech.* Kran *m*
crane² [kreɪn] *zo.* Kranich *m*
crank [kræŋk] Kurbel *f*; F komischer Kauz, Spinner *m*
crash [kræʃ] **1.** *v/t* zertrümmern; *v/i mot.* zs.-stoßen, verunglücken; *aviat.* abstürzen; krachen (***against, into*** gegen); krachend einstürzen, zs.-krachen; *econ.* zs.-brechen; **2.** Krach(en *n*) *m*; *mot.* Unfall *m*, Zs.-stoß *m*; *aviat.* Absturz *m*; *econ.* Zs.-bruch *m*, (Börsen)Krach *m*; **'~ course** Schnell-, Intensivkurs *m*; **'~ diet** radikale Schlankheitskur; **'~ helmet** Sturzhelm *m*; **~ 'landing** Bruchlandung *f*
crate [kreɪt] (Latten)Kiste *f*
crater ['kreɪtə] Krater *m*
crave [kreɪv] verlangen
crawl [krɔːl] kriechen; krabbeln; *Schwimmen*: kraulen
crayfish ['kreɪfɪʃ] Flusskrebs *m*
crayon ['kreɪən] Buntstift *m*
craze [kreɪz]: ***the latest ~*** der

letzte Schrei; '**crazy** verrückt (***about*** nach)
creak [kri:k] knarren, quietschen
cream [kri:m] **1.** Rahm *m*, Sahne *f*; Creme *f*; **2.** creme (-farben); '**creamy** sahnig
crease [kri:s] **1.** (Bügel)Falte *f*; **2.** falten; (zer)knittern
create [kri:'eɪt] (er)schaffen; verursachen; **cre'ation** Schöpfung *f*; **cre'ative** schöpferisch, kreativ; **cre'ator** Schöpfer *m*
creature ['kri:tʃə] Geschöpf *n*
crèche [kreɪʃ] (Kinder)Krippe *f*; *Am.* (Weihnachts)Krippe *f*
credible ['kredəbl] glaubwürdig; glaubhaft
credit ['kredɪt] **1.** *econ.* Kredit *m*; *econ.* Guthaben *n*; Ansehen *n*; Anerkennung *f*; ***on*** ~ *econ.* auf Kredit; **2.** *econ. Betrag* zuschreiben; '**~able** anerkennenswert; '**~ card** Kreditkarte *f*; '**~or** Gläubiger *m*
credulous ['kredjʊləs] leichtgläubig
creed [kri:d] Glaubensbekenntnis *n*
creek [kri:k] *Brt.* kleine Bucht; *Am.* kleiner Fluss
creep [kri:p] (***crept***) kriechen; schleichen; '**~er** Kletterpflanze *f*
'**creepy** grus(e)lig
cremate [krɪ'meɪt] einäschern, verbrennen; **cre'mation** Feuerbestattung *f*
crept [krept] *pret u. pp von* ***creep***
crescent ['kresnt] Halbmond *m*, Mondsichel *f*
cress [kres] Kresse *f*
crest [krest] *zo.* Haube *f*, Büschel *n*; (*Hahnen*)Kamm *m*; Bergrücken *m*, Kamm *m*; (*Wellen*)Kamm *m*; Wappen *n*
crevasse [krɪ'væs] Gletscherspalte *f*
crevice ['krevɪs] Spalte *f*
crew [kru:] Besatzung *f*, Mannschaft *f*
crib [krɪb] **1.** *Am.* Kinderbettchen *n*; Krippe *f*; *Schule*: F Spickzettel *m*; **2.** F spicken
cricket ['krɪkɪt] *zo.* Grille *f*; *Sport*: Kricket *n*
crime [kraɪm] Verbrechen *n*
criminal ['krɪmɪnl] **1.** kriminell; Straf...; **2.** Verbrecher(in), Kriminelle *m*, *f*
crimson ['krɪmzn] karmesin-, feuerrot
cringe [krɪndʒ] sich ducken
cripple ['krɪpl] **1.** Krüppel *m*; **2.** zum Krüppel machen, verkrüppeln; lähmen
crisis ['kraɪsɪs] (*pl* **-ses** [-si:z]) Krise *f*
crisp [krɪsp] knusp(e)rig; *Gemüse*: frisch, knackig; *Luft*: scharf, frisch; *Haar*: kraus; '**~bread** Knäckebrot *n*
crisps [krɪsps] *pl*, *a.* ***potato*** ~ *Brt.* (Kartoffel)Chips *pl*
critic ['krɪtɪk] Kritiker(in); '**~al** kritisch; bedenklich;

~ism ['krɪtɪsɪzəm] Kritik *f*; **~ize** ['krɪtɪsaɪz] kritisieren
croak [krəʊk] krächzen; *Frosch*: quaken
crochet ['krəʊʃeɪ] häkeln
crockery ['krɒkərɪ] *bsd. Brt.* Geschirr *n*
crocodile ['krɒkədaɪl] Krokodil *n*
crocus ['krəʊkəs] Krokus *m*
crook [krʊk] **1.** Krümmung *f*, Biegung *f*; F Gauner *m*; **2.** (sich) krümmen; **~ed** ['krʊkɪd] gekrümmt, krumm
crop [krɒp] **1.** *zo.* Kropf *m*; Ernte *f*; **2.** *Haar* kurz schneiden, stutzen
cross [krɒs] **1.** Kreuz *n* (*a. fig.*); *Fußball*: Flanke *f*; *biol.* Kreuzung *f*; **2.** (sich) kreuzen; *Straße* überqueren; *Plan etc.* durchkreuzen; *biol.* kreuzen; **~ *off*, ~ *out*** aus-, durchstreichen; **~ *o.s.*** sich bekreuzigen; **~ *one's legs*** die Beine übereinander schlagen; ***keep one's fingers ~ed*** den Daumen drücken *od.* halten; **3.** *adj* böse, ärgerlich; '**~bar** *Sport*: Tor-, Querlatte *f*; '**~breed** *biol.* Kreuzung *f*; **~-'country** Querfeldein...; **~-country 'skiing** Skilanglauf *m*; **~-ex'amine** ins Kreuzverhör nehmen; '**~-eyed: *be* ~** schielen; '**~ing** (*Straßen-etc.*)Kreuzung *f*; *Brt.* Fußgängerüberweg *m*; *mar.* Überfahrt *f*; '**~roads** *pl od. sg* (Straßen)Kreuzung *f*; *fig.* Scheideweg *m*; '**~-section** Querschnitt *m*; '**~walk** *Am.* Fußgängerüberweg *m*; '**~-word (puzzle)** Kreuzworträtsel *n*
crotch [krɒtʃ] *anat.* Schritt *m*
crouch [kraʊtʃ] sich ducken
crow [krəʊ] **1.** Krähe *f*; Krähen *n*; **2.** krähen
crowd [kraʊd] **1.** (Menschen-) Menge *f*; **2.** sich drängen; *Straßen etc.* bevölkern; '**~ed** überfüllt, voll
crown [kraʊn] **1.** Krone *f*; Kron...; **2.** krönen
crucial ['kru:ʃl] entscheidend
crucifixion [kru:sɪ'fɪkʃn] Kreuzigung *f*; **crucify** ['kru:sɪfaɪ] kreuzigen
crude [kru:d] roh; grob; **~ ('oil)** Rohöl *n*
cruel ['krʊəl] grausam; hart; '**cruelty** Grausamkeit *f*
cruet ['kru:ɪt] Gewürzständer *m*
cruise [kru:z] **1.** kreuzen, e-e Kreuzfahrt machen; **2.** Kreuzfahrt *f*
crumb [krʌm] Krume *f*, Krümel *m*; **crumble** ['krʌmbl] zerkrümeln, -bröckeln
crumple ['krʌmpl] (zer)knittern; zs.-gedrückt werden; '**~ zone** *mot.* Knautschzone *f*
crunch [krʌntʃ] (geräuschvoll) (zer)kauen; knirschen
crush [krʌʃ] **1.** sich drängen; zerquetschen; zerdrücken; zerkleinern, -mahlen; aus-

pressen; *fig.* niederschmettern; **2.** Gedränge *n*, Gewühl *n*; ***lemon*** ~ Zitronensaft *m*
crust [krʌst] Kruste *f*
crutch [krʌtʃ] Krücke *f*
cry [kraɪ] **1.** schreien, rufen (***for*** nach); weinen; heulen, jammern; **2.** Schrei *m*, Ruf *m*; Geschrei *n*; Weinen *n*
crystal ['krɪstl] Kristall(glas *n*) *m*; *Am.* Uhrglas *n*
cub [kʌb] (*Raubtier*)Junge *n*
cube [kju:b] Würfel *m*; Kubikzahl *f*
cubic ['kju:bɪk] Kubik..., Raum...
cubicle ['kju:bɪkl] Kabine *f*
cuckoo ['kʊku:] Kuckuck *m*
cucumber ['kju:kʌmbə] Gurke *f*
cuddle ['kʌdl] an sich drücken, schmusen mit
cue [kju:] Stichwort *n*; Wink *m*
cuff [kʌf] Manschette *f*, (Ärmel-, *Am. a.* Hosen)Aufschlag *m*; '~ **link** Manschettenknopf *m*
cul-de-sac ['kʌldəsæk] Sackgasse *f*
culminate ['kʌlmɪneɪt] gipfeln; **culmi'nation** *fig.* Höhepunkt *m*
culottes [kju:'lɒts] *pl* Hosenrock *m*
culprit ['kʌlprɪt] Täter(in), Schuldige *m, f*
cult [kʌlt] Kult *m*
cultivate ['kʌltɪveɪt] anbauen, bebauen; kultivieren, fördern; **culti'vation** Anbau *m*, Bebauung *f*
cultural ['kʌltʃərəl] kulturell, Kultur...; **culture** ['kʌltʃə] Kultur *f*
cunning ['kʌnɪŋ] **1.** schlau, listig; **2.** List *f*, Schlauheit *f*
cup [kʌp] Tasse *f*; Becher *m*; *Sport:* Cup *m*, Pokal *m*; **~board** ['kʌbəd] Schrank *m*; '~ **final** Pokalendspiel *n*
cupola ['kju:pələ] Kuppel *f*
'cup tie Pokalspiel *n*
curable ['kjʊərəbl] heilbar
curb [kɜ:b] *Am.* Bordstein *m*
curd [kɜ:d] *oft pl* Quark *m*
curdle ['kɜ:dl] gerinnen (lassen)
cure [kjʊə] **1.** heilen; trocknen; (ein)pökeln; **2.** Kur *f*; (Heil)Mittel *n*; Heilung *f*
curiosity [kjʊərɪ'ɒsətɪ] Neugier *f*; Sehenswürdigkeit *f*; **'curious** neugierig; seltsam
curl [kɜ:l] **1.** Locke *f*; **2.** (sich) locken *od.* kräuseln; ~ ***up*** sich zs.-rollen; **'~er** Lockenwickler *m*; **'curly** gelockt, lockig
currant ['kʌrənt] Johannisbeere *f*; Korinthe *f*
currency ['kʌrənsɪ] *econ.* Währung *f*; ***foreign*** ~ Devisen *pl*
current ['kʌrənt] **1.** *Monat, Ausgaben etc.*: laufend; gegenwärtig, aktuell; **2.** Strömung *f*; *electr.* Strom *m*; '~ **account** *Brt.* Girokonto *n*

curriculum [kə'rɪkjələm] (*pl* **-la** [-lə], **-lums**) Lehr-, Studienplan *m*; **~ 'vitae** [-'vi:taɪ] Lebenslauf *m*
curse [kɜ:s] **1.** (ver)fluchen; **2.** Fluch *m*; **cursed** ['kɜ:sɪd] verflucht
cursor ['kɜ:sə] *Computer*: Cursor *m*
cursory ['kɜ:sərɪ] flüchtig
curt [kɜ:t] barsch, schroff
curtain ['kɜ:tn] Vorhang *m*
curts(e)y ['kɜ:tsɪ] **1.** Knicks *m*; **2.** knicksen
curve [kɜ:v] **1.** Kurve *f*, Krümmung *f*, Biegung *f*; **2.** (sich) krümmen *od.* biegen
cushion ['kʊʃn] **1.** Kissen *n*; **2.** polstern; *Stoß* dämpfen
custard ['kʌstəd] Vanillesoße *f*
custody ['kʌstədɪ] Haft *f*; *jur.* Sorgerecht *n*
custom ['kʌstəm] Brauch *m*; *econ.* Kundschaft *f*; **'~ary** üblich; **'~er** Kund|e *m*, -in *f*
customs ['kʌstəmz] *pl* Zoll *m*; **'~ clearance** Zollabfertigung *f*; **'~ officer**, **'~ official** Zollbeamte *m*
cut [kʌt] **1.** (***cut***) (ab-, an-, be-, durch-, zer)schneiden; *Edelsteine* schleifen; *mot. Kurve* schneiden; *Löhne etc.* kürzen; *Preise* herabsetzen, senken; *Karten* abheben; **~ *a tooth*** e-n Zahn bekommen, zahnen; **~ *down*** *Bäume* fällen; (sich) einschränken; **~ *in on s.o.*** *mot.* j-n schneiden; j-n unterbrechen; **~ *off*** abschneiden; unterbrechen, trennen; *Strom* sperren; **~ *out*** ausschneiden; **2.** Schnitt *m*; Schnittwunde *f*; *Fleisch*: Stück *n*; *Holz*: Schnitt *m*; *Edelsteine*: Schliff *m*; *pl* Kürzungen *pl*; ***cold ~s*** *pl bsd. Am.* Aufschnitt *m*
cute [kju:t] schlau, clever; niedlich, süß
cuticle ['kju:tɪkl] Nagelhaut *f*
cutlery ['kʌtlərɪ] Besteck *n*
cutlet ['kʌtlɪt] Kotelett *n*; (*Kalbs-*, *Schweine*)Schnitzel *n*
cut|-'price *Brt.*, **~-'rate** ermäßigt, herabgesetzt
cutter ['kʌtə] *naut.* Kutter *m*; Schneidewerkzeug *n*, -maschine *f*; (*Glas-*, *Diamant-*) Schleifer *m*
cutting ['kʌtɪŋ] **1.** *bsd. Brt.* (*Zeitungs*)Ausschnitt *m*; **2.** schneidend
cycle ['saɪkl] **1.** Zyklus *m*; **2.** Rad fahren, radeln; **'cycling** Radfahren *n*; **'cyclist** Rad-*od.* Motorradfahrer(in)
cylinder ['sɪlɪndə] Zylinder *m*, Walze *f*, Trommel *f*
cynic ['sɪnɪk] Zyniker(in); **'~al** zynisch
cypress ['saɪprəs] Zypresse *f*
cyst [sɪst] Zyste *f*
Czech [tʃek] **1.** tschechisch; **~ *Republic*** Tschechien *n*, Tschechische Republik; **2.** Tschech|e *m*, -in *f*

D

dab [dæb] be-, abtupfen
dachshund ['dækshʊnd] Dackel *m*
dad [dæd] F, '**daddy** Papa *m*, Vati *m*
daffodil ['dæfədɪl] gelbe Narzisse
daft [dɑːft] F blöde, doof
dagger ['dægə] Dolch *m*
dahlia ['deɪljə] Dahlie *f*
daily ['deɪlɪ] **1.** täglich; **2.** Tageszeitung *f*
dainty ['deɪntɪ] zierlich
dairy ['deərɪ] Molkerei *f*; Milchgeschäft *n*
daisy ['deɪzɪ] Gänseblümchen *n*
dam [dæm] **1.** (Stau)Damm *m*; **2.** *a.* ~ ***up*** stauen
damage ['dæmɪdʒ] **1.** Schaden *m*; *pl jur.* Schadenersatz *m*; **2.** (be)schädigen; schaden
damn [dæm] *a.* ~***ed*** verdammt; ~ (***it***)! F verflucht!
damp [dæmp] **1.** feucht; **2.** Feuchtigkeit *f*; **3.** *a.* ~***en*** an-, befeuchten; dämpfen
dance [dɑːns] **1.** tanzen; **2.** Tanz *m*; Tanz(veranstaltung *f*) *m*; '**dancer** Tänzer(in); '**dancing** Tanzen *n*; Tanz...
dandelion ['dændɪlaɪən] *bot.* Löwenzahn *m*
dandruff ['dændrʌf] (Kopf-) Schuppen *pl*
Dane [deɪn] Dän|e *m*, -in *f*
danger ['deɪndʒə] Gefahr *f*; '~**ous** gefährlich
dangle ['dæŋgl] baumeln *od.* herabhängen (lassen)
Danish ['deɪnɪʃ] dänisch
dare [deə] es *od. et.* wagen; ***how ~ you!*** was fällt dir ein!; '**daring** kühn; gewagt
dark [dɑːk] **1.** dunkel; finster; *fig.* düster, trüb(e); **2.** Dunkel(heit *f*) *n*; ***after*** ~ nach Einbruch der Dunkelheit; '~**en** (sich) verdunkeln *od.* verfinstern; '~**ness** Dunkelheit *f*
darling ['dɑːlɪŋ] **1.** Liebling *m*; **2.** lieb; F goldig
darn [dɑːn] stopfen
dart [dɑːt] **1.** (Wurf)Pfeil *m*; Satz *m*, Sprung *m*; **2.** stürzen; flitzen, huschen; werfen
dash [dæʃ] **1.** stürmen, stürzen; schleudern; *Hoffnungen etc.* zerstören, zunichte machen; ~ ***off*** davonstürzen; **2.** Gedankenstrich *m*; Schuss *m* (*Rum etc.*), Prise *f* (*Salz etc.*), Spritzer *m* (*Zitrone*); ***make a ~ for*** losstürzen auf; '~**board** Armaturenbrett *n*
data ['deɪtə] *pl* (*oft sg*) Daten *pl* (*a. Computer*), Angaben *pl*; '~ **bank**, '~ **base** Datenbank *f*; ~ '**capture** Datenerfassung *f*; ~ '**memory** Datenspeicher *m*; ~ '**processing** Datenverarbeitung *f*;

~ pro'tection Datenschutz *m*; **~ 'storage** Datenspeicher *m*; **~ 'transfer** Datenübertragung *f*

date¹ [deɪt] **1.** Datum *n*; Zeit(punkt *m*) *f*; Termin *m*; F Verabredung *f*; *bsd. Am.* F (Verabredungs)Partner(in); ***out of*** **~** veraltet, unmodern; ***up to*** **~** zeitgemäß, modern, auf dem Laufenden; **2.** datieren; *bsd. Am.* F sich verabreden mit, gehen mit

date² [deɪt] Dattel *f*

'dated veraltet, überholt

daughter ['dɔːtə] Tochter *f*; **'~-in-law** Schwiegertochter *f*

dawdle ['dɔːdl] trödeln

dawn [dɔːn] **1.** (Morgen-) Dämmerung *f*; **2.** dämmern

day [deɪ] Tag *m*; **~ *off*** (dienst)freier Tag; ***by*** **~** bei Tag(e); **~ *after*** **~** Tag für Tag; **~ *in*** **~ *out*** tagaus, tagein; ***in those*** **~*s*** damals; ***one*** **~** e-s Tages; ***the other*** **~** neulich; ***the*** **~ *after tomorrow*** übermorgen; ***the*** **~ *before yesterday*** vorgestern; ***open all*** **~** durchgehend geöffnet; ***let's call it a*** **~*!*** Feierabend!, Schluss für heute!; **'~break** Tagesanbruch *m*; **'~dream** (mit offenen Augen) träumen; **'~light** Tageslicht *n*; **~light 'saving time** Sommerzeit *f*; **~ re'turn** *Brt.* Tagesrückfahrkarte *f*

dazed [deɪzd] benommen

dazzle ['dæzl] blenden

DC [diː 'siː] ***direct current*** Gleichstrom *m*

dead [ded] **1.** tot; gestorben; gefühllos; **~ *stop*** völliger Stillstand; **~ *slow*** *mot.* Schritt fahren!; **~ *tired*** todmüde; **2.** ***the*** **~** *pl* die Toten *pl*; **'~en** dämpfen, abschwächen; **~ 'end** Sackgasse *f* (*a. fig.*); **~ 'heat** *Sport*: totes Rennen; **'~line** letzter Termin; Stichtag *m*; **'~lock** toter Punkt; **'~ly** tödlich

deaf [def] taub; schwerhörig; **~-and-'dumb** taubstumm; **'~en** ['defn] taub machen; **'~ening** ohrenbetäubend; **~-'mute** taubstumm

deal [diːl] **1.** (***dealt***) *Karten*: geben; *sl. Drogen*: dealen; *oft* **~ *out*** aus-, verteilen; **~ *in*** *econ.* handeln mit; **~ *with*** sich befassen, behandeln; handeln von; mit *et. od. j-m* fertig werden; *econ.* Geschäfte machen mit; **2.** Abkommen *n*; F Geschäft *n*, Handel *m*; Menge *f*; ***it's a*** **~*!*** abgemacht!; ***a good*** **~** (ziemlich) viel; ***a great*** **~ *of*** sehr viel; **'~er** Händler(in); *sl. Drogen*: Dealer *m*; **'~ing** *mst pl econ.* Geschäfte *pl*

dealt [delt] *pret u. pp von* **deal** 1

dean [diːn] Dekan *m*

dear [dɪə] **1.** lieb; teuer; **♀ *Sir***, *in Briefen*: Sehr geehrter Herr (*Name*); **2.** Liebste *m, f*, Schatz *m*; **3.** *int* (**oh**) **~*!***, **~**

me! du liebe Zeit!, ach herrje!; '**~ly** innig, herzlich; teuer
death [deθ] Tod(esfall) *m*
debatable [dɪ'beɪtəbl] umstritten; **debate** [dɪ'beɪt] **1.** Debatte *f*, Diskussion *f*; **2.** debattieren, diskutieren
debit ['debɪt] *econ.* **1.** Soll *n*; **2.** *j-n*, *Konto* belasten
debris ['deɪbri:] Trümmer *pl*
debt [det] Schuld *f*; ***be in ~*** Schulden haben, verschuldet sein; '**~or** Schuldner(in)
debug [di:'bʌg] *Computer*: Programmfehler beseitigen
decade ['dekeɪd] Jahrzehnt *n*
decaffeinated [di:'kæfɪneɪtɪd] koffeinfrei
decanter [dɪ'kæntə] Karaffe *f*
decay [dɪ'keɪ] **1.** zerfallen; verfaulen; *Zahn*: kariös *od.* schlecht werden; **2.** Zerfall *m*; Verfaulen *n*
deceit [dɪ'si:t] Betrug *m*
deceive [dɪ'si:v] *Person*: täuschen, *Sache*: *a.* trügen
December [dɪ'sembə] Dezember *m*
decent ['di:snt] anständig
deception [dɪ'sepʃn] Täuschung *f*; **de'ceptive** täuschend, trügerisch
decide [dɪ'saɪd] (sich) entscheiden; sich entschließen; beschließen; **de'cided** entschieden
decimal ['desɪml] dezimal, Dezimal...
decipher [dɪ'saɪfə] entziffern
decision [dɪ'sɪʒn] Entscheidung *f*; Entschluss *m*; **decisive** [dɪ'saɪsɪv] entscheidend
deck [dek] *naut.* Deck *n*; '**~chair** Liegestuhl *m*
declaration [deklə'reɪʃn] Erklärung *f*; **declare** [dɪ'kleə] erklären; verzollen
decline [dɪ'klaɪn] **1.** zurückgehen; (höflich) ablehnen; **2.** Rückgang *m*, Verfall *m*
decode [di:'kəʊd] dekodieren, entschlüsseln
decompose [di:kəm'pəʊz] (sich) zersetzen
decontaminate [di:kən'tæmɪneɪt] entgiften, -seuchen
decorate ['dekəreɪt] schmücken, verzieren; dekorieren; tapezieren; (an)streichen; **deco'ration** Schmuck *m*, Dekoration *f*, Verzierung *f*; **decorative** ['dekərətɪv] dekorativ, Zier...; **decorator** ['dekəreɪtə] Dekorateur *m*; Maler *m* u. Tapezierer *m*
decrease 1. [di:'kri:s] abnehmen, (sich) verringern; **2.** ['di:kri:s] Abnahme *f*
dedicate ['dedɪkeɪt] widmen; **dedi'cation** Widmung *f*
deduct [dɪ'dʌkt] *Betrag* abziehen (***from*** von); **~ible: *tax ~*** steuerlich absetzbar; **~ion** Abzug *m*; (Schluss)Folgerung *f*, Schluss *m*
deed [di:d] Tat *f*; *jur.* (Übertragungs)Urkunde *f*
deep [di:p] tief (*a. fig.*); '**~en** (sich) vertiefen, *fig. a.* (sich) steigern *od.* verstärken;

~ **'freeze 1.** Tiefkühl-, Gefriertruhe *f*; **2.** (*- froze, - frozen*) tiefkühlen, einfrieren; '~ **fry** frittieren
deer [dɪə] Hirsch *m*; Reh *n*
defeat [dɪ'fi:t] **1.** besiegen, schlagen; zunichte machen, vereiteln; **2.** Niederlage *f*
defect ['di:fekt] Defekt *m*, Fehler *m*; Mangel *m*; **~ive** [dɪ'fektɪv] schadhaft, defekt
defence [dɪ'fens] *Brt.* Verteidigung *f*, *Sport a.* Abwehr *f*
defend [dɪ'fend] verteidigen; **~ant** *jur.* Angeklagte *m, f*; **~er** Abwehrspieler(in), Verteidiger(in)
defense [dɪ'fens] *Am.* → ***defence***; → ***department***; **de'fensive 1.** defensiv; **2.** Defensive *f*
defer [dɪ'fɜ:] verschieben
defiant [dɪ'faɪənt] herausfordernd; trotzig
deficiency [dɪ'fɪʃnsɪ] Mangel *m*, Fehlen *n*; **de'ficient** mangelhaft, unzureichend
deficit ['defɪsɪt] Defizit *n*, Fehlbetrag *m*
define [dɪ'faɪn] definieren, erklären, bestimmen; **definite** ['defɪnɪt] bestimmt; endgültig, definitiv; **defi'nition** Definition *f*, Erklärung *f*, Bestimmung *f*; *phot., TV etc.*: Schärfe *f*; **definitive** [dɪ'fɪnɪtɪv] endgültig, definitiv
deflect [dɪ'flekt] ablenken; *Ball*: abfälschen
deform [dɪ'fɔ:m] deformieren; entstellen, verunstalten
defrost [di:'frɒst] entfrosten; *Gerät*: abtauen; *Essen*: auftauen
defy [dɪ'faɪ] sich widersetzen
degenerate 1. [dɪ'dʒenərət] *adj* degeneriert; **2.** *v/i* [dɪ'dʒenəreɪt] degenerieren
degrade [dɪ'greɪd] degradieren; erniedrigen
degree [dɪ'gri:] Grad *m*; Stufe *f*; *univ.* (akademischer) Grad; ***by ~s*** allmählich
dehydrated [di:'haɪdreɪtɪd] Trocken...
de-ice [di:'aɪs] enteisen
deity ['di:ɪtɪ] Gottheit *f*
dejected [dɪ'dʒektɪd] niedergeschlagen
delay [dɪ'leɪ] **1.** aufschieben; verzögern; aufhalten; ***be ~ed*** *rail. etc.* Verspätung haben; **2.** Aufschub *m*; Verzögerung *f*; *rail. etc.* Verspätung *f*
delegate 1. ['delɪgət] Delegierte *m, f*; **2.** ['delɪgeɪt] abordnen, delegieren; übertragen; **delegation** [delɪ'geɪʃn] Abordnung *f*, Delegation *f*
delete [dɪ'li:t] (aus)streichen; *Computer*: löschen
deli ['delɪ] F → ***delicatessen***
deliberate [dɪ'lɪbərət] absichtlich, vorsätzlich; bedächtig; **~ly** absichtlich
delicacy ['delɪkəsɪ] Delikatesse *f*; Feingefühl *n*, Takt *m*; Zartheit *f*; **delicate** ['delɪkət] zart; fein; zierlich; zerbrech-

lich; delikat, heikel; empfindlich
delicatessen [delıkə'tesn] Feinkostgeschäft *n*
delicious [dı'lıʃəs] köstlich
delight [dı'laıt] **1.** Vergnügen *n*, Entzücken *n*; **2.** entzücken, erfreuen; **~ful** entzückend
delinquent [dı'lıŋkwənt] → ***juvenile delinquent***
delirious [dı'lırıəs] im Delirium, fantasierend
deliver [dı'lıvə] aus-, (ab)liefern; *Briefe* zustellen; *Rede* halten; befreien, erlösen; ***be ~ed of** med.* entbunden werden von; **de'livery** Lieferung *f*; *Post*: Zustellung *f*; *med.* Entbindung *f*; → ***cash*** 1; **de'livery van** Lieferwagen *m*
delude [dı'lu:d] täuschen
deluge ['delju:dʒ] Überschwemmung *f*; *fig.* Flut *f*
delusion [dı'lu:ʒn] Täuschung *f*; Wahn(vorstellung *f*) *m*
demand [dı'mɑ:nd] **1.** Forderung *f* (***for*** nach); Anforderung *f* (***on*** an); Nachfrage *f* (***for*** nach); ***on ~*** auf Verlangen; **2.** verlangen, fordern; (*fordernd*) fragen nach; **~ing** anspruchsvoll
demented [dı'mentıd] wahnsinnig
demi... [demı] Halb..., halb...
demo ['deməʊ] F Demo *f*
democracy [dı'mɒkrəsı] Demokratie *f*; **democrat** ['deməkræt] Demokrat(in); **democratic** [demə'krætık] demokratisch
demolish [dı'mɒlıʃ] abreißen
demonstrate ['demənstreıt] demonstrieren; **demon'stration** Demonstration *f*; **'demonstrator** Demonstrant(in)
den [den] *zo.* Höhle *f* (*a. fig.*)
denial [dı'naıəl] Leugnen *n*
Denmark ['denmɑ:k] Dänemark *n*
denomination [dınɒmı'neıʃn] *rel.* Konfession *f*; *econ.* Nennwert *m*
dense [dens] dicht; **'density** Dichte *f*
dent [dent] **1.** Beule *f*, Delle *f*; **2.** ver-, einbeulen
dental ['dentl] Zahn...; **'dentist** Zahnarzt *m*, -ärztin *f*;
denture ['dentʃə] *mst pl* (Zahn)Prothese *f*
deny [dı'naı] ab-, bestreiten, (ab)leugnen, dementieren
deodorant [di:'əʊdərənt] De(s)odorant *n*, Deo *n*
depart [dı'pɑ:t] abreisen; abfahren; *aviat.* abfliegen; abweichen (***from*** von)
department [dı'pɑ:tmənt] Abteilung *f*, *univ. a.* Fachbereich *m*; *pol.* Ministerium *n*; **♀ of De'fense/of the In'terior/of 'State** *Am.* Verteidigungs-/Innen-/Außenministerium *n*; **~ store** Kauf-, Warenhaus *n*
departure [dı'pɑ:tʃə] Abreise

f; Abfahrt *f*; Abflug *m*; **~ lounge** Abflughalle *f*
depend [dɪ'pend] (***on***) sich verlassen (auf); abhängen (von); angewiesen sein (auf); ***that ~s*** das kommt darauf an; **~able** zuverlässig; **~ence** Abhängigkeit (***on*** von); **~ent:** (***on***) abhängig (von); angewiesen (auf)
deplorable [dɪ'plɔːrəbl] beklagenswert; **deplore** [dɪ'plɔː] missbilligen
deport [dɪ'pɔːt] ausweisen, abschieben; deportieren
deposit [dɪ'pɒzɪt] **1.** absetzen, abstellen, niederlegen; (sich) ablagern *od.* absetzen; deponieren; *Bank*: *Betrag* einzahlen; *Betrag* anzahlen; **2.** *chem.* Ablagerung *f*, *geol. a.* (*Erz- etc.*)Lager *n*; Deponierung *f*; *Bank*: Einzahlung *f*; Anzahlung *f*
depot ['depəʊ] Depot *n*
depress [dɪ'pres] (nieder-) drücken; deprimieren, bedrücken; **~ed** deprimiert, niedergeschlagen; **~ed area** Notstandsgebiet *n*; **~ion** [dɪ'preʃn] Depression *f* (*a. econ.*), Niedergeschlagenheit *f*; Vertiefung *f*, Senke *f*; *meteor.* Tief(druckgebiet) *n*
deprived [dɪ'praɪvd] benachteiligt
depth [depθ] Tiefe *f*
deputation [depjʊ'teɪʃn] Abordnung *f*; **'deputy** (Stell-) Vertreter(in); *Am.* Hilfssheriff *m*
derail [dɪ'reɪl]: ***be ~ed*** entgleisen
deranged [dɪ'reɪndʒd] geistesgestört
derelict ['derəlɪkt] heruntergekommen, baufällig
deride [dɪ'raɪd] verhöhnen, -spotten; **derision** [dɪ'rɪʒn] Hohn *m*, Spott *m*; **derisive** [dɪ'raɪsɪv] höhnisch, spöttisch
derive [dɪ'raɪv]: **~ *from*** abstammen von; herleiten von
dermatologist [dɜːmə'tɒlədʒɪst] Dermatolog|e *m*, -in *f*, Hautarzt *m*, -ärztin *f*
derogatory [dɪ'rɒgətərɪ] abfällig, geringschätzig
descend [dɪ'send] hinuntergehen; abstammen (***from*** von); **~ant** Nachkomme *m*
descent [dɪ'sent] Abstieg *m*; Gefälle *n*; *aviat.* Niedergehen *n*; Abstammung *f*, Herkunft *f*
describe [dɪ'skraɪb] beschreiben; **description** [dɪ'skrɪpʃn] Beschreibung *f*
desert[1] ['dezət] Wüste *f*
desert[2] [dɪ'zɜːt] verlassen, im Stich lassen; *mil.* desertieren
deserve [dɪ'zɜːv] verdienen
design [dɪ'zaɪn] **1.** entwerfen; **2.** Design *n*, Entwurf *m*, (Konstruktions)Zeichnung *f*; Design *n*, Muster *n*; **de'signer** *tech.* Konstrukteur(in); Designer(in), Modeschöpfer(in)

desirable [dɪ'zaɪərəbl] wünschenswert; **desire** [dɪ'zaɪə] **1.** wünschen; begehren; **2.** Verlangen *n*, Begierde *f*
desk [desk] Schreibtisch *m*
desktop 'publishing (*Abk.* **DTP**) Desktop-Publishing *n*
desolate ['desələt] einsam, verlassen; trostlos
despair [dɪ'speə] **1.** verzweifeln (**of** an); **2.** Verzweiflung *f*
desperate ['despərət] verzweifelt; **desperation** [despə'reɪʃn] Verzweiflung *f*
despise [dɪ'spaɪz] verachten
despite [dɪ'spaɪt] trotz
dessert [dɪ'zɜːt] Nachtisch *m*, Dessert *n*
destination [destɪ'neɪʃn] Bestimmungsort *m*; Reiseziel *n*
destiny ['destɪnɪ] Schicksal *n*
destitute ['destɪtjuːt] mittellos, arm
destroy [dɪ'strɔɪ] zerstören, vernichten; *Tier* einschläfern
destruction [dɪ'strʌkʃn] Zerstörung *f*; **de'structive** zerstörend; zerstörerisch
detach [dɪ'tætʃ] (ab-, los-) trennen, (los)lösen; **~ed** einzeln, frei stehend, allein stehend; distanziert
detail ['diːteɪl] Detail *n*, Einzelheit *f*
detain [dɪ'teɪn] aufhalten; *jur.* in Haft behalten
detect [dɪ'tekt] entdecken; **~ion** Entdeckung *f*
detective [dɪ'tektɪv] Kriminalbeamte *m*; Detektiv *m*; **~ novel, ~ story** Kriminalroman *m*
detention [dɪ'tenʃn] *jur.* Haft *f*; *Schule*: Nachsitzen *n*
deter [dɪ'tɜː] abschrecken
detergent [dɪ'tɜːdʒənt] Reinigungs-, Waschmittel *n*
deteriorate [dɪ'tɪərɪəreɪt] sich verschlechtern
determination [dɪtɜːmɪ'neɪʃn] Entschlossenheit *f*;
determine [dɪ'tɜːmɪn] bestimmen; feststellen; **de'termined** entschlossen
deterrent [dɪ'terənt] **1.** Abschreckungsmittel *n*; **2.** abschreckend
detest [dɪ'test] verabscheuen
detonate ['detəneɪt] *v/t* zünden; *v/i* detonieren
detour ['diːtʊə] Umweg *m*; Umleitung *f*
deuce [djuːs] *Kartenspiel, Würfeln*: Zwei *f*; *Tennis*: Einstand *m*
devaluation [diːvæljʊ'eɪʃn] Abwertung *f*; **devalue** [diː'væljuː] abwerten
devastate ['devəsteɪt] verwüsten; **'devastating** verheerend, -nichtend
develop [dɪ'veləp] (sich) entwickeln; erschließen; **~er** *phot.* Entwickler *m*; (Stadt-) Planer *m*; **~ing 'country** Entwicklungsland *n*; **~ment** Entwicklung *f*
deviate ['diːvɪeɪt] abweichen
device [dɪ'vaɪs] Vorrichtung *f*, Gerät *n*; Plan *m*; Trick *m*

devil ['devl] Teufel *m*; '**~ish** teuflisch
devious ['di:vjəs] unaufrichtig; *Mittel*: fragwürdig
devise [dɪ'vaɪz] (sich) ausdenken
devote [dɪ'vəʊt] widmen (*to dat*); **de'voted** hingebungsvoll; eifrig, begeistert
devour [dɪ'vaʊə] verschlingen
devout [dɪ'vaʊt] fromm
dew [dju:] Tau *m*
dexterity [dek'sterətɪ] Geschicklichkeit *f*; **dext(e)rous** ['dekst(ə)rəs] geschickt
diabetes [daɪə'bi:ti:z] Diabetes *m*, Zuckerkrankheit *f*
diagonal [daɪ'ægənl] **1.** diagonal; **2.** Diagonale *f*
diagram ['daɪəgræm] Diagramm *n*
dial ['daɪəl] **1.** Zifferblatt *n*; *tel.* Wählscheibe *f*; Skala *f*; **2.** *tel.* wählen; *~ direct* durchwählen (*to* nach); ***direct ~(l)ing*** Durchwahl *f*
dialect ['daɪəlekt] Dialekt *m*
'**dialling| code** ['daɪəlɪŋ-] *Brt. tel.* Vorwahl(nummer) *f*; '**~ tone** *Brt. tel.* Freizeichen *n*
dialogue *Brt.*, **dialog** *Am.* ['daɪəlɒg] Dialog *m*
'**dial tone** *Am. tel.* Freizeichen *n*
diameter [daɪ'æmɪtə] Durchmesser *m*
diamond ['daɪəmənd] Diamant *m*; *Karten*: Karo *n*; → ***heart***
diaper ['daɪəpə] *Am.* Windel *f*
diaphragm ['daɪəfræm] *anat.* Zwerchfell *n*; *tech.* Membrane *f*; *med.* Diaphragma *n*
diarrh(o)ea [daɪə'rɪə] *med.* Durchfall *m*
diary ['daɪərɪ] Tagebuch *n*
dice [daɪs] **1.** (*pl* ***dice***) Würfel *m*; **2.** in Würfel schneiden
dictate [dɪk'teɪt] diktieren; **dic'tation** Diktat *n*
dictator [dɪk'teɪtə] Diktator *m*; **~ship** Diktatur *f*
dictionary ['dɪkʃənrɪ] Wörterbuch *n*
did [dɪd] *pret von* ***do***
die[1] [daɪ] sterben; eingehen, verenden; *~ **of hunger/thirst*** verhungern/verdursten; *~ **down** Aufregung etc.*: sich legen; *~ **out*** aussterben
die[2] [daɪ] *Am.* Würfel *m*
diet ['daɪət] **1.** Nahrung *f*, Kost *f*; Diät *f*; ***be on a ~*** Diät leben; **2.** Diät leben
differ ['dɪfə] sich unterscheiden; anderer Meinung sein; **~ence** ['dɪfrəns] Unterschied *m*; Differenz *f*; Meinungsverschiedenheit *f*; '**~ent** verschieden; anders
differentiate [dɪfə'renʃɪeɪt] (sich) unterscheiden
difficult ['dɪfɪkəlt] schwierig; '**difficulty** Schwierigkeit *f*
dig [dɪg] (***dug***) graben
digest 1. [dɪ'dʒest] verdauen; **2.** ['daɪdʒest] Auslese *f*, Auswahl *f*; **~ible** [dɪ'dʒestəbl]

verdaulich; **~ion** [dɪ'dʒestʃn] Verdauung *f*
digit ['dɪdʒɪt] Ziffer *f*; '**~al** digital, Digital...
dignified ['dɪgnɪfaɪd] würdevoll; '**dignity** Würde *f*
digress [daɪ'gres] abschweifen
digs [dɪgz] *pl Brt.* F Bude *f*
dike [daɪk] Deich *m*
dilapidated [dɪ'læpɪdeɪtɪd] verfallen, baufällig
dilate [daɪ'leɪt] (sich) weiten
diligent ['dɪlɪdʒənt] fleißig
dilute [daɪ'lju:t] verdünnen
dim [dɪm] **1.** *Licht*: schwach, trüb(e); undeutlich; **2.** (sich) verdunkeln; **~ one's (head-)lights** *Am. mot.* abblenden
dime [daɪm] *Am.* Zehncentstück *n*
dimension [dɪ'menʃn] Dimension *f*, Maß *n*, Abmessung *f*; *pl* Ausmaß *n*
diminish [dɪ'mɪnɪʃ] (sich) vermindern *od.* verringern
dimple ['dɪmpl] Grübchen *n*
dine [daɪn] speisen, essen; '**diner** *im Restaurant*: Gast *m*; *Am.* Speiselokal *n*; *Am. rail.* Speisewagen *m*
dingy ['dɪndʒɪ] schmuddelig
'**dining| car** ['daɪnɪŋ-] Speisewagen *m*; '**~ room** Esszimmer *n*; '**~ table** Esstisch *m*
dinner ['dɪnə] (Mittag-, Abend)Essen *n*; Diner *n*; '**~ jacket** Smoking *m*; '**~time** Essens-, Tischzeit *f*
dino ['daɪnəʊ], **dinosaur** ['daɪnəʊsɔ:] Dinosaurier *m*
dip [dɪp] **1.** (ein-, unter)tauchen; (sich) senken; **~ one's (head)lights** *Brt. mot.* abblenden; **2.** (Ein-, Unter-)Tauchen *n*; F kurzes Bad; *Boden*: Senke *f*
diphtheria [dɪf'θɪərɪə] Diphtherie *f*
diploma [dɪ'pləʊmə] Diplom *n*
diplomacy [dɪ'pləʊməsɪ] Diplomatie *f*
diplomat ['dɪpləmæt] Diplomat *m*; **~ic** [dɪplə'mætɪk] diplomatisch
dire ['daɪə] schrecklich; äußerst, höchst
direct [dɪ'rekt] **1.** richten, lenken; leiten; Regie führen bei; *Brief etc.* adressieren; *j-n* anweisen; *j-m* den Weg zeigen (**to** zu, nach); **2.** direkt, gerade; **~ 'current** (*Abk.* **DC**) Gleichstrom *m*
direction [dɪ'rekʃn] Richtung *f*; Leitung *f*; Regie *f*; Anweisung *f*, Anleitung *f*; **~s** *pl* (**for use**) Gebrauchsanweisung *f*; **~ indicator** *mot.* Richtungsanzeiger *m*, Blinker *m*
di'rectly direkt; sofort
director [dɪ'rektə] Direktor(in), Leiter(in); Regisseur(in)
directory [dɪ'rektərɪ] Telefonbuch *n*
dirt [dɜ:t] Schmutz *m*, Dreck *m*; **~ 'cheap** F spottbillig
'**dirty 1.** schmutzig, dreckig; gemein; **2.** beschmutzen

disabled [dɪs'eɪbld] behindert **disadvantage** [dɪsəd'vɑːntɪdʒ] Nachteil *m*; **disadvantageous** [dɪsædvɑːn'teɪdʒəs] nachteilig, ungünstig
disagree [dɪsə'griː] nicht übereinstimmen; anderer Meinung sein (***with*** als); *Essen*: nicht bekommen (***with*** *dat*); **disa'greeable** [-'grɪ-] unangenehm; **disa'greement** [-'griː-] Meinungsverschiedenheit *f*
disappear [dɪsə'pɪə] verschwinden; **~ance** Verschwinden *n*
disappoint [dɪsə'pɔɪnt] enttäuschen; **~ing** enttäuschend; **~ment** Enttäuschung *f*
disarm [dɪs'ɑːm] entwaffnen; abrüsten; **disarmament** [dɪs'ɑːməmənt] Abrüstung *f*
disaster [dɪ'zɑːstə] Unglück *n*, Katastrophe *f*; **~ area** Notstandsgebiet *n*
disastrous [dɪ'zɑːstrəs] katastrophal
disbelief [dɪsbɪ'liːf]: ***in ~*** ungläubig
disbelieve [dɪsbɪ'liːv] nicht glauben
disc [dɪsk] Scheibe *f*; (Schall-) Platte *f*; Parkscheibe *f*; *anat.* Bandscheibe *f*; *Computer* → ***disk***; ***slipped ~*** Bandscheibenvorfall *m*
discharge [dɪs'tʃɑːdʒ] **1.** *v/t* entlassen; *Passagiere* ausschiffen; entladen; *Gewehr etc.* abfeuern; ausstoßen, *med.* absondern; *v/i med.* eitern; *electr.* sich entladen; **2.** Entlassung *f*; Entladen *n*; Abfeuern *n*; Ausstoß *m*; *med.* Absonderung *f*, Ausfluss *m*; *electr.* Entladung *f*
discipline ['dɪsɪplɪn] Disziplin *f*
disclose [dɪs'kləʊz] aufdecken; enthüllen
disco ['dɪskəʊ] F Disko *f*
dis|colo(u)r [dɪs'kʌlə] (sich) verfärben; **~'comfort** Unbehagen *n*; **~con'nect** trennen; *Strom etc.* abstellen; **~consolate** [dɪs'kɒnsələt] untröstlich
discontent [dɪskən'tent] Unzufriedenheit *f*; **~ed** unzufrieden
discotheque ['dɪskəʊtek] Diskothek *f*
discount ['dɪskaʊnt] Preisnachlass *m*, Rabatt *m*
discourage [dɪs'kʌrɪdʒ] entmutigen; *j-m* abraten
discover [dɪs'kʌvə] entdecken; **dis'coverer** Entdecker(in); **dis'covery** Entdeckung *f*
discredit [dɪs'kredɪt] **1.** in Verruf *od.* Misskredit bringen; **2.** Misskredit *m*
discreet [dɪ'skriːt] diskret
discrepancy [dɪ'skrepənsɪ] Widerspruch *m*
discretion [dɪ'skreʃn] Diskretion *f*; Ermessen *n*, Gutdünken *n*

discriminate [dɪ'skrɪmɪneɪt] unterscheiden; ~ ***against*** *j-n* benachteiligen, diskriminieren
discus ['dɪskəs] (*pl* **-cuses, -ci** [-kaɪ]) Diskus *m*
discuss [dɪ'skʌs] diskutieren, besprechen; **~ion** Diskussion *f*, Besprechung *f*
disease [dɪ'zi:z] Krankheit *f*
dis|embark [dɪsɪm'bɑ:k] von Bord gehen (lassen); **~en'gage** los-, freimachen; *tech.* aus-, loskuppeln; **~'figure** entstellen
disgrace [dɪs'greɪs] **1.** Schande *f*; **2.** Schande bringen über; **~ful** unerhört
disguise [dɪs'gaɪz] **1.** (***o.s.*** sich) verkleiden; *Stimme etc.* verstellen; *et.* verbergen; **2.** Verkleidung *f*; Verstellung *f*
disgust [dɪs'gʌst] **1.** Ekel *m*, Abscheu *m*; **2.** anekeln; empören; **~ing** ekelhaft
dish [dɪʃ] (flache) Schüssel, Schale *f*; Gericht *n*, Speise *f*; ***the*** **~*es*** *pl* das Geschirr; **'~cloth** Spüllappen *m*
dishevel(l)ed [dɪ'ʃevld] zerzaust, wirr
dishonest [dɪs'ɒnɪst] unehrlich
dishono(u)r [dɪs'ɒnə] **1.** Schande *f*; **2.** *econ. Wechsel* nicht einlösen
'dish|washer Geschirrspülmaschine *f*; **'~water** Spülwasser *n*
dis|illusion [dɪsɪ'lu:ʒn] desillusionieren; **~in'clined** abgeneigt
disinfect [dɪsɪn'fekt] desinfizieren; **~ant** Desinfektionsmittel *n*
dis|inherit [dɪsɪn'herɪt] enterben; **~'integrate** (sich) auflösen; ver-, zerfallen; **~'interested** uneigennützig
disk [dɪsk] *bsd. Am.* → **disc**; *Computer*: Diskette *f*; **'~ drive** Diskettenlaufwerk *n*
diskette [dɪs'ket, 'dɪsket] *Computer*: Diskette *f*
dis|like [dɪs'laik] **1.** nicht leiden können, nicht mögen; **2.** Abneigung *f*; **'~locate** *med.* sich *den Arm etc.* ver- *od.* ausrenken; **~'loyal** treulos, untreu
dismal ['dɪzməl] trostlos
dismantle [dɪs'mæntl] demontieren
dismay [dɪs'meɪ] Bestürzung *f*; **dis'mayed** bestürzt
dismiss [dɪs'mɪs] entlassen; wegschicken; *Thema etc.* fallen lassen; **~al** Entlassung *f*
dis|obedience [dɪsə'bi:djəns] Ungehorsam *m*; **~o'bedient** ungehorsam; **~o'bey** nicht gehorchen
disorder [dɪs'ɔ:də] Unordnung *f*; Aufruhr *m*; *med.* Störung *f*; **~ly** unordentlich; *jur.* ordnungswidrig
disown [dɪs'əʊn] *Kind* verstoßen; ablehnen
disparaging [dɪ'spærɪdʒɪŋ] geringschätzig

dispassionate [dɪ'spæʃnət] sachlich
dispatch [dɪ'spætʃ] (ab)senden
dispenser [dɪ'spensə] *tech.* Spender *m*; (*Geld- etc.*)Automat *m*
displace [dɪs'pleɪs] verdrängen, ablösen; verschleppen
display [dɪ'spleɪ] **1.** zeigen; *Waren* auslegen, -stellen; **2.** (*Schaufenster*)Auslage *f*; *Computer*: Display *n*, Bildschirm *m*
displease [dɪs'pliːz] missfallen
disposable [dɪ'spəʊzəbl] Einweg..., Wegwerf...; **di'sposal** *Müll*: Beseitigung *f*, Entsorgung *f*; Endlagerung *f*; ***be/put at s.o.'s*** ~ j-m zur Verfügung stehen/stellen; **dispose** [dɪ'spəʊz]: ~ ***of*** beseitigen; *Müll* entsorgen
disposition [dɪspə'zɪʃn] Veranlagung *f*
dis|proportionate [dɪsprə-'pɔːʃnət] unverhältnismäßig; **~'prove** widerlegen
dispute 1. [dɪ'spjuːt] streiten (***über*** *acc*); **2.** [dɪ'spjuːt, 'dɪspjuːt] Disput *m*; Streit *m*
dis|qualify [dɪs'kwɒlɪfaɪ] disqualifizieren; **~re'gard** nicht beachten; **~re'spectful** respektlos
disrupt [dɪs'rʌpt] unterbrechen, stören
dissatisfaction ['dɪssætɪs-'fækʃn] Unzufriedenheit *f*;
dis'satisfied unzufrieden
dissension [dɪ'senʃn] Meinungsverschiedenheit(en *pl*) *f*; **dis'sent** abweichende Meinung
dissociate [dɪ'səʊʃɪeɪt]: ~ ***o.s. from*** sich distanzieren von
dissolute ['dɪsəluːt] ausschweifend
dissolution [dɪsə'luːʃn] Auflösung *f*
dissolve [dɪ'zɒlv] (sich) auflösen
dissuade [dɪ'sweɪd] *j-m* abraten *od. j-n* abbringen (***from doing*** davon, *et.* zu tun)
distance ['dɪstəns] Entfernung *f*; Strecke *f*; Distanz *f*; ***in the*** ~ in der Ferne; **'distant** entfernt; fern
distaste [dɪs'teɪst] Widerwille *m*; Abneigung *f*
distinct [dɪ'stɪŋkt] verschieden (***from*** von); deutlich, klar; **~ion** Unterscheidung *f*; Unterschied *m*; Auszeichnung *f*; Rang *m*; **~ive** unverwechselbar
distinguish [dɪ'stɪŋgwɪʃ] unterscheiden; ~ ***o.s.*** sich auszeichnen; **~ed** hervorragend; vornehm; berühmt
distort [dɪ'stɔːt] verdrehen; verzerren
distract [dɪ'strækt] ablenken; **~ed** beunruhigt, besorgt; außer sich; **~ion** Ablenkung *f*, Zerstreuung *f*
distress [dɪ'stres] **1.** Leid *n*, Kummer *m*; Not(lage) *f*; **2.**

beunruhigen, mit Sorge erfüllen; **~ed area** *Am.* Notstandsgebiet *n*
distribute [dɪ'strɪbjuːt] ver-, austeilen; verbreiten; **dis-tri'bution** Verteilung *f*; Verbreitung *f*; **di'stributor** Verteiler *m* (*a. tech.*); *econ.* Großhändler *m*
district ['dɪstrɪkt] Bezirk *m*; Gegend *f*, Gebiet *n*
distrust [dɪs'trʌst] **1.** misstrauen; **2.** Misstrauen *n*
disturb [dɪ'stɜːb] stören; beunruhigen; **~ance** Störung *f*
disused [dɪs'juːzd] stillgelegt
ditch [dɪtʃ] Graben *m*
dive [daɪv] **1.** (unter-)tauchen; e-n Kopfsprung (*aviat.* Sturzflug) machen, springen; hechten (***for*** nach); **2.** (Kopf)Sprung *m*; *Fußball*: Schwalbe *f*; *aviat.* Sturzflug *m*; **'diver** Taucher(in)
diverge [daɪ'vɜːdʒ] abweichen
diverse [daɪ'vɜːs] verschieden; **di'version** Ablenkung *f*; Zeitvertreib *m*; *Brt.* (Verkehrs)Umleitung *f*
diversity [daɪ'vɜːsətɪ] Vielfalt *f*
divert [daɪ'vɜːt] ablenken; *Brt. Verkehr etc.* umleiten
divide [dɪ'vaɪd] **1.** *v/t* teilen; ver-, aufteilen; *math.* dividieren, teilen (***by*** durch); entzweien; *v/i* sich teilen; sich aufteilen; *math.* sich dividieren *od.* teilen lassen (***by*** durch); **2.** Wasserscheide *f*
divine [dɪ'vaɪn] göttlich
diving ['daɪvɪŋ] Tauchen *n*; Wasserspringen *n*; Taucher...; **'~ board** Sprungbrett *n*
divisible [dɪ'vɪzəbl] teilbar; **division** [dɪ'vɪʒn] Teilung *f*; Trennung *f*; *mil.*, *math.* Division *f*; Abteilung *f*
divorce [dɪ'vɔːs] **1.** (Ehe-)Scheidung *f*; ***get a ~*** sich scheiden lassen (***from*** von); **2.** *jur. j-n*, *Ehe* scheiden; sich scheiden lassen
dizzy ['dɪzɪ] schwind(e)lig
DJ [diː 'dʒeɪ] ***disc jockey*** Disk-, Discjockey *m*
do [duː] (***did, done***) *v/t* tun, machen; *Speisen* zubereiten; *Zimmer* aufräumen, machen; *Geschirr* abwaschen; *Wegstrecke etc.* zurücklegen, schaffen; F *Strafe* absitzen; ***~ London*** F London besichtigen; ***have one's hair done*** sich die Haare machen *od.* frisieren lassen; *v/i* tun, handeln; genügen; ***that will ~*** das genügt; ***~ well*** gut abschneiden; s-e Sache gut machen; *bei der Vorstellung*: ***how ~ you ~*** guten Tag; ***~ you know him?*** kennst du ihn?; ***I don't know*** ich weiß nicht; *zur Verstärkung*: ***~ be quick*** beeil dich doch; *v/t u. v/i Ersatzverb zur Vermeidung von Wiederholungen*: ***~ you like London? – I ~*** gefällt dir London? – ja; *in Frage-*

anhängseln: **he works hard, doesn't he?** er arbeitet hart, nicht wahr?; **~ away with** abschaffen; F beseitigen; **I'm done in** F ich bin geschafft; **~ up** *Kleid etc.* zumachen; *Haus etc.* instand setzen; **~ o.s. up** sich zurechtmachen; **I could ~ with ...** ich könnte ... vertragen; **~ without** auskommen ohne

doc [dɒk] F → **doctor**

docile ['dəʊsaɪl] fügsam

dock¹ [dɒk] **1.** Dock *n*; Kai *m*, Pier *m*; **2.** *v/t Schiff* (ein)docken; *Raumschiff* koppeln; *v/i* im Hafen *od.* am Kai anlegen; *Raumschiff*: andocken

dock² [dɒk] Anklagebank *f*

'dockyard Werft *f*

doctor ['dɒktə] Doktor *m*, Arzt *m*, Ärztin *f*

document **1.** ['dɒkjʊmənt] Dokument *n*, Urkunde *f*; **2.** ['dɒkjʊment] dokumentarisch *od.* urkundlich belegen

documentary [dɒkjʊ'mentərɪ] Dokumentarfilm *m*

dodge [dɒdʒ] (rasch) zur Seite springen; ausweichen; sich drücken (vor); **'dodger** Drückeberger *m*

doe [dəʊ] (Reh)Geiß *f*, Ricke *f*

dog [dɒg] Hund *m*; **'~-eared** mit Eselsohren; **'dogged** verbissen, hartnäckig; **doggie, doggy** ['dɒgɪ] Hündchen *n*, Wauwau *m*; **~-tired** F hundemüde

do-it-yourself [duːɪtjɔː'self] Heimwerken *n*; **do-it-your'selfer** Heimwerker *m*

dole [dəʊl] *Brt.* F Stempelgeld *n*; **be** *od.* **go on the ~** stempeln gehen

doll [dɒl] Puppe *f*

dollar ['dɒlə] Dollar *m*

dolphin ['dɒlfɪn] Delphin *m*

dome [dəʊm] Kuppel *f*

domestic [dəʊ'mestɪk] **1.** häuslich; inländisch, Inlands...; Binnen...; Innen...; **2.** Hausangestellte *m*, *f*; **~ 'animal** Haustier *n*; **~ate** [dəʊ'mestɪkeɪt] *Tier* zähmen; **~ 'flight** Inlandsflug *m*; **~ 'violence** häusliche Gewalt (*gegen Frauen u. Kinder*)

domicile ['dɒmɪsaɪl] (*jur.* ständiger) Wohnsitz

dominant ['dɒmɪnənt] dominierend, vorherrschend;

dominate ['dɒmɪneɪt] beherrschen; dominieren;

domi'nation (Vor)Herrschaft *f*; **domineering** [dɒmɪ'nɪərɪŋ] herrisch

donate [dəʊ'neɪt] spenden (*a. Blut*); **do'nation** Spende *f*

done [dʌn] *pp von* **do**; getan; erledigt; fertig; *gastr.* gar

donkey ['dɒŋkɪ] Esel *m*

donor ['dəʊnə] Spender(in)

doom [duːm] **1.** Schicksal *n*, Verhängnis *n*; **2.** verurteilen, -dammen; **'doomsday** [-mz-] *der* Jüngste Tag

door [dɔː] Tür *f*; **'~bell** Türklingel *f*; **'~step** Türstufe *f*; **'~way** Türöffnung *f*

dope [dəʊp] **1.** F *Rauschgift*: Stoff *m*; Dopingmittel *n*; Betäubungsmittel *n*; *sl.* Trottel *m*; **2.** F *j-m* Stoff geben; dopen

dormitory ['dɔːmətrɪ] Schlafsaal *m*; *Am.* Studentenwohnheim *n*

dormobile® ['dɔːməbiːl] *Brt.* Wohnmobil *n*

dose [dəʊs] Dosis *f*

dot [dɒt] **1.** Punkt *m*; ***on the ~*** F auf die Sekunde pünktlich; **2.** punktieren, tüpfeln; *fig.* sprenkeln, übersäen

dote [dəʊt]: ***~ on*** vernarrt sein in

dotted 'line punktierte Linie

double ['dʌbl] **1.** doppelt; Doppel..., zweifach; **2.** *das* Doppelte; Doppelgänger(in); *Film, TV*: Double *n*; **3.** (sich) verdoppeln; ***~ up with*** sich krümmen vor; **~ 'bed** Doppelbett *n*; **~ 'bend** S-Kurve *f*; **~-'check** genau nachprüfen; **~-'cross** F ein doppeltes *od.* falsches Spiel treiben mit; **~-'decker** Doppeldecker *m*; **~-'park** *mot.* in zweiter Reihe parken; **~-'quick** *adv Brt.* F im Eiltempo, fix; **~ 'room** Doppel-, Zweibettzimmer *n*

'doubles (*pl* **doubles**) *Tennis*: Doppel *n*

doubt [daʊt] **1.** (be)zweifeln; **2.** Zweifel *m*; ***no ~*** ohne Zweifel; **'~ful** zweifelhaft; **'~less** ohne Zweifel

dough [dəʊ] Teig *m*; **'~nut** *etwa* Schmalzkringel *m*

dove [dʌv] Taube *f*

dowel ['daʊəl] Dübel *m*

down¹ [daʊn] **1.** *adv* nach unten, her-, hinunter; unten; **2.** *adj* nach unten (gerichtet), Abwärts...; niedergeschlagen, down; **3.** *prp* her-, hinunter; **4.** *v/t* niederschlagen; F *Getränk* runterkippen

down² [daʊn] Daunen *pl*; Flaum *m*

'down|cast niedergeschlagen; *Blick*: gesenkt; **'~fall** *fig.* Sturz *m*; **~'hearted** niedergeschlagen; **~'hill** abwärts, bergab; abschüssig; *Skisport*: Abfahrts...; **~ 'payment** Anzahlung *f*; **'~pour** Regenguss *m*

downs [daʊnz] *pl* Hügelland *n*

down|stairs [daʊn'steəz] **1.** *adv* die Treppe her- *od.* hinunter, nach unten; unten; **2.** *adj* im unteren Stockwerk (gelegen); **~-to-'earth** realistisch, praktisch; **~-town** *bsd. Am.* **1.** [daʊn'taʊn] in die *od.* der Innenstadt; im Geschäftsviertel; **2.** ['daʊntaʊn] Innenstadt *f*, City *f*

'downward(s) nach unten; abwärts

dowry ['daʊərɪ] Mitgift *f*

doze [dəʊz] **1.** dösen; **2.** Nickerchen *n*

dozen ['dʌzn] Dutzend *n*
drab [dræb] trist, eintönig
draft [drɑːft] **1.** Entwurf *m*; *econ.* Wechsel *m*, Tratte *f*; *Am. mil.* Einberufung *f*; *Am. für* **draught**; **2.** entwerfen, *Brief etc.* aufsetzen; *Am. mil.* einberufen; **draftee** [drɑːf'tiː] *Am.* Wehr(dienst)pflichtige *m*
drag [dræg] schleppen, ziehen, zerren, schleifen; **~ on** *fig.* sich in die Länge ziehen; '**~lift** Schlepplift *m*
dragon ['drægən] Drache *m*; '**~fly** Libelle *f*
drain [dreɪn] **1.** *v/t* abfließen lassen; entwässern; austrinken, leeren; *v/i*: **~ off** *od.* **away** abfließen, ablaufen; **2.** Abfluss(rohr *n*, -kanal) *m*; '**~age** Entwässerung(ssystem *n*) *f*; Kanalisation *f*; '**~pipe** Abflussrohr *n*
drake [dreɪk] Enterich *m*, Erpel *m*
drama ['drɑːmə] Drama *n*; **dramatic** [drə'mætɪk] dramatisch; **dramatist** ['dræmətɪst] Dramatiker *m*; **dramatize** ['dræmətaɪz] dramatisieren
drank [dræŋk] *pret von* **drink** 1
drape [dreɪp] drapieren; '**drapery** *Brt.* Textilien *pl*
drastic ['dræstɪk] drastisch, durchgreifend
draught [drɑːft] (*Am.* **draft**) (Luft)Zug *m*; Zugluft *f*; Zug *m*, Schluck *m*; **beer on ~**, **~ beer** Bier *n* vom Fass, Fassbier *n*
draughts [drɑːfts] *sg Brt.* Damespiel *n*
'**draughts|man** (*pl* **-men**) *Brt.* (Konstruktions)Zeichner *m*; '**~woman** (*pl* **-women**) *Brt.* (Konstruktions)Zeichnerin *f*
'**draughty** *Brt.* zugig
draw [drɔː] **1.** (**drew, drawn**) *v/t* ziehen; *Vorhänge* auf- *od.* zuziehen; *Wasser* schöpfen; *Atem* holen; *Tee* ziehen lassen; *fig. Menge* anziehen; *Interesse* auf sich ziehen; zeichnen; *Geld* abheben; *Scheck* ausstellen; *v/i Kamin, Tee etc.*: ziehen; *Sport*: unentschieden spielen; **~ back** zurückweichen; **~ out** *Geld* abheben; *fig.* in die Länge ziehen; **~ up** *Schriftstück* aufsetzen; *Wagen etc.*: (an)halten; vorfahren; **2.** Ziehen *n*; *Lotterie*: Ziehung *f*; *Sport*: Unentschieden *n*; *fig.* Attraktion *f*, Zugnummer *f*; '**~back** Nachteil *m*; '**~bridge** Zugbrücke *f*
drawer[1] [drɔː] Schublade *f*, -fach *n*
drawer[2] ['drɔːə] Zeichner(in); *econ. Scheck*: Aussteller(in)
'**drawing** Zeichnen *n*; Zeichnung *f*; '**~ board** Reißbrett *n*; '**~ pin** *Brt.* Reißzwecke *f*
drawn [drɔːn] **1.** *pp von* **draw** 1; **2.** *Sport*: unentschieden
dread [dred] **1.** (sich) fürch-

ten; sich fürchten vor; **2.** (große) Angst, Furcht *f*; **'~ful** schrecklich, furchtbar
dream [dri:m] **1.** Traum *m*; **2.** (***dreamed*** *od.* ***dreamt***) träumen; **'~er** Träumer(in)
dreamt [dremt] *pret u. pp von* ***dream*** 2
'dreamy verträumt
dreary ['drɪərɪ] trostlos; trüb(e); F langweilig
dregs [dregz] *pl* (Boden)Satz *m*; *fig.* Abschaum *m*
drench [drentʃ] durchnässen
dress [dres] **1.** (sich) ankleiden *od.* anziehen; zurechtmachen; *Salat* anmachen; *Haar* frisieren; *Wunde etc.* verbinden; **get ~ed** sich anziehen; **2.** Kleidung *f*; Kleid *n*; **'~ circle** *thea.* erster Rang
dressing ['dresɪŋ] Ankleiden *n*; *med.* Verband *m*; *Salatsoße*: Dressing *n*; *Am. gastr.* Füllung *f*; **~-'down** Standpauke *f*; **'~ gown** Morgenrock *m*; **'~ room** *thea.* (Künstler)Garderobe *f*; **'~ table** Toilettentisch *m*
'dressmaker (*bsd.* Damen-) Schneider(in)
drew [dru:] *pret von* ***draw*** 1
dribble ['drɪbl] sabbern; tropfen; *Fußball*: dribbeln
drier ['draɪə] → ***dryer***
drift [drɪft] **1.** (dahin)treiben; *Schnee, Sand*: sich häufen; *fig.* sich treiben lassen; **2.** Treiben *n*; (*Schnee*)Verwehung *f*, (*Schnee-, Sand*)Wehe *f*; *fig.* Strömung *f*, Tendenz *f*
drill [drɪl] **1.** Bohrer *m*; **2.** bohren; drillen
drink [drɪŋk] **1.** (***drank, drunk***) trinken; **2.** Getränk *n*; Drink *m*; **~-'driving** *Brt.* Trunkenheit *f* am Steuer; **'~er** Trinker(in); **'~ing water** Trinkwasser *n*
drip [drɪp] **1.** tropfen *od.* tröpfeln (lassen); **2.** Tropfen *n*; *med.* Tropf *m*; **~-'dry** bügelfrei
'dripping Bratenfett *n*
drive [draɪv] **1.** (***drove, driven***) fahren; (an)treiben; **2.** Fahrt *f*; Aus-, Spazierfahrt *f*; Zufahrt(sstraße) *f*; (private) Auffahrt; *tech.* Antrieb *m*; *Computer*: Laufwerk *n*; *psych.* Trieb *m*; *fig.* Schwung *m*, Elan *m*; ***left-/right-hand ~*** Links-/Rechtssteuerung *f*
'drive-in Auto..., Drive-in-...
driven ['drɪvn] *pp von* ***drive*** 1
driver ['draɪvə] Fahrer(in); **driver's license** *Am.* Führerschein *m*
'driveway Auffahrt *f*
driving ['draɪvɪŋ] (an)treibend; *tech.* Treib..., Antriebs...; **'~ force** treibende Kraft; **'~ instructor** Fahrlehrer(in); **'~ lesson** Fahrstunde *f*; **'~ licence** *Brt.* Führerschein *m*; **'~ school** Fahrschule *f*; **'~ test** Fahrprüfung *f*
drizzle ['drɪzl] **1.** nieseln; **2.** Niesel-, Sprühregen *m*

droop [dru:p] (schlaff) herabhängen (lassen)
drop [drɒp] **1.** *v/i* (herab)tropfen; (herunter)fallen; *a. Preise etc.*: sinken, fallen; *Wind*: sich legen; *v/t* tropfen lassen; fallen lassen (*a. fig.*); *Fahrgast* absetzen; *Augen, Stimme* senken; ~ **s.o. a few lines** j-m ein paar Zeilen schreiben; ~ **in** (kurz) hereinschauen; ~ **out** *fig.* aussteigen (**of** aus); **2.** Tropfen *m*; Fall(tiefe *f*) *m*; *fig.* Fall *m*, Sturz *m* (*a. Preise*); Bonbon *m, n*; '~**out** Aussteiger *m*; (Schul-, Studien)Abbrecher *m*
drought [draʊt] Dürre *f*
drove [drəʊv] *pret von* **drive** 1
drown [draʊn] ertrinken; ertränken; **be** ~**ed** ertrinken
drowsy ['draʊzɪ] schläfrig
drudge [drʌdʒ] sich (ab)plagen
drug [drʌg] **1.** Medikament *n*; Droge *f*; **be on** ~**s** drogensüchtig sein; **2.** *j-m* Medikamente geben; *j-n* unter Drogen setzen; betäuben; '~ **abuse** Medikamenten- *od.* Drogenmissbrauch *m*; '~ **addict** Medikamentenabhängige *m, f*; Drogenabhängige *m, f*, -süchtige *m, f*; '**druggist** ['drʌgɪst] *Am.*: Apotheker(in); Inhaber(in) e-s Drugstores; '~**store** *Am.*: Apotheke *f*; Drugstore *m*
drum [drʌm] **1.** Trommel *f*; *anat.* Trommelfell *n*; *pl mus.* Schlagzeug *n*; **2.** trommeln; '**drummer** Trommler *m*; Schlagzeuger *m*
drunk [drʌŋk] **1.** *pp von* **drink** 1; **2.** betrunken; **get** ~ sich betrinken; **3.** Betrunkene *m, f*; → **drunkard** ['drʌŋkəd] Trinker(in), Säufer(in); ~-'**driving** Trunkenheit *f* am Steuer; '~**en** betrunken
dry [draɪ] **1.** trocken; *Wein*: trocken, herb; **2.** (ab)trocknen; dörren; ~ **up** austrocknen; versiegen
dry|-'clean chemisch reinigen; ~ '**cleaner's** *Geschäft*: chemische Reinigung; ~-'**cleaning** chemische Reinigung
'**dryer** *a.* **drier** Trockner *m*
DTP [di: ti: 'pi:] ***desktop publishing*** *Computer*: Desktop-Publishing *n*
dual ['dju:əl] doppelt; ~ '**carriageway** *Brt.* Schnellstraße *f* (*mit Mittelstreifen*)
dub [dʌb] synchronisieren
dubious ['dju:bjəs] zweifelhaft
duchess ['dʌtʃɪs] Herzogin *f*
duck [dʌk] **1.** Ente *f*; **2.** (unter)tauchen; (sich) ducken
due [dju:] **1.** *adj* zustehend; gebührend; angemessen; *econ.* fällig; *zeitlich* fällig; ~ **to** wegen; **be** ~ **to** zurückzuführen sein auf; **2.** *adv* direkt, genau (*nach Osten etc.*); **3.** *pl* Gebühren *pl*

dug [dʌg] *pret u. pp von* **dig**
duke [dju:k] Herzog *m*
dull [dʌl] **1.** matt, glanzlos; trüb; stumpf; langweilig; dumm; *econ.* flau; **2.** abstumpfen; *Schmerz* betäuben
dumb [dʌm] stumm; sprachlos; *bsd. Am.* F doof, dumm
dum(b)founded [dʌm'faʊndɪd] verblüfft, sprachlos
dummy ['dʌmɪ] Attrappe *f*; *Brt.* Schnuller *m*
dump [dʌmp] **1.** (hin)plumpsen *od.* (-)fallen lassen; auskippen; *Schutt etc.* abladen; *Schadstoffe in Fluss etc.* einleiten, *im Meer* verklappen; *econ.* zu Dumpingpreisen verkaufen; **2.** Schuttabladeplatz *m*, Müllkippe *f*, -halde *f*, (Müll)Deponie *f*
dune [dju:n] Düne *f*
dung [dʌŋ] Mist *m*, Dung *m*
duplex ['dju:pleks] Doppel...
duplicate 1. ['dju:plɪkət] doppelt; genau gleich; **2.** ['dju:plɪkət] Duplikat *n*; → **~ key**; **3.** ['dju:plɪkeɪt] ein Duplikat anfertigen von; kopieren, vervielfältigen; '**~ key** Zweit-, Nachschlüssel *m*
durable ['djʊərəbl] haltbar; dauerhaft; **duration** [djʊə'reɪʃn] Dauer *f*
during ['djʊərɪŋ] während
dusk [dʌsk] (Abend)Dämmerung *f*
dust [dʌst] **1.** Staub *m*; **2.** *v/t* abstauben; (be)streuen; *v/i* Staub wischen; '**~bin** *Brt.*: Abfall-, Mülleimer *m*; Abfall-, Mülltonne *f*; '**~ cover** Schutzumschlag *m*; '**~er** Staubtuch *n*; '**~ jacket** Schutzumschlag *m*; '**~man** (*pl* **-men**) *Brt.* Müllmann *m*; '**~pan** Kehrschaufel *f*
'**dusty** staubig
Dutch [dʌtʃ] **1.** holländisch, niederländisch; **2.** ***the*** **~** *pl* die Holländer *pl*, die Niederländer *pl*
duty ['dju:tɪ] Pflicht *f*; *econ.* Zoll *m*; Dienst *m*; ***on*** **~** Dienst habend; ***be on*** **~** Dienst haben; ***be off*** **~** dienstfrei haben; **~-'free** zollfrei
dwarf [dwɔ:f] (*pl* ***dwarfs*** [dwɔ:fs], ***dwarves*** [dwɔ:vz]) Zwerg(in)
dwell [dwel] (***dwelt*** *od.* ***dwelled***) wohnen
dwelt [dwelt] *pret u. pp von* ***dwell***
dwindle ['dwɪndl] abnehmen
dye [daɪ] färben
dying ['daɪɪŋ] sterbend
dynamic [daɪ'næmɪk] dynamisch; **dy'namics** *mst sg* Dynamik *f*
dynamite ['daɪnəmaɪt] Dynamit *n*

E

each [i:tʃ] **1.** *adj, pron* jede(r, -s); **~ *other*** einander, sich; **2.** *adv* je, pro Person/Stück
eager ['i:gə] eifrig; begierig
eagle ['i:gl] Adler *m*
ear¹ [ɪə] Ohr *n*; Gehör *n*
ear² [ɪə] Ähre *f*
'**ear|ache** Ohrenschmerzen *pl*; '**~drum** Trommelfell *n*
earl [ɜ:l] *britischer* Graf
early ['ɜ:lɪ] früh; bald
earn [ɜ:n] *Geld etc.* verdienen
earnest ['ɜ:nɪst] **1.** ernst (-haft); **2. *in* ~** im Ernst
earnings ['ɜ:nɪŋz] *pl* Einkommen *n*
'**ear|phones** *pl* Kopfhörer *pl*; '**~ring** Ohrring *m*; '**~shot: *within* (*out of*) ~** in (außer) Hörweite
earth [ɜ:θ] **1.** Erde *f*; **2.** *Brt. electr.* erden; '**~en** irden; '**~enware** Steingut(geschirr) *n*; '**~ly** irdisch; '**~quake** Erdbeben *n*; '**~worm** Regenwurm *m*
ease [i:z] **1.** (Gemüts)Ruhe *f*; Sorglosigkeit *f*; ***feel* (*ill*) *at* ~** sich (nicht) wohl fühlen; **2.** erleichtern; beruhigen; *Schmerzen* lindern
easel ['i:zl] Staffelei *f*
easily ['i:zɪlɪ] leicht, mühelos
east [i:st] **1.** *su* Ost(en *m*); **2.** *adj* östlich, Ost...; **3.** *adv* nach Osten, ostwärts
Easter ['i:stə] Ostern *n*; Oster...
eastern ['i:stən] östlich, Ost...; '**eastward(s)** östlich, nach Osten
easy ['i:zɪ] leicht; einfach; bequem; gemächlich, gemütlich; ungezwungen; ***take it* ~!** immer mit der Ruhe!; **~** '**chair** Sessel *m*
eat [i:t] (***ate, eaten***) essen; (zer)fressen; **~ *up*** aufessen; '**~able** ess-, genießbar
eaten ['i:tn] *pp von* ***eat***
eaves [i:vz] *pl* Traufe *f*; '**~drop** lauschen; **~ *on s.o.*** j-n belauschen
ebb [eb] **1.** Ebbe *f*; **2.** zurückgehen; **~ *away*** abnehmen, verebben; **~** '**tide** Ebbe *f*
EC [i: 'si:] ***European Community*** EG, Europäische Gemeinschaft
echo ['ekəʊ] **1.** (*pl* ***echoes***) Echo *n*; **2.** widerhallen
eclipse [ɪ'klɪps] (*Sonnen-, Mond*)Finsternis *f*
ecocide ['i:kəsaɪd] Umweltzerstörung *f*
ecological [i:kə'lɒdʒɪkl] ökologisch, Umwelt...; **ecology** [i:'kɒlədʒɪ] Ökologie *f*
economic [i:kə'nɒmɪk] wirtschaftlich, Wirtschafts...; rentabel, wirtschaftlich; **~al** wirtschaftlich, sparsam

economics [iːkəˈnɒmɪks] *sg* Volkswirtschaft(slehre) *f*
economist [ɪˈkɒnəmɪst] Volkswirt *m*; **eˈconomize: ~ *on*** sparsam umgehen *od.* wirtschaften mit; **eˈconomy** Wirtschaft *f*; Wirtschaftlichkeit *f*, Sparsamkeit *f*; Einsparung *f*
ecosystem [ˈiːkəʊsɪstəm] Ökosystem *n*
ecstasy [ˈekstəsɪ] Ekstase *f*
ECU [ˈekjuː, eɪˈkuː] ***European Currency Unit*** Europäische Währungseinheit, Eurowährung *f*
eddy [ˈedɪ] Wirbel *m*
edge [edʒ] **1.** Rand *m*; Kante *f*; Schneide *f*; ***on ~*** nervös; gereizt; **2.** einfassen
edible [ˈedɪbl] essbar
edit [ˈedɪt] herausgeben; *Computer*: editieren
edition [ɪˈdɪʃn] Ausgabe *f*
editor [ˈedɪtə] Herausgeber(in); Redakteur(in); **editorial** [edɪˈtɔːrɪəl] Leitartikel *m*; Redaktions...
EDP [iː diː ˈpiː] ***electronic data processing*** EDV, elektronische Datenverarbeitung
educate [ˈedʒʊkeɪt] erziehen, (aus)bilden; **ˈeducated** gebildet; **eduˈcation** Erziehung *f*; (Aus)Bildung *f*
eel [iːl] Aal *m*
effect [ɪˈfekt] (Aus)Wirkung *f*; Eindruck *m*; ***come into ~*** in Kraft treten; **~ive** wirksam
effeminate [ɪˈfemɪnət] weibisch
effervescent [efəˈvesnt] sprudelnd, schäumend
efficiency [ɪˈfɪʃənsɪ] (Leistungs)Fähigkeit *f*; **efˈficient** tüchtig, fähig
effort [ˈefət] Anstrengung *f*; Mühe *f*; **ˈ~less** mühelos
e.g. [iː ˈdʒiː] ***exempli gratia*** (= ***for example***) z.B., zum Beispiel
egg [eg] Ei *n*; **ˈ~cup** Eierbecher *m*
egocentric [egəʊˈsentrɪk] egozentrisch
Egypt [ˈiːdʒɪpt] Ägypten *n*; **Egyptian** [ɪˈdʒɪpʃn] **1.** ägyptisch; **2.** Ägypter(in)
ˈeiderdown [ˈaɪdə-] Eiderdaunen *pl*; Daunendecke *f*
eight [eɪt] acht; **eighteen** [eɪˈtiːn] achtzehn; **eighteenth** [eɪˈtiːnθ] achtzehnt; **eighth** [eɪtθ] **1.** acht; **2.** Achtel *n*; **ˈeighthly** achtens; **eightieth** [ˈeɪtɪəθ] achtzigst; **ˈeighty** achtzig
Eire [ˈeərə] *irischer Name der Republik Irland*
either [ˈaɪðə, ˈiːðə] jede(r, -s) (*von zweien*); beides; ***~ ... or*** entweder ... oder
ejaculate [ɪˈdʒækjʊleɪt] ejakulieren
eject [ɪˈdʒekt] *j-n* hinauswerfen; *tech.* ausstoßen, -werfen
elaborate [ɪˈlæbərət] sorgfältig (aus)gearbeitet
elapse [ɪˈlæps] *Zeit*: vergehen
elastic [ɪˈlæstɪk] elastisch; **~ ˈband** *Brt.* Gummiband *n*

elated [ɪ'leɪtɪd] begeistert
elbow ['elbəʊ] Ellbogen *m*
elder[1] ['eldə] *Bruder, Schwester etc.*: älter
elder[2] ['eldə] Holunder *m*
elderly ['eldəlɪ] ältlich, älter
eldest ['eldɪst] *Bruder, Schwester etc.*: ältest
elect [ɪ'lekt] **1.** *j-n* wählen; **2.** designiert, zukünftig; **e'lection** Wahl *f*; **e'lector** Wähler(in); *Am.* Wahlmann *m*
electric [ɪ'lektrɪk] elektrisch; Elektro...; **~al** elektrisch
electrician [ɪlek'trɪʃn] Elektriker *m*
electricity [ɪlek'trɪsətɪ] Elektrizität *f*
electrify [ɪ'lektrɪfaɪ] elektrifizieren; elektrisieren
electronic [ɪlek'trɒnɪk] elektronisch; Elektronen...; **~ 'data processing** (*Abk.* ***EDP***) elektronische Datenverarbeitung; **elec'tronics** *sg* Elektronik *f*
elegant ['elɪgənt] elegant
element ['elɪmənt] Element *n*; *pl* Anfangsgründe *pl*; **~al** [elɪ'mentl] elementar; wesentlich; **~ary** [elɪ'mentərɪ] elementar; Anfangs...; ***~ school*** *Am.* Grundschule *f*
elephant ['elɪfənt] Elefant *m*
elevate ['elɪveɪt] erhöhen; **ele'vation** (Boden)Erhebung *f*, (An)Höhe *f*; **'elevator** *Am.* Lift *m*, Aufzug *m*, Fahrstuhl *m*
eleven [ɪ'levn] elf; **eleventh** [ɪ'levnθ] elfte
eligible ['elɪdʒəbl] berechtigt
eliminate [ɪ'lɪmɪneɪt] beseitigen, entfernen; ***be ~d*** *Sport*: ausscheiden; **elimi'nation** Beseitigung *f*; Ausscheidung *f* (*a. Sport*)
elk [elk] Elch *m*; *Am.* Wapitihirsch *m*
ellipse [ɪ'lɪps] Ellipse *f*
elm [elm] Ulme *f*
elope [ɪ'ləʊp] durchbrennen
eloquent ['eləkwənt] beredt
else [els] sonst, weiter, außerdem; ander; ***anything ~?*** sonst noch etwas?; ***no one ~*** sonst niemand; ***or ~*** sonst, andernfalls; **~'where** anderswo(hin)
elude [ɪ'lu:d] ausweichen; **e'lusive** schwer fassbar
emaciated [ɪ'meɪʃɪeɪtɪd] abgemagert, ausgemergelt
emancipate [ɪ'mænsɪpeɪt] emanzipieren
embalm [ɪm'bɑ:m] einbalsamieren
embankment [ɪm'bæŋkmənt] (Erd- *etc.*)Damm *m*; Uferstraße *f*
embargo [em'bɑ:gəʊ] (*pl* ***-goes***) Embargo *n*, Sperre *f*
embark [ɪm'bɑ:k] an Bord gehen; *et.* anfangen (***on*** *acc*)
embarrass [ɪm'bærəs] in Verlegenheit bringen; **~ed** verlegen; **~ing** peinlich; **~ment** Verlegenheit *f*
embassy ['embəsɪ] *pol.* Botschaft *f*

embers ['embəz] *pl* Glut *f*
embezzle [ɪm'bezl] unterschlagen, veruntreuen
embitter [ɪm'bɪtə] verbittern
embolism ['embəlɪzəm] Embolie *f*
embrace [ɪm'breɪs] **1.** (sich) umarmen; **2.** Umarmung *f*
embroider [ɪm'brɔɪdə] (be-)sticken; *fig.* ausschmücken; **~y** Stickerei *f*
emerald ['emərəld] **1.** Smaragd *m*; **2.** smaragdgrün
emerge [ɪ'mɜːdʒ] auftauchen
emergency [ɪ'mɜːdʒənsɪ] Notlage *f*, -fall *m*, -stand *m*; Not...; ***in an* ~** im Ernst- *od.* Notfall; **~ call** Notruf *m*; **~ exit** Notausgang *m*; **~ landing** *aviat.* Notlandung *f*; **~ number** Notruf(nummer *f*) *m*; **~ room** *Am. Krankenhaus*: Notaufnahme *f*
emigrant ['emɪgrənt] Auswanderer *m*, Emigrant(in); **emigrate** ['emɪgreɪt] auswandern, emigrieren; **emi'gration** Auswanderung *f*, Emigration *f*
emission [ɪ'mɪʃn] Ausstoß *m*, -strömen *n*; **~-'free** abgasfrei
emotion [ɪ'məʊʃn] Emotion *f*, Gefühl *n*; Rührung *f*; **~al** emotional; gefühlsbetont
emperor ['empərə] Kaiser *m*
emphasis ['emfəsɪs] (*pl* **-ses** [-siːz]) Nachdruck *m*; **'emphasize** betonen; **emphatic** [ɪm'fætɪk] nachdrücklich
empire ['empaɪə] Reich *n*, Imperium *n*; Kaiserreich *n*
employ [ɪm'plɔɪ] beschäftigen; **~ee** [emplɔɪ'iː] Arbeitnehmer(in), Angestellte *m,f*; **~er** [ɪm'plɔɪə] Arbeitgeber(in); **~ment** Beschäftigung *f*, Arbeit *f*
empress ['emprɪs] Kaiserin *f*
empty ['emptɪ] **1.** leer; **2.** (aus)leeren; sich leeren
enable [ɪ'neɪbl] es *j-m* ermöglichen
enamel [ɪ'næml] Email(le *f*) *n*; Glasur *f*; Zahnschmelz *m*; Nagellack *m*
enchant [ɪn'tʃɑːnt] bezaubern
encircle [ɪn'sɜːkl] umgeben, einkreisen, umzingeln
enclose [ɪn'kləʊz] einschließen, umgeben; *Brief*: beilegen, -fügen; **enclosure** [ɪn'kləʊʒə] Einzäunung *f*; Gehege *n*; *Brief*: Anlage *f*
encode [en'kəʊd] kodieren, verschlüsseln, chiffrieren
encounter [ɪn'kaʊntə] **1.** begegnen; auf *Schwierigkeiten etc.* stoßen; **2.** Begegnung *f*; *feindlicher* Zs.-stoß *m*
encourage [ɪn'kʌrɪdʒ] ermutigen; unterstützen; **~ment** Ermutigung *f*; Unterstützung *f*
encouraging [ɪn'kʌrɪdʒɪŋ] ermutigend
end [end] **1.** Ende *n*, Schluss *m*; Zweck *m*, Ziel *n*; ***in the* ~** am Ende, schließlich; ***stand***

on ~ *Haare*: zu Berge stehen; **2.** enden; beenden
endanger [ɪn'deɪndʒə] gefährden
endearing [ɪn'dɪərɪŋ] gewinnend; liebenswert
endive ['endɪv] Endivie *f*
'endless endlos
endorse [ɪn'dɔːs] billigen; *Scheck* indossieren
endurance [ɪn'djʊərəns] Ausdauer *f*; **endure** [ɪn'djʊə] ertragen
'end user Endverbraucher (-in)
enemy ['enəmɪ] **1.** Feind *m*; **2.** feindlich
energetic [enə'dʒetɪk] energisch; tatkräftig
energy ['enədʒɪ] Energie *f*; **'~-saving** energiesparend
enforce [ɪn'fɔːs] durchsetzen
engage [ɪn'geɪdʒ] *v/t j-s Aufmerksamkeit* auf sich ziehen; *j-n* ein-, anstellen, engagieren; *tech.* einrasten lassen, *mot. Gang* einlegen; *v/i tech.* einrasten, greifen; **en'gaged** verlobt (***to*** mit); beschäftigt (***in, on*** mit); *Brt. tel.*, *Toilette*: besetzt; **en'gaged tone** *Brt. tel.* Besetztzeichen *n*; **~ment** Verlobung *f*; Verabredung *f*
engaging [ɪn'geɪdʒɪŋ] *Lächeln etc.*: gewinnend
engine ['endʒɪn] Motor *m*; Lokomotive *f*; **'~ driver** Lokomotivführer *m*
engineer [endʒɪ'nɪə] Ingenieur(in), Techniker(in); *Am.* Lokomotivführer *m*; **~ing** Technik *f*; *a.* ***mechanical*** ~ Maschinen- u. Gerätebau *m*
England ['ɪŋglənd] England *n*
English ['ɪŋglɪʃ] **1.** englisch; **2.** ***the*** ~ *pl* die Engländer *pl*; **'~man** (*pl* ***-men***) Engländer *m*; **'~woman** (*pl* ***-women***) Engländerin *f*
engrave [ɪn'greɪv] (ein)gravieren, (-)meißeln, einschnitzen; **engraving** (Kupfer-, Stahl)Stich *m*, Holzschnitt *m*
engrossed [ɪn'grəʊst] vertieft, -sunken (***in*** in)
enigma [ɪ'nɪgmə] Rätsel *n*
enjoy [ɪn'dʒɔɪ] Vergnügen *od.* Gefallen finden *od.* Freude haben an; genießen; ***did you*** ~ ***it?*** hat es dir gefallen?; ~ ***o.s.*** sich amüsieren *od.* gut unterhalten; **~able** angenehm, erfreulich; **~ment** Vergnügen *n*, Freude *f*; Genuss *m*
enlarge [ɪn'lɑːdʒ] (sich) vergrößern *od.* erweitern; **~ment** Vergrößerung *f*
enliven [ɪn'laɪvn] beleben
enormous [ɪ'nɔːməs] enorm, ungeheuer, gewaltig
enough [ɪ'nʌf] genug
enquire, enquiry → ***inquire, inquiry***
enraged [ɪn'reɪdʒd] wütend
enrich [ɪn'rɪtʃ] bereichern
enrol(l) [ɪn'rəʊl] (sich) einschreiben *od.* -tragen; *univ.* (sich) immatrikulieren

ensure [ɪn'ʃɔː] garantieren
entangle [ɪn'tæŋgl] verwickeln
enter ['entə] *v/t* eintreten, -steigen in, betreten; einreisen in; *naut.*, *rail.* einlaufen, -fahren in; eindringen in; *Namen etc.* eintragen, -schreiben; *Computer*: eingeben; *Sport*: melden, nennen; beitreten; *v/i* eintreten, hereinkommen, hineingehen; *thea.* auftreten; '**~ key** *Computer*: Eingabetaste *f*
enterprise ['entəpraɪz] Unternehmen *n* (*a. econ.*); *econ.* Betrieb *m*; Unternehmungsgeist *m*; '**enterprising** unternehmungslustig
entertain [entə'teɪn] unterhalten; bewirten; **~er** Entertainer(in), Unterhaltungskünstler(in); **~ment** Entertainment *n*, Unterhaltung *f*
enthrall [ɪn'θrɔːl] *fig.* fesseln
enthusiasm [ɪn'θjuːzɪæzəm] Begeisterung *f*; **enthusi'astic** begeistert
entice [ɪn'taɪs] (ver)locken
entire [ɪn'taɪə] ganz; vollständig; **~ly** völlig, ausschließlich
entitle [ɪn'taɪtl] betiteln; berechtigen (***to*** zu)
entrails ['entreɪlz] *pl* Eingeweide *pl*
entrance ['entrəns] Eingang *m*; Eintreten *n*, Eintritt *m*; '**~ exam(ination)** Aufnahmeprüfung *f*; '**~ fee** Eintritt (-sgeld *n*) *m*; Aufnahmegebühr *f*
entrust [ɪn'trʌst] anvertrauen; *j-n* betrauen
entry ['entrɪ] Eintreten *n*, Eintritt *m*; Einreise *f*; Beitritt *m*; Zutritt *m*; Zu-, Eingang *m*, Einfahrt *f*; Eintrag(ung *f*) *m*; *Lexikon*: Stichwort *n*; *Sport*: Nennung *f*, Meldung *f*; **no ~** Zutritt verboten!, *mot.* keine Einfahrt!; '**~ form** Anmeldeformular *n*; '**~ visa** Einreisevisum *n*
envelop [ɪn'veləp] (ein)hüllen, einwickeln
envelope ['envələʊp] (Brief-) Umschlag *m*
enviable ['envɪəbl] beneidenswert; '**envious** neidisch
environment [ɪn'vaɪərənmənt] Umgebung *f*; Umwelt *f*; ***~-friendly*** umweltfreundlich
environmental [ɪnvaɪərən'mentl] Umwelt...; **~ist** [ɪnvaɪərən'mentəlɪst] Umweltschützer(in); **~ pol'lution** Umweltverschmutzung *f*
environs [ɪn'vaɪərənz] *pl* Umgebung *f* (*e-r Stadt*)
envoy ['envɔɪ] Gesandte *m*
envy ['envɪ] **1.** Neid *m*; **2.** beneiden (***s.o. s.th.*** j-n um et.)
epidemic [epɪ'demɪk] Epidemie *f*, Seuche *f*
epilogue *Brt.*, **epilog** *Am.* ['epɪlɒg] Epilog *m*, Nachwort *n*
episode ['epɪsəʊd] Episode *f*

epitaph ['epɪtɑ:f] Grabinschrift *f*
epoch ['i:pɒk] Epoche *f*
equal ['i:kwəl] **1.** *adj* gleich; ***be ~ to*** *e-r Aufgabe etc.* gewachsen sein; **2.** *su* Gleichgestellte *m, f*; **3.** *v/t* gleichen (*dat*); **~ity** [ɪ'kwɒlətɪ] Gleichheit *f*; **~ize** ['i:kwəlaɪz] gleichmachen, -setzen, -stellen; ausgleichen; *Sport*: *Rekord* einstellen; **'~izer** *Sport*: Ausgleich(stor *n*, -streffer) *m*
equate [ɪ'kweɪt] gleichsetzen
equation [ɪ'kweɪʒn] *math.* Gleichung *f*
equator [ɪ'kweɪtə] Äquator *m*
equilibrium [i:kwɪ'lɪbrɪəm] Gleichgewicht *n*
equip [ɪ'kwɪp] ausrüsten; **~ment** Ausrüstung *f*, -stattung *f*; *tech.* Einrichtung *f*
equivalent [ɪ'kwɪvələnt] **1.** gleichbedeutend (***to*** mit); gleichwertig, äquivalent; **2.** Äquivalent *n*, Gegenwert *m*
era ['ɪərə] Ära *f*, Zeitalter *n*
eradicate [ɪ'rædɪkeɪt] ausrotten (*a. fig.*)
erase [ɪ'reɪz] ausstreichen, -radieren; löschen (*a. Computer, Tonband*); **e'raser** Radiergummi *m*
erect [ɪ'rekt] **1.** aufrecht; **2.** aufrichten; errichten; aufstellen; **~ion** Errichtung *f*; *physiol.* Erektion *f*
erode [ɪ'rəʊd] *geol.* erodieren; **erosion** [ɪ'rəʊʒn] *geol.* Erosion *f*
erotic [ɪ'rɒtɪk] erotisch
err [ɜ:] (sich) irren
errand ['erənd]: ***run ~s*** Besorgungen machen
erratic [ɪ'rætɪk] sprunghaft
error ['erə] Irrtum *m*, Fehler *m* (*a. Computer*)
erupt [ɪ'rʌpt] *Vulkan etc.*: ausbrechen; **~ion** (*Vulkan-*) Ausbruch *m*
escalate ['eskəleɪt] eskalieren; *Preise etc.*: steigen; **esca'lation** Eskalation *f*
escalator ['eskəleɪtə] Rolltreppe *f*
escalope ['eskələʊp] *gastr.* (*bsd.* Wiener)Schnitzel *n*, (*Kalbs*)Schnitzel *n*
escape [ɪ'skeɪp] **1.** *v/t* entgehen, -kommen, -rinnen; entweichen; *dem Gedächtnis* entfallen; **2.** Entkommen *n*, Flucht *f*; ***have a narrow ~*** mit knapper Not davonkommen; **~ chute** *aviat.* Notrutsche *f*
escort [ɪ'skɔ:t] begleiten
especial [ɪ'speʃl] besonder; **~ly** besonders
espionage ['espɪənɑ:ʒ] Spionage *f*
essay ['eseɪ] Essay *m, n*, Aufsatz *m*
essential [ɪ'senʃl] **1.** wesentlich; unentbehrlich; **2.** *mst pl das* Wesentliche; **~ly** im Wesentlichen
establish [ɪ'stæblɪʃ] einrichten, errichten, gründen; be-, nachweisen; **~ment** Ein-

richtung *f*; Unternehmen *n*
estate [ɪ'steɪt] Landsitz *m*, Gut *n*; *Brt*. (Wohn)Siedlung *f*; *Brt*. Industriegebiet *n*; **~ agent** Grundstücks-, Immobilienmakler *m*; **~ car** *Brt*. Kombiwagen *m*
esthetic *Am*. → ***aesthetic***
estimate 1. ['estɪmeɪt] (ab-, ein)schätzen; veranschlagen; **2.** ['estɪmət] Schätzung *f*, Kostenvoranschlag *m*; **estimation** [estɪ'meɪʃn] Achtung *f*, Wertschätzung *f*
estranged [ɪ'streɪndʒd] *Ehepaar*: getrennt lebend
estuary ['estjʊərɪ] *den Gezeiten ausgesetzte* weite Flussmündung
etch [etʃ] ätzen; in Kupfer stechen; radieren; **'~ing** Kupferstich *m*; Radierung *f*
eternal [ɪ'tɜːnl] ewig; **e'ternity** Ewigkeit *f*
ether ['iːθə] Äther *m*
ethical ['eθɪkl] ethisch; **'ethics** *sg* Ethik *f*; *pl* Moral *f*
EU [iː 'juː] ***European Union*** Europäische Union
Euro... ['jʊərəʊ] europäisch, Euro...; **'~cheque** *Brt*. Eurocheque *m*
Europe ['jʊərəp] Europa *n*; **European** [jʊərə'piːən] **1.** europäisch; **♀ *Currency Unit*** (*Abk*. ***ECU***) Europäische Währungseinheit, Eurowährung *f*; **2.** Europäer(in)
evacuate [ɪ'vækjʊeɪt] evakuieren; *Haus etc*. räumen
evade [ɪ'veɪd] ausweichen; umgehen, vermeiden
evaluate [ɪ'væljʊeɪt] (ab-)schätzen, bewerten
evaporate [ɪ'væpəreɪt] verdunsten, verdampfen; **~d *milk*** Kondensmilch *f*
evasion [ɪ'veɪʒn] Umgehung *f*, Vermeidung *f*; (*Steuer-*) Hinterziehung *f*; **evasive** [ɪ'veɪsɪv] ausweichend
eve [iːv] Vorabend *m*, Vortag *m* (*e-s Festes*)
even ['iːvn] **1.** *adv* sogar; ***not* ~** nicht einmal; **~ *if*** selbst wenn; **2.** *adj* eben; gleich; gleichmäßig; ausgeglichen; *Zahl*: gerade; ***be* ~ *with*** quitt sein mit
evening ['iːvnɪŋ] Abend *m*; ***in the* ~** abends, am Abend; ***this* ~** heute Abend; ***good* ~** guten Abend; **'~ classes** *pl* Abendkurs *m*, -unterricht *m*
event [ɪ'vent] Ereignis *n*; *Sport*: Disziplin *f*; Wettbewerb *m*; ***at all* ~s** auf alle Fälle
eventually [ɪ'ventʃʊəlɪ] schließlich
ever ['evə] immer (wieder); je(mals); **~ *since*** seitdem; **'~green** immergrüne Pflanze; **~'lasting** ewig
every ['evrɪ] jede(r, -s); **~ *other day*** jeden zweiten Tag, alle zwei Tage; **~ *now and then*** hin u. wieder; **'~body** → ***everyone***; **'~day** Alltags...; **'~one** jeder(mann),

alle; **'~thing** alles; **'~where** überall(hin)

evidence ['evɪdəns] *jur*. Beweis(e *pl*) *m*; (Zeugen)Aussage *f*; (An)Zeichen *n*, Spur *f*; ***give*** ~ aussagen; **'evident** offensichtlich

evil ['iːvl] **1.** übel, böse; **2.** Übel *n*; *das* Böse

evoke [ɪ'vəʊk] (herauf)beschwören; wachrufen

evolution [iːvə'luːʃn] Evolution *f*; Entwicklung *f*

evolve [ɪ'vɒlv] (sich) entwickeln

ewe [juː] Mutterschaf *n*

ex... [eks] Ex..., ehemalig

exact [ɪg'zækt] exakt, genau; **~ly** exakt, genau

exaggerate [ɪg'zædʒəreɪt] übertreiben; **exagge'ration** Übertreibung *f*

exam [ɪg'zæm] F Examen *n*

examination [ɪgzæmɪ'neɪʃn] Examen *n*, Prüfung *f*; Untersuchung *f*; *jur*. Vernehmung *f*; **examine** [ɪg'zæmɪn] untersuchen; *ped*. prüfen (***in*** in; ***on*** über); *jur*. vernehmen; **ex'aminer** *ped*. Prüfer(in)

example [ɪg'zɑːmpl] Beispiel *n*; ***for*** ~ zum Beispiel

exasperated [ɪg'zæspəreɪtɪd] wütend, aufgebracht

excavate ['ekskəveɪt] ausgraben, -baggern, -heben; **exca'vation** Ausgrabung *f*; **'excavator** Bagger *m*

exceed [ɪk'siːd] überschreiten; übertreffen; **~ingly** äußerst

excel [ɪk'sel] übertreffen (***o.s.*** sich selbst); sich auszeichnen

excellent ['eksələnt] ausgezeichnet, hervorragend

except [ɪk'sept] außer; ~ ***for*** bis auf (*acc*); **~ion** Ausnahme *f*; **~ional** [ɪk'sepʃənl], **~ionally** [ɪk'sepʃnəlɪ] außergewöhnlich

excerpt ['eksɜːpt] Auszug *m*

excess [ɪk'ses] Überschuss *m*; Exzess *m*; ~ **'baggage** *aviat*. Übergepäck *n*; ~ **'fare** (Fahrpreis)Zuschlag *m*; **~ive** übermäßig, -trieben; ~ **'luggage** *bsd. Brt. aviat*. Übergepäck *n*; ~ **'postage** Nachporto *n*, -gebühr *f*

exchange [ɪks'tʃeɪndʒ] **1.** (aus-, um)tauschen (***for*** gegen); *Geld* (um)wechseln; **2.** (Aus-, Um)Tausch *m*; *bsd*. (Geld)Wechsel *m*; *econ*. Börse *f*; Wechselstube *f*; (Fernsprech)Amt *n*; ~ **rate** Wechselkurs *m*

Exchequer [ɪks'tʃekə]: *the* ~ *Brt*. Finanzministerium *n*

excitable [ɪk'saɪtəbl] reizbar, (leicht) erregbar; **excite** [ɪk'saɪt] er-, anregen; reizen; **ex'cited** erregt, aufgeregt; **ex'citement** Auf-, Erregung *f*; **ex'citing** er-, aufregend, spannend

exclaim [ɪk'skleɪm] (aus)rufen

exclamation [eksklə'meɪʃn] Ausruf *m*; ~ **mark** *Brt*., ~ **point** *Am*. Ausrufezeichen *n*

exclude [ɪk'sklu:d] ausschließen; **exclusive** [ɪk'sklu:sɪv] ausschließlich; exklusiv
excursion [ɪk'skɜ:ʃn] Ausflug *m*
excuse 1. [ɪk'skju:z] entschuldigen; ~ ***me*** entschuldige(n Sie)!, Verzeihung!; **2.** [ɪk'skju:s] Entschuldigung *f*
execute ['eksɪkju:t] aus-, durchführen; *mus. etc.* vortragen; hinrichten; **exe'cution** Hinrichtung *f*
executive [ɪg'zekjʊtɪv] **1.** ausübend, vollziehend, *pol.* Exekutiv...; **2.** *pol.* Exekutive *f*; *econ.* leitende(r) Angestellte(r)
exemplary [ɪg'zemplərɪ] vorbildlich; abschreckend
exercise ['eksəsaɪz] **1.** Übung *f*; Übung(sarbeit) *f*, Schulaufgabe *f*; (körperliche) Bewegung; **2.** *Macht etc.* ausüben; üben, trainieren; sich Bewegung machen; **'~ book** (Schul-, Schreib)Heft *n*
exert [ɪg'zɜ:t] *Einfluss etc.* ausüben; ~ ***o.s.*** sich anstrengen; **~ion** Anstrengung *f*
exhaust [ɪg'zɔ:st] **1.** erschöpfen; *Vorräte* ver-, aufbrauchen; **2.** *tech.* Auspuff *m*; *a.* ~ ***fumes*** *pl* Auspuff-, Abgase *pl*; **~ed** erschöpft; **~ion** Erschöpfung *f*; **~ pipe** Auspuffrohr *n*
exhibit [ɪg'zɪbɪt] **1.** ausstellen; *fig.* zeigen, zur Schau stellen; **2.** Ausstellungsstück *n*; *jur.* Beweisstück *n*; **~ion** [eksɪ'bɪʃn] Ausstellung *f*
exhilarating [ɪg'zɪləreɪtɪŋ] erregend, berauschend
exile ['eksaɪl] Exil *n*
exist [ɪg'zɪst] existieren; vorkommen; leben (***on*** von); **~ence** Existenz *f*; Vorkommen *n*; **~ent** vorhanden
exit ['eksɪt] Ausgang *m*; Abgang *m*; (Autobahn)Ausfahrt *f*; Ausreise *f*
exotic [ɪg'zɒtɪk] exotisch
expand [ɪk'spænd] ausbreiten; (sich) ausdehnen *od.* erweitern; **expanse** [ɪk'spæns] weite Fläche; **ex'pansion** Ausbreitung *f*; Ausdehnung *f*, Erweiterung *f*
expect [ɪk'spekt] erwarten; F annehmen; ***be ~ing*** F in anderen Umständen sein; **~ant** erwartungsvoll; ~ ***mother*** werdende Mutter; **~ation** [ekspek'teɪʃn] Erwartung *f*
expedient [ɪk'spi:djənt] zweckdienlich, -mäßig
expedition [ekspɪ'dɪʃn] Expedition *f*
expel [ɪk'spel] (***from***) vertreiben (aus); ausweisen (aus); ausschließen (von, aus)
expenditure [ɪk'spendɪtʃə] Ausgaben *pl*, (Kosten)Aufwand *m*
expense [ɪk'spens] Ausgaben *pl*; *pl* Unkosten *pl*, Spesen *pl*; ***at the ~ of*** auf Kosten (*gen.*); **ex'pensive** teuer
experience [ɪk'spɪərɪəns] **1.**

Erfahrung *f*; Erlebnis *n*; **2.** erfahren; erleben; **ex'perienced** erfahren

experiment 1. [ɪk'sperɪmənt] Experiment *n*, Versuch *m*; **2.** [ɪk'sperɪment] experimentieren

expert ['ekspɜːt] **1.** Expert|e *m*, -in *f*, Sachverständige *m*, *f*, Fachmann *m*, -frau *f*; **2.** erfahren; fachmännisch

expire [ɪk'spaɪə] ablaufen, erlöschen; verfallen

explain [ɪk'spleɪn] erklären; **explanation** [eksplə'neɪʃn] Erklärung *f*

explicit [ɪk'splɪsɪt] deutlich; (***sexually***) ~ *Film etc*: freizügig

explode [ɪk'spləʊd] explodieren; zur Explosion bringen

exploit [ɪk'splɔɪt] ausbeuten

exploration [eksplə'reɪʃn] Erforschung *f*; **explore** [ɪk'splɔː] erforschen; **ex'plorer** Forscher(in)

explosion [ɪk'spləʊʒn] Explosion *f*; **explosive** [ɪk'spləʊsɪv] **1.** explosiv; **2.** Sprengstoff *m*

export 1. [ɪk'spɔːt] exportieren, ausführen; **2.** ['ekspɔːt] Export *m*, Ausfuhr *f*; *pl* Exportgüter *pl*; **~ation** [ekspɔː'teɪʃn] Ausfuhr *f*; **~er** [ɪk'spɔːtə] Exporteur *m*

expose [ɪk'spəʊz] *Waren* ausstellen; *phot*. belichten; *fig*.: aufdecken; entlarven; **~ *to*** *e-r Gefahr* aussetzen

exposition [ekspəʊ'zɪʃn] Ausstellung *f*

exposure [ɪk'spəʊʒə] *fig*. Ausgesetztsein *n* (**to** *dat*); Unterkühlung *f*; *fig*. Enthüllung *f*; *phot*. Belichtung *f*; **~ meter** Belichtungsmesser *m*

express [ɪk'spres] **1.** *v/t* ausdrücken, äußern; **2.** *su* Schnellzug *m*; *post*. Eilbote *m*; **3.** *adv* durch Eilboten; **4.** *adj* ausdrücklich; Express..., Eil..., Schnell...; **~ion** Ausdruck *m*; **~ive** ausdrucksvoll; **~ train** Schnellzug *m*; **~way** *Am*. Schnellstraße *f*

expulsion [ɪk'spʌlʃn] Vertreibung *f*; Ausweisung *f*; Ausschluss *m*

extend [ɪk'stend] (aus)dehnen, (-)weiten; *Hand etc*. ausstrecken; *Betrieb etc*. vergrößern; *Frist, Pass etc*. verlängern; sich ausdehnen *od*. erstrecken; **ex'tension** [ɪk'stenʃn] Ausdehnung *f*; Vergrößerung *f*, Erweiterung *f*; (Frist)Verlängerung *f*; *arch*. Erweiterung *f*, Anbau *m*; *tel*. Nebenanschluss *m*; **ex'tensive** ausgedehnt; *fig*. umfassend; **ex'tent** Ausdehnung *f*; Umfang *m*, (Aus)Maß *n*

exterior [ɪk'stɪərɪə] **1.** äußer, Außen...; **2.** *das* Äußere

exterminate [ɪk'stɜːmɪneɪt] ausrotten

external [ɪk'stɜːnl] äußer, äußerlich, Außen...

extinct [ɪk'stɪŋkt] ausgestorben; *Vulkan*: erloschen
extinguish [ɪk'stɪŋgwɪʃ] (aus-)löschen
extra ['ekstrə] **1.** zusätzlich, Extra..., Sonder...; ***be ~*** gesondert berechnet werden; ***charge ~ for*** *et*. gesondert berechnen; **2.** Sonderleistung *f*; *bsd. mot*. Extra *n*; Zuschlag *m*; Extrablatt *n*; *Film*: Statist(in)
extract 1. [ɪk'strækt] herausholen; *Zahn* ziehen; **2.** ['ekstrækt] Auszug *m*
extradite ['ekstrədaɪt] *Verbrecher* ausliefern
extraordinary [ɪk'strɔːdnrɪ] außerordentlich, -gewöhnlich; ungewöhnlich
extraterrestrial [ekstrətə'restrɪəl] außerirdisch
extra 'time *Sport*: (Spiel)Verlängerung *f*
extravagant [ɪk'strævəgənt] verschwenderisch
extreme [ɪk'striːm] **1.** äußerst, größt, höchst; extrem; ***~ right*** rechtsextrem(istisch); **2.** *das* Äußerste, Extrem *n*;
ex'tremely äußerst, höchst;
extremity [ɪk'streməti] *das* Äußerste; (höchste) Not; *pl* Gliedmaßen *pl*, Extremitäten *pl*
extroverted ['ekstrəʊvɜːtɪd] extrovertiert
exuberant [ɪg'zjuːbərənt] überschwenglich
eye [aɪ] **1.** Auge *n*; Öhr *n*; Öse *f*; *fig*. Blick *m*; **2.** ansehen, mustern; **'~ball** Augapfel *m*; **'~brow** Augenbraue *f*; **'~glasses** *pl* Brille *f*; **'~lash** Augenwimper *f*; **'~lid** Augenlid *n*; **'~liner** Eyeliner *m*; **'~ shadow** Lidschatten *m*; **'~sight** Augen(licht *n*) *pl*, Sehkraft *f*; **'~ specialist** Augenarzt *m*, -ärztin *f*; **'~witness** Augenzeug|e *m*, -in *f*

F

F ***Fahrenheit*** F, Fahrenheit (*Thermometereinteilung*)
fable ['feɪbl] Fabel *f*
fabric ['fæbrɪk] Stoff *m*, Gewebe *n*; *fig*. Struktur *f*
fabulous ['fæbjʊləs] sagenhaft
face [feɪs] **1.** Gesicht *n*; Vorderseite *f*; Zifferblatt *n*; ***~ to ~*** Auge in Auge; **2.** ansehen; gegenüberstehen, -liegen, -sitzen; **'~cloth, '~ flannel** *Brt*. Waschlappen *m*
facilities [fə'sɪlətɪz] *pl* Einrichtungen *pl*, Anlagen *pl*
fact [fækt] Tatsache *f*; ***in ~*** tatsächlich
factor ['fæktə] Faktor *m*
factory ['fæktərɪ] Fabrik *f*
faculty ['fæklti] Fähigkeit *f*;

Gabe *f*; *univ.* Fakultät *f*; *Am. univ.* Lehrkörper *m*
fade [feɪd] (ver)welken (lassen); *Farben*: verblassen
fag [fæg] F Glimmstängel *m*
fail [feɪl] versagen; misslingen, fehlschlagen; nachlassen; *Kandidat*: durchfallen (lassen); **failure** ['feɪljə] Versagen *n*; Fehlschlag *m*, Misserfolg *m*; Versager *m*
faint [feɪnt] **1.** schwach, matt; **2.** Ohnmacht *f*; **3.** ohnmächtig werden
fair¹ [feə] (Jahr)Markt *m*; *econ.* Messe *f*
fair² [feə] gerecht, anständig, fair; recht gut, ansehnlich; *Wetter*: schön; *Himmel*: klar; *Haar*: blond; *Haut*: hell; '**~ly** gerecht; ziemlich; '**~ness** Gerechtigkeit *f*, Fairness *f*; **~ 'play** Fair Play *n*, Fairness *f*
fairy ['feərɪ] Fee *f*; '**~ tale** Märchen *n*
faith [feɪθ] Glaube *m*; Vertrauen *n*; '**~ful** treu; genau; ***Yours ~fully*** *Briefschluss*: Hochachtungsvoll
fake [feɪk] **1.** Fälschung *f*; Schwindler(in); **2.** fälschen
falcon ['fɔːlkən] Falke *m*
fall [fɔːl] **1.** Fall(en *n*) *m*; Sturz *m*; *Am.* Herbst *m*; *pl* Wasserfall *m*; **2.** (***fell, fallen***) fallen, stürzen; sinken; *Nacht*: hereinbrechen; ***~ ill, ~ sick*** krank werden; ***~ in love with*** sich verlieben in; '**~en** *pp* von ***fall*** 2
false [fɔːls] falsch
falsify ['fɔːlsɪfaɪ] fälschen
falter ['fɔːltə] schwanken; zaudern; *Stimme*: stocken
fame [feɪm] Ruhm *m*
familiar [fə'mɪljə] vertraut, gewohnt; ungezwungen; **~ity** [fəmɪlɪ'ærətɪ] Vertrautheit *f*; **~ize** [fə'mɪljəraɪz] vertraut machen
family ['fæməlɪ] Familie *f*; '**~ name** Familien-, Nachname *m*
famine ['fæmɪn] Hungersnot *f*
famous ['feɪməs] berühmt
fan¹ [fæn] Fächer *m*; Ventilator *m*
fan² [fæn] (*Sport- etc.*)Fan *m*
fanatic [fə'nætɪk] **1.** Fanatiker(in); **2.** fanatisch
'**fan belt** Keilriemen *m*
fanciful ['fænsɪfʊl] fantasievoll
fancy ['fænsɪ] **1.** plötzlicher Einfall; Laune *f*; **2.** ausgefallen; **3.** sich vorstellen; sich einbilden; gern haben *od.* mögen; **~ 'dress** (Masken-) Kostüm *n*; **~ 'goods** *pl* Modeartikel *pl*; '**~work** feine Handarbeit
fang [fæŋ] Reiß-, Fangzahn *m*; Giftzahn *m*; Hauer *m*
fantastic [fæn'tæstɪk] fantastisch
fantasy ['fæntəsɪ] Fantasie *f*
far [fɑː] **1.** *adj* fern, entfernt, weit; **2.** *adv* fern, weit; **as ~ as** soweit (wie); bis (nach)

fare [feə] Fahrgeld *n*, -preis *m*, Flugpreis *m*; Fahrgast *m*; Kost *f*, Nahrung *f*; '**~ dodger** Schwarzfahrer(in); **~'well 1.** *int* leb(en Sie) wohl!; **2.** Abschied *m*, Lebewohl *n*
farfetched [fɑː'fetʃt] weit hergeholt
farm [fɑːm] **1.** Bauernhof *m*, Farm *f*; **2.** *Land* bewirtschaften; '**~er** Bauer *m*, Landwirt *m*, Farmer *m*; '**~house** Bauernhaus *n*
farsighted [fɑː'saɪtɪd] *bsd. Am.* weitsichtig
fart [fɑːt] V **1.** Furz *m*; **2.** furzen
farther ['fɑːðə] *comp von* **far**; **farthest** ['fɑːðɪst] *sup von* **far**
fascinate ['fæsɪneɪt] faszinieren; '**fascinating** faszinierend; **fasci'nation** Faszination *f*
fashion ['fæʃn] Mode *f*; ***be in ~*** in Mode sein; ***out of ~*** unmodern; '**~able** modisch, elegant
fast[1] [fɑːst] schnell; fest; *Farbe*: (wasch)echt; ***be ~*** *Uhr*: vorgehen
fast[2] [fɑːst] **1.** Fasten *n*; **2.** fasten
fasten ['fɑːsn] befestigen, festmachen, anschnallen, anbinden, zuknöpfen, zu-, verschnüren; *Blick etc.* richten (***on*** auf); '**~er** Verschluss *m*
'**fast| food** Schnellgericht(e *pl*) *n*; **~-food** '**restaurant** Schnellimbiss *m*, -gaststätte *f*; '**~ lane** *mot.* Überholspur *f*
fat [fæt] **1.** dick; fett; **2.** Fett *n*
fatal ['feɪtl] tödlich
fate [feɪt] Schicksal *n*
father ['fɑːðə] Vater *m*; '**~hood** Vaterschaft *f*; '**~-in-law** Schwiegervater *m*; '**~less** vaterlos; '**~ly** väterlich
fatigue [fə'tiːg] Ermüdung *f*
fatten ['fætn] dick machen *od.* werden; mästen; '**fatty** fettig
faucet ['fɔːsɪt] *Am.* (Wasser-)Hahn *m*
fault [fɔːlt] Fehler *m*; Defekt *m*; Schuld *f*; ***find ~ with*** etwas auszusetzen haben an; '**~less** fehlerfrei, tadellos; '**faulty** fehlerhaft, defekt
favo(u)r ['feɪvə] **1.** Gunst *f*, Wohlwollen *n*; Gefallen *m*; ***in ~ of*** zugunsten von *od. gen*; ***be in ~ of*** für *et.* sein; ***do s.o. a ~*** j-m e-n Gefallen tun; **2.** favorisieren, bevorzugen, für *et.* sein; '**~able** günstig; **favo(u)rite** ['feɪvərɪt] **1.** Liebling *m*; Favorit(in); **2.** Lieblings...
fax [fæks] **1.** Fax *n*; *a.* ***~ machine*** Faxgerät *n*; **2.** faxen
fear [fɪə] **1.** Furcht *f*, Angst *f* (***of*** vor); **2.** (be)fürchten; sich fürchten vor; '**~less** furchtlos
feast [fiːst] *rel.* Fest *n*; Festmahl *n*, -essen *n*
feat [fiːt] große Leistung
feather ['feðə] Feder *f*; *pl* Gefieder *n*
feature ['fiːtʃə] **1.** (Ge-

sichts)Zug *m*; (charakteristisches) Merkmal; *Zeitung etc.*: Feature *n*; *a.* ~ **film** Haupt-, Spielfilm *m*; **2.** groß herausbringen *od.* -stellen
February ['februəri] Februar *m*
fed [fed] *pret u. pp von* **feed** 2
federal ['fedərəl] *pol.* Bundes...; ≈ **Republic of 'Germany** (*Abk.* **FRG**) *die* Bundesrepublik Deutschland
federation [fedə'reıʃn] *Sport etc.*: Verband *m*
fee [fi:] Gebühr *f*; Honorar *n*
feeble ['fi:bl] schwach
feed [fi:d] **1.** Füttern *n*, Fütterung *f*; Futter *n*; **2.** (**fed**) *v/t* füttern; *Familie* ernähren; **be fed up with** *et.* satt haben; *v/i Tier*: fressen; *Mensch*: F futtern; sich ernähren (**on** von); '~**back** *electr.* Rückkopp(e)lung *f*; Feedback *n*
feel [fi:l] (**felt**) (sich) fühlen; befühlen; empfinden; sich anfühlen; '~**er** Fühler *m*; '~**ing** Gefühl *n*
feet [fi:t] *pl von* **foot**
fell [fel] *pret von* **fall** 2
fellow ['feləʊ] Gefährt|e *m*, -in *f*, Kamerad(in); F Kerl *m*, Bursche *m*; ~ '**citizen** Mitbürger(in); ~ '**countryman** (*pl* **-men**) Landsmann *m*; ~ '**travel(l)er** Mitreisende *m, f*
felony ['felənı] *jur.* Kapitalverbrechen *n*
felt[1] [felt] *pret u. pp von* **feel**
felt[2] [felt] Filz *m*; '~**-tip**, ~**-tip 'pen** Filzschreiber *m*, -stift *m*
female ['fi:meıl] **1.** weiblich; **2.** *zo.* Weibchen *n*
feminine ['femının] weiblich; '**feminist** Feminist(in)
fence [fens] **1.** Zaun *m*; **2.** *v/t* ~ **in** ein-, umzäunen; *v/i* fechten; '**fencing** Fechten *n*
fend [fend]: ~ **for o.s.** für sich selbst sorgen; '~**er** *Am.* Kotflügel *m*; Kamingitter *n*
ferment 1. ['fɜ:ment] Ferment *n*; Gärung *f*; **2.** [fə'ment] gären; ~**ation** [fɜ:men'teıʃn] Gärung *f*
fern [fɜ:n] Farn(kraut *n*) *m*
ferocious [fə'rəʊʃəs] wild
ferry ['ferı] **1.** Fähre *f*; **2.** (in e-r Fähre) übersetzen
fertile ['fɜ:taıl] fruchtbar; **fertility** [fə'tılətı] Fruchtbarkeit *f*; **fertilize** ['fɜ:tılaız] befruchten; düngen; '**fertilizer** (*bsd.* Kunst)Dünger *m*
fervent ['fɜ:vənt] glühend, leidenschaftlich
fester ['festə] eitern
festival ['festəvl] Fest *n*; Festival *n*, Festspiele *pl*; **festive** ['festıv] festlich; **fes'tivity** *a. pl* Festlichkeit *f*
fetch [fetʃ] holen
feud [fju:d] Fehde *f*
fever ['fi:və] Fieber *n*; '~**ish** fieb(e)rig; *fig.* fieberhaft
few [fju:] wenige; **a** ~ ein paar, einige
fiancé [fı'ɑ̃:ŋseı] Verlobte *m*; **fi'ancée** Verlobte *f*
fib [fıb] F flunkern

fibre *Brt.*, **fiber** *Am.* ['faɪbə] Faser *f*; '**~glass** Fiberglas *n*, Glasfaser *f*; '**fibrous** faserig
fickle ['fɪkl] launenhaft, launisch; *Wetter*: unbeständig
fiction ['fɪkʃn] Erfindung *f*; Prosa-, Romanliteratur *f*
fictitious [fɪk'tɪʃəs] erfunden
fiddle ['fɪdl] **1.** Fiedel *f*, Geige *f*; **2.** *mus.* fiedeln; '**fiddler** Geiger(in)
fidelity [fɪ'delətɪ] Treue *f*; Genauigkeit *f*
fidget ['fɪdʒɪt] nervös machen; (herum)zappeln
field [fiːld] Feld *n*; Spielfeld *n*; Gebiet *n*; Bereich *m*; '**~ events** *pl* Sprung- u. Wurfdisziplinen *pl*; '**~ glasses** *pl* Feldstecher *m*
fiend [fiːnd] Teufel *m*; (*Frischluft- etc.*)Fanatiker(in)
fierce [fɪəs] wild; heftig
fiery ['faɪərɪ] feurig; hitzig
fifteen [fɪf'tiːn] fünfzehn; **fifteenth** [fɪf'tiːnθ] fünfzehnt; **fifth** [fɪfθ] **1.** fünft; **2.** Fünftel *n*; '**fifthly** fünftens; **fiftieth** ['fɪftɪɪθ] fünfzigst; '**fifty** fünfzig; **fifty-'fifty** F fifty-fifty, halbe-halbe
fig [fɪg] Feige *f*
fight [faɪt] **1.** Kampf *m*; Schlägerei *f*; **2.** (***fought***) (be)kämpfen; kämpfen gegen *od.* mit; '**~er** Kämpfer *m*; *Sport*: Boxer *m*, Fighter *m*
figurative ['fɪgərətɪv] bildlich
figure ['fɪgə] **1.** Figur *f*; Gestalt *f*; Zahl *f*, Ziffer *f*; **2.** erscheinen, vorkommen; sich *et.* vorstellen; *Am.* meinen, glauben; **~ *out*** herausbekommen; *Lösung* finden; '**~ skating** Eiskunstlauf *m*
filch [fɪltʃ] F klauen, stibitzen
file[1] [faɪl] **1.** Ordner *m*, Karteikasten *m*; Akte *f*; Akten *pl*, Ablage *f*; *Computer*: Datei *f*; Reihe *f*; ***on* ~** bei den Akten; **2.** *Briefe etc.* ablegen
file[2] [faɪl] **1.** Feile *f*; **2.** feilen
filing cabinet ['faɪlɪŋ-] Aktenschrank *m*
fill [fɪl] (sich) füllen; an-, aus-, vollfüllen; **~ *in*** *Namen* einsetzen; *Formular* ausfüllen (*Am. a.* **~ *out***); **~ *up*** voll füllen; voll tanken; sich füllen
fillet, filet *Am.* ['fɪlɪt] Filet *n*
filling ['fɪlɪŋ] Füllung *f*; (Zahn)Plombe *f*; '**~ station** Tankstelle *f*
film [fɪlm] **1.** Film *m*; **2.** (ver)filmen
filter ['fɪltə] **1.** Filter *m*, *tech.* *mst n*; **2.** filtern; '**~ tip** Filter *m*; → **~-'tipped cigarette** Filterzigarette *f*
filth [fɪlθ] Schmutz *m*; '**filthy** schmutzig; *fig.* unflätig
fin [fɪn] *zo.* Flosse *f*; *Am.* Schwimmflosse *f*
final ['faɪnl] **1.** letzt; End..., Schluss...; endgültig; **2.** *Sport*: Endspiel *n*, Finale *n*; *mst pl* Schlussexamen *n*, -prüfung *f*; '**~ly** endlich
finance [faɪ'næns] **1.** *pl* Fi-

nanzen *pl*; **2.** finanzieren; **financial** [faɪ'nænʃl] finanziell
finch [fɪntʃ] Fink *m*
find [faɪnd] **1.** (***found***) finden; *jur. j-n* für (*nicht*) *schuldig* erklären; (*a.* ~ ***out***) herausfinden; **2.** Fund *m*
fine¹ [faɪn] **1.** *adj* fein; schön; ausgezeichnet; ***I'm*** ~ mir geht es gut; **2.** *adv* F sehr gut, bestens
fine² [faɪn] **1.** Geldstrafe *f*, Bußgeld *n*; **2.** mit e-r Geldstrafe belegen
finger ['fɪŋgə] **1.** Finger *m*; **2.** befühlen; '**~nail** Fingernagel *m*; '**~print** Fingerabdruck *m*; '**~tip** Fingerspitze *f*
finicky ['fɪnɪkɪ] F pingelig
finish ['fɪnɪʃ] **1.** (be)enden, aufhören (mit); **2.** Ende *n*; *Sport*: Endspurt *m*, Finish *n*; Ziel *n*; '**~ing line** Ziellinie *f*
Finland ['fɪnlənd] Finnland *n*;
Finn [fɪn] Finn|e *m*, -in *f*; '**~ish** finnisch
fir [fɜː] Tanne *f*
fire ['faɪə] **1.** Feuer *n*, Brand *m*; ***be on*** ~ in Flammen stehen; ***catch*** ~ Feuer fangen; ***set on*** ~, ***set*** ~ ***to*** anzünden; **2.** *v/t* anzünden; *Schusswaffe* abfeuern; *Schuss* (ab)feuern; F *j-n* feuern; *v/i* feuern, schießen; '**~ alarm** Feueralarm *m*; Feuermelder *m*; '**~arms** *pl* Schusswaffen *pl*; '**~ brigade** *Brt.*, '**~ department** *Am.* Feuerwehr *f*; '**~ engine** Löschfahrzeug *n*; '**~ escape** Feuerleiter *f*, -treppe *f*; '**~ extinguisher** Feuerlöscher *m*; '**~man** (*pl* ***-men***) Feuerwehrmann *m*; Heizer *m*; '**~place** (offener) Kamin; '**~proof** feuerfest; '**~ truck** *Am.* Löschfahrzeug *n*; '**~wood** Brennholz *n*; '**~works** *pl* Feuerwerk *n*
firm¹ [fɜːm] Firma *f*
firm² [fɜːm] fest, hart; standhaft
first [fɜːst] **1.** *adj* erst; best; **2.** *adv* zuerst; (zu)erst (einmal); als Erste(r, -s); ~ ***of all*** zu allererst; **3.** *su* ***at*** ~ zuerst; ~ '**aid** erste Hilfe; ~ '**aid kit** Verband(s)kasten *m*; ~ '**class** 1. Klasse; ~-'**class** erstklassig; erster Klasse; ~ '**floor** *Brt.* erster Stock; *Am.* Erdgeschoss *n*, *östr.* -geschoß *n*; ~'**hand** aus erster Hand; '**~ly** erstens; '**~ name** Vorname *m*; ~-'**rate** erstklassig
firth [fɜːθ] Förde *f*
fish [fɪʃ] **1.** Fisch *m*; **2.** fischen, angeln; '**~bone** Gräte *f*
fisherman ['fɪʃəmən] (*pl* ***-men***) Fischer *m*
fish '**finger** *Brt.* Fischstäbchen *n*
'**fishing** Fischen *n*, Angeln *n*; '**~ line** Angelschnur *f*; '**~ rod** Angelrute *f*
fish|monger ['fɪʃmʌŋgə] *bsd. Brt.* Fischhändler(in); ~ '**stick** *Am.* Fischstäbchen *n*
'**fishy** Fisch...; *fig.* F faul

fission ['fɪʃn] Spaltung *f*
fissure ['fɪʃə] Spalt *m*, Riss *m*
fist [fɪst] Faust *f*
fit[1] [fɪt] **1.** geeignet, passend; fit, (gut) in Form; **2.** *v/t* passend machen, anpassen; *tech.* einpassen, -bauen, anbringen; zutreffen auf; ~ ***out*** ausrüsten, -statten, einrichten; *v/i Kleid*: passen, sitzen
fit[2] [fɪt] Anfall *m*
'fit|ful *Schlaf etc.*: unruhig; **'~ness** Tauglichkeit *f*; Fitness *f*, (gute) Form
'fitted zugeschnitten; Einbau...; ~ ***carpet*** Spannteppich *m*, Teppichboden *m*
'fitter Monteur *m*, Installateur *m*
'fitting Montage *f*, Installation *f*; *pl* Ausstattung *f*, Armaturen *pl*
five [faɪv] fünf
fix [fɪks] **1.** befestigen, anbringen (***to*** an); *Preis* festsetzen; fixieren; *Blick etc.* richten (***on*** auf); *Aufmerksamkeit etc.* fesseln; reparieren; **2.** F Klemme *f*; *sl. Heroin*: Fix *m*
fixture ['fɪkstʃə] fest angebrachtes Zubehörteil
fizz [fɪz] zischen, sprudeln
flabbergast ['flæbəgɑːst]: ***be ~ed*** F platt sein
flabby ['flæbɪ] schlaff
flag[1] [flæg] Fahne *f*, Flagge *f*
flag[2] [flæg] (Stein)Platte *f*, Fliese *f*
flake [fleɪk] **1.** Flocke *f*; Schuppe *f*; **2.** *a.* ~ ***off*** abblättern
flaky ['fleɪkɪ] flockig; blätt(e)rig; ~ **'pastry** Blätterteig *m*
flame [fleɪm] **1.** Flamme *f*; **2.** flammen, lodern
flammable ['flæməbl] → ***inflammable***
flan [flæn] Obst-, Käsekuchen *m*
flank [flæŋk] **1.** Flanke *f*; **2.** flankieren
flannel ['flænl] Flanell *m*; *Brt.* Waschlappen *m*; *pl* Flanellhose *f*
flap [flæp] **1.** Flattern *n*, (*Flügel*)Schlag *m*; Klappe *f*; **2.** mit *den Flügeln etc.* schlagen; flattern
flare [fleə] flackern; *Nasenflügel*: sich weiten
flash [flæʃ] **1.** Aufblitzen *n*, Blitz *m*; *Rundfunk etc.*: Kurzmeldung *f*; **2.** (auf)blitzen *od.* aufleuchten (lassen); rasen, flitzen; ~ **'freeze** (***-froze, -frozen***) *Am.* → ***qickfreeze***; **'~light** Blitzlicht *n*; *bsd. Am.* Taschenlampe *f*
'flashy protzig; auffallend
flask [flɑːsk] Taschenflasche *f*; Thermosflasche® *f*
flat[1] [flæt] **1.** flach, eben; schal; *econ.* flau; *Reifen*: platt; **2.** Flachland *n*; *bsd. Am.* Reifenpanne *f*
flat[2] [flæt] *Brt.* Wohnung *f*
flatten ['flætn] (ein)ebnen; abflachen; *a.* ~ ***out*** flach(er) werden

flatter ['flætə] schmeicheln; '**flattery** Schmeichelei *f*
flatulence ['flætjʊləns] Blähung(en *pl*) *f*
flavo(u)r ['fleɪvə] **1.** (*fig.* Bei)Geschmack *m*, Aroma *n*; **2.** würzen; '**~ing** Aroma *n*
flaw [flɔː] Fehler *m*, *tech. a.* Defekt *m*; '**~less** einwandfrei, makellos
flea [fliː] Floh *m*; '**~ market** Flohmarkt *m*
fled [fled] *pret u. pp von* ***flee***
fledged [fledʒd] flügge
flee [fliː] (***fled***) fliehen, flüchten
fleet [fliːt] Flotte *f*
fleeting ['fliːtɪŋ] flüchtig
flesh [fleʃ] *lebendiges* Fleisch
flew [fluː] *pret von* ***fly***³
flex [fleks] *bsd. anat.* biegen; '**~ible** flexibel; elastisch; **~** ***working hours*** *pl* → ***flexitime***
flexitime ['fleksɪtaɪm] *Brt.*, **flextime** ['flekstaɪm] *Am.* Gleitzeit *f*
flick [flɪk] schnippen
flicker ['flɪkə] flackern; flimmern
flight [flaɪt] Flucht *f*; Flug *m*; *Vögel*: Schwarm *m*; *a.* **~** ***of stairs*** Treppe *f*
flimsy ['flɪmzɪ] dünn, zart
flinch [flɪntʃ] (zurück)zucken, zs.-fahren; zurückschrecken
fling [flɪŋ] (***flung***) werfen, schleudern; **~ o.s.** sich stürzen
flip [flɪp] schnipsen, schnippen; *Münze* hochwerfen
flipper ['flɪpə] *zo.* Flosse *f*; Schwimmflosse *f*
flit [flɪt] flitzen, huschen
float [fləʊt] **1.** schwimmen *od.* treiben (lassen); schweben; **2.** Festwagen *m*
flock [flɒk] **1.** (*Schaf-, Ziegen*)Herde *f*; Menge *f*, Schar *f*; **2.** *fig.* (zs.-)strömen
floe [fləʊ] Eisscholle *f*
flog [flɒg] prügeln, schlagen
flood [flʌd] **1.** *a.* **~** ***tide*** Flut *f*; Überschwemmung *f*, Hochwasser *n*; *fig.* Flut *f*, Strom *m*; **2.** überschwemmen, -fluten; '**~lights** *pl* Flutlicht *n*
floor [flɔː] **1.** (Fuß)Boden *m*; Stock(werk *n*) *m*, Etage *f*; **2.** zu Boden schlagen; *fig.* F *j-n* umhauen; '**~board** Diele *f*; '**~ cloth** Putzlappen *m*; '**~ lamp** *Am.* Stehlampe *f*
flop [flɒp] **1.** sich (hin)plumpsen lassen; F durchfallen, ein Reinfall sein; **2.** Plumps *m*; F Flop *m*, Reinfall *m*, Pleite *f*; '**floppy, floppy** '**disk** *Computer*: Floppy (Disk) *f*, Diskette *f*
florist ['flɒrɪst] Blumenhändler(in)
flour ['flaʊə] Mehl *n*
flourish ['flʌrɪʃ] gedeihen, blühen
flow [fləʊ] **1.** fließen; **2.** Fließen *n*, Fluss *m*, Strom *m*
flower ['flaʊə] **1.** Blume *f*; Blüte *f* (*a. fig.*); **2.** blühen
flown [fləʊn] *pp von* ***fly***³

flu [fluː] F Grippe *f*
fluctuate ['flʌktʃʊeɪt] schwanken
fluent ['fluːənt] *Sprache*: fließend; *Stil, Rede*: flüssig
fluff [flʌf] Flaum *m*; Staubflocke *f*; '**fluffy** flaumig
fluid ['fluːɪd] **1.** flüssig; **2.** Flüssigkeit *f*
flung [flʌŋ] *pret u. pp von* ***fling***
flurry ['flʌrɪ] Bö *f*; Schauer *m*
flush [flʌʃ] **1.** (Wasser)Spülung *f*; Erröten *n*; Röte *f*; **2.** erröten, rot werden; ~ ***the toilet*** spülen
fluster ['flʌstə] nervös machen *od.* werden
flute [fluːt] Flöte *f*
flutter ['flʌtə] flattern
fly[1] [flaɪ] Fliege *f*
fly[2] [flaɪ] Hosenschlitz *m*; Zeltklappe *f*
fly[3] [flaɪ] (***flew, flown***) fliegen (lassen); stürmen, stürzen; wehen; *Zeit*: (ver)fliegen; *Drachen* steigen lassen
'**flyover** *Brt.* (Straßen- *etc.*) Überführung *f*
foal [fəʊl] Fohlen *n*
foam [fəʊm] **1.** Schaum *m*; **2.** schäumen; ~ '**rubber** Schaumgummi *m*; '**foamy** schaumig
focus ['fəʊkəs] **1.** (*pl* **-cuses, -ci** [-saɪ]) Brenn-, *fig. a.* Mittelpunkt *m*; *opt., phot.* Scharfeinstellung *f*; **2.** *opt., phot.* scharf einstellen
fodder ['fɒdə] (Tier)Futter *n*
fog [fɒg] (dichter) Nebel; '**foggy** neb(e)lig
foil[1] [fɔɪl] Folie *f*
foil[2] [fɔɪl] vereiteln
fold[1] [fəʊld] **1.** falten; *Arme* verschränken; einwickeln; *oft* ~ ***up*** zs.-falten, zs.-legen; zs.-klappen; **2.** Falte *f*
fold[2] [fəʊld] (Schaf)Hürde *f*, Pferch *m*; *rel.* Herde *f*
'**folder** Aktendeckel *m*, Schnellhefter *m*; Faltprospekt *m*
'**folding** zs.-legbar; Klapp...; '~ **chair** Klappstuhl *m*
foliage ['fəʊlɪɪdʒ] Laub *n*
folk [fəʊk] **1.** *pl* Leute *pl*; **2.** Volks...
follow ['fɒləʊ] folgen (auf); befolgen; '~**er** Anhänger(in)
folly ['fɒlɪ] Torheit *f*
fond [fɒnd] zärtlich, liebevoll; ***be ~ of*** gern haben
fondle ['fɒndl] liebkosen, streicheln
'**fondness** Vorliebe *f*
food [fuːd] Nahrung *f*, Essen *n*; Nahrungs-, Lebensmittel *pl*; Futter *n*
fool [fuːl] **1.** Narr *m*, Närrin *f*, Dummkopf *m*; ***make a ~ of o.s.*** sich lächerlich machen; **2.** zum Narren halten; betrügen; ~ ***about*** *od.* ***around*** herumtrödeln; Unsinn machen, herumalbern; '~**hardy** tollkühn; '~**ish** töricht, dumm; '~**proof** *Plan etc.*: todsicher; narren-, idiotensicher

foot [fʊt] (*pl* **feet** [fiːt]) Fuß *m*; (*pl a.* **foot**) Fuß *m* (*30,48 cm*); Fußende *n*; **on ~** zu Fuß
'football *Brt.* Fußball *m*; *Am.* Football *m*; **'~er** Fußballer *m*; **'~ hooligan** Fußballrowdy *m*; **'~ player** Fußballspieler *m*
'foot|bridge Fußgängerbrücke *f*; **'~hold** Stand *m*, Halt *m*; **'~ing** Stand *m*, Halt *m*; *fig.* Basis *f*, Grundlage *f*; **'~lights** *pl* Rampenlicht *n*; **'~note** Fußnote *f*; **'~path** (Fuß)Pfad *m*; **'~print** Fußabdruck *m*; *pl* Fußspuren *pl*; **'~step** Schritt *m*, Tritt *m*; Fußstapfe *f*; **'~wear** Schuhwerk *n*, Schuhe *pl*
for [fɔː] **1.** *prp* für; als; zu; nach; auf; *Grund*: aus, vor, wegen; *Mittel*: gegen; **~ three days** drei Tage lang; seit drei Tagen; **walk ~ a mile** e-e Meile (weit) gehen; **what ~?** wozu?; **2.** *cj* weil
forbad(e) [fə'bæd] *pret von* **forbid**
forbid [fə'bɪd] (**-bade** *od.* **-bad, -bidden** *od.* **-bid**) verbieten; **for'bidden** *pp von* **forbid**
force [fɔːs] **1.** Stärke *f*, Kraft *f*; Gewalt *f*; **the (police) ~** die Polizei; **(armed) ~s** *pl mil.* Streitkräfte *pl*; **by ~** mit Gewalt; **2.** *j-n* zwingen; *et.* erzwingen; zwängen, drängen; **forced** erzwungen; gezwungen; **~ landing** Notlandung *f*; **'~ful** energisch
forceps ['fɔːseps] (*pl* **forceps**) *med.* Zange *f*
forcible ['fɔːsəbl] gewaltsam
ford [fɔːd] **1.** Furt *f*; **2.** durchwaten
fore [fɔː] vorder, Vorder...; **'~arm** Unterarm *m*; **~boding** [fɔː'bəʊdɪŋ] (böse) (Vor)Ahnung; **'~cast** (**-cast** *od.* **-casted**) voraussagen, vorhersehen; *Wetter* vorhersagen; **'~fathers** *pl* Vorfahren *pl*; **'~finger** Zeigefinger *m*; **'~ground** Vordergrund *m*; **'~hand** *Sport*: Vorhand (-schlag *m*) *f*
forehead ['fɒrɪd] Stirn *f*
foreign ['fɒrən] fremd, ausländisch, Auslands..., Außen...; **~ af'fairs** *pl* Außenpolitik *f*; **'~er** Ausländer(in); **~ ex'change** Devisen *pl*; **~ 'language** Fremdsprache *f*; **'≈ Office** *Brt.* Außenministerium *n*; **~ 'policy** Außenpolitik *f*; **≈ 'Secretary** *Brt.* Außenminister *m*
'fore|man (*pl* **-men**) Vorarbeiter *m*, *am Bau*: Polier *m*; *jur. Geschworene*: Sprecher *m*; **'~most** vorderst, erst; **'~runner** *fig.* Vorläufer(in); **~'see** (**-saw, -seen**) vorhersehen
forest ['fɒrɪst] Wald *m*, Forst *m*; **'~er** Förster *m*
'fore|taste Vorgeschmack *m*; **~'tell** (**-told**) vorhersagen
forever, for ever [fə'revə] für immer

'foreword Vorwort *n*
forge¹ [fɔːdʒ] Schmiede *f*
forge² [fɔːdʒ] fälschen; **'forger** Fälscher *m*; **forgery** ['fɔːdʒərɪ] Fälschung *f*
forget [fə'get] (**-got, -gotten**) vergessen; **~ful** vergesslich; **~-me-not** Vergissmeinnicht *n*
forgive [fə'gɪv] (**-gave, -given**) vergeben, -zeihen
fork [fɔːk] **1.** Gabel *f*; Gab(e)lung *f*; **2.** sich gabeln; **~lift 'truck** Gabelstapler *m*
form [fɔːm] **1.** Form *f*; Gestalt *f*; Formular *n*, Vordruck *m*; *bsd. Brt.* (Schul)Klasse *f*; **2.** (sich) formen *od.* bilden
formal ['fɔːml] förmlich; formell; **~ity** [fɔː'mælətɪ] Förmlichkeit *f*; Formalität *f*
format ['fɔːmæt] **1.** Format *n*; Aufmachung *f*; **2.** *Computer*: formatieren
formation [fɔː'meɪʃn] Bildung *f*; **formative** ['fɔːmətɪv] formend, gestaltend
former ['fɔːmə] **1.** früher; ehemalig; **2. the ~** Ersterer; **'~ly** früher
formidable ['fɔːmɪdəbl] Furcht erregend; gewaltig
formula ['fɔːmjʊlə] (*pl* **-las, -lae** [-liː]) Formel *f*; Rezept *n*; **formulate** ['fɔːmjʊleɪt] formulieren
forsake [fə'seɪk] (***forsook, forsaken***) verlassen; **forsaken** [fə'seɪkən] *pp*, **forsook** [fə'sʊk] *pret von* ***forsake***
fort [fɔːt] Fort *n*, Festung *f*
forth [fɔːθ] weiter, fort; (her)vor; **~'coming** bevorstehend, kommend
fortieth ['fɔːtɪɪθ] vierzigst
fortify ['fɔːtɪfaɪ] befestigen; (ver)stärken; **fortitude** ['fɔːtɪtjuːd] (innere) Kraft *od.* Stärke
fortnight ['fɔːtnaɪt] vierzehn Tage; ***in a ~*** in 14 Tagen
fortress ['fɔːtrɪs] Festung *f*
fortunate ['fɔːtʃnət] glücklich; **'~ly** glücklicherweise
fortune ['fɔːtʃuːn] Vermögen *n*; Glück *n*; Schicksal *n*
forty ['fɔːtɪ] vierzig
forward ['fɔːwəd] **1.** *adv* nach vorn, vorwärts; **2.** *adj* Vorwärts...; fortschrittlich; vorlaut, dreist; **3.** *su Fußball*: Stürmer(in); **4.** *v/t* befördern, (ver)senden, schicken; *Brief etc.* nachsenden
foster| child ['fɒstətʃaɪld] (*pl* ***-children***) Pflegekind *n*; **'~ parents** *pl* Pflegeeltern *pl*
fought [fɔːt] *pret u. pp von* ***fight*** 2
foul [faʊl] **1.** schmutzig, *fig. a.* zotig; faul(ig), stinkend, schlecht; *Sport*: regelwidrig; **2.** *Sport*: Foul *n*; **3.** *Sport*: foulen
found¹ [faʊnd] *pret u. pp von* ***find*** 1
found² [faʊnd] gründen; stiften
foundation [faʊn'deɪʃn] Fundament *n*; Gründung *f*; Stiftung *f*; *fig.* Grundlage *f*

ˈ**founder** Gründer(in); Stifter(in)
fountain [ˈfaʊntɪn] Springbrunnen *m*; ˈ**~ pen** Füllfederhalter *m*
four [fɔː] vier
four-stroke ˈ**engine** Viertaktmotor *m*
fourteen [fɔːˈtiːn] vierzehn; **fourteenth** [fɔːˈtiːnθ] vierzehnt
ˈ**fourth** [fɔːθ] **1.** viert; **2.** Viertel *n*; ˈ**~ly** viertens
four-wheel ˈ**drive** *mot.* Vierradantrieb *m*
fowl [faʊl] Geflügel *n*
fox [fɒks] Fuchs *m*
fraction [ˈfrækʃn] *math.* Bruch *m*; Bruchteil *m*
fracture [ˈfræktʃə] **1.** (Knochen)Bruch *m*; **2.** brechen
fragile [ˈfrædʒaɪl] zerbrechlich; gebrechlich
fragment [ˈfrægmənt] Fragment *n*; Bruchstück *n*
fragrance [ˈfreɪgrəns] Wohlgeruch *m*, Duft *m*; ˈ**fragrant** wohlriechend, duftend
frail [freɪl] gebrechlich; zart
frame [freɪm] **1.** Rahmen *m*; (*Brillen- etc.*)Gestell *n*; Körper(bau) *m*; **2.** (ein)rahmen; ˈ**~work** Rahmen *m*
France [frɑːns] Frankreich *n*
frank [fræŋk] **1.** offen, aufrichtig, frei(mütig); **2.** *Brief* frankieren; ˈ**~ly** offen gesagt
frantic [ˈfræntɪk] außer sich
fraud [frɔːd] Betrug *m*; Betrüger(in); **fraudulent** [ˈfrɔːdjʊlənt] betrügerisch
fray [freɪ] ausfransen
freak [friːk] Missgeburt *f*; *in Zssgn*: F ...freak *m*, ...fanatiker *m*; F Freak *m*, irrer Typ
freckle [ˈfrekl] Sommersprosse *f*
free [friː] **1.** frei; kostenlos; Frei...; **~ *and easy*** ungezwungen; sorglos; ***set* ~** freilassen; **2.** (***freed***) befreien; freilassen; ˈ**~dom** Freiheit *f*; ˈ**~lance** frei(beruflich); ˈ**~way** *Am.* Schnellstraße *f*
freeze [friːz] **1.** (***froze, frozen***) *v/i* (ge)frieren; *fig.* erstarren; *v/t* einfrieren, tiefkühlen; **2.** Frost *m*, Kälte *f*; *econ., pol.* Einfrieren *n*; ***wage* ~** Lohnstopp *m*; **~ˈdried** gefriergetrocknet
ˈ**freezer** Gefriertruhe *f* (*a.* ***deep freeze***); Gefrierfach *n*
ˈ**freezing** eiskalt; ˈ**~ compartment** Gefrierfach *n*; ˈ**~ point** Gefrierpunkt *m*
freight [freɪt] Fracht *f*; ˈ**~ car** *Am.* Güterwagen *m*; ˈ**~er** Frachter *m*; Transporter *m*; ˈ**~ train** *Am.* Güterzug *m*
French [frentʃ] **1.** französisch; **2.** ***the* ~** *pl* die Franzosen *pl*; ˈ**~ doors** *pl bsd. Am.* → ***French window(s)***; **~ ˈfries** *pl bsd. Am.* Pommes frites *pl*; **~ ˈwindow(s** *pl*) Terrassen-, Balkontür *f*
frequency [ˈfriːkwənsɪ] Häufigkeit *f*; Frequenz *f*; **frequent 1.** [ˈfriːkwənt] häufig;

2. [frɪ'kwent] (oft) besuchen
fresh [freʃ] frisch; neu; unerfahren; '**~en**: **~ up** sich frisch machen; '**~man** (*pl* **-men**) *univ.* F Erstsemester *n*; '**~water** Süßwasser...
fretful [fretfl] gereizt; quengelig
FRG [ef ɑː 'dʒiː] ***Federal Republic of Germany*** *die* Bundesrepublik Deutschland
friction ['frɪkʃn] Reibung *f*
Friday ['fraɪdɪ] Freitag *m*
fridge [frɪdʒ] Kühlschrank *m*
friend [frend] Freund(in); Bekannte *m, f*; ***make ~s with*** sich anfreunden mit; '**~ly** freund(schaft)lich; '**~ship** Freundschaft *f*
fries [fraɪz] *pl bsd. Am.* F Fritten *pl*
fright [fraɪt] Schreck(en) *m*; '**~en** *j-n* erschrecken; ***be ~ed*** erschrecken (**at, by, of** vor); Angst haben (**of** vor)
frigid ['frɪdʒɪd] kalt, frostig
frill [frɪl] Krause *f*, Rüsche *f*
fringe [frɪndʒ] Franse *f*; *Brt. Frisur*: Pony *m*; Rand *m*
frisk [frɪsk] herumtollen; F *j-n* filzen, durchsuchen
fro [frəʊ] → ***to*** 3
frock [frɒk] Kutte *f*; Kleid *n*
frog [frɒg] Frosch *m*
frolic ['frɒlɪk] herumtoben
from [frɒm] von; aus, von ... aus *od.* her; von ... (an), seit; aus, vor (*dat*); **~ 9 to 5** (***o'clock***) von 9 bis 5 (Uhr)
front [frʌnt] Vorderseite *f*; Front *f* (*a. mil.*); ***in ~*** vorn; ***in ~ of*** *räumlich*: vor; **~ 'door** Haus-, Vordertür *f*; **~ 'entrance** Vordereingang *m*
frontier ['frʌntɪə] Grenze *f*
'**front| page** Titelseite *f*; **~-wheel 'drive** *mot.* Vorderrad-, Frontantrieb *m*
frost [frɒst] **1.** Frost *m*; Reif *m*; **2.** mit Reif überziehen; mattieren; *bsd. Am.* glasieren; mit (Puder)Zucker bestreuen; '**~bite** Erfrierung *f*; '**~bitten** erfroren; **~ed 'glass** Matt-, Milchglas *n*; '**frosty** eisig, frostig
froth [frɒθ] Schaum *m*; '**frothy** schaumig; schäumend
frown [fraʊn] **1.** die Stirn runzeln; **2.** Stirnrunzeln *n*
froze [frəʊz] *pret von* ***freeze***
1; '**frozen 1.** *pp von* ***freeze*** 1; **2.** (eis)kalt; (ein-, zu)gefroren; Gefrier...; **frozen 'food** Tiefkühlkost *f*
fruit [fruːt] Frucht *f*, Früchte *pl*; Obst *n*; '**~ juice** Fruchtsaft *m*
frustrate [frʌ'streɪt] frustrieren; vereiteln
fry [fraɪ] braten; ***fried eggs*** *pl* Spiegeleier *pl*; ***fried potatoes*** *pl* Bratkartoffeln *pl*; '**~ing pan** Bratpfanne *f*
fuchsia ['fjuːʃə] Fuchsie *f*
fuck [fʌk] V ficken, vögeln; '**~ing** V Scheiß..., verdammt
fuel [fjʊəl] **1.** Brennstoff *m*, *mot.* Treib-, Kraftstoff *m*; **2.** (auf)tanken

fugitive ['fju:dʒətɪv] **1.** flüchtig; **2.** Flüchtige *m, f*
fulfil *Brt.*, **fulfill** *Am.* [fʊl'fɪl] erfüllen
full [fʊl] voll; Voll...; ganz; völlig; ~ **'board** Vollpension *f*; ~ **'stop** Punkt *m*; ~-**'time** ganztägig, -tags
fumble ['fʌmbl] fummeln; tastend suchen
fume [fju:m] wütend sein
fumes [fju:mz] *pl* Dämpfe *pl*; Abgase *pl*
fun [fʌn] Spaß *m*; ***for*** ~ aus *od.* zum Spaß; ***make*** ~ ***of*** sich lustig machen über
function ['fʌŋkʃn] **1.** Funktion *f*; **2.** funktionieren
fund [fʌnd] Fonds *m*; Geld(mittel *pl*) *n*
fundamental [fʌndə'mentl] grundlegend, fundamental; ~**ist** [fʌndə'mentəlɪst] Fundamentalist(in)
funeral ['fju:nərəl] Begräbnis *n*, Beerdigung *f*
'funfair Rummelplatz *m*
fungus ['fʌŋgəs] (*pl* **-gi** [-gaɪ], **-guses**) Pilz *m*, Schwamm *m*
funicular [fju:'nɪkjʊlə] *a.* ~ ***railway*** (Draht)Seilbahn *f*
funnel ['fʌnl] Trichter *m*
funny ['fʌnɪ] komisch, spaßig, lustig; sonderbar
fur [fɜ:] Pelz *m*, Fell *n*; *auf der Zunge*: Belag *m*
furious ['fjʊərɪəs] wütend
furl [fɜ:l] zs.-rollen
furnace ['fɜ:nɪs] Schmelz-, Hochofen *m*; Heizkessel *m*
furnish ['fɜ:nɪʃ] einrichten, möblieren; versorgen, ausrüsten, -statten; liefern
furniture ['fɜ:nɪtʃə] Möbel *pl*, Einrichtung *f*
furred [fɜ:d] *Zunge*: belegt
furrow ['fʌrəʊ] Furche *f*
further ['fɜ:ðə] **1.** *adv fig.*: mehr, weiter; ferner, weiterhin; **2.** *adj fig.* weiter; **3.** *v/t* fördern, unterstützen; ~ **edu'cation** *Brt.* Fort-, Weiterbildung *f*
furtive ['fɜ:tɪv] heimlich
fury ['fjʊərɪ] Zorn *m*, Wut *f*
fuse [fju:z] **1.** Zünder *m*; *electr.* Sicherung *f*; **2.** *phys.*, *tech.* schmelzen; *electr.* durchbrennen
fuselage ['fju:zəlɑ:ʒ] (Flugzeug)Rumpf *m*
fusion ['fju:ʒn] Verschmelzung *f*, Fusion *f*
fuss [fʌs] **1.** Aufregung *f*, Theater *n*; **2.** viel Aufhebens machen; '~**y** heikel, wählerisch; aufgeregt, hektisch
futile ['fju:taɪl] nutzlos
future ['fju:tʃə] **1.** Zukunft *f*; **2.** (zu)künftig
fuzzy ['fʌzɪ] *Haar*: kraus; unscharf, verschwommen

G

gable ['geɪbl] Giebel *m*
gadget ['gædʒɪt] F Apparat *m*, Gerät *n*; technische Spielerei
gag [gæg] **1.** Knebel *m*; F Gag *m*; **2.** knebeln
gage *Am.* → ***gauge***
gaily ['geɪlɪ] lustig, fröhlich
gain [geɪn] **1.** gewinnen; erreichen, bekommen, *Erfahrungen* sammeln; zunehmen (an); *Uhr*: vorgehen (um); **~ *speed*** schneller werden; **~ *10 pounds*** 10 Pfund zunehmen; **2.** Gewinn *m*; Zunahme *f*
gale [geɪl] Sturm *m*
gallant ['gælənt] tapfer
gall bladder ['gɔːlblædə] Gallenblase *f*
gallery ['gælərɪ] Galerie *f*; Empore *f*
galley ['gælɪ] *mar*. Kombüse *f*
gallon ['gælən] Gallone *f* (*4,55 Liter*, *Am. 3,79 Liter*)
gallop ['gæləp] **1.** Galopp *m*; **2.** galoppieren
gallows ['gæləʊz] (*pl* ***gallows***) Galgen *m*
gallstone ['gɔːlstəʊn] Gallenstein *m*
galore [gə'lɔː] F in rauen Mengen
gamble ['gæmbl] **1.** (um Geld) spielen; **2.** Hasardspiel *n*; '**gambler** (Glücks-) Spieler(in)
game [geɪm] Spiel *n*; Wild (-bret) *n*; *pl Schule*: Sport *m*; '**~keeper** Wildhüter *m*; '**~ park**, '**~ reserve** Wildreservat *n*
gammon ['gæmən] gepökelter *od.* geräucherter Schinken
gang [gæŋ] **1.** Gang *f*, Bande *f*; Clique *f*; (*Arbeiter*)Kolonne *f*, Trupp *m*; **2. ~ *up on*** sich verbünden gegen
gangway ['gæŋweɪ] (Durch-) Gang *m*; Gangway *f*
gaol [dʒeɪl] *bsd. Brt.* → ***jail***
gap [gæp] Lücke *f* (*a. fig.*); *fig.* Kluft *f*
gape [geɪp] gaffen, glotzen; '**gaping** *Wunde*: klaffend; *Abgrund*: gähnend
garage ['gærɑːʒ] Garage *f*; (Auto)Reparaturwerkstatt *f* (u. Tankstelle *f*)
garbage ['gɑːbɪdʒ] *bsd. Am.* Abfall *m*, Müll *m*; '**~ can** *Am.* → **dustbin**
garden ['gɑːdn] Garten *m*; '**~er** Gärtner(in); '**~ing** Gartenarbeit *f*
gargle ['gɑːgl] gurgeln
garish ['geərɪʃ] grell
garlic ['gɑːlɪk] Knoblauch *m*
garment ['gɑːmənt] Kleidungsstück *n*
garnish ['gɑːnɪʃ] *gastr.* garnieren
garrison ['gærɪsn] Garnison *f*
garter ['gɑːtə] Strumpfband

n; Sockenhalter *m*; *Am.* Strumpfhalter *m*, Straps *m*

gas [gæs] Gas *n*; *Am.* F Benzin *n*, Sprit *m*

gash [gæʃ] klaffende Wunde

gasket ['gæskɪt] Dichtung(sring *m*) *f*

gasolene, gasoline ['gæsəliːn] *Am.* Benzin *n*; '**~ pump** *Am.* Zapfsäule *f*

gasp [gɑːsp] keuchen; **~ *for breath*** nach Luft schnappen

'**gas| pedal** *Am.* Gaspedal *n*; '**~ station** *Am.* Tankstelle *f*; '**~works** *sg* Gaswerk *n*

gate [geɪt] Tor *n*; Schranke *f*, Sperre *f*; *aviat.* Flugsteig *m*; '**~crash** F uneingeladen kommen (zu); '**~way** Tor (-weg *m*) *n*, Einfahrt *f*

gather ['gæðə] *v/t* (ver)sammeln; ernten, pflücken; *fig.* folgern, schließen (***from*** aus); **~ *speed*** schneller werden; *v/i* sich (ver)sammeln; sich (an)sammeln; '**~ing** Versammlung *f*

gaudy ['gɔːdɪ] bunt, grell

gauge [geɪdʒ] **1.** Eichmaß *n*; Messgerät *n*; *bsd. von Draht etc.*: Stärke *f*, Dicke *f*; *rail.* Spur(weite) *f*; **2.** eichen; (ab-, aus)messen

gaunt [gɔːnt] hager

gauze [gɔːz] Gaze *f*; *Am.* Bandage *f*, Binde *f*

gave [geɪv] *pret von* ***give***

gay [geɪ] **1.** F *homosexuell*: schwul; **2.** F Schwule *m*

gaze [geɪz] **1.** starren; **2.** (fester, starrer) Blick

GB [dʒiː 'biː] ***Great Britain*** Großbritannien *n*

gear [gɪə] *mot.* Gang *m*, *pl* Getriebe *n*; Vorrichtung *f*, Gerät *n*; Kleidung *f*, Aufzug *m*; '**~ lever**, *Am. a.* '**~ shift** Schalthebel *m*

geese [giːs] *pl von* ***goose***

gel [dʒel] Gel *n*

gelding ['geldɪŋ] Wallach *m*

gem [dʒem] Edelstein *m*

Gemini ['dʒemɪnaɪ] *pl astr.* Zwillinge *pl*

gender ['dʒendə] *gr.* Genus *n*, Geschlecht *n*

gene [dʒiːn] Gen *n*, Erbfaktor *m*

general ['dʒenərəl] **1.** allgemein; Haupt..., General...; **2.** *mil.* General *m*; **~ de'livery** *Am.* postlagernd; **~ e'lection** Parlamentswahlen *pl*; '**~ize** verallgemeinern; '**~ly** im Allgemeinen; allgemein; **~ prac'titioner** (*Abk.* ***GP***) Arzt *m*/Ärztin *f* für Allgemeinmedizin

generate ['dʒenəreɪt] erzeugen; **gene'ration** Generation *f*; Erzeugung *f*; '**generator** Generator *m*; *mot.* Lichtmaschine *f*

generosity [dʒenə'rɒsətɪ] Großzügigkeit *f*; '**generous** großzügig; reichlich

genetic [dʒɪ'netɪk] genetisch; **~ 'code** Erbanlage *f*; **~ engin'eering** Gentechnologie

f; ~ **'fingerprint** genetischer Fingerabdruck
genial ['dʒiːnjəl] freundlich
genitals ['dʒenɪtlz] *pl* Genitalien *pl*, Geschlechtsteile *pl*
genius ['dʒiːnjəs] Genie *n*
gentle ['dʒentl] sanft, zart; freundlich; '**~man** (*pl* **-men**) Gentleman *m*; Herr *m*
gents [dʒents] *sg Brt.* F Herrenklo *n*
genuine ['dʒenjʊɪn] echt
geography [dʒɪ'ɒgrəfɪ] Geographie *f*
geology [dʒɪ'ɒlədʒɪ] Geologie *f*
geometry [dʒɪ'ɒmətrɪ] Geometrie *f*
germ [dʒɜːm] Keim *m*; Bazillus *m*, Bakterie *f*
German ['dʒɜːmən] **1.** deutsch; **2.** Deutsche *m*, *f*; '**Germany** Deutschland *n*
germinate ['dʒɜːmɪneɪt] keimen (lassen)
gesture ['dʒestʃə] Geste *f*
get [get] (**got, got** *od. Am.* **gotten**) *v/t* bekommen, erhalten; sich *et.* verschaffen *od.* besorgen; erringen, erwerben, sich aneignen; holen; bringen; F erwischen; F kapieren, verstehen; *j-n* dazu bringen (**to do** zu tun); *mit pp*: lassen; ~ **one's hair cut** sich die Haare schneiden lassen; **have got** haben; **have got to** müssen; *v/i* kommen, gelangen; *mit pp od. adj*: werden; ~ **going** in Gang kommen; *fig.* in Schwung kommen; ~ **home** nach Hause (*östr., Schweiz*: *a.* nachhause) kommen; ~ **to know** *et.* erfahren *od.* kennen lernen; ~ **lost!** verschwinde!; ~ **tired** müde werden, ermüden; ~ **about** herumkommen; *Gerücht etc.*: sich herumsprechen *od.* verbreiten; ~ **along** vorwärts-, vorankommen; auskommen (**with** mit *j-m*); zurechtkommen (**with** mit *et.*); ~ **away** loskommen; entkommen; ~ **away with** davonkommen mit; ~ **back** zurückkommen; zurückbekommen; ~ **down** *Essen etc.* runterkriegen; ~ **down to** sich machen an; ~ **in** hinein-, hereinkommen; ~ **off** aussteigen (aus); absteigen (von); ~ **on** einsteigen (in); → **get along**; ~ **out** heraus-, hinausgehen; herauskommen; aussteigen; *et.* herausbekommen; ~ **over** hinwegkommen über; ~ **to** kommen nach; ~ **together** zs.-kommen; ~ **up** aufstehen
ghastly ['gɑːstlɪ] grässlich
ghost [gəʊst] Geist *m*, Gespenst *n*; '**~ly** geisterhaft
giant ['dʒaɪənt] **1.** Riese *m*; **2.** riesig, Riesen...
gibberish ['dʒɪbərɪʃ] Unsinn *m*, dummes Geschwätz
giddiness ['gɪdɪnɪs] Schwindel(gefühl *n*) *m*; '**giddy** schwind(e)lig; schwindelerregend

gift [gɪft] Geschenk *n*; Begabung *f*, Talent *n*; '**~ed** begabt
gigantic [dʒaɪ'gæntɪk] riesig
giggle ['gɪgl] **1.** kichern; **2.** Gekicher *n*
gild [gɪld] vergolden
gill [gɪl] Kieme *f*; *bot.* Lamelle *f*
gimmick ['gɪmɪk] F Trick *m*, Dreh *m*; Spielerei *f*
ginger ['dʒɪndʒə] **1.** Ingwer *m*; **2.** rötlich *od.* gelblich braun; '**~bread** Leb-, Pfefferkuchen *m*
gipsy ['dʒɪpsɪ] Zigeuner(in)
giraffe [dʒɪ'rɑːf] Giraffe *f*
girder ['gɜːdə] *tech.* Träger *m*
girdle ['gɜːdl] Hüfthalter *m*, -gürtel *m*; Gürtel *m*, Gurt *m*
girl [gɜːl] Mädchen *n*; '**~friend** Freundin *f*; **~ 'guide** *Brt.* Pfadfinderin *f*; **~ 'scout** *Am.* Pfadfinderin *f*
giro ['dʒaɪərəʊ] *Brt.* Postgirodienst *m*
gist [dʒɪst] *das* Wesentliche, Kern *m*
give [gɪv] (***gave, given***) *v/t* geben; schenken; spenden; *Leben* hingeben, opfern; *Befehl etc.* geben, erteilen; *Hilfe* leisten; *Schutz* bieten; *Grund etc.* (an)geben; *Konzert* geben; *Theaterstück* geben, aufführen; *Vortrag* halten; *Schmerzen* bereiten, verursachen; **~ *her my love*** bestelle ihr herzliche Grüße von mir; *v/i* geben, spenden; nachgeben; **~ *away*** her-, weggeben; verschenken; verraten; **~ *back*** zurückgeben; **~ *in*** nachgeben; aufgeben; *Gesuch etc.* einreichen; *Prüfungsarbeit* abgeben; **~ *off*** *Geruch* verbreiten, ausströmen; *Gas, Wärme* aus-, verströmen; **~ *out*** aus-, verteilen; **~ *up*** aufgeben; aufhören mit; *j-n* ausliefern; **~ *o.s. up*** sich stellen (***to*** *dat*)
'**given** *pp von* **give**
glacier ['glæsjə] Gletscher *m*
glad [glæd] froh, erfreut; ***be* ~** sich freuen; '**~ly** gern(e)
glamo(u)r ['glæmə] Zauber *m*, Glanz *m*; '**~ous** bezaubernd, reizvoll
glance [glɑːns] **1.** (schnell, kurz) blicken (***at*** auf); **2.** (schneller, kurzer) Blick
gland [glænd] Drüse *f*
glare [gleə] **1.** grell scheinen *od.* leuchten; **~ *at s.o.*** j-n wütend anstarren; **2.** greller Schein; wütender Blick
glass [glɑːs] Glas *n*; Glas (-waren *pl*) *n*; (Trink)Glas *n*; Glas(gefäß) *n*; (Fern-, Opern)Glas *n*; *bsd. Brt.* F Spiegel *m*; *Brt.* Barometer *n*
'**glasses** *pl* Brille *f*
'**glass|house** *Brt.* Gewächshaus *n*; '**~ware** Glaswaren *pl*
'**glassy** gläsern; *Augen*: glasig
glaze [gleɪz] **1.** verglasen; glasieren; *a.* **~ *over*** *Auge*: glasig werden; **2.** Glasur *f*
gleam [gliːm] **1.** schwacher Schein, Schimmer *m*; **2.** leuchten, schimmern

glib [glɪb] schlagfertig

glide [glaɪd] **1.** gleiten; segeln; **2.** Gleiten *n*; *aviat.* Gleitflug *m*; **'glider** Segelflugzeug *n*; **'gliding** Segelfliegen *n*

glimmer ['glɪmə] **1.** schimmern; **2.** Schimmer *m*

glimpse [glɪmps] **1.** (nur) flüchtig zu sehen bekommen; **2.** flüchtiger Blick

glint [glɪnt] glitzern, glänzen

glisten ['glɪsn] glänzen

glitter ['glɪtə] **1.** glitzern, funkeln; **2.** Glitzern *n*, Funkeln *n*

gloat [gləʊt]: ~ ***over*** verzückt betrachten (*acc*); sich hämisch *od.* diebisch freuen über

globe [gləʊb] Erdkugel *f*; Globus *m*

gloom [glu:m] Düsterkeit *f*, Dunkel *n*; düstere *od.* gedrückte Stimmung; **'gloomy** dunkel, düster; hoffnungslos; niedergeschlagen

glorify ['glɔ:rɪfaɪ] verherrlichen; **'glorious** glorreich; prächtig; **'glory** Ruhm *m*, Ehre *f*

gloss [glɒs] Glanz *m*

glossary ['glɒsərɪ] Glossar *n*

glossy ['glɒsɪ] glänzend

glove [glʌv] Handschuh *m*

glow [gləʊ] glühen

glue [glu:] **1.** Leim *m*, Klebstoff *m*; **2.** leimen, kleben

glum [glʌm] niedergeschlagen

glutton ['glʌtn] Vielfraß *m*

GMT [dʒi: em 'ti:] ***Greenwich Mean Time*** ['grenɪdʒ] WEZ, westeuropäische Zeit

gnash [næʃ]: ~ ***one's teeth*** mit den Zähnen knirschen

gnat [næt] (Stech)Mücke *f*

gnaw [nɔ:] nagen (an; ***at*** an)

go [gəʊ] **1.** (***went, gone***) gehen, fahren, reisen (***to*** nach); (fort)gehen; *Straße etc.*: gehen, führen (***to*** nach); sich erstrecken, gehen (***to*** bis); *Bus etc.*: verkehren, fahren; *tech.* gehen, laufen, funktionieren; *Zeit*: vergehen; passen (***with*** zu); werden (~ ***blind***); ~ ***past*** vorbeigehen; ~ ***shopping*** (***swimming***) einkaufen (schwimmen) gehen; ***it is ~ing to rain*** es gibt Regen; ***I must be ~ing*** ich muss gehen; ~ ***for a walk*** e-n Spaziergang machen, spazieren gehen; ~ ***to bed*** ins Bett gehen; ~ ***to school*** zur Schule gehen; ~ ***to see*** besuchen; ***let*** ~ loslassen; ~ ***ahead*** vorangehen (***of s.o.*** j-m); ~ ***at*** losgehen auf; ~ ***away*** weggehen; ~ ***back*** zurückgehen; ~ ***by*** vorbeigehen, -fahren; *Zeit*: vergehen; *fig.* sich halten an, sich richten nach; ~ ***down*** *Sonne*: untergehen; ~ ***for*** holen; losgehen auf; ~ ***in*** hineingehen; ~ ***in for*** teilnehmen an; ~ ***off*** explodieren, losgehen; *Licht*: ausgehen; ~ ***on*** weitergehen, -fahren; *fig.* fortfahren (***doing*** zu tun); *fig.* vor sich gehen, vorge-

hen; ~ ***out*** hinausgehen; ausgehen (*a. Licht*); ~ ***through*** durchgehen, durchnehmen; durchmachen; ~ ***up*** steigen; hinaufgehen, -steigen; **2.** (*pl* ***goes***) Schwung *m*; F Versuch *m*; ***it's my*** ~ F ich bin dran *od.* an der Reihe
goad [gəʊd] anstacheln
go-ahead ['gəʊəhed] **1.** fortschrittlich; **2.** ***get the*** ~ grünes Licht bekommen
goal [gəʊl] Ziel *n*; *Sport*: Tor *n*; **goalie** ['gəʊlɪ] F, **'~keeper** Torwart *m*
goat [gəʊt] Ziege *f*
gobble ['gɒbl] verschlingen
'go-between Vermittler(in)
god [gɒd] (*rel.* ♀) Gott *m*; **'~child** (*pl* ***-children***) Patenkind *n*
goddess ['gɒdɪs] Göttin *f*
'god|father Pate *m*; **'~forsaken** gottverlassen; **'~less** gottlos; **'~mother** Patin *f*; **'~parent** Pat|e *m*, -in *f*
goggles ['gɒglz] *pl* Schutzbrille *f*
goings-on [gəʊɪŋz'ɒn] *pl* F Treiben *n*, Vorgänge *pl*
gold [gəʊld] **1.** Gold *n*; **2.** golden, Gold...; **'~en** golden; **'~smith** Goldschmied(in)
golf [gɒlf] **1.** Golf(spiel) *n*; **2.** Golf spielen; **'~ club** Golfklub *m*; Golfschläger *m*; **'~ course** Golfplatz *m*; **'~er** Golfer(in), Golfspieler(in); **'~ links** *pl od. sg* Golfplatz *m*
gone [gɒn] **1.** *pp von* **go** 1; **2.** fort, weg
good [gʊd] **1.** gut; artig, lieb; gut, richtig; ***a ~ many*** ziemlich viele; ~ ***at*** gut in, geschickt in; ***real*** ~ F echt gut; **2.** Nutzen *m*, Wert *m*; *das* Gute, Gutes *n*; ***for*** ~ für immer
goodby(e) [gʊd'baɪ] **1.** ***say ~ to s.o., wish s.o.*** ~ j-m Auf Wiedersehen sagen; **2.** *int* (auf) Wiedersehen!, *tel.* auf Wiederhören!
Good 'Friday Karfreitag *m*
good|-'humo(u)red gut gelaunt; gutmütig; **~-'looking** gut aussehend; **~-'natured** gutmütig; **'~ness** Güte *f*; ***thank*** ~ Gott sei Dank
goods [gʊdz] *pl* Güter *pl*, Ware(n *pl*) *f*
goodwill [gʊd'wɪl] guter Wille, gute Absicht
goose [gu:s] (*pl* ***geese*** [gi:s]) Gans *f*; **~berry** ['gʊz-] Stachelbeere *f*
gorge [gɔ:dʒ] **1.** enge Schlucht; **2.** ~ ***o.s. on*** *od.* ***with*** sich vollstopfen mit
gorgeous ['gɔ:dʒəs] prächtig; F großartig, wunderbar
gorilla [gə'rɪlə] Gorilla *m*
go-'slow *Brt.* Bummelstreik *m*
gospel ['gɒspl] *mst* ♀ Evangelium *n*
gossip ['gɒsɪp] **1.** Klatsch *m*; Schwatz *m*; Klatschbase *f*; **2.** klatschen
got [gɒt] *pret u. pp von* **get**
gotten ['gɒtn] *Am. pp von* **get**

govern ['gʌvn] regieren; verwalten; '**~ment** Regierung *f*; **~or** ['gʌvənə] Gouverneur *m*
gown [gaʊn] Kleid *n*; Robe *f*
grab [græb] greifen, packen
grace [greɪs] Anmut *f*, Grazie *f*; Anstand *m*; Frist *f*, Aufschub *m*; Gnade *f*; Tischgebet *n*; '**~ful** anmutig
gracious ['greɪʃəs] **1.** gnädig; freundlich; **2.** *int*: ***good ~!*** du meine Güte!
grade [greɪd] **1.** Grad *m*, Stufe *f*; Qualität *f*; *Am. Schule*: Klasse *f*; *bsd. Am.* Note *f*, Zensur *f*; *bsd. Am.* Steigung *f*, Gefälle *n*; **2.** sortieren, einteilen; '**~ crossing** *Am.* schienengleicher Bahnübergang; '**~ school** *Am.* Grundschule *f*
gradient ['greɪdjənt] Steigung *f*, Gefälle *n*
gradual ['grædʒʊəl] allmählich, stufenweise
graduate 1. ['grædʒʊət] Akademiker(in), Hochschulabsolvent(in); Graduierte *m, f*; *Am.* Schulabgänger(in); **2.** ['grædʒʊeɪt] graduieren; *Am.* die Abschlussprüfung bestehen; einteilen; abstufen, staffeln; **graduation** [grædʒʊ'eɪʃn] Abstufung *f*, Staffelung *f*; (Maß)Einteilung *f*; *univ.* Graduierung *f*; *Am.* Absolvieren *n* (***from*** *e-r Schule*)
grain [greɪn] (Getreide)Korn *n*; Getreide *n*; (*Sand- etc.*)Korn *n*; Maserung *f*
gram [græm] Gramm *n*
grammar ['græmə] Grammatik *f*; '**~ school** *Brt. etwa* Gymnasium *n*
gramme [græm] Gramm *n*
grand [grænd] **1.** großartig; groß, bedeutend, wichtig; Haupt...; **2.** *mus.* F Flügel *m*; (*pl* ***grand***) *sl.* Riese *m* (*1000 Dollar od. Pfund*)
'**grand|child** ['græn-] (*pl* ***-children***) Enkel(in); '**~daughter** ['græn-] Enkelin *f*; '**~father** ['grænd-] Großvater *m*; '**~mother** ['græn-] Großmutter *f*; '**~parents** ['græn-] *pl* Großeltern *pl*
grand pi'ano *mus.* Flügel *m*
'**grandson** ['græn-] Enkel *m*
grandstand ['grændstænd] Haupttribüne *f*
granite ['grænɪt] Granit *m*
granny ['grænɪ] F Oma *f*
grant [grɑːnt] **1.** bewilligen, gewähren; *Erlaubnis etc.* geben; *Bitte etc.* erfüllen; zugeben; ***take s.th. for ~ed*** et. als selbstverständlich betrachten; **2.** Stipendium *n*; Unterstützung *f*
granule ['grænjuːl] Körnchen *n*
grape [greɪp] Weintraube *f*, -beere *f*; '**~fruit** Grapefruit *f*, Pampelmuse *f*; '**~vine** Weinstock *m*
graph [græf] Diagramm *n*, Schaubild *n*; '**~ic 1.** grafisch;

anschaulich; **2.** *pl* Grafik(en *pl*) *f*
grapple ['græpl]: ~ ***with*** kämpfen mit
grasp [grɑːsp] **1.** (er)greifen, packen; *fig.* verstehen, begreifen; **2.** Griff *m*; *fig.*: Reichweite *f*; Verständnis *n*
grass [grɑːs] Gras *n*; Rasen *m*; **'~hopper** Heuschrecke *f*; **'grassy** grasbedeckt
grate¹ [greɪt] Gitter *n*; (Feuer)Rost *m*
grate² [greɪt] reiben, raspeln; knirschen, quietschen
grateful ['greɪtfl] dankbar
grater ['greɪtə] Reibe *f*
grating ['greɪtɪŋ] Gitter *n*
gratitude ['grætɪtjuːd] Dankbarkeit *f*
grave¹ [greɪv] Grab *n*
grave² [greɪv] ernst
gravel ['grævl] Kies *m*
'grave|stone Grabstein *m*; **'~yard** Friedhof *m*
gravity ['grævətɪ] Schwerkraft *f*
gravy ['greɪvɪ] Bratensoße *f*
gray *Am.* → ***grey***
graze¹ [greɪz] (ab)weiden
graze² [greɪz] **1.** streifen; sich *das Knie etc.* ab- *od.* aufschürfen; **2.** Abschürfung *f*, Schramme *f*
grease [griːs] **1.** Fett *n*; *tech.* Schmierfett *n*, Schmiere *f*; **2.** [griːz] (ein)fetten, *tech.* (ab-) schmieren; **greasy** ['griːzɪ] fettig, schmierig, ölig
great [greɪt] groß; groß, bedeutend, wichtig; F großartig, super
Great Britain [greɪt 'brɪtn] Großbritannien *n*
Great 'Dane Dogge *f*
great|-'grandchild (*pl* ***-children***) Urenkel(in); **~-'grandfather** Urgroßvater *m*; **~-'grandmother** Urgroßmutter *f*; **~-'grandparents** *pl* Urgroßeltern *pl*
'greatly sehr; **'greatness** Größe *f*; Bedeutung *f*
Greece [griːs] Griechenland *n*
greed [griːd] Gier *f* (***for*** nach); **'greedy** gierig; gefräßig
Greek [griːk] **1.** griechisch; **2.** Griech|e *m*, -in *f*
green [griːn] **1.** grün (*a. fig.*); **2.** *pl* grünes Gemüse; **~ 'card** *Am.* Arbeitserlaubnis *f*; **'~grocer** *bsd. Brt.* Obst- u. Gemüsehändler(in); **'~horn** F Grünschnabel *m*; **'~house** Gewächs-, Treibhaus *n*; **'~house effect** Treibhauseffekt *m*; **'~ish** grünlich
greet [griːt] (be)grüßen; **'~ing** Gruß *m*, Begrüßung *f*; *pl* Grüße *pl*; Glückwünsche *pl*
grenade [grə'neɪd] Granate *f*
grew [gruː] *pret von* ***grow***
grey [greɪ] grau; **'~hound** *zo.* Windhund *m*
grid [grɪd] Gitter *n*; *electr. etc.* Versorgungsnetz *n*; *Kartographie*: Gitter(netz) *n*; **'~iron** Bratrost *m*

grief [gri:f] Kummer *m*
grievance ['gri:vns] (Grund *m* zur) Beschwerde *f*; **grieve** [gri:v]: ~ **for** trauern um
grill [grɪl] **1.** grillen; **2.** Grill *m*; Gegrillte *n*
grim [grɪm] schrecklich; grimmig
grimace [grɪ'meɪs] **1.** Grimasse *f*; **2.** e-e Grimasse *od.* Grimassen schneiden
grime [graɪm] (dicker) Schmutz; '**grimy** schmutzig
grin [grɪn] **1.** grinsen; **2.** Grinsen *n*
grind [graɪnd] (**ground**) (zer-) mahlen, zerreiben, -kleinern; *Messer etc.* schleifen; *Am. Fleisch* durchdrehen
grip [grɪp] **1.** packen (*a. fig.*), ergreifen; **2.** Griff *m* (*a. fig.*)
gripes [graɪps] *pl* Kolik *f*
grit [grɪt] Kies *m*; *fig.* Mut *m*
groan [grəʊn] **1.** stöhnen; **2.** Stöhnen *n*
grocer ['grəʊsə] Lebensmittelhändler *m*; **groceries** ['grəʊsərɪz] *pl* Lebensmittel *pl*; '**grocery** Lebensmittelgeschäft *n*; '**grocery cart** *Am.* Einkaufswagen *m*
groin [grɔɪn] *anat.* Leiste *f*
groom [gru:m] **1.** Bräutigam *m*; Pferdepfleger *m*; **2.** *Pferde* striegeln
groove [gru:v] Rinne *f*, Furche *f*; Rille *f*
grope [grəʊp] tasten
gross [grəʊs] **1.** Brutto...; *Fehler etc.*: schwer, grob; grob, derb; dick, fett; **2.** (*pl* **gross**) Gros *n* (*12 Dutzend*)
ground[1] [graʊnd] **1.** *pret u. pp von* **grind**; **2.** gemahlen; ~ **meat** Hackfleisch *n*
ground[2] [graʊnd] **1.** (Erd)Boden *m*, Erde *f*; Boden *m*, Gebiet *n*; *Sport*: (*Spiel*)Platz *m*; *fig.* (Beweg)Grund *m*; *Am. electr.* Erdung *f*; *pl*: Grundstück *n*, Park *m*, Gartenanlage *f*; (Boden)Satz *m*; **2.** *mar.* auflaufen; *Am. electr.* erden; *fig.* gründen, stützen
'**ground| control** *aviat.* Bodenstation *f*; '~ **crew** *aviat.* Bodenpersonal *n*; ~ '**floor** *bsd. Brt.* Erdgeschoss *n*, *östr.* -geschoß *n*; '~**less** grundlos; '~ **staff** *Brt. aviat.* Bodenpersonal *n*
group [gru:p] **1.** Gruppe *f*; **2.** sich gruppieren; (in Gruppen) einteilen *od.* anordnen
grow [grəʊ] (**grew, grown**) *v/i* wachsen; (allmählich) werden; ~ **up** auf-, heranwachsen; *v/t* anbauen
growl [graʊl] knurren
grown [grəʊn] *pp von* **grow**; ~**-up 1.** [grəʊn'ʌp] erwachsen; **2.** ['grəʊnʌp] Erwachsene *m, f*
growth [grəʊθ] Wachsen *n*, Wachstum *n*; Wuchs *m*, Größe *f*; *fig.* Zunahme *f*, Anwachsen *n*; *med.* Gewächs *n*
grub [grʌb] F Futter *n* (*Essen*)
grubby ['grʌbɪ] schmuddlig
grudge [grʌdʒ] **1.** missgön-

nen (***s.o. s.th.*** j-m et.); **2.** Groll *m*; '**grudging** widerwillig

gruel [grʊəl] Haferschleim *m*

gruel(l)ing ['grʊəlɪŋ] aufreibend; mörderisch

gruff [grʌf] schroff, barsch

grumble ['grʌmbl] murren; *Donner*: (g)rollen

grumpy ['grʌmpɪ] F schlecht gelaunt, missmutig, mürrisch

grungy ['grʌndʒɪ] *Am. sl.* schmuddlig, schlampig

grunt [grʌnt] grunzen

guarantee [gærən'ti:] **1.** Garantie *f*; Kaution *f*, Sicherheit *f*; **2.** (sich ver)bürgen für; garantieren; **guarantor** [gærən'tɔ:] *jur.* Bürg|e *m*, -in *f*

guard [gɑ:d] **1.** Wache *f*, (Wach)Posten *m*; Wächter *m*; Aufseher *m*, Wärter *m*; Bewachung *f*; *Brt. rail.* Zugbegleiter *m*; ***on one's ~*** auf der Hut; ***off one's ~*** unachtsam; **2.** bewachen; (be-) schützen; ***~ against*** schützen vor; sich in Acht nehmen vor; '**~ed** zurückhaltend

guardian ['gɑ:djən] *jur.* Vormund *m*

guess [ges] **1.** (er)raten; vermuten; *bsd. Am.* glauben, meinen; **2.** Vermutung *f*

guest [gest] Gast *m*; '**~house** (Hotel)Pension *f*, Fremdenheim *n*; '**~room** Gäste-, Fremdenzimmer *n*

guidance ['gaɪdns] Führung *f*; (An)Leitung *f*; (*Berufs-, Ehe- etc.*)Beratung *f*

guide [gaɪd] **1.** (Reise-, Fremden)Führer(in); *Buch*: (Reise)Führer *m*; Handbuch *n* (***to*** *gen*) **2.** führen; lenken; '**~book** (Reise)Führer *m*; **guided** '**tour** Führung *f*; '**~lines** *pl* Richtlinien *pl*

guilt [gɪlt] Schuld *f*; '**guilty** schuldig (***of*** *gen*)

'**guinea pig** ['gɪnɪ-] Meerschweinchen *n*; *fig.* Versuchskaninchen *n*

guitar [gɪ'tɑ:] Gitarre *f*

gulf [gʌlf] Golf *m*; *fig.* Kluft *f*

gull [gʌl] Möwe *f*

gullet ['gʌlɪt] Speiseröhre *f*; Gurgel *f*

gulp [gʌlp] **1.** *oft* ***~ down*** *Getränk* hinunterstürzen, *Speise* hinunterschlingen; **2.** (großer) Schluck

gum¹ [gʌm] *mst pl* Zahnfleisch *n*

gum² [gʌm] **1.** Gummi *m*, *n*; Klebstoff *m*; Kaugummi *m*; **2.** *v/t* kleben

gun [gʌn] Gewehr *n*; Pistole *f*, Revolver *m*; Geschütz *n*, Kanone *f*; '**~shot** Schuss *m*

gurgle ['gɜ:gl] gurgeln, gluckern, glucksen

gush [gʌʃ] **1.** strömen, schießen (***from*** aus); **2.** Schwall *m*

gust [gʌst] Windstoß *m*, Bö *f*

gut [gʌt] Darm *m*; *pl* Eingeweide *pl*; *pl* F Mumm *m*

gutter ['gʌtə] Gosse *f* (*a. fig.*), Rinnstein *m*; Dachrinne *f*

guy [gaɪ] F Kerl *m*, Typ *m*
gym [dʒɪm] F Fitnesscenter *n*; → ***gymnasium, gymnastics***; ~ ***shoes*** *pl* Turnschuhe *pl*
gymnasium [dʒɪm'neɪzjəm] Turn-, Sporthalle *f*
gymnast ['dʒɪmnæst] Turner(in); **~ics** [dʒɪm'næstɪks] *sg* Turnen *n*, Gymnastik *f*
gyn(a)ecologist [gaɪnə'kɒlədʒɪst] Gynäkolog|e *m*, -in *f*, Frauenarzt *m*, -ärztin *f*
gypsy ['dʒɪpsɪ] *bsd. Am.* → ***gipsy***

H

habit ['hæbɪt] (An)Gewohnheit *f*; '**~able** bewohnbar
habitat ['hæbɪtæt] *bot., zo.* Lebensraum *m*
habitual [hə'bɪtʃʊəl] gewohnheitsmäßig
hack [hæk] hacken; '**~er** F *Computer*: Hacker(in)
hackneyed ['hæknɪd] abgedroschen
had [hæd] *pret u. pp von* ***have***
haddock ['hædək] Schellfisch *m*
haemorrhage ['hemərɪdʒ] Blutung *f*
hag [hæg] hässliches altes Weib, Hexe *f*
haggard ['hægəd] abgehärmt; abgespannt
hail [heɪl] **1.** Hagel *m*; **2.** hageln; '**~stone** Hagelkorn *n*; '**~storm** Hagelschauer *m*
hair [heə] *einzelnes* Haar; Haar *n*, Haare *pl*; '**~brush** Haarbürste *f*; '**~cut** Haarschnitt *m*; '**~do** F Frisur *f*; '**~dresser** Friseur(in), Frisör(in); '**~dryer** *a.* ***hairdrier*** Trockenhaube *f*; Haartrockner *m*; Föhn *m*, Fön® *m*; '**~grip** Haarklammer *f*; '**~less** unbehaart, kahl; '**~pin** Haarnadel *f*; **~pin 'bend** Haarnadelkurve *f*; '**~-raising** haarsträubend; '**~slide** Haarspange *f*; '**~-splitting** Haarspalterei *f*; '**~style** Frisur *f*
half [hɑːf] **1.** *su* (*pl* ***halves*** [hɑːvz]) Hälfte *f*; ~ ***past ten***, *Am. a.* ~ ***after ten*** halb elf (Uhr); **2.** *adj* halb; ~ ***an hour*** e-e halbe Stunde; ~ ***a pound*** ein halbes Pfund; **3.** *adv* halb, zur Hälfte; **~-'hearted** halbherzig; ~ **'time** *Sport*: Halbzeit *f*; **~'way** auf halbem Weg *od.* in der Mitte (liegend)
halibut ['hælɪbət] Heilbutt *m*
hall [hɔːl] Halle *f*, Saal *m*; (Haus)Flur *m*, Diele *f*
halo ['heɪləʊ] *astr.* Hof *m*; Heiligenschein *m*
halt [hɔːlt] **1.** Halt *m*; **2.** (an)halten

halter ['hɔːltə] Halfter *m*, *n*
halve [hɑːv] halbieren
halves [hɑːvz] *pl von* **half** 1
ham [hæm] Schinken *m*
hamburger ['hæmbɜːgə] *gastr*. Hamburger *m*
hammer ['hæmə] **1.** Hammer *m*; **2.** hämmern
hammock ['hæmək] Hängematte *f*
hamper[1] ['hæmpə] (Deckel-) Korb *m*; Geschenk-, Fresskorb *m*; *Am*. Wäschekorb *m*
hamper[2] ['hæmpə] (be)hindern
hamster ['hæmstə] Hamster *m*
hand [hænd] **1.** Hand *f* (*a. fig.*); Handschrift *f*; (Uhr-) Zeiger *m*; *mst in Zssgn.*: Arbeiter *m*; Fachmann *m*; *Kartenspiel*: Blatt *n*, Karten *pl*; ***at first*** ~ aus erster Hand; ***by*** ~ mit der Hand; ***on the one*** ~ ***..., on the other*** ~ einerseits..., andererseits; ***on the right*** ~ ***side*** rechts; ~***s off!*** Hände weg!; ~***s up!*** Hände hoch!; ***give*** *od.* ***lend a*** ~ mit zugreifen, *j-m* helfen (***with*** bei); ***shake*** ~***s with*** *j-m* die Hand schütteln *od.* geben; **2.** aushändigen, (über)geben, (-)reichen; ~ ***down*** weitergeben, überliefern; ~ ***in*** *Prüfungsarbeit etc.* abgeben, *Gesuch etc.* einreichen; ~ ***on*** weiterreichen, -geben; weitergeben, überliefern; ~ ***over*** übergeben (***to*** *dat*); '~**bag** Handtasche *f*; '~**ball** *Fußball*: Handspiel *n*; '~**bill** Handzettel *m*, Flugblatt *n*; '~**book** Handbuch *n*; '~**brake** Handbremse *f*; '~**cuffs** *pl* Handschellen *pl*
handicap ['hændɪkæp] **1.** Handikap *n*, *med. a.* Behinderung *f*, *Sport*: *a.* Vorgabe *f*; **2.** behindern, benachteiligen
handi|craft ['hændɪkrɑːft] (*bsd.* Kunst)Handwerk *n*; '~**work** (Hand)Arbeit *f*; *fig.* Werk *n*
handkerchief ['hæŋkətʃɪf] Taschentuch *n*
handle ['hændl] **1.** Griff *m*; Stiel *m*; Henkel *m*; (Tür-) Klinke *f*; **2.** anfassen, berühren; hantieren *od.* umgehen mit; behandeln; '~**bars** *pl* Lenkstange *f*
'**hand| luggage** Handgepäck *n*; ~'**made** handgearbeitet; '~**rail** *Geländer*: Handlauf *m*; '~**shake** Händedruck *m*
handsome ['hænsəm] *bsd. Mann*: gut aussehend; *Summe etc.*: beträchtlich
'**hand|writing** (Hand)Schrift *f*; '~**written** handgeschrieben
'**handy** praktisch, nützlich; geschickt; zur Hand
hang [hæŋ] (***hung***) aufhängen; *Tapete* ankleben; *pret u. pp* ***hanged***: *j-n* hängen; ~ ***about***, ~ ***around*** herumlungern; ~ ***on*** festhalten (***to*** *acc*)

hangar ['hæŋə] Hangar *m*, Flugzeughalle *f*
'**hanger** Kleiderbügel *m*
'**hang|glider** (Flug)Drachen *m*; Drachenflieger(in); '**~ gliding** Drachenfliegen *n*
'**hangnail** Niednagel *m*
'**hangover** Kater *m*
hankie, hanky ['hæŋkı] F Taschentuch *n*
haphazard [hæp'hæzəd] planlos, willkürlich
happen ['hæpən] (zufällig) geschehen; sich ereignen, passieren; **~ing** ['hæpnıŋ] Ereignis *n*; Happening *n*
happily ['hæpılı] glücklich(erweise); '**happiness** Glück *n*
happy ['hæpı] glücklich; **~-go-'lucky** unbekümmert
harass ['hærəs] ständig belästigen; schikanieren; '**~ment** ständige Belästigung; Schikane(n *pl*) *f*; → ***sexual harassment***
harbo(u)r ['hɑːbə] **1.** Hafen *m*; **2.** *j-m* Unterschlupf gewähren; *Groll etc.* hegen
hard [hɑːd] hart; schwer, schwierig; heftig, stark; hart, streng (*a. Winter*); *Tatsachen etc.*: hart, nüchtern; *Droge*: hart, *Getränk*: *a.* stark; hart, fest; **~ *of hearing*** schwerhörig; '**~back** *Buch*: gebundene Ausgabe; **~-'boiled** *Ei*: hart (gekocht); '**~cover** → ***hardback***; **~ 'disk** *Computer*: Festplatte *f*; '**~en** härten; hart machen; hart werden; erhärten; (sich) abhärten; '**~ hat** *am Bau*: Schutzhelm *m*; **~'headed** praktisch, nüchtern; '**~ly** kaum; '**~ness** Härte *f*; '**~ship** Not *f*; Härte *f*; **~ 'shoulder** *Brt. mot.* Standspur *f*; '**~ware** Eisenwaren *pl*; Haushaltswaren *pl*; *Computer*: Hardware *f*
hardy ['hɑːdı] zäh, robust
hare [heə] Hase *m*; '**~bell** Glockenblume *f*
harm [hɑːm] **1.** Schaden *m*; **2.** schaden; '**~ful** schädlich; '**~less** harmlos
harmonious [hɑː'məʊnjəs] harmonisch; **harmonize** ['hɑːmənaız] harmonieren; in Einklang sein *od.* bringen
harness ['hɑːnıs] **1.** (Pferde- *etc.*)Geschirr *n*; **2.** anschirren; anspannen (***to*** an)
harp [hɑːp] **1.** Harfe *f*; **2.** Harfe spielen; **~ *on*** (***about***) *fig.* herumreiten auf
harrow ['hærəʊ] **1.** Egge *f*; **2.** eggen
harsh [hɑːʃ] rau; streng; grell; barsch, schroff
harvest ['hɑːvıst] **1.** Ernte (-zeit) *f*; Ertrag *m*; **2.** ernten
has [hæz] *er, sie, es* hat
hash [hæʃ] *gastr.* Haschee *n*
hashish ['hæʃiːʃ] Haschisch *n*
haste [heıst] Eile *f*, Hast *f*; **hasten** ['heısn] (sich be)eilen; *j-n* antreiben; *et.* beschleunigen; '**hasty** eilig, hastig, überstürzt

hat [hæt] Hut *m*
hatch¹ [hætʃ] *a.* **~ out** ausbrüten; ausschlüpfen
hatch² [hætʃ] Luke *f*; Durchreiche *f*
hatchet ['hætʃɪt] Beil *n*
hate [heɪt] **1.** hassen; **2.** Hass *m*; **hatred** ['heɪtrɪd] Hass *m*
haughty ['hɔːtɪ] hochmütig, überheblich
haul [hɔːl] **1.** ziehen; schleppen; befördern, transportieren; **2.** Fang *m* (*a. fig.*); Transport(weg) *m*; **'~age** Transport *m*
'hauler *Am.*, **haulier** *Brt.* ['hɔːljə] Transportunternehmer *m*
haunch [hɔːntʃ] Hüfte *f*, Hüftpartie *f*; *Tier*: Hinterbacke *f*, Keule *f*
haunt [hɔːnt] **1.** spuken in; *fig.* verfolgen; **2.** häufig besuchter Ort
have [hæv] (**had**) *v/t* haben; erhalten, bekommen; essen, trinken (**~ breakfast** frühstücken); *vor inf*: müssen (**I ~ to go now** ich muss jetzt gehen); *mit Objekt u. pp*: lassen (**I had my hair cut** ich ließ mir die Haare schneiden); **~ back** zurückbekommen; **~ on** *Kleidungsstück* anhaben, *Hut* aufhaben; *v/aux* haben, *bei v/i oft* sein; **I ~ come** ich bin gekommen
haven ['heɪvn] Zufluchtsort *m*
havoc ['hævək] Verwüstung *f*
hawk [hɔːk] Habicht *m*, Falke *m* (*a. pol.*)
hawthorn ['hɔːθɔːn] Weißdorn *m*
hay [heɪ] Heu *n*; **'~ fever** Heuschnupfen *m*; **'~stack** Heuschober *m*, -haufen *m*
hazard ['hæzəd] **1.** Gefahr *f*, Risiko *n*; **2.** wagen; riskieren; **'~ous** gewagt, gefährlich, riskant; **~ous 'waste** Sonder-, Giftmüll *m*
haze [heɪz] Dunst(schleier) *m*
hazel ['heɪzl] **1.** Haselnussstrauch *m*; **2.** nussbraun; **'~nut** Haselnuss *f*
hazy ['heɪzɪ] dunstig, diesig; *fig.* verschwommen
he [hiː] **1.** *pron* er; **2.** *su* Er *m*; *zo.* Männchen *n*
head [hed] **1.** *su* Kopf *m*; (Ober)Haupt *n*; (An)Führer(in), Leiter(in); Spitze *f*; *Bett*: Kopf(ende *n*) *m*; Überschrift *f*; **£15 a** *od.* **per ~** fünfzehn Pfund pro Kopf *od.* Person; **40 ~** *pl* (**of cattle**) 40 Stück *pl* (Vieh); **~s or tails?** *Münze*: Kopf od. Zahl?; **~ over heels** kopfüber; bis über beide Ohren (*verliebt sein*); **2.** *adj* Kopf...; Chef..., Haupt..., Ober...; **3.** *v/t* anführen, an der Spitze stehen von (*od. gen*); voran-, vorausgehen; (an)führen, leiten; *Fußball*: köpfen; *v/i* (**for**) gehen, fahren (nach); lossteuern, -gehen (auf); Kurs halten (auf); **'~ache** Kopfschmerz(en *pl*) *m*; **'~er**

Kopfsprung *m*; *Fußball*: Kopfball *m*; '**~ing** Überschrift *f*, Titel *m*; '**~lamp** → ***headlight***; '**~land** Landspitze *f*, -zunge *f*; '**~light** Scheinwerfer *m*; '**~line** Schlagzeile *f*; '**~long** kopfüber; **~'master** *Schule*: (Di)Rektor *m*; **~'mistress** *Schule*: (Di-)Rektorin *f*; '**~ office** Zentrale *f*; **~'on** frontal, Frontal...; '**~phones** *pl* Kopfhörer *pl*; **~'quarters** *pl*, *sg mil*. Hauptquartier *n*; Hauptsitz *m*, Zentrale *f*; '**~rest** Kopfstütze *f*; '**~set** Kopfhörer *pl*; '**~strong** eigensinnig, halsstarrig

heal [hiːl] *a*. ~ ***up*** heilen; ~ ***over*** (zu)heilen

health [helθ] Gesundheit *f*; ***your ~!*** auf Ihr Wohl!; '**~ club** Fitnessklub *m*, -center *n*; '**~ food** Reform-, Biokost *f*; '**~ insurance** Krankenversicherung *f*; '**~ resort** Kurort *m*

'**healthy** gesund

heap [hiːp] **1.** Haufen *m*; **2.** häufen; ~ ***up*** auf-, anhäufen

hear [hɪə] (***heard***) (an-, ver-, zu-, *Lektion* ab)hören

heard [hɜːd] *pret u. pp von* ***hear***

'**hearer** (Zu)Hörer(in)

'**hearing** Gehör *n*; Hören *n*; *bsd. pol.* Hearing *n*, Anhörung *f*; *jur*. Verhandlung *f*; ***within/out of ~*** in/außer Hörweite; '**~ aid** Hörgerät *n*

'**hearsay**: ***by ~*** vom Hörensagen

heart [hɑːt] Herz *n* (*a. fig.*); *fig*. Kern *m*; *Kartenspiel*: Herz(karte *f*) *n*, *pl als Farbe*: Herz *n*; ***by ~*** auswendig; '**~ attack** Herzanfall *m*; Herzinfarkt *m*; '**~beat** Herzschlag *m*; '**~breaking** herzzerreißend; '**~burn** Sodbrennen *n*; '**~ failure** Herzversagen *n*; '**~felt** aufrichtig

hearth [hɑːθ] Kamin *m*

'**heart|less** herzlos; '**~ transplant** Herzverpflanzung *f*

'**hearty** herzlich; herzhaft

heat [hiːt] **1.** Hitze *f*; *phys*. Wärme *f*; *fig*. Eifer *m*; *zo*. Läufigkeit *f*; *Sport*: (Einzel)Lauf *m*; **2.** *v/t* heizen; *a*. ~ ***up*** erhitzen, aufwärmen; *v/i* sich erhitzen (*a. fig.*); '**~ed** geheizt; *Heckscheibe etc.*: heizbar; *fig*. erregt, hitzig; '**~er** Heizgerät *n*

heath [hiːθ] Heide(land *n*) *f*

heathen ['hiːðn] **1.** Heid|e *m*, -in *f*; **2.** heidnisch

heather ['heðə] Heidekraut *n*, Erika *f*

'**heating** Heizung *f*; Heiz...

'**heat|proof** hitzebeständig; '**~stroke** Hitzschlag *m*; '**~ wave** Hitzewelle *f*

heave [hiːv] (hoch)stemmen, (-)hieven; *Seufzer* ausstoßen; sich heben und senken, wogen

heaven ['hevn] Himmel *m*; '**~ly** himmlisch

heavy ['hevı] schwer; *Raucher, Regen, Verkehr etc.*: stark; *Geldstrafe, Steuern etc.*: hoch; *Nahrung etc.*: schwer (verdaulich); drückend, lastend; **~ 'current** Starkstrom *m*; **'~weight** *Sport*: Schwergewicht(ler *m*) *n*
Hebrew ['hi:bru:] hebräisch
heckle ['hekl] durch Zwischenrufe stören
hectic ['hektık] hektisch
hedge [hedʒ] **1.** Hecke *f*; **2.** *v/t a.* **~ in** mit e-r Hecke einfassen; *v/i fig.* ausweichen
hedgehog ['hedʒhɒg] Igel *m*
heel [hi:l] Ferse *f*; Absatz *m*
hefty ['heftı] kräftig, stämmig; gewaltig, *Preise, Geldstrafe etc.*: saftig
'he-goat Ziegenbock *m*
height [haıt] Höhe *f*; (Körper)Größe *f*; *fig.* Höhe (-punkt *m*) *f*; **'~en** erhöhen; vergrößern
heir [eə] Erbe *m*; **~ess** ['eərıs] Erbin *f*
held [held] *pret u. pp von* **hold** 1
helicopter ['helıkɒptə] Hubschrauber *m*
hell [hel] Hölle *f*; ***what the ~ ...?*** F was zum Teufel ...?
hello [he'ləʊ] *int* hallo!
helm [helm] Ruder *n*, Steuer *n*
helmet ['helmıt] Helm *m*
help [help] **1.** Hilfe *f*; Hausangestellte *f*; **2.** (*j-m*) helfen; **~ o.s.** sich bedienen, sich nehmen; ***I can't ~ it*** ich kann es nicht ändern; ich kann nichts dafür; ***I couldn't ~ laughing*** ich musste einfach lachen; **'~er** Helfer(in); **'~ful** hilfreich; hilfsbereit; **'~ing** *Essen*: Portion *f*; **'~less** hilflos
helter-skelter [heltə'skeltə] holterdiepolter
hem [hem] **1.** Saum *m*; **2.** (ein)säumen; **'~line** Rocklänge *f*
hemorrhage *bsd. Am.* → ***haemorrhage***
hemp [hemp] Hanf *m*
hen [hen] Henne *f*, Huhn *n*; *von Vögeln*: Weibchen *n*
'henpecked husband Pantoffelheld *m*
hepatitis [hepə'taıtıs] Hepatitis *f*, Leberentzündung *f*
her [hɜ:] sie; ihr; ihr(e); sich
herb [hɜ:b] Kraut *n*
herd [hɜ:d] Herde *f* (*a. fig.*)
here [hıə] hier; (hier)her; ***~'s to you!*** auf dein Wohl!; ***~ you are!*** hier(, bitte)! (*da hast du es*)
hereditary [hı'redıtərı] erblich, Erb...
heritage ['herıtıdʒ] Erbe *n*
hermit ['hɜ:mıt] Einsiedler *m*, Eremit *m*
hero ['hıərəʊ] (*pl* **heroes**) Held *m*; **~ic** [hı'rəʊık] heroisch, heldenhaft
heroin ['herəʊın] Heroin *n*
heroine ['herəʊın] Heldin *f*
heron ['herən] Reiher *m*
herpes ['hɜ:pi:z] Herpes *m*

herring ['herɪŋ] Hering *m*
hers [hɜːz] ihrs, ihre(r, -s)
herself [hɜː'self] sie selbst, ihr selbst; sich (selbst)
hesitate ['hezɪteɪt] zögern, Bedenken haben; **hesi'tation** Zögern *n*
hew [hjuː] (**hewed, hewed** *od.* **hewn**) hauen, hacken; **hewn** *pp von* **hew**
heyday ['heɪdeɪ] Höhepunkt *m*, Gipfel *m*; Blüte(zeit) *f*
hi [haɪ] *int* F hallo!
hibernate ['haɪbəneɪt] *zo.* Winterschlaf halten
hiccup ['hɪkʌp] **1.** *a.* **hiccough** Schluckauf *m*; **2.** den Schluckauf haben
hid [hɪd] *pret*, '**hidden** *pp von* **hide¹**
hide¹ [haɪd] (**hid, hidden**) (sich) verbergen *od.* verstecken; verheimlichen
hide² [haɪd] Haut *f*, Fell *n*
hide|-and-'seek Versteckspiel *n*; '**~away** Versteck *n*
hideous ['hɪdɪəs] abscheulich
hiding¹ ['haɪdɪŋ] F Tracht *f* Prügel
hiding² ['haɪdɪŋ]: **be in ~** sich versteckt halten; **go into ~** untertauchen; '**~ place** Versteck *n*
hi-fi ['haɪfaɪ] Hi-Fi(-Gerät *n*, -Anlage *f*) *n*
high [haɪ] **1.** hoch; *Hoffnungen etc.*: groß; *Fleisch*: angegangen; F *betrunken*: blau, *Drogen*: high; **in ~ spirits** in Hochstimmung; **it is ~ time** es ist höchste Zeit; **2.** *meteor.* Hoch *n*; '**~brow 1.** Intellektuelle *m, f*; **2.** (betont) intellektuell; **~-'calorie** kalorienreich; **~-'class** erstklassig; **~ 'diving** Turmspringen *n*; **~-fi'delity** High-Fidelity-...; **~-'grade** erstklassig; hochwertig; **~-'heeled** *Schuhe*: hochhackig; '**~ jump** Hochsprung *m*; '**~light 1.** Höhepunkt *m*; **2.** hervorheben; '**~ly** *fig.* hoch; **think ~ of** viel halten von; '**℞ness** *Titel*: Hoheit *f*; **~-'pitched** *Ton*: schrill; *Dach*: steil; **~-'powered** Hochleistungs...; *fig.* dynamisch; **~-'pressure** *tech., meteor.* Hochdruck...; '**~rise** Hochhaus *n*; '**~ road** *bsd. Brt.* Hauptstraße *f*; '**~ school** *Am.* High School *f*; '**~ street** *Brt.* Hauptstraße *f*; **~-tech** [haɪ 'tek] High-Tech-...; **~ tech'nology** Hochtechnologie *f*; **~-'tension** *electr.* Hochspannungs...; **~ 'tide** Flut *f*; **~ 'water** Hochwasser *n*; '**~way** *bsd. Am.* Highway *m*; **℞way 'Code** *Brt.* Straßenverkehrsordnung *f*
hijack ['haɪdʒæk] *Flugzeug* entführen; *Geldtransport etc.* überfallen; '**~er** Flugzeugentführer(in); Räuber *m*
hike [haɪk] **1.** wandern; **2.** Wanderung *f*; '**hiker** Wanderer *m*, Wanderin *f*

hilarious [hɪ'leərɪəs] vergnügt, ausgelassen; lustig
hill [hɪl] Hügel *m*; **'~side** Abhang *m*; **'hilly** hügelig
hilt [hɪlt] Heft *n*, Griff *m*
him [hɪm] ihn; ihm; **~'self** er *od.* ihm *od.* ihn selbst; sich (selbst)
hind [haɪnd] Hinter...
hinder ['hɪndə] (be)hindern; **hindrance** ['hɪndrəns] Hindernis *n*
hinge [hɪndʒ] Scharnier *n*, (Tür)Angel *f*
hint [hɪnt] **1.** Wink *m*, Andeutung *f*; Tipp *m*; Anspielung *f*; **2.** andeuten; anspielen (***at*** auf)
hip [hɪp] Hüfte *f*
hippo ['hɪpəʊ] F (*pl* ***-pos***), **hippopotamus** [hɪpə'pɒtəməs] (*pl* ***-muses, -mi*** [-maɪ]) Fluss-, Nilpferd *n*
hire ['haɪə] **1.** *Brt. Auto etc.* mieten; *Flugzeug etc.* chartern; *j-n* anstellen; *j-n* engagieren, anheuern; ***~ out*** *Brt.* vermieten; **2.** Miete *f*; ***for ~*** zu vermieten; *Taxi*: frei; **~ 'car** Leih-, Mietwagen *m*; **~ 'purchase:** ***on ~*** *bsd. Brt.* auf Abzahlung *od.* Raten
his [hɪz] sein(e); seins, seine(r, -s)
hiss [hɪs] zischen, *Katze*: fauchen; auszischen
historic [hɪ'stɒrɪk] historisch; **~al** historisch, geschichtlich
history ['hɪstərɪ] Geschichte *f*
hit [hɪt] **1.** (***hit***) schlagen; treffen (*a. fig.*); *mot.* rammen; **2.** Schlag *m*; Treffer *m* (*a. fig.*); *Buch, Schlager etc.*: Hit *m*; **~-and-'run:** ***~ driver*** (unfall)flüchtiger Fahrer; ***~ offence*** (*Am.* ***offense***) Fahrerflucht *f*
hitch [hɪtʃ] **1.** befestigen, festhaken (***to*** an); ***~ up*** hochziehen; ***~ a ride*** F im Auto mitgenommen werden; F → ***hitchhike***; **2.** Ruck *m*, Zug *m*; Schwierigkeit *f*, Haken *m*; ***without a ~*** glatt, reibungslos; **'~hike** per Anhalter fahren, trampen; **'~hiker** Anhalter(in), Tramper(in)
hi-tech [haɪ'tek] → ***high-tech***
HIV [eɪtʃ aɪ 'viː]: ***~ negative*** (***positive***) HIV-negativ (-positiv)
hive [haɪv] Bienenkorb *m*, -stock *m*; Bienenvolk *n*
hoard [hɔːd] **1.** Vorrat *m*, Schatz *m*; **2.** horten
hoarfrost ['hɔːfrɒst] (Rau-) Reif *m*
hoarse [hɔːs] heiser, rau
hoax [həʊks] (übler) Scherz
hobble ['hɒbl] humpeln, hinken
hobby ['hɒbɪ] Hobby *n*, Steckenpferd *n*; **'~horse** Steckenpferd *n* (*a. fig.*)
hobo ['həʊbəʊ] (*pl* ***hobo[e]s***) *Am.* Landstreicher *m*
hock [hɒk] weißer Rheinwein
hockey ['hɒkɪ] *bsd. Brt.* Hockey *n*; *bsd. Am.* Eishockey *n*

hoe [həʊ] **1.** Hacke *f*; **2.** *Boden* hacken
hog [hɒg] (Schlacht)Schwein *n*
hoist [hɔɪst] **1.** hochziehen; hissen; **2.** (Lasten)Aufzug *m*
hold [həʊld] **1.** (***held***) *v/t* (fest)halten; *Gewicht etc.* tragen, (aus)halten; zurück-, abhalten (***from*** von); *Wahlen, Versammlung etc.* abhalten; *mil., fig. Stellung* halten; *Aktien etc.* besitzen; *Amt etc.* bekleiden; *Platz etc.* (inne)haben; *Rekord* halten; fassen, enthalten; Platz bieten für; ***~ s.th. against s.o.*** j-m et. vorwerfen; j-m et. nachtragen; ***~ one's own*** sich behaupten; ***~ the line*** *tel.* am Apparat bleiben; ***~ responsible*** verantwortlich machen; *v/i* halten; (sich) festhalten (***to*** an); *Wetter, Glück etc.*: anhalten, andauern; ***~ on*** (sich) festhalten (***to*** an); aus-, durchhalten; *tel.* am Apparat bleiben; ***~ out*** aus-, durchhalten; *Vorräte etc.*: reichen; ***~ up*** aufhalten, *et.* verzögern; *Bank etc.* überfallen; *fig.* hinstellen (***as an example*** als Beispiel); **2.** Griff *m*, Halt *m*; Stütze *f*; Gewalt *f*, Macht *f*, Einfluss *m*; ***catch*** (***get, take***) ***~ of s.th.*** et. ergreifen *od.* zu fassen bekommen; **'~up** *Verkehr*: Stockung *f*; (bewaffneter) (Raub)Überfall
hole [həʊl] **1.** Loch *n*; Höhle *f*, Bau *m*; **2.** durchlöchern
holiday ['hɒlədeɪ] Feiertag *m*; freier Tag; *mst pl bsd. Brt.* Ferien *pl*, Urlaub *m*; ***be on ~*** im Urlaub sein, Urlaub machen; **'~maker** Urlauber(in)
hollow ['hɒləʊ] **1.** Mulde *f*, Vertiefung *f*; **2.** hohl; **3.** ***~ out*** aushöhlen
holly ['hɒlɪ] Stechpalme *f*
holocaust ['hɒləkɔːst] Massenvernichtung *f*; ***the*** ♀ *hist.* der Holocaust
holster ['həʊlstə] (Pistolen-) Halfter *m, n*
holy ['həʊlɪ] heilig; **'♀ Week** Karwoche *f*
home [həʊm] **1.** *su* Heim *n*; Haus *n*; Wohnung *f*; Zuhause *n*; Heimat *f*; ***at ~*** zu Hause, *östr., Schweiz*: *a.* zuhause; ***make o.s. at ~*** es sich bequem machen; ***at ~ and abroad*** im In- und Ausland; **2.** *adj* häuslich; inländisch, Inlands...; Heimat...; *Sport*: Heim...; **3.** *adv* heim, nach Hause, *östr., Schweiz*: *a.* nachhause; zu Hause, *östr., Schweiz*: *a.* zuhause, daheim; **~ ad'dress** Privatanschrift *f*; **~ 'computer** Heimcomputer *m*; **'~less** heimatlos; obdachlos; **'~ly** einfach; *Am.* unscheinbar, reizlos; **~'made** selbst gemacht; **~ 'market** Binnenmarkt *m*; **~ 'match** *Sport*: Heimspiel *n*; **'♀ Office** *Brt.* Innenministerium *n*; **♀ 'Secretary** *Brt.* In-

nenminister *m*; '**~sick:** ***be ~*** Heimweh haben; '**~ward** Heim..., Rück...; *bsd. Am.* → '**~wards** heimwärts, nach Hause, *östr., Schweiz: a.* nachhause; '**~work** Hausaufgabe(n *pl*) *f*; ***do one's ~*** s-e Hausaufgaben machen

homicide ['hɒmɪsaɪd] *jur.* Mord *m*

homosexual [hɒməʊ'sekʃʊəl] **1.** homosexuell; **2.** Homosexuelle *m, f*

honest ['ɒnɪst] ehrlich; '**honesty** Ehrlichkeit *f*

honey ['hʌnɪ] Honig *m*; *bsd. Am.* Liebling *m*, Schatz *m*; '**~comb** (Honig)Wabe *f*; '**~moon** Flitterwochen *pl*, Hochzeitsreise *f*

honk [hɒŋk] *mot.* hupen

honorary ['ɒnərərɪ] Ehren...; ehrenamtlich

hono(u)r ['ɒnə] **1.** Ehre *f*; **2.** ehren; auszeichnen; *Scheck etc.* einlösen; '**~able** ehrenvoll, -haft; ehrenwert

hood [hʊd] Kapuze *f*; *Brt.* Verdeck *n*; *Am.* (Motor)Haube *f*

hoof [hu:f] (*pl* ***hoofs, hooves*** [hu:vz]) Huf *m*

hook [hʊk] **1.** Haken *m*; **2.** an-, ein-, fest-, zuhaken

hook(e)y ['hʊkɪ]: ***play ~*** *Am.* F die Schule schwänzen

hooligan ['hu:lɪgən] Rowdy *m*

hoop [hu:p] Reif(en) *m*

hoot [hu:t] *mot.* hupen

Hoover® ['hu:və] **1.** Staubsauger *m*; **2.** *mst* ♀ (Staub) saugen

hooves [hu:vz] *pl von* ***hoof***

hop¹ [hɒp] **1.** hüpfen, hopsen; **2.** Sprung *m*

hop² [hɒp] Hopfen *m*

hope [həʊp] **1.** hoffen (***for*** auf); ***I ~ so*** hoffentlich; **2.** Hoffnung *f*; '**~ful** hoffnungsvoll; '**~less** hoffnungslos

horizon [hə'raɪzn] Horizont *m*; **horizontal** [hɒrɪ'zɒntl] horizontal, waag(e)recht

hormone ['hɔ:məʊn] Hormon *n*

horn [hɔ:n] Horn *n*; *mot.* Hupe *f*; *pl* Geweih *n*

hornet ['hɔ:nɪt] Hornisse *f*

horny ['hɔ:nɪ] schwielig; V geil

horoscope ['hɒrəskəʊp] Horoskop *n*

horrible ['hɒrəbl] schrecklich, entsetzlich; **horrify** ['hɒrɪfaɪ] entsetzen; **horror** ['hɒrə] Entsetzen *n*

horse [hɔ:s] Pferd *n*; '**~back:** ***on ~*** zu Pferde, beritten; **~** '**chestnut** Rosskastanie *f*; '**~power** Pferdestärke *f*; '**~ race** Pferderennen *n*; '**~radish** Meerrettich *m*; '**~shoe** Hufeisen *n*

horticulture ['hɔ:tɪkʌltʃə] Gartenbau *m*

hose¹ [həʊz] Schlauch *m*

hose² [həʊz] *pl* Strümpfe *pl*

hospitable ['hɒspɪtəbl] gastfreundlich

hospital ['hɒspɪtl] Krankenhaus *n*, Klinik *f*

hospitality [hɒspɪ'tæləti] Gastfreundschaft *f*
host¹ [həʊst] Gastgeber *m*; *TV etc.*: Talkmaster *m*; Showmaster *m*; Moderator(in)
host² [həʊst] Menge *f*
Host³ [həʊst] *rel.* Hostie *f*
hostage ['hɒstɪdʒ] Geisel *f*
hostel ['hɒstl] *bsd. Brt.* (*Studenten- etc.*)Wohnheim *n*; *mst* ***youth*** ~ Jugendherberge *f*
hostess ['həʊstɪs] Gastgeberin *f*; *Betreuerin*: Hostess *f*; *aviat.* Hostess *f*, Stewardess *f*
hostile ['hɒstaɪl] feindlich; feindselig; **hostility** [hɒ'stɪləti] Feindseligkeit *f*
hot [hɒt] heiß; *Gewürze*: scharf; hitzig, heftig
hotel [həʊ'tel] Hotel *n*
'hot|head Hitzkopf *m*; **'~house** Treib-, Gewächshaus *n*; **~-'water bottle** Wärmflasche *f*
hound [haʊnd] Jagdhund *m*
hour ['aʊə] Stunde *f*; *pl* (*Arbeits*)Zeit *f*, (*Geschäfts*)Stunden *pl*; **'~ly** stündlich
house [haʊs] **1.** (*pl* ***houses*** ['haʊzɪz]) Haus *n*; **2.** [haʊz] unterbringen; **'~hold** Haushalt *m*; **'~ husband** Hausmann *m*; **'~keeper** Haushälterin *f*; **'~keeping** Haushaltung *f*, -haltsführung *f*; **♀ of 'Commons** *Brt. parl.* Unterhaus *n*; **♀ of 'Lords** *Brt. parl.* Oberhaus *n*; **♀ of Repre'sentatives** *Am. parl.* Repräsentantenhaus *n*; **'~warming** Einzugsparty *f*; **'~wife** (*pl* ***-wives***) Hausfrau *f*; **'~work** Hausarbeit *f*
housing ['haʊzɪŋ] Wohnung *f*; **'~ development** *Am.*, **'~ estate** *Brt.* Wohnsiedlung *f*
hover ['hɒvə] schweben; **'~craft** (*pl* ***-craft*[s]**) Luftkissenfahrzeug *n*
how [haʊ] wie; ~ ***are you?*** wie geht es dir?; ~ ***about ...?*** wie steht *od.* wäre es mit ...?; ~ ***much?*** wie viel?; ~ ***many?*** wie viele?; ~ ***much is it?*** was kostet es?; **~'ever** wie auch (immer); jedoch
howl [haʊl] **1.** Heulen *n*; **2.** heulen; brüllen, schreien; **'~er** F grober Schnitzer
hub [hʌb] (Rad)Nabe *f*
hubbub ['hʌbʌb] Stimmengewirr *n*; Tumult *m*
'hubcap Radkappe *f*
huckleberry ['hʌklbəri] *amer.* Heidelbeere
huddle ['hʌdl]: ~ ***together*** (sich) zs.-drängen; **~d up** zs.-gekauert
hue [hju:] Farbe *f*; Farbton *m*
hug [hʌg] **1.** (sich) umarmen; **2.** Umarmung *f*
huge [hju:dʒ] riesig
hulk [hʌlk] Koloss *m*
hull¹ [hʌl] **1.** *bot.* Schale *f*, Hülse *f*; **2.** enthülsen, schälen
hull² [hʌl] (Schiffs)Rumpf *m*
hullabaloo [hʌləbə'lu:] Lärm *m*, Getöse *n*

hum [hʌm] summen
human ['hju:mən] **1.** menschlich, Menschen...; **2.** *a.* ~ ***being*** Mensch *m*
humane [hju:'meɪn] human, menschlich
humanitarian [hju:mænɪ'teərɪən] humanitär
humanity [hju:'mænətɪ] die Menschheit; Humanität *f*, Menschlichkeit *f*
humble ['hʌmbl] **1.** bescheiden; demütig; **2.** demütigen
humdrum ['hʌmdrʌm] eintönig, langweilig
humid ['hju:mɪd] feucht, nass; **~ity** [hju:'mɪdətɪ] Feuchtigkeit *f*
humiliate [hju:'mɪlɪeɪt] demütigen; **humili'ation** Demütigung *f*
humility [hju:'mɪlətɪ] Demut *f*
'hummingbird Kolibri *m*
humorous ['hju:mərəs] humorvoll, komisch
humo(u)r ['hju:mə] **1.** Humor *m*; Komik *f*; Stimmung *f*; **2.** *j-m* s-n Willen lassen
hump [hʌmp] Höcker *m*, Buckel *m*; **'~back** → ***hunchback***
hunch [hʌntʃ] **1.** (Vor)Ahnung *f*; **2.** ~ ***one's shoulders*** die Schultern hochziehen; **'~back** Buckel *m*; Bucklige *m*, *f*
hundred ['hʌndrəd] hundert; **hundredth** ['hʌndrədθ] **1.** hundertst; **2.** Hundertstel *n*; **'~weight** *etwa* Zentner *m* (*50,8 kg*)
hung [hʌŋ] *pret u. pp von* ***hang***
Hungarian [hʌŋ'geərɪən] **1.** ungarisch; **2.** Ungar(in); **Hungary** ['hʌŋgərɪ] Ungarn *n*
hunger ['hʌŋgə] **1.** Hunger *m* (*a. fig.*); **2.** *fig.* hungern
hungry ['hʌŋgrɪ] hungrig; ***be*** ~ Hunger haben
hunt [hʌnt] **1.** jagen; verfolgen; **2.** Jagd *f*, Jagen *n*; Verfolgung *f*; **'~er** Jäger *m*
hurdle ['hɜ:dl] Hürde *f*
hurl [hɜ:l] schleudern
hurrah [hʊ'rɑ:], **hurray** [hʊ'reɪ] *int* hurra!
hurricane ['hʌrɪkən] Hurrikan *m*; Orkan *m*
hurried ['hʌrɪd] eilig, hastig, übereilt
hurry ['hʌrɪ] **1.** *v/t* schnell *od.* eilig befördern *od.* bringen; *oft* ~ ***up*** *j-n* antreiben, hetzen; *et.* beschleunigen; *v/i* eilen, hasten; ~ (***up***) sich beeilen; ~ ***up!*** (mach) schnell!; **2.** Eile *f*, Hast *f*
hurt [hɜ:t] (***hurt***) verletzen; schaden; schmerzen, wehtun
husband ['hʌzbənd] (Ehe-) Mann *m*
hush [hʌʃ] **1.** *int* still!, pst!; **2.** zum Schweigen bringen; ~ ***up*** vertuschen
husk [hʌsk] **1.** Hülse *f*, Schote *f*, Schale *f*; **2.** enthülsen, schälen

husky ['hʌskɪ] *Stimme*: heiser, rau; *Am.* stämmig, kräftig
hustle ['hʌsl] **1.** (*eilig wohin*) bringen *od.* schicken; drängen; **2.** *mst* ~ ***and bustle*** Gedränge *n*, Betrieb *m*
hut [hʌt] Hütte *f*
hyaena → ***hyena***
hydrant ['haɪdrənt] Hydrant *m*
hydraulic [haɪ'drɔːlɪk] hydraulisch; **hydraulics** *sg* Hydraulik *f*
hydro... ['haɪdrə] Wasser...; **~'carbon** Kohlenwasserstoff *m*; **'~foil** Tragflächen-, Tragflügelboot *n*
hydrogen ['haɪdrədʒən] Wasserstoff *m*
hydroplaning ['haɪdrəpleɪnɪŋ] *Am.* Aquaplaning *n*
hyena [haɪ'iːnə] Hyäne *f*
hygiene ['haɪdʒiːn] Hygiene *f*; **hygienic** [haɪ'dʒiːnɪk] hygienisch
hymn [hɪm] Kirchenlied *n*
hype [haɪp] F (übersteigerte) Publicity; ***media*** ~ Medienrummel *m*
hyper... ['haɪpə] hyper..., übermäßig...; **'~market** *Brt.* Groß-, Verbrauchermarkt *m*
hyphen ['haɪfn] Bindestrich *m*
hypnosis [hɪp'nəʊsɪs] (*pl* **-ses** [-siːz]) Hypnose *f*; **hypnotize** ['hɪpnətaɪz] hypnotisieren
hypocrisy [hɪ'pɒkrəsɪ] Heuchelei *f*; **hypocrite** ['hɪpəkrɪt] Heuchler(in)
hypothesis [haɪ'pɒθɪsɪs] (*pl* **-ses** [-siːz]) Hypothese *f*
hysteria [hɪ'stɪərɪə] Hysterie *f*; **hysterical** [hɪ'sterɪkl] hysterisch; **hysterics** [hɪ'sterɪks] *sg* hysterischer Anfall

I

I [aɪ] ich
ice [aɪs] **1.** Eis *n*; **2.** mit *od.* in Eis kühlen; *gastr.* glasieren; ~ ***up***, ~ ***over*** zufrieren; vereisen; **~berg** ['aɪsbɜːg] Eisberg *m*; ~ **'cream** (Speise)Eis *n*; **~-cream 'parlo(u)r** Eisdiele *f*; **'~ cube** Eiswürfel *m*; **~d** eisgekühlt; **'~ hockey** Eishockey *n*; **'~ lolly** Eis *n* am Stiel; **'~ rink** (Kunst)Eisbahn *f*; **'~ show** Eisrevue *f*
icicle ['aɪsɪkl] Eiszapfen *m*
icing ['aɪsɪŋ] *gastr.* Glasur *f*, Zuckerguss *m*
icon ['aɪkɒn] Ikone *f*; *Computer*: Ikone *f*, (Bild)Symbol *n*
icy ['aɪsɪ] eisig (*a. fig.*); vereist
idea [aɪ'dɪə] Idee *f*, Vorstellung *f*; ***have no*** ~ keine Ahnung haben
ideal [aɪ'dɪəl] ideal
identical [aɪ'dentɪkl] identisch (***to, with*** mit)

identification [aɪdentɪfɪ'keɪʃn] Identifizierung *f*; ~ (***papers*** *pl*) Ausweis(papiere *pl*) *m*; **identify** [aɪ'dentɪfaɪ] identifizieren
identity [aɪ'dentətɪ] Identität *f*; ~ **card** (Personal)Ausweis *m*
ideology [aɪdɪ'ɒlədʒɪ] Ideologie *f*
idiom ['ɪdɪəm] idiomatischer Ausdruck, Redewendung *f*
idiot ['ɪdɪət] Dummkopf *m*; **~ic** [ɪdɪ'ɒtɪk] idiotisch
idle ['aɪdl] **1.** untätig; faul, träge; nutzlos; *Geschwätz*: leer, hohl; *tech.*: stillstehend; leer laufend; **2.** faulenzen; *tech.* leer laufen; *mst* ~ ***away*** *Zeit* vertrödeln
idol ['aɪdl] Idol *n*; Götzenbild *n*; **~ize** ['aɪdəlaɪz] abgöttisch verehren, vergöttern
idyllic [ɪ'dɪlɪk] idyllisch
if [ɪf] wenn, falls; ob; ~ ***I were you*** wenn ich du wäre
igloo ['ɪgluː] Iglu *m, n*
ignition [ɪg'nɪʃn] Zündung *f*; ~ **key** Zündschlüssel *m*
ignorance ['ɪgnərəns] Unwissenheit *f*; Unkenntnis *f* (***of*** *gen*); '**ignorant** unwissend; **ignore** [ɪg'nɔː] ignorieren
ill [ɪl] **1.** krank; schlecht, schlimm; ***fall*** ~, ***be taken*** ~ krank werden, erkranken; → ***ease*** 1; **2.** *oft pl* Übel *n*; **~-ad'vised** schlecht beraten; unklug; **~-'bred** schlecht erzogen; ungezogen
illegal [ɪ'liːgl] verboten; *jur.* illegal, ungesetzlich
illegible [ɪ'ledʒəbl] unleserlich
illegitimate [ɪlɪ'dʒɪtɪmət] unehelich; unrechtmäßig
ill-'fated unglücklich
'**illness** Krankheit *f*
ill|-'timed ungelegen, unpassend; **~-'treat** misshandeln
illuminate [ɪ'luːmɪneɪt] beleuchten; **illumi'nation** Beleuchtung *f*
illusion [ɪ'luːʒn] Illusion *f*; (Sinnes)Täuschung *f*
illustrate ['ɪləstreɪt] illustrieren; erläutern, veranschaulichen; **illus'tration** Illustration *f*; Bild *n*, Abbildung *f*; Erläuterung *f*, Veranschaulichung *f*
ill 'will Feindschaft *f*
image ['ɪmɪdʒ] Bild *n*; Ebenbild *n*; Image *n*
imaginable [ɪ'mædʒɪnəbl] vorstellbar, denkbar; **i'maginary** eingebildet; **imagi'nation** Fantasie *f*, Einbildung(skraft) *f*; **i'maginative** ideen-, einfallsreich; fantasievoll; **imagine** [ɪ'mædʒɪn] sich *j-n od. et.* vorstellen; sich *et.* einbilden
imbecile ['ɪmbɪsiːl] Trottel *m*, Idiot *m*
imitate ['ɪmɪteɪt] nachahmen, -machen, imitieren; **imi'tation** Nachahmung *f*, Imitation *f*
im|maculate [ɪ'mækjʊlət]

makellos; tadellos; **~ma'terial** unwesentlich; **~ma'ture** unreif; **~'measurable** unermesslich
immediate [ɪ'miːdjət] unmittelbar; sofortig, umgehend; *Verwandtschaft*: nächst; **~ly** sofort; unmittelbar
immense [ɪ'mens] riesig
immerse [ɪ'mɜːs] (ein)tauchen; **~ *o.s. in*** sich vertiefen in; **im'mersion heater** *bsd. Brt.* Boiler *m*; Tauchsieder *m*
immigrant ['ɪmɪgrənt] Einwander|er *m*, -in *f*, Immigrant(in); **immigrate** ['ɪmɪgreɪt] einwandern; **immi'gration** Einwanderung *f*
imminent ['ɪmɪnənt] nahe bevorstehend; drohend
im|'moderate unmäßig, maßlos; **~'moral** unmoralisch; **~'mortal** unsterblich
immune [ɪ'mjuːn] immun (***to*** gegen); geschützt (***from*** vor, gegen); **im'munity** Immunität *f*; **'immunize** immunisieren, immun machen (***against*** gegen)
imp [ɪmp] Kobold *m*; Racker *m*
impact ['ɪmpækt] Zs.-prall *m*; Aufprall *m*; *fig*. (Ein)Wirkung *f*, (starker) Einfluss
im|pair [ɪm'peə] beeinträchtigen; **~'partial** unparteiisch, unvoreingenommen; **~'passable** unpassierbar
impasse [æm'pɑːs] *fig*. Sackgasse *f*
im|'passioned leidenschaftlich; **~'passive** teilnahmslos; gelassen
im'patience Ungeduld *f*; **im'patient** ungeduldig
impeccable [ɪm'pekəbl] untadelig, einwandfrei
impede [ɪm'piːd] (be)hindern; **impediment** [ɪm'pedɪmənt] Hindernis *n* (***to*** für); (*bsd.* angeborener) Fehler
im|pending [ɪm'pendɪŋ] nahe bevorstehend, *Gefahr etc.*: drohend; **~penetrable** [ɪm'penɪtrəbl] undurchdringlich; *fig*. unergründlich; **~perative** [ɪm'perətɪv] unumgänglich, unbedingt erforderlich; **~per'ceptible** nicht wahrnehmbar, unmerklich; **~perfect** [ɪm'pɜːfɪkt] unvollkommen; mangelhaft; **~perious** [ɪm'pɪərɪəs] herrisch, gebieterisch; **~permeable** [ɪm'pɜːmjəbl] undurchlässig
im'personal unpersönlich; **impersonate** [ɪm'pɜːsəneɪt] *j-n* imitieren, nachahmen
im|pertinent [ɪm'pɜːtɪnənt] unverschämt, frech; **~perturbable** [ɪmpə'tɜːbəbl] unerschütterlich; **~pervious** [ɪm'pɜːvjəs] undurchlässig; *fig*. unempfänglich (***to*** für)
implant 1. [ɪm'plɑːnt] implantieren; **2.** ['ɪmplɑːnt] Implantat *n*
implement ['ɪmplɪmənt] Werkzeug *n*, Gerät *n*

implicate ['ɪmplɪkeɪt] *j-n* verwickeln; **impli'cation** Verwicklung *f*; Folge *f*, Auswirkung *f*; Andeutung *f*
im|plicit [ɪm'plɪsɪt] bedingungslos; impliziert, (stillschweigend *od.* mit) inbegriffen; **~ply** [ɪm'plaɪ] implizieren, (sinngemäß *od.* stillschweigend) beinhalten; **~po'lite** unhöflich
import 1. [ɪm'pɔːt] importieren, einführen; **2.** ['ɪmpɔːt] Import *m*, Einfuhr *f*; *pl* Importgüter *pl*, Einfuhrware *f*
importance [ɪm'pɔːtns] Wichtigkeit *f*, Bedeutung *f*; **im'portant** wichtig, bedeutend
importer [ɪm'pɔːtə] Importeur *m*
impose [ɪm'pəʊz] auferlegen (***on*** *dat*); *Strafe* verhängen (***on*** gegen); *et.* aufdrängen, -zwingen (***on*** *dat*)
imposing [ɪm'pəʊzɪŋ] eindrucksvoll, imponierend
im'possible unmöglich
impostor, imposter *Am.* [ɪm'pɒstə] Hochstapler(in)
impotence ['ɪmpətəns] Unvermögen *n*, Unfähigkeit *f*; Hilflosigkeit *f*; *med.* Impotenz *f*; **'impotent** unfähig; hilflos; *med.* impotent
im|poverish [ɪm'pɒvərɪʃ]: ***be ~ed*** verarmt sein; **~'practicable** undurchführbar
impregnate ['ɪmpregneɪt] imprägnieren, tränken
impress [ɪm'pres] (auf)drücken; *j-n* beeindrucken; **~ion** [ɪm'preʃn] Eindruck *m*; Abdruck *m*; **~ive** [ɪm'presɪv] eindrucksvoll
imprint 1. [ɪm'prɪnt] (auf-) drücken; *fig.* einprägen; **2.** ['ɪmprɪnt] Ab-, Eindruck *m*
imprison [ɪm'prɪzn] inhaftieren; **~ment** Freiheitsstrafe *f*
im|'probable unwahrscheinlich; **~'proper** unpassend; falsch; unanständig
improve [ɪm'pruːv] verbessern; sich (ver)bessern; **~ment** (Ver)Bess(e)rung *f*; Fortschritt *m*
im|provise ['ɪmprəvaɪz] improvisieren; **~'prudent** unklug
impulse ['ɪmpʌls] Impuls *m* (*a. fig.*); Anstoß *m*, Anreiz *m*; **im'pulsive** impulsiv
im|punity [ɪm'pjuːnətɪ]: ***with ~*** straflos; **~'pure** unrein
in [ɪn] **1.** *prp räumlich*: (*wo?*) in (*dat*), an (*dat*), auf (*dat*); ***~ London*** in London; ***~ the street*** auf der Straße; – (*wohin?*) in (*acc*); ***put it ~ your pocket*** steck es in deine Tasche; – *zeitlich*: in (*dat*), an (*dat*); ***~ 1999*** 1999; ***~ two hours*** in zwei Stunden; ***~ the morning*** am Morgen; – *Zustand, Art u. Weise*: in (*dat*), auf (*acc*), mit; ***~ English*** auf Englisch; – *Tätigkeit*: in (*dat*), bei, auf (*dat*); ***~ crossing the road*** beim Über-

queren der Straße; – *Autoren*: bei; ~ ***Shakespeare*** bei Sh.; – *Material*: in (*dat*), aus, mit; ***dressed*** ~ ***blue*** in Blau (gekleidet); – *Zahl*, *Betrag*: in, von, aus, zu; ***three*** ~ ***all*** insgesamt *od.* im Ganzen drei; ***one*** ~ ***ten*** eine(r, -s) von zehn; – nach, gemäß; ~ ***my opinion*** m-r Meinung nach; **2.** *adv* (dr)innen; hinein, herein; da, (an)gekommen; da, zu Hause, *östr.*, *Schweiz*: *a.* zuhause; **3.** *adj* F in (Mode)

in|a'bility Unfähigkeit *f*; **~ac'cessible** unzugänglich; **~'accurate** ungenau; **~'active** untätig; **~'adequate** unangemessen; unzulänglich; **~'animate** leblos; **~ap'propriate** unpassend, ungeeignet; **~ar'ticulate** *Sprache*: undeutlich; **~at'tentive** unaufmerksam; **~'audible** unhörbar

inaugural [ɪ'nɔːgjʊrəl] Antritts...; Eröffnungs...; **inaugurate** [ɪ'nɔːgjʊreɪt] (feierlich) (in sein Amt) einführen; einweihen, eröffnen

in|'born angeboren; **~calculable** [ɪn'kælkjʊləbl] unermesslich; unberechenbar; **~'capable** unfähig, nicht imstande

incapacitate [ɪnkə'pæsɪteɪt] unfähig *od.* untauglich machen; **inca'pacity** Unfähigkeit *f*, Untauglichkeit *f*

in'cautious unvorsichtig

incendiary [ɪn'sendjərɪ] Brand...

incense¹ ['ɪnsens] Weihrauch *m*

incense² [ɪn'sens] erbosen

incentive [ɪn'sentɪv] Ansporn *m*, Anreiz *m*

incessant [ɪn'sesnt] unaufhörlich, ständig

incest ['ɪnsest] Inzest *m*, Blutschande *f*

inch [ɪntʃ] (*Abk.* ***in***) Inch *m* (*2,54 cm*), Zoll *m*

incident ['ɪnsɪdənt] Vorfall *m*, Ereignis *n*; *pol.* Zwischenfall *m*; **~al** [ɪnsɪ'dentl] beiläufig; nebensächlich; **~ally** übrigens

incinerator [ɪn'sɪnəreɪtə] Verbrennungsofen *m*, -anlage *f*

incise [ɪn'saɪz] einschneiden; einritzen, -kerben; **incision** [ɪn'sɪʒn] (Ein)Schnitt *m*; **incisor** [ɪn'saɪzə] Schneidezahn *m*

incl ***including, inclusive*** einschl., einschließlich

inclination [ɪnklɪ'neɪʃn] Neigung *f* (*a. fig.*); **incline** [ɪn'klaɪn] **1.** *fig.* neigen; **2.** Gefälle *n*; (Ab)Hang *m*

inclose, inclosure → ***enclose, enclosure***

include [ɪn'kluːd] einschließen; *in Liste etc.*: aufnehmen; ***tax*** **~d** inklusive Steuer; **in'cluding** einschließlich; **in'clusive** einschließlich, inklusive (***of*** *gen*)

inco'herent (logisch) unzusammenhängend
income ['ɪŋkʌm] Einkommen *n*; '**~ tax** Einkommensteuer *f*
in|'comparable unvergleichlich; **~com'patible** unvereinbar; unverträglich; inkompatibel
in'competence Unfähigkeit *f*; **in'competent** unfähig
in|com'plete unvollständig; **~compre'hensible** unverständlich; **~con'ceivable** undenkbar; unfassbar; **~con'clusive** nicht überzeugend; ergebnislos; **~considerate** [ɪnkən'sɪdərət] rücksichtslos; unüberlegt; **~con'sistent** unvereinbar; widersprüchlich; unbeständig; **~con'solable** untröstlich; **~con'spicuous** unauffällig; **~'constant** unbeständig
incon'venience 1. Unbequemlichkeit *f*; Unannehmlichkeit *f*, Ungelegenheit *f*; **2.** *j-m* lästig sein; *j-m* Umstände machen; **incon'venient** unbequem; ungelegen, lästig
incorporate [ɪn'kɔːpəreɪt] *v/t* vereinigen, zs.-schließen, (mit) einbeziehen; enthalten; *v/i* sich zs.-schließen; **incorporated 'company** *Am.* Aktiengesellschaft *f*
in|cor'rect unrichtig; **~corrigible** [ɪn'kɒrɪdʒəbl] unverbesserlich; **~cor'ruptible** unbestechlich
increase 1. [ɪn'kriːs] zunehmen, (an)wachsen, *Preise*: steigen; erhöhen; **2.** ['ɪnkriːs] Zunahme *f*, Steigerung *f*; Erhöhung *f*; **in'creasingly** immer mehr
in'credible unglaublich; **in'credulous** ungläubig, skeptisch
incriminate [ɪn'krɪmɪneɪt] *j-n* belasten
incubator ['ɪnkjʊbeɪtə] Brutapparat *m*, *med.* -kasten *m*
incur [ɪn'kɜː] *Schulden* machen; *Verluste* erleiden
in|'curable unheilbar; **~'debted: be ~ to s.o.** j-m zu Dank verpflichtet sein; **~'decent** unanständig; *jur.* unsittlich
indeed [ɪn'diːd] **1.** in der Tat, tatsächlich, wirklich; allerdings; **2.** *int* ach wirklich?
in|de'finable undefinierbar; **~definite** [ɪn'defɪnət] unbestimmt; **~ly** auf unbestimmte Zeit; **~delible** [ɪn'deləbl] unauslöschlich; **~ *pencil*** Tintenstift *m*; **~'delicate** taktlos
inde'pendence Unabhängigkeit *f*, Selbstständigkeit *f*; **inde'pendent** unabhängig, selbstständig
in|describable [ɪndɪ'skraɪbəbl] unbeschreiblich; **~destructible** [ɪndɪ'strʌktəbl] unverwüstlich; **~determinate** [ɪndɪ'tɜːmɪnət] unbestimmt
index ['ɪndeks] (*pl* **-dexes,**

-dices [-dɪsiːz]) Index *m*, Verzeichnis *n*, (Sach)Register *n*; ***card*** ~ Kartei *f*; '~**card** Karteikarte *f*; '~ **finger** Zeigefinger *m*

India ['ɪndjə] Indien *n*; '**Indian 1.** indisch; indianisch, Indianer...; **2.** Inder(in); *a.* ***American*** ~ Indianer(in)

Indian| '**corn** Mais *m*; ~ '**summer** Altweibersommer *m*

'**India rubber** ['ɪndjə-] Radiergummi *m*

indicate ['ɪndɪkeɪt] deuten *od.* zeigen auf; *tech.* anzeigen; *mot.* blinken; *fig.* hinweisen *od.* -deuten auf; andeuten; **indi'cation:** ~ (***of***) (An)Zeichen *n* (für), Hinweis *m* (auf), Andeutung *f* (*gen*); **indicator** ['ɪndɪkeɪtə] *tech.* Zeiger *m*; *mot.* Richtungsanzeiger *m*, Blinker *m*

indices ['ɪndɪsiːz] *pl von* ***index***

indict [ɪn'daɪt] *jur.* anklagen

in'difference Gleichgültigkeit *f*; **in'different** gleichgültig (***to*** gegen)

indi'gestible unverdaulich; **indi'gestion** Magenverstimmung *f*

indignant [ɪn'dɪgnənt] entrüstet, empört; **indig'nation** Entrüstung *f*, Empörung *f*; **in'dignity** Demütigung *f*

indi'rect indirekt

indis'creet unbesonnen; indiskret; **indis'cretion** Unbesonnenheit *f*; Indiskretion *f*

in|**discriminate** [ɪndɪ'skrɪmɪnət] wahllos; kritiklos; ~**dis'pensable** unentbehrlich

indis'posed indisponiert, unpässlich; abgeneigt; **indispo'sition** Unpässlichkeit *f*

in|**dis'putable** unbestreitbar; ~**dis'tinct** undeutlich; ~**dis'tinguishable** nicht zu unterscheiden(d)

individual [ɪndɪ'vɪdʒʊəl] **1.** individuell; einzeln, Einzel...; persönlich; **2.** Individuum *n*, Einzelne *m*, *f*; ~**ly** individuell; einzeln

indi'visible unteilbar

indoor ['ɪndɔː] Haus..., Zimmer..., Innen..., *Sport*: Hallen...; ~ ***swimming pool*** Hallenbad *n*; **in'doors** im Haus, drinnen; ins Haus (hinein)

indorse [ɪn'dɔːs] *etc.* → ***endorse*** *etc.*

induce [ɪn'djuːs] veranlassen

indulge [ɪn'dʌldʒ] nachsichtig sein gegen; *e-r Neigung etc.* nachgeben; ~ ***in s.th.*** sich et. gönnen *od.* leisten; **in'dulgence** übermäßiger Genuss; Luxus *m*; **in'dulgent** nachsichtig, -giebig

industrial [ɪn'dʌstrɪəl] industriell, Industrie..., Gewerbe..., Betriebs...; ~ '**area** Industriegebiet *n*; ~ **es'tate** *Brt.*, ~ '**park** *Am.* Gewerbegebiet *n*, Industriegebiet *n*; ~**ist** Industrielle *m*, *f*; ~**ize** industrialisieren

industrious [ɪn'dʌstrɪəs] fleißig

industry ['ɪndəstrɪ] Industrie *f*
in|ef'fective, ~effectual [ɪnɪ'fektʃʊəl] unwirksam, wirkungslos; untauglich; **~ef'ficient** ineffizient; unfähig; unwirtschaftlich; **~e'quality** Ungleichheit *f*; **~es'capable** unvermeidlich; **~evitable** [ɪn'evɪtəbl] unvermeidlich; **~ex'cusable** unverzeihlich; **~ex'haustible** unerschöpflich; **~ex'pensive** nicht teuer, preiswert, billig; **~ex'perienced** unerfahren; **~explicable** [ɪnɪk'splɪkəbl] unerklärlich
inex'pressible unaussprechlich; **inex'pressive** ausdruckslos
infallible [ɪn'fæləbl] unfehlbar
infancy ['ɪnfənsɪ] frühe Kindheit; **'infant** Säugling *m*; kleines Kind, Kleinkind *n*; **infantile** ['ɪnfəntaɪl] infantil, kindisch; kindlich
infantry ['ɪnfəntrɪ] Infanterie *f*
infatuated [ɪn'fætjʊeɪtɪd]: ~ ***with*** vernarrt in
infect [ɪn'fekt] infizieren, anstecken (*a. fig.*); **~ion** Infektion *f*, Ansteckung *f*; **~ious** ansteckend
infer [ɪn'fɜː] schließen, folgern (***from*** aus); **~ence** ['ɪnfərəns] Schlussfolgerung *f*
inferior [ɪn'fɪərɪə] **1.** untergeordnet (***to*** *dat*), niedriger (***to*** als); weniger wert (***to*** als); minderwertig; ***be ~ to s.o.*** j-m untergeordnet sein; j-m unterlegen sein; **2.** Untergebene *m*, *f*; **~ity complex** [ɪnfɪərɪ'ɒrətɪ kɒmpleks] Minderwertigkeitskomplex *m*
infertile [ɪn'fɜːtaɪl] unfruchtbar
infi'delity Untreue *f*
infinite ['ɪnfɪnət] unendlich; **in'finity** Unendlichkeit *f*
infirm [ɪn'fɜːm] schwach, gebrechlich; **~ary** Krankenhaus *n*; *Schule etc.*: Krankenzimmer *n*; **~ity** Gebrechlichkeit *f*, Schwäche *f*
inflamed [ɪn'fleɪmd] *med.* entzündet
inflammable [ɪn'flæməbl] brennbar; feuergefährlich; **inflammation** [ɪnflə'meɪʃn] *med.* Entzündung *f*
inflatable [ɪn'fleɪtəbl] aufblasbar; **inflate** [ɪn'fleɪt] aufblasen, *Reifen etc.* aufpumpen; *Preise* hoch treiben; **in'flation** *econ.* Inflation *f*
inflexible [ɪn'fleksəbl] inflexibel; unbiegsam, starr
inflict [ɪn'flɪkt] (***on***) *Leid, Schaden* zufügen (*dat*); *Wunde* beibringen (*dat*); *Strafe* verhängen (über)
influence ['ɪnflʊəns] **1.** Einfluss *m*; **2.** beeinflussen; **influential** [ɪnflʊ'enʃl] einflussreich
inform [ɪn'fɔːm] (***of, about***) benachrichtigen (von), unterrichten (von), informieren (über); ***~ against*** *od.* ***on s.o.*** j-n anzeigen; j-n denunzieren

informal [ɪn'fɔ:ml] zwanglos
information [ɪnfə'meɪʃn] Auskunft *f*, Information *f*; Nachricht *f*; **~ (super)'highway** *Computer*: Datenautobahn *f*; **informative** [ɪn'fɔ:mətɪv] informativ, aufschlussreich; **in'former** Denunziant(in); Spitzel *m*
infra-red [ɪnfrə'red] infrarot
infrastructure ['ɪnfrəstrʌktʃə] Infrastruktur *f*
infrequent [ɪn'fri:kwənt] selten
infuriate [ɪn'fjʊərɪeɪt] wütend machen
infuse [ɪn'fju:z] *Tee, Kräuter* aufgießen; **infusion** [ɪn'fju:ʒn] Aufguss *m*
ingenious [ɪn'dʒi:njəs] genial; einfallsreich
ingot ['ɪŋgət] (*Gold- etc.*)Barren *m*
ingratiate [ɪn'greɪʃɪeɪt]: **~ *o.s. with s.o.*** sich bei j-m einschmeicheln
in'gratitude Undankbarkeit *f*
ingredient [ɪn'gri:djənt] Bestandteil *m*; *gastr*. Zutat *f*
inhabit [ɪn'hæbɪt] bewohnen; **~able** bewohnbar; **~ant** Bewohner(in);Einwohner(in)
inhale [ɪn'heɪl] einatmen; inhalieren
inherent [ɪn'hɪərənt] innewohnend
inherit [ɪn'herɪt] erben; **~ance** Erbe *n*, Erbschaft *f*
inhibit [ɪn'hɪbɪt] hemmen; (ver)hindern; **~ion** [ɪnhɪ'bɪʃn] *psych*. Hemmung *f*
in'hospitable ungastlich; unwirtlich
in'human unmenschlich; **inhu'mane** inhuman, menschenunwürdig
initial [ɪ'nɪʃl] **1.** anfänglich, Anfangs...; **2.** Initiale *f*, (großer) Anfangsbuchstabe
initiate [ɪ'nɪʃɪeɪt] *j-n* einführen; *j-n* einweihen
initiative [ɪ'nɪʃɪətɪv] Initiative *f*
inject [ɪn'dʒekt] *med*. injizieren, einspritzen (*a. tech*.); **in'jection** *med*. Injektion *f*, Spritze *f*, Einspritzung *f*
injure ['ɪndʒə] verletzen (*a. fig*.); *fig*.: kränken; schaden; **'injured 1.** verletzt; **2. *the* ~** *pl* die Verletzten *pl*; **'injury** Verletzung *f* Kränkung *f*; **'injury time** *Brt. bsd. Fußball*: Nachspielzeit *f*
in'justice Ungerechtigkeit *f*
ink [ɪŋk] Tinte *f*
inland 1. ['ɪnlənd] *adj* binnenländisch, Binnen...; **2.** [ɪn'lænd] *adv* landeinwärts; **♀ 'Revenue** *Brt*. Finanzamt *n*
inlay ['ɪnleɪ] Einlegearbeit *f*; (Zahn)Füllung *f*
inlet ['ɪnlet] schmale Bucht; *tech*. Eingang *m*
'in-line skate *Rollschuh*: Inliner *m*, Inline Skate *m*
inmate ['ɪnmeɪt] Insass|e *m*, -in *f*
inmost ['ɪnməʊst] geheimst
inn [ɪn] Gast-, Wirtshaus *n*

innate [ɪ'neɪt] angeboren
inner ['ɪnə] inner, Innen...; '**~most** → ***inmost***
innocence ['ɪnəsns] Unschuld *f*; '**innocent** unschuldig
innovation [ɪnəʊ'veɪʃn] Neuerung *f*
innumerable [ɪ'nju:mərəbl] unzählig, zahllos
inoculate [ɪ'nɒkjʊleɪt] impfen; **inocu'lation** Impfung *f*
in|of'fensive harmlos; **~operable** [ɪn'ɒpərəbl] inoperabel
'**inpatient** stationärer Patient, stationäre Patientin
'**input** Input *m*, *n*: *Computer*: *a.* (Daten)Eingabe *f*; *a.* Energiezufuhr *f*; *a.* (Arbeits)Aufwand *m*
inquest ['ɪnkwest] *jur.* gerichtliche Untersuchung
inquire [ɪn'kwaɪə] fragen *od.* sich erkundigen (nach); **~ *into*** *et.* untersuchen, prüfen; **in'quiry** Erkundigung *f*, Nachfrage *f*; Untersuchung *f*; Ermittlung *f*
insane [ɪn'seɪn] geisteskrank
in'sanitary unhygienisch
in'sanity Wahn-, Irrsinn *m*, *med. a.* Geisteskrankheit *f*
insatiable [ɪn'seɪʃəbl] unersättlich
inscription [ɪn'skrɪpʃn] In- *od.* Aufschrift *f*
insect ['ɪnsekt] Insekt *n*; **insecticide** [ɪn'sektɪsaɪd] Insektizid *n*
in|se'cure nicht sicher *od.* fest; *fig.* unsicher; **~seminate** [ɪn'semɪneɪt] befruchten, *zo. a.* besamen; **~'sensitive** unempfindlich (***to*** gegen); unempfänglich (***of, to*** für), gleichgültig (***to*** gegen); **~'separable** untrennbar; unzertrennlich
insert 1. [ɪn'sɜ:t] einfügen, -setzen, -führen; (hinein-) stecken, *Münze* einwerfen; **2.** ['ɪnsɜ:t] Inserat *n*; (Zeitungs)Beilage *f*; **~ion** [ɪn'sɜ:ʃn] Einfügen *n*, -setzen *n*, -führen *n*; *Münze*: Einwurf *m*; → ***insert*** 2
inside 1. [ɪn'saɪd] *su* Innenseite *f*; *das* Innere; ***turn ~ out*** umkrempeln; auf den Kopf stellen; **2.** ['ɪnsaɪd] *adj* inner, Innen...; **3.** [ɪn'saɪd] *adv* im Inner(e)n, (dr)innen; hin-, herein; **4.** [ɪn'saɪd] *prp* innerhalb, im Inner(e)n; **in'sider** Insider(in), Eingeweihte *m*, *f*
insight ['ɪnsaɪt] Verständnis *n*; Einblick *m* (***into*** in)
in|sig'nificant unbedeutend; **~sin'cere** unaufrichtig; **~sinuate** [ɪn'sɪnjʊeɪt] andeuten, anspielen auf
insist [ɪn'sɪst] bestehen, beharren (***on*** auf); **~ent** beharrlich, hartnäckig
in|solent ['ɪnsələnt] unverschämt, frech; **~'soluble** unlöslich; *fig.* unlösbar; **~'solvent** zahlungsunfähig
insomnia [ɪn'sɒmnɪə] Schlaflosigkeit *f*

inspect [ɪn'spekt] untersuchen, prüfen; inspizieren; **~ion** Prüfung *f*, Untersuchung *f*; Inspektion *f*; **~or** Inspektor *m*, Aufsichtsbeamte *m*; (Polizei)Inspektor *m*, (-)Kommissar *m*
inspiration [ɪnspə'reɪʃn] Inspiration *f*, (plötzlicher) Einfall; **inspire** [ɪn'spaɪə] inspirieren, anregen
instal(l) [ɪn'stɔːl] *tech.* installieren, einrichten; **installation** [ɪnstə'leɪʃn] *tech.* Installation *f*; *tech.* Anlage *f*
instalment *Brt.*, **installment** *Am.* [ɪn'stɔːlmənt] *econ.* Rate *f*; *Roman*: Fortsetzung *f*; *TV etc.*: Folge *f*; **~ plan** *Am.*: ***buy on the*** ~ auf Abzahlung *od.* Raten kaufen
instance ['ɪnstəns] (besonderer) Fall; Beispiel *n*; ***for*** ~ zum Beispiel
instant ['ɪnstənt] **1.** Moment *m*, Augenblick *m*; **2.** sofortig, augenblicklich; **instantaneous** [ɪnstən'teɪnjəs] augenblicklich; **~ 'camera** Sofortbildkamera *f*; **'~ly** sofort
instead [ɪn'sted] stattdessen; ~ ***of*** anstatt, an Stelle von
'instep Spann *m*
instinct ['ɪnstɪŋkt] Instinkt *m*; **in'stinctive** instinktiv
institute ['ɪnstɪtjuːt] Institut *n*; **insti'tution** Institution *f*, Einrichtung *f*; Institut *n*
instruct [ɪn'strʌkt] unterrichten; ausbilden, schulen; anweisen; informieren; **~ion** Unterricht *m*; Ausbildung *f*, Schulung *f*; Anweisung *f*, Instruktion *f*; **~s** ***pl for use*** Gebrauchsanweisung *f*; **~ive** lehrreich; **~or** Lehrer *m*; Ausbilder *m*
instrument ['ɪnstrʊmənt] Instrument *n*; Werkzeug *n*
in|sub'ordinate aufsässig; **~'sufferable** unerträglich; **~suf'ficient** ungenügend
insulate ['ɪnsjʊleɪt] isolieren; **insu'lation** Isolierung *f*
insult 1. [ɪn'sʌlt] beleidigen; **2.** ['ɪnsʌlt] Beleidigung *f*
insurance [ɪn'ʃɔːrəns] *econ.*: Versicherung *f*; Versicherungssumme *f*; (Ab)Sicherung *f* (***against*** gegen); **~ company** Versicherung(sgesellschaft) *f*; **~ policy** Versicherungspolice *f*
insure [ɪn'ʃɔː] versichern (***against*** gegen); **in'sured: *the*** ~ der *od.* die Versicherte; die Versicherten *pl*
insurmountable [ɪnsə'maʊntəbl] unüberwindlich
intact [ɪn'tækt] unversehrt
intake ['ɪnteɪk] Aufnahme *f*; Einlass(öffnung *f*) *m*
integrate ['ɪntɪgreɪt] (sich) integrieren; zs.-schließen; eingliedern; **integrated 'circuit** integrierter Schaltkreis
integrity [ɪn'tegrətɪ] Integrität *f*
intellect ['ɪntəlekt] Intellekt *m*, Verstand *m*; **intellectual**

[ɪntə'lektʃʊəl] **1.** intellektuell, Verstandes..., geistig; **2.** Intellektuelle *m, f*
intelligence [ɪn'telɪdʒəns] Intelligenz *f*; **in'telligent** intelligent, klug
intelligible [ɪn'telɪdʒəbl] verständlich
intend [ɪn'tend] beabsichtigen, vorhaben; ***~ed for*** bestimmt für *od.* zu
intense [ɪn'tens] intensiv, stark, heftig; **intensify** [ɪn'tensɪfaɪ] (sich) verstärken; **intensive** [ɪn'tensɪv] intensiv, gründlich; **intensive 'care unit** Intensivstation *f*
intent [ɪn'tent] **1.** Absicht *f*; **2.** ***be ~ on doing s.th.*** fest entschlossen sein, et. zu tun; **in'ten'tion** Absicht *f*; **in'tentional** absichtlich
intercede [ɪntə'siːd] sich einsetzen (***with*** bei; ***for*** für)
intercept [ɪntə'sept] abfangen
interchange 1. [ɪntə'tʃeɪndʒ] austauschen; **2.** ['ɪntətʃeɪndʒ] Austausch *m*; *mot.* Autobahn- u. Straßenkreuz *n*
intercom ['ɪntəkɒm] (Gegen)Sprechanlage *f*
intercourse ['ɪntəkɔːs] Verkehr *m*, Umgang *m*; (Geschlechts)Verkehr *m*
interest ['ɪntrəst] **1.** Interesse *n*; Bedeutung *f*; *econ.*: Anteil *m*, Beteiligung *f*; Zins(en *pl*) *m*; ***take an ~ in*** sich interessieren für; **2.** interessieren (***in*** für); **'~ed** interessiert (***in*** an); ***be ~ in*** sich interessieren für; **'~ing** interessant; **'~ rate** Zinssatz *m*
'interface *Computer*: Schnittstelle *f*
interfere [ɪntə'fɪə] sich einmischen; ***~ with*** stören, behindern; **inter'ference** Einmischung *f*; Störung *f*
interior [ɪn'tɪərɪə] **1.** inner, Innen...; **2.** *das* Innere; → ***department***; **~ 'decorator, ~ 'designer** Innenausstatter (-in), Innenarchitekt(in)
interlock [ɪntə'lɒk] ineinander greifen
interlude ['ɪntəluːd] Pause *f*; Zwischenspiel *n*
intermediary [ɪntə'miːdjərɪ] Vermittler(in), Mittelsmann *m*
intermediate [ɪntə'miːdjət] in der Mitte liegend, Zwischen...; *ped.* für fortgeschrittene Anfänger
intermission [ɪntə'mɪʃn] *bsd. Am.* Pause *f*
intern ['ɪntɜːn] *Am.* Assistenzarzt *m*, -ärztin *f*
internal [ɪn'tɜːnl] inner, Innen...; Inlands...; intern; **~com'bustion engine** Verbrennungsmotor *m*; **ℒ 'Revenue** *Am.* Finanzamt *n*
international [ɪntə'næʃənl] **1.** international; **2.** *Sport*: Nationalspieler(in); Länderspiel *n*; **~ 'call** *tel.* Auslandsgespräch *n*

Internet ['ɪntənet]: ***the* ~** *Computer*: das Internet
interpret [ɪn'tɜ:prɪt] interpretieren, auslegen; dolmetschen; **~ation** [ɪntɜ:prɪ'teɪʃn] Interpretation *f*, Auslegung *f*; **~er** [ɪn'tɜ:prɪtə] Dolmetscher(in)
interrogate [ɪn'terəʊgeɪt] verhören, -nehmen; (be)fragen
interrupt [ɪntə'rʌpt] unterbrechen; **~ion** Unterbrechung *f*
intersect [ɪntə'sekt] sich schneiden *od.* kreuzen; (durch)schneiden, (-)kreuzen; **~ion** Schnittpunkt *m*; (Straßen)Kreuzung *f*
'**interstate** zwischenstaatlich
interval ['ɪntəvl] Abstand *m*; Intervall *n*; *Brt.* Pause *f*
intervene [ɪntə'vi:n] eingreifen, intervenieren; **intervention** [ɪntə'venʃn] Eingreifen *n*, Intervention *f*
interview ['ɪntəvju:] **1.** Interview *n*; Einstellungsgespräch *n*; **2.** interviewen; ein Einstellungsgespräch führen mit; **~ee** [ɪntəvju:'i:] Interviewte *m, f*; '**~er** Interviewer(in)
intestine [ɪn'testɪn] Darm *m*; ***large/small* ~** Dick-/Dünndarm *m*
intimacy ['ɪntɪməsɪ] Intimität *f*, Vertrautheit *f*; intime (*sexuelle*) Beziehungen *pl*; **intimate** ['ɪntɪmət] intim; *Freunde etc.*: vertraut, eng; *Wünsche etc.*: innerst; *Kenntnisse*: gründlich, genau
intimidate [ɪn'tɪmɪdeɪt] einschüchtern
into ['ɪntʊ] *prp* in (*acc*), in (*acc*) ... hinein
intolerable [ɪn'tɒlərəbl] unerträglich; **intolerant** intolerant (**of** gegenüber)
intoxicated [ɪn'tɒksɪkeɪtɪd] betrunken; berauscht
intravenous [ɪntrə'vi:nəs] intravenös
'**in tray: *in the* ~** *von Briefen etc.*: im Post- *etc.* Eingang
intricate ['ɪntrɪkət] verwickelt, kompliziert
intrigue [ɪn'tri:g] Intrige *f*; **in'triguing** faszinierend; interessant
introduce [ɪntrə'dju:s] vorstellen (**to** *dat*); einführen; **introduction** [ɪntrə'dʌkʃn] Vorstellung *f*; Einführung *f*; *Buch etc.*: Einleitung *f*
introverted ['ɪntrəʊvɜ:tɪd] introvertiert
intruder [ɪn'tru:də] Eindringling *m*; Störenfried *m*; **intrusion** [ɪn'tru:ʒn] Störung *f*
invade [ɪn'veɪd] einfallen *od.* eindringen in, *mil. a.* einmarschieren in
invalid[1] ['ɪnvəlɪd] **1.** Kranke *m, f*; Invalide *m, f*; **2.** krank; invalid(e)
invalid[2] [ɪn'vælɪd] (rechts)ungültig
in'valuable unschätzbar

invariable [ɪnˈveərɪəbl] unveränderlich; **inˈvariably** immer; ausnahmslos
invasion [ɪnˈveɪʒn] Invasion *f*, Einfall *m*, Einmarsch *m*
invent [ɪnˈvent] erfinden; **~ion** Erfindung *f*; **~ive** erfinderisch; einfallsreich; **~or** Erfinder(in)
invertebrate [ɪnˈvɜːtɪbreɪt] wirbelloses Tier
inverted ˈcommas [ɪnvɜːtɪd-] *pl* Anführungszeichen *pl*
invest [ɪnˈvest] investieren, anlegen
investigate [ɪnˈvestɪgeɪt] untersuchen; **investiˈgation** Untersuchung *f*
investment [ɪnˈvestmənt] Investition *f*, (Kapital)Anlage *f*; **inˈvestor** Investor(in)
in|vincible [ɪnˈvɪnsəbl] unbesiegbar; **~ˈvisible** unsichtbar
invitation [ɪnvɪˈteɪʃn] Einladung *f*; Aufforderung *f*; **invite** [ɪnˈvaɪt] einladen
invoice [ˈɪnvɔɪs] **1.** (Waren)Rechnung *f*; **2.** in Rechnung stellen, berechnen
in|ˈvoluntary unfreiwillig; unabsichtlich; unwillkürlich; **~volve** [ɪnˈvɒlv] verwickeln, hineinziehen; *j-n, et.* angehen; **~ˈvulnerable** unverwundbar; unangreifbar; unantastbar
inward [ˈɪnwəd] **1.** *adj* innerlich, inner, Innen...; **2.** *adv Am.* → **inwards**; **ˈ~ly** *adv* innerlich, im Inner(e)n; **ˈinwards** *adv* nach innen
IOC [aɪ əʊ ˈsiː] ***International Olympic Committee*** Internationales Olympisches Komitee
iodine [ˈaɪəʊdiːn] Jod *n*
IOU [aɪ əʊ ˈjuː] ***I owe you*** Schuldschein *m*
IQ [aɪ ˈkjuː] ***intelligence quotient*** IQ, Intelligenzquotient *m*
Ireland [ˈaɪələnd] Irland *n*
iridescent [ɪrɪˈdesnt] schillernd
iris [ˈaɪərɪs] *anat.* Iris *f*, Regenbogenhaut *f*; *bot.* Iris *f*, Schwertlilie *f*
Irish [ˈaɪərɪʃ] **1.** irisch; **2. *the*** **~** *pl* die Iren *pl*; **ˈ~man** (*pl* ***-men***) Ire *m*; **ˈ~woman** (*pl* ***-women***) Irin *f*
iron [ˈaɪən] **1.** Eisen *n*; Bügeleisen *n*; **2.** eisern, Eisen...; **3.** bügeln
ironic(al) [aɪˈrɒnɪk(l)] ironisch
ˈironing board Bügelbrett *n*
irony [ˈaɪərənɪ] Ironie *f*
ir|radiate [ɪˈreɪdɪeɪt] bestrahlen; **~ˈrational** irrational, unvernünftig; **~ˈreconcilable** unversöhnlich; unvereinbar; **~reˈcoverable** unersetzlich; **~ˈregular** unregelmäßig; ungleichmäßig; regel- *od.* vorschriftswidrig; **~ˈrelevant** unerheblich, belanglos, irrelevant; **~reparable** [ɪˈrepərəbl] nicht wie-

der gutzumachen(d); **~re'placeable** unersetzlich; **~re'pressible** nicht zu unterdrücken(d); unbezähmbar; **~re'sistible** unwiderstehlich; **~re'spective:** ~ ***of*** ohne Rücksicht auf; **~re'sponsible** unverantwortlich; verantwortungslos; **~reverent** [ɪ'revərənt] respektlos; **~revocable** [ɪ'revəkəbl] unwiderruflich
irrigate ['ɪrɪgeɪt] bewässern
irritable ['ɪrɪtəbl] reizbar; **irritate** ['ɪrɪteɪt] reizen (*a. med.*), (ver)ärgern; **irri'tation** Ärger *m*, Verärgerung *f*; *med.* Reizung *f*
is [ɪz] *er, sie, es* ist
Islam ['ɪzlɑːm] Islam *m*
island ['aɪlənd] Insel *f*
isolate ['aɪsəleɪt] isolieren; **'isolated** isoliert; abgeschieden; Einzel...; **iso'lation** Isolierung *f*, Absonderung *f*
Israel ['ɪzreɪəl] Israel *n*; **Israeli** [ɪz'reɪlɪ] **1.** israelisch; **2.** Israeli *m*, *f*
issue ['ɪʃuː] **1.** *su Zeitung etc.*: Ausgabe *f*; Streitfrage *f*, -punkt *m*; Ausgang *m*, Ergebnis *n*; **2.** *Zeitung etc.* herausgeben; *Banknoten etc.* ausgeben; *Dokument etc.* ausstellen
it [ɪt] es; *bezogen auf bereits Genanntes*: es, er, ihn, sie
Italian [ɪ'tæljən] **1.** italienisch; **2.** Italiener(in); **Italy** ['ɪtəlɪ] Italien *n*
itch [ɪtʃ] **1.** Jucken *n*, Juckreiz *m*; **2.** jucken
item ['aɪtəm] *Tagesordnung etc.*: Punkt *m*, *auf e-r Liste*: Posten *m*; Artikel *m*, Gegenstand *m*; (*Presse-, Zeitungs*)Notiz *f*, (*a. TV etc.*) Nachricht *f*, Meldung *f*
itinerary [aɪ'tɪnərərɪ] Reiseroute *f*
its [ɪts] sein(e), ihr(e)
it's [ɪts] *für* ***it is; it has***
itself [ɪt'self] sich (selbst); *verstärkend*: selbst
I've [aɪv] *für* ***I have***
ivory ['aɪvərɪ] Elfenbein *n*
ivy ['aɪvɪ] Efeu *m*

J

jab [dʒæb] stechen, stoßen
jack [dʒæk] **1.** Wagenheber *m*; *Kartenspiel*: Bube *m*; **2.** ~ ***up*** *Auto* aufbocken
jackal ['dʒækɔːl] Schakal *m*
jacket ['dʒækɪt] Jacke *f*, Jackett *n*; *tech.* Mantel *m*; (Schutz)Umschlag *m*; *Am.* (Schall)Plattenhülle *f*; ***potatoes pl*** (***boiled***) ***in their ~s*** Pellkartoffeln *pl*
'jack|knife (*pl* **-knives**) Klappmesser *n*; **'~pot** Jackpot *m*, Haupttreffer *m*

jagged ['dʒægɪd] zackig
jaguar ['dʒægjʊə] Jaguar *m*
jail [dʒeɪl] **1.** Gefängnis *n*; **2.** einsperren
jam¹ [dʒæm] Marmelade *f*
jam² [dʒæm] **1.** *v/t* pressen, quetschen, zwängen; (ein-)klemmen, (-)quetschen; *a.* ~ ***up*** blockieren, verstopfen; *v/i tech.* sich verklemmen, *Bremsen*: blockieren; **2.** Gedränge *n*; *tech.* Blockierung *f*; ***traffic*** ~ Verkehrsstau *m*; ***be in a*** ~ F in der Klemme stecken
janitor ['dʒænɪtə] *Am.* Hausmeister *m*
January ['dʒænjʊərɪ] Januar *m*
Japan [dʒə'pæn] Japan *n*; **Japanese** [dʒæpə'niːz] **1.** japanisch; **2.** Japaner(in)
jar¹ [dʒɑː] Gefäß *n*, Krug *m*; (Marmelade- *etc.*)Glas *n*
jar² [dʒɑː]: ~ ***on*** wehtun (*dat*)
jargon ['dʒɑːgən] Jargon *m*, Fachsprache *f*
jaundice ['dʒɔːndɪs] Gelbsucht *f*
javelin ['dʒævlɪn] *Sport*: Speer *m*
jaw [dʒɔː] *anat.* Kiefer *m*
jay [dʒeɪ] Eichelhäher *m*
jazz [dʒæz] Jazz *m*
jealous ['dʒeləs] eifersüchtig (***of*** auf); neidisch; '**jealousy** Eifersucht *f*; Neid *m*
jeer [dʒɪə] **1.** (***at***) höhnische Bemerkung machen (über); höhnisch lachen (über); ~ (***at***) verhöhnen; **2.** höhnische Bemerkung; Hohngelächter *n*
jellied ['dʒelɪd] in Aspik *od.* Sülze
'**jelly** Gallert(e *f*) *n*; Gelee *n*; Aspik *m*, *n*, Sülze *f*; '~ **baby** *Brt.* Gummibärchen *n*; '~ **bean** Gelee-, Gummibonbon *m*, *n*; '~**fish** Qualle *f*
jeopardize ['dʒepədaɪz] gefährden
jerk [dʒɜːk] **1.** ruckartig ziehen an; sich ruckartig bewegen; (zs.-)zucken; **2.** Ruck *m*; Sprung *m*, Satz *m*; *med.* Zuckung *f*; '**jerky** ruckartig; *Fahrt*: rüttelnd, schüttelnd
jersey ['dʒɜːzɪ] *Sport*: Trikot *n*; Pullover *m*
jest [dʒest] **1.** Scherz *m*, Spaß *m*; **2.** scherzen, spaßen
jet [dʒet] **1.** Strahl *m*; Düse *f*; *aviat.* Jet *m*; **2.** (heraus-, hervor)schießen (***from*** aus); ~ '**engine** Düsentriebwerk *n*
jetty ['dʒetɪ] (Hafen)Mole *f*
Jew [dʒuː] → ***Jewish***
jewel ['dʒuːəl] Juwel *m*, *n*, Edelstein *m*; '**jewel(l)er** Juwelier *m*; '**jewel(le)ry** Juwelen *pl*; Schmuck *m*
Jewish ['dʒuːɪʃ] jüdisch; ~ ***person*** Jude *m*; ~ ***woman*** *od.* ***girl*** Jüdin *f*
jiffy ['dʒɪfɪ] F: ***in a*** ~ im Nu, sofort
'**jigsaw** (**puzzle**) ['dʒɪgsɔː-] Puzzle(spiel) *n*
jilt [dʒɪlt] sitzen lassen; den Laufpass geben (*dat*)

jingle ['dʒɪŋgl] **1.** klimpern (mit); bimmeln; **2.** Klimpern *n*; Bimmeln *n*
jitter ['dʒɪtə]: ***the ~s*** *pl* F Bammel *m*, e-e Heidenangst
job [dʒɒb] (*einzelne*) Arbeit; Stellung *f*, Arbeit *f*, Job *m*; Arbeitsplatz *m*; Aufgabe *f*, Sache *f*; *Computer*: Job *m*; *a.* ***~ work*** Akkordarbeit *f*; ***by the ~*** im Akkord; **'~ centre** *Brt.* Arbeitsamt *n*; **'~ hopping** *Am.* häufiger Arbeitsplatzwechsel; **'~ hunt: *be ~ing*** auf Arbeitssuche sein
jockey ['dʒɒkɪ] Jockei *m*
jog [dʒɒg] **1.** stoßen an *od.* gegen, *j-n* anstoßen; *Sport*: joggen; **2.** Stoß *m*; Trott *m*; *Sport*: Trimmtrab *m*
join [dʒɔɪn] **1.** *v/t* verbinden, -einigen, zs.-fügen; sich anschließen (*dat od.* an); eintreten in, beitreten; teilnehmen an, mitmachen bei; ***~ in*** einstimmen in; *v/i* sich vereinigen; ***~ in*** teilnehmen, mitmachen; **2.** Verbindungsstelle *f*, Naht *f*; **'~er** Tischler *m*, Schreiner *m*
joint [dʒɔɪnt] **1.** Verbindungs-, Nahtstelle *f*; Gelenk *n*; *gastr.* Braten *m*; *bsd. Lokal*: *sl.* Laden *m*, Bude *f*; *Haschisch- od. Marihuanazigarette*: Joint *m*; **2.** gemeinsam, gemeinschaftlich; **~-'stock company** *Brt.* Kapital- *od.* Aktiengesellschaft *f*; **~ 'venture** *econ.* Gemeinschaftsunternehmen *n*
joke [dʒəʊk] **1.** Scherz *m*, Spaß *m*; Witz *m*; ***practical ~*** Streich *m*; ***play a ~ on s.o.*** j-m e-n Streich spielen; **2.** scherzen, Witze machen; **'joker** Spaßvogel *m*, Witzbold *m*; *Spielkarte*: Joker *m*; **'jokingly** im Spaß
jolly ['dʒɒlɪ] **1.** *adj* lustig, fröhlich, vergnügt; **2.** *adv Brt.* F ganz schön; ***~ good*** prima
jolt [dʒəʊlt] **1.** e-n Ruck *od.* Stoß geben; durchrütteln, -schütteln; *Fahrzeug*: rütteln, holpern; **2.** Ruck *m*, Stoß *m*; *fig.* Schock *m*
jostle ['dʒɒsl] (an)rempeln
jot [dʒɒt]: ***~ down*** sich schnell *et.* notieren
joule [dʒuːl] Joule *n*
journal ['dʒɜːnl] Tagebuch *n*; Journal *n*, (Fach)Zeitschrift *f*; **~ism** ['dʒɜːnəlɪzəm] Journalismus *m*; **'~ist** Journalist(in)
journey ['dʒɜːnɪ] Reise *f*
joy [dʒɔɪ] Freude *f*; **'~stick** *aviat.* Steuerknüppel *m*; *Computer*: Joystick *m*
jubilant ['dʒuːbɪlənt] überglücklich
jubilee ['dʒuːbɪliː] Jubiläum *n*
judge [dʒʌdʒ] **1.** Richter(in); Kenner(in); **2.** (be)urteilen; einschätzen; **'judg(e)ment** Urteil *n*; Meinung *f*, Ansicht *f*; ***the Last* ℒ** das Jüngste Gericht; **ℒ *Day, Day of* ℒ** Jüngster Tag

judicious [dʒuːˈdɪʃəs] vernünftig, klug, umsichtig
jug [dʒʌg] Krug *m*; Kanne *f*, Kännchen *n*
juggle [ˈdʒʌgl] jonglieren (mit); ˈ**juggler** Jongleur *m*
juice [dʒuːs] Saft *m*; ˈ**juicy** saftig
jukebox [ˈdʒuːkbɒks] Jukebox *f*, Musikautomat *m*
July [dʒuːˈlaɪ] Juli *m*
jumble [ˈdʒʌmbl] **1.** *a.* ~ ***up*** *od.* ***together*** durcheinander werfen; *Fakten* durcheinander bringen; **2.** Durcheinander *n*; ˈ~ **sale** *Brt.* Wohltätigkeitsbasar *m*
jump [dʒʌmp] **1.** *v/i* springen; hüpfen; zs.-zucken (***at*** bei); *v/t* springen über; **2.** Sprung *m*
ˈ**jumper**[1] *Sport*: Springer(in)
ˈ**jumper**[2] *bsd. Brt.* Pullover *m*
ˈ**jumpy** nervös; schreckhaft
junction [ˈdʒʌŋkʃn] *rail.* Knotenpunkt *m*; (Straßen-)Kreuzung *f*
June [dʒuːn] Juni *m*
jungle [ˈdʒʌŋgl] Dschungel *m*
junior [ˈdʒuːnjə] **1.** junior; jünger; untergeordnet; *Sport*: Junioren..., Jugend...; **2.** Jüngere *m, f*; ~ ˈ**high (school)** *Am. die unteren Klassen der High School*; ˈ~ **school** *Brt.* Grundschule *f* (*für Kinder von 7-11*)
junk [dʒʌŋk] Trödel *m*; Schrott *m*; Abfall *m*; *sl.* Stoff *m* (*bsd. Heroin*); ˈ~ **food** Junk-Food *n* (*minderwertige Nahrung*)
junkie, junky [ˈdʒʌŋkɪ] *sl.* Junkie *m*, Fixer(in)
ˈ**junkyard** *Am.* Schuttabladeplatz *m*
jurisdiction [dʒʊərɪsˈdɪkʃn] Gerichtsbarkeit *f*; Zuständigkeit(sbereich *m*) *f*
juror [ˈdʒʊərə] Geschworene *m, f*
jury [ˈdʒʊərɪ] *die* Geschworenen *pl*; Jury *f*, Preisgericht *n*
just [dʒʌst] **1.** *adj* gerecht; angemessen; berechtigt; **2.** *adv* gerade, (so)eben; gerade, genau, eben; gerade (noch); nur; ~ ***about*** fast
justice [ˈdʒʌstɪs] Gerechtigkeit *f*; *jur.* Richter *m*
justification [dʒʌstɪfɪˈkeɪʃn] Rechtfertigung *f*; **justify** [ˈdʒʌstɪfaɪ] rechtfertigen
ˈ**justly** mit *od.* zu Recht
jut [dʒʌt]: ~ ***out*** vorspringen, herausragen
juvenile [ˈdʒuːvənaɪl] jugendlich; Jugend...; ~ **deˈlinquent** jugendlicher Straftäter

K

kangaroo [kæŋgə'ru:] Känguru *n*
keel [ki:l] Kiel *m*
keen [ki:n] scharf (*a. fig.*); *Kälte*: schneidend; *Interesse*: stark, lebhaft; begeistert, leidenschaftlich; **~ on** F versessen *od.* scharf auf
keep [ki:p] **1.** (***kept***) *v/t* (be)halten; *j-n, et.* lassen, *in e-m bestimmten Zustand* (er)halten (***~ closed*** *Tür etc.* geschlossen halten); *im Besitz* behalten; *j-n* aufhalten; aufheben, -bewahren; *Ware* führen; *Laden etc.* haben; *Tiere* halten; *Versprechen, Wort* halten; *Buch* führen; ernähren, er-, unterhalten; *v/i* bleiben; sich halten; *mit ger*: weiter...; ***~ smiling!*** immer nur lächeln!; ***~ (on) trying*** es weiter versuchen, es immer wieder versuchen; ***~ s.o. waiting*** j-n warten lassen; ***~ time*** *Uhr*: richtig gehen; Takt *od.* Schritt halten; ***~ away*** (sich) fern halten (***from*** von); ***~ back*** zurückhalten (*a. fig.*); ***~ from*** abhalten von; bewahren vor; *j-m et.* vorenthalten, verschweigen; vermeiden (*acc*); ***~ in*** *Schüler(in)* nachsitzen lassen; ***~ off*** (sich) fern halten von; sich fern halten; ***~ off!*** Betreten verboten!; ***~ on*** *Kleidungsstück* anbehalten, anlassen, *Hut* aufbehalten; *Licht* brennen lassen; weitermachen (→ ***keep*** *v/i mit ger*); ***~ out*** nicht hinein- *od.* hereinlassen; ***~ out!*** Zutritt verboten!; ***~ to*** *fig.* festhalten an, bleiben bei; ***~ s.th. to o.s.*** et. für sich behalten; ***~ up*** *fig.* aufrechterhalten; *Mut* nicht sinken lassen; ***~ up with*** Schritt halten mit; **2.** (Lebens)Unterhalt *m*; ***for ~s*** F für immer
'keeper Wächter(in), Aufseher(in); *mst in Zssgn*: Inhaber(in), Besitzer(in)
keg [keg] kleines Fass
kennel ['kenl] Hundehütte *f*
kept [kept] *pret u. pp von* **keep** 1
kerb [kɜ:b], **'~stone** *Brt.* Bord-, Randstein *m*
kernel ['kɜ:nl] Kern *m*
kettle ['ketl] Kessel *m*
key [ki:] **1.** Schlüssel *m* (*a. fig.*); Taste *f*; *mus.* Tonart *f*; Schlüssel...; **2. *~ in*** *Computer*: *Daten* eintippen, eingeben; **'~board** Tastatur *f*; **'~hole** Schlüsselloch *n*
kick [kɪk] **1.** treten, e-n Tritt geben *od.* versetzen; *Fußball*: schießen; strampeln; *Pferd*: ausschlagen; ***~ off*** *Fußball*:

anstoßen; ~ ***out*** F rausschmeißen; **2.** (Fuß)Tritt *m*, Stoß *m*; (***just***) ***for ~s*** F (nur so) zum Spaß; '**~off** *Fußball*: Anstoß *m*; '**~out** *Fußball*: Abschlag *m*

kid[1] [kɪd] Zicklein *n*; F Kind *n*

kid[2] [kɪd] F Spaß machen

kidnap ['kɪdnæp] (**-pp-**, *Am. a.* **-p-**) kidnappen, entführen; '**kidnap(p)er** Kidnapper(in), Entführer(in); '**kidnap(p)ing** Kidnapping *n*, Entführung *f*

kidney ['kɪdnɪ] Niere *f*

kill [kɪl] töten; umbringen, ermorden; '**~er** Mörder(in), Killer(in)

kiln [kɪln] Brennofen *m*

kilo ['kiːləʊ] Kilo *n*

kilo|gram(me) ['kɪləgræm] Kilogramm *n*; '**~metre** *Brt.*, '**~meter** *Am.* Kilometer *m*

kilt [kɪlt] Kilt *m*, Schottenrock *m*

kin [kɪn] Verwandtschaft *f*, Verwandte *pl*

kind[1] [kaɪnd] freundlich, nett

kind[2] [kaɪnd] Art *f*, Sorte *f*; ***nothing of the ~*** nichts dergleichen

kindergarten ['kɪndəgɑːtn] Kindergarten *m*

kind-hearted [kaɪnd'hɑːtɪd] gütig

kindle ['kɪndl] anzünden, (sich) entzünden; *Interesse etc.* wecken

'**kind|ly** freundlich; '**~ness** Freundlichkeit *f*; Gefälligkeit *f*

king [kɪŋ] König *m*; '**~dom** (König)Reich *n*; '**~-size(d)** Riesen...

kiosk ['kiːɒsk] Kiosk *m*

kipper ['kɪpə] Räucherhering *m*

kiss [kɪs] **1.** Kuss *m*; **2.** (sich) küssen

kit [kɪt] Ausrüstung *f*; Arbeitsgerät *n*, Werkzeug(e *pl*) *n*

kitchen ['kɪtʃɪn] Küche *f*

kitchenette [kɪtʃɪ'net] Kochnische *f*; Kleinküche *f*

kite [kaɪt] Drachen *m*

kitten ['kɪtn] Kätzchen *n*

knack [næk] Kniff *m*, Dreh *m*

knapsack ['næpsæk] Rucksack *m*

knave [neɪv] *Kartenspiel*: Bube *m*

knead [niːd] kneten; massieren

knee [niː] Knie *n*; '**~cap** Kniescheibe *f*; '**~ joint** Kniegelenk *n*

kneel [niːl] (***knelt*** *od.* ***kneeled***) knien

knelt [nelt] *pret u. pp von* ***kneel***

knew [njuː] *pret von* ***know***

knickers ['nɪkəz] *pl Brt.* F (Damen)Schlüpfer *m*

knick-knacks ['nɪknæks] *pl* Nippes *pl*

knife [naɪf] (*pl* ***knives*** [naɪvz]) Messer *n*

knight [naɪt] **1.** Ritter *m*;

Schach: Springer *m*; **2.** zum Ritter schlagen
knit [nɪt] (***knitted*** *od.* ***knit***) stricken; **'knitting** Stricken *n*; Strickzeug *n*; **'~wear** Strickwaren *pl*
knives [naɪvz] *pl von* ***knife***
knob [nɒb] Knauf *m*
knock [nɒk] **1.** Schlag *m*, Stoß *m*; Klopfen *n*; **2.** schlagen, stoßen; klopfen; ***~ down*** *Gebäude etc.* abreißen; umstoßen, -werfen; niederschlagen; an-, umfahren; überfahren; ***~ out*** bewusstlos schlagen; *Boxen*: k.o. schlagen; betäuben; ***~ over*** umwerfen, -stoßen; überfahren; **'~out** K.o. *m*
knot [nɒt] **1.** Knoten *m*; **2.** (ver)knoten, (-)knüpfen
know [nəʊ] (***knew, known***) wissen; können; verstehen; kennen; ***~ French*** Französisch können; ***~ all about it*** genau Bescheid wissen; **'~ing** klug; schlau; verständnisvoll, wissend; **'~ingly** wissentlich, absichtlich
knowledge ['nɒlɪdʒ] Kenntnis(se *pl*) *f*; Wissen *n*; ***not to my ~*** meines Wissens nicht
known 1. *pp von* ***know***; **2.** bekannt
knuckle ['nʌkl] (Finger)Knöchel *m*

L

L [el] ***learner*** (***driver***) *Brt. mot.* Fahrschüler(in); ***large*** (***size***) groß
£ ***pound***(***s***) ***sterling*** Pfund *n* (*od. pl*) Sterling
lab [læb] F Labor *n*
label ['leɪbl] **1.** Etikett *n*, (Klebe- *etc.*)Zettel *m*, (-)Schild (-chen) *n*; **2.** etikettieren, beschriften
laboratory [lə'bɒrətərɪ] Labor(atorium) *n*
laborious [lə'bɔːrɪəs] mühsam
'labor union *Am.* Gewerkschaft *f*
labour *Brt.*, **labor** *Am.* ['leɪbə] **1.** (schwere) Arbeit; Mühe *f*; Arbeiter *pl*, Arbeitskräfte *pl*; *med.* Wehen *pl*; **2.** (schwer) arbeiten; sich bemühen, sich anstrengen; *od.* abmühen, sich anstrengen; **'~ed** schwerfällig; mühsam; **'~er** Arbeiter *m*
lace [leɪs] **1.** *Textil*: Spitze *f*; Schnürsenkel *m*; **2.** *a.* ***~ up*** (zu-, zs.-)schnüren
lack [læk] **1.** Mangel *m* (***of*** an); **2.** nicht haben; ***be ~ing*** fehlen
lacquer ['lækə] **1.** Lack *m*; (Haar)Spray *m*, *n*; **2.** lackieren
lad [læd] Bursche *m*, Junge *m*
ladder ['lædə] Leiter *f*; *Brt.* Laufmasche *f*; **'~proof** (lauf)maschenfest

laden ['leɪdn] beladen
ladle ['leɪdl] Schöpflöffel *m*, -kelle *f*
lady ['leɪdɪ] Dame *f*; ♀ *Titel*: Lady *f*; ***ladies***, *Am.* ***ladies' room*** Damentoilette *f*; '**~bird** *Brt.*, '**~bug** *Am.* Marienkäfer *m*
lag [læg]: ~ ***behind*** zurückbleiben
lager ['lɑːgə] Lagerbier *n*
lagoon [lə'guːn] Lagune *f*
laid [leɪd] *pret u. pp von* **lay²**
lain [leɪn] *pp von* **lie¹** 1
lair [leə] *zo.*: Lager *n*; Bau *m*; Höhle *f*
lake [leɪk] See *m*
lamb [læm] Lamm *n*
lame [leɪm] **1.** lahm (*a. fig.*); **2.** lähmen
lament [lə'ment] jammern, (weh)klagen; beklagen
laminated ['læmɪneɪtɪd] laminiert, beschichtet
lamp [læmp] Lampe *f*; Laterne *f*; '**~post** Laternenpfahl *m*; '**~shade** Lampenschirm *m*
lance [lɑːns] Lanze *f*
land [lænd, *in Zssgn mst* lənd] **1.** Land *n*; Boden *m*; ***by*** ~ auf dem Landweg; **2.** landen; *Güter etc.* ausladen
landing ['lændɪŋ] Landung *f*, Landen *n*, *naut. a.* Anlegen *n*; Treppenabsatz *m*; '**~ field** → ***landing strip***; '**~ gear** *aviat.* Fahrgestell *n*; '**~ stage** Landungsbrücke *f*, -steg *m*; '**~ strip** *aviat.* Landeplatz *m*
'**land|lady** ['læn-] Vermieterin *f*; Wirtin *f*; '**~lord** ['læn-] Grundbesitzer *m*; Vermieter *m*; Wirt *m*; **~lubber** ['lændlʌbə] *naut.* Landratte *f*; '**~mark** ['lænd-] Wahrzeichen *n*; *fig.* Meilenstein *m*; '**~owner** ['lænd-] Grundbesitzer(in); **~scape** ['lænskeɪp] Landschaft *f*; '**~slide** ['lænd-] Erdrutsch *m* (*a. pol.*)
lane [leɪn] (Feld)Weg *m*; Gasse *f*, Sträßchen *n*; *naut.* Fahrrinne *f*; *aviat.* Flugschneise *f*; *Sport*: (*einzelne*) Bahn; *mot.* (Fahr)Spur *f*
language ['læŋgwɪdʒ] Sprache *f*
languid ['læŋgwɪd] matt; träg(e)
lank [læŋk] *Haar*: glatt
lantern ['læntən] Laterne *f*
lap¹ [læp] Schoß *m*
lap² [læp] **1.** *Sport*: Runde *f*; **2.** *Sport*: *Gegner* überrunden
lap³ [læp] *v/t*: ~ ***up*** auflecken, -schlecken; *v/i* plätschern
lapel [lə'pel] Revers *n, m*, Aufschlag *m*
lapse [læps] Versehen *n*, (kleiner) Fehler *od.* Irrtum; Vergehen *n*, Entgleisung *f*; Zeitspanne *f*
larceny ['lɑːsənɪ] Diebstahl *m*
larch [lɑːtʃ] Lärche *f*
lard [lɑːd] Schweinefett *n*, -schmalz *n*; '**~er** Speisekammer *f*; Speiseschrank *m*
large [lɑːdʒ] groß; beträcht-

lich; umfassend, weitgehend; **at ~** in Freiheit, auf freiem Fuße; (sehr) ausführlich; **'~ly** größtenteils

lark¹ [lɑːk] Lerche *f*

lark² [lɑːk] F: ***for a ~*** aus Jux

larva ['lɑːvə] (*pl* ***-vae*** [-viː]) Larve *f*

laryngitis [lærɪn'dʒaɪtɪs] Kehlkopfentzündung *f*

larynx ['lærɪŋks] Kehlkopf *m*

lascivious [lə'sɪvɪəs] lüstern

laser ['leɪzə] Laser *m*; **'~ technology** Lasertechnik *f*

lash¹ [læʃ] **1.** (Peitschen)Hieb *m*; Wimper *f*; **2.** peitschen (mit); schlagen

lash² [læʃ] (fest)binden

last¹ [lɑːst] **1.** *adj* letzt; vorig; ***~ but one*** vorletzt; ***~ night*** gestern Abend, letzte Nacht; **2.** *adv* zuletzt, an letzter Stelle; ***~ but not least*** nicht zuletzt; **3.** *su der, die, das* Letzte; **at ~** endlich

last² [lɑːst] (an-, fort)dauern; (sich) halten; (aus)reichen

'lastly zuletzt, zum Schluss

latch [lætʃ] **1.** Schnappriegel *m*; Schnappschloss *n*; **2.** ein-, zuklinken; **'~key** Haus-, Wohnungsschlüssel *m*

late [leɪt] spät; ehemalig; neuest; verstorben; ***be ~*** zu spät kommen, sich verspäten, *Zug etc.*: Verspätung haben; **'~ly** in letzter Zeit

lath [lɑːθ] Latte *f*, Leiste *f*

lathe [leɪð] Drehbank *f*

lather ['lɑːðə] **1.** (Seifen-)Schaum *m*; **2.** einseifen; schäumen

Latin ['lætɪn] **1.** lateinisch; **2.** Latein *n*

latitude ['lætɪtjuːd] *geogr.* Breite *f*

latter ['lætə] Letztere(r, -s) (*von zweien*)

lattice ['lætɪs] Gitter *n*

laugh [lɑːf] **1.** lachen; ***~ at*** lachen über; *j-n* auslachen; **2.** Lachen *n*, Gelächter *n*;

'laughter Lachen *n*

launch [lɔːntʃ] **1.** *Schiff* vom Stapel lassen; *Rakete etc.* abschießen, *Raumfahrzeug a.* starten; *Projekt etc.* in Gang setzen, starten; **2.** Stapellauf *m*; Abschuss *m*, Start *m*; Barkasse *f*; **'~(ing) pad** Abschussrampe *f*

launder ['lɔːndə] *Wäsche* waschen (u. bügeln); F *bsd. Geld* waschen

laund(e)rette [lɔːn'dret] *Brt.* Waschsalon *m*

laundry ['lɔːndrɪ] Wäscherei *f*; Wäsche *f*

laurel ['lɒrəl] Lorbeer *m*

lavatory ['lævətərɪ] Toilette *f*

lavender ['lævəndə] Lavendel *m*

lavish ['lævɪʃ]: ***~ s.th. on s.o.*** j-n mit et. überhäufen

law [lɔː] Gesetz(e *pl*) *n*; Rechtswissenschaft *f*, Jura; Gesetz *n*, Vorschrift *f*; **'~ court** Gericht(shof *m*) *n*

lawn [lɔːn] Rasen *m*; **'~mower** Rasenmäher *m*

lawsuit ['lɔːsuːt] Prozess *m*
lawyer ['lɔːjə] (Rechts)Anwalt *m*, (-)Anwältin *f*
lax [læks] locker, lasch
laxative ['læksətɪv] Abführmittel *n*
lay¹ [leɪ] *pret von* ***lie¹*** 1
lay² [leɪ] (***laid***) *v/t* legen; *Tisch* decken; *Eier* legen; *v/i* (Eier) legen; **~ aside** beiseite legen, zurücklegen; **~ off** *Arbeiter* (*bsd.* vorübergehend) entlassen; **~ out** ausbreiten, -legen; *Garten etc.* anlegen
lay³ [leɪ] Laien...
'lay|about *Brt.* F Faulenzer *m*; **'~-by** *Brt.* Parkbucht *f*, -streifen *m*; **'~er** Schicht *f*
'layman (*pl* ***-men***) Laie *m*
lazy ['leɪzɪ] faul, träg(e)
LCD [el siː 'diː] ***liquid crystal display*** Flüssigkristallanzeige *f*
lead¹ [liːd] **1.** (***led***) führen; (an)führen, leiten; **~ to** *fig.* führen zu; **~ up to** *fig.* (allmählich) führen zu; **2.** Führung *f*; Leitung *f*; Spitze(nposition) *f*; *thea.*: Hauptrolle *f*; Hauptdarsteller(in); (Hunde)Leine *f*; *Sport u. fig.*: Führung *f*, Vorsprung *m*; **be in the ~** in Führung sein; **take the ~** in Führung gehen
lead² [led] Blei *n*; Lot *n*; (Bleistift)Mine *f*; **'~ed** verbleit; **'~en** bleiern, Blei...
leader ['liːdə] (An)Führer(in); Leiter(in); *Brt.* Leitartikel *m*; **'~ship** Führung *f*, Leitung *f*
lead-free ['ledfriː] bleifrei
leading ['liːdɪŋ] führend; leitend; Haupt...
leaf [liːf] **1.** (*pl* ***leaves*** [liːvz]) Blatt *n*; (*Tisch*)Klappe *f*; Ausziehplatte *f*; **2. ~ through** durchblättern
leaflet ['liːflɪt] Hand-, Reklamezettel *m*; Prospekt *m*
league [liːg] Liga *f*; Bund *m*
leak [liːk] **1.** Leck *n*; undichte Stelle; **2.** leck sein; tropfen; **~ out** auslaufen; *fig.* durchsickern; **~age** ['liːkɪdʒ] Auslaufen *n*
'leaky leck, undicht
lean¹ [liːn] (***leant*** *od.* ***leaned***) (sich) lehnen; sich neigen; **~ on** *fig.* sich verlassen auf
lean² [liːn] mager; **~ 'management** *econ.* schlanke Unternehmensstruktur
leant [lent] *pret u. pp von* ***lean¹***
leap [liːp] **1.** (***leapt*** *od.* ***leaped***) springen; **2.** Sprung *m*; **leapt** [lept] *pret u. pp von* ***leap*** 1; **'~ year** Schaltjahr *n*
learn [lɜːn] (***learned*** *od.* ***learnt***) (er)lernen; erfahren, hören; **'~er** Lernende *m, f*; Anfänger(in); *a.* **~ driver** *Brt.* Fahrschüler(in)
learnt [lɜːnt] *pret u. pp von* ***learn***
lease [liːs] **1.** Pacht *f*, Miete *f*; **2.** pachten, mieten; leasen; *a.* **~ out** verpachten, -mieten

leash [liːʃ] (Hunde)Leine *f*
least [liːst] **1.** *adj* geringst, mindest, wenigst; **2.** *su das* Mindeste, *das* wenigste; **at ~** wenigstens; **3.** *adv* am wenigsten
leather ['leðə] Leder *n*
leave [liːv] **1.** (*left*) (hinter-, über-, ver-, zurück)lassen; übrig lassen; hängen *od.* liegen *od.* stehen lassen, vergessen; vermachen, -erben; (fort-, weg)gehen; abreisen; abfahren; **~ *alone*** allein lassen; *j-n, et.* in Ruhe lassen; **~ *behind*** zurücklassen; **~ *on*** anlassen; **~ *out*** aus-, weglassen; ***be left*** übrig bleiben; übrig sein; **2.** Erlaubnis *f*; *mil.* Urlaub *m*; Abschied *m*; ***on* ~** auf Urlaub
leaves [liːvz] *pl von* ***leaf*** 1; Laub *n*
lecture ['lektʃə] **1.** Vortrag *m*; *univ.* Vorlesung *f*; Strafpredigt *f*; **2.** e-n Vortrag halten; *univ.* e-e Vorlesung halten; e-e Strafpredigt halten
led [led] *pret u. pp von* ***lead***[1] 1
ledge [ledʒ] Leiste *f*, Sims *m, n*
leek [liːk] Lauch *m*, Porree *m*
leer [lɪə] **1.** anzügliches Grinsen; **2.** anzüglich grinsen
left[1] [left] *pret u. pp von* ***leave*** 1
left[2] [left] **1.** *adj* link, Links...; **2.** *su die* Linke, linke Seite; ***on/at/to the* ~** links; ***keep to the* ~** sich links halten; *mot.* links fahren; **3.** *adv* links; **~-'hand** link; **~-hand 'drive** *mot.* Linkssteuerung *f*; **~-'handed** linkshändig; **~ 'luggage office** *Brt. rail.* Gepäckaufbewahrung *f*; **'~-overs** *pl* (Speise)Reste *pl*; **~-'wing** *pol.* dem linken Flügel angehörend, links...
leg [leg] Bein *n*; (*Lamm- etc.*)Keule *f*; ***pull s.o.'s* ~** F j-n auf den Arm nehmen
legacy ['legəsɪ] Vermächtnis *n*, Erbschaft *f*
legal ['liːgl] legal, gesetzmäßig; gesetzlich, rechtlich
legend ['ledʒənd] Legende *f* (*a. fig.*), Sage *f*
legible ['ledʒəbl] leserlich
legislation [ledʒɪs'leɪʃn] Gesetzgebung *f*; **legislative** ['ledʒɪslətɪv] gesetzgebend; **legislator** ['ledʒɪsleɪtə] Gesetzgeber *m*
legitimate [lɪ'dʒɪtɪmət] legitim, rechtmäßig; ehelich
leisure ['leʒə] freie Zeit; Muße *f*; **'~ly** gemächlich; **'~wear** Freizeitkleidung *f*
lemon ['lemən] Zitrone *f*
lemonade [lemə'neɪd] Zitronenlimonade *f*
lend [lend] (***lent***) *j-m et.* (ver-, aus)leihen
length [leŋθ] Länge *f*; (Zeit-) Dauer *f*; ***at* ~** ausführlich; **'~en** verlängern, länger machen; länger werden
lenient ['liːnjənt] mild(e)
lens [lenz] *anat., phot., phys.* Linse *f*; *phot.* Objektiv *n*
lent [lent] *pret u. pp von* ***lend***

Lent [lent] Fastenzeit *f*
lentil ['lentɪl] *bot.* Linse *f*
Leo ['li:əʊ] *astr.* Löwe *m*
leopard ['lepəd] Leopard *m*
leotard ['li:əʊtɑ:d] Trikot *n*
less [les] **1.** *adv* weniger; **2.** *adj* geringer, kleiner, weniger; **3.** *prp* weniger, minus; '**~en** (sich) vermindern *od.* verringern
lesson ['lesn] Lektion *f* (*a. fig.*); (Unterrichts)Stunde *f*; *pl* Unterricht *m*; *fig.* Lehre *f*
let [let] (***let***) lassen; *bsd. Brt.* vermieten; **~ *alone*** in Ruhe lassen; geschweige denn; **~ *down*** *j-n* im Stich lassen, enttäuschen; **~ *go*** loslassen
lethal ['li:θl] tödlich
letter ['letə] Buchstabe *m*; Brief *m*; '**~box** *bsd. Brt.* Briefkasten *m*
lettuce ['letɪs] (Kopf)Salat *m*
leuk(a)emia [lu:'ki:mɪə] Leukämie *f*
level ['levl] **1.** *adj Straße etc.*: eben; gleich (*a. fig.*); **~ *with*** auf gleicher Höhe mit; **2.** *su* Ebene *f* (*a. fig.*), ebene Fläche; Höhe *f* (*a. geogr.*), (*Wasser- etc.*)Spiegel *m*, (-)Stand *m*, (-)Pegel *m*; *bsd. Am.* Wasserwaage *f*; *fig.* Niveau *n*; **3.** *v/t* (ein)ebnen, planieren; dem Erdboden gleichmachen; **~ 'crossing** *Brt.* schienengleicher Bahnübergang; **~-'headed** überlegt, vernünftig
lever ['li:və] Hebel *m*
levy ['levɪ] **1.** *econ.* Steuer *f*, Abgabe *f*; **2.** *Steuern* erheben
lewd [lju:d] geil, lüstern
liability [laɪə'bɪlətɪ] Verpflichtung *f*, Verbindlichkeit *f*; Haftung *f*, Haftpflicht *f*; Anfälligkeit (***to*** für)
liable ['laɪəbl] haftbar, -pflichtig; ***be ~ to*** neigen zu
liar ['laɪə] Lügner(in)
libel ['laɪbl] **1.** *jur.* Verleumdung *f*; **2.** verleumden
liberal ['lɪbərəl] liberal, aufgeschlossen; großzügig
liberate ['lɪbəreɪt] befreien
liberty ['lɪbətɪ] Freiheit *f*; ***be at ~*** frei sein
Libra ['laɪbrə] *astr.* Waage *f*
librarian [laɪ'breərɪən] Bibliothekar(in); **library** ['laɪbrərɪ] Bibliothek *f*; Bücherei *f*
lice [laɪs] *pl von* ***louse***
licence *Brt.*, **license** *Am.* ['laɪsəns] Lizenz *f*, Konzession *f*; (*Führer- etc.*)Schein *m*
license *Brt.*, **licence** *Am.* ['laɪsəns] e-e Lizenz *od.* Konzession erteilen; genehmigen
licensee [laɪsən'si:] Lizenzinhaber(in)
'**license plate** *Am. mot.* Nummernschild *n*
lichen ['laɪkən] *bot.* Flechte *f*
lick [lɪk] (ab)lecken; F verprügeln; '**~ing** F Prügel *f*
lid [lɪd] Deckel *m*; Lid *n*
lie[1] [laɪ] **1.** (***lay, lain***) liegen; **~ *down*** sich hinlegen; **~ *in*** *Brt.* (*morgens*) lang im Bett bleiben; **2.** Lage *f*

lie² [laɪ] **1.** (**lied**) lügen; **2.** Lüge *f*
lieutenant [lef'tenənt, *Am.* luː'tenənt] Leutnant *m*
life [laɪf] (*pl* **lives** [laɪvz]) Leben *n*; **all her ~** ihr ganzes Leben lang; **'~ assurance** *Brt.* Lebensversicherung *f*; **'~ belt** Rettungsgürtel *m*; **'~boat** Rettungsboot *n*; **'~guard** Rettungsschwimmer *m*; **'~ insurance** Lebensversicherung *f*; **'~ jacket** Schwimmweste *f*; **'~less** leblos; matt; **'~like** lebensecht; **'~long** lebenslang; **'~ preserver** *Am.* Schwimmweste *f*; Rettungsgürtel *m*, -ring *m*; **'~time** Lebenszeit *f*
lift [lɪft] **1.** (hoch-, auf)heben; sich heben; **~ off** starten, abheben; **2.** (Hoch-, Auf)Heben *n*; *phys.*, *aviat.* Auftrieb *m*; *Brt.* Lift *m*, Aufzug *m*, Fahrstuhl *m*; **give s.o. a ~** j-n (im Auto) mitnehmen; **'~off** *aviat.* Start *m*, Abheben *n*
ligament ['lɪgəmənt] *anat.* Band *n*
light¹ [laɪt] **1.** *su* Licht *n*; Beleuchtung *f*; Feuer *n* (*zum Anzünden*); *pl* (Verkehrs-)Ampel *f*; **2.** *adj* hell, licht; **3.** (**lit** *od.* **lighted**) *v/t* be-, erleuchten; *a.* **~ up** anzünden; *v/i*: **~ up** *Augen etc.*: aufleuchten
light² [laɪt] leicht
'light bulb Glühbirne *f*
lighten¹ ['laɪtn] hell(er) werden, sich aufhellen; erhellen
lighten² ['laɪtn] leichter machen *od.* werden; erleichtern
'lighter Feuerzeug *n*
light-'hearted unbeschwert
'light|house Leuchtturm *m*; **'~ing** Beleuchtung *f*
'lightning Blitz *m*; **'~ conductor** *Brt.*, **'~ rod** *Am.* Blitzableiter *m*
'light pen Lichtstift *m*
'lightweight *Sport*: Leichtgewicht(ler *m*) *n*
like¹ [laɪk] **1.** gleich; wie; ähnlich; **what is she ~?** wie ist sie?; **2.** *der*, *die*, *das* Gleiche
like² [laɪk] gern haben, mögen; wollen; **I ~ it** es gefällt mir; **I ~ her** ich kann sie gut leiden; **I would ~ to know** ich möchte gern wissen; (**just**) **as you ~** (ganz) wie du willst; **if you ~** wenn du willst
like|lihood ['laɪklɪhʊd] Wahrscheinlichkeit *f*; **'~ly** wahrscheinlich; geeignet; **'~ness** Ähnlichkeit *f*
lilac ['laɪlək] **1.** Flieder *m*; **2.** fliederfarben, lila
lily ['lɪlɪ] Lilie *f*; **~ of the 'valley** Maiglöckchen *n*
limb [lɪm] (*Körper*)Glied *n*, *pl* *a.* Gliedmaßen *pl*; Ast *m*
lime¹ [laɪm] Kalk *m*
lime² [laɪm] Linde *f*
lime³ [laɪm] Limone *f*
'limelight *fig.* Rampenlicht *n*
limit ['lɪmɪt] **1.** Limit *n*, Grenze *f*; **off ~s** *bsd. Am.* Zutritt verboten; **that's the ~!** F das

ist (doch) die Höhe!; ***within ~s*** in (gewissen) Grenzen; **2.** begrenzen, beschränken (**to** auf); **~ation** [lɪmɪˈteɪʃn] Beschränkung *f*; *fig.* Grenze *f*; **~ed** (**liaˈbility**) ˈ**company** Gesellschaft *f* mit beschränkter Haftung

limp¹ [lɪmp] hinken, humpeln

limp² [lɪmp] schlaff, schlapp

line¹ [laɪn] **1.** Linie *f*, Strich *m*; Zeile *f*; Falte *f*, Runzel *f*; Reihe *f*; (Menschen)Schlange *f*; (Abstammungs)Linie *f*; Fach *n*, Gebiet *n*, Branche *f*; (*Verkehrs-*, *Eisenbahn- etc.*) Linie *f*, Strecke *f*; (*Flug- etc.*)Gesellschaft *f*; *tel.* Leitung *f*; Leine *f*; Schnur *f*; *pl thea. etc.* Rolle *f*, Text *m*; ***the ~ is busy*** *od.* ***engaged*** *tel.* die Leitung ist besetzt; ***hold the ~*** *tel.* bleiben Sie am Apparat; ***draw the ~*** *fig.* die Grenze ziehen, Halt machen (**at** bei); **2.** lini(i)eren; *Straße etc.* säumen; ***~ up*** (sich) in e-r Reihe *od.* Linie aufstellen

line² [laɪn] *Kleid etc.* füttern; *tech.* auskleiden, -schlagen

linen [ˈlɪnɪn] Leinen *n*; (*Bett- etc.*)Wäsche *f*

liner [ˈlaɪnə] Linienschiff *n*; Verkehrsflugzeug *n*

ˈ**linesman** (*pl* ***-men***) Linienrichter *m*

linger [ˈlɪŋgə] verweilen

lingerie [ˈlænʒəriː] Damenunterwäsche *f*

liniment [ˈlɪnɪmənt] *med.* Einreibemittel *n*

ˈ**lining** Futter *n*; *tech.* Auskleidung *f*; (*Brems- etc.*)Belag *m*

link [lɪŋk] **1.** (Ketten)Glied *n*; *fig.* (Binde)Glied *n*, Verbindung *f*; **2.** *a.* ***~ up*** (sich) verbinden

links [lɪŋks] → ***golf links***

lion [ˈlaɪən] Löwe *m*; **~ess** [ˈlaɪənes] Löwin *f*

lip [lɪp] Lippe *f*; ˈ**~stick** Lippenstift *m*

liquid [ˈlɪkwɪd] **1.** Flüssigkeit *f*; **2.** flüssig

liquor [ˈlɪkə] alkoholische Getränke *pl*, Alkohol *m*; *Am.* Spirituosen *pl*, Schnaps *m*

liquorice [ˈlɪkərɪs] *Brt.*, *a.* ***licorice*** *bsd. Am.* Lakritze *f*

lisp [lɪsp] lispeln

list [lɪst] **1.** Liste *f*, Verzeichnis *n*; **2.** in e-e Liste eintragen

listen [ˈlɪsn] hören; ***~ in*** Radio hören; ***~ in on*** *Telefongespräch* abhören, mithören; ***~ to*** an-, zuhören; hören auf; ˈ**~er** Zuhörer(in); (Rundfunk)Hörer(in)

listless [ˈlɪstlɪs] lustlos

lit [lɪt] *pret u. pp von* ***light¹*** 3

literal [ˈlɪtərəl] wörtlich

literary [ˈlɪtərərɪ] literarisch, Literatur...; **literature** [ˈlɪtərətʃə] Literatur *f*

litre *Brt.*, **liter** *Am.* [ˈliːtə] Liter *m*

litter [ˈlɪtə] (*bsd. Papier*)Abfall *m*; Streu *f*; *zo.* Wurf *m*; ˈ**~**

basket, **'~bin** Abfallkorb *m*
little ['lɪtl] **1.** *adj* klein; wenig; ***the ~ ones*** *pl* die Kleinen *pl*; **2.** *adv* wenig, kaum; **3.** *su*: **a ~** ein wenig; **~ by ~** (ganz) allmählich, nach u. nach
live¹ [lɪv] leben; wohnen (***with*** bei); **~ on** leben von; weiterleben; **~ up to** *den Erwartungen etc.* entsprechen
live² [laɪv] **1.** *adj* lebend, lebendig; Strom führend; *TV etc.*: Direkt..., Live...; **2.** *adv* direkt, live
live|lihood ['laɪvlɪhʊd] Lebensunterhalt *m*; **'~ly** lebhaft, lebendig
liver ['lɪvə] Leber *f*
lives [laɪvz] *pl von* ***life***
livestock ['laɪvstɒk] Vieh *n*
livid ['lɪvɪd] bläulich; F fuchsteufelswild
living ['lɪvɪŋ] **1.** lebend; **2.** Lebensunterhalt *m*; Leben(sweise *f*) *n*; ***earn*** *od.* ***make a ~*** sich s-n Lebensunterhalt verdienen; ***standard of ~, ~ standard*** Lebensstandard *m*; **'~ room** Wohnzimmer *n*
lizard ['lɪzəd] Eidechse *f*
load [ləʊd] **1.** Last *f* (*a. fig.*); Ladung *f*; Belastung *f*; **2.** überhäufen (***with*** mit); *Waffe*: laden; *a.* **~ up** (auf-, be-, ein)laden
loaf¹ [ləʊf] (*pl* ***loaves*** [ləʊvz]) Laib *m* (*Brot*)
loaf² [ləʊf] *a.* **~ *about*** *od.* ***around*** herumlungern
loam [ləʊm] Lehm *m*
loan [ləʊn] **1.** (Ver)Leihen *n*; Anleihe *f*; Darlehen *n*; Leihgabe *f*; ***on ~*** leihweise; **2.** *bsd. Am. j-m* (aus)leihen; aus-, verleihen (***to*** an); **'~ shark** *econ.* Kredithai *m*
loathe [ləʊð] verabscheuen
loaves [ləʊvz] *pl von* ***loaf¹***
lobby ['lɒbɪ] Vorhalle *f*; Foyer *n*; *pol.* Lobby *f*
lobe [ləʊb] *anat.* Lappen *m*; Ohrläppchen *n*
lobster ['lɒbstə] Hummer *m*
local ['ləʊkl] **1.** örtlich, lokal; Orts..., ansässig; **2.** *Brt.* F *bsd.* Stammkneipe *f*; Ortsansässige *m, f*, Einheimische *m, f*; **'~ call** *tel.* Ortsgespräch *n*; **'~ time** Ortszeit *f*
locate [ləʊ'keɪt] ausfindig machen; ***be ~d*** gelegen sein, liegen; **lo'cation** Lage *f*, Standort *m*, Platz *m*; **on ~** *Film*: auf Außenaufnahme
loch [lɒx, lɒk] *schott.* See *m*
lock [lɒk] **1.** (*Tür-, Gewehr- etc.*)Schloß *n*; Schleuse(nkammer) *f*; **2.** *v/t* ab-, zu-, verschließen, zusperren (*a.* **~ *up***); *tech.* sperren; **~ *away*** wegschließen; **~ *in***, **~ *up*** einschließen, (ein)sperren; **~ *out*** aussperren; *v/i* schließen; *Räder*: blockieren
locker ['lɒkə] Schließfach *n*; Spind *m*, Schrank *m*; **'~ room** Umkleideraum *m*
locket ['lɒkɪt] Medaillon *n*
'locksmith Schlosser *m*
locust ['ləʊkəst] Heuschrecke *f*

lodge [lɒdʒ] **1.** Portier-, Pförtnerloge *f*; (*Jagd-, Ski- etc.*)Hütte *f*; Sommer-, Gartenhaus *n*; **2.** *v/i* (in Untermiete) wohnen; *Bissen etc.*: stecken bleiben; *v/t* aufnehmen, unterbringen; '**lodger** Untermieter(in); '**lodging** Unterkunft *f*; *pl* möbliertes Zimmer

loft [lɒft] (Dach)Boden *m*

log [lɒg] (Holz)Klotz *m*; (*gefällter*) Baumstamm; (Holz-)Scheit *n*; → '**~book** *naut.* Logbuch *n*; *aviat.* Bordbuch *n*; *mot.* Fahrtenbuch *n*; **~ 'cabin** Blockhaus *n*

logic ['lɒdʒɪk] Logik *f*; '**~al** logisch

loin [lɔɪn] *gastr.* Lende(nstück *n*) *f*; *pl anat.* Lende *f*

loiter ['lɔɪtə] bummeln, trödeln; herumlungern

loll [lɒl] sich rekeln

lollipop ['lɒlɪpɒp] Lutscher *m*; *bsd. Brt.* Eis *n* am Stiel

loneliness ['ləʊnlɪnɪs] Einsamkeit *f*; '**lonely** einsam

long[1] [lɒŋ] **1.** *adj* lang; *Weg etc.*: weit, lang; langfristig; **2.** *adv* lang(e); ***as*** *od.* ***so ~ as*** so lange wie, vorausgesetzt, dass; ***so ~!*** F bis dann!; **3.** *su* (e-e) lange Zeit; ***for ~*** lange; ***take ~*** lange dauern

long[2] [lɒŋ] sich sehnen (***for*** nach)

long-'distance Fern...; Langstrecken...; **~ 'call** Ferngespräch *n*

longing ['lɒŋɪŋ] Sehnsucht *f*

longitude ['lɒndʒɪtju:d] *geogr.* Länge *f*

'**long| jump** Weitsprung *m*; **~-'range** Langstrecken...; langfristig; **~'sighted** weitsichtig; **~-'standing** alt; **~-'term** langfristig; **~ 'wave** Langwelle *f*

loo [lu:] *Brt.* F Klo *n*

look [lʊk] **1.** sehen, blicken, schauen (***at, on*** auf, nach); nachschauen, nachsehen; *Fenster etc.*: nach *e-r Richtung* liegen, gehen; *krank etc.* aussehen; ***~ after*** aufpassen auf, sich kümmern um, sorgen für; ***~ at*** ansehen; ***~ back*** *fig.* zurückblicken; ***~ down on*** *fig.* herabsehen auf; ***~ for*** suchen (nach); ***~ forward to*** sich freuen auf; ***~ in*** F *Besucher*: vorbeischauen (***on*** bei); ***~ into*** untersuchen, prüfen; ***~ on*** ansehen, betrachten (***as*** als); zusehen, -schauen; ***~ out*** Ausschau halten (***for*** nach); ***~ out!*** pass auf!, Vorsicht!; ***~ over*** *et.* durchsehen; ***~ round*** sich umsehen; ***~ through*** *et.* durchsehen; ***~ to*** sich verlassen auf; ***~ up*** aufblicken, -sehen (*fig.* ***to*** zu); *Wort etc.* nachschlagen; *j-n* aufsuchen; **2.** Blick *m*; Miene *f*, (Gesichts)Ausdruck *m*; (***good***) ***~s*** *pl* gutes Aussehen

'**looking glass** Spiegel *m*

loony ['lu:nɪ] F bekloppt, verrückt; '~ **bin** F Klapsmühle *f*

loop [lu:p] **1.** Schlinge *f*, Schleife *f*; Schlaufe *f*; Öse *f*; *Computer*: Schleife *f*; **2.** (sich) schlingen

loose [lu:s] los(e), locker; weit; frei; **'loosen** (sich) lösen *od.* lockern

loot [lu:t] plündern

lop [lɒp] *Baum* beschneiden; ~ ***off*** abhauen; **~-'sided** schief

lord [lɔ:d] Herr *m*, Gebieter *m*; *Brt.* Lord *m*; ***the*** ♀ Gott *m* (der Herr); ***the*** ***♀'s Prayer*** das Vaterunser; ***the ♀'s Supper*** das (heilige) Abendmahl; → ***house;*** ♀ **'Mayor** *Brt.* Oberbürgermeister *m*

lorry ['lɒrɪ] *Brt.* Last(kraft)-wagen *m*, Lastauto *n*

lose [lu:z] (***lost***) verlieren; versäumen, -passen; *Uhr*: nachgehen; **'loser** Verlierer(in)

loss [lɒs] Verlust *m*; ***be at a*** ~ in Verlegenheit sein (***for*** um)

lost [lɒst] **1.** *pret u. pp von* ***lose*****; 2.** verloren; *fig.* versunken, -tieft; ***get*** ~***!*** *sl.* hau ab!; **~-and-'found (office)** *Am.*, ~ **'property office** *Brt.* Fundbüro *n*

lot [lɒt] Los *n*; Parzelle *f*; Grundstück *n*; (Waren-)Posten *m*; Gruppe *f*, Gesellschaft *f*; F Menge *f*, Haufen *m*; Los *n*, Schicksal *n*; ***the*** ~ alles, das Ganze; ***a*** ~ ***of***, ~***s of*** F viel, e-e Menge

lotion ['ləʊʃn] Lotion *f*

loud [laʊd] laut; *fig.* grell, auffallend, *Farben*: schreiend; ~**'speaker** Lautsprecher *m*

lounge [laʊndʒ] *Hotel etc.*: Aufenthaltsraum *m*, Lounge *f*; *Flughafen*: Wartehalle *f*, Lounge *f*; *bsd. Brt.* Wohnzimmer *n*

louse [laʊs] (*pl* ***lice*** [laɪs]) Laus *f*; **lousy** ['laʊzɪ] verlaust; F miserabel

lout [laʊt] Flegel *m*

lovable ['lʌvəbl] liebenswert, reizend

love [lʌv] **1.** Liebe *f*; Liebling *m*, Schatz *m* (*Anrede, oft unübersetzt*); *Tennis*: null; ***be in*** ~ verliebt sein (***with*** in); ***fall in*** ~ sich verlieben (***with*** in); ***make*** ~ sich (*körperlich*) lieben; **2.** lieben; gerne mögen; ~ ***to do s.th.*** et. sehr gern tun; '~**able** → ***lovable***; '~**ly** (wunder)schön; nett, reizend; F prima; **'lover** Liebhaber *m*, Geliebte *m*; Geliebte *f*; (*Musik- etc.*)Liebhaber(in); *pl* Liebende *pl*, Liebespaar *n*

loving ['lʌvɪŋ] liebevoll, liebend

low [ləʊ] **1.** niedrig (*a. fig.*); tief (*a. fig.*); *Vorräte etc.*: knapp; *Ton etc.*: tief; *Ton, Stimme etc.*: leise; gering (-schätzig); ordinär; *fig.* niedergeschlagen, deprimiert; **2.** Tief *n* (*a. meteor.*); '~**brow** geistig anspruchslos, unbedarft; **~-'calorie** kalorienarm, -reduziert; **~-e'mission** schadstoffarm

lower ['ləʊə] **1.** niedriger; unter, Unter...; **2.** niedriger machen; herunter-, herablassen; senken; *fig.* erniedrigen

low|-'fat fettarm; **~-'noise** *Tonband etc.*: rauscharm; **~-'pressure area** Tief (-druckgebiet) *n*; '**~ season** Vor- *od.* Nachsaison *f*; **~-'spirited** niedergeschlagen; **~ 'tide** Ebbe *f*

loyal ['lɔɪəl] loyal, treu

lozenge ['lɒzɪndʒ] Raute *f*, Rhombus *m*; Pastille *f*

Ltd ***limited*** mit beschränkter Haftung

lubricant ['luːbrɪkənt] Schmiermittel *n*; **lubricate** ['luːbrɪkeɪt] schmieren, ölen

lucid ['luːsɪd] klar

luck [lʌk] Glück *n*; Schicksal *n*; ***bad/hard/ill*** **~** Unglück *n*, Pech *n*; ***good*** **~** Glück *n*; ***good*** **~*!*** viel Glück!; '**luckily** zum Glück; '**lucky** glücklich; ***be*** **~** Glück haben

ludicrous ['luːdɪkrəs] lächerlich

lug [lʌg] zerren, schleppen

luge [luːʒ] Rennrodeln *n*; Rennschlitten *m*

luggage ['lʌgɪdʒ] (Reise)Gepäck *n*; '**~ rack** Gepäcknetz *n*; '**~ reclaim** *aviat.* Gepäckausgabe *f*; '**~ van** *Brt. rail.* Gepäckwagen *m*

lukewarm [luːk'wɔːm] lau

lull [lʌl] **1.** *j-n* beruhigen; **2.** Pause *f*; Flaute *f*

lullaby ['lʌləbaɪ] Wiegenlied *n*

lumbago [lʌm'beɪgəʊ] Hexenschuss *m*

lumber[1] ['lʌmbə] schwerfällig gehen; (dahin)rumpeln

lumber[2] ['lʌmbə] *Am.* Bau-, Nutzholz *n*; Gerümpel *n*

luminous ['luːmɪnəs] leuchtend, Leucht...

lump [lʌmp] Klumpen *m*; Schwellung *f*, Geschwulst *f*, Knoten *m*; Stück *n Zucker etc.*; **~ 'sugar** Würfelzucker *m*; **~ 'sum** Pauschalsumme *f*

'**lumpy** klumpig

lunar ['luːnə] Mond...

lunatic ['luːnətɪk] **1.** verrückt; **2.** *fig.* Verrückte *m, f*

lunch [lʌntʃ] **1.** Mittagessen *n*, Lunch *m*; **2.** zu Mittag essen; '**~ hour** Mittagspause *f*; '**~time** Mittagszeit *f*, -pause *f*

lung [lʌŋ] Lungenflügel *m*; ***the*** **~*s*** *pl* die Lunge

lurch [lɜːtʃ] taumeln, torkeln

lure [lʊə] **1.** Köder *m*; *fig.* Lockung *f*, Reiz *m*; **2.** ködern, (an)locken

lurid ['lʊərɪd] *Farben*: grell; grässlich, schauerlich

lurk [lɜːk] lauern

lust [lʌst] Begierde *f*

lustre *Brt.*, **luster** *Am.* ['lʌstə] Glanz *m*

lusty ['lʌstɪ] kräftig, robust

luxurious [lʌg'ʒʊərɪəs] luxuriös, Luxus...; **luxury**

['lʌkʃəri] Luxus *m*; Luxusartikel *m*

lyrics ['lɪrɪks] *pl* (Lied)Text *m*

M

M [em] ***motorway*** *Brt.* Autobahn *f*; ***medium*** (***size***) mittelgroß

MA [em 'eɪ] ***Master of Arts*** Magister *m* der Philosophie

mac [mæk] *Brt.* F → ***mackintosh***

machine [mə'ʃiːn] Maschine *f*; **~ gun** Maschinengewehr *n*; **~-made** maschinell hergestellt; **~-'readable** maschinenlesbar

machinery [mə'ʃiːnəri] Maschinen *pl*

mackintosh ['mækɪntɒʃ] *bsd. Brt.* Regenmantel *m*

mad [mæd] verrückt; *bsd. Am.* F wütend; versessen (***about*** auf), verrückt (***about*** nach); ***drive s.o.*** **~** j-n verrückt machen; ***go*** **~** verrückt werden; ***like*** **~** wie verrückt

madam ['mædəm] *Anrede, oft unübersetzt*: gnädige Frau

mad 'cow disease (*Abk.* ***BSE***) Rinderwahn(sinn) *m*

made [meɪd] *pret u. pp von* ***make*** 1

'mad|man (*pl* ***-men***) Verrückte *m*; **'~woman** (*pl* ***-women***) Verrückte *f*

magazine [mægə'ziːn] Magazin *n*, Zeitschrift *f*; *Feuerwaffe etc.*: Magazin *n*

maggot ['mægət] Made *f*

magic ['mædʒɪk] **1.** Magie *f*, Zauberei *f*; *fig.* Zauber *m*; **2.** magisch; **magician** [mə'dʒɪʃn] Magier *m*, Zauberer *m*; Zauberkünstler(in)

magistrate ['mædʒɪstreɪt] (Friedens)Richter(in)

magnanimous [mæg'nænɪməs] großmütig

magnet ['mægnɪt] Magnet *m*; **~ic** [mæg'netɪk] magnetisch

magnificent [mæg'nɪfɪsnt] großartig, prächtig

magnify ['mægnɪfaɪ] vergrößern; **'~ing glass** Vergrößerungsglas *n*, Lupe *f*

magpie ['mægpaɪ] Elster *f*

maid [meɪd] (Dienst)Mädchen *n*, Hausangestellte *f*; **'~en** Jungfern...; **'~en name** Mädchenname *m*

mail [meɪl] **1.** Post(sendung) *f*; **2.** *bsd. Am.* (mit der Post) schicken, aufgeben; **'~box** *Am.* Briefkasten *m*; **'~man** (*pl* ***-men***) *Am.* Postbote *m*, Briefträger *m*; **~-order 'firm, ~-order 'house** Versandhaus *n*

maim [meɪm] verstümmeln
main [meɪn] **1.** Haupt..., wichtigst; **2.** *mst pl*: (Strom)Netz *n*; Haupt(gas-, -wasser-, -strom)leitung *f*; '**~land** Festland *n*; '**~ly** hauptsächlich; **~ 'memory** *Computer*: Arbeits-, Hauptspeicher *m*; **~ 'menu** *Computer*: Hauptmenü *n*; **~ 'road** Haupt(verkehrs)straße *f*; '**~ street** *Am.* Hauptstraße *f*
maintain [meɪn'teɪn] behaupten; (aufrecht)erhalten; instand halten, pflegen, *tech. a.* warten; *Familie etc.* unterhalten, versorgen
maintenance ['meɪntənəns] (Aufrecht)Erhaltung *f*; Instandhaltung *f*, *tech. a.* Wartung *f*; Unterhalt *m*
maize [meɪz] Mais *m*
majestic [mə'dʒestɪk] majestätisch; **majesty** ['mædʒəstɪ] Majestät *f*
major ['meɪdʒə] **1.** *adj* größer; bedeutend, wichtig; *jur.* volljährig; **C ~** *mus.* C-Dur *n*; **2.** *su* Major *m*; *jur.* Volljährige *m, f*; *Am. univ.* Hauptfach *n*; *mus.* Dur *n*
majority [mə'dʒɒrətɪ] Mehrheit *f*
major 'road Haupt(verkehrs)straße *f*
make [meɪk] **1.** (***made***) machen; anfertigen, herstellen, erzeugen; (zu)bereiten; (er)schaffen; ergeben, bilden; machen zu, ernennen zu; *Geld* verdienen; *Person*: sich erweisen als, abgeben; *Fehler* machen; *Frieden etc.* schließen; *e-e Rede* halten; F *Strecke* zurücklegen; **~ *s.o. wait*** j-n warten lassen; **~ *it*** es schaffen; ***what do you ~ of it?*** was halten Sie davon?; **~ *friends with*** sich anfreunden mit; **~ *for*** zugehen *od.* lossteuern auf; **~ *into*** verarbeiten zu; **~ *off*** sich davonmachen; **~ *out*** *Scheck, Rechnung etc.* ausstellen; erkennen; aus *j-m, e-r Sache* klug werden; **~ *over*** *Eigentum* übertragen; **~ *up*** sich *et.* ausdenken, erfinden; (sich) zurechtmachen *od.* schminken; **~ *up one's mind*** sich entschließen; ***be made up of*** bestehen aus; **~ *up for*** nach-, aufholen; wieder gutmachen; **~ *it up*** sich versöhnen *od.* wieder vertragen; **2.** Machart *f*, Ausführung *f*; Fabrikat *n*, Marke *f*; '**~-believe** Fantasie *f*; '**~shift** behelfsmäßig, Behelfs...; '**~-up** Schminke *f*, Make-up *n*
maladjusted [mælə'dʒʌstɪd] verhaltensgestört
male [meɪl] **1.** männlich; **2.** Mann *m*; *zo.* Männchen *n*; **~ 'nurse** (Kranken)Pfleger *m*
malevolent [mə'levələnt] übel wollend, böswillig
malice ['mælɪs] Bosheit *f*, Gehässigkeit *f*; Groll *m*; **malicious** [mə'lɪʃəs] böswillig

malignant [mə'lıgnənt] *med.* bösartig
mall [mɔːl] *Am.* Einkaufszentrum *n*
malnutrition [mælnjuː'trıʃn] Unterernährung *f*; Fehlernährung *f*
malt [mɔːlt] Malz *n*
maltreat [mæl'triːt] schlecht behandeln; misshandeln
mammal ['mæml] Säugetier *n*
man 1. [mæn, *in Zssgn*: mən] (*pl* **men** [men]) Mann *m*; Mensch(en *pl*) *m*; **2.** [mæn] besetzen, *Raumschiff* bemannen
manage ['mænıdʒ] *Betrieb etc.* leiten, führen; *Künstler, Sportler etc.* managen; *et.* zustande bringen; es fertig bringen (**to do** zu tun); umgehen (können) mit; mit *j-m, et.* fertig werden; *Arbeit etc.* bewältigen, schaffen; auskommen (**with** mit); F es schaffen, zurechtkommen; '**~able** handlich; lenk-, fügsam; '**~ment** Verwaltung *f*; *econ.*: Management *n*, Unternehmensführung *f*; Geschäftsleitung *f*, Direktion *f*
manager ['mænıdʒə] Verwalter(in); *econ.*: Manager(in); Führungskraft *f*; Geschäftsführer(in), Leiter(in), Direktor(in); Manager(in) (*e-s Künstlers etc.*); *Sport*: (Chef)Trainer(in); **~ess** [mænıdʒə'res] *siehe alle* (in)-*Formen unter* **manager**
mandarin ['mændərın] *a.* **~ orange** Mandarine *f*
mane [meın] Mähne *f*
maneuver *Am.* → **manoeuvre**
manger ['meındʒə] Krippe *f*
mangle ['mæŋgl] **1.** (Wäsche)Mangel *f*; **2.** mangeln; übel zurichten
mania ['meınjə] Sucht *f*, Leidenschaft *f*; **maniac** ['meınıæk] F Wahnsinnige *m, f*
man|kind [mæn'kaınd] die Menschheit, die Menschen *pl*; '**~ly** männlich; **~-'made** von Menschen geschaffen, künstlich, Kunst...
manner ['mænə] Art *f* (u. Weise *f*); *pl* Benehmen *n*, Umgangsformen *pl*, Manieren *pl*
manoeuvre [mə'nuːvə] **1.** Manöver *n*; **2.** manövrieren
manor ['mænə] (Land)Gut *n*; → '**~ house** Herrenhaus *n*
'**manpower** Arbeitskräfte *pl*
mansion ['mænʃn] (herrschaftliches) Wohnhaus
'**manslaughter** *jur.* Totschlag *m*; fahrlässige Tötung
mantel|piece ['mæntlpiːs], '**~shelf** (*pl* **-shelves**) Kaminsims *m*
manual ['mænjʊəl] **1.** Hand..., manuell; **2.** Handbuch *n*
manufacture [mænjʊ'fæktʃə] **1.** herstellen, erzeugen; **2.** Herstellung *f*; **manu'facturer** Hersteller *m*, Erzeuger *m*

manure [mə'njʊə] **1.** Dünger *m*, Mist *m*, Dung *m*; **2.** düngen
manuscript ['mænjʊskrɪpt] Manuskript *n*
many ['menɪ] viele
map [mæp] (Land- *etc.*)Karte *f*; (Stadt- *etc.*)Plan *m*
maple ['meɪpl] Ahorn *m*
marathon ['mærəθn] *a.* ~ ***race*** Marathonlauf *m*
marble ['mɑːbl] **1.** Marmor *m*; Murmel *f*; **2.** marmorn
March [mɑːtʃ] März *m*
march [mɑːtʃ] **1.** marschieren; **2.** Marsch *m*
mare [meə] Stute *f*
margarine [mɑːdʒə'riːn], **marge** [mɑːdʒ] *Brt.* F Margarine *f*
margin ['mɑːdʒɪn] Rand *m*; *fig.*: Spielraum *m*; (*Gewinn-*, *Verdienst*)Spanne *f*
marijuana [mærjuː'ɑːnə] *a.* ***marihuana*** Marihuana *n*
marina [mə'riːnə] Boots-, Jachthafen *m*
marine [mə'riːn] Marine *f*; Marineinfanterist *m*
marital ['mærɪtl] ehelich
maritime ['mærɪtaɪm] See...
mark [mɑːk] **1.** Fleck *m*; Spur *f*; Marke *f*, Markierung *f*; Zeichen *n*; Merkmal *n*; (Körper)Mal *n*; Ziel *n*; (*Handels*)Marke *f*; *Schule*: Note *f*, Zensur *f*, Punkt *m*; *Laufsport*: Startlinie *f*; ***hit the*** ~ (*fig.* ins Schwarze) treffen; ***miss the*** ~ danebenschießen; *fig.* das Ziel verfehlen; **2.** markieren; Spuren hinterlassen auf; Flecken machen auf; *Waren* auszeichnen; *Schule*: benoten, zensieren; *Sport*: *Gegenspieler* decken; ~ ***down*** notieren; *im Preis* herabsetzen; ~ ***off*** abgrenzen; *auf e-r Liste* abhaken; ~ ***out*** abgrenzen, markieren; bestimmen (***for*** für); ~ ***up*** *im Preis* heraufsetzen
marked [mɑːkt] deutlich
'marker Markierstift *m*; Lesezeichen *n*; *Sport*: Bewacher(in)
market ['mɑːkɪt] **1.** Markt *m*; Markt(platz) *m*; **2.** auf den Markt bringen; verkaufen, -treiben; ~ **'garden** *Brt.* Gemüse- u. Obstgärtnerei *f*
'marking Markierung *f*; *zo.* Zeichnung *f*; Benotung *f*; *Sport*: Deckung *f*
marmalade ['mɑːməleɪd] (*bsd.* Orangen)Marmelade *f*
marriage ['mærɪdʒ] Heirat *f*, Hochzeit *f* (***to*** mit); Ehe *f*; '~ **certificate** Heiratsurkunde *f*
married ['mærɪd] verheiratet
marrow ['mærəʊ] *anat.* (Knochen)Mark *n*; *a.* ***vegetable*** ~ Kürbis *m*
marry ['mærɪ] *v/t* heiraten; trauen; *v/i a.* ***get married*** heiraten
marsh [mɑːʃ] Sumpfland *n*, Marsch *f*
marshal ['mɑːʃl] *Am.* Bezirkspolizeichef *m*

marten ['mɑːtɪn] Marder *m*
martial ['mɑːʃl] kriegerisch; Kriegs..., Militär...; **~ 'arts** *pl* asiatische Kampfsportarten *pl*
martyr ['mɑːtə] Märtyrer(in)
marvel ['mɑːvl] **1.** Wunder *n*; **2.** sich wundern (**at** über); **'~(l)ous** wunderbar; fabelhaft, fantastisch
mascara [mæ'skɑːrə] Wimperntusche *f*
mascot ['mæskət] Maskottchen *n*
masculine ['mæskjʊlɪn] männlich, maskulin
mash [mæʃ] **1.** zerdrücken, -quetschen; **2.** *Brt.* F Kartoffelbrei *m*; **~ed po'tatoes** *pl* Kartoffelbrei *m*
mask [mɑːsk] Maske *f*
mason ['meɪsn] Steinmetz *m*
masquerade [mæskə'reɪd] **1.** Maskerade *f*; **2.** sich verkleiden (**as** als)
mass [mæs] **1.** Masse *f*; Mehrzahl *f*; **2.** sich (an)sammeln *od.* (an)häufen
Mass [mæs] *rel.* Messe *f*
massacre ['mæsəkə] **1.** Massaker *n*; **2.** niedermetzeln
massage ['mæsɑːʒ] **1.** Massage *f*; **2.** massieren
massive ['mæsɪv] massiv; enorm, riesig
mass| 'media *pl* Massenmedien *pl*; **~-pro'duce** serienmäßig herstellen; **~ pro'duction** Massen-, Serienproduktion *f*
mast [mɑːst] Mast *m*
master ['mɑːstə] **1.** *su* Meister *m*; Herr *m*; Lehrer *m*; Original(kopie *f*) *n*; *paint. etc.* Meister *m*; *univ.* Magister *m*; **~ of ceremonies** Conférencier *m*; Showmaster *m*; **2.** *adj* Haupt...; **3.** *v/t* meistern; beherrschen; **'~ key** Hauptschlüssel *m*; **'~ly** meisterhaft; **'~mind** (führender) Kopf; **'~piece** Meisterwerk *n*
masturbate ['mæstəbeɪt] masturbieren, onanieren
mat¹ [mæt] Matte *f*; Untersetzer *m*
mat² [mæt] → **matt**
match¹ [mætʃ] Streichholz *n*
match² [mætʃ] **1.** *der, die, das* Gleiche *od.* Ebenbürtige; (passendes) Gegenstück; *Sport*: Match *n*, Spiel *n*, Kampf *m*; **be no ~ for s.o.** j-m nicht gewachsen sein; **find** *od.* **meet one's ~** s-n Meister finden; **they are a perfect ~** sie passen ausgezeichnet zueinander; **2.** passen zu; zs.-passen übereinstimmen, entsprechen
'matchbox Streichholzschachtel *f*
match 'point *bsd. Tennis*: Matchball *m*
mate [meɪt] **1.** Kamerad *m*, Kollege *m*; *zo.* Männchen *n* *od.* Weibchen *n*; *naut.* Maat *m*; **2.** *zo.* (sich) paaren
material [mə'tɪərɪəl] **1.** Mate-

rial *n*, Stoff *m*; **2.** materiell; wesentlich

maternal [mə'tɜːnl] mütterlich(erseits), Mutter...

maternity [mə'tɜːnətɪ] **1.** Mutterschaft *f*; **2.** Schwangerschafts..., Umstands...

math [mæθ] *Am.* F Mathe *f*

mathematician [mæθəmə'tɪʃn] Mathematiker(in);

mathematics [mæθə'mætɪks] *mst sg* Mathematik *f*

maths [mæθs] *mst sg Brt.* F Mathe *f*

matinée ['mætɪneɪ] Nachmittagsvorstellung *f*

matrimony ['mætrɪmənɪ] Ehe (-stand *m*) *f*

matron ['meɪtrən] *Brt.* Oberschwester *f*, Oberin *f*

matt [mæt] matt, mattiert

matter ['mætə] **1.** Materie *f*, Material *n*, Stoff *m*; *med.* Eiter *m*; Sache *f*, Angelegenheit *f*; ***as a ~ of fact*** tatsächlich, eigentlich; ***a ~ of time*** e-e Frage der Zeit; ***what's the ~ (with you)?*** was ist los (mit dir)?; ***no ~ what she says*** ganz gleich, was sie sagt; ***no ~ who*** gleichgültig, wer; **2.** von Bedeutung sein; ***it doesn't ~*** es macht nichts; **~-of-'fact** sachlich

mattress ['mætrɪs] Matratze *f*

mature [mə'tjʊə] **1.** reif; **2.** reifen, reif werden

maul [mɔːl] übel zurichten

Maundy Thursday ['mɔːndɪ] Gründonnerstag *m*

maximum ['mæksɪməm] **1.** (*pl* ***-ma*** [-mə], ***-mums***) Maximum *n*; **2.** maximal, Maximal..., Höchst...

May [meɪ] Mai *m*

may [meɪ] *v/aux* (*pret* ***might***) *ich* kann/mag/darf *etc.*, *du* kannst/magst/darfst *etc.*

maybe ['meɪbiː] vielleicht

'maybug Maikäfer *m*

'May Day der 1. Mai

mayor [meə] Bürgermeister *m*

'maypole Maibaum *m*

maze [meɪz] Labyrinth *n*

MD [em 'diː] ***medicinae doctor*** (= ***Doctor of Medicine***) Dr. med., Doktor *m* der Medizin

me [miː] mich; mir

meadow ['medəʊ] Wiese *f*

meagre *Brt.*, **meager** *Am.* ['miːgə] mager, dürr; dürftig

meal [miːl] Essen *n*

mean[1] [miːn] (***meant***) bedeuten; meinen; beabsichtigen, vorhaben; ***be ~t for*** bestimmt sein für; ***~ well / ill*** es gut/schlecht meinen

mean[2] [miːn] gemein; geizig

mean[3] [miːn] **1.** Mitte *f*, Mittel *n*, Durchschnitt *m*; **2.** durchschnittlich, Durchschnitts...

'meaning 1. Sinn *m*, Bedeutung *f*; **2.** bedeutungsvoll; **'~ful** bedeutungsvoll; sinnvoll; **'~less** sinnlos

means [miːnz] *pl* (*a. sg konstr.*) Mittel *n od. pl*; Mittel *pl*, Vermögen *n*; ***by all ~s!***

selbstverständlich!; **by no ~s** keineswegs; **by ~s of** durch

meant [ment] *pret u. pp von* **mean**¹

'**mean|time** *a.* **in the ~** inzwischen; '**~while** inzwischen

measles ['mi:zlz] *sg* Masern *pl*

measure ['meʒə] **1.** Maß *n* (*a. fig.*); *mus.* Takt *m*; Maßnahme *f*; **2.** (ab-, aus-, ver)messen; '**~ment** Messung *f*; Maß *n*; **~ of ca'pacity** Hohlmaß *n*

meat [mi:t] Fleisch *n*

mechanic [mɪ'kænɪk] Mechaniker *m*; **~al** mechanisch

mechanism ['mekənɪzəm] Mechanismus *m*; '**mechanize** mechanisieren

medal ['medl] Medaille *f*; Orden *m*

meddle ['medl] sich einmischen (**with, in** in)

media ['mi:djə] *pl* Medien *pl*

mediaeval → **medieval**

median ['mi:djən] *a.* **~ strip** *Am. mot.* Mittelstreifen *m*

mediate ['mi:dɪeɪt] vermitteln

medical ['medɪkl] **1.** medizinisch, ärztlich; **2.** ärztliche Untersuchung; **~ cer'tificate** ärztliches Attest

medicated ['medɪkeɪtɪd] medizinisch

medicinal [me'dɪsɪnl] medizinisch, Heil...; **medicine** ['medsɪn] Medizin *f*, Arznei *f*; Medizin *f*, Heilkunde *f*

medieval [medɪ'i:vl] mittelalterlich

mediocre [mi:dɪ'əʊkə] mittelmäßig

meditate ['medɪteɪt] nachdenken; meditieren; **medi'tation** Meditation *f*

Mediter'ranean (Sea) [medɪtə'reɪnjən-] *das* Mittelmeer

medium ['mi:djəm] **1.** (*pl* **-dia** [-djə], **-diums**) Mitte *f*; Mittel *n*; Medium *n*; **2.** mittler, Mittel...; *Steak*: medium, halb gar

medley ['medlɪ] Gemisch *n*; *mus.* Medley *n*, Potpourri *n*

meek [mi:k] sanft(mütig)

meet [mi:t] (**met**) *v/t* treffen, sich treffen mit; begegnen; treffen auf, stoßen auf; *j-n* abholen; *j-n* kennen lernen; *Wunsch* entsprechen; *Verpflichtung etc.* nachkommen; *v/i* zs.-kommen; sich treffen *od.* begegnen; sich kennen lernen; **~ with** zs.-treffen mit; sich treffen mit; stoßen auf (*Schwierigkeiten etc.*); erleben, -leiden

'**meeting** Begegnung *f*, (Zs.-)Treffen *n*; Versammlung *f*, Sitzung *f*, Tagung *f*; *Sport*: Veranstaltung *f*

melancholy ['melənkəlɪ] **1.** Melancholie *f*, Schwermut *f*; **2.** schwermütig; traurig

mellow ['meləʊ] **1.** reif; weich; sanft, mild, zart; *fig.* gereift; **2.** reifen (lassen)

melody ['melədɪ] Melodie *f*

melon ['melən] Melone *f*

melt [melt] (zer)schmelzen

member ['membə] Mitglied *n*, Angehörige *m*, *f*; *anat.*: Glied(maße *f*) *n*; (männliches) Glied; '**~ship** Mitgliedschaft *f*; Mitglieds...
membrane ['membreın] Membran(e) *f*
memo ['meməʊ] F Memo *n*
memoirs ['memwɑːz] *pl* Memoiren *pl*
memorial [mə'mɔːrıəl] Denkmal *n*, Gedenkstätte *f*
memorize ['meməraız] auswendig lernen, sich *et.* einprägen
memory ['memərı] Gedächtnis *n*; Erinnerung *f*; Andenken *n*; *Computer*: Speicher *m*; ***in ~ of*** zum Andenken an
men [men] *pl von* ***man*** 1
menace ['menəs] (Be)Drohung *f*
mend [mend] flicken
meningitis [menın'dʒaıtıs] Hirnhautentzündung *f*
menopause ['menəʊpɔːz] Wechseljahre *pl*
'**men's room** *bsd. Am.* Herrentoilette *f*
menstruation [menstrʊ'eıʃn] Menstruation *f*
mental ['mentl] geistig, Geistes...; **~ a'rithmetic** Kopfrechnen *n*; **~ 'hospital** psychiatrische Klinik, Nervenheilanstalt *f*; **~ity** [men'tælətı] Mentalität *f*; **~ly** ['mentəlı]: ***~ handicapped*** geistig behindert; ***~ ill*** geisteskrank
mention ['menʃn] erwähnen; ***don't ~ it*** bitte (sehr)!, gern geschehen!
menu ['menjuː] Speise(n)-karte *f*; *Computer*: Menü *n*
merchandise ['mɜːtʃəndaız] Ware(n *pl*) *f*
merchant ['mɜːtʃənt] (Groß-) Händler *m*, (Groß)Kaufmann *m*; Handels...
merciful ['mɜːsıfʊl] barmherzig, gnädig; '**merciless** unbarmherzig
mercury ['mɜːkjʊrı] Quecksilber *n*
mercy ['mɜːsı] Barmherzigkeit *f*, Erbarmen *n*, Gnade *f*
mere [mıə], '**~ly** bloß, nur
merge [mɜːdʒ] verschmelzen (***into*** mit); *econ.* fusionieren; '**merger** *econ.* Fusion *f*
meridian [mə'rıdıən] Meridian *m*
merit ['merıt] **1.** Verdienst *n*; Wert *m*; Vorzug *m*; **2.** *Lohn, Strafe etc.* verdienen
mermaid ['mɜːmeıd] Meerjungfrau *f*, Nixe *f*
merry ['merı] lustig, fröhlich; ***♀ Christmas!*** fröhliche *od.* frohe Weihnachten; '**~-go-round** Karussell *n*
mesh [meʃ] Masche *f*
mess [mes] **1.** Unordnung *f*, Durcheinander *n*; Schmutz *m*; *fig.* Patsche *f*, Klemme *f*; **2.** ***~ about, ~ around*** herumspielen; herumgammeln; ***~ up*** in Unordnung bringen; *fig.* verpfuschen

message ['mesɪdʒ] Mitteilung *f*, Nachricht *f*; Anliegen *n*; ***get the* ~** F kapieren
messenger ['mesɪndʒə] Bote *m*
messy ['mesɪ] schmutzig (*a. fig.*); unordentlich
met [met] *pret u. pp von* ***meet***
metabolism [me'tæbəlɪzəm] Stoffwechsel *m*
metal ['metl] Metall *n*; **metallic** [mɪ'tælɪk] metallisch; Metall....
meter¹ ['miːtə] Messgerät *n*, Zähler *m*; ~ ***maid*** Politesse *f*
meter² *Am.* → ***metre***
method ['meθəd] Methode *f*; **~ical** [mɪ'θɒdɪkl] methodisch, systematisch
meticulous [mɪ'tɪkjʊləs] peinlich genau
metre *Brt.*, **meter** *Am.* ['miːtə] Meter *m*, *n*; Versmaß *n*
metric ['metrɪk] metrisch
metropolitan [metrə'pɒlɪtən] ... der Hauptstadt
Mexican ['meksɪkən] **1.** mexikanisch; **2.** Mexikaner(in)
Mexico ['meksɪkəʊ] Mexiko *n*
miaow [miː'aʊ] miauen
mice [maɪs] *pl von* ***mouse***
micro [maɪkrəʊ] Mikro..., (sehr) klein; '**~chip** Mikrochip *m*
microphone ['maɪkrəfəʊn] Mikrofon *n*
microprocessor [maɪkrəʊ-'prəʊsesə] Mikroprozessor *m*
micro|scope ['maɪkrəskəʊp] Mikroskop *n*; '**~wave** Mikrowelle *f*; ~ ***oven*** Mikrowellenherd *m*
mid [mɪd] mittler, Mittel...; '**~day** Mittag *m*
middle ['mɪdl] **1.** mittler, Mittel...; **2.** Mitte *f*; **~-'aged** mittleren Alters; **2 'Ages** *pl das* Mittelalter; **~ 'class(es** *pl*) Mittelstand *m*; **2 'East** *der* Nahe Osten; '**~man** (*pl* **-men**) Zwischenhändler *m*; **~ 'name** zweiter Vorname; **~-'sized** mittelgroß; '**~weight** *Boxen*: Mittelgewicht(ler *m*) *n*
middling ['mɪdlɪŋ] leidlich
'**midfield** *bsd. Fußball*: Mittelfeld *n*; '**~er, ~ 'player** *bsd. Fußball*: Mittelfeldspieler *m*
midge [mɪdʒ] Mücke *f*
midget ['mɪdʒɪt] Zwerg *m*, Knirps *m*
'**mid|night** Mitternacht *f*; '**~summer** Hochsommer *m*; Sommersonnenwende *f*; **~'way** auf halbem Wege; '**~wife** (*pl* **-wives**) Hebamme *f*; **~'winter** Mitte *f* des Winters; Wintersonnenwende *f*
might [maɪt] *pret von* ***may***; '**mighty** mächtig, gewaltig
migrate [maɪ'greɪt] (aus)wandern, (fort)ziehen; '**migratory bird** ['maɪgrətərɪ-] Zugvogel *m*
mike [maɪk] F Mikro *n*
mild [maɪld] mild, sanft, leicht
mildew ['mɪldjuː] Mehltau *m*
mile [maɪl] Meile *f*

(*1,609 km*); **~age** ['maɪlɪdʒ] zurückgelegte Meilenzahl
military ['mɪlɪtərɪ] militärisch
milk [mɪlk] **1.** Milch *f*; ***it's no use crying over spilt ~*** geschehen ist geschehen; **2.** melken; **'~man** (*pl* ***-men***) Milchmann *m*; **'~ tooth** (*pl* ***-teeth***) Milchzahn *m*
mill [mɪl] **1.** Mühle *f*; Fabrik *f*; **2.** mahlen; **'~er** Müller *m*
'millimetre *Brt*., **'millimeter** *Am*. ['mɪlɪ-] Millimeter *m*, *n*
million ['mɪljən] Million *f*; **millionaire** [mɪljə'neə] Millionär(in)
milt [mɪlt] *Fisch*: Milch *f*
mime [maɪm] **1.** Pantomime *f*; Pantomime *m*; **2.** (panto)mimisch darstellen; **mimic** ['mɪmɪk] nachahmen
mince [mɪns] **1.** zerhacken, (zer)schneiden; **2.** *bsd. Brt*. Hackfleisch *n*; **'~meat** *süße* Pastetenfüllung; **~ 'pie** *mit* ***mincemeat*** *gefüllte* Pastete
mind [maɪnd] **1.** Verstand *m*, Geist *m*; Ansicht *f*, Meinung *f*; Absicht *f*, Neigung *f*, Lust *f*; ***be out of one's ~*** nicht (recht) bei Sinnen sein; ***bear*** *od*. ***keep s.th. in ~*** an et. denken; ***change one's ~*** es sich anders überlegen, s-e Meinung ändern; ***enter s.o.'s ~*** j-m in den Sinn kommen; ***give s.o. a piece of one's ~*** j-m gründlich die Meinung sagen; ***make up one's ~*** sich entschließen; **2.** Acht geben auf; aufpassen auf, sehen nach; et. haben gegen; ***do you ~ if I smoke?, do you ~ my smoking?*** stört es Sie, wenn ich rauche?; ***would you ~ opening the window please?*** würden Sie bitte das Fenster öffnen?; ***~ the step!*** Vorsicht, Stufe!; ***~ your own business!*** kümmere dich um deine eigenen Angelegenheiten!; **~** (***you***) wohlgemerkt, allerdings; ***never ~!*** macht nichts!; ***I don't ~*** meinetwegen, von mir aus
mine[1] [maɪn] meine(r, -s)
mine[2] [maɪn] **1.** Bergwerk *n*, Mine *f*; *mil*. Mine *f*; *fig*. Fundgrube *f*; **2.** schürfen, graben; *Erz, Kohle* abbauen; **'miner** Bergmann *m*
mineral ['mɪnərəl] Mineral *n*; Mineral...; *mst pl Brt*. Mineralwasser *n*; **'~ oil** Mineralöl *n*; **'~ water** Mineralwasser *n*
mingle ['mɪŋgl] (ver)mischen; sich mischen *od*. mengen (***with*** unter)
mini... [mɪnɪ] Mini..., Klein(st)...
minimal ['mɪnɪml] minimal; **'minimize** auf ein Minimum herabsetzen; bagatellisieren
mining ['maɪnɪŋ] Bergbau *m*
minister ['mɪnɪstə] Minister(in); Geistliche *m*, Pfarrer *m*
ministry ['mɪnɪstrɪ] Ministerium *n*; geistliches Amt
mink [mɪŋk] Nerz *m*

minor ['maɪnə] **1.** kleiner, *fig. a.* unbedeutend; *jur.* minderjährig; *mus.* Moll...; ***A ~*** A-Moll *n*; **2.** *jur.* Minderjährige *m, [illegible] Am. univ.* Nebenfach *n*[illegible]*us.* Moll *n*; **~ity** [maɪ'nɒ[illegible]] Minderheit *f*; *jur.* Mi[illegible]rjährigkeit *f*
minster ['mɪnstə] Münster *n*
mint¹ [mɪnt] Minze *f*; Pfefferminz(bonbon *m, n*) *n*
mint² [mɪnt] **1.** Münze *f*, Münzanstalt *f*; **2.** prägen
minus ['maɪnəs] minus
minute¹ ['mɪnɪt] Minute *f*; Augenblick *m*; *pl* Protokoll *n*; ***in a ~*** sofort; ***just a ~*** e-n Augenblick; Moment mal!
minute² [maɪ'njuːt] winzig; sehr genau
miracle ['mɪrəkl] Wunder *n*
miraculous [mɪ'rækjʊləs] wunderbar; **~ly** wie durch ein Wunder
mirror ['mɪrə] **1.** Spiegel *m*; **2.** (wider)spiegeln
mirth [mɜːθ] Fröhlichkeit *f*
mis... [mɪs] miss..., falsch; **~be'have** sich schlecht benehmen; **~'calculate** falsch berechnen; sich verrechnen
mis'carriage *med.* Fehlgeburt *f*; **mis'carry** e-e Fehlgeburt haben
miscellaneous [mɪsə'leɪnjəs] ge-, vermischt; verschieden
mischief ['mɪstʃɪf] Schaden *m*; Unfug *m*; Übermut *m*;
mischievous ['mɪstʃɪvəs] boshaft; spitzbübisch
mis|con'ception Missverständnis *n*; **~construe** [mɪskən'struː] missdeuten, falsch auslegen; **~demeano(u)r** [mɪsdɪ'miːnə] *jur.* Vergehen *n*
miser ['maɪzə] Geizhals *m*
miserable ['mɪzərəbl] elend;
'misery Elend *n*, Not *f*
mis|'fire *Schusswaffe*: versagen; *mot.* fehlzünden, aussetzen; *Plan etc.* fehlschlagen; **'~fit** Außenseiter(in); **~'fortune** Unglück(sfall *m*) *n*; Missgeschick *n*; **~'giving** Befürchtung *f*, Zweifel *m*; **~'guided** irrig, unangebracht; **~'handle** falsch behandeln *od.* handhaben; **~hap** ['mɪshæp] Missgeschick *n*
misin'terpret falsch auffassen *od.* auslegen; **misinterpre'tation** falsche Auslegung
mis|'judge falsch beurteilen; falsch einschätzen; **~'lay** (**-*laid***) *et.* verlegen; **~'lead** (**-*led***) irreführen, täuschen
mis'manage schlecht verwalten *od.* führen; **~ment** Misswirtschaft *f*
mis|'place *et.* verlegen; an e-e falsche Stelle legen *od.* setzen; **~d** unangebracht, deplatziert; **~print** **1.** [mɪs'prɪnt] verdrucken; **2.** ['mɪsprɪnt] Druckfehler *m*; **~pro'nounce** falsch aussprechen; **~'read** (**-*read*** [red]) falsch lesen; falsch

deuten; **~repre'sent** falsch darstellen
miss¹ [mɪs] (*mit nachfolgendem Namen* ♀) Fräulein *n*
miss² [mɪs] **1.** verpassen, -säumen, -fehlen; übersehen; überhören; nicht verstehen *od.* begreifen; vermissen; nicht treffen; **2.** Fehlschuss *m*, -wurf *m etc.*
missile ['mɪsaɪl] Rakete *f*; Geschoss *n*, *östr.* Geschoß *n*
missing ['mɪsɪŋ] fehlend; vermisst; ***be*** ~ fehlen
mission ['mɪʃn] *rel.*, *pol.* Mission *f*; *mil.* Einsatz *m*
mis'spell (***-spelt*** *od.* ***-spelled***) falsch buchstabieren *od.* schreiben
mist [mɪst] **1.** (feiner) Nebel, Dunst *m*; **2.** ~ ***over*** sich trüben; ~ ***up*** (sich) beschlagen
mistake [mɪ'steɪk] **1.** (***-took***, ***-taken***) verwechseln (***for*** mit); falsch verstehen, missverstehen; sich irren in; **2.** Irrtum *m*, Versehen *n*; Fehler *m*; ***by*** ~ aus Versehen; **mis'taken:** ***be*** ~ sich irren
mister ['mɪstə] → *Abkürzung* ***Mr***
mistletoe ['mɪsltəʊ] Mistel *f*
mistress ['mɪstrɪs] Herrin *f*; Lehrerin *f*; Geliebte *f*
mis'trust **1.** misstrauen; **2.** Misstrauen *n*
misty ['mɪstɪ] neb(e)lig
misunder'stand (***-stood***) missverstehen, falsch verstehen; **~ing** Missverständnis *n*; Meinungsverschiedenheit *f*
misuse **1.** [mɪs'juːz] missbrauchen; falsch gebrauchen; **2.** [mɪs'juːs] Missbrauch *m*
mite [maɪt] Milbe *f*
mitten ['mɪtn] Fausthandschuh *m*, Fäustling *m*; *ohne Finger*: Halbhandschuh *m*
mix [mɪks] **1.** (ver)mischen, vermengen, *Getränke* mixen; sich (ver)mischen; sich mischen lassen; verkehren (***with*** mit); ~ ***up*** zs.-mischen, durcheinander mischen; verwechseln (***with*** mit); ***be*** **~ed** ***up*** verwickelt sein *od.* werden (***in*** in); **2.** Mischung *f*; **~ed** gemischt (*a. Gefühl etc.*); vermischt; **'~er** Mixer *m*
mixture ['mɪkstʃə] Mischung *f*; Gemisch *n*
moan [məʊn] **1.** Stöhnen *n*; **2.** stöhnen
mob [mɒb] Mob *m*, Pöbel *m*
mobile ['məʊbaɪl] beweglich; fahrbar; ~ **'home** Wohnwagen *m*; ~ **'phone** Mobiltelefon *n*, Handy *n*
mock [mɒk] **1.** verspotten; sich lustig machen (***at*** über); **2.** Schein...; **'~ery** Spott *m*
mode [məʊd] (Art *f* u.) Weise *f*; *Computer*: Modus *m*, Betriebsart *f*
model ['mɒdl] **1.** Modell *n*; Muster *n*; Vorbild *n*; Mannequin *n*; Model *n*, Fotomo-

dell *n*; *tech.* Modell *n*, Typ *m*; Muster..., Modell...; ***male ~*** Dressman *m*; **2.** modellieren, *a. fig.* formen; *Kleider etc.* vorführen
moderate 1. ['mɒdərət] (mittel)mäßig; gemäßigt; **2.** ['mɒdəreɪt] (sich) mäßigen; **moderation** [mɒdə'reɪʃn] Mäßigung *f*
modern ['mɒdən] modern, neu; '**~ize** modernisieren
modest ['mɒdɪst] bescheiden; '**modesty** Bescheidenheit *f*
modification [mɒdɪfɪ'keɪʃn] (Ab-, Ver)Änderung *f*; **modify** ['mɒdɪfaɪ] (ab-, ver)ändern
module ['mɒdju:l] Modul *n*; Baustein *m*; *Raumfahrt*: (*Kommando- etc.*)Kapsel *f*
moist [mɔɪst] feucht; **~en** ['mɔɪsn] an-, befeuchten; feucht werden; **moisture** ['mɔɪstʃə] Feuchtigkeit *f*; **moisturizer** ['mɔɪstʃəraɪzə] Feuchtigkeitscreme *f*
molar ['məʊlə] Backenzahn *m*
mold *etc. Am.* → ***mould***[1], ***mould***[2] *etc.*
mole[1] [məʊl] Maulwurf *m*
mole[2] [məʊl] Muttermal *n*
mole[3] [məʊl] Mole *f*
molest [məʊ'lest] belästigen
mollify ['mɒlɪfaɪ] besänftigen
molten ['məʊltən] geschmolzen
moment ['məʊmənt] Augenblick *m*, Moment *m*; Bedeutung *f*; ***at the ~*** im Augenblick; '**~ary** momentan
monarch ['mɒnək] Monarch(in), Herrscher(in); '**monarchy** Monarchie *f*
monastery ['mɒnəstərɪ] (Mönchs)Kloster *n*
Monday ['mʌndɪ] Montag *m*
monetary ['mʌnɪtərɪ] Währungs...; Geld...
money ['mʌnɪ] Geld *n*; '**~ order** Post- *od.* Zahlungsanweisung *f*
monitor ['mɒnɪtə] **1.** Monitor *m*; **2.** abhören; überwachen
monk [mʌŋk] Mönch *m*
monkey ['mʌŋkɪ] Affe *m*
monologue *Brt.*, **monolog** *Am.* ['mɒnəlɒg] Monolog *m*
monopolize [mə'nɒpəlaɪz] monopolisieren; *fig.* an sich reißen; **mo'nopoly** Monopol *n*
monotonous [mə'nɒtnəs] monoton, eintönig; **mo'notony** Monotonie *f*
monster ['mɒnstə] Monster *n*, Ungeheuer *n*
month [mʌnθ] Monat *m*; '**~ly** **1.** monatlich, Monats...; **2.** Monatsschrift *f*
monument ['mɒnjʊmənt] Monument *n*, Denkmal *n*
moo [mu:] muhen
mood [mu:d] Stimmung *f*, Laune *f*; ***be in a good/bad ~*** gute/schlechte Laune haben; '**moody** launisch, launenhaft; schlecht gelaunt
moon [mu:n] Mond *m*; ***once***

in a blue ~ F alle Jubeljahre (einmal); '**~light** **1.** Mondlicht *n*, -schein *m*; **2.** F schwarzarbeiten; '**~lit** mondhell

moor¹ [mʊə] (Hoch)Moor *n*

moor² [mʊə] *naut.* vertäuen

moose [mu:s] *nordamerikanischer* Elch

mop [mɒp] **1.** Mop *m*; (Haar)Wust *m*; **2.** (auf-, ab-) wischen; ~ ***up*** aufwischen

moral ['mɒrəl] **1.** moralisch, sittlich; Moral..., Sitten...; **2.** Moral *f* (*e-r Geschichte etc.*); *pl* Moral *f*, Sitten *pl*

morale [mɒ'rɑ:l] Moral *f*, Stimmung *f*

morbid ['mɔ:bɪd] krankhaft

more [mɔ:] **1.** *adj* mehr; noch (mehr); ***some*** ~ ***tea*** noch etwas Tee; **2.** *adv* mehr; noch; ~ ***important*** wichtiger; ~ ***and*** ~ immer mehr; ~ ***or less*** mehr oder weniger; ***once*** ~ noch einmal; **3.** *su* Mehr *n* (***of*** an); ***a little*** ~ etwas mehr

morgue [mɔ:g] Leichenschauhaus *n*

morning ['mɔ:nɪŋ] Morgen *m*; Vormittag *m*; Morgen...; Vormittags...; Früh...; ***in the*** ~ morgens, am Morgen; vormittags, am Vormittag; ***this*** ~ heute Morgen *od.* Vormittag; ***tomorrow*** ~ morgen früh *od.* Vormittag; ***good*** ~ guten Morgen

morose [mə'rəʊs] mürrisch

morphia ['mɔ:fjə], **morphine** ['mɔ:fi:n] Morphium *n*

morsel ['mɔ:sl] Bissen *m*

mortal ['mɔ:tl] **1.** sterblich; tödlich; Tod(es)...; **2.** Sterbliche *m*, *f*; **~ity** [mɔ:'tælətɪ] Sterblichkeit *f*

mortar¹ ['mɔ:tə] Mörtel *m*

mortar² ['mɔ:tə] Mörser *m*

mortgage ['mɔ:gɪdʒ] **1.** Hypothek *f*; **2.** e-e Hypothek aufnehmen auf

mortuary ['mɔ:tʃʊərɪ] Leichenhalle *f*

mosaic [məʊ'zeɪɪk] Mosaik *n*

Moslem ['mɒzləm] → ***Muslim***

mosque [mɒsk] Moschee *f*

mosquito [mə'ski:təʊ] (*pl* **-to[e]s**) Moskito *m*; Stechmücke *f*

moss [mɒs] Moos *n*; '**mossy** moosig, bemoost

most [məʊst] **1.** *adj* meist, größt; die meisten; ~ ***people*** die meisten Leute; **2.** *adv* am meisten; ~ ***of all*** am allermeisten; *vor adj*: höchst, äußerst; ***the*** ~ ***important point*** der wichtigste Punkt; **3.** *su das* meiste; der größte Teil; die meisten *pl*; ***at*** (***the***) ~ höchstens; ***make the*** ~ ***of*** *et.* nach Kräften ausnutzen, das Beste herausholen aus

'**mostly** hauptsächlich

MOT [em əʊ 'ti:] *Brt.* F *a.* ~ ***test*** *etwa* TÜV(-Prüfung *f*) *m*

moth [mɒθ] Motte *f*; Nachtfalter *m*

mother ['mʌðə] **1.** Mutter *f*;

2. bemuttern; '~ **country** Vater-, Heimatland *n*; '**~hood** Mutterschaft *f*; '**~-in-law** Schwiegermutter *f*; '**~ly** mütterlich; **~-of-'pearl** Perlmutt *n*, Perlmutter *f*, *n*; '**♀'s Day** Muttertag *m*; ~ '**tongue** Muttersprache *f*

motif [məʊ'tiːf] *Kunst*: Motiv *n*

motion ['məʊʃn] **1.** Bewegung *f*; *parl.* Antrag *m*; **2.** winken; *j-m* ein Zeichen geben; '**~less** regungslos; ~ '**picture** *Am.* Film *m*

motivate ['məʊtɪveɪt] motivieren

motive ['məʊtɪv] Motiv *n*

motor ['məʊtə] Motor *m*; Motor...; '**~bike** *Brt.* F Motorrad *n*; '**~boat** Motorboot *n*; '**~car** Kraftfahrzeug *n*; '**~cycle** Motorrad *n*; '**~cyclist** Motorradfahrer(in); '**~ist** Autofahrer(in); '**~ scooter** Motorroller *m*; '**~way** *Brt.* Autobahn *f*

mo(u)ld[1] [məʊld] **1.** (Gieß-, Guss-, Press)Form *f*; **2.** *tech.* gießen; formen

mo(u)ld[2] [məʊld] Schimmel *m*; Moder *m*; '**mo(u)ldy** verschimmelt, schimm(e)lig; mod(e)rig

mound [maʊnd] Erdhügel *m*

mount [maʊnt] **1.** *v/t Berg, Pferd etc.* besteigen, steigen auf; montieren; anbringen, befestigen; *Edelstein* fassen; *v/i Reiter*: aufsitzen; steigen, *fig. a.* (an)wachsen; ~ ***up to*** sich belaufen auf; **2.** Gestell *n*; Fassung *f*; Reittier *n*

mountain ['maʊntɪn] Berg *m*; *pl a.* Gebirge *n*

mountaineer [maʊntɪ'nɪə] Bergsteiger(in); **~ing** Bergsteigen *n*

mountainous ['maʊntɪnəs] bergig, gebirgig

'**mounted** beritten

mourn [mɔːn] trauern (***for, over*** um); betrauern, trauern um; '**~er** Trauernde *m*, *f*; '**~ful** traurig; '**~ing** Trauer *f*

mouse [maʊs] (*pl* ***mice*** [maɪs]) Maus *f* (*a. Computer*)

moustache [mə'stɑːʃ] Schnurrbart *m*

mouth [maʊθ] (*pl* ***mouths*** [-ðz]) Mund *m*; Maul *n*, Schnauze *f*, Rachen *m*; *Fluss*: Mündung *f*; *Flasche etc.*: Öffnung *f*; '**~ful** Bissen *m*; '**~organ** Mundharmonika *f*; '**~piece** Mundstück *n*; *fig.* Sprachrohr *n*; '**~wash** Mundwasser *n*

move [muːv] **1.** *v/t* bewegen; (weg)rücken; *Schach*: e-n Zug machen mit; *fig.* bewegen, rühren; *v/i* sich bewegen *od.* rühren; umziehen (***to*** nach); *Schach*: e-n Zug machen; ~ ***in*** (***out, away***) ein-(aus-, weg)ziehen; ~ ***on*** weitergehen; **2.** Bewegung *f*; Umzug *m*; *Schach*: Zug *m*; *fig.* Schritt *m*; ***get a ~ on!*** F

Tempo!, mach(t) schon!; ˈ**~ment** Bewegung *f*
movie [ˈmuːvɪ] *Am.* Film *m*
mow [məʊ] (***mowed, mowed*** *od.* ***mown***) mähen; ˈ**~er** *bsd.* Rasenmäher *m*
mown [məʊn] *pp von* **mow**
Mr [ˈmɪstə] ***Mister*** Herr *m*
Mrs [ˈmɪsɪz] *ursprünglich für* ***Mistress*** Frau *f*
Ms [mɪz, məz] *neutrale Anrede*: Frau *f*
Mt ***Mount*** Berg *m*
much [mʌtʃ] **1.** *adj* viel; **2.** *adv* sehr; viel; ***very*** ~ sehr; **3.** *su*: ***nothing*** ~ nichts Besonderes
muck [mʌk] Mist *m*; Dreck *m*
mucus [ˈmjuːkəs] Schleim *m*
mud [mʌd] Schlamm *m*
muddle [ˈmʌdl] *a.* ~ ***up*** durcheinander bringen
muddy [ˈmʌdɪ] schlammig
ˈ**mudguard** Kotflügel *m*; Schutzblech *n*
muffle [ˈmʌfl] *Ton etc.* dämpfen; ˈ**muffler** dicker Schal; *Am. mot.* Auspufftopf *m*
mug[1] [mʌg] Krug *m*; Becher *m*
mug[2] [mʌg] (*bsd. auf der Straße*) überfallen u. ausrauben
mule [mjuːl] Maultier *n*
mulled ˈ**wine** [mʌld-] Glühwein *m*
multilingual [mʌltɪˈlɪŋgwəl] mehrsprachig
multimedia [mʌltɪˈmiːdjə] **1.** multimedial; **2.** Multimedia *n*
multiple [ˈmʌltɪpl], ~ ˈ**store** *bsd. Brt.* Kettenladen *m*
multiplication [mʌltɪplɪˈkeɪʃn] Vermehrung *f*; Multiplikation *f*; ~ **table** Einmaleins *n*
multiply [ˈmʌltɪplaɪ] (sich) vermehren *od.* vervielfachen; multiplizieren, malnehmen (**by** mit)
multi-ˈ**storey** *Brt.* vielstöckig; ~ ˈ**car park** Park(hoch)haus *n*
multitude [ˈmʌltɪtjuːd] Vielzahl *f*
mum [mʌm] *Brt.* F Mami *f*, Mutti *f*
mumble [ˈmʌmbl] murmeln
mummy[1] [ˈmʌmɪ] Mumie *f*
mummy[2] [ˈmʌmɪ] *Brt.* Mami *f*, Mutti *f*
mumps [mʌmps] *sg* Ziegenpeter *m*, Mumps *m, f*
munch [mʌntʃ] mampfen
municipal [mjuːˈnɪsɪpl] städtisch, Stadt..., kommunal, Gemeinde...
murder [ˈmɜːdə] **1.** Mord *m*, Ermordung *f*; **2.** ermorden; ˈ**~er** Mörder *m*; ˈ**~ess** Mörderin *f*; ˈ**~ous** mörderisch
murmur [ˈmɜːmə] **1.** Murmeln *n*; Murren *n*; **2.** murmeln; murren
muscle [ˈmʌsl] Muskel *m*;
muscular [ˈmʌskjʊlə] Muskel...; muskulös
muse [mjuːz] (nach)sinnen
museum [mjuːˈzɪəm] Museum *n*
mush [mʌʃ] Brei *m*, Mus *n*

mushroom ['mʌʃrʊm] Pilz *m*, *bsd.* Champignon *m*
music ['mju:zɪk] Musik *f*; Noten *pl*; '**~al 1.** Musik...; musikalisch; wohlklingend; **2.** Musical *n*; '**~ hall** *bsd. Brt.* Varietee(theater) *n*
musician [mju:'zɪʃn] Musiker(in)
Muslim ['mʊslɪm] **1.** Muslim *m*, Moslem *m*; **2.** muslimisch, moslemisch
must [mʌst] **1.** *v/aux ich* muss, *du* musst, *er*, *sie*, *es* muss *etc.*; ***I ~ not*** ich darf nicht; **2.** Muss *n*
mustache [mə'stɑ:ʃ] *Am.* Schnurrbart *m*
mustard ['mʌstəd] Senf *m*
musty ['mʌstɪ] mod(e)rig, muffig
mute [mju:t] **1.** stumm; **2.** Stumme *m*, *f*
mutilate ['mju:tɪleɪt] verstümmeln
mutiny ['mju:tɪnɪ] Meuterei *f*
mutter ['mʌtə] **1.** murmeln; murren; **2.** Murmeln *n*; Murren *n*
mutton ['mʌtn] Hammelfleisch *n*
mutual ['mju:tʃʊəl] gegenseitig; gemeinsam
muzzle ['mʌzl] Maul *n*, Schnauze *f*; Maulkorb *m*
my [maɪ] mein(e)
myself [maɪ'self] *pron* mich (selbst) (*reflexiv*); *verstärkend*: ich, mich *od.* mir selbst
mysterious [mɪ'stɪərɪəs] mysteriös, geheimnisvoll; **mystery** ['mɪstərɪ] Geheimnis *n*; ***~ tour*** Fahrt *f* ins Blaue
myth [mɪθ] Mythos *m*
mythology [mɪ'θɒlədʒɪ] Mythologie *f*

N

nab [næb] F schnappen
nag [næg] nörgeln; ***~ (at)*** herumnörgeln an; '**nagging** Nörgelei *f*
nail [neɪl] **1.** Nagel *m*; Nagel...; **2.** (an)nageln; '**~ polish**, '**~ varnish** Nagellack *m*
naked ['neɪkɪd] nackt; kahl
name [neɪm] **1.** Name *m*; ***what's your ~?*** wie heißen Sie?; ***call s.o. ~s*** j-n beschimpfen; **2.** (be)nennen; '**~ly** nämlich
nanny ['nænɪ] Kindermädchen *n*; *Brt.* F Oma *f*, Omi *f*
nap [næp] **1.** Nickerchen *n*; ***have** od.* ***take a ~*** → **2.** ein Nickerchen machen
nape [neɪp] *a.* ***~ of the neck*** Genick *n*, Nacken *m*
napkin ['næpkɪn] Serviette *f*
nappy ['næpɪ] *Brt.* Windel *f*
narcotic [nɑ:'kɒtɪk] Betäubungsmittel *n*; *oft pl* Rauschgift *n*
narrate [nə'reɪt] erzählen; be-

richten; **nar'ration** Erzählung *f*; **narrative** ['nærətɪv] Erzählung *f*; Bericht *m*; **narrator** [nə'reɪtə] Erzähler(in)
narrow ['nærəʊ] **1.** eng, schmal; *fig.* knapp; **2.** enger *od.* schmäler werden *od.* machen, (sich) verengen; **~-'minded** engstirnig
nasty ['nɑːstɪ] widerlich; bös, schlimm; gemein, fies
nation ['neɪʃn] Nation *f*; Volk *n*
national ['næʃənl] **1.** national; **2.** Staatsangehörige *m, f*; **~ 'anthem** Nationalhymne *f*
nationality [næʃə'nælətɪ] Nationalität *f*, Staatsangehörigkeit *f*
nationalize ['næʃnəlaɪz] verstaatlichen
national| 'park Nationalpark *m*; **~ 'team** *Sport*: Nationalmannschaft *f*
native ['neɪtɪv] **1.** einheimisch...; Heimat...; Eingeborenen...; angeboren; **2.** Einheimische *m, f*; Eingeborene *m, f*; **~ 'language** Muttersprache *f*; **~ 'speaker** Muttersprachler(in)
natural ['nætʃrəl] natürlich; Natur...; Roh...; **~ 'gas** Erdgas *n*; **'~ize** einbürgern; **~ re'sources** *pl* Naturschätze *pl*; **~ 'science** Naturwissenschaft *f*; **~ 'scientist** Naturwissenschaftler(in)
nature ['neɪtʃə] Natur *f*; **'~ conservation** Naturschutz *m*; **'~ reserve** Naturschutzgebiet *n*; **'~ trail** Naturlehrpfad *m*
naughty ['nɔːtɪ] ungezogen
nausea ['nɔːsjə] Übelkeit *f*; **nauseate** ['nɔːsɪeɪt] *fig.* anwidern
nautical ['nɔːtɪkl] nautisch
naval ['neɪvl] Marine...; **'~ base** Flottenstützpunkt *m*
nave [neɪv] *arch.* Mittel-, Hauptschiff *n*
navel ['neɪvl] Nabel *m*
navigable ['nævɪgəbl] schiffbar; **navigate** ['nævɪgeɪt] *naut.* befahren; steuern
navy ['neɪvɪ] Marine *f*
near [nɪə] **1.** *adj* nahe; eng (befreundet); knapp; **2.** *adv* nahe, in der Nähe; fast, beinahe; **3.** *prp* nahe, in der Nähe von (*od. gen*); **4.** *v/t u. v/i* sich nähern, näher kommen; **~by 1.** ['nɪəbaɪ] *adj* nahe (gelegen); **2.** [nɪə'baɪ] *adv* in der Nähe; **'~ly** fast, beinahe; annähernd; **~'sighted** *bsd. Am.* kurzsichtig
neat [niːt] ordentlich; sauber; *Whisky etc.*: pur
necessarily ['nesəsərəlɪ] notwendigerweise; ***not*** **~** nicht unbedingt; **necessary** ['nesəsərɪ] notwendig, nötig
necessity [nɪ'sesətɪ] Notwendigkeit *f*; Bedürfnis *n*
neck [nek] **1.** Hals *m*; Genick *n*; **2.** F knutschen; **~lace** ['neklɪs] Halskette *f*; **'~line**

Kleid etc.: Ausschnitt *m*; '**~tie** *Am.* Krawatte *f*, Schlips *m*
née [neɪ] geborene
need [ni:d] **1.** benötigen, brauchen; müssen; **2.** Bedürfnis *n*, Bedarf *m*; Notwendigkeit *f*; Mangel *m*; Not *f*; ***be in ~ of s.th.*** et. dringend brauchen; ***in ~*** in Not
needle ['ni:dl] Nadel *f*; '**~work** Handarbeit *f*
needy ['ni:dɪ] bedürftig, arm
negative ['negətɪv] **1.** negativ; verneinend; **2.** Verneinung *f*; *phot.* Negativ *n*; ***answer in the ~*** verneinen
neglect [nɪ'glekt] vernachlässigen
negligent ['neglɪdʒənt] nachlässig, unachtsam; lässig
negotiate [nɪ'gəʊʃɪeɪt] verhandeln (über); **negoti'ation** Verhandlung *f*
neigh [neɪ] wiehern
neighbo(u)r ['neɪbə] Nachbar(in); '**~hood** Nachbarschaft *f*; Umgebung *f*
neither ['naɪðə, 'ni:ðə] **1.** *adj*, *pron* keine(r, -s) (von beiden); **2.** *cj*: ***~ ... nor*** weder ... noch; **3.** *adv* auch nicht
nephew ['nevju:] Neffe *m*
nerd [nɜ:d] F Döskopp *m*
nerve [nɜ:v] Nerv *m*; Mut *m*; F Frechheit *f*; '**~-(w)racking** F nervenaufreibend
nervous ['nɜ:vəs] nervös
nest [nest] **1.** Nest *n*; **2.** nisten
nestle ['nesl] sich schmiegen *od.* kuscheln (***against, by*** an)
net¹ [net] Netz *n*; ***~ curtain*** Store *m*
net² [net] netto, Netto..., Rein...
Netherlands ['neðələndz] *pl die* Niederlande *pl*
nettle ['netl] **1.** *bot.* Nessel *f*; **2.** ***be ~d*** F verärgert sein
network ['netwɜ:k] Netz *n* (*a. für Straßen, Computer, TV etc.*); ***be in the ~*** *Computer*: am Netz sein
neurosis [njʊə'rəʊsɪs] (*pl* **-ses** [-si:z]) Neurose *f*; **neurotic** [njʊə'rɒtɪk] neurotisch
neutral ['nju:trəl] **1.** neutral; **2.** Neutrale *m, f*; *mot.* Leerlauf *m*; **~ity** [nju:'trælətɪ] Neutralität *f*; **~ize** ['nju:trəlaɪz] neutralisieren
never ['nevə] nie(mals); **~-'ending** endlos
new [nju:] neu; ***nothing ~*** nichts Neues; '**~born** neugeboren; '**~comer** Neuankömmling *m*; Neuling *m*; '**~ly** kürzlich; neu; **~ 'moon** Neumond *m*
news [nju:z] *sg* Neuigkeit(en *pl*) *f*, Nachricht(en *pl*) *f*; '**~ agency** Nachrichtenagentur *f*; '**~agent** *Brt.* Zeitungshändler(in); '**~cast** Nachrichtensendung *f*; '**~caster** Nachrichtensprecher(in); '**~ flash** Kurzmeldung *f*; **~paper** ['nju:speɪpə] Zeitung *f*; '**~stand** Zeitungskiosk *m*, -stand *m*; '**~vendor** *Brt.* Zeitungsverkäufer(in)

new 'year *das* neue Jahr; ***Happy New Year!*** Gutes neues Jahr!, Prosit Neujahr!; ***New Year's Day*** Neujahr(stag *m*) *n*; ***New Year's Eve*** Silvester(abend *m*) *m*, *n*

next [nekst] **1.** *adj* nächst; **~ *door*** nebenan; **~ *but one*** übernächst; **2.** *adv* als nächste(r, -s); das nächste Mal; **~ *to*** neben; **3.** *su der*, *die*, *das* Nächste; **~-'door** (von) nebenan

NHS [en eɪtʃ 'es] *Brt.* ***National Health Service*** Staatlicher Gesundheitsdienst; **NH'S patient** *Brt. etwa* Kassenpatient(in)

nibble ['nɪbl] knabbern

nice [naɪs] nett, freundlich; nett, hübsch, schön; fein; **'~ly** gut, ausgezeichnet

niche [nɪtʃ] Nische *f*

nick[1] [nɪk] Kerbe *f*

nick[2] [nɪk] *Brt.* F klauen

nickel ['nɪkl] *min.* Nickel *n*; *Am.* Fünfcentstück *n*

nickname ['nɪkneɪm] **1.** Spitzname *m*; **2.** *j-m* den Spitznamen ... geben

niece [niːs] Nichte *f*

niggardly ['nɪgədlɪ] geizig

night [naɪt] Nacht *f*; Abend *m*; ***at*** **~**, ***by*** **~** in der *od.* bei Nacht, nachts; ***good*** **~** gute Nacht; **'~cap** Schlummertrunk *m*; **'~club** Nachtklub *m*, -lokal *n*; **'~dress** (Damen)Nachthemd *n*; **'~gown** (Damen)Nachthemd *n*

nightie ['naɪtɪ] F → ***nightdress***

nightingale ['naɪtɪŋgeɪl] Nachtigall *f*

'night|ly jede Nacht; jeden Abend; **~mare** ['naɪtmeə] Albtraum *m*; **'~ school** Abendschule *f*; **'~ shift** Nachtschicht *f*; **'~shirt** (Herren)Nachthemd *n*

nil [nɪl] *bsd. Sport*: null; ***four to*** **~** (***4–0***) vier zu null (4:0)

nimble ['nɪmbl] flink, gewandt; geistig beweglich

nine [naɪn] neun; **'~pins** *sg* Kegeln *n*; **~teen(th)** [naɪn'tiːn(θ)] neunzehn(t); **~tieth** ['naɪntɪəθ] neunzigst; **'~ty** neunzig

ninth [naɪnθ] **1.** neunt; **2.** Neuntel *n*; **'~ly** neuntens

nip [nɪp] kneifen, zwicken; *Brt.* F sausen, flitzen

nipple ['nɪpl] Brustwarze *f*

nitrogen ['naɪtrədʒən] Stickstoff *m*

no [nəʊ] **1.** *adv* nein; nicht; **2.** *adj* kein(e); **~ *one*** keiner, niemand

No., no. ***numero*** (= ***number***) Nr., Nummer *f*

nobility [nəʊ'bɪlətɪ] Adel *m*

noble ['nəʊbl] adlig; edel

nobody ['nəʊbədɪ] niemand, keiner

no-'calorie diet Nulldiät *f*

nod [nɒd] **1.** nicken (mit); **~ *off*** einnicken; **2.** Nicken *n*

noise [nɔɪz] Krach *m*, Lärm *m*; Geräusch *n*; *Radio etc.*:

Rauschen *n*; '**~less** geräuschlos
noisy ['nɔɪzɪ] laut
nominate ['nɒmɪneɪt] ernennen; nominieren, vorschlagen; **nomi'nation** Ernennung *f*; Nominierung *f*
non... [nɒn] nicht..., Nicht..., un...
non|alco'holic alkoholfrei; **~commissioned 'officer** Unteroffizier *m*; **~descript** ['nɒndɪskrɪpt] unauffällig
none [nʌn] **1.** *pron* (*sg od. pl*) kein; **2.** *adv* in keiner Weise
non|ex'istent nicht existierend; **~'fiction** Sachbücher *pl*; **~(in)'flammable** nicht brennbar; **~inter'vention** *pol.* Nichteinmischung *f*; **~-'iron** bügelfrei
no-'nonsense nüchtern, sachlich
non|'payment *bsd. econ.* Nicht(be)zahlung *f*; **~-'plus(s)ed** verblüfft; **~pol'luting** umweltfreundlich; **~'resident** nicht (orts)ansässig; **~re'turnable** *von Verpackung*: Einweg...
nonsense ['nɒnsəns] Unsinn *m*, dummes Zeug
non|-'skid rutschfest, -sicher; **~'smoker** Nichtraucher(in); *Brt. rail.* Nichtraucher(wagen) *m*; **~'stick** *Pfanne etc.*: mit Antihaftbeschichtung; **~'stop** *Zug etc.*: durchgehend, *Flug*: ohne Zwischenlandung; nonstop, ohne Unterbrechung; **~'violence** Gewaltlosigkeit *f*; **~'violent** gewaltlos
noodle ['nu:dl] Nudel *f*
nook [nʊk] Ecke *f*, Winkel *m*
noon [nu:n] Mittag(szeit *f*) *m*; ***at ~*** um 12 Uhr (mittags)
noose [nu:s] Schlinge *f*
nor [nɔ:] → ***neither*** 2; auch nicht
norm [nɔ:m] Norm *f*
normal ['nɔ:ml] normal; **~ize** ['nɔ:məlaɪz] (sich) normalisieren; **~ly** ['nɔ:məlɪ] normalerweise, (für) gewöhnlich
north [nɔ:θ] **1.** *su* Nord(en *m*); **2.** *adj* nördlich, Nord...; **3.** *adv* nach Norden, nordwärts; **northern** ['nɔ:ðn] nördlich, Nord...
North| 'Pole Nordpol *m*; **~ 'Sea** Nordsee *f*
'northward(s) nördlich, nach Norden
Norway ['nɔ:weɪ] Norwegen *n*
Norwegian [nɔ:'wi:dʒən] **1.** norwegisch; **2.** Norweger(in)
nos. ***numbers*** Nummern *pl*
nose [nəʊz] Nase *f*; '**~bleed** Nasenbluten *n*
nostril ['nɒstrəl] Nasenloch *n*, *bsd. zo.* Nüster *f*
nosy ['nəʊzɪ] F neugierig
not [nɒt] nicht; **~ a** kein(e)
notable ['nəʊtəbl] bemerkenswert; beachtlich
notch [nɒtʃ] Kerbe *f*
note [nəʊt] **1.** *oft pl* Notiz *f*, Aufzeichnung *f*; Anmerkung *f*; Nachricht *f*; Bank-

note *f*, Geldschein *m*; *mus.* Note *f*; ***make a ~ of s.th.*** sich et. aufschreiben; **2.** *a.* ~ ***down*** (sich) *et.* aufschreiben *od.* notieren; '**~book** Notizbuch *n*; *Computer*: Notebook *n*
'**noted** bekannt
'**note|pad** Notizblock *m*; '**~paper** Briefpapier *n*
nothing ['nʌθɪŋ] nichts; ~ ***but*** nichts als, nur; ~ ***much*** nicht viel; ***for*** ~ umsonst; ***to say*** ~ ***of*** ganz zu schweigen von
notice ['nəʊtɪs] **1.** Ankündigung *f*, Bekanntgabe *f*, Mitteilung *f*, Anzeige *f*; Kündigung(sfrist) *f*; Beachtung *f*; ***at short*** ~ kurzfristig; ***until further*** ~ bis auf weiteres; ***without*** ~ fristlos; ***give s.o.*** ~ j-m kündigen; ***four weeks'*** ~ vierwöchige Kündigungsfrist; ***take*** (***no***) ~ ***of*** (keine) Notiz nehmen von, (nicht) beachten; **2.** (es) bemerken; (besonders) beachten *od.* achten auf; '**~able** erkennbar
notify ['nəʊtɪfaɪ] benachrichtigen
notion ['nəʊʃn] Vorstellung *f*; Idee *f*
notions ['nəʊʃnz] *pl Am.* Kurzwaren *pl*
notorious [nəʊ'tɔːrɪəs] berüchtigt (***for*** für)
nought [nɔːt] *Brt. die Zahl* 0
nourish ['nʌrɪʃ] (er)nähren; *fig.* hegen; '**~ing** nahrhaft; '**~ment** Nahrung *f*
novel ['nɒvl] **1.** Roman *m*; **2.** neu(artig); **~ist** ['nɒvəlɪst] Romanschriftsteller(in); '**~ty** Neuheit *f*
November [nəʊ'vembə] November *m*
now [naʊ] nun, jetzt; ~ ***and again***, ~ ***and then*** von Zeit zu Zeit, dann u. wann; ***by*** ~ inzwischen; ***from*** ~ ***on*** von jetzt an; ***just*** ~ gerade eben
nowadays ['naʊədeɪz] heutzutage
nowhere ['nəʊweə] nirgends
nozzle ['nɒzl] *tech.* Düse *f*
nuclear ['njuːklɪə] Kern..., Atom...; ~ '**energy** Atom-, Kernenergie *f*; ~ '**fission** Kernspaltung *f*; ~-'**free** atomwaffenfrei; ~ '**physics** *sg* Kernphysik *f*; ~ '**power** Atom-, Kernkraft *f*; ~ '**power plant**, ~ '**power station** Atom-, Kernkraftwerk *n*; ~ **re'actor** Atom-, Kernreaktor *m*; ~ '**waste** Atommüll *m*; ~ '**weapons** *pl* Atom-, Kernwaffen *pl*
nude [njuːd] nackt
nudge [nʌdʒ] *j-n* anstoßen, (an)stupsen
nuisance ['njuːsns] Plage *f*; Nervensäge *f*, Quälgeist *m*; ***make a ~ of o.s.*** den Leuten auf die Nerven gehen *od.* fallen; ***what a ~!*** wie ärgerlich!
nukes [n(j)uːks] *pl* F Atom-, Kernwaffen *pl*
numb [nʌm] **1.** starr (***with***

vor), taub; *fig.* wie betäubt (***with*** vor); **2.** starr *od.* taub machen; *fig.* betäuben
number ['nʌmbə] **1.** Zahl *f*, Ziffer *f*; Nummer *f*; (An-) Zahl *f*; *Zeitung etc.*: Ausgabe *f*; (*Bus- etc.*)Linie *f*; ***sorry, wrong ~ tel.*** falsch verbunden!; **2.** nummerieren; '**~less** zahllos; '**~plate** *Brt. mot.* Nummernschild *n*
numeral ['nju:mərəl] Ziffer *f*; Zahlwort *n*; '**numerous** zahlreich
nun [nʌn] Nonne *f*
nurse [nɜ:s] **1.** (Kranken-) Schwester *f*; **2.** *Kranke* pflegen; *Krankheit* auskurieren; stillen
nursery ['nɜ:sərɪ] (Kinder)Tagesheim *n*, (-)Tagesstätte *f*; Baum-, Pflanzschule *f*; '**~ rhyme** Kinderreim *m*; '**~ school** Kindergarten *m*; '**~ slope** *Ski*: Idiotenhügel *m*
nursing ['nɜ:sɪŋ] Krankenpflege *f*; '**~ home** Pflegeheim *n*; *Brt.* Privatklinik *f*
nut [nʌt] Nuss *f*; (Schrauben)Mutter *f*; '**~cracker(s** *pl*) Nussknacker *m*
nutmeg ['nʌtmeg] Muskatnuss *f*
nutrient ['nju:trɪənt] Nährstoff *m*; **nutrition** [nju:'trɪʃn] Ernährung *f*; **nutritious** [nju:'trɪʃəs] nahrhaft
'**nutshell** Nussschale *f*; (***to put it***) ***in a ~*** kurz gesagt
nutty ['nʌtɪ] nussartig; voller Nüsse; *sl.* verrückt
nylon ['naɪlɒn] Nylon *n*

O

o [əʊ] Null *f* (*a. in Telefonnummern*)
oak [əʊk] Eiche *f*
oar [ɔ:] Ruder *n*
oasis [əʊ'eɪsɪs] (*pl* ***oases*** [-si:z]) Oase *f* (*a. fig.*)
oath [əʊθ] (*pl* ***oaths*** [əʊðz]) Eid *m*, Schwur *m*; Fluch *m*; ***on/under ~*** unter Eid
oatmeal ['əʊtmi:l] Hafermehl *n*, -grütze *f*
oats [əʊts] *pl* Hafer *m*
obedience [ə'bi:djəns] Gehorsam *m*; **o'bedient** gehorsam
obey [ə'beɪ] gehorchen; *Befehl etc.* befolgen
obituary [ə'bɪtʃʊərɪ] Todesanzeige *f*; Nachruf *m*
object 1. ['ɒbdʒɪkt] Objekt *n*; Gegenstand *m*; Ziel *n*, Zweck *m*, Absicht *f*; **2.** [əb'dʒekt] *v/t* einwenden; *v/i* et. dagegen haben
objection [əb'dʒekʃn] Einwand *m*, -spruch *m*
objective [əb'dʒektɪv] **1.** objektiv, sachlich; **2.** Ziel *n*; *Mikroskop*: Objektiv *n*

obligation [ɒblɪ'geɪʃn] Verpflichtung *f*
oblige [ə'blaɪdʒ] (zu Dank) verpflichten; *j-m* e-n Gefallen tun; ***much ~d!*** herzlichen Dank!; **o'bliging** zuvorkommend, gefällig
oblique [ə'bli:k] schief, schräg
obliterate [ə'blɪtəreɪt] auslöschen
oblivion [ə'blɪvɪən] Vergessen(heit *f*) *n*; **o'blivious: *be ~ of s.th.*** sich e-r Sache nicht bewusst sein
oblong ['ɒblɒŋ] rechteckig
obnoxious [əb'nɒkʃəs] widerlich
obscene [əb'si:n] obszön, unanständig
obscure [əb'skjʊə] **1.** dunkel; *fig.* dunkel, unklar; unbekannt; **2.** verdunkeln
observance [əb'zɜ:vns] Befolgung *f*; Einhaltung *f*; **ob'servant** aufmerksam
observation [ɒbzə'veɪʃn] Beobachtung *f*; Bemerkung *f*
observatory [əb'zɜ:vətrɪ] Observatorium *n*, Stern-, Wetterwarte *f*
observe [əb'zɜ:v] beobachten; *Brauch* einhalten: *Gesetz* befolgen; bemerken; **ob'server** Beobachter(in)
obsess [əb'ses]: ***be ~ed by*** *od.* ***with*** besessen sein von; **~ion** Besessenheit *f*
obsolete ['ɒbsəli:t] veraltet
obstacle ['ɒbstəkl] Hindernis *n*
obstinacy ['ɒbstɪnəsɪ] Eigensinn *m*; Hartnäckigkeit *f*; **obstinate** ['ɒbstənət] eigensinnig; hartnäckig
obstruct [əb'strʌkt] verstopfen, -sperren; blockieren; (be)hindern; **~ion** Verstopfung *f*; Blockierung *f*; Behinderung *f*; Hindernis *n*
obtainable [əb'teɪnəbl] erhältlich
obtrusive [əb'tru:sɪv] aufdringlich
obvious ['ɒbvɪəs] offensichtlich, einleuchtend, klar
occasion [ə'keɪʒn] Gelegenheit *f*; Anlass *m*; Veranlassung *f*; (festliches) Ereignis; **~al** *adj*, **~ally** *adv* gelegentlich
occupant ['ɒkjʊpənt] Insass|e *m*, -in *f*; **occu'pation** Beruf *m*; Beschäftigung *f*; *mil.* Besetzung *f*, Besatzung *f*; **occupy** ['ɒkjʊpaɪ] einnehmen; *mil.* besetzen; bewohnen; beschäftigen
occur [ə'kɜ:] vorkommen; sich ereignen; **occurrence** [ə'kʌrəns] Vorkommen *n*; Vorfall *m*, Ereignis *n*
ocean ['əʊʃn] Ozean *m*, Meer *n*
o'clock [ə'klɒk]: **(*at*) *five ~*** (um) fünf Uhr
October [ɒk'təʊbə] Oktober *m*
octopus ['ɒktəpəs] Krake *m*; Tintenfisch *m*
odd [ɒd] sonderbar; *Zahl*: ungerade; einzeln

odds [ɒdz] *pl* Chancen *pl*
odo(u)r ['əʊdə] Geruch *m*
of [ɒv, əv] von; um (***cheat s.o. ~ s.th.***); *Herkunft*: von, aus; *Material*: aus; an (***die ~***); vor (***afraid ~***); auf (***proud ~***); über (***glad ~***); nach (***smell ~***); von, über (***speak ~ s.th.***); an (***think ~ s.th.***); ***the city ~ London*** die Stadt London; ***the works ~ Dickens*** Ds' Werke; ***five minutes ~ twelve*** *Am.* fünf Minuten vor zwölf
off [ɒf] **1.** *adv* fort, weg; ab, herunter(...), los(...); entfernt; *Licht etc.*: aus(-), ab(geschaltet); *Hahn etc.*: zu; *Knopf etc.*: ab(-), los(gegangen); frei (*von Arbeit*); ganz, zu Ende; *econ.* flau; *Fleisch etc.*: verdorben; *fig.* aus, vorbei; ***be ~*** fort *od.* weg sein; (weg)gehen; **2.** *prp* fort von, weg von; von (... ab, weg, herunter); abseits von; frei von (*Arbeit*); **3.** *adj* (arbeits-, dienst)frei; *econ.* flau, still, tot
offence *Brt.*, **offense** *Am.* [ə'fens] Vergehen *n*; *jur.* Straftat *f*; Beleidigung *f*
offend [ə'fend] beleidigen, kränken; verstoßen (***against*** gegen); **~er** (Übel-, Misse)Täter(in); Straffällige *m,f*
offensive [ə'fensɪv] **1.** beleidigend; anstößig; ekelhaft; Angriffs...; **2.** Offensive *f*
offer ['ɒfə] **1.** Angebot *n*; **2.** anbieten; (sich) bieten
office ['ɒfɪs] Büro *n*; Geschäftsstelle *f*; Amt *n*; '**~ hours** *pl* Öffnungszeiten *pl*; Bürostunden *pl*
officer ['ɒfɪsə] *mil.* Offizier *m*; Beamt|e *m*, -in *f*; Polizeibeamt|e *m*, -in *f*
official [ə'fɪʃl] **1.** offiziell, amtlich, dienstlich; **2.** Beamt|e *m*, -in *f*; Funktionär(in)
officious [ə'fɪʃəs] übereifrig
'**off|line** *Computer*: rechnerunabhängig, offline...; **~-'season** Nebensaison *f*; **~'side** *Sport*: abseits; '**~spring** (*pl* ***offspring***) Nachkomme(nschaft *f*) *m*
often ['ɒfn] oft, häufig
oil [ɔɪl] **1.** Öl *n*; **2.** ölen; '**~cloth** Wachstuch *n*; '**~ painting** Ölgemälde *n*; '**~ pollution** Ölpest *f*; '**~skins** *pl* Ölzeug *n*; '**~ slick** Ölteppich *m*; '**~ well** Ölquelle *f*
'**oily** ölig; fettig; schmierig
ointment ['ɔɪntmənt] Salbe *f*
old [əʊld] alt; **~ 'age** (hohes) Alter; **~ age 'pension** Rente *f*, Pension *f*; **~ age 'pensioner** Rentner(in), Pensionär(in); **~-'fashioned** altmodisch; **~ 'people's home** Alters-, Altenheim *n*
olive ['ɒlɪv] Olive *f*
O'lympic Games [əʊ'lɪmpɪk-] *pl* Olympische Spiele *pl*
omelet(te) ['ɒmlɪt] Omelett(e *f*) *n*
ominous ['ɒmɪnəs] unheilvoll

omit [ə'mɪt] unterlassen; aus-, weglassen

on [ɒn] **1.** *prp* auf (**~ *the table***); an (**~ *the wall***); in (**~ *TV***); *Richtung*, *Ziel*: auf ... (hin), an; *fig.* auf ... (hin) (**~ *demand***); *gehörig* zu, *beschäftigt* bei; *Zustand*: in, auf, zu (**~ *duty***, **~ *fire***); *Thema*: über; *Zeitpunkt*: an (**~ *Sunday***, **~ *the 1st of April***); bei (**~ *his arrival***); **2.** *adv*, *adj Licht etc.*: an; auf (*-legen*, *-schrauben etc.*); *Kleidung*: an(*haben*, *-ziehen*), auf(*behalten*); weiter(*gehen*, *-sprechen etc.*); ***and so* ~** und so weiter; **~ *and* ~** immer weiter; ***be* ~** *thea.* gespielt werden; *Film*: laufen; *TV etc.*: gesendet werden

once [wʌns] **1.** einmal; einst; **~ *again***, **~ *more*** noch einmal; ***at* ~** sofort; gleichzeitig; ***all at* ~** plötzlich; **2.** sobald

one [wʌn] *adj*, *pron*, *su* ein(e); einzig; man; Eins *f*; **~ *day*** eines Tages; **~ *by* ~** einer nach dem andern; **~ *another*** einander; ***which* ~?** welche(r, -s)?; ***the little* ~s** die Kleinen; **~'self** *pron* sich (selbst); **~-'sided** einseitig; **~-track 'mind: *have a* ~** immer nur dasselbe im Kopf haben; **~-'two** *Fußball*: Doppelpass *m*; **~-'way** Einbahn...; nur in e-r Richtung; *Am. Fahrkarte*: einfach

onion ['ʌnjən] Zwiebel *f*

'on|line *Computer*: rechnerabhängig, online...; **'~looker** Zuschauer(in)

only ['əʊnlɪ] **1.** *adj* einzig; **2.** *adv* nur, bloß; erst; **~ *just*** gerade erst

onto ['ɒntʊ,'ɒntə] auf

onward(s) ['ɒnwəd(z)] vorwärts, weiter; ***from ... onwards*** von ... an

ooze [u:z] sickern

opaque [əʊ'peɪk] undurchsichtig

open ['əʊpən] **1.** offen; geöffnet, auf; ***in the* ~ *air*** im Freien; **2.** (er)öffnen; aufmachen; sich öffnen, aufgehen; **~-'air** im Freien, Freilicht...; **'~ing** Öffnung *f*; *econ.* freie Stelle; Erschließung *f*; Eröffnungs..., Öffnungs...; **~-'minded** aufgeschlossen

opera ['ɒpərə] Oper *f*; **'~ glasses** *pl* Operngla*s* *n*; **'~ house** Oper(nhaus *n*) *f*

operate ['ɒpəreɪt] funktionieren; *med.* operieren (***on s.o.*** j-n); *Maschine* bedienen

'operating| room *Am.* Operationssaal *m*; **'~ system** *Computer*: Betriebssystem *n*; **'~ theatre** *Brt.* Operationssaal *m*

operation [ɒpə'reɪʃn] Operation *f*; *tech.* Betrieb *m*

operator ['ɒpəreɪtə] *tech.* Bedienungsperson *f*; *Computer*: Operator *m*; *tel.* Vermittlung *f*

operetta [ɒpə'retə] Operette *f*

opinion [ə'pɪnjən] Meinung *f*; ***in my ~*** meines Erachtens
opponent [ə'pəʊnənt] Gegner (-in), Gegenspieler(in)
opportunity [ɒpə'tju:nətɪ] (günstige) Gelegenheit
oppose [ə'pəʊz] ablehnen; bekämpfen; ***be ~d to ...*** gegen ... sein; **opposite** ['ɒpəzɪt] **1.** *adj* gegenüberliegend; entgegengesetzt; **2.** *adv* gegenüber; **3.** *su* Gegenteil *n*; **opposition** [ɒpə'zɪʃn] Widerstand *m*; Gegensatz *m*; Opposition *f*
oppress [ə'pres] unterdrücken; bedrücken; **~ive** drückend
optician [ɒp'tɪʃn] Optiker(in)
optimism ['ɒptɪmɪzəm] Optimismus *m*; '**optimist** Optimist(in)
option ['ɒpʃn] Wahl *f*; *econ.* Option *f*; **~al** ['ɒpʃənl] freiwillig; Wahl...
or [ɔ:] oder; ***~ else*** sonst
oral ['ɔ:rəl] mündlich
orange ['ɒrɪndʒ] **1.** Orange *f*, Apfelsine *f*; **2.** orange(farben); '**~ squash** *Brt. Getränk aus gesüßtem Orangenkonzentrat u. Wasser*
orbit ['ɔ:bɪt] **1.** (die Erde) umkreisen; **2.** Umlaufbahn *f*
orchard ['ɔ:tʃəd] Obstgarten *m*
orchestra ['ɔ:kɪstrə] Orchester *n*
ordeal [ɔ:'di:l] Qual *f*
order ['ɔ:də] **1.** Ordnung *f*; Reihenfolge *f*; Befehl *m*, Anordnung *f*; *econ.* Bestellung *f*, Auftrag *m*; *rel.* Orden *m*; ***in ~ to*** um zu; ***out of ~*** außer Betrieb; **2.** befehlen; *med.* verordnen; bestellen; '**~ly** ordentlich; *fig.* gesittet, friedlich
'**ordinal number** ['ɔ:dɪnl-] Ordnungszahl *f*
ordinary ['ɔ:dnrɪ] gewöhnlich, üblich, normal
ore [ɔ:] Erz *n*
organ ['ɔ:gən] Organ *n*; Orgel *f*; **~ic** [ɔ:'gænɪk] organisch
organization [ɔ:gənaɪ'zeɪʃn] Organisation *f*; **organize** ['ɔ:gənaɪz] organisieren
orgasm ['ɔ:gæzəm] Orgasmus *m*
origin ['ɒrɪdʒɪn] Ursprung *m*; Herkunft *f*; **~al** [ə'rɪdʒənl] **1.** ursprünglich; originell; Original...; **2.** Original *n*; **~ate** [ə'rɪdʒəneɪt] (her)stammen
ornament ['ɔ:nəmənt] Verzierung *f*; **~al** [ɔ:nə'mentl] Zier...
ornate [ɔ:'neɪt] reich verziert
orphan ['ɔ:fn] Waise *f*; **~age** ['ɔ:fənɪdʒ] Waisenhaus *n*
ostensible [ɒ'stensəbl] angeblich
ostentatious [ɒsten'teiʃəs] protzig
ostrich ['ɒstrɪtʃ] *zo.* Strauß *m*
other ['ʌðə] ander; ***the ~ day*** neulich; ***every ~ day*** jeden

zweiten Tag; **'~wise** anders; sonst
otter ['ɒtə] Otter *m*
ought [ɔ:t] *v/aux ich, du etc.* sollte(st) *etc.*
ounce [aʊns] Unze *f (28,35 g)*
our ['aʊə] unser; **ours** ['aʊəz] unser; **~selves** [aʊə'selvz] uns (selbst); wir/uns selbst
oust [aʊst] vertreiben
out [aʊt] **1.** *adv, adj* aus; hinaus; heraus; aus(...); außen, draußen; nicht zu Hause, *östr., Schweiz: a.* nicht zuhause; *Sport:* aus, draußen; aus der Mode; vorbei; **~ *of*** aus ... (heraus); zu ... hinaus; außerhalb von; außer *Reichweite, Atem etc.*; (hergestellt) aus; aus *Furcht etc.*; **2.** *prp* aus (... heraus); zu ... hinaus; **3.** F outen (*intime Informationen preisgeben*)
out|'bid (***-bid***) überbieten; **'~break** Ausbruch *m*; **'~building** Nebengebäude *n*; **'~burst** *Gefühle:* Ausbruch *m*; **'~cast** Ausgestoßene *m, f*; **'~come** Ergebnis *n*; **'~cry** Aufschrei *m*; **~'dated** überholt, veraltet; **~'do** (***-did, -done***) übertreffen; **'~door** *adj* im Freien, draußen; **~'doors** *adv* draußen, im Freien
outer ['aʊtə] äußer; **~ 'space** Weltraum *m*
'out|fit Ausrüstung *f*; Kleidung *f*; **'~fitter** Ausstatter *m*; **~'grow** (***-grew, -grown***) herauswachsen aus; *Angewohnheit etc.* ablegen
'outing Ausflug *m*; Outing *n* (*Preisgabe intimer Informationen*)
'out|let Abzug *m*, Abfluss *m*; *fig.* Ventil *n*; **'~line 1.** Umriss *m*; Überblick *m*; **2.** umreißen, skizzieren; **~'live** überleben; **'~look** Ausblick *m* (*a. fig.*); Einstellung *f*; **'~lying** abgelegen, entlegen; **~'number: *be ~ed by s.o.*** j-m zahlenmäßig unterlegen sein; **~-of-'date** veraltet, überholt; **~-of-the-'way** abgelegen; **'~patient** ambulanter Patient, ambulante Patientin; **'~put** Output *m*, Produktion *f*, Ausstoß *m*, Ertrag *m*; *Computer:* (Daten)Ausgabe *f*
outrage ['aʊtreɪdʒ] **1.** Verbrechen *n*; Empörung *f*; **2.** empören; **outrageous** [aʊt'reɪdʒəs] abscheulich; unerhört
out|right 1. [aʊt'raɪt] *adv* sofort; gerade heraus; **2.** ['aʊtraɪt] *adj* völlig; glatt; **'~set** Anfang *m*; **~'side 1.** *su* Außenseite *f*; *Sport:* Außenstürmer(in); **2.** *adj* äußer, Außen...; **3.** *adv* draußen; heraus, hinaus; **4.** *prp* außerhalb; **~'sider** Außenseiter(in); **'~size** Übergröße *f*; **'~skirts** *pl* Stadtrand *m*, Außenbezirke *pl*; **~'spoken** offen, freimütig; **~'standing**

hervorragend; *Schulden*: ausstehend
'outward 1. *adj* äußer; äußerlich; **2.** *adv mst* **~s** nach außen; **'~ly** äußerlich
out|'weigh überwiegen; **~'wit** überlisten, reinlegen
oval ['əʊvl] **1.** oval; **2.** Oval *n*
ovary ['əʊvərɪ] Eierstock *m*
oven ['ʌvn] Back-, Bratofen *m*
over ['əʊvə] **1.** *prp* über; **2.** *adv* hinüber; darüber; herüber; drüben; über(*kochen etc.*); um(*fallen, -werfen etc.*); herum(*drehen etc.*); durch(*denken etc.*); (gründlich) über(*legen etc.*); übrig; zu Ende, vorüber, vorbei, aus; (***all***) **~ *again*** noch einmal; **~ *and* ~** (***again***) immer wieder
over|all 1. [əʊvər'ɔːl] Gesamt...; allgemein; insgesamt; **2.** ['əʊvərɔːl] *Brt.* Kittel *m*; *Am.* Overall *m*, Arbeitsanzug *m*; *pl Brt.* Overall *m*, Arbeitsanzug *m*, *Am.* Arbeitshose *f*; **~'awe** einschüchtern; **'~board** über Bord; **~'cast** bewölkt, bedeckt; **~'charge** überlasten; *j-m* zu viel berechnen; **'~coat** Mantel *m*; **~'come** (***-came, -come***) überwinden, -wältigen; übermannen; **~'crowded** überfüllt; überlaufen; **~'do** (***-did, -done***) übertreiben; **~'done** zu lange gekocht *od.* gebraten; **'~dose** Überdosis *f*; **'~draft** (Konto)Überziehung *f*; **~'draw** (***-drew, -drawn***) *Konto* überziehen (**by** um); **~'due** überfällig; **~'estimate** überschätzen; **~ex'pose** überbelichten; **~'flow** überfluten; überlaufen; **~'grown** überwuchert; übergroß; **~'haul** *Maschine* überholen; **~'head 1.** *adv* oben; **2.** *adj* Hoch..., Ober...; **~ *kick*** *Fußball*: Fallrückzieher *m*; **~'hear** (***-heard***) (zufällig) hören; **~'joyed** überglücklich; **~'land** auf dem Landweg; **~'lap** (sich) überlappen; sich überschneiden; **~'load** überlasten, -laden; **~'look** *Fehler* übersehen; **~*ing the sea*** mit Blick aufs Meer; **~'night 1.** *adj* Nacht..., Übernachtungs...; **~ *bag*** Reisetasche *f*; **2.** *adv* über Nacht; ***stay* ~** übernachten; **'~pass** *Am.* (Straßen-, Eisenbahn)Überführung *f*; **~'power** überwältigen; **~'rate** überschätzen; **~'seas** in *od.* nach Übersee; Übersee...; **~'see** (***-saw, -seen***) beaufsichtigen, überwachen; **'~seer** Aufseher(in); **'~sight** Versehen *n*; **~'sleep** (***-slept***) verschlafen; **~'take** (***-took, -taken***) überholen; **~'throw** (***-threw, -thrown***) *Regierung etc.* stürzen; **'~time** Überstunden *pl*; *Am. Sport*: (Spiel)Verlängerung *f*

overture ['əʊvətjʊə] Ouvertüre *f*
over|'turn umwerfen, umstoßen; *Regierung etc.* stürzen; umkippen; kentern; **'~weight** Übergewicht *n*; **~whelm** [əʊvə'welm] überwältigen; **~'work** sich überarbeiten; **~wrought** [əʊvə'rɔːt] überreizt
owe [əʊ] schulden; verdanken
owing ['əʊɪŋ]: **~ *to*** wegen
owl [aʊl] Eule *f*
own [əʊn] **1.** eigen; ***on one's ~*** allein; **2.** besitzen; zugeben
owner ['əʊnə] Besitzer(in), Eigentümer(in); **'~ship** Besitz *m*; Eigentum *n*
ox [ɒks] (*pl* ***oxen*** ['ɒksən]) Ochse *m*
oxide ['ɒksaɪd] Oxid *n*; **oxidize** ['ɒksɪdaɪz] oxidieren
oxygen ['ɒksɪdʒən] Sauerstoff *m*
oyster ['ɔɪstə] Auster *f*
ozone ['əʊzəʊn] Ozon *m, n*; **'~-friendly** ozonfreundlich, ohne Treibgas; **'~ hole** Ozonloch *n*; **'~ layer** Ozonschicht *f*; **'~ levels** *pl* Ozonwerte *pl*

P

pace [peɪs] **1.** Schritt *m*; Tempo *n*; **2.** schreiten; **'~maker** (Herz)Schrittmacher *m*
Pacific [pə'sɪfɪk] *der* Pazifik
pacifier ['pæsɪfaɪə] *Am.* Schnuller *m*; **pacify** ['pæsɪfaɪ] beruhigen; befrieden
pack [pæk] **1.** Pack(en) *m*, Paket *n*; (Karten)Spiel *n*; *bsd. Am. Zigaretten*: Packung *f*, Schachtel *f*; **2.** (ein-, ab-, ver-, zs.-)packen
package ['pækɪdʒ] Paket *n*; **'~ tour** Pauschalreise *f*
packet ['pækɪt] Päckchen *n*; Packung *f*, Schachtel *f*
pact [pækt] Vertrag *m*, Pakt *m*
pad [pæd] **1.** Polster *n*; Block *m*; **2.** (aus)polstern
paddle ['pædl] **1.** Paddel *n*; **2.** paddeln; plan(t)schen
paddock ['pædək] Koppel *f*
padlock ['pædlɒk] Vorhängeschloss *n*
pagan ['peɪgən] heidnisch
page[1] [peɪdʒ] (Buch)Seite *f*
page[2] [peɪdʒ] (Hotel)Page *m*
paid [peɪd] *pret u. pp von* **pay** 2
pail [peɪl] Eimer *m*
pain [peɪn] Schmerz(en *pl*) *m*; ***take ~s*** sich große Mühe geben; **'~ful** schmerzend, schmerzhaft; schmerzlich; peinlich; **'~less** schmerzlos
painstaking ['peɪnzteɪkɪŋ] sorgfältig, gewissenhaft
paint [peɪnt] **1.** Farbe *f*; Anstrich *m*; **2.** (an-, be)malen; (an)streichen; **'~box** Malkasten *m*; **'~brush** (Maler-)

Pinsel *m*; '~**er** Maler(in); '~**ing** Malen *n*, Malerei *f*; Gemälde *n*, Bild *n*
pair [peə] Paar *n*; **a ~ of ...** ein Paar ...; ein(e) ...
pajamas [pə'dʒɑːməz] *pl Am.* Schlafanzug *m*
pal [pæl] F Kumpel *m*, Kamerad *m*, Freund *m*
palace ['pælɪs] Palast *m*
palate ['pælət] Gaumen *m*
pale [peɪl] blass, bleich; hell
Palestinian [pælə'stɪnɪən] **1.** palästinensisch; **2.** Palästinenser(in)
pallor ['pælə] Blässe *f*
palm¹ [pɑːm] Handfläche *f*
palm² [pɑːm] Palme *f*
pamper ['pæmpə] verwöhnen; verhätscheln
pamphlet ['pæmflɪt] Broschüre *f*
pan [pæn] Pfanne *f*; '~**cake** Pfannkuchen *m*
pandemonium [pændɪ'məʊnjəm] Hölle(nlärm *m*) *f*
pane [peɪn] (*Fenster*)Scheibe *f*
panel ['pænl] Täfelung *f*; Diskussionsteilnehmer *pl*
panic ['pænɪk] **1.** Panik *f*; **2.** in Panik geraten
pansy ['pænzɪ] Stiefmütterchen *n*
pant [pænt] keuchen
panties ['pæntɪz] *pl* (Damen)Schlüpfer *m*
pantry ['pæntrɪ] Speise-, Vorratskammer *f*
pants [pænts] *pl bsd. Am.* Hose *f*; *Brt.* Unterhose *f*
'**pantsuit** *Am.* Hosenanzug *m*
pantyhose ['pæntɪhəʊz] *Am.* Strumpfhose *f*
paper ['peɪpə] **1.** Papier *n*; Zeitung *f*; (Prüfungs)Arbeit *f*; Aufsatz *m*; Referat *n*; Tapete *f*; *pl* (Ausweis)Papiere *pl*; **2.** tapezieren; '~**back** Taschenbuch *n*; '~ **bag** Tüte *f*; '~ **clip** Büroklammer *f*; '~ **cup** Pappbecher *m*; '~**weight** Briefbeschwerer *m*
parachute ['pærəʃuːt] Fallschirm *m*; '**parachutist** Fallschirmspringer(in)
parade [pə'reɪd] **1.** Parade *f*; **2.** vorbeimarschieren; zur Schau stellen
paradise ['pærədaɪs] Paradies *n*
paragliding ['pærəglaɪdɪŋ] Gleitschirmfliegen *n*
paragraph ['pærəgrɑːf] *print.* Absatz *m*
parallel ['pærəlel] parallel
paralyse *Brt.*, **paralyze** *Am.* ['pærəlaɪz] lähmen
paralysis [pə'rælɪsɪs] (*pl* **-ses** [-siːz]) Lähmung *f*
paraphernalia [pærəfə'neɪljə] Zubehör *n*; Drum u. Dran *n*
parasite ['pærəsaɪt] Parasit *m*, Schmarotzer *m*
parboil ['pɑːbɔɪl] ankochen
parcel ['pɑːsl] Paket *n*, Päckchen *n*
parch [pɑːtʃ] (aus)dörren; **be ~ed** am Verdursten sein
'**parchment** Pergament *n*
pardon ['pɑːdn] **1.** *jur.* begna-

digen; verzeihen; **2.** *jur.* Begnadigung *f*; Verzeihung *f*; ***I beg your* ~** Entschuldigung!

pare [peə] schälen; sich *die Nägel* schneiden

parent ['peərənt] Elternteil *m*; *pl* Eltern *pl*; **~al** [pə'rentl] elterlich

parish ['pærɪʃ] Gemeinde *f*

park [pɑ:k] **1.** Park *m*, (Grün)Anlagen *pl*; **2.** parken

'parking Parken *n*; ***no* ~** Parken verboten; **'~ disc** Parkscheibe *f*; **'~ garage** *Am.* Parkhaus *n*; **'~ lot** *Am.* Parkplatz *m*; **'~ meter** Parkuhr *f*; **'~ space** Parkplatz *m*, -lücke *f*; **'~ ticket** Strafzettel *m*

parliament ['pɑ:ləmənt] Parlament *n*; **~ary** [pɑ:lə'mentərɪ] parlamentarisch

parquet ['pɑ:keɪ] Parkett *n*

parrot ['pærət] Papagei *m*

parsley ['pɑ:slɪ] Petersilie *f*

parson ['pɑ:sn] Pfarrer *m*; **'~age** Pfarrhaus *n*

part [pɑ:t] **1.** trennen; teilen; *Haar* scheiteln; sich trennen (***with*** von); **2.** (An-, Bestand)Teil *m*; *tech.* Teil *n*; Seite *f*, Partei *f*; *thea.* Rolle *f*; ***take* ~ *in*** teilnehmen an

partial ['pɑ:ʃl] teilweise, Teil...; parteiisch; **~ity** [pɑ:ʃɪ'ælətɪ] Parteilichkeit *f*

participant [pɑ:'tɪsɪpənt] Teilnehmer(in); **participate** [pɑ:'tɪsɪpeɪt] teilnehmen; **partici'pation** Teilnahme *f*

particle ['pɑ:tɪkl] Teilchen *n*

particular [pə'tɪkjʊlə] **1.** besonder; genau, eigen; ***in* ~** besonders; **2.** Einzelheit *f*; *pl*: Einzelheiten *pl*; Personalien *pl*; **~ly** besonders

'parting *Haar*: Scheitel *m*; Trennung *f*; Abschieds...

partition [pɑ:'tɪʃn] Teilung *f*; Trennwand *f*

'partly zum Teil

partner ['pɑ:tnə] Partner(in); **'~ship** Partnerschaft *f*

part|-'time Teilzeit..., Halbtags...; **~-'timer** Teilzeitbeschäftigte *m*, *f*

party ['pɑ:tɪ] Partei *f*; Party *f*

pass [pɑ:s] **1.** *v/t et.* passieren, vorbeigehen an, -fahren an, -kommen an, -ziehen an; überholen (*a. mot.*); überschreiten; durchqueren; reichen, geben; *Zeit* verbringen; *Ball* abspielen; *Prüfung* bestehen; *Gesetz* verabschieden; *Urteil* fällen; *v/i* vorbeigehen, -fahren, -kommen, -ziehen (***by*** an); (die Prüfung) bestehen; übergehen (***to*** auf); *Zeit*: vergehen; **~ *away*** sterben; **~ *for*** gelten als; **~ *out*** ohnmächtig werden; **~ *round*** herumreichen; **2.** (*Gebirgs*)Pass *m*; Passierschein *m*; *Sport*: Pass *m*, Zuspiel *n*; Bestehen *n* (*e-s Examens*); **'~able** passierbar; leidlich

passage ['pæsɪdʒ] Durchgang *m*; Durchfahrt *f*;

(Über)Fahrt *f*; Korridor *m*, Gang *m*; (*Text*)Stelle *f*
passenger ['pæsındʒə] Passagier *m*, Reisende *m*, *f*
passer-by [pɑ:sə'baı] (*pl* ***passers-by***) Passant(in)
passion ['pæʃn] Leidenschaft *f*; '**~ate** leidenschaftlich
passive ['pæsıv] passiv; teilnahmslos; untätig
pass|port ['pɑ:spɔ:t] (Reise-) Pass *m*; '**~word** Kennwort *n*
past [pɑ:st] **1.** *su* Vergangenheit *f*; **2.** *adj* vergangen, vorüber; **3.** *adv* vorbei, vorüber; **4.** *prp zeitlich*: nach; an ... vorbei; über ... hinaus; ***half ~ two*** halb drei
pasta ['pæstə] Teigwaren *pl*
paste [peıst] **1.** Teig *m*; Paste *f*; Kleister *m*; **2.** kleben (***to, on*** an); '**~board** Pappe *f*
pastime ['pɑ:staım] Zeitvertreib *m*
pastry ['peıstrı] (Fein)Gebäck *n*; Blätterteig *m*
pasture ['pɑ:stʃə] Weide *f*
pat [pæt] **1.** Klaps *m*; **2.** tätscheln; klopfen
patch [pætʃ] **1.** Fleck *m*; Flicken *m*; **2.** flicken; '**~work** Patchwork *n*
patent ['peıtənt] **1.** Patent *n*; **2.** *et.* patentieren lassen; **3.** patentiert; **~ 'leather** Lackleder *n*
paternal [pə'tɜ:nl] väterlich (-erseits)
path [pɑ:θ] (*pl* ***paths*** [pɑ:ðz]) Pfad *m*; Weg *m*
pathetic [pə'θetık] Mitleid erregend; kläglich; erbärmlich
patience ['peıʃns] Geduld *f*; '**patient 1.** geduldig; **2.** Patient(in)
patriot ['pætrıət] Patriot(in); **~ic** [pætrı'ɒtık] patriotisch
patrol [pə'trəʊl] **1.** Patrouille *f*; (*Polizei*)Streife *f*; **2.** auf Streife sein in; **~ car** Streifenwagen *m*; **~man** (*pl* ***-men***) *Am.* Streifenpolizist *m*; *Brt. mot.* Pannenhelfer *m*
patron ['peıtrən] (Stamm-) Kunde *m*; (Stamm)Gast *m*
patronize ['pætrənaız] (Stamm)Kunde sein bei, (Stamm)Gast sein bei; herablassend behandeln
patter ['pætə] *Füße*: trappeln; *Regen*: prasseln
pattern ['pætən] Muster *n*
pause [pɔ:z] **1.** Pause *f*; **2.** e-e Pause machen
pave [peıv] pflastern; '**~ment** *Brt.* Bürger-, Gehsteig *m*; *Am.* Fahrbahn *f*
paw [pɔ:] Pfote *f*, Tatze *f*
pawn [pɔ:n] verpfänden; '**~broker** Pfandleiher *m*; '**~shop** Leihhaus *n*
pay [peı] **1.** Bezahlung *f*; Lohn *m*; **2.** (***paid***) (be)zahlen; sich lohnen; *Besuch* abstatten; *Aufmerksamkeit* schenken; '**~able** zahlbar; fällig; '**~day** Zahltag *m*; '**~ envelope** *Am.* Lohntüte *f*; '**~ment** (Be)Zahlung *f*;

'~ packet *Brt.* Lohntüte *f*; **'~roll** Lohnliste *f*
pea [pi:] Erbse *f*
peace [pi:s] Friede(n) *m*; Ruhe *f*; **'~ful** friedlich
peach [pi:tʃ] Pfirsich *m*
peacock ['pi:kɒk] Pfau *m*
peak [pi:k] Spitze *f*; Gipfel *m*; Höhepunkt *m*; Mützenschirm *m*; Spitzen..., Höchst...; **'~ hours** *pl* Hauptverkehrs-, Stoßzeit *f*; *electr.* Hauptbelastungszeit *f*; **'~ time** *a.* ***peak viewing hours*** *pl Brt. TV* Haupteinschaltzeit *f*, beste Sendezeit
peanut ['pi:nʌt] Erdnuss *f*
pear [peə] Birne *f*
pearl [pɜ:l] Perle *f*
pebble ['pebl] Kiesel(stein) *m*
peck [pek] picken, hacken
peculiar [pɪ'kju:ljə] eigen (-tümlich); eigenartig, seltsam; **~ity** [pɪkju:lɪ'ærətɪ] Eigenheit *f*; Eigentümlichkeit *f*
pedal ['pedl] **1.** Pedal *n*; **2.** (mit dem Rad) fahren
peddle ['pedl] hausieren (gehen) mit
pedestal ['pedɪstl] Sockel *m*
pedestrian [pɪ'destrɪən] Fußgänger(in); **~ 'crossing** Fußgängerübergang *m*; **~ 'mall** *Am.*, **~ 'precinct** *bsd. Brt.* Fußgängerzone *f*
pedigree ['pedɪgri:] Stammbaum *m*
pee [pi:] F pinkeln
peel [pi:l] **1.** Schale *f*; **2.** (sich) (ab)schälen
peep [pi:p] **1.** kurzer *od.* verstohlener Blick; Piep(s)en *n*; **2.** kurz *od.* verstohlen blicken; piep(s)en
peer [pɪə] angestrengt schauen
peevish ['pi:vɪʃ] gereizt
peg [peg] Pflock *m*; Zapfen *m*; (Kleider)Haken *m*
pelt [pelt] bewerfen; (nieder)prasseln
pelvis ['pelvɪs] (*pl* ***-vises, -ves*** [-vi:z]) *anat.* Becken *n*
pen [pen] (Schreib)Feder *f*; Federhalter *m*; Füller *m*; Kugelschreiber *m*
penal ['pi:nl] Straf...
penalty ['penltɪ] Strafe *f*; *Sport*: Strafpunkt *m*; **'~ kick** Elfmeter *m*, Strafstoß *m*
pence [pens] *pl von* ***penny***
pencil ['pensl] Bleistift *m*; Farbstift *m*
pendant ['pendənt] (Schmuck)Anhänger *m*
penetrate ['penɪtreɪt] eindringen in; dringen durch
'pen friend Brieffreund(in)
penguin ['peŋgwɪn] Pinguin *m*
peninsula [pə'nɪnsjʊlə] Halbinsel *f*
penis ['pi:nɪs] Penis *m*
penitentiary [penɪ'tenʃərɪ] *Am.* (Staats)Gefängnis *n*
'pen|knife (*pl* ***-knives***) Taschenmesser *n*; **'~ name** Pseudonym *n*
penniless ['penɪlɪs] mittellos
penny ['penɪ] (*pl* ***pennies, pence***) *Brt.* Penny *m*

pension ['penʃn] **1.** Rente *f*; Pension *f*; **2. ~ off** pensionieren; '**~er** Rentner(in)
pensive ['pensɪv] nachdenklich
people ['pi:pl] **1.** *pl konstruiert*: die Menschen *pl*, die Leute *pl*; Leute *pl*, Personen *pl*; man; **the ~** das (*gemeine*) Volk; (*pl* **peoples**) Volk *n*, Nation *f*; **2.** besiedeln, bevölkern
pep [pep] F Pep *m*, Schwung *m*
pepper ['pepə] **1.** Pfeffer *m*; **2.** pfeffern; '**~mint** Pfefferminze *f*; Pfefferminzbonbon *m*, *n*
per [pɜ:] per; pro, für, je
perceive [pə'si:v] (be)merken, wahrnehmen; erkennen
percent, per cent [pə'sent] Prozent *n*; **per'centage** Prozentsatz *m*
perceptible [pə'septəbl] wahrnehmbar
perch [pɜ:tʃ] *Vogel*: sitzen
percolator ['pɜ:kəleɪtə] Kaffeemaschine *f*
percussion [pə'kʌʃn] *mus.* Schlagzeug *n*; **~ instrument** Schlaginstrument *n*
perfect 1. ['pɜ:fɪkt] vollkommen, vollendet, perfekt; völlig; **2.** [pə'fekt] vervollkommnen; **~ion** [pə'fekʃn] Vollendung *f*; Vollkommenheit *f*, Perfektion *f*
perforate ['pɜ:fəreɪt] durchbohren; perforieren
perform [pə'fɔ:m] ausführen, tun; *thea.*, *mus.* aufführen, spielen, vortragen; **~ance** *thea.*, *mus.* Aufführung *f*, Vorstellung *f*, Vortrag *m*; Leistung *f*; **~er** Künstler(in)
perfume ['pɜ:fju:m] Duft *m*; Parfüm *n*
perhaps [pə'hæps, præps] vielleicht
perimeter [pə'rɪmɪtə] Umfang *m*
period ['pɪərɪəd] Periode *f* (*a. physiol.*); Zeitraum *m*; *bsd. Am.* Punkt *m*; (Unterrichts-) Stunde *f*; **~ic** [pɪərɪ'ɒdɪk] periodisch; **~ical** [pɪərɪ'ɒdɪkl] **1.** periodisch; **2.** Zeitschrift *f*
peripheral e'quipment [pə'rɪfərəl-] *sg Computer*: Peripheriegeräte *pl*
perishable ['perɪʃəbl] leicht verderblich
perjury ['pɜ:dʒərɪ] Meineid *m*
perm [pɜ:m] Dauerwelle *f*
permanent ['pɜ:mənənt] dauernd, (be)ständig, dauerhaft
permission [pə'mɪʃn] Erlaubnis *f*; **permit 1.** [pə'mɪt] erlauben; **2.** ['pɜ:mɪt] Genehmigung *f*
perpetual [pə'petʃʊəl] fortwährend, ewig
perplex [pə'pleks] verwirren
persecute ['pɜ:sɪkju:t] verfolgen; **perse'cution** Verfolgung *f*
persevere [pɜ:sɪ'vɪə] beharrlich weitermachen
persist [pə'sɪst] bestehen (**in** auf); **~ent** beharrlich

person ['pɜːsn] Person *f*
personal ['pɜːsnl] persönlich; privat; ~ **com'puter** (*Abk. PC*) Personalcomputer *m*
personality [pɜːsə'nælətɪ] Persönlichkeit *f*
personal| 'organizer Notizbuch *n*, Adressbuch *n* u. Taschenkalender *m* (*in e-m*); ~ **'stereo** Walkman® *m*
personify [pə'sɒnɪfaɪ] verkörpern, personifizieren
personnel [pɜːsə'nel] Personal *n*, Belegschaft *f*; ~ **manager** Personalchef *m*
persuade [pə'sweɪd] überreden; überzeugen; **persuasion** [pə'sweɪʒn] Überredung(skunst) *f*; **per'suasive** [pə'sweɪsɪv] überzeugend
pert [pɜːt] keck, kess
perverse [pə'vɜːs] eigensinnig; pervers
pessimism ['pesɪmɪzəm] Pessimismus *m*; **'pessimist** Pessimist(in)
pest [pest] *fig*. Plage *f*
pester ['pestə] *j-n* belästigen, *j-m* keine Ruhe lassen
pet [pet] **1.** Haustier *n*; Liebling *m*; Lieblings...; **2.** streicheln, liebkosen
petal ['petl] Blütenblatt *n*
petition [pə'tɪʃn] Bittschrift *f*; Eingabe *f*, Gesuch *n*
'pet name Kosename *m*
petrify ['petrɪfaɪ] versteinern, erstarren lassen
petrol ['petrəl] *Brt*. Benzin *n*; **'~ ga(u)ge** Benzinuhr *f*; **'~ pump** Zapfsäule *f*; **'~ station** Tankstelle *f*
'pet shop Zoohandlung *f*
petticoat ['petɪkəʊt] Unterrock *m*
petty ['petɪ] unbedeutend
petulant ['petjʊlənt] launisch
pew [pjuː] Kirchenbank *f*
pewter ['pjuːtə] Zinn *n*
pharmacy ['fɑːməsɪ] *bsd. Am.* Apotheke *f*
phase [feɪz] Phase *f*
PhD [piː eɪtʃ 'diː] ***Doctor of Philosophy*** Dr. phil., Doktor *m* der Philosophie
pheasant ['feznt] Fasan *m*
phenomenon [fə'nɒmɪnən] (*pl* ***-na*** [-nə]) Phänomen *n*
philosopher [fɪ'lɒsəfə] Philosoph *m*; **phi'losophy** Philosophie *f*
phone [fəʊn] **1.** Telefon *n*; **2.** telefonieren, anrufen; **'~ booth** *Am.*, **'~ box** *Brt*. Telefonzelle *f*; **'~ call** Anruf *m*; **'~card** Telefonkarte *f*
phon(e)y ['fəʊnɪ] F falsch, gefälscht, unecht
photo ['fəʊtəʊ] Foto *n*; ***take a ~*** ein Foto machen (***of*** von)
'photo|copier Fotokopiergerät *n*; **'~copy 1.** Fotokopie *f*; **2.** fotokopieren
photograph ['fəʊtəgrɑːf] **1.** Fotografie *f*, Aufnahme *f*; **2.** fotografieren; **photographer** [fə'tɒgrəfə] Fotograf(in); **photography** [fə'tɒgrəfɪ] Fotografie *f*
phrase [freɪz] Redewendung

f, idiomatischer Ausdruck

physical ['fɪzɪkl] **1.** physisch, körperlich; physikalisch; **~ly handicapped** körperbehindert; **2.** ärztliche Untersuchung

physician [fɪ'zɪʃn] Arzt *m*, Ärztin *f*

physicist ['fɪzɪsɪst] Physiker(in)

physics ['fɪzɪks] *sg* Physik *f*

physiotherapy [fɪzɪəʊ'θerəpɪ] Physiotherapie *f*

physique [fɪ'ziːk] Körperbau *m*, Statur *f*

piano [pɪ'ænəʊ] Klavier *n*

pick [pɪk] **1.** (Aus)Wahl *f*; **2.** (auf)picken; pflücken; *Knochen* abnagen; stochern in; aussuchen; **~ out** (sich) *et.* auswählen; **~ up** aufheben, -lesen; aufpicken; F *et.* aufschnappen; *Anhalter* mitnehmen; *j-n* abholen; F *Mädchen* aufreißen; '**~ax(e)** Spitzhacke *f*, Pickel *m*

picket ['pɪkɪt] Pfahl *m*; Streikposten *m*

pickle ['pɪkl] *gastr.* einlegen

'**pick|pocket** Taschendieb(in); '**~up** Tonabnehmer *m*; Kleintransporter *m*

picnic ['pɪknɪk] Picknick *n*

picture ['pɪktʃə] **1.** Bild *n*; Gemälde *n*; *pl* Kino *n*; **2.** sich *et.* vorstellen; darstellen; '**~ book** Bilderbuch *n*; **~ 'postcard** Ansichtskarte *f*

picturesque [pɪktʃə'resk] malerisch

pie [paɪ] Pastete *f*; gedeckter Obstkuchen

piece [piːs] Stück *n*; (Einzel)Teil *n*; **by the ~** stückweise; **take to ~s** auseinander nehmen; '**~meal** schrittweise; '**~work** Akkordarbeit *f*

pier [pɪə] Pfeiler *m*; Pier *m*, Landungsbrücke *f*

pierce [pɪəs] durchbohren, -stechen; durchdringen

pig [pɪg] Schwein *n*

pigeon ['pɪdʒɪn] Taube *f*; '**~hole** (Ablage)Fach *n*

piggy ['pɪgɪ] F *Kindersprache*: Schweinchen *n*

'**pig|headed** dickköpfig, stur; '**~sty** Schweinestall *m*; '**~tail** Zopf *m*

pike [paɪk] Hecht *m*

pile [paɪl] **1.** Stapel *m*, Stoß *m*; F Haufen *m*; **2.** *oft* **~ up** (an-, auf)häufen, (auf)stapeln, aufschichten; sich anhäufen

piles [paɪlz] *pl med.* Hämorrhoiden *pl*

'**pileup** *mot.* F Massenkarambolage *f*

pilfer ['pɪlfə] stehlen, klauen

pilgrim ['pɪlgrɪm] Pilger(in)

pill [pɪl] Pille *f*, Tablette *f*; **the ~** die (Antibaby)Pille

pillar ['pɪlə] Pfeiler *m*; Säule *f*; '**~ box** *Brt.* Briefkasten *m*

pillion ['pɪljən] Soziussitz *m*

pillow ['pɪləʊ] (Kopf)Kissen *n*; '**~case**, '**~slip** (Kopf)Kissenbezug *m*

pilot ['paɪlət] **1.** Pilot(in);

Lots|e *m*, -in *f*; Versuchs..., Pilot...; **2.** lotsen; steuern
pimp [pɪmp] Zuhälter *m*
pimple ['pɪmpl] Pickel *m*
pin [pɪn] **1.** (Steck- *etc.*)Nadel *f*; *tech.* Stift *m*, Bolzen *m*; Kegel *m*; **2.** (an)heften, (an-)stecken, befestigen
PIN [pɪn] *a.* **~ *number*** (= ***personal identification number***) *Geldautomat*: PIN, persönliche Geheimzahl
pinafore ['pɪnəfɔː] Schürze *f*
'pinball Flippern *n*; ***play ~*** flippern
pincers ['pɪnsəz] *pl* (*a.* ***a pair of ~*** e-e) (Kneif)Zange
pinch [pɪntʃ] **1.** Kneifen *n*, Zwicken *n*; *Salz etc.*: Prise *f*; **2.** kneifen, zwicken; *Schuh*: drücken; F klauen
pine [paɪn] Kiefer *f*; **'~apple** Ananas *f*
pink [pɪŋk] rosa(farben)
'pinstripe Nadelstreifen *m*
pint [paɪnt] Pint *n* (*Brt. 0,57 Liter*, *Am. 0,47 Liter*)
pioneer [paɪə'nɪə] Pionier *m*
pious ['paɪəs] fromm
pip [pɪp] (Obst)Kern *m*; Ton *m* (*e-s Zeitzeichens etc.*)
pipe [paɪp] **1.** Rohr *n*, Röhre *f*; (*Tabaks-*, *Orgel*)Pfeife *f*; **2.** (durch Rohre) leiten; **'~line** Rohrleitung *f*; Pipeline *f*
pirate ['paɪərət] Pirat *m*, Seeräuber *m*
Pisces ['paɪsiːz] *sg astr.* Fische *pl*
pistol ['pɪstl] Pistole *f*
piston ['pɪstən] Kolben *m*
pit [pɪt] Grube *f*; *thea.* Orchestergraben *m*; *Brt. thea.* Parkett *n*; *Am.* (Obst)Stein *m*
pitch [pɪtʃ] **1.** *min.* Pech *n*; *Brt.* Spielfeld *n*, Platz *m*; Wurf *m*; *mus.* Tonhöhe *f*; Grad *m*, Stufe *f*; **2.** *Zelt*, *Lager* aufschlagen; werfen, schleudern; *mus.* (an)stimmen; **~-'black**, **~-'dark** pechschwarz; stockdunkel
pitcher ['pɪtʃə] Krug *m*
piteous ['pɪtɪəs] Mitleid erregend, kläglich
'pitfall *fig.* Falle *f*
pith [pɪθ] Mark *n*; *fig.* Kern *m*
piti|ful ['pɪtɪfʊl] Mitleid erregend; erbärmlich, jämmerlich; **'~less** unbarmherzig
pity ['pɪtɪ] **1.** Mitleid *n*; ***it's a ~*** es ist schade; ***what a ~!*** wie schade!; **2.** Mitleid haben mit, bemitleiden, bedauern
pivot ['pɪvət] *tech.*: Drehpunkt *m*; (Dreh)Zapfen *m*; *fig.* Angelpunkt *m*
placard ['plækɑːd] Plakat *n*
place [pleɪs] **1.** Platz *m*, Ort *m*, Stelle *f*; ***in ~ of*** an Stelle von; ***out of ~*** fehl am Platz; ***take ~*** stattfinden; ***in the first ~*** erstens; ***in third ~*** *Sport*: auf dem dritten Platz; **2.** stellen, legen, setzen; *Auftrag* erteilen; **'~ mat** Platzdeckchen *n*, Set *n*, *m*
placid ['plæsɪd] ruhig; sanft
plague [pleɪg] **1.** Seuche *f*; Pest *f*; **2.** plagen, quälen

plaice [pleɪs] Scholle *f*

plain [pleɪn] **1.** einfach, schlicht; unscheinbar; offen (u. ehrlich); klar (u. deutlich); **2.** Ebene *f*; **~-'clothes** in Zivil

plaintiff ['pleɪntɪf] *jur.* Kläger(in)

plait [plæt] *Brt.* **1.** Zopf *m*; **2.** flechten

plan [plæn] **1.** Plan *m*; **2.** planen; beabsichtigen

plane[1] [pleɪn] **1.** flach, eben; **2.** *math.* Ebene *f*; Flugzeug *n*; Hobel *m*; *fig.* Stufe *f*, Niveau *n*

plane[2] [pleɪn] *a.* **~ *tree*** Platane *f*

planet ['plænɪt] *astr.* Planet *m*

plank [plæŋk] Planke *f*, Bohle *f*

plant [plɑːnt] **1.** Pflanze *f*; Werk *n*, Betrieb *m*, Fabrik *f*; **2.** pflanzen; F aufstellen

plantation [plæn'teɪʃn] Plantage *f*

plaque [plɑːk] Gedenktafel *f*; *med.* Zahnbelag *m*

plaster ['plɑːstə] **1.** *med.* Pflaster *n*; (Ver)Putz *m*; *a.* **~ *of Paris*** Gips *m*; **2.** verputzen; (be)kleben '**~cast** Gipsabdruck *m*; Gipsverband *m*

plastic ['plæstɪk] **1.** Plastik *n*, Kunststoff *m*; **2.** plastisch; Plastik...; **~ 'bag** Plastiktüte *f*; **~ 'money** Plastikgeld *n*, Kreditkarten *pl*; **~ 'wrap** *Am.* Frischhaltefolie *f*

plate [pleɪt] **1.** Teller *m*, Platte *f*; (Bild)Tafel *f*; Schild *n*; **2.** **~*d with gold*** vergoldet

plateau ['plætəʊ] (*pl* ***-teaus***, ***-teaux*** [-əʊ]) Plateau *n*, Hochebene *f*

platform ['plætfɔːm] Plattform *f*; Bahnsteig *m*; (Redner)Tribüne *f*, Podium *n*; ***party*** **~** Parteiprogramm *n*

platinum ['plætɪnəm] Platin *n*

plausible ['plɔːzəbl] plausibel, glaubhaft

play [pleɪ] **1.** Spiel *n*; Schauspiel *n*, (Theater)Stück *n*; *tech.* Spiel *n*; *fig.* Spielraum *m*; **2.** spielen; **~ *cards*** Karten spielen; **~ *s.o.*** *Sport*: gegen j-n spielen; **~ *down*** *et.* herunterspielen; **~ *off*** *j-n* ausspielen (***against*** gegen); '**~back** Play-back *n*, Wiedergabe *f*; '**~er** Spieler(in); (*Platten*)Spieler *m*; '**~ful** verspielt; '**~ground** Spielplatz *m*; Schulhof *m*; '**~ing card** Spielkarte *f*; '**~ing field** Sportplatz *m*, Spielfeld *n*; '**~mate** Spielkamerad(in); '**~pen** Laufstall *m*; '**~thing** Spielzeug *n*; **~wright** ['pleɪraɪt] Dramatiker *m*

plea [pliː] dringende Bitte; Appell *m*

plead [pliːd] bitten; *jur.* plädieren

pleasant ['pleznt] angenehm, erfreulich; freundlich

please [pliːz] zufrieden stellen; **~*!*** bitte!; **~ *yourself*** mach, was du willst;

pleased erfreut; zufrieden
pleasure ['pleʒə] Vergnügen *n*, Freude *f*; (***it's***) ***my ~*** gern (geschehen)
pleat [pliːt] (Plissee)Falte *f*
pledge [pledʒ] **1.** Pfand *n*; **2.** versprechen, zusichern
plentiful ['plentɪfʊl] reichlich
plenty ['plentɪ] reichlich; ***~ of*** reichlich, viel, e-e Menge
pliable ['plaɪəbl] biegsam; *fig.* flexibel; *fig.* leicht beeinflussbar
pliers ['plaɪəz] *pl* (*a.* ***a pair of ~***) (e-e) Beißzange
plight [plaɪt] Not(lage) *f*
plimsolls ['plɪmsəlz] *pl* Turnschuhe *pl*
plod [plɒd] sich dahinschleppen; ***~ on*** sich abmühen
plot [plɒt] **1.** Stück *n* (Land); Komplott *n*, Verschwörung *f*; *Roman etc.*: Handlung *f*; **2.** sich verschwören; planen
plough *Brt.*, **plow** *Am.* [plaʊ] **1.** Pflug *m*; **2.** (um)pflügen
pluck [plʌk] pflücken; rupfen; ausreißen; ***~ up*** (***the***) ***courage*** Mut fassen
plug [plʌg] **1.** Stöpsel *m*; *electr.* Stecker *m*; *mot.* (*Zünd*)Kerze *f*; **2.** ***~ in*** *electr.* anschließen, einstecken; ***~ up*** zu-, verstopfen
plum [plʌm] Pflaume *f*; Zwetsch(g)e *f*
plumage ['pluːmɪdʒ] Gefieder *n*
plumb [plʌm] **1.** Lot *n*, Senkblei *n*; **2.** ausloten; **'~er** Klempner *m*, Installateur *m*; **'~ing** Rohre *pl*; Klempner-, Installateurarbeit *f*
plump [plʌmp] mollig
plunder ['plʌndə] plündern
plunge [plʌndʒ] (ein-, unter)tauchen; (sich) stürzen
plural ['plʊərəl] *gr.* Plural *m*, Mehrzahl *f*
plus [plʌs] plus, und
'plywood ['plaɪ-] Sperrholz *n*
pm [piː 'em] ***post meridiem*** (= ***after noon***) nachm., nachmittags, abends
PM [piː 'em] F *bsd. Brt.* ***Prime Minister*** Premierminister (-in)
pneumatic [njuː'mætɪk] pneumatisch, (Press)Luft...; **~ 'drill** Pressluftbohrer *m*
pneumonia [njuː'məʊnjə] Lungenentzündung *f*
PO [piː 'əʊ] ***post office*** Postamt *n*
poach [pəʊtʃ] wildern; ***~ed eggs*** *pl* pochierte *od.* verlorene Eier *pl*
POB [piː əʊ 'biː] ***post office box*** (***number***) Postfach *n*
pocket ['pɒkɪt] **1.** (*Hosen- etc.*)Tasche *f*; **2.** einstecken (*a. fig.*); **'~book** Notizbuch *n*; *Am.* Brieftasche *f*; **~ 'calculator** Taschenrechner *m*; **'~knife** (*pl* ***-knives***) Taschenmesser *n*; **'~ money** Taschengeld *n*
pod [pɒd] Hülse *f*, Schote *f*
poem ['pəʊɪm] Gedicht *n*
poet ['pəʊɪt] Dichter(in);

poetic(al) [pəʊ'etɪk(l)] dichterisch; **poetry** ['pəʊɪtrɪ] Dichtkunst *f*; Dichtung *f*; Gedichte *pl*

point [pɔɪnt] **1.** Spitze *f*; Punkt *m*; *math.* (Dezimal)Punkt *m*, Komma *n*; Kompassstrich *m*; *Skala*: Grad *m*; Punkt *m*, Stelle *f*, Ort *m*; springender Punkt; Pointe *f*; Zweck *m*, Ziel *n*; *pl rail.* Weiche *f*; ***beside the*** ~ nicht zur Sache gehörig; ***win on*** **~s** nach Punkten gewinnen; **2.** (zu)spitzen; ~ ***at*** *Waffe* richten auf; zeigen auf; ~ ***out*** zeigen, hinweisen auf; ~ ***to*** nach *e-r Richtung* weisen *od.* liegen; zeigen auf; hinweisen auf; '**~ed** spitz; *fig.*: scharf; deutlich; '**~er** Zeiger *m*; Zeigestock *m*; Vorstehhund *m*; '**~less** sinnlos; ~ **of 'view** Stand-, Gesichtspunkt *m*

poison ['pɔɪzn] **1.** Gift *n*; **2.** vergiften; '**~ing** Vergiftung *f*; '**~ous** giftig

poke [pəʊk] schüren; ~ ***about***, ~ ***around*** (herum)stöbern, (-)wühlen (***in*** in); '**poker** Schürhaken *m*

Poland ['pəʊlənd] Polen *n*

polar ['pəʊlə] polar, Polar...; ~ **'bear** Eisbär *m*

pole[1] [pəʊl] Pol *m*

pole[2] [pəʊl] Stange *f*; Mast *m*; *Sport*: (Sprung)Stab *m*

Pole [pəʊl] Pol|e *m*, -in *f*

'pole vault Stabhochsprung *m*; '**~er** Stabhochspringer *m*

police [pə'li:s] Polizei *f*; **~man** (*pl* ***-men***) Polizist *m*; ~ **officer** Polizeibeamt|e *m*, -in *f*; ~ **station** Polizeiwache *f*, -revier *n*; **~woman** (*pl* ***-women***) Polizistin *f*

policy ['pɒləsɪ] Politik *f*; Taktik *f*; (Versicherungs)Police *f*

polio ['pəʊlɪəʊ] Polio *f*, Kinderlähmung *f*

polish ['pɒlɪʃ] **1.** Politur *f*; (*Schuh*)Creme *f*; *fig.* Schliff *m*; **2.** polieren; *Schuhe* putzen

Polish ['pəʊlɪʃ] polnisch

polite [pə'laɪt] höflich

political [pə'lɪtɪkl] politisch; **politician** [pɒlɪ'tɪʃn] Politiker(in); **politics** ['pɒlɪtɪks] *mst sg* Politik *f*

poll [pəʊl] **1.** Umfrage *f*; *pol.* Wahlbeteiligung *f*; ***the*** ~, *a.* ***the*** **~s** *pl* die Wahl; **2.** befragen

pollen ['pɒlən] Blütenstaub *m*, Pollen *m*

'polling| booth *Brt.* Wahlkabine *f*; '**~ place** *Am.*, '**~ station** *Brt.* Wahllokal *n*

pollutant [pə'lu:tənt] Schadstoff *m*; **pollute** [pə'lu:t] verschmutzen, verunreinigen; **pol'luter** *a.* ***environmental*** ~ Umweltsünder(in); **pol'lution** (Umwelt)Verschmutzung *f*

polo ['pəʊləʊ] Polo *n*; '**~ neck** *bsd. Brt.* Rollkragen(pullover) *m*

polystyrene [pɒlɪ'staɪriːn] Styropor® *n*
pond [pɒnd] Teich *m*
pony ['pəʊnɪ] Pony *n*; '**~tail** *Frisur*: Pferdeschwanz *m*
poodle ['puːdl] Pudel *m*
pool [puːl] **1.** (*Schwimm*)Becken *n*, (*Swimming*)Pool *m*; *Blut- etc.* Lache *f*; **2.** zs.-legen; **pools** *pl* Toto *n*
poor [pɔː] **1.** arm; dürftig; schlecht; **2.** ***the ~ pl*** die Armen *pl*; '**~ly** schlecht
pop [pɒp] **1.** Knall *m*; Popmusik *f*; Pop...; **2.** (zer)knallen; (zer)platzen; schnell *wohin* tun *od.* stecken; ***~ in*** auf e-n Sprung vorbeikommen; ***~ up*** (plötzlich) auftauchen
Pope [pəʊp] Papst *m*
poplar ['pɒplə] Pappel *f*
poppy ['pɒpɪ] Mohn *m*
popular ['pɒpjʊlə] populär, beliebt; volkstümlich; allgemein; **~ity** [pɒpjʊ'lærətɪ] Popularität *f*, Beliebtheit *f*
populate ['pɒpjʊleɪt] bewohnen; **popu'lation** Bevölkerung *f*; Einwohner *pl*
porcelain ['pɔːslɪn] Porzellan *n*
porch [pɔːtʃ] Vorbau *m*, Windfang *m*; *Am.* Veranda *f*
porcupine ['pɔːkjʊpaɪn] Stachelschwein *n*
pore [pɔː] **1.** Pore *f*; **2.** ***~ over*** *et.* eifrig studieren
pork [pɔːk] Schweinefleisch *n*
porous ['pɔːrəs] porös
porridge ['pɒrɪdʒ] Haferbrei *m*
port [pɔːt] Hafen(stadt *f*) *m*; *naut.*, *aviat.* Backbord *n*; *Computer*: Port *m*, Anschluss *m*; Portwein *m*
portable ['pɔːtəbl] tragbar
porter ['pɔːtə] Pförtner *m*; Portier *m*; (Gepäck)Träger *m*; *Am.* Schlafwagenschaffner *m*
'**porthole** Bullauge *n*
portion ['pɔːʃn] (An)Teil *m*; *Essen*: Portion *f*
portrait ['pɔːtreɪt] Porträt *n*, Bild(nis) *n*
portray [pɔː'treɪ] darstellen
Portugal ['pɔːtʃʊgl] Portugal *n*; **Portuguese** [pɔːtʃʊ'giːz] **1.** portugiesisch; **2.** Portugies|e *m*, -in *f*
pose [pəʊz] **1.** Pose *f*; **2.** posieren; *Problem* aufwerfen
posh [pɒʃ] F piekfein
position [pə'zɪʃn] **1.** Position *f*; Lage *f*; Stellung *f*; Standpunkt *m*; **2.** (auf)stellen
positive ['pɒzətɪv] **1.** positiv; bestimmt, sicher, eindeutig; **2.** *phot.* Positiv *n*
possess [pə'zes] besitzen; **~ion** Besitz *m*; **~ive** besitzergreifend
possibility [pɒsə'bɪlətɪ] Möglichkeit *f*; **possible** ['pɒsəbl] möglich; '**possibly** vielleicht
post [pəʊst] **1.** Pfosten *m*; Posten *m*; Stelle *f*, Job *m*; *bsd. Brt.* Post *f*; **2.** *Brief etc.* aufgeben; *Plakat etc.* anschlagen; postieren; '**~age** Porto *n*; '**~al** Post...; '**~al**

order (*Abk.* **PO**) Postanweisung *f*; '**~box** *bsd. Brt.* Briefkasten *m*; '**~card** Postkarte *f*; '**~code** *Brt.* Postleitzahl *f*
poster ['pəʊstə] Plakat *n*; Poster *n, m*
poste restante [pəʊst'restɑ:nt] postlagernd
'**post|man** (*pl* **-men**) *bsd. Brt.* Briefträger *m*, Postbote *m*; '**~mark** **1.** Poststempel *m*; **2.** (ab)stempeln; '**~ office** Post(amt *n*) *f*
postpone [pəʊst'pəʊn] ver-, aufschieben
posture ['pɒstʃə] (Körper-)Haltung *f*; Stellung *f*
pot [pɒt] **1.** Topf *m*; Kanne *f*; **2.** eintopfen
potato [pə'teɪtəʊ] (*pl* **-toes**) Kartoffel *f*
potential [pəʊ'tenʃl] **1.** potenziell; **2.** Potenzial *n*
'**pothole** *mot.* Schlagloch *n*
potter[1] ['pɒtə]: **~ *about*** herumwerkeln, -hantieren
potter[2] ['pɒtə] Töpfer(in); '**pottery** Töpferwaren *pl*; Töpferei *f*
pouch [paʊtʃ] Beutel *m*
poultry ['pəʊltrɪ] Geflügel *n*
pounce [paʊns] sich stürzen
pound[1] [paʊnd] *Gewicht*: Pfund *n* (*454 g*); *Währung*: Pfund *n*
pound[2] [paʊnd] hämmern (an, gegen); zerstoßen, -stampfen
pour [pɔ:] gießen, schütten; ***it's ~ing*** es gießt in Strömen
poverty ['pɒvətɪ] Armut *f*
powder ['paʊdə] **1.** Pulver *n*; Puder *m*; **2.** pudern; '**~ room** Damentoilette *f*
power ['paʊə] **1.** Kraft *f*; Macht *f*; Fähigkeit *f*; *electr.* Strom *m*; **2.** *tech.* antreiben; '**~ cut** Stromsperre *f*; '**~ful** mächtig; stark; '**~less** machtlos; kraftlos; '**~ plant** *bsd. Am.*, '**~ station** Elektrizitäts-, Kraftwerk *n*
PR [pi: 'ɑ:] ***public relations*** PR, Öffentlichkeitsarbeit *f*
practicable ['præktɪkəbl] durchführbar; '**practical** praktisch
practice ['præktɪs] **1.** Praxis *f*; Übung *f*; Brauch *m*; **2.** *Am.* → ***practise***
practise *Brt.*, **practice** *Am.* ['præktɪs] ausüben; üben
practitioner [præk'tɪʃnə] → ***general practitioner***
praise [preɪz] **1.** Lob *n*; **2.** loben; '**~worthy** lobenswert
pram [præm] Kinderwagen *m*
prank [præŋk] Streich *m*
prattle ['prætl] plappern
prawn [prɔ:n] Garnele *f*
pray [preɪ] beten; **~er** [preə] Gebet *n*; *pl* Andacht *f*
preach [pri:tʃ] predigen
precarious [prɪ'keərɪəs] prekär, unsicher
precaution [prɪ'kɔ:ʃn] Vorkehrung *f*, Vorsichtsmaßnahme *f*; **~ary** vorbeugend
precede [pri:'si:d] voraus-, vorangehen

precinct ['pri:sɪŋkt] *bsd. Brt.*: (*Fußgänger*)Zone *f*; (*Einkaufs*)Viertel *n*; *Am.* (*Polizei*)Revier *n*; *pl* Gelände *n*
precious ['preʃəs] kostbar; *Steine etc.*: Edel...
precipice ['presɪpɪs] Abgrund *m*
precipitous [prɪ'sɪpɪtəs] steil
précis ['preɪsi:] (*pl* ***précis*** [-si:z]) (kurze) Zs.-fassung
precise [prɪ'saɪs] genau; **precision** [prɪ'sɪʒn] Genauigkeit *f*; Präzision *f*
precocious [prɪ'kəʊʃəs] frühreif; altklug
preconceived [pri:kən'si:vd] *Meinung etc.*: vorgefasst
predecessor ['pri:dɪsesə] Vorgänger(in)
predicament [prɪ'dɪkəmənt] missliche Lage
predict [prɪ'dɪkt] vorhersagen; **~ion** Vorhersage *f*
predominant [prɪ'dɒmɪnənt] vorherrschend
prefabricated [pri:'fæbrɪkeɪtɪd] vorgefertigt, Fertig...
preface ['prefɪs] Vorwort *n*
prefer [prɪ'fɜ:] vorziehen, lieber mögen; **~ *to do*** lieber tun
preferable ['prefərəbl] vorzuziehen (***to*** *dat*)
preference ['prefərəns] Vorliebe *f*; Vorzug *m*
prefix ['pri:fɪks] Vorsilbe *f*
pregnancy ['pregnənsɪ] Schwangerschaft *f*; **'pregnant** schwanger
prejudice ['predʒʊdɪs] Vorurteil *n*; **'prejudiced** voreingenommen, befangen
preliminary [prɪ'lɪmɪnərɪ] einleitend; Vor...
prelude ['prelju:d] Vorspiel *n*
premarital [pri:'mærɪtl] vorehelich
premature ['premətjʊə] vorzeitig, Früh...; voreilig
premeditated [pri:'medɪteɪtɪd] *Mord etc.*: vorsätzlich
premises ['premɪsɪz] *pl* Gelände *n*, Grundstück *n*; (*Geschäfts*)Räume *pl*
premium ['pri:mjəm] Prämie *f*, Bonus *m*; **'~ (gasoline)** *Am. mot.* Super(benzin) *n*
preoccupied [pri:'ɒkjʊpaɪd] beschäftigt; geistesabwesend
prepacked [pri:'pækt] *Nahrung*: abgepackt
prepaid [pri:'peɪd] frankiert
preparation [prepə'reɪʃn] Vorbereitung *f*; **prepare** [prɪ'peə] (sich) vorbereiten; *Speisen etc.* zubereiten
prerogative [prɪ'rɒgətɪv] Vorrecht *n*
prescribe [prɪ'skraɪb] *et.* vorschreiben; *med. et.* verschreiben; **prescription** [prɪ'skrɪpʃn] *med.* Rezept *n*
presence ['prezns] Gegenwart *f*, Anwesenheit *f*; **~ of 'mind** Geistesgegenwart *f*
present[1] ['preznt] Geschenk *n*
present[2] [prɪ'zent] überreichen; schenken; vorlegen; präsentieren; *j-n*, *Produkt*

vorstellen; *Programm etc.* moderieren
present³ ['preznt] **1.** anwesend; vorhanden; gegenwärtig, jetzig; **2.** Gegenwart *f*; ***at ~*** zur Zeit, jetzt
presentation [prezən'teɪʃn] Überreichung *f*; Präsentation *f*; Vorlage *f*
present-'day heutig
preservation [prezə'veɪʃn] Bewahrung *f*; Erhaltung *f*;
preserve [prɪ'zɜːv] **1.** erhalten; (be)wahren; konservieren; *Obst* einkochen, einmachen; **2.** *pl das* Eingemachte
preside [prɪ'zaɪd] den Vorsitz haben *od.* führen
president ['prezɪdənt] Präsident(in)
press [pres] **1.** (*Wein- etc.*) Presse *f*; (Drucker)Presse *f*; Druckerei *f*; ***the ~*** die Presse; **2.** drücken (auf); (aus)pressen; bügeln; (be)drängen; (sich) drängen; ***~ for*** dringen auf; **'~ing** dringend; **'~-stud** *Brt.* Druckknopf *m*; **'~-up** *Brt.* Liegestütz *m*
pressure ['preʃə] Druck *m*; **'~ cooker** Schnellkochtopf *m*
presumably [prɪ'zjuːməblɪ] vermutlich; **presume** [prɪ'zjuːm] annehmen, vermuten
presumptuous [prɪ'zʌmptʃʊəs] anmaßend
pretence *Brt.*, **pretense** *Am.* [prɪ'tens] Vortäuschung *f*; Anspruch *m*
pretend [prɪ'tend] vorgeben, vortäuschen; **pre'tension** Anspruch *m* (***to*** auf)
pretext ['priːtekst] Vorwand *m*
pretty ['prɪtɪ] hübsch; nett
pretzel ['pretsl] Brezel *f*
prevent [prɪ'vent] verhindern, -hüten; *j-n* hindern;
pre'vention Verhütung *f*;
pre'ventive vorbeugend
preview ['priːvjuː] *Film, TV*: Voraufführung *f*; Vorbesichtigung *f*
previous ['priːvjəs] vorhergehend, Vor...; ***~ to*** bevor, vor; **'~ly** vorher, früher
prey [preɪ] Beute *f*; → ***beast***; → ***bird***
price [praɪs] Preis *m*; **'~less** unbezahlbar; **'~ tag** Preisschild *n*
prick [prɪk] **1.** Stich *m*; V *Penis*: Schwanz *m*; **2.** (durch-)stechen; ***~ up one's ears*** die Ohren spitzen
prickle ['prɪkl] Stachel *m*, Dorn *m*; **'prickly** stach(e)lig
pride [praɪd] Stolz *m*
priest [priːst] Priester *m*
primarily ['praɪmərəlɪ] in erster Linie, vor allem
primary ['praɪmərɪ] **1.** wichtigst; grundlegend, elementar; **2.** *Am. pol.* Vorwahl *f*; **'~ school** *Brt.* Grundschule *f*
prime [praɪm] **1.** wichtigst, Haupt...; erstklassig; **2.** *fig.* Blüte(zeit) *f*; **~ 'minister** Premierminister(in), Ministerpräsident(in); **'~ time** *bsd.*

Am. TV Haupteinschaltzeit *f*, beste Sendezeit
primeval [praɪ'miːvl] urzeitlich, Ur...
primitive ['prɪmɪtɪv] primitiv
primrose ['prɪmrəʊz] Primel *f*, Schlüsselblume *f*
prince [prɪns] Fürst *m*; Prinz *m*
princess [prɪn'ses, *vor Eigennamen* 'prɪnses] Fürstin *f*; Prinzessin *f*
principal ['prɪnsəpl] **1.** wichtigst, Haupt...; **2.** *Am. Schule*: Direktor(in), Rektor(in)
principality [prɪnsɪ'pælətɪ] Fürstentum *n*
'principally hauptsächlich
principle ['prɪnsəpl] Prinzip *n*, Grundsatz *m*; ***on* ~** grundsätzlich, aus Prinzip
print [prɪnt] **1.** *print*. Druck *m*; (*Finger*)Abdruck *m*; *Kunst*: Druck *m*; *phot*. Abzug *m*; ***out of* ~** vergriffen; **2.** (ab-, auf-, be)drucken; in Druckbuchstaben schreiben; *phot*. abziehen; **~ *out*** *Computer*: ausdrucken; **'~ed matter** Drucksache *f*; **'~er** Drucker *m* (*a. Computer*); **'~out** *Computer*: Ausdruck *m*
prior ['praɪə] früher; **~ity** [praɪ'ɒrətɪ] Priorität *f*, Vorrang *m*
prison ['prɪzn] Gefängnis *n*; **'~er** Gefangene *m, f*, Häftling *m*; ***take s.o.* ~** j-n gefangen nehmen
privacy ['prɪvəsɪ] Privatleben *n*; Privatsphäre *f*
private ['praɪvɪt] **1.** privat, Privat...; persönlich; vertraulich; **2.** gemeiner Soldat
privilege ['prɪvɪlɪdʒ] Vorrecht *n*; Privileg *n*; **'privileged** bevorzugt, privilegiert
prize [praɪz] **1.** (Sieges)Preis *m*, Prämie *f*; (*Lotterie*)Gewinn *m*; **2.** preisgekrönt; Preis...; **3.** (hoch) schätzen
pro [prəʊ] **1.** für; **2.** ***the* ~*s and cons*** *pl* das Für und Wider
probability [prɒbə'bɪlətɪ] Wahrscheinlichkeit *f*; **'probable** *adj*, **'probably** *adv* wahrscheinlich
probation [prə'beɪʃn] Probe(-zeit) *f*; *jur*. Bewährung *f*; **~ officer** Bewährungshelfer *m*
probe [prəʊb] **1.** Sonde *f*; Untersuchung *f*; **2.** untersuchen
problem ['prɒbləm] Problem *n*; *math*. Aufgabe *f*
procedure [prə'siːdʒə] Verfahren(sweise *f*) *n*, Vorgehen *n*
proceed [prə'siːd] *fig*. weitergehen; *fig*. fortfahren; **~ings** *pl* Vorgänge *pl*, Geschehnisse *pl*; *jur*. Verfahren *n*
proceeds ['prəʊsiːdz] *pl* Erlös *m*, Einnahmen *pl*
process ['prəʊses] **1.** Vorgang *m*, Prozess *m*, Verfahren *n*; **2.** *tech. et*. bearbeiten; *Computer*: *Daten* verarbeiten; *Film* entwickeln
procession [prə'seʃn] Prozession *f*; Umzug *m*

processor ['prəʊsesə] *Computer*: Prozessor *m*; (*Wort-, Text*)Verarbeitungsgerät *n*
proclamation [prɒklə'meɪʃn] Proklamation *f*
prodigy ['prɒdɪdʒɪ]: ***child*** *od.* ***infant*** ~ Wunderkind *n*
produce[1] [prə'dju:s] produzieren; erzeugen, herstellen; hervorziehen, -holen; (vor-) zeigen; *fig.* hervorrufen; *Film* produzieren; *thea.* inszenieren
produce[2] ['prɒdju:s] *bsd.* (*Agrar*)Produkt(e *pl*) *n*, (-)Erzeugnis(se *pl*) *n*
producer [prə'dju:sə] Produzent(in)
product ['prɒdʌkt] Produkt *n*, Erzeugnis *n*; **~ion** [prə'dʌkʃn] Produktion *f*, Erzeugung *f*, Herstellung *f*; *thea.* Inszenierung *f*; **~ive** [prə'dʌktɪv] produktiv
profession [prə'feʃn] Beruf *m*; **~al 1.** Berufs..., beruflich; fachmännisch, professionell; **2.** Fachmann *m*; Berufssportler(in); Profi *m*
professor [prə'fesə] Professor(in)
proficiency [prə'fɪʃnsɪ] Können *n*, Tüchtigkeit *f*; **pro'ficient** tüchtig, erfahren
profile ['prəʊfaɪl] Profil *n*
profit ['prɒfɪt] **1.** Gewinn *m*, Profit *m*; Nutzen *m*; **2.** ~ ***by***, ~ ***from*** profitieren von; **'~able** Gewinn bringend
profound [prə'faʊnd] tief; *Wissen*: profund
profuse [prə'fju:s] (über-) reich; verschwenderisch
program ['prəʊgræm] **1.** *Computer*: Programm *n*; *Am.* → ***programme*** 1; **2.** *Computer*: programmieren; *Am.* → ***programme*** 2; **'programer** → ***programmer***
programme *Brt.*, **program** *Am.* ['prəʊgræm] **1.** Programm *n*; **2.** (vor)programmieren; **'programmer** *Computer*: Programmierer(in)
progress 1. ['prəʊgres] Fortschritt(e *pl*) *m*; **2.** [prəʊ'gres] fortschreiten; Fortschritte machen; **~ive** [prəʊ'gresɪv] progressiv, fortschreitend; fortschrittlich
prohibit [prə'hɪbɪt] verbieten; **~ion** [prəʊɪ'bɪʃn] Verbot *n*
project 1. ['prɒdʒekt] Projekt *n*, Vorhaben *n*; **2.** [prə'dʒekt] planen; projizieren; vorspringen, -ragen, -stehen; **~ion** [prə'dʒekʃn] *arch.* Vorsprung *m*; Projektion *f*; **~or** [prə'dʒektə] Projektor *m*
prolong [prəʊ'lɒŋ] verlängern
promenade [prɒmə'nɑ:d] (Strand)Promenade *f*
prominent ['prɒmɪnənt] vorstehend; prominent
promise ['prɒmɪs] **1.** Versprechen *n*; **2.** versprechen; **'promising** viel versprechend
promote [prə'məʊt] befördern; fördern; *econ.* werben

für; **pro'moter** Förderer *m*; Veranstalter *m*; **pro'motion** Beförderung *f*; Förderung *f*; Werbung *f*
prompt [prɒmpt] **1.** prompt; pünktlich; **2.** *j-n* veranlassen
prone [prəʊn]: ***be ~ to*** neigen zu
prong [prɒŋ] Zinke *f*
pronounce [prə'naʊns] aussprechen; **pronunciation** [prənʌnsɪ'eɪʃn] Aussprache *f*
proof [pru:f] **1.** Beweis *m*; Probe *f*; *print.*, *phot.* Probeabzug *m*; **2.** (*wetter*)fest; (*wasser*)dicht; (*kugel*)sicher
prop [prɒp] **1.** Stütze *f* (*a. fig.*); **2. *~ up*** (ab)stützen
propel [prə'pel] (an)treiben; **pro'peller** Propeller *m*; **propelling 'pencil** Drehbleistift *m*
proper ['prɒpə] richtig; anständig; *bsd. Brt.* F ordentlich, gehörig
property ['prɒpətɪ] Eigentum *n*; (Grund)Besitz *m*; Eigenschaft *f*
prophecy ['prɒfɪsɪ] Prophezeiung *f*; **prophesy** ['prɒfɪsaɪ] prophezeien; **prophet** ['prɒfɪt] Prophet *m*
proportion [prə'pɔ:ʃn] Verhältnis *n*; (An)Teil *m*; *pl* Größenverhältnisse *pl*, Proportionen *pl*; **~al** proportional
proposal [prə'pəʊzl] Vorschlag *m*; (Heirats)Antrag *m*;
propose [prə'pəʊz] vorschlagen; ***~ to*** *j-m* e-n Heiratsantrag machen; **proposition** [prɒpə'zɪʃn] Vorschlag *m*; Behauptung *f*
proprietor [prə'praɪətə] Eigentümer *m*; (Geschäfts-)Inhaber *m*
propulsion [prə'pʌlʃn] *tech.* Antrieb *m*
prose [prəʊz] Prosa *f*
prosecute ['prɒsɪkju:t] strafrechtlich verfolgen; **prose'cution** strafrechtliche Verfolgung; ***the ~*** die Staatsanwaltschaft; **'prosecutor** (An)Kläger *m*; ***public ~*** Staatsanwalt *m*, -anwältin *f*
prospect ['prɒspekt] *fig.* Aussicht *f*; **~ive** [prə'spektɪv] (zu)künftig; voraussichtlich
prospectus [prə'spektəs] (Werbe)Prospekt *m*
prosper ['prɒspə] Erfolg haben; blühen, gedeihen; **~ity** [prɒ'sperətɪ] Wohlstand *m*; **~ous** ['prɒspərəs] erfolgreich; wohlhabend
prostitute ['prɒstɪtju:t] Prostituierte *f*
prostrate ['prɒstreɪt] hingestreckt; ***~ with grief*** gramgebeugt, gebrochen
protect [prə'tekt] (be)schützen; **~ion** Schutz *m*; ***~ of endangered species*** Artenschutz *m*; **~ive** (be)schützend, Schutz...
protein ['prəʊti:n] Protein *n*, Eiweiß *n*
protest 1. ['prəʊtest] Protest

m; **2.** [prəˈtest] protestieren; **~ant** [ˈprɒtɪstənt] **1.** protestantisch; **2.** Protestant(in)
protrude [prəˈtruːd] herausragen, vorstehen
proud [praʊd] stolz (***of*** auf)
prove [pruːv] (***proved, proved*** *od. Am.* ***proven***) be-, nachweisen; sich herausstellen *od.* erweisen als
proven [ˈpruːvn] *bsd. Am. pp von* ***prove***
proverb [ˈprɒvɜːb] Sprichwort *n*
provide [prəˈvaɪd] (zur Verfügung) stellen; versehen, versorgen, beliefern; besorgen; ***~ for*** sorgen für; ***~d*** (***that***) vorausgesetzt(, dass)
provision [prəˈvɪʒn] Bereitstellung *f*, Beschaffung *f*; Vorsorge *f*, Vorkehrung *f*; *pl* Proviant *m*; **~al** provisorisch
provocation [prɒvəˈkeɪʃn] Provokation *f*
provoke [prəˈvəʊk] provozieren; hervorrufen
prowl [praʊl] herumschleichen; durchstreifen
proxy [ˈprɒksɪ] Stellvertreter(in); Vollmacht *f*
prudent [ˈpruːdnt] klug; umsichtig, besonnen
prudish [ˈpruːdɪʃ] prüde
prune¹ [pruːn] *Bäume etc.* beschneiden
prune² [pruːn] Backpflaume *f*
pseudonym [ˈsjuːdənɪm] Pseudonym *n*, Deckname *m*
psychiatrist [saɪˈkaɪətrɪst] Psychiater *m*; **psychiatry** [saɪˈkaɪətrɪ] Psychiatrie *f*
psychological [saɪkəˈlɒdʒɪkl] psychologisch; **psychologist** [saɪˈkɒlədʒɪst] Psychologe *m*, -in *f*; **psychology** [saɪˈkɒlədʒɪ] Psychologie *f*
psychosomatic [saɪkəʊsəʊˈmætɪk] psychosomatisch
psychotherapy [saɪkəʊˈθerəpɪ] Psychotherapie *f*
pub [pʌb] Pub *n*, Kneipe *f*
puberty [ˈpjuːbətɪ] Pubertät *f*
public [ˈpʌblɪk] **1.** öffentlich; **2.** ***the ~*** die Öffentlichkeit, das Publikum; ***in ~*** öffentlich
publication [pʌblɪˈkeɪʃn] Veröffentlichung *f*; Bekanntgabe *f*
public| conˈvenience *Brt.* öffentliche Toilette; **~ ˈhealth** öffentliches Gesundheitswesen
publicity [pʌbˈlɪsətɪ] Publicity *f*; Werbung *f*, Reklame *f*
public| ˈschool *Brt.* Privatschule *f*; *Am.* staatliche Schule; **~ ˈtransport** öffentliche Verkehrsmittel *pl*
publish [ˈpʌblɪʃ] veröffentlichen; *Buch etc.* herausgeben, verlegen; **ˈ~er** Verleger(in), Herausgeber(in); Verlag(shaus *n*) *m*
pudding [ˈpʊdɪŋ] Pudding *m*; Nachtisch *m*
puddle [ˈpʌdl] Pfütze *f*
puff [pʌf] **1.** *an e-r Zigarette*: Zug *m*; (Rauch)Wölkchen *n*; **2.** schnaufen, keuchen; paf-

fen; ~ **'pastry** Blätterteig *m*
puffy ['pʌfɪ] (an)geschwollen
pull [pʊl] **1.** Ziehen *n*; Zug *m*; Ruck *m*; **2.** ziehen; zerren; reißen; zupfen; ~ ***down*** ab-, niederreißen; ~ ***in*** *Zug*: einfahren; ~ ***out*** *Zug*: abfahren; *Fahrzeug*: ausscheren; ~ ***o.s. together*** sich zs.-nehmen; ~ ***up*** *Auto*: anhalten; **'~ date** *Am.* Mindesthaltbarkeitsdatum *n*
pulley ['pʊlɪ] Flaschenzug *m*
pullover ['pʊləʊvə] Pullover *m*
pulp [pʌlp] **1.** Brei *m*; Fruchtfleisch *n*; **2.** Schund...
pulpit ['pʊlpɪt] Kanzel *f*
pulsate [pʌl'seɪt] pulsieren, pochen
pulse [pʌls] Puls *m*
pulverize ['pʌlvəraɪz] pulverisieren, zermahlen
pump [pʌmp] **1.** Pumpe *f*; (*Zapf*)Säule *f*; **2.** pumpen
pumpkin ['pʌmpkɪn] Kürbis *m*
pun [pʌn] Wortspiel *n*
punch [pʌntʃ] **1.** (Faust-) Schlag *m*; Lochzange *f*; Locher *m*; Punsch *m*; **2.** *mit der Faust* schlagen, boxen; (aus)stanzen; lochen; **'~ card, ~ed 'card** Lochkarte *f*
punctual ['pʌŋktʃʊəl] pünktlich
punctuate ['pʌŋktʃʊeɪt] Satzzeichen setzen in; *fig.* unterbrechen; **punctu'ation** Interpunktion *f*
puncture ['pʌŋktʃə] Reifenpanne *f*
pungent ['pʌndʒənt] scharf, stechend, beißend
punish ['pʌnɪʃ] (be)strafen; **'~ment** Strafe *f*; Bestrafung *f*
pupil[1] ['pju:pl] Schüler(in)
pupil[2] ['pju:pl] Pupille *f*
puppet ['pʌpɪt] Marionette *f* (*a. fig.*); (Hand)Puppe *f*
puppy ['pʌpɪ] Welpe *m*, junger Hund
purchase ['pɜ:tʃəs] **1.** Kauf *m*; **2.** kaufen
pure [pjʊə] rein
purgative ['pɜ:gətɪv] **1.** abführend; **2.** Abführmittel *n*
purify ['pjʊərɪfaɪ] reinigen (*a. fig.*); **purity** ['pjʊərətɪ] Reinheit *f*
purl [pɜ:l] **1.** linke Masche; **2.** links stricken
purple ['pɜ:pl] violett, purpurrot
purpose ['pɜ:pəs] Absicht *f*; Zweck *m*; ***on*** ~ absichtlich
purr [pɜ:] schnurren
purse [pɜ:s] Geldbörse *f*, Portemonnaie *n*; *Am.* Handtasche *f*
pursue [pə'sju:] verfolgen; streben nach; **pur'suer** Verfolger(in); **pursuit** [pə'sju:t] Verfolgung *f*; Streben *n*
pus [pʌs] Eiter *m*
push [pʊʃ] **1.** Stoß *m*, Schubs *m*; Anstoß *m*; Schwung *m*; Tatkraft *f*; **2.** stoßen, schieben, schubsen; *Taste etc.* drücken; drängen; (an)treiben; ~ ***off!*** hau ab!; ~ ***on*** weitergehen, -fahren; weiterma-

chen; '~ **button** *tech.* Drucktaste *f*; '~**chair** Sportwagen *m* (*für Kinder*); '~-**up** *Am.* Liegestütz *m*

puss [pʊs], '**pussy**(**cat**) Kätzchen *n*, Mieze *f*

put [pʊt] (*put*) legen, setzen, stellen, stecken, tun; *Frage* stellen; ausdrücken, sagen; ~ ***back*** zurücklegen, -stellen (*a. Uhr*), -tun; ~ **by** *Geld* zurücklegen; ~ ***down*** hinlegen, -stellen, -setzen; aussteigen lassen; *in Liste*: eintragen; aufschreiben; zuschreiben; *Tier* einschläfern; ~ ***forward*** *Uhr* vorstellen; *Plan* vorlegen; ~ ***in*** hineinlegen, -setzen, -stellen, -stecken; *Gesuch* einreichen; *Bemerkung* einwerfen; ~ ***off*** auf-, verschieben; *j-m* absagen; *j-n* hinhalten; ~ **on** *Kleider* anziehen, *Hut etc.* aufsetzen; *Uhr* vorstellen; an-, einschalten; vortäuschen; *thea. Stück etc.* aufführen; ~ ***on weight*** zunehmen; ~ ***out*** hinauslegen, -setzen, -stellen; (her)ausstrecken; *Feuer, Licht* ausmachen; *j-n* aus der Fassung bringen; ~ ***through*** *tel. j-n* verbinden (***to*** mit); ~ ***together*** zs.-setzen; ~ ***up*** *v/t Zelt* aufstellen; *Gebäude* errichten; *Gast* unterbringen; *Widerstand* leisten; *Preis* erhöhen; ~ ***up*** (***for sale***) (zum Verkauf) anbieten; *v/i*: ~ ***up at*** übernachten bei/in; ~ ***up with*** sich abfinden mit

putrid ['pjuːtrɪd] verfault, verwest

putty ['pʌtɪ] Kitt *m*

puzzle ['pʌzl] **1.** Rätsel *n* (*a. fig.*); Geduld(s)spiel *n*, Puzzle(spiel) *n*; **2.** verwirren; sich den Kopf zerbrechen

pyjamas [pə'dʒɑːməz] *pl Brt.* Schlafanzug *m*

pylon ['paɪlən] *electr.* Mast *m*

pyramid ['pɪrəmɪd] Pyramide *f*

Q

quack[1] [kwæk] quaken

quack[2] [kwæk] *a.* ~ ***doctor*** Quacksalber *m*

quadrangle ['kwɒdræŋgl] Viereck *n*; Innenhof *m*

quadruped ['kwɒdrʊped] Vierfüß(l)er *m*

quadruple ['kwɒdrʊpl] **1.** vierfach; **2.** (sich) vervierfachen

quadruplets ['kwɒdrʊplɪts] *pl* Vierlinge *pl*

quaint [kweɪnt] malerisch; drollig

quake [kweɪk] **1.** beben, zittern; **2.** F Erdbeben *n*

qualification [kwɒlɪfɪ'keɪʃn] Qualifikation *f*, Befähigung *f*; Voraussetzung *f*; Einschränkung *f*; **qualified**

['kwɒlɪfaɪd] qualifiziert, befähigt; eingeschränkt, bedingt; **qualify** ['kwɒlɪfaɪ] (sich) qualifizieren; befähigen; einschränken; mildern
quality ['kwɒlətɪ] Qualität *f*; Eigenschaft *f*
qualms [kwɑːmz] *pl* Bedenken *pl*, Skrupel *pl*
quantity ['kwɒntətɪ] Quantität *f*, Menge *f*
quarantine ['kwɒrəntiːn] Quarantäne *f*
quarrel ['kwɒrəl] **1.** Streit *m*, Auseinandersetzung *f*; **2.** (sich) streiten; **'~some** streitsüchtig
quarry[1] ['kwɒrɪ] Steinbruch *m*
quarry[2] ['kwɒrɪ] Beute *f*
quarter ['kwɔːtə] **1.** Viertel *n*; Viertelpfund *n*; *Am.* Vierteldollar *m*; Vierteljahr *n*, Quartal *n*; (Stadt)Viertel *n*; (Himmels)Richtung *f*; *pl* Quartier *n* (*a. mil.*); ***a ~ of an hour*** e-e Viertelstunde; ***a ~ to/past*** *Uhrzeit*: (ein) Viertel vor/nach; **2.** vierteln; **~'finals** *pl Sport*: Viertelfinale *n*
'quarterly **1.** vierteljährlich; **2.** Vierteljahresschrift *f*
quaver ['kweɪvə] *Stimme*: zittern
quay [kiː] Kai *m*
queen [kwiːn] Königin *f*; *Kartenspiel*: Dame *f*; F Schwule *m*
queer [kwɪə] seltsam, komisch; wunderlich; F schwul
quench [kwentʃ] löschen
query ['kwɪərɪ] (An)Frage *f*
question ['kwestʃən] **1.** Frage *f*; Problem *n*; ***that is out of the ~*** das kommt nicht in Frage; **2.** (be)fragen; *jur.* vernehmen, -hören; *et.* bezweifeln; **'~able** fraglich; fragwürdig; **'~ mark** Fragezeichen *n*
questionnaire [kwestʃə'neə] Fragebogen *m*
queue [kjuː] *Brt.* **1.** Schlange *f*; **2.** *a.* ***~ up*** anstehen, Schlange stehen, sich anstellen
quick [kwɪk] schnell, rasch; prompt; *Verstand*: wach, aufgeweckt; ***be ~!*** beeil dich!; **'~en** (sich) beschleunigen; **'~freeze** (***-froze, -frozen***) *Lebensmittel* schnell einfrieren
quickie ['kwɪkɪ] F *et. Schnelles, z.B.* kurze Frage, Tasse *f* Tee auf die Schnelle *etc.*
'quick|sand Treibsand *m*; **'~silver** Quecksilber *n*; **~-'witted** schlagfertig; geistesgegenwärtig
quid [kwɪd] (*pl* ***quid***) *Brt.* F Pfund *n* (Sterling)
quiet ['kwaɪət] **1.** ruhig, still; **2.** Ruhe *f*; **'~en** beruhigen; *a.* ***~ down*** sich beruhigen
quilt [kwɪlt] Steppdecke *f*
quinine [kwɪ'niːn] Chinin *n*
quit [kwɪt] (***quit,*** *Brt. a.* ***quitted***) F aufhören (mit); kündigen
quite [kwaɪt] ganz, völlig;

ziemlich; ~ (**so**)! ganz recht
quits [kwɪts]: ***be ~ with s.o.*** mit j-m quitt sein
quiver ['kwɪvə] zittern
quiz [kwɪz] **1.** Quiz *n*; Prüfung *f*; Test *m*; **2.** ausfragen
quota ['kwəʊtə] Quote *f*
quotation [kwəʊ'teɪʃn] Zitat *n*; *econ.* Kostenvoranschlag *m*; ~ **marks** *pl* Anführungszeichen *pl*
quote [kwəʊt] zitieren; *Preis* nennen

R

rabbit ['ræbɪt] Kaninchen *n*
rabble ['ræbl] Pöbel *m*
rabies ['reɪbi:z] *vet.* Tollwut *f*
raccoon [rə'ku:n] Waschbär *m*
race¹ [reɪs] Rasse *f*
race² [reɪs] **1.** Rennen *n*; (Wett)Lauf *m*; *fig.* Wettlauf *m*; **2.** rennen, rasen; um die Wette laufen *od.* fahren (mit); '**~course** Rennbahn *f*; '**~horse** Rennpferd *n*; '**~track** Rennstrecke *f*
racial ['reɪʃl] Rassen...
'**racing car** ['reɪsɪŋ-] Rennwagen *m*
racism ['reɪsɪzəm] Rassismus *m*; '**racist 1.** Rassist(in); **2.** rassistisch
rack [ræk] **1.** Gestell *n*, (*Geschirr-*, *Zeitungs- etc.*)Ständer *m*; (*Gepäck*)Netz *n*; *mot.* (*Dach*)Gepäckträger *m*; **2.** ***~ one's brains*** sich den Kopf zerbrechen
racket¹ ['rækɪt] *Tennis etc.* Schläger *m*
racket² ['rækɪt] F Krach *m*, Lärm *m*; F (*Drogen- etc.*)Geschäft *n*
racoon [rə'ku:n] → ***raccoon***
racy ['reɪsɪ] *Stil*: spritzig, lebendig; gewagt
radar ['reɪdɑ:] Radar *m*, *n*; '**~ trap** *mot.* Radarkontrolle *f*
radiant ['reɪdjənt] strahlend
radiate ['reɪdɪeɪt] ausstrahlen; ~ ***from*** strahlenförmig ausgehen von; **radi'ation** (Aus)Strahlung *f*; '**radiator** Heizkörper *m*; *mot.* Kühler *m*
radical ['rædɪkl] radikal
radio ['reɪdɪəʊ] **1.** Radio(apparat *m*) *n*; Funk(gerät *n*) *m*; **2.** funken; **~'active** radioaktiv; **~active 'waste** radioaktiver Abfall; **~ac'tivity** Radioaktivität *f*; '**~ station** Rundfunksender *m*; **~'therapy** Strahlentherapie *f*
radish ['rædɪʃ] Rettich *m*; Radieschen *n*
radius ['reɪdɪəs] (*pl* ***-dii*** [-dɪaɪ]) Radius *m*
raffle ['ræfl] Tombola *f*
raft [rɑ:ft] Floß *n*

rafter ['rɑːftə] Dachsparren *m*
rag [ræg] Lumpen *m*, Fetzen *m*; Lappen *m*
rage [reɪdʒ] **1.** Wut *f*, Zorn *m*; **2.** wettern (***against*** gegen)
ragged ['rægɪd] zerlumpt; *fig.* stümperhaft
raid [reɪd] **1.** Überfall *m*; Razzia *f*; **2.** überfallen; eine Razzia machen in; plündern
rail [reɪl] Geländer *n*; Stange *f*; *rail.* Schiene *f*; (Eisen)Bahn *f*; *pl* Gleis *n*; ***by ~*** mit der Bahn; '**~ing(s** *pl*) Geländer *n*
'**railroad** *Am.* → ***railway***
'**railway** *Brt.* Eisenbahn *f*; '**~ station** Bahnhof *m*
rain [reɪn] **1.** Regen *m*; **2.** regnen; '**~bow** Regenbogen *m*; '**~coat** Regenmantel *m*; '**~drop** Regentropfen *m*; '**~fall** Niederschlag(smenge *f*) *m*; '**~ forest** Regenwald *m*
'**rainy** regnerisch, Regen...
raise [reɪz] **1.** (auf-, hoch-) heben; erheben; errichten; *Gehalt*, *Miete etc.* erhöhen; *Geld* beschaffen; *Kinder* auf-, großziehen; *Tiere* züchten; **2.** *Am.* Lohn- *od.* Gehaltserhöhung *f*
raisin ['reɪzn] Rosine *f*
rake [reɪk] **1.** Rechen *m*, Harke *f*; **2.** rechen, harken
rally ['rælɪ] **1.** Kundgebung *f*, Massenversammlung *f*; Rallye *f*; **2.** (sich) sammeln; sich erholen; ***~ round*** sich scharen um
ram[1] [ræm] *zo.* Widder *m*, Schafbock *m*
ram[2] [ræm] rammen
RAM [ræm] ***random access memory*** *Computer*: RAM, Speicher *m* mit wahlfreiem *od.* direktem Zugriff
ramble ['ræmbl] **1.** Wanderung *f*; **2.** wandern; abschweifen; '**rambler** Wanderer *m*; *bot.* Kletterrose *f*
ramp [ræmp] Rampe *f*
rampage [ræm'peɪdʒ]: ***on the ~*** randalierend
ramshackle ['ræmʃækl] baufällig
ran [ræn] *pret von* ***run*** 1
ranch [rɑːntʃ, *Am.* ræntʃ] Ranch *f*; *Am.* (*Obst- etc.*)Farm *f*
rancid ['rænsɪd] ranzig
random ['rændəm] **1.** ***at ~*** aufs Geratewohl; **2.** ziel-, wahllos; zufällig
rang [ræŋ] *pret von* ***ring*** 2
range [reɪndʒ] **1.** Reich-, Schussweite *f*; Entfernung *f*; *fig.* Bereich *m*; (*Schieß-*) Stand *m*; (*Berg*)Kette *f*; *Am.* offenes Weidegebiet; *econ.* Sortiment *n*; **2.** *v/i*: ***~ from ... to ...*** sich zwischen ... und ... bewegen, reichen von ... bis ...; *v/t* aufstellen, anordnen; '**~finder** *phot.* Entfernungsmesser *m*; '**ranger** Förster *m*; *Am.* Ranger *m*
rank [ræŋk] **1.** Rang *m*, (soziale) Stellung; Reihe *f*; (*Taxi*)Stand *m*; **2.** zählen

(***among*** zu); gelten (***as*** als)
ransack ['rænsæk] durchwühlen; plündern
ransom ['rænsəm] Lösegeld *n*
rap [ræp] **1.** Klopfen *n*; **2.** klopfen (an, auf)
rape [reɪp] **1.** Vergewaltigung *f*; **2.** vergewaltigen
rapid ['ræpɪd] schnell, rasch
'**rapids** *pl* Stromschnellen *pl*
rapture ['ræptʃə] Entzücken *n*
rare [reə] selten; *Luft*: dünn; *gastr*. *Steak*: blutig
rascal ['rɑːskəl] Schlingel *m*
rash[1] [ræʃ] hastig, überstürzt; unbesonnen
rash[2] [ræʃ] (Haut)Ausschlag *m*
rasher ['ræʃə] Speckscheibe *f*
raspberry ['rɑːzbərɪ] Himbeere *f*
rat [ræt] Ratte *f*
rate [reɪt] **1.** Tempo *n*; Rate *f*; (*Geburten- etc.*)Ziffer *f*; (*Steuer-, Zins- etc.*)Satz *m*; (*Wechsel*)Kurs *m*; **2.** (ein-) schätzen; ***be* ~*d*** (***as***) gelten als; **~ of ex'change** (Umrechnungs-, Wechsel)Kurs *m*; **~ of 'interest** Zinssatz *m*
rather ['rɑːðə] ziemlich; eher, lieber; vielmehr; **~*!*** F und ob!
ration ['ræʃn] **1.** Ration *f*, Zuteilung *f*; **2.** rationieren
rational ['ræʃənl] vernünftig, rational; **~ize** ['ræʃnəlaɪz] rationalisieren
rattle ['rætl] **1.** Gerassel *n*; Geklapper *n*; (Baby)Rassel *f*; **2.** rasseln (mit); klappern; rattern; **~ *off*** *Gedicht etc.* herunterrasseln; '**~snake** Klapperschlange *f*
ravage ['rævɪdʒ] verwüsten
rave [reɪv] rasen, toben; fantasieren; schwärmen
raven ['reɪvn] Rabe *m*
ravenous ['rævənəs] ausgehungert, heißhungrig
ravine [rə'viːn] Schlucht *f*
raving ['reɪvɪŋ] **1.** **~ *mad*** F total übergeschnappt; **2.** *pl* wirres Gerede
ravishing ['rævɪʃɪŋ] entzückend, hinreißend
raw [rɔː] roh; *Haut*: wund; *Wetter*: nasskalt; unerfahren
ray [reɪ] Strahl *m*
rayon ['reɪɒn] Kunstseide *f*
razor ['reɪzə] Rasierapparat *m*, -messer *n*; '**~ blade** Rasierklinge *f*
re... [riː] wieder, noch einmal
reach [riːtʃ] **1.** *v/i* reichen, gehen, sich erstrecken; *a.* **~ *out*** greifen, langen (***for*** nach); **~ *out*** die Hand ausstrecken; *v/t* erreichen; **~ *down*** herunterholen; **2.** Reichweite *f*; ***out of* ~** außer Reichweite; ***within easy* ~** leicht zu erreichen
react [rɪ'ækt] reagieren; **~ion** Reaktion *f*
reactor [rɪ'æktə] Reaktor *m*
read 1. [riːd] (***read*** [red]) lesen; *Instrument*: (an)zeigen; studieren; deuten; **~ *to s.o.***

j-m vorlesen; **2.** [red] *pret u. pp von* ***read*** 1

readi|ly ['redılı] bereitwillig; **'~ness** Bereitschaft *f*

readjust [ri:ə'dʒʌst] *tech.* neu einstellen, nachstellen; ***~ to*** sich wieder anpassen

ready ['redı] fertig, bereit; schnell; ***~ cash, ~ money*** Bargeld *n*; ***get ~*** (sich) fertig machen; **~-'made** Fertig...; Konfektions...; **~ 'meal** Fertiggericht *n*

real [rıəl] echt; wirklich, tatsächlich, wahr; **'~ estate** Grundbesitz *m*, Immobilien *pl*; **'~ estate agent** *Am.* Grundstücks-, Immobilienmakler(in)

realism ['rıəlızəm] Realismus *m*; **'realist** Realist(in); **rea'listic** realistisch

reality [rı'ælətı] Realität *f*, Wirklichkeit *f*

realization [rıəlaı'zeıʃn] Realisierung *f* (*a. econ.*); Verwirklichung *f*; Erkenntnis *f*; **realize** ['rıəlaız] sich klarmachen, erkennen, begreifen; realisieren, verwirklichen

'really wirklich, tatsächlich

realm [relm] (König)Reich *n*

realtor ['rıəltə] *Am.* Grundstücks-, Immobilienmakler (-in)

reap [ri:p] *Getreide* schneiden, ernten; *fig.* ernten

reappear [ri:ə'pıə] wieder auftauchen

rear [rıə] **1.** auf-, großziehen; *Pferd*: sich aufbäumen; **2.** Rückseite *f*; *mot.* Heck *n*; **3.** hinter, Hinter..., Rück..., *mot. a.* Heck...; **~-end col'lision** *mot.* Auffahrunfall *m*; **'~ light** *mot.* Rücklicht *n*

rearm [ri:'ɑ:m] (wieder) aufrüsten; **rearmament** [rı'ɑ:məmənt] (Wieder)Aufrüstung *f*

rear|view 'mirror *mot.* Rückspiegel *m*; **~-wheel 'drive** *mot.* Hinterradantrieb *m*; **'~ window** *mot.* Heckscheibe *f*

reason ['ri:zn] **1.** Grund *m*; Verstand *m*; Vernunft *f*; **2.** logisch denken; argumentieren; ***~ with*** vernünftig reden mit; **'~able** vernünftig; angemessen; billig; ganz gut

reassure [ri:ə'ʃɔ:] beruhigen

rebate ['ri:beıt] Rückzahlung *f*

rebel **1.** ['rebl] Rebell(in), Aufständische *m, f*; **2.** [rı'bel] rebellieren, sich auflehnen; **rebellion** [rı'beljən] Rebellion *f*; **rebellious** [rı'beljəs] rebellisch, aufständisch

rebound [rı'baʊnd] ab-, zurückprallen

rebuff [rı'bʌf] Abfuhr *f*

rebuild [ri:'bıld] (***-built***) wieder aufbauen

recall [rı'kɔ:l] zurückrufen; (sich) erinnern an

receipt [rı'si:t] Empfang *m*; Quittung *f*

receive [rı'si:v] erhalten, be-

kommen; *Gäste* empfangen; **re'ceiver** Empfänger(in); *tel.* Hörer *m*
recent ['ri:snt] neuest, jüngst; '**~ly** kürzlich, vor kurzem
reception [rɪ'sepʃn] Empfang *m* (*a. Funk, TV etc.*); Aufnahme *f*; *Hotel*: Rezeption *f*; **~ desk** *Hotel*: Rezeption *f*; **~ist** [rɪ'sepʃənɪst] Empfangsdame *f*, -chef *m*; Sprechstundenhilfe *f*
recess [rɪ'ses] Unterbrechung *f*, (*Am. a.* Schul)Pause *f*; *parl.* Ferien *pl*; Nische *f*
recession [rɪ'seʃn] Rezession *f*, Konjunkturrückgang *m*
recipe ['resɪpɪ] (Koch)Rezept *n*
recital [rɪ'saɪtl] *mus.* (Solo-)Vortrag *m*, Konzert *n*; **recite** [rɪ'saɪt] vortragen, aufsagen; aufzählen
reckless ['reklɪs] rücksichtslos; fahrlässig
reckon ['rekən] (be-, er)rechnen; glauben, schätzen; **~ing** ['reknɪŋ] (Be)Rechnung *f*, Schätzung *f*
reclaim [rɪ'kleɪm] zurückfordern; *Land* abgewinnen; *tech.* wiedergewinnen
recline [rɪ'klaɪn] sich zurücklehnen
recognition [rekəg'nɪʃn] Anerkennung *f*; (Wieder)Erkennen *n*; **recognize** ['rekəgnaɪz] (wieder) erkennen; anerkennen; zugeben
recoil [rɪ'kɔɪl] zurückschrecken (**from** vor)
recollect [rekə'lekt] sich erinnern an; **~ion** Erinnerung *f*
recommend [rekə'mend] empfehlen; **~ation** [rekəmen'deɪʃn] Empfehlung *f*
recompense ['rekəmpens] entschädigen
reconcile ['rekənsaɪl] aus-, versöhnen; in Einklang bringen; **reconciliation** [rekənsɪlɪ'eɪʃn] Ver-, Aussöhnung *f*
recondition [ri:kən'dɪʃn] *tech.* (general)überholen
reconsider [ri:kən'sɪdə] noch einmal überlegen *od.* überdenken
reconstruct [ri:kən'strʌkt] wieder aufbauen (*a. fig.*); rekonstruieren; **~ion** Wiederaufbau *m*
record[1] ['rekɔ:d] Aufzeichnung *f*; Protokoll *n*; Akte *f*; (Schall)Platte *f*; *Sport*: Rekord *m*
record[2] [rɪ'kɔ:d] aufzeichnen, -schreiben; schriftlich niederlegen; *auf Tonband etc.* aufnehmen, *Sendung a.* aufzeichnen; **~er** (*Tonband*)Gerät *n*; (*Kassetten*)Rekorder *m*; Blockflöte *f*; **~ing** *TV etc.* Aufzeichnung *f*, Aufnahme *f*
'**record player** ['rekɔ:d-] Plattenspieler *m*
recover [rɪ'kʌvə] wiedererlangen, -bekommen; *Verunglückte etc.* bergen; wieder gesund werden; sich erholen; **re'covery** Wiedererlan-

gen *n*; Bergung *f*; Genesung *f*, Erholung *f*

recreation [rekrɪ'eɪʃn] Entspannung *f*, Erholung *f*; Freizeitbeschäftigung *f*

recruit [rɪ'kru:t] **1.** Rekrut *m*; **2.** rekrutieren; *j-n* einstellen

rectangle ['rektæŋgl] Rechteck *n*; **rectangular** [rek'tæŋgjʊlə] rechteckig

recur [rɪ'kɜ:] wiederkehren, sich wiederholen; **recurrent** [rɪ'kʌrənt] wiederkehrend

recyclable [ri:'saɪkləbəl] recycelbar, wieder verwertbar; **recycle** [ri:'saɪkl] recyceln, wieder verwerten; **~d paper** Recyclingpapier *n*, Umwelt(schutz)papier *n*; **re'cycling** Recycling *n*, Wiederverwertung *f*

red [red] rot; **♀ 'Cross** *das* Rote Kreuz

redden ['redn] rot färben; rot werden; **'reddish** rötlich

redemption [rɪ'dempʃn] *rel.* Erlösung *f*

redevelop [ri:dɪ'veləp] *Stadtteil etc.* sanieren

red|-'handed: catch ~ auf frischer Tat ertappen; **'~head** Rothaarige *m*, *f*; **~-'letter day** F Freuden-, Glückstag *m*; **~ 'tape** Papierkrieg *m*, Bürokratismus *m*

reduce [rɪ'dju:s] reduzieren; herabsetzen; verringern; *Steuern etc.* senken; **reduction** [rɪ'dʌkʃn] Herabsetzung *f*, Reduzierung *f*; Verringerung *f*, Senkung *f*

redundant [rɪ'dʌndənt] überflüssig

reed [ri:d] Schilf(rohr) *n*

reef [ri:f] (Felsen)Riff *n*

reek [ri:k] stinken (**of** nach)

reel [ri:l] **1.** (*Garn-*, *Filmetc.*)Rolle *f*, Spule *f*; **2.** sich drehen; schwanken, taumeln

ref [ref] F *Sport*: Schiri *m*

refer [rɪ'fɜ:]: **~ to** ver-, hinweisen auf; sich beziehen auf; erwähnen; nachschlagen in

referee [refə'ri:] Schiedsrichter *m*; *Boxen*: Ringrichter *m*

reference ['refrəns] Hinweis *m*; Referenz *f*, Empfehlung *f*, Zeugnis *n*; Anspielung *f*; Bezugnahme *f*; Nachschlagen *n*; **'~ book** Nachschlagewerk *n*

refill 1. [ri:'fɪl] wieder füllen, auf-, nachfüllen; **2.** ['ri:fɪl] *Kugelschreiber etc.*: (*Ersatz*)Mine *f*; *Füller*: (*Ersatz*)Patrone *f*

refine [rɪ'faɪn] raffinieren, veredeln; verfeinern, verbessern; **re'fined** raffiniert; *fig.* kultiviert; **re'finery** Raffinerie *f*

reflect [rɪ'flekt] reflektieren, zurückwerfen, spiegeln; *fig.* widerspiegeln; **~ion** Reflexion *f*; Spiegelbild *n*; Überlegung *f*

reflex ['ri:fleks] Reflex *m*; **'~ camera** Spiegelreflexkamera *f*

reform [rɪ'fɔːm] **1.** reformieren, verbessern; bessern; **2.** Reform *f*
refrain [rɪ'freɪn] Refrain *m*
refresh [rɪ'freʃ]: **~ (o.s.** sich) erfrischen; auffrischen; **~er course** Auffrischungskurs *m*; **~ing** erfrischend (*a. fig.*); **~ment** Erfrischung *f*
refrigerator [rɪ'frɪdʒəreɪtə] Kühlschrank *m*
refuel [riː'fjʊəl] auftanken
refuge ['refjuːdʒ] Zuflucht(s-ort *m*) *f*
refugee [refjʊ'dʒiː] Flüchtling *m*
refund 1. ['riːfʌnd] Rückzahlung *f*, -erstattung *f*; **2.** [rɪ'fʌnd] zurückzahlen, -erstatten, *Auslagen* ersetzen
refusal [rɪ'fjuːzl] Ablehnung *f*; Weigerung *f*
refuse¹ [rɪ'fjuːz] ablehnen; verweigern; sich weigern
refuse² ['refjuːs] Abfall *m*, Abfälle *pl*, Müll *m*; **'~ dump** Müllabladeplatz *m*
regain [rɪ'geɪn] wieder-, zurückgewinnen
regard [rɪ'gɑːd] **1.** Achtung *f*; Rücksicht *f*; **(*kind*) ~s** (herzliche) Grüße; **2.** betrachten, ansehen; **~ *as*** halten für; ***as* ~*s*** was ... betrifft; **~less: ~ *of*** ohne Rücksicht auf
regiment ['redʒɪmənt] Regiment *n*
region ['riːdʒən] Gegend *f*, Gebiet *n*; Bereich *m*
register ['redʒɪstə] **1.** Register *n* (*a. mus.*), Verzeichnis *n*; **2.** *v/t* registrieren, eintragen (lassen); *Messwerte* anzeigen; *Brief etc.* einschreiben lassen; *v/i* sich eintragen (lassen); **~ed 'letter** Einschreibebrief *m*
registration [redʒɪ'streɪʃn] Registrierung *f*, Eintragung *f*; *mot.* Zulassung *f*; **~ number** *mot.* (polizeiliches) Kennzeichen
'registry office ['redʒɪstrɪ-] *bsd. Brt.* Standesamt *n*
regret [rɪ'gret] **1.** bedauern; **2.** Bedauern *n*; **re'grettable** bedauerlich
regular ['regjʊlə] **1.** regelmäßig; geregelt, geordnet; **2.** F Stammkund|e *m*, -in *f*; *Am. mot.* verbleites Benzin
regulate ['regjʊleɪt] regeln; regulieren; **regu'lation** Regulierung *f*; Vorschrift *f*
rehabilitate [riːə'bɪlɪteɪt] rehabilitieren; resozialisieren
rehearsal [rɪ'hɜːsl] *mus.*, *thea.* Probe *f*; **rehearse** [rɪ'hɜːs] *mus.*, *thea.* proben
reign [reɪn] **1.** Herrschaft *f* (*a. fig.*); **2.** herrschen, regieren
rein [reɪn] Zügel *m*
reindeer ['reɪndɪə] Ren(tier) *n*
reinforce [riːɪn'fɔːs] verstärken; **~*d concrete*** Stahlbeton *m*
reject [rɪ'dʒekt] zurückweisen; ablehnen; **~ion** Zurückweisung *f*, Ablehnung *f*

rejoice [rɪ'dʒɔɪs] sich freuen (**at** über)
relapse [rɪ'læps] Rückfall *m*
relate [rɪ'leɪt] in Verbindung *od.* Zusammenhang bringen (**to** mit); sich beziehen (**to** auf); **re'lated** verwandt
relation [rɪ'leɪʃn] Verwandte *m, f*; Beziehung *f*; **~ship** Verwandtschaft *f*; Beziehung *f*
relative¹ ['relətɪv] Verwandte *m, f*
relative² ['relətɪv] relativ, verhältnismäßig
relax [rɪ'læks] (sich) entspannen; *Griff etc.* lockern
relay ['ri:leɪ] **1.** *electr.* Relais *n*; *TV etc.*: Übertragung *f*; *Sport*: Staffel(lauf *m*) *f*; **2.** (**-layed**) *TV etc.*: übertragen; '**~ race** Staffellauf *m*
release [rɪ'li:s] **1.** entlassen; loslassen; herausbringen, veröffentlichen, bekannt geben; *mot. Handbremse* lösen; *fig.* befreien; **2.** Entlassung *f*; Freilassung *f*; Befreiung *f*; Freigabe *f*; (*Presse- etc.*)Verlautbarung *f*
relent [rɪ'lent] nachgeben; **~less** unbarmherzig
relevant ['reləvənt] relevant, wichtig; sachdienlich
reliable [rɪ'laɪəbl] zuverlässig
reliance [rɪ'laɪəns] Abhängigkeit *f*
relic ['relɪk] Überbleibsel *n*, Relikt *n*; *rel.* Reliquie *f*
relief [rɪ'li:f] Erleichterung *f*; Unterstützung *f*, Hilfe *f*; *Am.* Sozialhilfe *f*; *von Personen*: Ablösung *f*; Relief *n*
relieve [rɪ'li:v] erleichtern, lindern; *j-n* ablösen
religion [rɪ'lɪdʒən] Religion *f*; **re'ligious** religiös
relish ['relɪʃ] **1.** Gefallen *m*, Geschmack *m*; *gastr.* Würze *f*; *gastr.* Soße *f*; **2.** genießen; Gefallen finden an
reluctance [rɪ'lʌktəns] Widerstreben *n*; **re'luctant** widerstrebend, widerwillig
rely [rɪ'laɪ]: **~ on** sich verlassen auf
remain [rɪ'meɪn] **1.** bleiben; übrig bleiben; **2.** *pl* (Über-)Reste *pl*; **re'mainder** Rest *m*
remand [rɪ'mɑ:nd] **1. be ~ed in custody** in Untersuchungshaft bleiben; **2. be on ~** in Untersuchungshaft sein
remark [rɪ'mɑ:k] **1.** Bemerkung *f*; **2.** bemerken; **~able** bemerkenswert
remedy ['remədɪ] **1.** (Heil-, Gegen)Mittel *n*; Abhilfe *f*; **2.** beheben; bereinigen
remember [rɪ'membə] sich erinnern an; denken an; **~ me to her** grüße sie von mir; **re'membrance: in ~ of** zur Erinnerung an
remind [rɪ'maɪnd] erinnern (**of** an); **~er** Mahnung *f*
reminisce [remɪ'nɪs] in Erinnerungen schwelgen; **remi'niscent: be ~ of** erinnern an
remit [rɪ'mɪt] *Geld per Post*

überweisen; **re'mittance** (Geld)Überweisung *f*

remorse [rɪ'mɔːs] Gewissensbisse *pl*, Reue *f*; **~less** unbarmherzig

remote [rɪ'məʊt] fern; entfernt; abgelegen; **~ con'trol** Fernlenkung *f*, -steuerung *f*; Fernbedienung *f*

removal [rɪ'muːvl] Entfernen *n*, Beseitigung *f*; Umzug *m*; **~ van** Möbelwagen *m*

remove [rɪ'muːv] *v/t* entfernen; beseitigen; *Hut etc.* abnehmen, *Kleidung* ablegen; *v/i* (um)ziehen (***from ... to*** von ... nach); **re'mover** (*Flecken- etc.*)Entferner *m*

rename [riː'neɪm] umbenennen

renew [rɪ'njuː] erneuern; *Pass etc.* verlängern; **~al** Erneuerung *f*; Verlängerung *f*

renounce [rɪ'naʊns] verzichten auf; aufgeben

renovate ['renəʊveɪt] renovieren

renown [rɪ'naʊn] Ruhm *m*, Ansehen *n*; **~ed** berühmt

rent[1] [rent] **1.** Miete *f*; Pacht *f*; **2.** mieten; pachten; *bsd. Am.* mieten, leihen; *a.* ***~ out*** vermieten, -pachten

rent[2] [rent] Riss *m*

rental ['rentl] Miete *f*; Pacht *f*; *bsd. Am.* Leihgebühr *f*

repair [rɪ'peə] **1.** reparieren; wieder gutmachen; **2.** Reparatur *f*; ***in good ~*** in gutem Zustand

repartee [repɑː'tiː] schlagfertige Antwort

repay [riː'peɪ] (***-paid***) zurückzahlen; *et.* vergelten

repeat [rɪ'piːt] **1.** wiederholen; **2.** *TV etc.*: Wiederholung *f*

repel [rɪ'pel] *Feind etc.* zurückschlagen; *fig.*: abweisen; *j-n* abstoßen; **re'pellent** abstoßend

repent [rɪ'pent] bereuen

repercussions [riːpə'kʌʃnz] *pl* Auswirkungen *pl*

repetition [repɪ'tɪʃn] Wiederholung *f*

replace [rɪ'pleɪs] ersetzen; *j-n* ablösen; **~ment** Ersatz *m*

replay 1. [riː'pleɪ] wiederholen (*a. Sport*); **2.** ['riːpleɪ] Wiederholung *f*

replica ['replɪkə] *Kunst etc.*: Kopie *f*

reply [rɪ'plaɪ] **1.** antworten, erwidern; **2.** Antwort *f*

report [rɪ'pɔːt] **1.** Bericht *m*; Nachricht *f*; Gerücht *n*; (Schul)Zeugnis *n*; Knall *m*; **2.** berichten (über); (sich) melden; anzeigen; **~er** Reporter(in), Berichterstatter(in)

represent [reprɪ'zent] darstellen; vertreten; **~ation** [reprɪzen'teɪʃn] Darstellung *f*; Vertretung *f*; **~ative** [reprɪ'zentətɪv] **1.** repräsentativ; typisch; **2.** Vertreter(in); *Am. parl.* Abgeordnete *m, f*; → ***house***

repress [rɪ'pres] unterdrücken; *psych.* verdrängen
reprieve [rɪ'priːv] Begnadigung *f*
reprimand ['reprɪmɑːnd] **1.** rügen, tadeln; **2.** Verweis *m*
reproach [rɪ'prəʊtʃ] **1.** Vorwurf *m*; **2.** vorwerfen; Vorwürfe machen; **~ful** vorwurfsvoll
reprocess [riː'prəʊses] *tech.* wieder aufbereiten; **~ing plant** Wiederaufbereitungsanlage *f*
reproduce [riːprə'djuːs] (***o.s.*** sich) fortpflanzen; wiedergeben, reproduzieren; **reproduction** [riːprə'dʌkʃn] Fortpflanzung *f*; Wiedergabe *f*
reptile ['reptaɪl] Reptil *n*
republic [rɪ'pʌblɪk] Republik *f*; **~an 1.** republikanisch; **2.** Republikaner(in)
repulsive [rɪ'pʌlsɪv] abstoßend, widerlich, widerwärtig
reputable ['repjʊtəbl] angesehen; **repu'tation** Ruf *m*
request [rɪ'kwest] **1.** (***for***) Bitte *f* (um), Wunsch *m* (nach); ***on/by*** ~ auf Wunsch; **2.** bitten (um); ersuchen um; **~ stop** *Brt.* Bedarfshaltestelle *f*
require [rɪ'kwaɪə] erfordern; brauchen; verlangen; **~ment** Anforderung *f*; *pl* Bedarf *m*
rescue ['reskjuː] **1.** retten; **2.** Rettung *f*; Rettungs...
research [rɪ'sɜːtʃ] **1.** Forschung *f*; **2.** forschen; *et.* erforschen; **~er** Forscher *m*
resemblance [rɪ'zembləns] Ähnlichkeit *f* (***to*** mit); **resemble** [rɪ'zembl] ähnlich sein, ähneln
resent [rɪ'zent] übel nehmen; **~ment** Ärger *m*
reservation [rezə'veɪʃn] Reservierung *f*, Vorbestellung *f*; Vorbehalt *m*; Reservat(ion *f*) *n*; (***central***) ~ *Autobahn*: Mittelstreifen *m*
reserve [rɪ'zɜːv] **1.** Reserve *f*; Vorrat *m*; Reservat *n*; Reservespieler(in); Zurückhaltung *f*; **2.** reservieren (lassen); vorbestellen; (sich) *et.* aufsparen, aufheben; sich vorbehalten; **re'served** zurückhaltend, reserviert
reservoir ['rezəvwɑː] Reservoir *n*; Staubecken *n*
residence ['rezɪdəns] Wohnsitz *m*; Residenz *f*; **'~ permit** Aufenthaltsgenehmigung *f*
resident ['rezɪdənt] **1.** wohnhaft; **2.** Bewohner(in); Einwohner(in); (Hotel)Gast *m*; *mot.* Anlieger(in)
residual [rɪ'zɪdjʊəl] übrig (geblieben), restlich, Rest...; **~ pol'lution** Altlasten *pl*
residue ['rezɪdjuː] *chem.* Rückstand *m*
resign [rɪ'zaɪn] *v/i* zurücktreten (***from*** von); *v/t* aufgeben; verzichten auf; *Amt* niederlegen; **~ *o.s. to*** sich abfinden mit; **~ation** [rezɪg'neɪʃn] Verzicht *m*; Rücktritt(sge-

such *n*) *m*; Resignation *f*; **~ed** [rɪˈzaɪnd] resigniert
resin [ˈrezɪn] Harz *n*
resist [rɪˈzɪst] widerstehen; Widerstand leisten; sich widersetzen; **~ance** Widerstand *m*; **~ant** widerstandsfähig; (*hitze- etc.*)beständig
resolute [ˈrezəluːt] entschlossen; **reso'lution** Entschluss *m*, Vorsatz *m*; Entschlossenheit *f*; Beschluss *m*, Resolution *f*
resolve [rɪˈzɒlv] *Problem* lösen; beschließen
resonance [ˈrezənəns] Resonanz *f*; **'resonant** widerhallend
resort [rɪˈzɔːt] (Urlaubs-, Erholungs)Ort *m*
resound [rɪˈzaʊnd] (wider-)hallen
resource [rɪˈsɔːs] *pl*: *natürliche* Reichtümer *pl*; Bodenschätze *pl*; *sg*: Mittel *n*, Ausweg *m*; **~ful** findig
respect [rɪˈspekt] **1.** Achtung *f*, Respekt *m*; Rücksicht *f*; Beziehung *f*, Hinsicht *f*; *pl* Grüße *pl*, Empfehlungen *pl*; **2.** achten; schätzen; respektieren; **~able** ehrbar; anständig; angesehen; *Summe*: ansehnlich; **~ful** respektvoll; **~ive** jeweilig
respiration [respəˈreɪʃn] Atmung *f*; **respirator** [ˈrespəreɪtə] Atemschutzgerät *n*
respite [ˈrespaɪt] Frist *f*, Aufschub *m*; Pause *f*
respond [rɪˈspɒnd] antworten, erwidern; reagieren
response [rɪˈspɒns] Antwort *f*, Erwiderung *f*; Reaktion *f*
responsibility [rɪspɒnsəˈbɪlətɪ] Verantwortung *f*; **responsible** [rɪˈspɒnsəbl] verantwortlich; verantwortungsvoll
rest [rest] **1.** Rest *m*; Ruhe(pause) *f*; *tech.* Stütze *f*; **2.** ruhen; sich ausruhen; lehnen
restaurant [ˈrestərɒnt] Restaurant *n*, Gaststätte *f*
'rest| home Alten- *od.* Pflegeheim *n*; **'~less** ruhelos; unruhig
restore [rɪˈstɔː] wiederherstellen; restaurieren
restrain [rɪˈstreɪn] zurückhalten; **~ o.s.** sich beherrschen; **re'straint** Beschränkung *f*; Beherrschung *f*, Zurückhaltung *f*
restrict [rɪˈstrɪkt] be-, einschränken; **~ed** beschränkt; begrenzt; **~ion** Be-, Einschränkung *f*
'rest room *Am.* Toilette *f*
result [rɪˈzʌlt] **1.** Ergebnis *n*, Resultat *n*; Folge *f*; **2.** sich ergeben (***from*** aus); **~ *in*** zur Folge haben
resume [rɪˈzjuːm] wieder aufnehmen; fortsetzen
Resurrection [rezəˈrekʃn] *rel.* Auferstehung *f*
resuscitate [rɪˈsʌsɪteɪt] wieder beleben
retail [ˈriːteɪl] Einzelhandel

m; **~er** [riːˈteɪlə] Einzelhändler(in)
retain [rɪˈteɪn] behalten; zurück(be)halten
retaliate [rɪˈtælɪeɪt] sich rächen; sich revanchieren; **retaliˈation** Vergeltung *f*
retard [rɪˈtɑːd] verzögern; **~ed** *geistig* zurückgeblieben
retire [rɪˈtaɪə] sich zur Ruhe setzen; sich zurückziehen; **reˈtired** pensioniert, im Ruhestand; **~ment** Ruhestand *m*
retort [rɪˈtɔːt] erwidern
retrace [rɪˈtreɪs] zurückverfolgen; rekonstruieren
retract [rɪˈtrækt] *Worte etc.* zurücknehmen; *Krallen etc.* einziehen
retrain [rɪˈtreɪn] umschulen
retreat [rɪˈtriːt] **1.** Rückzug *m*; **2.** sich zurückziehen
retrieve [rɪˈtriːv] wiederbekommen; *hunt.* apportieren
retrospect [ˈretrəʊspekt]: ***in ~*** im Rückblick; **~ive** [retrəʊˈspektɪv] (zu)rückblickend; *jur.* rückwirkend
return [rɪˈtɜːn] **1.** *v/i* zurückkommen, -kehren; *v/t* zurückgeben; zurückbringen; zurückstellen, -legen; zurückschicken, -senden; erwidern; *Gewinn* abwerfen; **2.** *su* Rück-, Wiederkehr *f*; Rückgabe *f*; *Brt.* Rückfahrkarte *f*, Rückflugticket *n*; Erwiderung *f*; *Tennis*: Return *m*, Rückschlag *m*; *a. pl* *econ.* Gewinn *m*; ***many happy ~s*** (***of the day***) herzlichen Glückwunsch zum Geburtstag; **3.** *adj* Rück...; **~able** *in Zssgn* Mehrweg...; **~ *bottle*** Pfandflasche *f*; **~ key** *Computer*: Eingabetaste *f*
reunification [riːjuːnɪfɪˈkeɪʃn] Wiedervereinigung *f*
reunion [riːˈjuːnjən] Wiedervereinigung *f*; Treffen *n*
reusable [riːˈjuːzəbl] wieder verwendbar
rev [rev] F *a.* **~ *up*** *Motor*: aufheulen (lassen)
revaluation [riːvæljʊˈeɪʃn] *econ.* Aufwertung *f*
reveal [rɪˈviːl] enthüllen; **~ing** aufschlussreich
revenge [rɪˈvendʒ] **1.** Rache *f*; Revanche *f*; **2.** rächen
revenue [ˈrevənjuː] Einnahmen *pl*, Einkünfte *pl*
reverberate [rɪˈvɜːbəreɪt] widerhallen
Reverend [ˈrevərənd] *rel.* Hochwürden *m*
reverie [ˈrevərɪ] (Tag)Träumerei *f*
reversal [rɪˈvɜːsl] Umkehrung *f*
reverse [rɪˈvɜːs] **1.** Gegenteil *n*; Rückseite *f*; *mot.* Rückwärtsgang *m*; **2.** umgekehrt; **3.** umkehren; *Entscheidung etc.* umstoßen; *Urteil* aufheben; *mot.* rückwärts fahren
revert [rɪˈvɜːt]: **~ *to*** zurückfallen in; zurückkommen auf
review [rɪˈvjuː] **1.** (Über)Prü-

fung *f*, Revision *f*; Rückblick *m*; Rezension *f*, (Buch)Besprechung *f*; **2.** (über-, nach)prüfen; rezensieren, besprechen
revise [rɪ'vaɪz] revidieren; überarbeiten; **revision** [rɪ'vɪʒn] Revision *f*; Überarbeitung *f*
revival [rɪ'vaɪvl] Wiederbelebung *f*; Wiederaufleben *n*; **revive** [rɪ'vaɪv] wieder beleben; wieder aufleben (lassen)
revoke [rɪ'vəʊk] widerrufen; aufheben
revolt [rɪ'vəʊlt] **1.** revoltieren, sich auflehnen; *fig.* mit Abscheu erfüllen, abstoßen; **2.** Revolte *f*, Aufstand *m*; **~ing** widerlich, abstoßend
revolution [revə'lu:ʃn] Revolution *f*; Umwälzung *f*; *tech.* Umdrehung *f*; **~ary** revolutionär
revolve [rɪ'vɒlv] sich drehen
revulsion [rɪ'vʌlʃn] Abscheu *m*
reward [rɪ'wɔ:d] **1.** Belohnung *f*; **2.** belohnen; **~ing** lohnend
rewind [ri:'waɪnd] (**-wound**) *Film etc.* zurückspulen
rheumatism ['ru:mətɪzəm] Rheumatismus *m*
rhinoceros [raɪ'nɒsərəs] (*pl* **-ros, -roses** [-sɪz]) Rhinozeros *n*, Nashorn *n*
rhubarb ['ru:bɑ:b] Rhabarber *m*
rhyme [raɪm] **1.** Reim *m*; Vers *m*; **2.** (sich) reimen
rhythm ['rɪðəm] Rhythmus *m*
rib [rɪb] Rippe *f*
ribbon ['rɪbən] Band *n*
rice [raɪs] Reis *m*
rich [rɪtʃ] reich (***in*** an); *Boden*: fruchtbar; *Speise*: schwer; **~** (***in calories***) kalorienreich
rid [rɪd] (**rid** *od.* **ridded**) befreien (***of*** von); ***get ~ of*** loswerden
ridden ['rɪdn] *pp von* **ride** 2
riddle ['rɪdl] Rätsel *n*
ride [raɪd] **1.** Fahrt *f*; Ritt *m*; **2.** (**rode, ridden**) fahren; reiten
ridge [rɪdʒ] (*Gebirgs*)Kamm *m*, Grat *m*; (*Dach*)First *m*
ridicule ['rɪdɪkju:l] **1.** Spott *m*; **2.** verspotten; **ridiculous** [rɪ'dɪkjʊləs] lächerlich
riding ['raɪdɪŋ] Reiten *n*; Reit...
rifle ['raɪfl] Gewehr *n*
rift [rɪft] Spalt(e *f*) *m*; *fig.* Riss *m*
right [raɪt] **1.** *adj* recht; richtig; ***all ~*** in Ordnung!, gut!; ***that's all ~*** schon gut!; ***that's ~*** richtig!, ganz recht!; ***be ~*** Recht haben; ***put ~, set ~*** in Ordnung bringen; **2.** *adv* (nach) rechts; recht, richtig; direkt; völlig, ganz; genau; ***~ ahead, ~ on*** geradeaus; ***~ away*** sofort; **3.** *su* Recht *n*; *die* Rechte, rechte Seite; ***on the ~*** rechts, auf der rechten Seite; ***to the ~*** (nach) rechts; ***keep to the ~*** sich rechts hal-

ten; *mot.* rechts fahren; **~-'hand** recht; **~-'handed** rechtshändig; **~ of 'way** Vorfahrt(srecht *n*) *f*; **~-'wing** *pol.* dem rechten Flügel angehörend, Rechts...

rigid ['rɪdʒɪd] starr, steif; *fig.* streng

rigorous ['rɪgərəs] rigoros, streng, hart

rim [rɪm] Rand *m*; Felge *f*

rind [raɪnd] Rinde *f*, Schale *f*; (*Speck*)Schwarte *f*

ring [rɪŋ] **1.** Ring *m*; Kreis *m*; Manege *f*; Arena *f*; Läuten *n*, Klingeln *n*; *fig.* Klang *m*; ***give s.o. a ~*** j-n anrufen; **2.** (***rang, rung***) läuten; klingeln; klingen; anrufen; ***~ the bell*** klingeln; ***~ off*** (den Hörer) auflegen; ***~ s.o.*** (***up***) j-n *od.* bei j-m anrufen; **'~ road** *Brt.* Ring(straße *f*) *m*, Umgehungsstraße *f*

rink [rɪŋk] (Kunst)Eisbahn *f*; Rollschuhbahn *f*

rinse [rɪns] spülen

riot ['raɪət] **1.** Aufruhr *m*; Krawall *m*; **2.** randalieren

rip [rɪp] **1.** Riss *m*; **2.** (zer)reißen

ripe [raɪp] reif; **'ripen** reifen (lassen)

ripple ['rɪpl] **1.** kleine Welle; **2.** (sich) kräuseln

rise [raɪz] **1.** (An)Steigen *n*; Steigung *f*; Anhöhe *f*; Lohn- *od.* Gehaltserhöhung *f*; *fig.* Anstieg *m*; *fig.* Aufstieg *m*; **2.** (***rose, risen***) aufstehen; sich erheben; (an-, auf)steigen; *Sonne etc.*: aufgehen; *Volk*: sich erheben

risen ['rɪzn] *pp von* ***rise*** 2

risk [rɪsk] **1.** riskieren, wagen; **2.** Gefahr *f*, Risiko *n*; **'risky** riskant, gewagt

rite [raɪt] Ritus *m*

rival ['raɪvl] **1.** Rival|e *m*, -in *f*, Konkurrent(in); **2.** rivalisieren *od.* konkurrieren mit; **'rivalry** Rivalität *f*; Konkurrenz *f*

river ['rɪvə] Fluss *m*, Strom *m*; **'~side** Flussufer *n*

rivet ['rɪvɪt] *tech.* Niet *m*

road [rəʊd] Straße *f*; **'~block** Straßensperre *f*; **'~ hog** F Verkehrsrowdy *m*; **'~ map** Straßenkarte *f*; **'~side** Straßenrand *m*; **'~sign** Verkehrsschild *n*, -zeichen *n*; **'~way** Fahrbahn *f*; **'~ works** *pl* Straßenbauarbeiten *pl*; **'~worthy** verkehrstüchtig

roam [rəʊm] umherstreifen

roar [rɔː] **1.** brüllen; brausen, toben; **2.** Gebrüll *n*; Brausen *n*, Toben *n*; ***~s pl of laughter*** brüllendes Gelächter

roast [rəʊst] **1.** *Fleisch* braten; *Kaffee etc.* rösten; **2.** Braten *m*; **3.** gebraten, Brat...; **~ 'beef** Rinderbraten *m*

rob [rɒb] *Bank etc.* überfallen; *j-n* berauben; **'robber** Räuber *m*; **'robbery** Raub(überfall) *m*

robe [rəʊb] *a. pl* Robe *f*, Talar *m*

robin ['rɒbɪn] Rotkehlchen *n*
robot ['rəʊbɒt] Roboter *m*
robust [rəʊ'bʌst] kräftig
rock [rɒk] **1.** Fels(en) *m*; Gestein *n*; Felsbrocken *m*; Zuckerstange *f*; **2.** schaukeln; wiegen
rocket ['rɒkɪt] Rakete *f*
'**rocking chair** Schaukelstuhl *m*
rocky ['rɒkɪ] felsig
rod [rɒd] Rute *f*; Stab *m*, Stange *f*
rode [rəʊd] *pret von* ***ride*** 2
rodent ['rəʊdənt] Nagetier *n*
roe [rəʊ] *zo.*: *a.* ***hard*** ~ Rogen *m*; *a.* ***soft*** ~ Milch *f*
rogue [rəʊg] Schlingel *m*
role [rəʊl] *thea. etc.* Rolle *f*
roll [rəʊl] **1.** Rolle *f*; Brötchen *n*, Semmel *f*; (*Donner-*) (G)Rollen *n*; **2.** rollen; (g)rollen; (sich) wälzen; drehen; ~ ***over*** (sich) umdrehen; ~ ***up*** zs.-, aufrollen; hochkrempeln; '~ **call** Namensaufruf *m*
'**roller** Rolle *f*; Walze *f*; Lockenwickler *m*
'**Rollerblade**® → ***in-line skate***
'**roller| coaster** Achterbahn *f*; '~ **skate** Rollschuh *m*; '~ **towel** Rollhandtuch *n*
ROM [rɒm] ***read only memory*** *Computer*: Nur-Lese-Speicher *m*, Fest(wert)speicher *m*
Roman ['rəʊmən] **1.** römisch; **2.** Römer(in)
romance [rəʊ'mæns] Romanze *f*; Romantik *f*; Abenteuer-, Liebesroman *m*; **ro'mantic** romantisch
romp [rɒmp] *a.* ~ ***about***, ~ ***around*** herumtoben, -tollen; '~**ers** *pl* Spielanzug *m*
roof [ru:f] Dach *n*; '~ **rack** *mot.* Dachgepäckträger *m*
rook [rʊk] Saatkrähe *f*
room [ru:m, *in Zssgn nachgestellt* rʊm] Raum *m*; Zimmer *n*; Platz *m*; '**roomy** geräumig
roost [ru:st] Hühnerstange *f*; '~**er** *zo.* Hahn *m*
root [ru:t] **1.** Wurzel *f*; **2.** Wurzeln schlagen; ~ ***about***, ~ ***around*** herumwühlen; ~ ***out*** ausrotten; '~**ed** verwurzelt
rope [rəʊp] **1.** Seil *n*, Strick *m*; Tau *n*; **2.** festbinden; ~ ***off*** (durch ein Seil) absperren
rosary ['rəʊzərɪ] *rel.* Rosenkranz *m*
rose[1] [rəʊz] *pret von* ***rise*** 2
rose[2] [rəʊz] Rose *f*
rosy ['rəʊzɪ] rosig
rot [rɒt] **1.** Fäulnis *f*; **2.** (ver)faulen (lassen)
rotary ['rəʊtərɪ] rotierend
rotate [rəʊ'teɪt] (sich) drehen; rotieren (lassen); **ro'tation** Drehung *f*
rotten ['rɒtn] verfault, faul; morsch; F: mieserabel; gemein
rough [rʌf] rau; roh; grob; *Schätzung*: ungefähr; stürmisch; *Weg*: holp(e)rig; '~**age** *biol.* Ballaststoffe *pl*

round [raʊnd] **1.** *adj* rund; **2.** *adv* rund-, ringsherum; ~ ***about*** ungefähr; ***the other way*** ~ umgekehrt; **3.** *prp* (rund)um; um ... (herum); in ... herum; **4.** *su* Runde *f*; *bsd. Brt.* Scheibe *f* (*Brot etc.*); *mus.* Kanon *m*; **5.** *v/t* rund machen; (herum)fahren *od.* (-)gehen um; ~ ***off*** abrunden; ~ ***up*** *Zahl etc.* aufrunden; *Leute* zs.-trommeln, *Vieh* zs.-treiben; **'~about 1.** *Brt.* Kreisverkehr *m*; *Brt.* Karussell *n*; **2.** ***in a*** ~ ***way*** auf Umwegen; ~ **'trip** Hin- u. Rückfahrt *f*
rouse [raʊz] (auf)wecken; *fig.*: aufrütteln; erregen
route [ru:t] Route *f*, Weg *m*; Strecke *f*
routine [ru:'ti:n] Routine *f*
row¹ [rəʊ] Reihe *f*
row² [raʊ] F: Krach *m*; Streit *m*
row³ [rəʊ] rudern; **'~boat** *Am.*, **'~ing boat** Ruderboot *n*
royal ['rɔɪəl] königlich; **'royalty** die königliche Familie; *pl* Tantiemen *pl*
rub [rʌb] reiben; ~ ***down*** abreiben, abfrottieren; ~ ***in*** einreiben; ~ ***out*** ausradieren
rubber ['rʌbə] Gummi *n*, *m*; *bsd. Brt.* Radiergummi *m*; F *Kondom*: Gummi *m*; ~ **'band** Gummiband *n*; **'~neck** *Am.* F neugierig gaffen
rubbish ['rʌbɪʃ] Abfall *m*, Müll *m*; Schund *m*; Blödsinn *m*; **'~ bin** *Brt.* Mülleimer *m*
rubble ['rʌbl] Schutt *m*
ruby ['ru:bɪ] Rubin *m*
rucksack ['rʌksæk] Rucksack *m*
rudder ['rʌdə] Steuerruder *n*
ruddy ['rʌdɪ] rot(backig)
rude [ru:d] unhöflich; grob; unanständig; *Schock etc.*: bös
rudimentary [ru:dɪ'mentərɪ] elementar; primitiv
ruffle ['rʌfl] **1.** Rüsche *f*; **2.** (ver)ärgern; *a.* ~ ***up*** *Federn* sträuben, aufplustern
rug [rʌg] (Woll)Decke *f*; Vorleger *m*, Brücke *f*
rugged ['rʌgɪd] zerklüftet; robust; *Gesicht*: markig
ruin ['rʊɪn] **1.** Ruin *m*; *a. pl* Ruine(n *pl*) *f*, Trümmer *pl*; **2.** ruinieren; verderben
rule [ru:l] **1.** Regel *f*; Vorschrift *f*; Herrschaft *f*; ***as a*** ~ in der Regel; **2.** (be)herrschen; herrschen über; *bsd. jur.* entscheiden; liniieren; ~ ***out*** ausschließen; **'ruler** Herrscher(in); Lineal *n*
rum [rʌm] Rum *m*
rumble ['rʌmbl] rumpeln; *Donner etc.*: (g)rollen
ruminant ['ru:mɪnənt] Wiederkäuer *m*; **ruminate** ['ru:mɪneɪt] wiederkäuen
rummage ['rʌmɪdʒ] *a.* ~ ***around*** herumstöbern, -wühlen; **'~ sale** *Am.* Wohltätigkeitsbasar *m*
rumo(u)r ['ru:mə] **1.** Gerücht

n; **2. *it is ~ed that*** es geht das Gerücht, dass
rump [rʌmp] Hinterteil *n*
rumple ['rʌmpl] zerknittern, -knüllen, -wühlen; zerzausen
run [rʌn] **1.** (***ran, run***) *v/i* laufen; rennen; *Zug*, *Bus*: fahren, verkehren; fließen; *Grenze etc.*: verlaufen; *tech.* laufen, in Gang sein; *Uhr*: gehen; *Text*: lauten; *Film etc.*: laufen; *Butter*: schmelzen; *Farbe*: auslaufen; *bsd. Am.* kandidieren; *v/t Rennen etc.* laufen; *Zug*, *Bus* fahren lassen; *Maschine etc.* laufen lassen; *Geschäft* führen, leiten; **~ *across*** zufällig treffen; **~ *down*** *Uhr*: ablaufen; *mot.* an-, um-, überfahren; herunterwirtschaften; *j-n* schlecht machen; **~ *in*** *Auto* einfahren; **~ *into*** prallen gegen; *j-n* zufällig treffen; geraten in (*Schwierigkeiten etc.*); **~ *off*** weglaufen; **~ *out*** knapp werden, ausgehen; **~ *out of ...*** kein ... mehr haben; **~ *over*** *Flüssigkeit*: überlaufen; *mot.* überfahren; → **~ *through*** *Liste etc.* (flüchtig) durchgehen; **2.** Lauf *m*; Rennen *n*; (Spazier)Fahrt *f*; *Am.* Laufmasche *f*; *econ.* Ansturm *m*, Run *m*; *thea.*, *Film*: Laufzeit *f*; (*Ski*)Hang *m*; ***in the long ~*** auf die Dauer
rung¹ [rʌŋ] *pp von* **ring** 2
rung² [rʌŋ] (Leiter)Sprosse *f*
runner ['rʌnə] Läufer(in); *Teppich*: Läufer *m*; Kufe *f*; **~-'up** *Sport*: Zweite *m, f*
'running (fort)laufend; *Wasser*: fließend; ***for two days ~*** zwei Tage hintereinander
runny ['rʌnɪ] laufend; tränend
'runway *aviat.* Start- u. Landebahn *f*
rupture ['rʌptʃə] Bruch *m*
rural ['rʊərəl] ländlich
rush [rʌʃ] **1.** Hast *f*, Hetze *f*; Ansturm *m*; Hochbetrieb *m*; *econ.* stürmische Nachfrage; **2.** *v/i* hasten, hetzen, stürzen; *v/t* drängen, hetzen; schnell (*wohin*) bringen; **'~ hour** Hauptverkehrs-, Stoßzeit *f*
Russia ['rʌʃə] Russland *n*;
Russian ['rʌʃən] **1.** russisch; **2.** Russ|e *m*, -in *f*
rust [rʌst] **1.** Rost *m*; **2.** rosten
rustic ['rʌstɪk] ländlich, rustikal
rustle ['rʌsl] rascheln
rusty ['rʌstɪ] rostig, verrostet
rut¹ [rʌt] (Rad)Spur *f*; *fig.* Trott *m*
rut² [rʌt] *zo.* Brunft *f*, Brunst *f*
ruthless ['ru:θlɪs] unbarmherzig; rücksichtslos
rye [raɪ] Roggen *m*

S

S ***small*** (***size***) klein
sack [sæk] **1.** Sack *m*; ***give*** (***get***) ***the*** ~ F entlassen (werden); **2.** F entlassen, rausschmeißen
sacred ['seɪkrɪd] heilig
sacrifice ['sækrɪfaɪs] **1.** Opfer *n*; **2.** opfern
sad [sæd] traurig; schlimm
saddle ['sædl] **1.** Sattel *m*; **2.** satteln
'sadness Traurigkeit *f*
safe [seɪf] **1.** sicher; **2.** Safe *m*, *n*; **'~guard 1.** Schutz *m*; **2.** schützen; **~'keeping** sichere Verwahrung
safety ['seɪftɪ] Sicherheit *f*; **'~ belt** Sicherheitsgurt *m*; **'~ island** Verkehrsinsel *f*; **'~ measure** Sicherheitsmaßnahme *f*; **'~ pin** Sicherheitsnadel *f*
sag [sæg] sich senken; durchsacken; herunterhängen
Sagittarius [sædʒɪ'teərɪəs] *astr.* Schütze *m*
said [sed] *pret u. pp von* **say** 1
sail [seɪl] **1.** Segel *n*; **2.** segeln, fahren; *Schiff*: auslaufen; **'~board** Surfbrett *n*; **'~boat** *Am.*, **'~ing boat** Segelboot *n*; **'~ing ship** Segelschiff *n*; **'~or** Seemann *m*
saint [seɪnt] Heilige *m, f*
sake [seɪk]: ***for the*** ~ ***of*** um ... willen; ***for my*** ~ meinetwegen
salad ['sæləd] Salat *m*
salary ['sælərɪ] Gehalt *n*
sale [seɪl] Verkauf *m*; Schlussverkauf *m*; ***for*** ~ zu verkaufen
'sales|man (*pl* ***-men***) Verkäufer *m*; (Handels)Vertreter *m*; **'~ representative** Handelsvertreter(in); **'~woman** (*pl* ***-women***) Verkäuferin *f*; (Handels)Vertreterin *f*
saliva [sə'laɪvə] Speichel *m*
sallow ['sæləʊ] fahl, bleich
salmon ['sæmən] Lachs *m*
salon ['sælɔ̃:ŋ, 'sælɒn] (*Schönheits- etc.*)Salon *m*
saloon [sə'lu:n] Salon *m*; *a.* ~ ***car*** *Brt. mot.* Limousine *f*
salt [sɔ:lt] **1.** Salz *n*; **2.** salzig; gesalzen; **3.** salzen; pökeln; **'~cellar** Salzstreuer *m*
'salty salzig
salute [sə'lu:t] **1.** Gruß *m*; Salut *m*; **2.** grüßen, salutieren
salvation [sæl'veɪʃn] Rettung *f*; ≈ **'Army** Heilsarmee *f*
same [seɪm]: ***the*** ~ der-, die-, dasselbe; ***all the*** ~ trotzdem; ***it is all the*** ~ ***to me*** es ist mir ganz gleich
sample ['sɑ:mpl] **1.** Probe *f*, Muster *n*; **2.** probieren

sanatorium [sænə'tɔːrɪəm] (*pl* **-riums, -ria** [-rɪə]) Sanatorium *n*
sanction ['sæŋkʃn] **1.** Billigung *f*; *pl* Sanktionen *pl*; **2.** sanktionieren; billigen
sanctuary ['sæŋktʃʊərɪ] Zuflucht *f*; (*Tier*)Schutzgebiet *n*
sand [sænd] Sand *m*
sandal ['sændl] Sandale *f*
'sand|pit Sandkasten *m*; **'~stone** Sandstein *m*
sandwich ['sænwɪdʒ] **1.** Sandwich *n*; **2.** einklemmen
sandy ['sændɪ] sandig; *Haar*: rotblond
sane [seɪn] geistig gesund, normal; vernünftig
sang [sæŋ] *pret von* **sing**
sanitarium [sænɪ'teərɪəm] *Am.* → **sanatorium**
sanitary ['sænɪtərɪ] hygienisch; **'~ napkin** *Am.*, **'~ towel** *Brt.* Damenbinde *f*
sanitation [sænɪ'teɪʃn] sanitäre Einrichtungen *pl*
sanity ['sænətɪ] geistige Gesundheit; Zurechnungsfähigkeit *f*
sank [sæŋk] *pret von* **sink** 1
Santa Claus ['sæntəklɔːz] Weihnachtsmann *m*, Nikolaus *m*
sap [sæp] *bot.* Saft *m*
sapphire ['sæfaɪə] Saphir *m*
sarcastic [sɑː'kæstɪk] sarkastisch
sardine [sɑː'diːn] Sardine *f*
sash [sæʃ] Schärpe *f*; **'~ window** Schiebefenster *n*
sat [sæt] *pret u. pp von* **sit**
satchel ['sætʃəl] (Schul)Ranzen *m*
satellite ['sætəlaɪt] Satellit *m*
satire ['sætaɪə] Satire *f*
satisfaction [sætɪs'fækʃn] Befriedigung *f*; Genugtuung *f*; Zufriedenheit *f*; **satis'factory** befriedigend, zufrieden stellend; **satisfy** ['sætɪsfaɪ] befriedigen, zufrieden stellen
Saturday ['sætədɪ] Sonnabend *m*, Samstag *m*
sauce [sɔːs] Soße *f*; **'~pan** Kochtopf *m*
saucer ['sɔːsə] Untertasse *f*
saucy ['sɔːsɪ] frech
saunter ['sɔːntə] schlendern
sausage ['sɒsɪdʒ] Wurst *f*; Würstchen *n*
savage ['sævɪdʒ] wild; grausam
save [seɪv] retten; (auf-, ein-, er)sparen; *Computer*: (ab-) speichern, sichern
savings ['seɪvɪŋz] *pl* Ersparnisse *pl*; **'~ bank** Sparkasse *f*
savo(u)r ['seɪvə] genießen; **'savo(u)ry** schmackhaft
saw[1] [sɔː] *pret von* **see**
saw[2] [sɔː] **1.** (**sawed, sawn** *od.* **sawed**) sägen; **2.** Säge *f*; **'~dust** Sägemehl *n*, -späne *pl*
sawn [sɔːn] *pp von* **saw**[2] 1
say [seɪ] **1.** (**said**) sagen; aufsagen; *Gebet* sprechen; **that is to ~** das heißt; **2.** Mitspracherecht *n*; **'~ing** Sprichwort *n*, Redensart *f*
scab [skæb] Schorf *m*

scaffold(ing) ['skæfəld(ɪŋ)] (Bau)Gerüst *n*
scald [skɔːld] **1.** verbrühen; **2.** Verbrühung *f*
scale [skeɪl] Schuppe *f*; Tonleiter *f*; Skala *f*; Maßstab *m*; Waagschale *f*; *pl* Waage *f*
scalp [skælp] Kopfhaut *f*
scan [skæn] **1.** absuchen; *Computer, Radar, TV*: abtasten, scannen; *fig.* überfliegen; **2.** *med.* Ultraschalluntersuchung *f*, -aufnahme *f*
scandal ['skændl] Skandal *m*; **~ous** ['skændələs] skandalös
Scandinavia [skændɪ'neɪvjə] Skandinavien *n*; **Scandi'navian 1.** skandinavisch; **2.** Skandinavier(in)
scant [skænt] wenig, dürftig; **'scanty** dürftig, knapp
scapegoat ['skeɪpgəʊt] Sündenbock *m*
scar [skɑː] Narbe *f*
scarce [skeəs] knapp; selten; **'scarcely** kaum
scare [skeə] **1.** Schreck(en) *m*; Panik *f*; **2.** erschrecken; ***~ away, ~ off*** verjagen, -scheuchen; ***be ~d of*** Angst haben vor; **'~crow** Vogelscheuche *f*
scarf [skɑːf] (*pl* ***scarfs, scarves*** [skɑːvz]) Schal *m*; Hals-, Kopf-, Schultertuch *n*
scarlet ['skɑːlɪt] scharlachrot; **~ 'fever** Scharlach *m*
scarves [skɑːvz] *pl von* ***scarf***
scathing ['skeɪðɪŋ] vernichtend
scatter ['skætə] verstreuen; *Menge*: (sich) zerstreuen; **'~brained** F schusselig
scene [siːn] Szene *f*; Schauplatz *m*; **'scenery** Landschaft *f*; Bühnenbild *n*
scent [sent] Duft *m*, Geruch *m*; *Brt.* Parfüm *n*; Fährte *f*
sceptic ['skeptɪk] Skeptiker(in); **'~al** skeptisch
schedule ['ʃedjuːl, *Am.* 'skedʒuːl] **1.** (*Arbeits-, Stunden-, Zeit- etc.*)Plan *m*; *Am.* Fahr-, Flugplan *m*; ***on ~*** (fahr)planmäßig, pünktlich; ***behind ~*** mit Verspätung; **2.** an-, festsetzen; **scheduled 'flight** Linienflug *m*
scheme [skiːm] **1.** Projekt *n*, Programm *n*; Plan *m*; **2.** intrigieren
scholar ['skɒlə] Gelehrte *m, f*; Stipendiat(in); **'~ship** Stipendium *n*
school¹ [skuːl] Schule *f*
school² [skuːl] *Fische, Wale etc.*: Schule *f*, Schwarm *m*
'school|boy Schüler *m*; **'~girl** Schülerin *f*; **'~ing** (Schul-)Ausbildung *f*; **'~mate** Mitschüler(in)
science ['saɪəns] Wissenschaft *f*; *a.* ***natural ~*** Naturwissenschaft(en *pl*) *f*
scientific [saɪən'tɪfɪk] (natur)wissenschaftlich
scientist ['saɪəntɪst] (Natur)Wissenschaftler(in)
scissors ['sɪzəz] *pl* (*a.* ***a pair of ~*** e-e) Schere
scoff [skɒf] spotten (***at*** über)

scold [skəʊld] schimpfen mit
scone [skɒn] *kleines rundes Teegebäck (mit Butter)*
scoop [skuːp] **1.** Schöpfkelle *f*; F Knüller *m*; **2.** schöpfen
scooter ['skuːtə] (Kinder-)Roller *m*; (Motor)Roller *m*
scope [skəʊp] Bereich *m*
scorch [skɔːtʃ] an-, versengen
score [skɔː] **1.** (Spiel)Stand *m*, (Spiel)Ergebnis *n*; *mus.* Partitur *f*; Kerbe *f*; 20 Stück; **2.** *Sport*: *Punkte* erzielen, *Tore* schießen; die Punkte zählen; **'~board** *Sport*: Anzeigetafel *f*; **'scorer** *Sport*: Torschützle *m*, -in *f*
scorn [skɔːn] Verachtung *f*; **'~ful** verächtlich
Scorpio ['skɔːpɪəʊ] *astr.* Skorpion *m*
Scot [skɒt] Schottle *m*, -in *f*
Scotch [skɒtʃ] **1.** *Whisky etc.*: schottisch; **2.** Scotch *m* (*schottischer Whisky*)
scot-free [skɒt'friː]: ***get off ~*** ungeschoren davonkommen
Scotland ['skɒtlənd] Schottland *n*
Scots [skɒts] *bei Personen*: schottisch; **'~man** (*pl* ***-men***) Schotte *m*; **'~woman** (*pl* ***-women***) Schottin *f*
Scottish ['skɒtɪʃ] schottisch
scour¹ ['skaʊə] absuchen
scour² ['skaʊə] scheuern
scout [skaʊt] **1.** Pfadfinder(in); **2.** auskundschaften
scowl [skaʊl] **1.** ***~ at*** *j-n* böse anschauen; **2.** böses Gesicht
scram [skræm] F abhauen
scramble ['skræmbl] klettern; sich drängeln (***for*** zu); **scrambled 'eggs** *pl* Rührei(er *pl*) *n*
scrap [skræp] Fetzen *m*; Altmaterial *n*; Schrott *m*
scrape [skreɪp] **1.** Kratzen *n*; Schramme *f*; F Klemme *f*; **2.** kratzen; schaben; scheuern
'scrap| heap Schrotthaufen *m*; **'~yard** Schrottplatz *m*
scratch [skrætʃ] **1.** (zer)kratzen; (sich) kratzen; **2.** Kratzer *m*, Schramme *f*
scrawl [skrɔːl] **1.** Gekritzel *n*; **2.** kritzeln
scream [skriːm] **1.** Schrei *m*; **2.** schreien
screech [skriːtʃ] **1.** Kreischen *n*; **2.** kreischen
screen [skriːn] **1.** Wand-, Schutzschirm *m*; *Film*: Leinwand *f*; Bildschirm *m*; Fliegengitter *n*; **2.** abschirmen; *Film, TV*: zeigen, senden; *j-n* decken; *j-n* überprüfen
screw [skruː] **1.** Schraube *f*; **2.** schrauben; V bumsen, vögeln; **'~driver** Schraubenzieher *m*
scribble ['skrɪbl] **1.** Gekritzel *n*; **2.** kritzeln
script [skrɪpt] Manuskript *n*; Drehbuch *n*; **scripture** ['skrɪptʃə]: ***the*** (***Holy***) ***2s*** *pl* die Heilige Schrift
scroll [skrəʊl] **1.** Schriftrolle *f*; **2.** *Computer*: rollen

scrub [skrʌb] schrubben, scheuern
scruffy ['skrʌfɪ] schmuddelig
scruple ['skru:pl] Skrupel *m*, Bedenken *n*; **scrupulous** ['skru:pjʊləs] gewissenhaft
scrutinize ['skru:tɪnaɪz] (genau) prüfen; '**scrutiny** (genaue) Prüfung
scuba ['sku:bə] Tauchgerät *n*; '~ **diving** (Sport)Tauchen *n*
scuffle ['skʌfl] (sich) raufen
sculptor ['skʌlptə] Bildhauer *m*; **sculpture** ['skʌlptʃə] Bildhauerei *f*; Skulptur *f*
scum [skʌm] Schaum *m*; *fig.* Abschaum *m*
scurf [skɜ:f] Schuppen *pl*
scythe [saɪð] Sense *f*
sea [si:] *die* See, *das* Meer; '**~food** Meeresfrüchte *pl*; '**~gull** Seemöwe *f*
seal¹ [si:l] Robbe *f*, Seehund *m*
seal² [si:l] **1.** Siegel *n*; *tech.*: Plombe *f*; Dichtung *f*; **2.** versiegeln; *fig.* besiegeln
'**sea level** Meeresspiegel *m*
seam [si:m] Saum *m*, Naht *f*
'**sea|man** (*pl* **-men**) Seemann *m*; '**~plane** Wasserflugzeug *n*; '**~port** Hafenstadt *f*; '**~ power** Seemacht *f*
search [sɜ:tʃ] **1.** durchsuchen; suchen (**for** nach); **2.** Suche *f*; Durchsuchung *f*; **in ~ of** auf der Suche nach; '**~ing** forschend, prüfend; '**~ party** Suchmannschaft *f*; '**~ warrant** Durchsuchungsbefehl *m*
'**sea|shore** Meeresküste *f*; '**~sick** seekrank; '**~side: at the ~** am Meer; **~side re'sort** Seebad *n*
season¹ ['si:zn] Jahreszeit *f*; Saison *f*
season² ['si:zn] würzen; '**~ing** Gewürz *n* (*Zutat*)
'**season ticket** Dauer-, Zeitkarte *f*; *thea.* Abonnement *n*
seat [si:t] **1.** (Sitz)Platz *m*; Sitz *m*; Hosenboden *m*; **2.** (hin)setzen; Sitzplätze bieten für; '**~ belt** Sicherheitsgurt *m*
sea| urchin ['si:ɜ:tʃɪn] Seeigel *m*; '**~weed** (See)Tang *m*
secluded [sɪ'klu:dɪd] abgelegen; *Leben*: zurückgezogen; **seclusion** [sɪ'klu:ʒn] Abgeschiedenheit *f*
second ['sekənd] **1.** *adj* zweit; **2.** *adv* als Zweite(r, -s); **3.** *su der, die, das* Zweite; *mot.* zweiter Gang; Sekunde *f*; '**~ary** sekundär, zweitrangig; *ped. Schule etc.*: höher; **~-'class** zweitklassig; '**~ floor** *Brt.* zweiter Stock, *Am.* erster Stock; **~-'hand** aus zweiter Hand; gebraucht; antiquarisch; '**~ly** zweitens; **~-'rate** zweitklassig
secrecy ['si:krəsɪ] Verschwiegenheit *f*; Geheimhaltung *f*
secret ['si:krɪt] **1.** geheim, Geheim...; heimlich; **2.** Geheimnis *n*
secretary ['sekrətrɪ] Sekre-

tär(in); ≗ **of 'State** *Am.* Außenminister(in)
secrete [sɪ'kriːt] *physiol.* absondern; **se'cretion** *physiol.* Sekret *n*; Absonderung *f*
secretive ['siːkrətɪv] verschlossen
sect [sekt] Sekte *f*
section ['sekʃn] Teil *m*; Abschnitt *m*; Abteilung *f*
secular ['sekjʊlə] weltlich
secure [sɪ'kjʊə] **1.** sicher; **2.** sichern
security [sɪ'kjʊərətɪ] Sicherheit *f*; *pl* Wertpapiere *pl*; **~ check** Sicherheitskontrolle *f*; **~ measure** Sicherheitsmaßnahme *f*; **~ risk** Sicherheitsrisiko *n*
sedan [sɪ'dæn] *Am.* Limousine *f*
sedative ['sedətɪv] Beruhigungsmittel *n*
sediment ['sedɪmənt] (Boden)Satz *m*
seduce [sɪ'djuːs] verführen; **seduction** [sɪ'dʌkʃn] Verführung *f*; **se'ductive** verführerisch
see [siː] (***saw, seen***) *v/i* sehen; nachsehen; ***I*** **~** ich verstehe, ach so; *v/t* sehen; besuchen; aufsuchen, konsultieren; **~ *a doctor*** zum Arzt gehen; **~ *s.o. home*** j-n nach Hause (*östr.*, *Schweiz*: *a.* nachhause) bringen; **~ *s.o. out*** j-n hinausbegleiten; **~ *you*** bis dann, auf bald; **~ *to it that*** dafür sorgen, dass
seed [siːd] Same(n) *m*; Saat(gut *n*) *f*; *Sport*: gesetzter Spieler, gesetzte Spielerin; **'seedy** schäbig
seek [siːk] (***sought***) suchen
seem [siːm] scheinen
seen [siːn] *pp von* **see**
seep [siːp] sickern
seesaw ['siːsɔː] Wippe *f*
segment ['segmənt] Teil *m*, *n*, Abschnitt *m*; Segment *n*
segregate ['segrɪgeɪt] trennen; **segre'gation** Rassentrennung *f*
seize [siːz] packen, ergreifen; *jur.* beschlagnahmen; **seizure** ['siːʒə] *med.* Anfall *m*
seldom ['seldəm] selten
select [sɪ'lekt] **1.** auswählen; **2.** exklusiv; **~ion** Auswahl *f*; Wahl *f*
self [self] (*pl* ***selves*** [selvz]) Selbst *n*, Ich *n*; **~-ad'dressed envelope** adressierter Freiumschlag; **~-ad'hesive** selbstklebend; **~-as'sured** selbstbewusst, -sicher; **~-'confidence** Selbstbewusstsein *n*, -vertrauen *n*; **~-'conscious** befangen, gehemmt, unsicher; **~-con'tained** *Wohnung*: (in sich) abgeschlossen; **~-con'trol** Selbstbeherrschung *f*; **~-de'fence** *Brt.*, **~-de'fense** *Am.* Selbstverteidigung *f*; Notwehr *f*; **~-em'ployed** selbstständig; **'~ish** selbstsüchtig; **'~less** selbstlos; **~-pos'session**

Selbstbeherrschung *f*; **~-reliant** [selfrɪ'laɪənt] selbstständig; **~-re'spect** Selbstachtung *f*; **~-'righteous** selbstgerecht; **~-'satisfied** selbstzufrieden; **~-'service** Selbstbedienungs...

sell [sel] (***sold***) verkaufen; sich verkaufen (lassen), gehen; **'~-by date** *Lebensmittel*: Mindesthaltbarkeitsdatum *n*; **'~er** Verkäufer(in)

selves [selvz] *pl von* ***self***

semi... [semɪ] halb..., Halb...

'semi|circle Halbkreis *m*; **~con'ductor** *electr.* Halbleiter *m*; **~de'tached (house)** Doppelhaushälfte *f*; **~'finals** *pl Sport*: Semi-, Halbfinale *n*

semolina [semə'liːnə] Grieß *m*

senate ['senɪt] Senat *m*; **senator** ['senətə] Senator *m*

send [send] (***sent***) (ver)senden, (-)schicken; **~ *for*** nach *j-m* schicken, *j-n* kommen lassen; **~ *in*** einsenden, -schicken, -reichen; **~ *off*** fort-, wegschicken; *Brief etc.* absenden, abschicken; *Sport*: vom Platz stellen; **'~er** Absender(in)

senile ['siːnaɪl] senil; Alters...

senior ['siːnjə] **1.** älter; ranghöher; **2.** Ältere *m, f*; **~ 'citizens** *pl* ältere Mitbürger *pl*, Senioren *pl*

sensation [sen'seɪʃn] Gefühl *n*, Empfindung *f*; Sensation *f*; **~al** sensationell

sense [sens] **1.** Verstand *m*; Vernunft *f*; Sinn *m*; Gefühl *n*; ***in a ~*** in gewisser Hinsicht; ***come to one's ~s*** zur Besinnung *od.* Vernunft kommen; **2.** spüren, fühlen; **'~less** sinnlos; bewusstlos

sensibility [sensɪ'bɪlətɪ] Empfindlichkeit *f*

sensible ['sensəbl] vernünftig

sensitive ['sensɪtɪv] empfindlich; sensibel, feinfühlig

sensual ['sensjʊəl] sinnlich

sensuous ['sensjʊəs] sinnlich

sent [sent] *pret u. pp von* ***send***

sentence ['sentəns] **1.** Satz *m*; *jur.* Urteil *n*; **2.** verurteilen

sentiment ['sentɪmənt] Gefühl *n*; **~al** [sentɪ'mentl] sentimental, gefühlvoll

separate 1. ['sepəreɪt] (sich) trennen; **2.** ['seprət] getrennt; einzeln; **separation** [sepə'reɪʃn] Trennung *f*

September [sep'tembə] September *m*

septic ['septɪk] septisch, vereitert

sequel ['siːkwəl] *Buch, Film etc.*: Fortsetzung *f*; *fig.* Folge *f*

sequence ['siːkwəns] (Aufeinander-, Reihen)Folge *f*

serene [sɪ'riːn] heiter; klar; gelassen

sergeant ['sɑːdʒənt] *mil.* Feldwebel *m*; (Polizei-) Wachtmeister *m*

serial ['sɪərɪəl] **1.** Fortsetzungsroman *m*; (*Fernseh-*

etc.)Serie *f*; **2.** serienmäßig; *Computer*: seriell
series ['sɪəri:z] (*pl* **series**) Reihe *f*; Serie *f*; Folge *f*
serious ['sɪərɪəs] ernst; ernsthaft; schwer, schlimm
sermon ['sɜ:mən] Predigt *f*
serum ['sɪərəm] (*pl* **serums, sera** ['sɪərə]) Serum *n*
servant ['sɜ:vənt] Diener (-in); Hausangestellte *m, f*
serve [sɜ:v] **1.** dienen; bedienen; *Speisen* servieren; *Zweck* erfüllen; *Tennis*: aufschlagen; **2.** *Tennis etc.*: Aufschlag *m*
service ['sɜ:vɪs] **1.** Dienst *m*; Bedienung *f*; Betrieb *m*; *tech.* Wartung *f*, Kundendienst *m*; *mot.* Inspektion *f*; (*Zug- etc.*)Verkehr *m*; Gottesdienst *m*; Service *n*; *Tennis*: Aufschlag *m*; (*Militär-*) Dienst *m*; **2.** *tech.* warten, pflegen; '**~ area** (Autobahn)Raststätte *f*; '**~ charge** Bedienung(szuschlag *m*) *f*; '**~ station** Tankstelle *f*; Reparaturwerkstatt *f*
session ['seʃn] Sitzung *f*
set [set] **1.** (**set**) *v/t* setzen, stellen, legen; *Uhr, Wecker* stellen; *tech.* einstellen; *Knochenbruch* einrichten; *Tisch* decken; *Haar* legen; *Edelstein* fassen; *Preis, Termin etc.* festsetzen, -legen; *Rekord* aufstellen; *Aufgabe, Frage* stellen; *Beispiel* geben; *v/i Sonne*: untergehen; fest werden, erstarren; **~ *free*** freilassen; **~ *at ease*** beruhigen; **~ *aside*** beiseite legen; **~ *in*** *Winter etc.*: einsetzen; **~ *off*** *v/i* aufbrechen, sich aufmachen; *v/t* hervorheben; *et.* auslösen; **~ *out*** aufbrechen, sich aufmachen; **~ *up*** aufstellen; errichten; sich niederlassen; **2.** fest(gelegt, -gesetzt); F bereit, fertig; entschlossen; **~ *lunch*** *od.* ***meal*** Tagesgericht *n*, Menü *n*; **3.** Satz *m*, Garnitur *f*; Service *n*; (*Fernseh- etc.*)Gerät *n*, Apparat *m*; Clique *f*; *thea.* Bühnenbild *n*; *Film, TV Szenenaufbau*: Set *m*; *Tennis*: Satz *m*; '**~back** Rückschlag *m*
settee [se'ti:] Sofa *n*
setting ['setɪŋ] *Sonne etc.*: Untergang *m*; *tech.* Einstellung *f*; Umgebung *f*; Schauplatz *m*; (*Gold- etc.*)Fassung *f*; '**~ lotion** Haarfestiger *m*
settle ['setl] *v/t* vereinbaren; *Frage etc.* klären, entscheiden; erledigen; *Streit* beilegen; *Rechnung* begleichen; besiedeln; *v/i* sich setzen; sich niederlassen; sich beruhigen; '**~ment** Vereinbarung *f*; Beilegung *f*; Einigung *f*; Begleichung *f*, Bezahlung *f*; Siedlung *f*; Besiedlung *f*; '**settler** Siedler(in)
seven ['sevn] sieben; **seventeen** [sevn'ti:n] siebzehn; **seventeenth** [sevn'ti:nθ] siebzehnt; **seventh** ['sevnθ]

1. siebt; **2.** Siebtel *n*; **'seventhly** siebtens; **seventieth** ['sevntɪɪθ] siebzigst; **seventy** ['sevntɪ] siebzig
several ['sevrəl] mehrere
severe [sɪ'vɪə] streng; hart; *Schmerzen etc.*: stark; *Krankheit etc.*: schwer
sew [səʊ] (***sewed, sewn*** *od.* ***sewed***) nähen
sewage ['suːɪdʒ] Abwasser *n*; **sewer** ['sʊə] Abwasserkanal *m*; **sewerage** ['sʊərɪdʒ] Kanalisation *f*
sewing ['səʊɪŋ] Nähen *n*; Näharbeit *f*; Näh...; **'~ machine** Nähmaschine *f*
sewn [səʊn] *pp von* ***sew***
sex [seks] Sex *m*; Geschlecht *n*
sexist ['seksɪst] sexistisch, frauenfeindlich
sexual ['sekʃʊəl] sexuell, Sexual..., geschlechtlich, Geschlechts...; **~ 'harassment** sexuelle Belästigung (*bsd. am Arbeitsplatz*); **~ 'intercourse** Geschlechtsverkehr *m*
sexy ['seksɪ] sexy, aufreizend
shabby ['ʃæbɪ] schäbig
shack [ʃæk] Hütte *f*, Bude *f*
shackles ['ʃæklz] *pl* Fesseln *pl*
shade [ʃeɪd] **1.** Schatten *m*; (*Lampen- etc.*)Schirm *m*; Schattierung *f*; *Am.* Rouleau *n*; **2.** abschirmen, schützen
shadow ['ʃædəʊ] **1.** Schatten *m*; **2.** beschatten
shady ['ʃeɪdɪ] schattig; *fig.* fragwürdig
shaft [ʃɑːft] Schaft *m*; Stiel *m*; Schacht *m*; *tech.* Welle *f*
shaggy ['ʃægɪ] zottig
shake [ʃeɪk] (***shook, shaken***) *v/t* schütteln; rütteln an; erschüttern; **~ *hands*** sich die Hand geben; *v/i* zittern, beben, schwanken; **'shaken 1.** *pp von* ***shake***; **2.** erschüttert; **'shaky** wack(e)lig; zitt(e)rig
shall [ʃæl] *v/aux* (*pret* ***should***) *Futur*: *ich* werde, *wir* werden; *in Fragen*: soll *ich* ...?, sollen *wir* ...?
shallow ['ʃæləʊ] **1.** seicht, flach; *fig.* oberflächlich; **2.** *pl* seichte Stelle, Untiefe *f*
sham [ʃæm] **1.** Heuchelei *f*; **2.** unecht; **3.** simulieren
shame [ʃeɪm] **1.** beschämen; **2.** Scham *f*; Schande *f*; ***what a ~*** (wie) schade; **~ *on you!*** schäm dich!; **'~ful** schändlich; **'~less** schamlos
shampoo [ʃæm'puː] **1.** Shampoo *n*, Schampon *n*; Haarwäsche *f*; ***have a ~ and set*** sich die Haare waschen und legen lassen; **2.** *Haare* waschen; schamponieren
shape [ʃeɪp] **1.** Gestalt *f*; Form *f*; Verfassung *f*; **2.** formen; gestalten; **'~less** formlos; **'~ly** wohlgeformt
share [ʃeə] **1.** *v/t* (sich) *et.* teilen; *v/i* teilen; **2.** Anteil *m*; Aktie *f*; **'~holder** Aktionär(in)
shark [ʃɑːk] Hai(fisch) *m*
sharp [ʃɑːp] **1.** *adj* scharf;

spitz; schlau; heftig; **2.** *adv* pünktlich, genau; **~en** ['ʃɑːpən] schärfen; spitzen; **~ener** ['ʃɑːpnə] Spitzer *m*
shat [ʃæt] *pret u. pp von* **shit** 2
shatter ['ʃætə] zerschmettern; *Hoffnungen etc.* zerstören
shave [ʃeɪv] **1.** (sich) rasieren; **2.** Rasur *f*; **have a ~** sich rasieren; '**shaven** kahl geschoren; '**shaver** (elektrischer) Rasierapparat
shaving ['ʃeɪvɪŋ] Rasieren *n*; Rasier...; *pl* (Hobel)Späne *pl*
shawl [ʃɔːl] Umhängetuch *n*; Kopftuch *n*
she [ʃiː] **1.** *pron* sie; **2.** *su* Sie *f*; *zo.* Weibchen *n*
sheaf [ʃiːf] (*pl* **sheaves** [ʃiːvz]) Garbe *f*; Bündel *n*
shear [ʃɪə] (**sheared, sheared** *od.* **shorn**) scheren
sheath [ʃiːθ] (*pl* **sheaths** [ʃiːðz] *Schwert*: Scheide *f*; *Brt.* Kondom *n*, *m*
sheaves [ʃiːvz] *pl von* **sheaf**
shed¹ [ʃed] Schuppen *m*; Stall *m*
shed² [ʃed] (**shed**) *Blätter etc.* verlieren; *Blut*, *Tränen* vergießen; *Kleider etc.* ablegen
sheep [ʃiːp] Schaf *n*; '**~dog** Schäferhund *m*; '**~ish** verlegen
sheer [ʃɪə] rein, bloß; steil, (fast) senkrecht; hauchdünn
sheet [ʃiːt] Betttuch *n*, (Bett)Laken *n*; (*Glas- etc.*)Platte *f*; *Papier*: Blatt *n*, Bogen *m*; '**~ lightning** Wetterleuchten *n*
shelf [ʃelf] (*pl* **shelves** [ʃelvz]) (*Bücher-*, *Wand- etc.*)Brett *n*; **shelves** *pl* Regal *n*
shell [ʃel] **1.** Schale *f*; Hülse *f*; Muschel *f*; Granate *f*; **2.** schälen, enthülsen; '**~fish** Schalentier *n*
shelter ['ʃeltə] **1.** Unterstand *m*; Schutzhütte *f*; Bunker *m*; Unterkunft *f*; Schutz *m*; **bus ~** Wartehäuschen *n*; **2.** schützen; sich unterstellen
shelves [ʃelvz] *pl von* **shelf**
shepherd ['ʃepəd] Schäfer *m*, Schafhirt *m*
shield [ʃiːld] **1.** (Schutz-) Schild *m*; **2.** (be)schützen
shift [ʃɪft] **1.** *fig.* Verlagerung *f*, Verschiebung *f*, Wandel *m*; *econ.* Schicht *f* (*Arbeiter u. Zeit*); **2.** *v/t et.* bewegen, schieben, (ver)rücken; *v/i* sich bewegen; *bsd. Am. mot.* schalten; *fig.* sich verlagern *od.* -schieben *od.* wandeln; '**~ key** Umschalttaste *f*
shimmer ['ʃɪmə] schimmern
'**shin(bone)** ['ʃɪn-] Schienbein *n*
shine [ʃaɪn] **1.** *v/i* (**shone**) scheinen; leuchten; glänzen; *v/t* (**shined**) polieren; **2.** Glanz *m*
shingle ['ʃɪŋgl] Schindel *f*
shiny ['ʃaɪnɪ] blank, glänzend
ship [ʃɪp] **1.** Schiff *n*; **2.** verschiffen; *econ.* versenden; '**~ment** (Schiffs)Ladung *f*; Verschiffung *f*, Versand *m*;

'**~owner** Reeder *m*; '**~ping** Schifffahrt *f*; Verschiffung *f*; Versand *m*; '**~wreck** Schiffbruch *m*; '**~wrecked** schiffbrüchig; '**~yard** Werft *f*
shirk [ʃɜːk] sich drücken (vor)
shirt [ʃɜːt] Hemd *n*
shit [ʃɪt] V **1.** Scheiße *f*; **2.** (***shit*** *od.* ***shat***) scheißen
shiver ['ʃɪvə] **1.** Schauer *m*; **2.** zittern (***with*** vor)
shock [ʃɒk] **1.** Schock *m* (*a. med.*); *Explosion etc.*: Wucht *f*; *electr.* Schlag *m*; **2.** schockieren, empören; *j-m* e-n Schock versetzen; '**~ absorber** Stoßdämpfer *m*; '**~ing** schockierend, empörend
shoe [ʃuː] Schuh *m*; '**~horn** Schuhanzieher *m*; '**~lace,** '**~string** Schnürsenkel *m*
shone [ʃɒn] *pret u. pp von* ***shine*** 1
shook [ʃʊk] *pret von* ***shake***
shoot [ʃuːt] **1.** (***shot***) (ab-) schießen; erschießen; *Film* drehen; schießen, rasen; **2.** *bot.* Trieb *m*; '**~ing gallery** Schießstand *m*, -bude *f*; **~ing** '**star** Sternschnuppe *f*
shop [ʃɒp] **1.** Laden *m*, Geschäft *n*; Werkstatt *f*; **2.** *mst* ***go ~ping*** einkaufen gehen; '**~ assistant** Verkäufer(in); '**~keeper** Ladeninhaber(in); '**~lifter** Ladendieb(in); '**~lifting** Ladendiebstahl *m*
shopper ['ʃɒpə] Käufer(in)
shopping ['ʃɒpɪŋ] Einkauf *m*, Einkaufen *n*; ***do one's ~*** (s-e) Einkäufe machen; '**~ cart** *Am.* Einkaufswagen *m*; '**~ centre** (*Am.* **center**) Einkaufszentrum *n*; '**~ mall** *Am.* Einkaufszentrum *n*
'**shop window** Schaufenster *n*
shore [ʃɔː] Küste *f*, Ufer *n*; ***on ~*** an Land
shorn [ʃɔːn] *pp von* ***shear***
short [ʃɔːt] **1.** *adj* kurz; klein; knapp; kurz angebunden, barsch, schroff; ***be ~ of ...*** nicht genügend ... haben; **2.** *adv* plötzlich, abrupt; **3.** *su electr.* F Kurze *m*; ***in ~*** kurz(um); '**~age** Knappheit *f*; **~** '**circuit** *electr.* Kurzschluss *m*; '**~comings** *pl* Unzulänglichkeiten *pl*, Mängel *pl*; '**~ cut** Abkürzung *f*; '**~en** (ab-, ver)kürzen; kürzer werden; '**~hand** Stenographie *f*; '**~ly** bald; **~**'**sighted** kurzsichtig; **~** '**story** Kurzgeschichte *f*; **~**-'**term** kurzfristig; **~** '**time** Kurzarbeit *f*; **~** '**wave** Kurzwelle *f*
shot [ʃɒt] **1.** *pret u. pp von* ***shoot*** 1; **2.** Schuss *m*; Schrot (-kugeln *pl*) *m, n*; *guter etc.* Schütze; *phot.* Aufnahme *f*; *med.* F Spritze *f*; *Drogen*: Schuss *m*; *fig.* Versuch *m*; '**~gun** Schrotflinte *f*
should [ʃʊd] *pret von* ***shall***
shoulder ['ʃəʊldə] Schulter *f*
shout [ʃaʊt] **1.** rufen, schreien; ***~ at s.o.*** j-n anschreien; **2.** Ruf *m*; Schrei *m*

shove [ʃʌv] **1.** stoßen, schubsen; *et.* schieben; **2.** Stoß *m*, Schubs *m*
shovel [ˈʃʌvl] **1.** Schaufel *f*; **2.** schaufeln
show [ʃəʊ] **1.** (***showed, shown*** *od.* ***showed***) zeigen; **~ *in*** hereinführen; **~ *off*** angeben *od.* protzen (mit); vorteilhaft zur Geltung bringen; **~ *out*** hinausbegleiten; **~ *up*** F auftauchen, erscheinen; **2.** Ausstellung *f*; *thea. etc.*: Vorstellung *f*; Show *f*; **~biz** [ˈʃəʊbɪz] F, **ˈ~ business** Showbusiness *n*, Showgeschäft *n*
shower [ˈʃaʊə] **1.** Schauer *m*; Dusche *f*; ***have*** *od.* ***take a ~*** duschen; **2.** duschen; *j-n mit et.* überschütten *od.* -häufen
shown [ʃəʊn] *pp von* ***show*** 1
ˈshowroom Ausstellungsraum *m*
shrank [ʃræŋk] *pret von* ***shrink***[1]
shred [ʃred] **1.** Fetzen *m*; **2.** zerfetzen; *Gemüse* raspeln, hobeln; **ˈshredder** Gemüseschneider *m*; Reißwolf *m*
shrewd [ʃruːd] klug, clever
shriek [ʃriːk] **1.** kreischen; schreien; **2.** (schriller) Schrei
shrimp [ʃrɪmp] Garnele *f*
shrink[1] [ʃrɪŋk] (***shrank, shrunk***) (ein-, zs.-)schrumpfen (lassen); einlaufen, eingehen
shrink[2] [ʃrɪŋk] F Klapsdoktor *m*
ˈshrink-wrap einschweißen
shrivel [ˈʃrɪvl] schrumpfen
Shrove Tuesday [ʃrəʊv ˈtjuːzdɪ] Fastnachts-, Faschingsdienstag *m*
shrub [ʃrʌb] Strauch *m*, Busch *m*
shrug [ʃrʌg] **1.** *die Achseln* zucken; **2.** Achselzucken *n*
shrunk [ʃrʌŋk] *pp von* ***shrink***[1]
shudder [ˈʃʌdə] **1.** schaudern; **2.** Schauder *m*
shuffle [ˈʃʌfl] schlurfen; *Karten*: mischen
shun [ʃʌn] (ver)meiden
shut [ʃʌt] (***shut***) schließen, zumachen; sich schließen (lassen); **~ *down*** *Betrieb* schließen; **~ *up!*** F halt die Klappe!; **ˈshutter** Fensterladen *m*; *phot.* Verschluss *m*
shuttle [ˈʃʌtl] **1.** Pendelverkehr *m*; *tech.* Schiffchen *n*; (*Raum*)Fähre *f*, (-)Transporter *m*; **2.** pendeln; hin- u. herbefördern; **ˈ~cock** Federball *m*; **ˈ~ service** Pendelverkehr *m*
shy [ʃaɪ] scheu; schüchtern
sick [sɪk] krank; ***be ~*** sich übergeben; ***be ~ of*** *et.* satt haben; ***I feel ~*** mir ist schlecht; ***be off ~*** krank (geschrieben) sein; **ˈ~en** *j-n* anwidern
sickle [ˈsɪkl] Sichel *f*
ˈsickly kränklich; ekelhaft
ˈsickness Krankheit *f*; Übelkeit *f*; **ˈ~ benefit** *Brt.* Krankengeld *n*

side [saɪd] **1.** Seite *f*; Seiten...; Neben...; ***take ~s (with)*** Partei ergreifen (für); **2.** Partei ergreifen; **'~board** Anrichte *f*, Sideboard *n*; **'~ dish** *gastr.* Beilage *f*; **'~ street** Nebenstraße *f*; **'~track** ablenken; **'~walk** *Am.* Bürgersteig *m*; **'~ways** seitlich; seitwärts
siege [siːdʒ] Belagerung *f*
sieve [sɪv] **1.** Sieb *n*; **2.** sieben
sift [sɪft] sieben; *fig.* sichten
sigh [saɪ] **1.** seufzen; **2.** Seufzer *m*
sight [saɪt] **1.** Sehvermögen *n*, -kraft *f*; Anblick *m*; Sicht *f*; *pl* Sehenswürdigkeiten *pl*; ***catch ~ of*** erblicken; ***know by ~*** vom Sehen kennen; ***be (with)in ~*** in Sicht sein; **2.** sichten; **'~seeing: *go ~*** die Sehenswürdigkeiten besichtigen; **'~seeing tour** (Stadt)Rundfahrt *f*; **'~seer** Tourist(in)
sign [saɪn] **1.** Zeichen *n*; Schild *n*; **2.** unterschreiben; ***~ in/out*** sich ein-/austragen
signal ['sɪgnl] **1.** Signal *n*; **2.** signalisieren; (ein) Zeichen geben
signature ['sɪgnətʃə] Unterschrift *f*; **'~ tune** *TV etc.*: Kennmelodie *f*
significance [sɪg'nɪfɪkəns] Bedeutung *f*; **sig'nificant** bedeutend, bedeutsam; bezeichnend; viel sagend
signify ['sɪgnɪfaɪ] bedeuten
'signpost Wegweiser *m*
silence ['saɪləns] **1.** (Still-) Schweigen *n*; Stille *f*, Ruhe *f*; **2.** zum Schweigen bringen
'silencer Schalldämpfer *m*; *Brt. mot.* Auspufftopf *m*
silent ['saɪlənt] still; schweigend; schweigsam; stumm
silk [sɪlk] Seide *f*; **'silky** seidig
sill [sɪl] Fensterbrett *n*
silly ['sɪlɪ] dumm, albern
silver ['sɪlvə] **1.** Silber *n*; **2.** silbern; **'silvery** silb(e)rig
similar ['sɪmɪlə] ähnlich; **~ity** [sɪmɪ'lærətɪ] Ähnlichkeit *f*
simmer ['sɪmə] leicht kochen, köcheln
simple ['sɪmpl] einfach, schlicht; einfältig
simplicity [sɪm'plɪsətɪ] Einfachheit *f*; **simplify** ['sɪmplɪfaɪ] vereinfachen
simply ['sɪmplɪ] einfach; bloß
simulate ['sɪmjʊleɪt] vortäuschen; simulieren
simultaneous [sɪməl'teɪnjəs] gleichzeitig
sin [sɪn] **1.** Sünde *f*; **2.** sündigen
since [sɪns] **1.** *prp* seit; **2.** *adv* seitdem; **3.** *cj* seit; da
sincere [sɪn'sɪə] aufrichtig; ***Yours ~ly*** Mit freundlichen Grüßen; **sincerity** [sɪn'serətɪ] Aufrichtigkeit *f*
sinew ['sɪnjuː] Sehne *f*; **'sinewy** sehnig
sing [sɪŋ] ***(sang, sung)*** singen
singe [sɪndʒ] ver-, ansengen

singer ['sɪŋə] Sänger(in)
single ['sɪŋgl] **1.** einzig; einzeln; ledig; ***in ~ file*** im Gänsemarsch; **2.** *Brt.* einfache Fahrkarte; *Schallplatte*: Single *f*; Single *m*, Unverheiratete *m*, *f*; **3.** ***~ out*** sich herausgreifen; **~-'lane** *mot.* einspurig; **~-'minded** zielstrebig; **~ 'parent** Alleinerziehende *m*, *f*; **~ 'room** Einzelzimmer *n*
'singles *sg Tennis*: Einzel *n*
singular ['sɪŋgjʊlə] *gr.* Singular *m*, Einzahl *f*
sinister ['sɪnɪstə] unheimlich
sink [sɪŋk] **1.** (***sank*** *od.* ***sunk***, ***sunk***) *v/i* sinken; sinken, untergehen; sich senken; *v/t* versenken; **2.** Spüle *f*
sinner ['sɪnə] Sünder(in)
sip [sɪp] **1.** Schlückchen *n*; **2.** *a.* ***~ at*** nippen an
sir [sɜː] *Anrede*: mein Herr
sirloin ['sɜːlɔɪn], **~ 'steak** *gastr.* Lendensteak *n*
sister ['sɪstə] Schwester *f*; *Brt. med.* Oberschwester *f*; **'~-in-law** Schwägerin *f*
sit [sɪt] (***sat***) sitzen; tagen; (sich) setzen; *Prüfung* machen; ***~ down*** sich setzen; ***~ up*** aufrecht sitzen; sich aufsetzen; aufbleiben
site [saɪt] Platz *m*, Ort *m*, Stelle *f*; Stätte *f*; Baustelle *f*
sitting ['sɪtɪŋ] Sitzung *f*; **'~ room** *Brt.* Wohnzimmer *n*
situated ['sɪtjʊeɪtɪd]: ***be ~*** liegen, gelegen sein
situation [sɪtjʊ'eɪʃn] Lage *f*, Situation *f*
six [sɪks] sechs; **sixteen** [sɪks'tiːn] sechzehn; **sixteenth** [sɪks'tiːnθ] sechzehnt; **sixth** [sɪksθ] **1.** sechst; **2.** Sechstel *n*; **'sixthly** sechstens; **sixtieth** ['sɪkstɪəθ] sechzigst; **'sixty** sechzig
size [saɪz] Größe *f*; Format *n*
sizzle ['sɪzl] brutzeln
skate [skeɪt] **1.** Schlittschuh *m*; Rollschuh *m*; **2.** Schlittschuh laufen, Eis laufen; Rollschuh laufen; **'skating** Schlittschuhlaufen *n*, Eislauf(en *n*) *m*; Rollschuhlaufen *n*
skeleton ['skelɪtn] Skelett *n*
skeptic ['skeptɪk] *Am.* → ***sceptic***
sketch [sketʃ] **1.** Skizze *f*; *thea.* Sketch *m*; **2.** skizzieren
ski [skiː] **1.** Ski *m*; **2.** Ski fahren *od.* laufen
skid [skɪd] *mot.* rutschen, schleudern
skier ['skiːə] Skifahrer(in), -läufer(in)
'skiing Skifahren *n*, -laufen *n*
skilful ['skɪlfl] geschickt
'ski lift Skilift *m*
skill [skɪl] Geschicklichkeit *f*, Fertigkeit *f*; **~ed** geschickt; gelernt, Fach...; **'~ful** *Am.* → ***skilful***
skim [skɪm] abschöpfen; entrahmen; **~** (***through***) *fig.* überfliegen; **skimmed 'milk** Magermilch *f*
skin [skɪn] **1.** Haut *f*; Fell *n*;

Schale *f*; **2.** (ab)häuten; schälen; '**~ diving** Schnorcheln *n*; '**skinny** dürr, mager
skip [skɪp] **1.** *v/i* hüpfen, springen; seilspringen, -hüpfen; *v/t et.* überspringen, auslassen; **2.** Hüpfer *m*
'**ski pole** Skistock *m*
skipper ['skɪpə] Kapitän *m*
skirt [skɜːt] **1.** Rock *m*; **2.** herumgehen um; *fig.* umgehen
'**ski| run** Skipiste *f*; '**~ stick** *Brt.* Skistock *m*; '**~ tow** Schlepplift *m*
skittle ['skɪtl] Kegel *m*
skull [skʌl] Schädel *m*
sky [skaɪ] Himmel *m*; **~jacker** ['skaɪdʒækə] Luftpirat *m*; '**~light** Dachfenster *n*; '**~line** (*Stadt- etc.*)Silhouette *f*; '**~scraper** Wolkenkratzer *m*
slab [slæb] Platte *f*, Fliese *f*
slack [slæk] schlaff; locker; (nach)lässig; *econ.* flau; '**~en** *v/i*: *a.* **~ *off*** nachlassen, geringer werden; *v/t* lockern; **~ *one's pace*** *od.* ***speed*** langsamer werden
slacks [slæks] *pl bsd. Am.* F Hose *f*
slam [slæm] *Tür etc.* zuschlagen, zuknallen; *et. auf den Tisch etc.* knallen
slander ['slɑːndə] **1.** Verleumdung *f*; **2.** verleumden
slang [slæŋ] Slang *m*; Jargon *m*
slant [slɑːnt] Schräge *f*, Neigung *f*
slap [slæp] **1.** Klaps *m*, Schlag *m*; **2.** e-n Klaps geben; schlagen; klatschen
slash [slæʃ] **1.** Hieb *m*; Schnitt(wunde *f*) *m*; Schlitz *m*; **2.** aufschlitzen
slate [sleɪt] Schiefer *m*; Dachziegel *m*; Schiefertafel *f*
slaughter ['slɔːtə] **1.** Schlachten *n*; Blutbad *n*; **2.** schlachten; niedermetzeln
slave [sleɪv] **1.** Sklav|e *m*, -in *f*; **2.** schuften; '**slavery** Sklaverei *f*
sled [sled] *Am.*, **sledge** [sledʒ] *Brt.* **1.** (*a.* Rodel-) Schlitten *m*; **2.** Schlitten fahren, rodeln
sleek [sliːk] glatt, glänzend; geschmeidig; schnittig
sleep [sliːp] **1.** (***slept***) schlafen; **~ *in*** ausschlafen; **~ *on it*** es überschlafen; **2.** Schlaf *m*; ***go to* ~** einschlafen; '**~er** Schlafende *m*, *f*; Schlafwagen *m*; *Brt. rail.* Schwelle *f*
'**sleeping| bag** Schlafsack *m*; '**~ car** Schlafwagen *m*; '**~ partner** stiller Teilhaber; '**~ pill** Schlaftablette *f*
'**sleep|less** schlaflos; '**~walker** Schlafwandler(in)
'**sleepy** schläfrig; verschlafen
sleet [sliːt] Schneeregen *m*
sleeve [sliːv] Ärmel *m*; Plattenhülle *f*; *tech.* Muffe *f*
sleigh [sleɪ] Pferdeschlitten *m*
slender ['slendə] schlank
slept [slept] *pret u. pp von* ***sleep*** 1
slice [slaɪs] **1.** *Brot etc.*: Schei-

be *f*; *Kuchen etc.*: Stück *n*; **2.** *a.* ~ **up** in Scheiben *od.* Stücke schneiden
slick [slɪk] (*Öl*)Teppich *m*
slid [slɪd] *pret u. pp von* **slide** 1
slide [slaɪd] **1.** (**slid**) gleiten (lassen); rutschen; schlüpfen; schieben; **2.** Rutschbahn *f*, Rutsche *f*; *phot.* Dia(positiv) *n*; *Brt.* (*Haar-*) Spange *f*; '~ **rule** Rechenschieber *m*; '~ **tackle** *Fußball*: Grätsche *f*
slight [slaɪt] **1.** leicht; gering(fügig); **2.** beleidigen, kränken
slim [slɪm] **1.** schlank; gering; **2.** *a.* **be ~ming** e-e Schlankheitskur machen, abnehmen
slime [slaɪm] Schleim *m*; '**slimy** schleimig
sling [slɪŋ] **1.** Schlinge *f*; Tragriemen *m*; (Stein)Schleuder *f*; **2.** (**slung**) schleudern, werfen; auf-, umhängen
slip [slɪp] **1.** *v/i* (aus)rutschen; *v/t et. wohin* stecken, schieben; ~ **by** *Zeit*: verstreichen; **2.** (Flüchtigkeits)Fehler *m*; Unterrock *m*; (*Kissen*)Bezug *m*; ~ **of paper** Zettel *m*
slipped '**disc** *med.* Bandscheibenvorfall *m*
'**slipper** Hausschuh *m*
'**slippery** glatt, rutschig
'**slip| road** *Brt.* (Autobahn-) Auffahrt *f*, (-)Ausfahrt *f*; **~shod** ['slɪpʃɒd] schlampig
slit [slɪt] **1.** Schlitz *m*; **2.** (**slit**) (auf-, zer)schlitzen
slither ['slɪðə] gleiten, rutschen
slobber ['slɒbə] sabbern
slop [slɒp] *a. pl* (*Tee*)Rest(e *pl*) *m*; Schmutzwasser *n*
slope [sləʊp] **1.** (Ab)Hang *m*; Neigung *f*, Gefälle *n*; **2.** abfallen, sich neigen
sloppy ['slɒpɪ] schlampig
slot [slɒt] Schlitz *m*, (Münz-) Einwurf *m*; *Computer*: Steckplatz *m*; '~ **machine** Automat *m*
Slovak ['sləʊvæk] **1.** slowakisch; **2.** Slowak|e *m*, -in *f*;
Slovakia [sləʊ'vækɪə] Slowakei *f*
slovenly ['slʌvnlɪ] schlampig
slow [sləʊ] langsam; *econ.* schleppend; **be** ~ *Uhr*: nachgehen; ~ **down** langsamer fahren *od.* gehen *od.* werden; '**~down** *Am.* Bummelstreik *m*; '~ **lane** *mot.* Kriechspur *f*; ~ '**motion** Zeitlupe *f*
slug [slʌg] Nacktschnecke *f*; '**sluggish** träge; schleppend
sluice [slu:s] Schleuse *f*
slung [slʌŋ] *pret u. pp von* **sling** 2
slurred [slɜ:d] undeutlich
slush [slʌʃ] Schneematsch *m*
slut [slʌt] Schlampe *f*; Nutte *f*
sly [slaɪ] **1.** gerissen, schlau; listig; **2.** **on the** ~ F (klamm)heimlich
smack [smæk] **1.** Klaps *m*; **2.** e-n Klaps geben
small [smɔ:l] klein; '~ **ad** *Brt.* Kleinanzeige *f*; ~ '**change**

Kleingeld *n*; '**~ hours** *pl die* frühen Morgenstunden *pl*; **~pox** ['smɔːlpɒks] Pocken *pl*; '**~ print** *das* Kleingedruckte; '**~ talk** Small Talk *m, n*, oberflächliche Konversation
smart [smɑːt] **1.** schick; smart, schlau, clever; **2.** *Augen etc.*: brennen
smash [smæʃ] *v/t* zerschlagen (*a. fig.*); (zer)schmettern; *v/i* zerspringen
smattering ['smætərɪŋ]: ***have a ~ of English*** ein paar Brocken Englisch können
smear [smɪə] **1.** Fleck *m*; *med.* Abstrich *m*; **2.** (ein-, ver)schmieren
smell [smel] **1.** Geruch *m*; Gestank *m*; Duft *m*; **2.** (*bsd. Brt.* ***smelt***, *bsd. Am.* ***smelled***) riechen; duften; stinken; '**smelly** stinkend
smelt [smelt] *Brt. pret u. pp von* ***smell*** 2
smile [smaɪl] **1.** Lächeln *n*; **2.** lächeln
smith [smɪθ] Schmied *m*
smog [smɒg] Smog *m*
smoke [sməʊk] **1.** Rauch *m*; **2.** rauchen; räuchern; '**smoker** Raucher(in); *rail.* Raucher(abteil *n*) *m*
smoking ['sməʊkɪŋ] Rauchen *n*; ***no ~*** Rauchen verboten
smoky ['sməʊkɪ] rauchig; verräuchert
smooth [smuːð] **1.** glatt; ruhig (*a. tech.*); **2.** *a.* ***~ out*** glätten; glatt streichen
smother ['smʌðə] ersticken
smo(u)lder ['sməʊldə] glimmen, schwelen
smudge [smʌdʒ] **1.** Fleck *m*; **2.** (be-, ver)schmieren
smug [smʌg] selbstgefällig
smuggle ['smʌgl] schmuggeln; '**smuggler** Schmuggler(in)
smut [smʌt] Schmutz *m*; Ruß *m*; '**smutty** *fig.* schmutzig
snack [snæk] Imbiss *m*; '**~ bar** Imbissstube *f*
snail [sneɪl] Schnecke *f*
snake [sneɪk] Schlange *f*
snap [snæp] (zer)brechen, (-)reißen; schnauzen; *phot.* F knipsen; *a.* ***~ shut*** zuschnappen (lassen); ***~ at*** schnappen nach; *j-n* anschnauzen; ***~ one's fingers*** mit den Fingern schnippen; '**snappish** bissig; schnippisch; '**~shot** Schnappschuss *m*
snare [sneə] Schlinge *f*, Falle *f*
snarl [snɑːl] wütend knurren
snatch [snætʃ] schnappen, packen, an sich reißen
sneak [sniːk] schleichen; F stibitzen; '**sneakers** *pl Am.* Turnschuhe *pl*
sneer [snɪə] **1.** höhnisches Grinsen; höhnische Bemerkung; **2.** höhnisch grinsen; spotten
sneeze [sniːz] niesen
sniff [snɪf] schnüffeln, schnuppern; schniefen
snobbish ['snɒbɪʃ] versnobt

snoop [snu:p]: ~ ***around***, ~ ***about*** F herumschnüffeln
snooty ['snu:tɪ] F hochnäsig
snooze [snu:z] ein Nickerchen machen
snore [snɔ:] schnarchen
snorkel ['snɔ:kl] **1.** Schnorchel *m*; **2.** schnorcheln
snort [snɔ:t] schnauben
snout [snaʊt] Schnauze *f*, *Schwein*: Rüssel *m*
snow [snəʊ] **1.** Schnee *m*; **2.** schneien; **'~ball** Schneeball *m*; **'~bound** eingeschneit; **'~ chains** *pl* Schneeketten *pl*; **'~drift** Schneewehe *f*; **'~drop** Schneeglöckchen *n*; **'~fall** Schneefall *m*; **'~flake** Schneeflocke *f*; **'~storm** Schneesturm *m*
'snowy schneereich; verschneit
snub [snʌb] brüskieren, vor den Kopf stoßen; **~-'nosed** stupsnasig
snug [snʌg] behaglich
snuggle ['snʌgl]: ~ ***up to s.o.*** sich an j-n kuscheln
so [səʊ] so; deshalb; ***... - ~ am I*** ich auch; ~ ***far*** bisher
soak [səʊk] einweichen; durchnässen; ~ ***up*** aufsaugen
soap [səʊp] Seife *f*; **'soapy** seifig
soar [sɔ:] (hoch) aufsteigen
sob [sɒb] schluchzen
sober ['səʊbə] **1.** nüchtern; **2.** ~ ***up*** nüchtern machen *od.* werden
so-'called so genannt
soccer ['sɒkə] *Spiel*: Fußball *m*
sociable ['səʊʃəbl] gesellig
social ['səʊʃl] sozial; gesellig; ~ **in'surance** Sozialversicherung *f*
socialism ['səʊʃəlɪzəm] Sozialismus *m*; **'socialist 1.** Sozialist(in); **2.** sozialistisch
social| se'curity *Brt.* Sozialhilfe *f*; ***be on*** ~ Sozialhilfe beziehen; **'~ worker** Sozialarbeiter(in)
society [sə'saɪətɪ] Gesellschaft *f*; Verein *m*
sock [sɒk] Socke *f*
socket ['sɒkɪt] *electr.* Steckdose *f*; (*Augen*)Höhle *f*
soft [sɒft] weich; sanft; leise; gedämpft; *Job etc.*: leicht, angenehm; **'~ drink** alkoholfreies Getränk; **~en** ['sɒfn] weich werden *od.* machen; dämpfen; mildern; **'~ware** *Computer*: Software *f*
soggy ['sɒgɪ] aufgeweicht; matschig
soil [sɔɪl] Boden *m*, Erde *f*
solar ['səʊlə] Sonnen...; ~ **'energy** Solar-, Sonnenenergie *f*; ~ **'panel** Sonnenkollektor *m*
sold [səʊld] *pret u. pp von* **sell**
solder ['səʊldə] (ver)löten
soldier ['səʊldʒə] Soldat *m*
sole[1] [səʊl] **1.** Sohle *f*; **2.** besohlen
sole[2] [səʊl] Seezunge *f*
sole[3] [səʊl] einzig, alleinig
solemn ['sɒləm] feierlich; ernst

solicitor [sə'lɪsɪtə] Rechtsanwalt *m*, -anwältin *f*
solid ['sɒlɪd] fest; massiv; stabil; voll, ganz; *fig.* gründlich, solid(e)
solidarity [sɒlɪ'dærətɪ] Solidarität *f*
solidify [sə'lɪdɪfaɪ] fest werden
solitary ['sɒlɪtərɪ] einsam; einzeln; **solitude** ['sɒlɪtju:d] Einsamkeit *f*
soluble ['sɒljʊbl] löslich
solution [sə'lu:ʃn] Lösung *f*
solve [sɒlv] lösen
sombre *Brt.*, **somber** *Am.* ['sɒmbə] düster, trüb(e)
some [sʌm] (irgend)ein; *vor pl*: einige, ein paar; manche; etwas; **~body** ['sʌmbədɪ] jemand; **'~day** eines Tages; **'~how** irgendwie; **'~one** jemand
somersault ['sʌməsɔ:lt] Purzelbaum *m*; Salto *m*
'some|thing etwas; **'~time** irgendwann; **'~times** manchmal; **'~what** ein wenig; **'~where** irgendwo(hin)
son [sʌn] Sohn *m*
song [sɒŋ] Lied *n*
sonic ['sɒnɪk] Schall...
'son-in-law Schwiegersohn *m*
soon [su:n] bald; ***as ~ as possible*** so bald wie möglich; **'~er** eher, früher
soot [sʊt] Ruß *m*
soothe [su:ð] beruhigen, beschwichtigen; lindern
sooty ['sʊtɪ] rußig
sophisticated [sə'fɪstɪkeɪtɪd] kultiviert, anspruchsvoll; intellektuell; *tech.* hoch entwickelt
sopping ['sɒpɪŋ] *a.* ***~ wet*** F klatschnass
sorcerer ['sɔ:sərə] Zauberer *m*; **'sorceress** Zauberin *f*, Hexe *f*; **'sorcery** Zauberei *f*
sordid ['sɔ:dɪd] schmutzig; schäbig, gemein
sore [sɔ:] **1.** entzündet; wund; ***~ throat*** Halsentzündung *f*; ***have a ~ throat*** Halsschmerzen haben; **2.** Wunde *f*
sorrow ['sɒrəʊ] Kummer *m*, Leid *n*, Schmerz *m*, Trauer *f*
sorry ['sɒrɪ] traurig; ***I'm ~!*** es tut mir Leid!; ***~!*** Verzeihung!, Entschuldigung!
sort [sɔ:t] **1.** Art *f*, Sorte *f*; ***~ of ...*** F irgendwie ...; **2.** sortieren; ***~ out*** aussortieren; *Problem* lösen, *Frage* klären
sought [sɔ:t] *pret u. pp von* **seek**
soul [səʊl] Seele *f*
sound[1] [saʊnd] **1.** Geräusch *n*; Laut *m*; *phys.* Schall *m*; Klang *m*; Ton *m*; *v/i* (er)klingen, (-)tönen; klingen, sich anhören; *v/t med.* abklopfen, abhorchen; ***~ one's horn*** *mot.* hupen
sound[2] [saʊnd] gesund; intakt, in Ordnung; sicher, solid(e), stabil; klug, vernünftig; gründlich; *Schlaf*: fest, tief; tüchtig, gehörig
'sound| barrier Schallmauer *f*; **'~less** lautlos; **'~proof** schalldicht; **'~track** Tonspur

f; Filmmusik *f*; '~ **wave** Schallwelle *f*
soup [suːp] Suppe *f*
sour ['saʊə] sauer; *fig.* mürrisch
source [sɔːs] Quelle *f*, *fig. a.* Ursache *f*, Ursprung *m*
south [saʊθ] **1.** *su* Süd(en *m*); **2.** *adj* südlich, Süd...; **3.** *adv* nach Süden, südwärts; **southern** ['sʌðən] südlich, Süd...
South 'Pole Südpol *m*
'southward(s) südlich, nach Süden
souvenir [suːvə'nɪə] (Reise)Andenken *n*, Souvenir *n*
sovereign ['sɒvrɪn] souverän; **~ty** ['sɒvrəntɪ] Souveränität *f*
Soviet ['səʊvɪət] sowjetisch, Sowjet...
sow[1] [səʊ] (***sowed, sown*** *od.* ***sowed***) (aus)säen
sow[2] [saʊ] Sau *f*
sown [səʊn] *pp von* ***sow***[1]
spa [spɑː] Heilbad *n*; Kurort *m*
space [speɪs] **1.** Platz *m*, Raum *m*; Weltraum *m*; Zwischenraum *m*, Lücke *f*; Zeitraum *m*; **2.** *a.* ~ ***out*** Zwischenraum *od.* Abstand lassen zwischen; '~ **bar** Leertaste *f*; '**~craft** (*pl* ***-craft***) Raumfahrzeug *n*; '**~lab** Raumlabor *n*; '**~ship** Raumschiff *n*; '~ **shuttle** Raumfähre *f*; '~ **station** Raumstation *f*; '**~suit** Raumanzug *m*
spacious ['speɪʃəs] geräumig
spade [speɪd] Spaten *m*; *Karten*: Pik *n*, Grün *n*; → ***heart***
Spain [speɪn] Spanien *n*
span [spæn] **1.** Spannweite *f*; Spanne *f*; **2.** überspannen
Spaniard ['spænjəd] Spanier(in); '**Spanish** spanisch
spank [spæŋk] versohlen
spanner ['spænə] *Brt.* Schraubenschlüssel *m*
spare [speə] **1.** *j-n*, *et.* entbehren; *Geld, Zeit etc.* übrig haben; **2.** Ersatz..., Reserve...; **3.** Ersatz-, Reservereifen *m*; *Brt.* → ~ '**part** Ersatzteil *n*; ~ '**room** Gästezimmer *n*
sparing ['speərɪŋ] sparsam
spark [spɑːk] **1.** Funke(n) *m*; **2.** Funken sprühen; '**~ing plug** *Brt. mot.* Zündkerze *f*
sparkle ['spɑːkl] **1.** funkeln, blitzen; *Getränk*: perlen; **2.** Funkeln *n*, Blitzen *n*; '**sparkling** funkelnd, blitzend; *fig.* (geist)sprühend; ~ **wine** Schaumwein *m*; Sekt *m*
'**spark plug** *mot.* Zündkerze *f*
sparrow ['spærəʊ] Spatz *m*
sparse [spɑːs] spärlich, dünn
spasm ['spæzəm] Krampf *m*
spat [spæt] *pret u. pp von* ***spit***[1] 2
spatter ['spætə] (be)spritzen
spawn [spɔːn] **1.** Laich *m*; **2.** laichen
speak [spiːk] (***spoke, spoken***) *v/i* sprechen, reden (***to*** mit); *v/t Sprache* sprechen; '**~er** Sprecher(in), Redner(in)
spear [spɪə] Speer *m*

special ['speʃl] **1.** besonder, speziell; Spezial...; Sonder...; **2.** Sonderausgabe *f*; *TV etc.*: Sondersendung *f*; Sonderbus *m*, -zug *m*; *Am. econ.* F Sonderangebot *n*; **~ist** ['speʃəlɪst] Spezialist (-in); Fachmann *m*; *med.* Facharzt *m*, -ärztin *f*; **~ity** [speʃɪ'ælətɪ] Spezialität *f*; Spezialgebiet *n*; **~ize** ['speʃəlaɪz] sich spezialisieren (*in* auf); '**specially** besonders; extra; '**specialty** *bsd. Am.* → ***speciality***

species ['spiːʃiːz] (*pl* ***species***) Art *f*, Spezies *f*

specific [spɪ'sɪfɪk] bestimmt, speziell; genau, präzis

specify ['spesɪfaɪ] genau angeben *od.* beschreiben

specimen ['spesɪmən] Probe *f*, Muster *n*; Exemplar *n*

speck [spek] kleiner Fleck

speckled ['spekld] gefleckt, gesprenkelt

spectacle ['spektəkl] Schauspiel *n*; Anblick *m*

spectacular [spek'tækjʊlə] spektakulär, sensationell

spectator [spek'teɪtə] Zuschauer(in)

speculate ['spekjʊleɪt] Vermutungen anstellen; *econ.* spekulieren

sped [sped] *pret u. pp von* ***speed*** 2

speech [spiːtʃ] Rede *f*, Ansprache *f*; *Sprechvermögen*, *Ausdrucksweise*: Sprache *f*; '**~less** sprachlos

speed [spiːd] **1.** Geschwindigkeit *f*, Tempo *n*, Schnelligkeit *f*; *mot.* Gang *m*; *phot.* Lichtempfindlichkeit *f*; **2.** (***sped***, *a.* ***speeded***) rasen; ***be ~ing*** *mot.* zu schnell fahren; ***~ by*** *Zeit*: wie im Fluge vergehen; ***~ up*** beschleunigen; schneller machen *od.* werden; '**~boat** Rennboot *n*; '**~ing** *mot.* zu schnelles Fahren, Geschwindigkeitsüberschreitung *f*; '**~ limit** *mot.* Geschwindigkeitsbeschränkung *f*, Tempolimit *n*

speedometer [spɪ'dɒmɪtə] Tachometer *m, n*

'**speed trap** *mot.* Radarfalle *f*

'**speedy** schnell

spell[1] [spel] (***spelt*** *od. bsd. Am.* ***spelled***) buchstabieren; (richtig) schreiben

spell[2] [spel] Weile *f*; (*Husten- etc.*)Anfall *m*; ***a ~ of fine weather*** e-e Schönwetterperiode; ***hot ~*** Hitzewelle *f*

spell[3] [spel] Zauber *m* (*a. fig.*); '**~bound** (wie) gebannt

'**spelling** Buchstabieren *n*; Rechtschreibung *f*

spelt [spelt] *pret u. pp von* ***spell***[1]

spend [spend] (***spent***) *Geld* ausgeben, *Zeit* verbringen

spent [spent] **1.** *pret u. pp von* ***spend***; **2.** verbraucht

sperm [spɜːm] Sperma *n*

SPF [es piː 'ef] ***Sun Protection***

Factor Sonnenschutzfaktor *m*

sphere [sfɪə] Kugel *f*; *fig.* Sphäre *f*, Bereich *m*, Gebiet *n*

spice [spaɪs] **1.** Gewürz *n*; *fig.* Würze *f*; **2.** würzen; '**spicy** würzig; *fig.* pikant

spider ['spaɪdə] Spinne *f*

spike [spaɪk] Spitze *f*; Dorn *m*; Stachel *m*; *pl* Spikes *pl*

spill [spɪl] (***spilt*** *od. bsd. Am.* ***spilled***) aus-, verschütten

spilt [spɪlt] *pret u. pp von* ***spill***

spin [spɪn] **1.** (***spun***) (sich) drehen; schleudern; spinnen; **2.** (schnelle) Drehung; Schleudern *n*; F Spritztour *f*

spinach ['spɪnɪdʒ] Spinat *m*

spinal ['spaɪnl] Rückgrat...; **~ 'column** Wirbelsäule *f*; **~ 'cord** Rückenmark *n*

spin-'dry *Wäsche* schleudern; **~er** (Wäsche)Schleuder *f*

spine [spaɪn] *anat.* Rückgrat *n*; Stachel *m*

spiral ['spaɪərəl] Spirale *f*; **~ 'staircase** Wendeltreppe *f*

spire ['spaɪə] (*Kirch*)Turmspitze *f*

spirit ['spɪrɪt] Geist *m*; Schwung *m*, Elan *m*; Stimmung *f*; *pl* Spirituosen *pl*; '**~ed** temperamentvoll, lebhaft; energisch, beherzt

spiritual ['spɪrɪtʃʊəl] **1.** geistig; geistlich; **2.** *mus.* Spiritual *n*, *m*

spit[1] [spɪt] **1.** Speichel *m*, Spucke *f*; **2.** (***spat*** *od. Am. a.* ***spit***) (aus)spucken; fauchen

spit[2] [spɪt] (Brat)Spieß *m*

spite [spaɪt] **1.** Bosheit *f*; ***in ~ of*** trotz; **2.** *j-n* ärgern; '**~ful** gehässig, boshaft

splash [splæʃ] **1.** Spritzer *m*; Platschen *n*; **2.** (be)spritzen; klatschen; plan(t)schen

spleen [spliːn] *anat.* Milz *f*

splendid ['splendɪd] großartig, prächtig; '**splendo(u)r** Glanz *m*, Pracht *f*

splint [splɪnt] *med.* Schiene *f*

splinter ['splɪntə] **1.** Splitter *m*; **2.** (zer)splittern

split [splɪt] **1.** Spalt *m*, Riss *m*; *fig.* Spaltung *f*; **2.** (***split***) *v/t* (zer)spalten; zerreißen; *a.* **~ *up*** aufteilen; *v/i* sich spalten; zerreißen; sich teilen; *a.* **~ *up*** sich trennen; '**splitting** *Kopfschmerz*: heftig, rasend

splutter ['splʌtə] stottern (*a. Motor*); *Worte* hervorstoßen

spoil [spɔɪl] (***spoiled*** *od.* ***spoilt***) verderben; verwöhnen; *Kind a.* verziehen; '**~sport** F Spielverderber(in)

spoilt [spɔɪlt] *pret u. pp von* ***spoil***

spoke[1] [spəʊk] Speiche *f*

spoke[2] [spəʊk] *pret*, '**spoken** *pp von* ***speak***

'**spokes|man** (*pl* ***-men***) Sprecher *m*; '**~woman** (*pl* ***-women***) Sprecherin *f*

sponge [spʌndʒ] **1.** Schwamm *m*; **2.** *a.* **~ *down*** (mit e-m Schwamm) abwaschen; '**~ bag** *Brt.* Kulturbeutel *m*; '**~ cake** Biskuitkuchen *m*

sponsor ['spɒnsə] **1.** Sponsor(in); Bürg|e *m*, -in *f*; **2.** sponsern; bürgen für
spontaneous [spɒn'teɪnjəs] spontan
spoon [spu:n] Löffel *m*
spore [spɔ:] *bot.* Spore *f*
sport [spɔ:t] **1.** Sport(art *f*) *m*; *pl* Sport *m*; **2.** protzen mit
sports|man ['spɔ:tsmən] (*pl* **-men**) Sportler *m*; '**~wear** Sportkleidung *f*; '**~woman** (*pl* **-women**) Sportlerin *f*
spot [spɒt] **1.** Ort *m*, Platz *m*, Stelle *f*; Fleck *m*; Tupfen *m*; Pickel *m*; (Werbe)Spot *m*; **2.** entdecken, sehen; **~ 'check** Stichprobe *f*; '**~less** makellos (sauber); '**~light** *thea.* Scheinwerfer(licht *n*) *m*
'**spotted** getüpfelt; fleckig
'**spotty** pick(e)lig
spout [spaʊt] **1.** Tülle *f*, Schnauze *f*; (*Wasser- etc.*) Strahl *m*; **2.** (heraus)spritzen
sprain [spreɪn] **1.** Verstauchung *f*; **2.** sich *et.* verstauchen
sprang [spræŋ] *pret von* **spring**[1]
sprawl [sprɔ:l] *a.* **~ out** ausgestreckt liegen *od.* sitzen
spray [spreɪ] **1.** Gischt *m*, *f*; Spray *m*, *n*; **2.** (be)sprühen; spritzen; sprayen; '**~er** Sprüh-, Spraydose *f*
spread [spred] **1.** (**spread**) (sich) aus- *od.* verbreiten; (sich) ausdehnen; *Butter etc.* streichen; **2.** Aus-, Verbreitung *f*; Spannweite *f*; (*Brot*)Aufstrich *m*
spree [spri:]: ***go on a shopping/spending* ~** groß einkaufen gehen
sprig [sprɪg] kleiner Zweig
spring[1] [sprɪŋ] (**sprang** *od. Am.* **sprung, sprung**) springen
spring[2] [sprɪŋ] Frühling *m*
spring[3] [sprɪŋ] Quelle *f*
spring[4] [sprɪŋ] (Sprung)Feder *f*; '**~board** Sprungbrett *n*
'**spring|-clean** *Brt.*, '**~-cleaning** *Am.* gründlicher Hausputz, Frühjahrsputz *m*; '**~time** Frühling *m*
sprinkle ['sprɪŋkl] (be)streuen; (be)sprengen; '**sprinkler** (*Rasen*)Sprenger *m*; Sprinkler *m*, Berieselungsanlage *f*
sprout [spraʊt] **1.** sprießen; keimen; sich *e-n Bart* wachsen lassen; **2.** Spross *m*; (**Brussels**) **~s** *pl* Rosenkohl *m*
spruce [spru:s] adrett
sprung [sprʌŋ] *pret u. pp von* **spring**[1]
spun [spʌn] *pret u. pp von* **spin** 1
spur [spɜ:] **1.** Sporn *m*; *pl* Sporen *pl*; **2.** *a.* **~ on** anspornen
spy [spaɪ] **1.** Spion(in); **2.** spionieren; **~ *on j-m*** nachspionieren; *j-n* bespitzeln
squabble ['skwɒbl] (sich) streiten
squad [skwɒd] (*Überfall- etc.*)Kommando *n*

squalid ['skwɒlɪd] schmutzig, verwahrlost, -kommen
squander ['skwɒndə] verschwenden
square [skweə] **1.** quadratisch, Quadrat...; viereckig; rechtwink(e)lig; gerecht, fair; **2.** Quadrat *n*; Viereck *n*; *öffentlicher* Platz; *Brettspiel*: Feld *n*; **3.** quadratisch machen; *Zahl* ins Quadrat erheben; *Schulden* begleichen; *Schultern* straffen; in Einklang bringen *od.* stehen; **~ 'root** *math.* Quadratwurzel *f*
squash [skwɒʃ] **1.** zerdrücken, -quetschen; **2.** Gedränge *n*; *Sport*: Squash *n*
squat [skwɒt] **1.** untersetzt; **2.** hocken, kauern; *Haus* besetzen; **'squatter** Hausbesetzer(in)
squawk [skwɔːk] kreischen
squeak [skwiːk] *Maus*: piepsen; *Tür etc.*: quietschen
squeal [skwiːl] kreischen
squeamish ['skwiːmɪʃ] empfindlich, zartbesaitet
squeeze [skwiːz] drücken; auspressen, -quetschen; sich zwängen *od.* quetschen; **'squeezer** (Frucht)Presse *f*
squid [skwɪd] Tintenfisch *m*
squint [skwɪnt] blinzeln
squirm [skwɜːm] sich winden
squirrel ['skwɪrəl] Eichhörnchen *n*
squirt [skwɜːt] spritzen
St ***Saint*** St., Sankt
stab [stæb] **1.** (nieder)stechen; **2.** Stich *m*
stability [stə'bɪlətɪ] Stabilität *f*; Beständigkeit *f*; **stabilize** ['steɪbəlaɪz] (sich) stabilisieren
stable¹ ['steɪbl] stabil, fest; *Person*: ausgeglichen
stable² ['steɪbl] Stall *m*
stack [stæk] **1.** Stapel *m*; **2.** stapeln
stadium ['steɪdjəm] (*pl* ***-diums, -dia*** [-djə]) Stadion *n*
staff [stɑːf] Mitarbeiter(stab *m*) *pl*; Personal *n*, Belegschaft *f*; Lehrkörper *m*
stag [stæg] Hirsch *m*
stage [steɪdʒ] **1.** Bühne *f*; Stadium *n*; Phase *f*; Etappe *f*; *Bus etc.*: Teilstrecke *f*, Fahrzone *f*; (*Raketen*)Stufe *f*; **2.** aufführen; inszenieren
stagger ['stægə] (sch)wanken, taumeln; **'~ing** unglaublich
stain [steɪn] **1.** Fleck *m*; *fig.* Makel *m*; **2.** beflecken; Flecken bekommen; **~ed-'glass window** farbiges Glasfenster; **'~less** rostfrei
stair [steə] Stufe *f*; *pl* Treppe *f*; **'~case, '~way** Treppe(nhaus *n*) *f*
stake¹ [steɪk] Pfahl *m*
stake² [steɪk] (Spiel)Einsatz *m*; ***be at*** **~** auf dem Spiel stehen
stale [steɪl] *Brot etc.*: alt(backen); schal, abgestanden
stalk [stɔːk] Stängel *m*, Stiel *m*

stall [stɔːl] **1.** *im Stall*: Box *f*; (Verkaufs)Stand *m*, (Markt-) Bude *f*; *pl Brt. thea.* Parkett *n*; **2.** *v/t Motor* abwürgen; *v/i Motor*: absterben
stallion ['stæljən] Hengst *m*
stalwart ['stɔːlwət] treu, loyal
stamina ['stæmɪnə] Ausdauer *f*, Durchhaltevermögen *n*
stammer ['stæmə] **1.** stottern, stammeln; **2.** Stottern *n*
stamp [stæmp] **1.** Stempel *m*; (Brief)Marke *f*; **2.** stampfen; aufstampfen (mit); trampeln; stempeln; frankieren
stand [stænd] **1.** (*stood*) stehen; stellen; aushalten, (v)ertragen; sich *et.* gefallen lassen; ~ (*still*) still stehen; ~ *back* zurücktreten; ~ *by* danebenstehen; zu *j-m* halten; zu *et.* stehen; ~ *for* bedeuten; ~ *out fig.* sich abheben; ~ *up* aufstehen; ~ *up for* eintreten für; **2.** (*Obst-*, *Messe- etc.*) Stand *m*; (*Noten- etc.*)Ständer *m*; *Sport etc.*: Tribüne *f*; *Am. jur.* Zeugenstand *m*
standard ['stændəd] Niveau *n*; Standard *m*, Norm *f*; Maßstab *m*; Standarte *f*; Normal...; Durchschnitts...; ~ *of living* Lebensstandard *m*; '~**ize** normen
'**standby** (*pl* **-bys**) Reserve *f*; *be on* ~ in Bereitschaft stehen
standing ['stændɪŋ] **1.** stehend; *fig.* ständig; **2.** Stellung *f*, Rang *m*, Ruf *m*; Dauer *f*; ~ '**order** *Bank*: Dauerauftrag *m*; '~ **room** Stehplätze *pl*
stand|offish [stænd'ɒfɪʃ] F hochnäsig; '~**point** Standpunkt *m*; '~**still** Stillstand *m*
stank [stæŋk] *pret von* **stink** 2
staple ['steɪpl] Heftklammer *f*; Haupterzeugnis *n*; '**stapler** (Draht)Hefter *m*
star [stɑː] **1.** Stern *m*; *Person*: Star *m*; **2.** ~*ring ...* mit ... in der Hauptrolle
starboard ['stɑːbəd] Steuerbord *n*
starch [stɑːtʃ] **1.** (*Kartoffel-etc.*, *Wäsche*)Stärke *f*; **2.** stärken
stare [steə] **1.** starrer Blick; **2.** (~ *at* an)starren
stark [stɑːk]: ~ *naked* splitternackt
starling ['stɑːlɪŋ] *zo.* Star *m*
start [stɑːt] **1.** beginnen, anfangen; aufbrechen; *Zug*: abfahren; *Boot*: ablegen; *aviat.* abfliegen, starten; *Sport*: starten; *Motor*: anspringen; zs.-fahren; *et.* in Gang setzen, *tech.* anlassen, starten; **2.** Beginn *m*, Anfang *m*; Start *m*; Aufbruch *m*; Abfahrt *f*; *aviat.* Abflug *m*; Auffahren *n*, Zs.-fahren *n*; '~**er** *Sport*: Starter(in); *mot.* Anlasser *m*; *Brt.* F Vorspeise *f*
startle ['stɑːtl] erschrecken
starvation [stɑː'veɪʃn] (Ver-) Hungern *n*; Hungertod *m*;
starve [stɑːv] (ver)hungern

(lassen); ***I'm starving*** F ich komme um vor Hunger

state [steɪt] **1.** Zustand *m*; Stand *m*; Staat *m*; **2.** staatlich, Staats...; **3.** *et.* angeben; '**♀ Department** *Am.* Außenministerium *n*; '**~ly** würdevoll; prächtig; '**~ment** Erklärung *f*; Angabe *f*; *jur.* Aussage *f*; (*Bank-*, *Konto*)Auszug *m*

static ['stætɪk] statisch

station ['steɪʃn] **1.** Bahnhof *m*; Station *f*; (*Polizei*)Revier *n*; (*Feuer*)Wache *f*; *TV*, *Rundfunk*: Sender *m*; **2.** aufstellen; *mil.* stationieren

stationary ['steɪʃnərɪ] stehend

stationer ['steɪʃnə] Schreibwarenhändler(in); '**stationer's (shop)** Schreibwarengeschäft *n*; '**stationery** Schreibwaren *pl*; Briefpapier *n*

'**station wagon** *Am. mot.* Kombiwagen *m*

statistics [stə'tɪstɪks] *pl* Statistik(en *pl*) *f*

statue ['stætʃu:] Statue *f*

status ['steɪtəs] Stellung *f*, Status *m*; (***marital***) **~** Familienstand *m*; '**~ line** *Computer*: Statuszeile *f*

statute ['stætju:t] Statut *n*, Satzung *f*; Gesetz *n*

staunch [stɔ:ntʃ] treu, zuverlässig

stay [steɪ] **1.** bleiben; sich aufhalten, wohnen; **~ *away*** wegbleiben; sich fern halten; **~ *up*** aufbleiben; **2.** Aufenthalt *m*

steadfast ['stedfɑ:st] treu, zuverlässig; *Blick*: unverwandt

steady ['stedɪ] **1.** fest; stabil; *Hand*: ruhig, *Nerven*: gut; gleichmäßig; **2.** (sich) festigen; (sich) beruhigen; **3.** *Am.* F feste Freundin, fester Freund

steak [steɪk] Steak *n*

steal [sti:l] (***stole***, ***stolen***) stehlen; sich stehlen

stealthy ['stelθɪ] heimlich, verstohlen

steam [sti:m] **1.** Dampf *m*; Dampf...; **2.** dampfen; *gastr.* dünsten, dämpfen; **~ *up*** *Glas etc.*: beschlagen; '**~er** Dampfer *m*; '**~ iron** Dampfbügeleisen *n*; '**~ship** Dampfer *m*, Dampfschiff *n*

steel [sti:l] Stahl *m*; '**~works** *sg* Stahlwerk *n*

steep¹ [sti:p] steil; *Preise etc.* happig, gepfeffert

steep² [sti:p] einweichen

steeple ['sti:pl] Kirchturm *m*

steer [stɪə] steuern, lenken; '**~ing** Steuerung *f*; '**~ing wheel** Steuer-, Lenkrad *n*

stem [stem] **1.** Stiel *m*; Stängel *m*; *ling.* Stamm *m*; **2. ~ *from*** stammen *od.* herrühren von

stench [stentʃ] Gestank *m*

stencil ['stensl] Schablone *f*

step [step] **1.** Schritt *m*; Stufe *f*; Sprosse *f*; **2.** gehen, treten; **~ *up*** *Produktion etc.* steigern

step... [step] *in Zssgn* Stief...

'stepping stone *fig.* Sprungbrett *n*
stereo ['sterɪəʊ] Stereo *n*
sterile ['steraɪl] unfruchtbar; steril; **sterilize** ['sterɪlaɪz] sterilisieren
stern¹ [stɜ:n] streng
stern² [stɜ:n] *naut.* Heck *n*
stew [stju:] **1.** schmoren; dünsten; **2.** Eintopf *m*
steward ['stjʊəd] Steward *m*; **'~ess** Stewardess *f*
stick¹ [stɪk] (dünner) Zweig; Stock *m*; (*Besen- etc.*)Stiel *m*; Stange *f*; Stift *m*; Stäbchen *n*
stick² [stɪk] (***stuck***) stechen; stecken; F stellen; kleben (bleiben); stecken bleiben; klemmen; haften; ***~ out*** ab-, hervorstehen; *et.* aus- *od.* vorstrecken; ***~ to*** bei *j-m od. et.* bleiben; **'~er** Aufkleber *m*; **'~ing plaster** Heftpflaster *n*
'sticky klebrig (***with*** von); *Lage*: F heikel, unangenehm
stiff [stɪf] steif; schwierig; **'~en** steif werden
stifle ['staɪfl] ersticken; *fig.* unterdrücken
still [stɪl] **1.** *adj* still; **2.** *adv* (immer) noch
stimulant ['stɪmjʊlənt] Anregungsmittel *n*; *fig.* Anreiz *m*; **stimulate** ['stɪmjʊleɪt] anregen; **stimulus** ['stɪmjʊləs] (*pl* ***-li*** [-laɪ]) Reiz *m*; *fig.* Anreiz *m*, Ansporn *m* (***to*** für)
sting [stɪŋ] **1.** Stich *m*; Stachel *m*; **2.** (***stung***) stechen; brennen
stingy ['stɪndʒɪ] knaus(e)rig
stink [stɪŋk] **1.** Gestank *m*; **2.** (***stank*** *od.* ***stunk, stunk***) stinken
stipulate ['stɪpjʊleɪt] zur Bedingung machen; festsetzen
stir [stɜ:] **1.** (um)rühren; (sich) rühren *od.* bewegen; *fig. j-n* aufwühlen; **2.** ***cause/create a ~*** für Aufsehen sorgen
stirrup ['stɪrəp] Steigbügel *m*
stitch [stɪtʃ] **1.** Stich *m*; Masche *f*; Seitenstechen *n*; **2.** nähen; heften
stock [stɒk] **1.** Vorrat *m*; *a.* ***live~*** Viehbestand *m*; *gastr.* Brühe *f*; Herkunft *f*; *econ. pl*: Aktien *pl*; Wertpapiere *pl*; ***in*** (***out of***) ***~*** (nicht) vorrätig; ***take ~*** Inventur machen; *fig.* Bilanz ziehen; **2.** gängig, Standard...; **3.** *Waren* führen, vorrätig haben; ***be well ~ed with*** gut versorgt sein mit; **'~breeder** Viehzüchter *m*; **'~broker** Börsenmakler *m*; **'~ corporation** *Am.* Aktiengesellschaft *f*; **'~ exchange** Börse *f*; **'~holder** *bsd. Am.* Aktionär(in)
stocking ['stɒkɪŋ] Strumpf *m*
'stock market Börse *f*
stocky ['stɒkɪ] stämmig
stole [stəʊl] *pret*, **'stolen** *pp von* ***steal***
stomach ['stʌmək] **1.** Magen *m*; Bauch *m*; **2.** vertragen (*a.*

fig.); **'~ache** Magenschmerzen *pl*; Bauchweh *n*

stone [stəʊn] **1.** Stein *m*; (Obst)Stein *m*, (-)Kern *m*; (*pl* **stone[s]**) (*Abk.* **st**) *brit. Gewichtseinheit* (= *6,35kg*); **2.** entsteinen, -kernen

stood [stʊd] *pret u. pp von* **stand** 1

stool [stu:l] Schemel *m*, Hocker *m*; *med.* Stuhl(gang) *m*

stoop [stu:p] sich bücken; gebeugt gehen

stop [stɒp] **1.** *v/t* aufhören mit; an-, aufhalten, stoppen; *et.* verhindern; *j-n* abhalten (**from** von); *Zahlungen etc.* einstellen; *Zahn* plombieren; *Blutung* stillen; *v/i* (an)halten, stehen bleiben, stoppen; F bleiben; **~ off** kurz Halt machen; **~ over** die Fahrt unterbrechen; *aviat.* zwischenlanden; **2.** Halt *m*; Station *f*, Haltestelle *f*; *mst* **full ~** *ling*. Punkt *m*; **'~lights** *pl mot*. Bremslichter *pl*; **'~over** Zwischenstation *f*; *aviat.* Zwischenlandung *f*

'stopper Stöpsel *m*

storage ['stɔ:rɪdʒ] Lagerung *f*; Lagergeld *n*

store [stɔ:] **1.** (ein)lagern; einen Vorrat von ... anlegen; *Computer*: (ab)speichern, sichern; **2.** Kauf-, Warenhaus *n*; *Am.* Laden *m*, Geschäft *n*; Vorrat *m*; Lager(halle *f*, -haus *n*) *n*; **'~house** Lagerhaus *n*; **'~keeper** *Am.* Ladenbesitzer(in); **'~room** Lagerraum *m*

storey ['stɔ:rɪ] *Brt.* Stock (-werk *n*) *m*

stork [stɔ:k] Storch *m*

storm [stɔ:m] **1.** Sturm *m*; Gewitter *n*; **2.** stürmen; toben; **'stormy** stürmisch

story¹ ['stɔ:rɪ] Geschichte *f*; Erzählung *f*

story² ['stɔ:rɪ] *Am.* → **storey**

stout [staʊt] **1.** korpulent, vollschlank; **2.** Starkbier *n*

stove [stəʊv] Ofen *m*, Herd *m*

stow [stəʊ] *a.* **~ away** verstauen; **'~away** blinder Passagier

straight [streɪt] **1.** *adj* gerade; *Haar*: glatt; offen, ehrlich; *Whisky etc.*: pur; **2.** *adv* gerade(aus); direkt, geradewegs; **~ ahead**, **~ on** geradeaus; **~a'way** sofort; **'~en** gerade machen *od.* werden; (gerade) richten; **~ out** in Ordnung bringen; **~'forward** ehrlich; einfach

strain [streɪn] **1.** *v/t* (an)spannen; überanstrengen; *Muskel etc.* zerren; *fig.* strapazieren; überfordern; durchseihen, filtern; abgießen; *v/i* sich anstrengen; **2.** Spannung *f*; Belastung *f*; *med.* Zerrung *f*; Überanstrengung *f*; **'~er** Sieb *n*

strait [streɪt] (*in Eigennamen oft* **2s** *pl*) Meerenge *f*, Straße *f*; *pl* Notlage *f*

strand [strænd] Strang *m*; Faden *m*; (*Haar*)Strähne *f*
strange [streɪndʒ] fremd; seltsam, merkwürdig; '**stranger** Fremde *m*, *f*
strangle ['stræŋgl] erwürgen
strap [stræp] **1.** Riemen *m*, Gurt *m*, Band *n*; *Kleid*: Träger *m*; **2.** festschnallen; anschnallen
strategic [strə'tiːdʒɪk] strategisch; **strategy** ['strætɪdʒɪ] Strategie *f*
straw [strɔː] Stroh *n*; Strohhalm *m*; '**~berry** Erdbeere *f*
stray [streɪ] **1.** sich verirren; (herum)streunen; **2.** verirrt; streunend; vereinzelt
streak [striːk] **1.** Streifen *m*; Strähne *f*; **2.** streifen; flitzen; '**streaky** streifig; *Speck*: durchwachsen
stream [striːm] **1.** Bach *m*; Strom *m*, Strömung *f*; **2.** strömen; flattern; '**~er** Wimpel *m*; Luftschlange *f*
street [striːt] Straße *f*; '**~car** *Am.* Straßenbahn *f*
strength [streŋθ] Kraft *f*; Stärke *f* (*a. fig.*); '**~en** (ver)stärken; stärker werden
strenuous ['strenjʊəs] anstrengend; unermüdlich
stress [stres] **1.** Belastung *f*, Stress *m*; Betonung *f*; Nachdruck *m*; **2.** betonen; ***be ~ed*** gestresst sein; '**~ful** stressig
stretch [stretʃ] **1.** (sich) strecken; (sich) dehnen; spannen; sich erstrecken; **2.** Strecke *f*; Zeit(raum *m*) *f*; '**~er** Trage *f*
strict [strɪkt] streng; genau
stridden ['strɪdn] *pp von* ***stride*** 1
stride [straɪd] **1.** (***strode***, ***stridden***) schreiten; **2.** großer Schritt
strike [straɪk] **1.** (***struck***) schlagen; stoßen gegen; treffen; *Streichholz* anzünden; stoßen auf (*Öl etc.*); *Blitz*: einschlagen (in); *Zelt* abbrechen; *Uhr*: schlagen; *j-m* einfallen *od.* in den Sinn kommen; *j-m* auffallen; *econ.* streiken; **~ *out*** (aus)streichen; **2.** *econ.* Streik *m*; (*Öl etc.*)Fund *m*; *mil.* Angriff *m*; '**striker** *econ.* Streikende *m*, *f*; *Fußball*: Stürmer(in)
striking ['straɪkɪŋ] auffallend; apart
string [strɪŋ] **1.** Schnur *f*, Bindfaden *m*; Band *n*; Faden *m*, Draht *m*; Reihe *f*, Kette *f*; Saite *f*; ***the ~s*** *pl* die Streichinstrumente *pl*; die Streicher *pl*; **2.** (***strung***) bespannen, besaiten; *Perlen* aufreihen; **~ed** '**instrument** Saiten-, Streichinstrument *n*
strip [strɪp] **1.** (sich) ausziehen; abziehen, abreißen; **2.** Streifen *m*
stripe [straɪp] Streifen *m*; **striped** gestreift
strode [strəʊd] *pret von* ***stride*** 1
stroke [strəʊk] **1.** streichen

über; streicheln; **2.** Schlag *m*; *tech.* Hub *m*; (*Schwimm*)Zug *m*; *med.* Schlag(anfall) *m*; **a ~ of luck** ein glücklicher Zufall

stroll [strəʊl] **1.** bummeln, spazieren; **2.** Bummel *m*, Spaziergang *m*; '**~er** *Am.* Sportwagen *m* (*für Kinder*)

strong [strɒŋ] stark; kräftig; fest; '**~box** (Stahl)Kassette *f*; '**~ room** Tresor(raum) *m*

struck [strʌk] *pret u. pp von* ***strike*** 1

structure ['strʌktʃə] Struktur *f*; Bau *m*, Konstruktion *f*

struggle ['strʌgl] **1.** kämpfen; sich abmühen; sich winden, zappeln; **2.** Kampf *m*

strum [strʌm] klimpern auf

strung [strʌŋ] *pret u. pp von* ***string*** 2

strut[1] [strʌt] stolzieren

strut[2] [strʌt] Strebe *f*, Stütze *f*

stub [stʌb] **1.** (*Bleistift-, Zigaretten*)Stummel *m*; Kontrollabschnitt *m*; **2. ~ out** *Zigarette* ausdrücken

stubble ['stʌbl] Stoppeln *pl*

stubborn ['stʌbən] eigensinnig; stur; hartnäckig

stuck [stʌk] *pret u. pp von* ***stick***[2]

stud [stʌd] Beschlagnagel *m*; Kragenknopf *m*; *an Schuhen*: Stollen *m*; Ohrstecker *m*

student ['stju:dnt] Student(in); *Am.* Schüler(in)

studio ['stju:dɪəʊ] Atelier *n*; Studio *n*; Einzimmerappartement *n*; '**~ couch** Schlafcouch *f*

studious ['stju:djəs] fleißig

study ['stʌdɪ] **1.** Studium *n*; Arbeitszimmer *n*; Studie *f*, Untersuchung *f*; **2.** studieren; untersuchen; prüfen

stuff [stʌf] **1.** F Zeug *n*; Sachen *pl*; **2.** (aus)stopfen, (voll) stopfen; füllen; **~ o.s.** F sich voll stopfen; '**~ing** Füllung *f*; '**stuffy** stickig; spießig

stumble ['stʌmbl] stolpern

stump [stʌmp] Stumpf *m*; Stummel *m*

stun [stʌn] betäuben

stung [stʌŋ] *pret u. pp von* ***sting*** 2

stunk [stʌŋk] *pret u. pp von* ***stink*** 2

stunning ['stʌnɪŋ] toll, fantastisch; unglaublich

stupid ['stju:pɪd] dumm; **~ity** [stju:'pɪdətɪ] Dummheit *f*

stupor ['stju:pə] Betäubung *f*

sturdy ['stɜ:dɪ] robust, kräftig

stutter ['stʌtə] **1.** stottern; **2.** Stottern *n*

sty[1] [staɪ] Schweinestall *m*

sty[2], **stye** [staɪ] Gerstenkorn *n*

style [staɪl] **1.** Stil *m*; Mode *f*; **2.** entwerfen; '**stylish** stilvoll; elegant

stylus ['staɪləs] *Plattenspieler*: Nadel *f*

styrofoam® ['staɪərəfəʊm] *Am.* Styropor® *n*

subconscious [sʌb'kɒnʃəs]: ***the ~*** das Unterbewusstsein

subdivision ['sʌbdɪvɪʒn] Unterteilung *f*; Unterabteilung *f*

subdue [səb'djuː] überwältigen; **sub'dued** *Licht*: gedämpft; *Person*: still, ruhig
subject 1. ['sʌbdʒɪkt] Thema *n*; *ped.*, *univ.* Fach *n*; Untertan(in); Staatsangehörige *m*, *f*; *gr.* Subjekt *n*, Satzgegenstand *m*; **2.** ['sʌbdʒɪkt]: ***be ~ to*** anfällig sein für; neigen zu; unterliegen (*dat*); abhängen von; **3.** [səb'dʒekt]: ***~ to*** *e-r Sache* aussetzen
sublet [sʌb'let] unter-, weitervermieten
sublime [sə'blaɪm] großartig
submarine [sʌbmə'riːn] Unterseeboot *n*, U-Boot *n*
submerge [səb'mɜːdʒ] (ein-, unter)tauchen
submission [səb'mɪʃn] Unterwerfung *f*; Einreichung *f*; **sub'missive** unterwürfig
submit [səb'mɪt]: **~** (***to***) *Gesuch etc.* einreichen (*dat od.* bei); sich fügen (*dat od.* in)
subordinate [sə'bɔːdnət] **1.** Untergebene *m*, *f*; **2.** untergeordnet
subscribe [səb'skraɪb] spenden; ***~ to*** *Zeitung* abonnieren; **sub'scriber** Abonnent(in); *tel.* Teilnehmer(in)
subscription [səb'skrɪpʃn] Abonnement *n*; (Mitglieds-) Beitrag *m*; Spende *f*
subside [səb'saɪd] sich senken; sinken; *Wind*: sich legen
subsidiary [səb'sɪdɪərɪ] **1.** untergeordnet, Neben...; **2.** *econ.* Tochtergesellschaft *f*
subsidize ['sʌbsɪdaɪz] subventionieren
subsist [səb'sɪst] leben (***on*** von); **~ence** Existenz *f*
substance ['sʌbstəns] Substanz *f*, Stoff *m*; *das* Wesentliche
substantial [səb'stænʃl] beträchtlich; kräftig, solide; *Mahlzeit etc.*: reichlich
substitute ['sʌbstɪtjuːt] **1.** Ersatz *m*; Stellvertreter(in), Vertretung *f*; *Sport*: Auswechselspieler(in), Ersatzspieler(in); **2.** ***~ s.th. for s.th.*** et. durch et. ersetzen; ***~ for*** einspringen für, *j-n* vertreten; **substi'tution** Ersatz *m*
subtitle ['sʌbtaɪtl] Untertitel *m*
subtle ['sʌtl] *Unterschied etc.*: fein; raffiniert; scharfsinnig
subtract [səb'trækt] abziehen, subtrahieren (***from*** von)
suburb ['sʌbɜːb] Vorort *m*, -stadt *f*; **suburban** [sə'bɜːbən] vorstädtisch, Vorort..., Vorstadt...
subway ['sʌbweɪ] Unterführung *f*; *Am.* U-Bahn *f*
succeed [sək'siːd] Erfolg haben; gelingen; (nach)folgen
success [sək'ses] Erfolg *m*; **~ful** erfolgreich; **~ion** (Aufeinander)Folge *f*; ***in ~*** nacheinander; **~ive** aufeinander folgend; **~or** Nachfolger(in)
such [sʌtʃ] solch; so, derartig; ***~ a*** so ein(e)
suck [sʌk] saugen; lutschen (an); **'~er** F Trottel *m*

sudden ['sʌdn], '**~ly** plötzlich
suds [sʌdz] *pl* Seifenschaum *m*
sue [sjuː] (ver)klagen
suede [sweɪd] Wildleder *n*
suet ['sʊɪt] Talg *m*
suffer ['sʌfə] (er)leiden
sufficient [sə'fɪʃnt] genügend, genug, ausreichend
suffix ['sʌfɪks] Nachsilbe *f*
suffocate ['sʌfəkeɪt] ersticken
sugar ['ʃʊgə] **1.** Zucker *m*; **2.** zuckern
suggest [sə'dʒest] vorschlagen, anregen; hinweisen auf; schließen lassen auf; andeuten; **~ion** Vorschlag *m*, Anregung *f*; Hinweis *m*; Andeutung *f*; Unterstellung *f*; **~ive** zweideutig; anzüglich
suicide ['sʊɪsaɪd] Selbstmord *m*
suit [suːt] **1.** Anzug *m*; Kostüm *n*; *Kartenspiel*: Farbe *f*; *jur.* Prozess *m*; **2.** *Termin etc.*: *j-m* passen; *j-m* stehen, *j-n* kleiden; **~ *yourself*** mach, was du willst; '**~able** passend, geeignet; '**~case** Koffer *m*
suite [swiːt] Zimmerflucht *f*, Suite *f*; (*Möbel*)Garnitur *f*
sulfur *Am.* → ***sulphur***
sulk [sʌlk] schmollen; '**sulky** schmollend
sullen ['sʌlən] mürrisch
sulphur ['sʌlfə] Schwefel *m*
sultry ['sʌltrɪ] schwül
sum [sʌm] **1.** Summe *f*; Betrag *m*; Rechenaufgabe *f*; ***do* ~s** rechnen; **2.** **~ *up*** zs.-fassen; *j-n*, *et.* abschätzen
summarize ['sʌməraɪz] zs.-fassen; '**summary** (kurze) Inhaltsangabe, Zs.-fassung *f*
summer ['sʌmə] Sommer *m*
summit ['sʌmɪt] Gipfel *m*
summon ['sʌmən] zitieren; einberufen; *jur.* vorladen; **~ *up*** *Mut etc.* zs.-nehmen; '**summons** *jur.* Vorladung *f*
sun [sʌn] Sonne *f*; '**~bathe** sonnenbaden, sich sonnen; '**~beam** Sonnenstrahl *m*; '**~burn** Sonnenbrand *m*
sundae ['sʌndeɪ] Eisbecher *m* (mit Früchten *etc.*)
Sunday ['sʌndɪ] Sonntag *m*
'**sundial** Sonnenuhr *f*
sung [sʌŋ] *pp von* ***sing***
'**sunglasses** *pl* Sonnenbrille *f*
sunk [sʌŋk] *pret u. pp von* ***sink*** 1; '**~en** versunken; eingefallen
'**sunny** sonnig
'**sun|rise** Sonnenaufgang *m*; '**~roof** Dachterrasse *f*; *mot.* Schiebedach *n*; '**~set** Sonnenuntergang *m*; '**~shade** Sonnenschirm *m*; '**~shine** Sonnenschein *m*; '**~stroke** Sonnenstich *m*; '**~tan** Bräune *f*
super ['suːpə] F super, spitze
super... ['suːpə] Über..., über...
superb [suː'pɜːb] hervorragend, ausgezeichnet
supercilious [suːpə'sɪlɪəs] hochmütig, -näsig

superficial [su:pə'fɪʃl] oberflächlich
superhuman [su:pə'hju:mən] übermenschlich
superintendent [su:pərɪn'tendənt] Aufsicht *f*, Aufsichtsbeamt|e *m*, -in *f*; *Brt.* Kriminalrat *m*
superior [su:'pɪərɪə] **1.** ranghöher; besser; überlegen; hervorragend; **2.** Vorgesetzte *m*, *f*
super|market ['su:pəmɑ:kɪt] Supermarkt *m*; **~'natural** übernatürlich; **~'sonic** Überschall...
superstition [su:pə'stɪʃn] Aberglaube *m*; **super'stitious** abergläubisch
supervise ['su:pəvaɪz] beaufsichtigen, überwachen; **'supervisor** Aufsicht *f*
supper ['sʌpə] Abendessen *n*; → ***lord***
supple ['sʌpl] geschmeidig
supplement **1.** ['sʌplɪmənt] Ergänzung *f*; Nachtrag *m*; (Zeitungs- *etc.*)Beilage *f*; **2.** ['sʌplɪment] ergänzen; **~ary** [sʌplɪ'mentərɪ] zusätzlich
supplier [sə'plaɪə] Lieferant(in); **supply** [sə'plaɪ] **1.** liefern; versorgen; **2.** Lieferung *f*; Versorgung *f*; *econ.* Angebot *n*; *mst pl* Vorrat *m*
support [sə'pɔ:t] **1.** Stütze *f*; *tech.* Träger *m*; *fig.* Unterstützung *f*; **2.** tragen, (ab)stützen; unterstützen; *Familie* unterhalten
suppose [sə'pəʊz] annehmen, vermuten; ***be ~d to ...*** sollen; **sup'posed** angeblich
suppress [sə'pres] unterdrücken; **~ion** Unterdrückung *f*
suppurate ['sʌpjʊəreɪt] eitern
supremacy [sʊ'preməsɪ] Vormachtstellung *f*
supreme [sʊ'pri:m] höchst, oberst; höchst, größt
surcharge ['sɜ:tʃɑ:dʒ] Zuschlag *m*; Nachgebühr *f*
sure [ʃɔ:] sicher; gewiss; ***make ~ that*** sich (davon) überzeugen, dass; **~!** *bsd. Am.* klar!; **'~ly** sicher, doch
surety ['ʃɔ:rətɪ] Bürg|e *m*, -in *f*; Bürgschaft *f*, Sicherheit *f*
surf [sɜ:f] **1.** surfen; **~ *the net*** *Computer*: im Internet surfen; **2.** Brandung *f*
surface ['sɜ:fɪs] **1.** Oberfläche *f*; **2.** auftauchen (*a. fig.*)
surf|board ['sɜ:fbɔ:d] Surfbrett *n*; **'~er** Surfer(in), Wellenreiter(in); **'~ing** Surfen *n*, Wellenreiten *n*
surge [sɜ:dʒ] **1.** *fig.* Woge *f*; **2.** drängen; *a.* **~ *up*** *Zorn etc.*: aufwallen
surgeon ['sɜ:dʒən] Chirurg(in); **'surgery** Chirurgie *f*; Operation *f*; *Brt.* (Arzt-)Praxis *f*; *Brt.* Sprechzimmer *n*; *Brt.* Sprechstunde *f*; **'surgery hours** *pl* Sprechstunden *pl*; **'surgical** chirurgisch
surly ['sɜ:lɪ] mürrisch
surname ['sɜ:neɪm] Familien-, Nachname *m*

surpass [sɜː'pɑːs] übertreffen
surplus ['sɜːpləs] **1.** Überschuss *m*; **2.** überschüssig
surprise [sə'praɪz] **1.** Überraschung *f*; **2.** überraschen
surrender [sə'rendə] sich ergeben, kapitulieren
surrogate ['sʌrəgeɪt] Ersatz *m*; **~ 'mother** Leihmutter *f*
surround [sə'raʊnd] umgeben; umstellen; **~ing** umliegend; **~ings** *pl* Umgebung *f*
survey 1. [sə'veɪ] (sich) *et.* betrachten; begutachten; *Land* vermessen; **2.** ['sɜːveɪ] Umfrage *f*; Begutachtung *f*; Vermessung *f*
survival [sə'vaɪvl] Überleben *n*; **survive** [sə'vaɪv] überleben; erhalten bleiben; **sur'vivor** Überlebende *m, f*
susceptible [sə'septəbl]: **~ to** empfänglich für; anfällig für
suspect 1. [sə'spekt] verdächtigen; vermuten; anzweifeln; **2.** ['sʌspekt] Verdächtige *m, f*; **3.** ['sʌspekt] verdächtig
suspend [sə'spend] *Verkauf, Zahlungen etc.* (vorübergehend) einstellen; *Urteil etc.* aussetzen; *j-n* suspendieren; *Sport*: *j-n* sperren; **~er** Strumpfhalter *m*, Straps *m*; Sockenhalter *m*; *pl Am.* Hosenträger *pl*
suspense [sə'spens] Spannung *f*
suspension [sə'spenʃn] (vorübergehende) Einstellung; Suspendierung *f*; *Sport*: Sperre *f*; *mot.* Aufhängung *f*; **~ bridge** Hängebrücke *f*
suspicion [sə'spɪʃn] Verdacht *m*; Misstrauen *n*; **sus'picious** verdächtig; argwöhnisch, misstrauisch
sustain [sə'steɪn] *Interesse etc.* aufrechterhalten; *j-n* stärken; *jur. e-m Einspruch etc.* stattgeben
swab [swɒb] *med.*: Tupfer *m*; Abstrich *m*
swagger ['swægə] stolzieren
swallow[1] ['swɒləʊ] schlucken
swallow[2] ['swɒləʊ] Schwalbe *f*
swam [swæm] *pret von* **swim** 1
swamp [swɒmp] **1.** Sumpf *m*; **2.** überschwemmen (*a. fig.*)
swan [swɒn] Schwan *m*
swap [swɒp] (ein)tauschen
swarm [swɔːm] **1.** Schwarm *m*; **2.** wimmeln (***with*** von)
sway [sweɪ] (sich) wiegen; schaukeln; schwanken
swear [sweə] (***swore, sworn***) schwören; fluchen; **~ *s.o. in*** j-n vereidigen
sweat [swet] **1.** Schweiß *m*; **2.** (***sweated**, Am. a.* ***sweat***) schwitzen; **'~er** Pullover *m*
'sweaty verschwitzt
Swede [swiːd] Schwed|e *m*, -in *f*; **Sweden** ['swiːdn] Schweden *n*; **'Swedish** schwedisch
sweep [swiːp] **1.** (***swept***) fegen (*a. fig.*), kehren; *Person*: rauschen; **2.** Schwung *m*; Fegen *n*, Kehren *n*; Schorn-

steinfeger(in); **'~er** (*Straßen*)Kehrer(in); Kehrmaschine *f*; *Fußball*: Libero *m*
sweet [swi:t] **1.** süß; niedlich; lieb, reizend; **2.** *Brt.* Bonbon *m*, *n*; *Brt.* Nachtisch *m*; *pl* Süßigkeiten *pl*; **'~en** süßen; **'~heart** Schatz *m*, Liebste *m*, *f*; **~ 'pea** Gartenwicke *f*
swell [swel] (***swelled, swollen*** *od.* ***swelled***) *Zahl etc.* anwachsen lassen; *a.* ***~ out*** *Segel*: (sich) blähen; *a.* ***~ up*** *med.* (an)schwellen; **'~ing** *med.* Schwellung *f*
sweltering ['sweltərɪŋ] drückend, schwül
swept [swept] *pret u. pp von* ***sweep*** 1
swerve [swɜ:v] zur Seite schwenken
swift [swɪft] schnell, rasch
swim [swɪm] **1.** (***swam, swum***) (durch)schwimmen; ***go ~ming*** schwimmen gehen; ***my head was ~ming*** mir drehte sich alles; **2.** Schwimmen *n*; ***go for a ~*** schwimmen gehen; **'swimmer** Schwimmer(in)
'swimming Schwimmen *n*; **'~ costume** Badeanzug *m*; **'~ pool** Swimmingpool *m*, Schwimmbecken *n*; **'~ trunks** *pl* Badehose *f*
'swimsuit Badeanzug *m*
swindle ['swɪndl] betrügen (***out of*** um)
swine [swaɪn] *contp.* Schwein *n*
swing [swɪŋ] **1.** (***swung***) (hin- u. her)schwingen, schaukeln; **2.** Schwingen *n*; Schwung *m*; Schaukel *f*; *fig.* Umschwung *m*
swirl [swɜ:l] **1.** (herum)wirbeln; **2.** Wirbel *m*
Swiss [swɪs] **1.** schweizerisch, Schweizer...; **2.** Schweizer(in); ***the ~*** *pl* die Schweizer *pl*
switch [swɪtʃ] **1.** *electr.* Schalter *m*; *Am. rail.* Weiche *f*; Umstellung *f*, Wechsel *m*; Gerte *f*; **2.** *electr.* (um)schalten; *Am. rail.* rangieren; wechseln; ***~ off*** ab-, ausschalten; ***~ on*** an-, einschalten; **'~board** *electr.* Schalttafel *f*; (Telefon)Zentrale *f*
Switzerland ['swɪtsələnd] die Schweiz
swivel ['swɪvl] (sich) drehen
swollen ['swəʊlən] *pp von* ***swell***
sword [sɔ:d] Schwert *n*
swore [swɔ:] *pret*, **sworn** [swɔ:n] *pp von* ***swear***
swum [swʌm] *pp von* ***swim*** 1
swung [swʌŋ] *pret u. pp von* ***swing*** 1
syllable ['sɪləbl] Silbe *f*
syllabus ['sɪləbəs] (*pl* ***-buses, -bi*** [-baɪ]) Lehrplan *m*
symbol ['sɪmbl] Symbol *n*; **~ic** [sɪm'bɒlɪk] symbolisch; **~ize** ['sɪmbəlaɪz] symbolisieren
symmetrical [sɪ'metrɪkl] symmetrisch; **symmetry** ['sɪmətrɪ] Symmetrie *f*

sympathetic [sɪmpə'θetɪk] mitfühlend; **sympathize** ['sɪmpəθaɪz] mitfühlen; sympathisieren; **sympathy** ['sɪmpəθɪ] Mitgefühl *n*; Verständnis *n*; *bei Tod*: Beileid *n*
symphony ['sɪmfənɪ] Symphonie *f*
symptom ['sɪmptəm] Symptom *n*
synchronize ['sɪŋkrənaɪz] aufeinander abstimmen; synchronisieren
synonym ['sɪnənɪm] Synonym *n*; **~ous** [sɪ'nɒnɪməs] synonym, gleichbedeutend
synthetic [sɪn'θetɪk] synthetisch, Kunst...
syringe ['sɪrɪndʒ] Spritze *f*
syrup ['sɪrəp] Sirup *m*
system ['sɪstəm] System *n*; Organismus *m*; **~atic** [sɪstə'mætɪk] systematisch

T

tab [tæb] Aufhänger *m*, Schlaufe *f*; Etikett *n*
table ['teɪbl] Tisch *m*; Tabelle *f*; '**~cloth** Tischdecke *f*; '**~spoon** Esslöffel *m*
tablet ['tæblɪt] Tablette *f*
tabloid ['tæblɔɪd] Boulevardblatt *n*, -zeitung *f*
taboo [tə'buː] **1.** tabu; **2.** Tabu *n*
tacit ['tæsɪt] stillschweigend
tack [tæk] **1.** Stift *m*, Reiß-, Heftzwecke *f*; Heftstich *m*; **2.** heften
tackle ['tækl] **1.** (*Angel*)Gerät *n*; Flaschenzug *m*; *Fußball etc.*: Angriff *m*; **2.** (an)packen, in Angriff nehmen; *Fußball etc.*: angreifen
tact [tækt] Takt *m*, Feingefühl *n*; '**~ful** taktvoll
tactics ['tæktɪks] *pl*, *sg* Taktik *f*
'**tactless** taktlos
tadpole ['tædpəʊl] Kaulquappe *f*
tag [tæg] **1.** Etikett *n*, Schildchen *n*; **2.** auszeichnen
tail [teɪl] **1.** Schwanz *m*; hinterer Teil, Schluss *m*; **2.** F *j-n* beschatten; '**~back** Rückstau *m*; **~'coat** Frack *m*; '**~light** Rück-, Schlusslicht *n*
tailor ['teɪlə] Schneider *m*; **~-'made** maßgeschneidert
'**tail| pipe** *Am.* Auspuffrohr *n*; '**~wind** Rückenwind *m*
tainted ['teɪntɪd] *bsd. Am. Fleisch, Milch*: verdorben
take [teɪk] (***took, taken***) nehmen; an-, ein-, ent-, entgegen-, heraus-, hin-, mit-, wegnehmen; fassen, ergreifen; fangen; (hin-, weg)bringen; halten (***for*** für); auffassen; annehmen; ertragen, aushalten; fassen, Platz haben für; *Speisen* zu sich nehmen; *Platz* einnehmen; *Fahrt*, *Spaziergang*, *Ferien*

machen; *Zug*, *Bus etc.* nehmen; *Temperatur* messen; *phot.* *Aufnahme* machen; *Prüfung* machen; *Notiz* machen; *Gelegenheit*, *Maßnahmen* ergreifen; *Eid* ablegen; *Rat* annehmen; *Zeit*, *Geduld* erfordern, brauchen; *Zeit* dauern; *Zeitung* beziehen; **~ *after s.o.*** j-m ähneln; **~ *down*** abreißen; notieren, aufschreiben; **~ *in*** *Gast* (bei sich) aufnehmen; *et.* kürzer *od.* enger machen; *fig.* verstehen, erfassen; *j-n* reinlegen; **~ *off*** ab-, wegnehmen; *Hut etc.* abnehmen; *Kleidungsstück* ablegen, ausziehen; *e-n Tag etc.* Urlaub machen; *aviat.* starten; **~ *on*** einstellen; übernehmen; **~ *out*** heraus-, entnehmen; *j-n* ausführen; *Versicherung* abschließen; **~ *over*** *Amt*, *Aufgabe etc.* übernehmen; **~ *to*** Gefallen finden an; **~ *up*** auf-, hochheben; aufnehmen; sich befassen mit; *Idee* aufgreifen; *Platz* einnehmen; *Zeit etc.* in Anspruch nehmen

'taken *pp von* **take**

'takeoff *aviat.* Start *m*

takings ['teɪkɪŋz] *pl econ.* Einnahmen *pl*

tale [teɪl] Erzählung *f*; Geschichte *f*

talent ['tælənt] Talent *n*, Begabung *f*; '**~ed** begabt

talk [tɔːk] **1.** sprechen, reden; sich unterhalten; **~ *s.o. into s.th.*** j-n zu et. überreden; **~ *s.th. over*** et. besprechen; **2.** Gespräch *n*; Unterhaltung *f*; Unterredung *f*; Gerede *n*; Vortrag *m*; **~ative** ['tɔːkətɪv] gesprächig; geschwätzig

tall [tɔːl] *Person*: groß; hoch

tallow ['tæləʊ] Talg *m*

talon ['tælən] *Vogel*: Klaue *f*

tame [teɪm] **1.** zahm; *fig.* lahm, fad(e); **2.** zähmen

tamper ['tæmpə]: **~ *with*** sich zu schaffen machen an

tampon ['tæmpən] Tampon *m*

tan [tæn] **1.** (Sonnen)Bräune *f*; **2.** bräunen; braun werden

tangerine [tændʒə'riːn] Mandarine *f*

tangle ['tæŋgl] **1.** Gewirr *n*; Durcheinander *n*; **2.** (sich) verwirren *od.* verheddern; durcheinander bringen

tank [tæŋk] *mot. etc.* Tank *m*; *mil.* Panzer *m*

tankard ['tæŋkəd] Humpen *m*

tanker ['tæŋkə] Tanker *m*, Tankschiff *n*; Tankwagen *m*

tanned [tænd] braun (gebrannt)

tantrum ['tæntrəm]: ***have/ throw a* ~** e-n Wutanfall kriegen

tap¹ [tæp] **1.** *tech.* Hahn *m*; **2.** *Naturschätze* erschließen; *Vorräte* angreifen; *Telefon* anzapfen, abhören

tap² [tæp] **1.** klopfen mit; antippen; **2.** (leichtes) Klopfen; '**~ dance** Stepptanz *m*

tape [teɪp] schmales Band;

Kleb(e)streifen *m*; *Sport*: Zielband *n*; (Magnet-, Video-, Ton)Band *n*; '**~ measure** Maßband *n*
taper ['teɪpə]: **~ *off*** spitz zulaufen
'**tape| recorder** Tonbandgerät *n*; '**~ recording** Tonbandaufnahme *f*
tapestry ['tæpɪstrɪ] Gobelin *m*, Wandteppich *m*
'**tapeworm** Bandwurm *m*
tar [tɑː] **1.** Teer *m*; **2.** teeren
target ['tɑːgɪt] Ziel *n*; Schieß-, Zielscheibe *f* (*a. fig.*)
tariff ['tærɪf] Zoll(tarif) *m*; *bsd. Brt. im Hotel*: Preisliste *f*
tarmac ['tɑːmæk] Asphalt *m*; *aviat.* Rollfeld *n*, -bahn *f*
tarnish ['tɑːnɪʃ] *Metall*: anlaufen; *Ansehen* beflecken
tarpaulin [tɑː'pɔːlɪn] Plane *f*
tart [tɑːt] Obsttorte *f*, -kuchen *m*; F Nutte *f*
tartan ['tɑːtən] Schottenstoff *m*; Schottenmuster *n*
tartar ['tɑːtə] Zahnstein *m*
task [tɑːsk] Aufgabe *f*; '**~ force** Sondereinheit *f*
tassel ['tæsl] Quaste *f*
taste [teɪst] **1.** Geschmack *m*; **2.** schmecken; kosten, probieren; '**~ful** *fig.* geschmackvoll; '**~less** geschmacklos
tasty ['teɪstɪ] schmackhaft
tattered ['tætəd] zerlumpt; zerfetzt
tattoo [tə'tuː] **1.** Tätowierung *f*; *mil.* Zapfenstreich *m*; **2.** (ein)tätowieren
taught [tɔːt] *pret u. pp von* ***teach***
taunt [tɔːnt] **1.** Stichelei *f*; **2.** verhöhnen, -spotten
Taurus ['tɔːrəs] *astr.* Stier *m*
taut [tɔːt] straff; angespannt
tax [tæks] **1.** Steuer *f*; Abgabe *f*; **2.** besteuern; *j-s Geduld etc.* strapazieren; **~ation** [tæk'seɪʃn] Besteuerung *f*
taxi ['tæksɪ] **1.** Taxi *n*, Taxe *f*; **2.** *aviat.* rollen; '**~ driver** Taxifahrer(in); '**~meter** Taxameter *n*, *m*; '**~ rank**, '**~ stand** Taxistand *m*
'**tax|payer** Steuerzahler(in); '**~ return** Steuererklärung *f*
T-bar ['tiːbɑː] *a.* **~ *lift*** Schlepplift *m*
tea [tiː] Tee *m*; '**~bag** Teebeutel *m*; '**~ break** Teepause *f*
teach [tiːtʃ] (***taught***) lehren, unterrichten (in *dat*); *j-m et.* beibringen; '**~er** Lehrer(in)
'**teacup** Teetasse *f*
team [tiːm] Team *n*, (Arbeits)Gruppe *f*; *Sport*: Team *n*, Mannschaft *f*; **teamster** ['tiːmstə] *Am.* Lkw-Fahrer *m*; '**~work** Zs.-arbeit *f*, Teamwork *n*
'**teapot** Teekanne *f*
tear[1] [tɪə] Träne *f*
tear[2] [teə] **1.** (***tore***, ***torn***) *v/t* (sich *et.*) zerreißen; *v/i* (zer)reißen; rasen; **2.** Riss *m*
'**tearful** tränenreich; weinend
'**tearoom** Teestube *f*
tease [tiːz] necken, hänseln; ärgern, reizen

'teaspoon Teelöffel *m*
teat [ti:t] *zo.* Zitze *f*; *Brt. Saugflasche*: Sauger *m*
'tea towel Geschirrtuch *n*
technical ['teknɪkl] technisch; Fach...; **technician** [tek'nɪʃn] Techniker(in)
technique [tek'ni:k] Technik *f*, Verfahren *n*
technology [tek'nɒlədʒɪ] Technologie *f*, Technik *f*
tedious ['ti:djəs] langweilig
teenage(d) ['ti:neɪdʒ(d)] im Teenageralter; für Teenager;
'teenager Teenager *m*
teens [ti:nz] *pl* Teenageralter *n*
teeth [ti:θ] *pl von* **tooth**
teethe [ti:ð] zahnen
teetotal(l)er [ti:'təʊtlə] Abstinenzler(in)
telecast ['telɪkɑ:st] Fernsehsendung *f*
telecommunications [telɪkəmju:nɪ'keɪʃnz] Telekommunikation *f*, Fernmeldewesen *n*
telegram ['telɪgræm] Telegramm *n*
telegraph ['telɪgrɑ:f] telegrafieren; **~ic** [telɪ'græfɪk] telegrafisch
telephone ['telɪfəʊn] **1.** Telefon *n*, Fernsprecher *m*; **2.** telefonieren; anrufen; **'~ booth** *Am.*, **'~ box** *Brt.* Telefonzelle *f*; **'~ call** Telefongespräch *n*, Anruf *m*; **'~ directory** Telefonbuch *n*; **'~ exchange** Fernsprechamt *n*; **'~ number** Telefonnummer *f*
teleprinter ['telɪprɪntə] Fernschreiber *m*
telescope ['telɪskəʊp] Teleskop *n*, Fernrohr *n*
teletext ['telɪtekst] Videotext *m*
televise ['telɪvaɪz] im Fernsehen übertragen
television ['telɪvɪʒn] Fernsehen *n*; ***on ~*** im Fernsehen; ***watch ~*** fernsehen; **'~ (set)** Fernsehapparat *m*
telex ['teleks] **1.** Telex *n*, Fernschreiben *n*; **2.** telexen
tell [tel] (***told***) sagen; erzählen; *Namen etc.* nennen; *j-m* sagen, befehlen (***to do*** zu tun); ***~ on s.o.*** j-n verpetzen; **'~er** *bsd. Am.* (Bank)Kassierer(in); **'~tale** verräterisch
temper ['tempə] Temperament *n*, Wesen *n*; Laune *f*, Stimmung *f*; ***keep one's ~*** sich beherrschen; ***lose one's ~*** die Beherrschung verlieren
temperament ['tempərəmənt] Temperament *n*
temperate ['tempərət] *Klima, Zone*: gemäßigt
temperature ['temprətʃə] Temperatur *f*; Fieber *n*
temple¹ ['templ] Tempel *m*
temple² ['templ] Schläfe *f*
temporary ['tempərərɪ] vorübergehend; provisorisch
tempt [tempt] in Versuchung führen; verführen; verleiten; **~ation** [temp'teɪʃn] Versuchung *f*; **'~ing** verführerisch; verlockend

ten [ten] zehn
tenacious [tɪˈneɪʃəs] zäh, hartnäckig
tenant [ˈtenənt] Mieter(in); Pächter(in)
tend [tend] tendieren, neigen (*to* zu); **ˈ~ency** Tendenz *f*; Neigung *f*
tender¹ [ˈtendə] zart, weich; empfindlich; sanft, zärtlich
tender² [ˈtendə] *econ.* **1.** Angebot *n*; **2.** *econ.* ein Angebot machen
ˈtenderloin Filet *n*
tendon [ˈtendən] Sehne *f*
tendril [ˈtendrəl] Ranke *f*
tenement [ˈtenəmənt] Mietshaus *n*, *contp.* Mietskaserne *f*
tennis [ˈtenɪs] Tennis *n*; **ˈ~ court** Tennisplatz *m*; **ˈ~ player** Tennisspieler(in)
tense [tens] gespannt, straff; *Muskeln, Lage etc.*: (an)gespannt; verkrampft, nervös;
tension [ˈtenʃn] Spannung *f*; (An)Gespanntheit *f*
tent [tent] Zelt *n*
tentacle [ˈtentəkl] *zo.*: Fangarm *m*; Fühler *m*
tentative [ˈtentətɪv] vorläufig; vorsichtig, zögernd, zaghaft
tenterhooks [ˈtentəhʊks]: ***be on ~*** wie auf glühenden Kohlen sitzen
tenth [tenθ] **1.** zehnt; **2.** Zehntel *n*; **ˈ~ly** zehntens
tepid [ˈtepɪd] lau(warm)
term [tɜːm] **1.** Zeit(raum *m*) *f*, Dauer *f*; *Vertrag*: Laufzeit *f*; *bsd. Brt. ped.*, *univ.* Trimester *n*, *Am.* Semester *n*; Ausdruck *m*, Bezeichnung *f*; *pl* Bedingungen *pl*; ***~ of office*** Amtszeit *f*; ***be on good/bad ~s with s.o.*** gut/nicht gut mit j-m auskommen; **2.** nennen, bezeichnen als
terminal [ˈtɜːmɪnl] **1.** Endstation *f*; *aviat.* Terminal *m*, *n*, (Flughafen)Abfertigungsgebäude *n*; *Computer*: Terminal *n*; **2.** *med.* unheilbar
terminus [ˈtɜːmɪnəs] (*pl* ***-ni*** [-naɪ], ***-nuses***) Endstation *f*
terrace [ˈterəs] Terrasse *f*; Häuserreihe *f*; **~d ˈhouse** *bsd. Brt.* Reihenhaus *n*
terrible [ˈterəbl] schrecklich
terrific [təˈrɪfɪk] F toll, fantastisch; irre
terrify [ˈterɪfaɪ] *j-m* schreckliche Angst einjagen
territory [ˈterətərɪ] Territorium *n*, (*a.* Hoheits-, Staats)Gebiet *n*
terror [ˈterə] Entsetzen *n*; Terror *m*; **ˈ~ism** Terrorismus *m*; **ˈ~ist** Terrorist(in); **ˈ~ize** terrorisieren
test [test] **1.** Test *m*, Prüfung *f*; Probe *f*; Klassenarbeit *f*; **2.** testen, prüfen; probieren
testament [ˈtestəmənt] Testament *n*
testicle [ˈtestɪkl] Hoden *m*
testify [ˈtestɪfaɪ] *jur.* aussagen
testimonial [testɪˈməʊnjəl] Referenz *f*, Zeugnis *n*; **testimony** [ˈtestɪmənɪ] *jur.* Aussage *f*; Beweis *m*

'test| tube Reagenzglas *n*; **'~-tube baby** Retortenbaby *n*
testy ['testı] gereizt
text [tekst] Text *m*; Wortlaut *m*; **'~book** Lehrbuch *n*
textile ['tekstaıl] Stoff *m*; Textil...; *pl* Textilien *pl*
texture ['tekstʃə] Beschaffenheit *f*; Struktur *f*
than [ðæn, ðən] als
thank [θæŋk] **1.** danken; (***no***,) **~ *you*** (nein,) danke; **2.** *pl* Dank *m*; **~*s to*** dank; **3.** *int*: **~*s*** danke (schön)!; **'~ful** dankbar; **'~fully** zum Glück; **'~less** undankbar
'Thanksgiving (Day) *Am.* Erntedankfest *n*
that [ðæt, ðət] **1.** *pron u. adj* (*pl* ***those*** [ðəʊz]) jene(r, -s); das; **~ *is*** (***to say***) das heißt; **2.** *adv* F so, dermaßen; **~ *much*** so viel; **3.** *relative pron* (*pl* ***that***) der, die, das; **4.** *cj* dass
thatched [θætʃt] Stroh..., strohgedeckt
thaw [θɔː] **1.** Tauwetter *n*; **2.** (auf)tauen
the [ðə; *vor Vokalen*: ðı, *betont* ðiː] **1.** der, die, das, *pl* die; **2.** *adv*: **~ ... ~** je ... desto; **~ *sooner* ~ *better*** je eher, desto besser
theatre *Brt.*, **theater** *Am.* ['θıətə] Theater *n*; *Brt.* Operationssaal *m*
theft [θeft] Diebstahl *m*
their [ðeə] *pl* ihr(e); **theirs** [ðeəz] ihre(r, -s)
them [ðem, ðəm] sie (*acc pl*); ihnen (*dat*)
theme [θiːm] Thema *n*
themselves [ðəm'selvz] sie (*acc pl*) selbst; sich (selbst)
then [ðen] **1.** *adv* dann; da; damals; ***by* ~** bis dahin; **2.** *adj* damalig
theology [θı'ɒlədʒı] Theologie *f*
theoretical [θıə'retıkl] theoretisch; **theory** ['θıərı] Theorie *f*
therapeutic [θerə'pjuːtık] therapeutisch; **therapist** ['θerəpıst] Therapeut(in);
therapy ['θerəpı] Therapie *f*
there [ðeə] da, dort; da-, dorthin; **~ *is*** es gibt, es ist, *pl* **~ *are*** es sind; **~ *you are*** hier (, bitte); **~*!*** na also!; **~a'bout(s)** so ungefähr; **~-fore** ['ðeəfɔː] darum, deshalb
thermometer [θə'mɒmıtə] Thermometer *n*
thermos® ['θɜːməs] *a.* **~ *flask***® Thermosflasche® *f*
these [ðiːz] *pl von* ***this***
thesis ['θiːsıs] (*pl* ***-ses*** [-siːz]) These *f*; Dissertation *f*
they [ðeı] sie *pl*; man
thick [θık] dick; dicht; **'~en** dick(er) werden; dichter werden; *Soße etc.* eindicken, binden
thicket ['θıkıt] Dickicht *n*
thick|'set untersetzt; **~-'skinned** dickfellig
thief [θiːf] (*pl* ***thieves*** [θiːvz]) Dieb(in)

thigh [θaɪ] (Ober)Schenkel *m*
thimble ['θɪmbl] Fingerhut *m*
thin [θɪn] **1.** dünn; mager; schwach; spärlich; **2.** verdünnen; dünner werden
thing [θɪŋ] Ding *n*; Sache *f*
think [θɪŋk] (***thought***) *v/i* denken; nachdenken; *v/t* denken, meinen, glauben; halten für; **~ *of*** denken an; sich erinnern an; sich *et.* ausdenken; halten von; **~ *s.th. over*** sich et. überlegen, et. überdenken; **~ *up*** sich *et.* ausdenken; **'~ tank** Sachverständigenstab *m*, Denkfabrik *f*
third [θɜːd] **1.** dritt; **2.** Drittel *n*; **'~ly** drittens
third| 'party insurance Haftpflichtversicherung *f*; **~-'rate** drittklassig
thirst [θɜːst] Durst *m*; **'thirsty** durstig; ***be*** **~** Durst haben
thirteen [θɜː'tiːn] dreizehn; **thirteenth** [θɜː'tiːnθ] dreizehnt; **thirtieth** ['θɜːtɪɪθ] dreißigst; **thirty** ['θɜːtɪ] dreißig
this [ðɪs] (*pl* ***these*** [ðiːz]) diese(r, -s); dies, das
thistle ['θɪsl] Distel *f*
thorn [θɔːn] Dorn *m*; **'thorny** dornig; *fig.* schwierig, heikel
thorough ['θʌrə] gründlich; **'~bred** *zo.* Vollblüter *m*; **'~fare** Durchgangsstraße *f*; ***no ~!*** Durchfahrt verboten!
those [ðəʊz] *pl von* ***that*** 1
though [ðəʊ] **1.** *cj* obwohl; ***as*** **~** als ob; **2.** *adv* trotzdem
thought [θɔːt] **1.** *pret u. pp von* ***think***; **2.** Gedanke *m*; Überlegung *f*; **'~ful** nachdenklich; rücksichtsvoll; **'~less** gedankenlos; rücksichtslos
thousand ['θaʊznd] tausend; **thousandth** ['θaʊzntθ] **1.** tausendst; **2.** Tausendstel *n*
thrash [θræʃ] verdreschen, -prügeln; **~ *about***, **~ *around*** um sich schlagen; sich *im Bett* hin u. her werfen; *Fische*: zappeln; **'~ing** Tracht *f* Prügel
thread [θred] **1.** Faden *m*; *tech.* Gewinde *n*; **2.** einfädeln; **'~bare** fadenscheinig
threat [θret] Drohung *f*; Bedrohung *f*; **'~en** (be)drohen; **'~ening** drohend
three [θriː] drei
thresh [θreʃ] dreschen
threshold ['θreʃhəʊld] Schwelle *f*
threw [θruː] *pret von* ***throw*** 1
thrifty ['θrɪftɪ] sparsam
thrill [θrɪl] **1.** erregen; begeistern; ***be ~ed*** (ganz) hingerissen sein; **2.** Erregung *f*; Nervenkitzel *m*; **'~er** Thriller *m*, Reißer *m*; **'~ing** spannend, fesselnd, packend
thrive [θraɪv] gedeihen; *fig.* blühen, florieren
throat [θrəʊt] Kehle *f*, Gurgel *f*; Hals *m*
throb [θrɒb] hämmern, pochen, pulsieren
thrombosis [θrɒm'bəʊsɪs] (*pl* ***-ses*** [-siːz]) Thrombose *f*

throne [θrəʊn] Thron *m*
throng [θrɒŋ] sich drängen (in)
throttle ['θrɒtl] **1.** erdrosseln; *mot., tech.* drosseln; ~ **back,** ~ **down** *tech.* drosseln; *Gas* wegnehmen; **2.** *tech.* Drosselklappe *f*
through [θruː] **1.** *prp* durch; *Am.* bis (einschließlich); **2.** *adv* durch; **put s.o.** ~ **to** *tel.* j-n verbinden mit; **3.** *adj* durchgehend; Durchgangs...; **be** ~ F fertig sein (**with** mit); ~**'out 1.** *prp* überall in; *zeitlich*: während; **2.** *adv* ganz, überall; die ganze Zeit (über); '~ **traffic** Durchgangsverkehr *m*; '~ **train** durchgehender Zug
throw [θrəʊ] **1.** (**threw, thrown**) werfen; würfeln; ~ **off** abwerfen; abschütteln; loswerden; ~ **out** hinauswerfen; wegwerfen; ~ **up** hochwerfen; (sich er)brechen; **2.** Wurf *m*; '~**away** Wegwerf...; Einweg...; '~**-in** *Fußball*: Einwurf *m*
thrown [θrəʊn] *pp von* **throw** 1
thru *Am.* → **through**
thrush [θrʌʃ] Drossel *f*
thrust [θrʌst] **1.** (**thrust**) stoßen; **2.** Stoß *m*; *phys.* Schub(kraft *f*) *m*
thruway ['θruːweɪ] *Am.* Schnellstraße *f*
thud [θʌd] **1.** dumpf (auf-) schlagen, plumpsen; **2.** dumpfes Geräusch, Plumps *m*
thumb [θʌm] **1.** Daumen *m*; **2.** ~ **a lift** per Anhalter fahren; ~ **through a book** ein Buch durchblättern; '~**tack** *Am.* Reißzwecke *f*
thump [θʌmp] **1.** dumpfes Geräusch, Plumps *m*; **2.** schlagen; hämmern, pochen
thunder ['θʌndə] **1.** Donner *m*; **2.** donnern; '~**storm** Gewitter *n*; '~**struck** wie vom Donner gerührt
Thursday ['θɜːzdɪ] Donnerstag *m*
thus [ðʌs] so; folglich, somit
'**thyroid** (**gland**) ['θaɪrɔɪd-] Schilddrüse *f*
tick [tɪk] **1.** Ticken *n*; (*Vermerk*)Häkchen *n*; **2.** ticken; ~ **off** ab-, anhaken
ticket ['tɪkɪt] (*Eintritts-, Theater- etc.*)Karte *f*; Fahrkarte *f*, -schein *m*; Flugschein *m*, Ticket *n*; (*Preis- etc.*)Schild *n*, Etikett *n*; (*Gepäck-, Park- etc.*)Schein *m*; (*Lotterie*)Los *n*; Strafzettel *m*; '~**-cancel(l)ing machine** (Fahrschein)Entwerter *m*; '~ **machine** Fahrkartenautomat *m*; '~ **office** Fahrkartenschalter *m*
tickle ['tɪkl] kitzeln; '**ticklish** kitz(e)lig (*a. fig.*)
tide [taɪd] Gezeiten *pl*; Flut *f*; **high** ~ Flut *f*; **low** ~ Ebbe *f*
tidy ['taɪdɪ] ordentlich, sauber; ~ **up** aufräumen
tie [taɪ] **1.** (an-, fest-, *fig.* ver)binden; **2.** Krawatte *f*,

Schlips *m*; Band *n*; *Sport*: Unentschieden *n*; *Am. rail.* Schwelle *f*; *mst pl fig.* Bande *pl*
tier [tɪə] (Sitz)Reihe *f*; Lage *f*, Schicht *f*; *fig.* Stufe *f*
tiger ['taɪgə] Tiger *m*
tight [taɪt] **1.** *adj* eng; knapp; straff; fest; F knick(e)rig; F blau; **2.** *adv* fest; '**~en** fest-, anziehen; *Gürtel* enger schnallen; **~ up** verschärfen; **~'fisted** F knick(e)rig
tights [taɪts] *pl* Trikot *n*; *bsd. Brt.* Strumpfhose *f*
tile [taɪl] **1.** (Dach)Ziegel *m*; Kachel *f*, Fliese *f*; **2.** (mit Ziegeln) decken; kacheln, fliesen
till[1] [tɪl] → ***until***
till[2] [tɪl] (Laden)Kasse *f*
tilt [tɪlt] kippen; (sich) neigen
timber ['tɪmbə] *bsd. Brt.* (Bau-, Nutz)Holz *n*
time [taɪm] **1.** Zeit *f*; Uhrzeit *f*; *mus.* Takt *m*; Mal *n*; ***~ is up*** die Zeit ist um *od.* abgelaufen; ***for the ~ being*** vorläufig; ***have a good ~*** sich gut unterhalten *od.* amüsieren; ***what's the ~?*** wie spät ist es?; ***the first ~*** das erste Mal; ***four ~s*** viermal; ***~ after ~, ~ and ~ again*** immer wieder; ***all the ~*** ständig, immer; ***at any ~, at all ~s*** jederzeit; ***at the same ~*** gleichzeitig; ***in ~*** rechtzeitig; ***in no ~*** im Nu; ***on ~*** pünktlich; **2.** zeitlich abstimmen; timen (*a. Sport*); (ab)stoppen, messen; '**~ card** *Am.* Stechkarte *f*; '**~ clock** Stechuhr *f*; '**~ lag** Zeitdifferenz *f*; '**~less** zeitlos; immer während; '**~ limit** Frist *f*; '**~ly** rechtzeitig; '**~er** Schaltuhr *f*; '**~saving** zeitsparend; '**~ sheet** Stechkarte *f*; '**~ signal** *Rundfunk*: Zeitzeichen *n*; '**~ switch** Zeitschalter *m*; '**~table** Fahr-, Flugplan *m*; Stundenplan *m*; Zeitplan *m*
timid ['tɪmɪd] ängstlich; schüchtern
tin [tɪn] **1.** Blech *n*; Zinn *n*; *bsd. Brt.* Dose *f*, Büchse *f*; **2.** eindosen; '**~foil** Alufolie *f*; Stanniol(papier) *n*
tinge [tɪndʒ] **1.** Tönung *f*; *fig.* Anflug *m*, Spur *f*; **2.** tönen
tingle ['tɪŋgl] prickeln, kribbeln
tinkle ['tɪŋkl] klirren, klingen, klingeln
tinned [tɪnd] *Brt.* Dosen..., Büchsen...; **~ 'fruit** *Brt.* Obstkonserven *pl*
'**tin opener** *Brt.* Dosen-, Büchsenöffner *m*
tinsel ['tɪnsl] Lametta *n*; Flitter *m*
tint [tɪnt] **1.** (Farb)Ton *m*, Tönung *f*; **2.** tönen
tiny ['taɪnɪ] winzig
tip[1] [tɪp] Spitze *f*; *Zigarette*: Filter *m*
tip[2] [tɪp] **1.** Trinkgeld *n*; **2.** *j-m* ein Trinkgeld geben

tip³ [tɪp] **1.** Tipp *m*; **2.** *~ off j-m* e-n Tipp *od.* Wink geben
tip⁴ [tɪp]: *~ over, ~ up* umkippen
tipped *Zigarette*: mit Filter
tipsy ['tɪpsɪ] F beschwipst
tiptoe ['tɪptəʊ] **1.** auf Zehenspitzen gehen; **2.** *on ~* auf Zehenspitzen
tire¹ ['taɪə] *Am.* → ***tyre***
tire² ['taɪə] ermüden; müde werden *od.* machen; **'tired** müde; erschöpft; ***be ~ of*** *et.* satt haben; **'~less** unermüdlich; **'~some** lästig
tiring ['taɪərɪŋ] ermüdend; anstrengend
tissue ['tɪʃuː] *biol.* Gewebe *n*; Papiertaschentuch *n*; → **'~ paper** Seidenpapier *n*
tit¹ [tɪt] Meise *f*
tit² [tɪt] *sl.* Titte *f*
titbit ['tɪtbɪt] Leckerbissen *m*
title ['taɪtl] Titel *m*; Überschrift *f*; **'~ page** Titelseite *f*
to [tʊ, tə, tuː] **1.** *prp* zu; nach; an; bis; *Uhrzeit*: vor; ***~ me*** *etc.* mir *etc.*; **2.** *im inf* zu; um zu; **3.** *adv* zu, geschlossen; ***pull ~*** *Tür* zuziehen; ***come ~*** (wieder) zu sich kommen; ***~ and fro*** hin u. her, auf u. ab
toad [təʊd] Kröte *f*; **'~stool** Giftpilz *m*
toast [təʊst] **1.** Toast *m*; Trinkspruch *m*; **2.** toasten, rösten; *fig.* trinken auf
tobacco [tə'bækəʊ] Tabak *m*; **tobacconist** [tə'bækənɪst] Tabak(waren)händler(in); **~'s (*shop*)** Tabakladen *m*
toboggan [tə'bɒgən] **1.** (Rodel)Schlitten *m*; **2.** rodeln
today [tə'deɪ] heute
toddle ['tɒdl] *bsd. Kleinkind*: auf wack(e)ligen *od.* unsicheren Beinen gehen; **'toddler** Kleinkind *n*
toe [təʊ] Zehe *f*; (*Schuh- etc.*)Spitze *f*; **'~nail** Zehennagel *m*
toffee ['tɒfɪ] Sahnebonbon *m*, *n*, Toffee *n*
together [tə'geðə] zusammen; gleichzeitig
toil [tɔɪl] sich plagen
toilet ['tɔɪlɪt] Toilette *f*; **'~ paper** Toilettenpapier *n*; **'~ roll** Rolle *f* Toilettenpapier
token ['təʊkən] Zeichen *n*; (*Spiel- etc.*)Marke *f*
told [təʊld] *pret u. pp* von ***tell***
tolerable ['tɒlərəbl] erträglich; leidlich; **'tolerance** Toleranz *f*; **'tolerant** tolerant (***of*** gegenüber); **tolerate** ['tɒləreɪt] dulden; ertragen
toll¹ [təʊl] Straßenbenutzungsgebühr *f*, Maut *f*
toll² [təʊl] *Glocke*: läuten
'toll|gate Schlagbaum *m*; **'~ road** gebührenpflichtige Straße, Mautstraße *f*
tomato [tə'mɑːtəʊ] (*pl* ***-toes***) Tomate *f*
tomb [tuːm] Grab(mal) *n*; **'~stone** Grabstein *m*
tomcat ['tɒmkæt] Kater *m*
tomorrow [tə'mɒrəʊ] mor-

gen; ***the day after ~*** übermorgen
ton [tʌn] *Gewicht*: Tonne *f*
tone [təʊn] Ton *m*, Klang *m*
tongs [tɒŋz] *pl* (*a.* ***a pair of ~*** e-e) Zange
tongue [tʌŋ] Zunge *f*; Sprache *f*; (Schuh)Lasche *f*
tonic ['tɒnɪk] Stärkungsmittel *n*; Tonic *n*
tonight [tə'naɪt] heute Abend; heute Nacht
tonsil ['tɒnsl] *anat.* Mandel *f*; **tonsillitis** [tɒnsɪ'laɪtɪs] Mandelentzündung *f*; Angina *f*
too [tuː] zu; zu, sehr; *nachgestellt*: auch
took [tʊk] *pret von* ***take***
tool [tuːl] Werkzeug *n*
tooth [tuːθ] (*pl* ***teeth*** [tiːθ]) Zahn *m*; **'~ache** Zahnschmerzen *pl*; **'~brush** Zahnbürste *f*; **'~less** zahnlos; **'~paste** Zahnpasta *f*, -creme *f*; **'~pick** Zahnstocher *m*
top [tɒp] **1.** oberer Teil; Oberteil *n*, -seite *f*, (*Tisch- etc.*)Oberfläche *f*; Spitze *f* (*a. fig.*); Gipfel *m* (*a. fig.*); Wipfel *m*, (*Baum*)Krone *f*; Kopfende *n*, oberes Ende; Deckel *m*, Verschluss *m*; *mot.* Verdeck *n*; *mot.* höchster Gang; *Spielzeug*: Kreisel *m*; ***on ~*** oben(auf); d(a)rauf; ***on ~ of*** (oben) auf; **2.** oberst; höchst, Höchst..., Spitzen...; ***~ secret*** streng geheim; **3.** bedecken; übertreffen; ***~ up*** nachfüllen; nachschenken
topic ['tɒpɪk] Thema *n*; **'~al** aktuell
topple ['tɒpl] *mst* ***~ over*** umkippen
topsy-turvy [tɒpsɪ'tɜːvɪ] F in e-r heillosen Unordnung
torch [tɔːtʃ] Taschenlampe *f*; Fackel *f*
tore [tɔː] *pret von* ***tear***² 1
torment 1. ['tɔːment] Qual *f*; **2.** [tɔː'ment] quälen, plagen
torn [tɔːn] *pp von* ***tear***² 1
tornado [tɔː'neɪdəʊ] (*pl* ***-does, -dos***) Wirbelsturm *m*
torrent ['tɒrənt] reißender Strom; *fig.* Schwall *m*; **torrential** [tə'renʃl] sintflutartig
tortoise ['tɔːtəs] (Land-) Schildkröte *f*
torture ['tɔːtʃə] **1.** Folter *f*; *fig.* Qual *f*; **2.** foltern; quälen
toss [tɒs] werfen; ***~ about*** (sich) hin u. her werfen; ***~ up*** hochwerfen; ***~ a coin*** e-e Münze werfen
total ['təʊtl] **1.** völlig, absolut, total; ganz, gesamt, Gesamt...; **2.** Gesamtbetrag *m*, -menge *f*; **3.** sich belaufen auf; ***~ up*** zs.-zählen
totter ['tɒtə] (sch)wanken
touch [tʌtʃ] **1.** (sich) berühren; anrühren, anfassen; *fig.* rühren; ***~ down*** *aviat.* aufsetzen; ***~ up*** aus-, verbessern; **2.** Berührung *f*; Tastsinn *m*, -gefühl *n*; Spur *f*; *mus.* Anschlag *m*; ***get in ~ with s.o.*** sich mit j-m in Verbindung

setzen; **~-and-'go:** ***it was ~*** es stand auf des Messers Schneide; **'~down** *aviat.* Aufsetzen *n*; **'~ing** rührend; **'~line** *Fußball*: Seitenlinie *f*
'touchy empfindlich; heikel
tough [tʌf] zäh; hart; grob
tour [tʊə] **1.** Tour *f*, (Rund)Reise *f*, (-)Fahrt *f*; Rundgang *m*; Tournee *f*; **2.** bereisen, reisen durch
tourist ['tʊərɪst] Tourist(in); Touristen...; **'~ class** *aviat.*, *naut.* Touristenklasse *f*; **'~ industry** Tourismusgeschäft *n*; **~ infor'mation office, '~ office** Verkehrsverein *m*; **'~ season** Reisesaison *f*, -zeit *f*
tournament ['tɔːnəmənt] Turnier *n*
tousled ['taʊzld] zerzaust
tow [təʊ] **1.** ***give s.o. a ~*** j-n abschleppen; ***take in ~*** → **2.** (ab)schleppen
toward(s) [tə'wɔːd(z)] auf ... zu, in Richtung; *zeitlich*: gegen; *j-m*, *et.* gegenüber; *als Beitrag*: zu
towel ['taʊəl] Handtuch *n*
tower ['taʊə] **1.** Turm *m*; **2.** ***~ over*** überragen
town [taʊn] Stadt *f*; **~ 'centre** *Brt.* Innenstadt *f*, City *f*; **~ 'council** *Amt*: Stadtrat *m*; **~ 'council(l)or** Stadtrat *m*, -rätin *f*; **~ 'hall** Rathaus *n*
'towrope Abschleppseil *n*
toxic ['tɒksɪk] giftig; **~ 'waste** Giftmüll *m*; **~ waste 'dump** Giftmülldeponie *f*
toy [tɔɪ] **1.** Spielzeug *n*; *pl* Spielsachen *pl*, -zeug *n*, -waren *pl*; Spielzeug...; Zwerg...; **2.** ***~ with*** spielen mit
trace [treɪs] **1.** ausfindig machen, aufspüren, *et.* finden; durchpausen; **2.** Spur *f*
track [træk] **1.** Spur *f*; Fährte *f*; *rail.* Gleis *n*; Pfad *m*; (Aschen)Bahn *f*; **2.** verfolgen; ***~ down*** aufspüren; **'~ event** *Sport*: Laufdisziplin *f*; **'~suit** Trainingsanzug *m*
tractor ['træktə] Traktor *m*
trade [treɪd] **1.** Handel *m*; Branche *f*, Gewerbe *n*; (*bsd. Handwerks*)Beruf *m*; **2.** Handel treiben, handeln (***in*** mit); **'~mark** Warenzeichen *n*; **'trader** Händler *m*
'tradesman (*pl* ***-men***) (Einzel)Händler *m*; Lieferant *m*
trade(s) 'union (*Abk.* ***TU***) Gewerkschaft *f*
tradition [trə'dɪʃn] Tradition *f*; **~al** traditionell
traffic ['træfɪk] **1.** Verkehr *m*; (*bsd.* illegaler) Handel; **2.** (*bsd.* illegal) handeln (***in*** mit); **'~ circle** *Am.* Kreisverkehr *m*; **'~ island** Verkehrsinsel *f*; **'~ jam** Verkehrsstau *m*; **'~ light(s** *pl*) Verkehrsampel *f*; **'~ sign** Verkehrszeichen *n*, -schild *n*; **'~ warden** *mot.* Parküberwacher *m*, Politesse *f*
tragedy ['trædʒədɪ] Tragödie *f*; **'tragic** tragisch
trail [treɪl] **1.** verfolgen; hinter

sich herziehen; schleifen; sich schleppen; *Sport*: zurückliegen (hinter); *bot.* sich ranken; **2.** Fährte *f*, Spur *f*; Pfad *m*; '**~er** *mot.*: Anhänger *m*; *Am.* Wohnwagen *m*; *Film*, *TV*: Vorschau *f*

train¹ [treɪn] Zug *m*; Schleppe *f*; *fig.* Reihe *f*

train² [treɪn] ausbilden, schulen; trainieren; *Tier* abrichten; ausgebildet werden; **trainee** [treɪ'niː] Auszubildende *m*, *f*; '**trainer** Ausbilder(in); Trainer(in); *Brt.* Turnschuh *m*; '**training** Ausbildung *f*, Schulung *f*; Abrichten *n*; Training *n*

trait [treɪ] (Charakter)Zug *m*

traitor ['treɪtə] Verräter *m*

'**tram(car)** ['træm-] Straßenbahn(wagen *m*) *f*

tramp [træmp] **1.** Landstreicher(in), Tramp *m*; **2.** trampeln; (durch)wandern

trample ['træmpl] (zer)trampeln

tranquil ['træŋkwɪl] ruhig, friedlich; **tran'quil(l)ity** Ruhe *f*, Frieden *m*; '**tranquil(l)ize** beruhigen; '**tranquil(l)izer** Beruhigungsmittel *n*

transact [træn'zækt] abwickeln; **~ion** Geschäft *n*, Transaktion *f*

transatlantic [trænzət'læntɪk] transatlantisch, Übersee...

transcript ['trænskrɪpt] Abschrift *f*

transfer 1. [træns'fɜː] *j-n* versetzen (**to** nach); *Betrieb etc.* verlegen; *Geld* überweisen; transferieren; **2.** ['trænsfɜː] Versetzung *f*; Verlegung *f*; *econ.* Überweisung *f*; Transfer *m*; *bsd. Am.* Umsteigefahrschein *m*; **~able** [træns'fɜːrəbl] übertragbar

transform [træns'fɔːm] umwandeln; **~ation** [trænsfə'meɪʃn] Umwandlung *f*

transfusion [træns'fjuːzn] (Blut)Transfusion *f*

transistor [træn'sɪstə] Transistor *m*; Transistorradio *n*

transit ['trænsɪt] Durchgangs-, Transitverkehr *m*; **in ~** auf dem Transport

translate [træns'leɪt] übersetzen; **trans'lation** Übersetzung *f*; **trans'lator** Übersetzer(in)

translucent [trænz'luːsnt] lichtdurchlässig

transmission [trænz'mɪʃn] Übermittlung *f*; Übertragung *f*; *mot.* Getriebe *n*; **transmit** [trænz'mɪt] übertragen

transparent [træns'pærənt] durchsichtig

transpire [træn'spaɪə] schwitzen; passieren

transplant 1. [træns'plɑːnt] um-, verpflanzen; *med.* verpflanzen; **2.** ['trænsplɑːnt] Transplantation *f*, Verpflanzung *f*; Transplantat *n*

transport 1. ['trænspɔːt]

Transport *m*, Beförderung *f*; Beförderungs-, Verkehrsmittel *n*; **public ~** öffentliche Verkehrsmittel *pl*; **2.** [træn'spɔːt] transportieren, befördern; **~ation** [trænspɔː'teɪʃn] *bsd. Am.* Transport *m*, Beförderung *f*
trap [træp] **1.** Falle *f* (*a. fig.*); *sl.* Klappe *f*, Schnauze *f*; **2.** (in *od.* mit e-r Falle) fangen
trash [træʃ] Schund *m*, Mist *m*; Quatsch *m*; *Am.* Abfall *m*; **'~can** Abfall-, Mülleimer *m*; **'trashy** Schund...
travel ['trævl] **1.** reisen; fahren; *Strecke* zurücklegen; **2.** *das* Reisen; *pl* Reisen *pl*; **'~ agency** Reisebüro *n*
'travel(l)er Reisende *m,f*; **'~'s cheque** (*Am.* **check**) Reisescheck *m*
'travelsick reisekrank
trawler ['trɔːlə] Fischdampfer *m*, Trawler *m*
tray [treɪ] Tablett *n*; Ablage(korb *m*) *f*
treacherous ['tretʃərəs] verräterisch; tückisch; **'treachery** Verrat *m*
treacle ['triːkl] *Brt.* Sirup *m*
tread [tred] **1.** (***trod, trodden***) treten; **2.** *Reifen*: Profil *n*
treason ['triːzn] Landesverrat *m*
treasure ['treʒə] **1.** Schatz *m*; **2.** sehr schätzen; **'treasurer** Schatzmeister(in)
Treasury ['treʒərɪ] *Brt.*, **'~ Department** *Am.* Finanzministerium *n*
treat [triːt] **1.** behandeln; umgehen mit; **~ *s.o. to s.th.*** j-m et. spendieren; **2.** (besondere) Freude, Überraschung *f*; ***it's my ~*** ich lade dich dazu ein; **'~ment** Behandlung *f*
treaty ['triːtɪ] Vertrag *m*
treble ['trebl] **1.** dreifach; **2.** (sich) verdreifachen
tree [triː] Baum *m*
trefoil ['trefɔɪl] Klee *m*
trellis ['trelɪs] Spalier *n*
tremble ['trembl] zittern
tremendous [trɪ'mendəs] gewaltig, enorm; F klasse, toll
tremor ['tremə] Zittern *n*; Beben *n*
trench [trentʃ] Graben *m*
trend [trend] Tendenz *f*, Trend *m*; **'trendy** modern; ***be ~*** als schick gelten, in sein
trespass ['trespəs]: ***no ~ing*** Betreten verboten; **'~er: *~s will be prosecuted*** Betreten bei Strafe verboten!
trestle ['tresl] *bsd. Brt.* Bock *m*, Gestell *n*
trial ['traɪəl] *jur.* Prozess *m*, Verhandlung *f*; Probe *f*; ***on ~*** auf *od.* zur Probe
triangle ['traɪæŋgl] Dreieck *n*; **triangular** [traɪ'æŋgjʊlə] dreieckig
tribe [traɪb] (Volks)Stamm *m*
tribunal [traɪ'bjuːnl] Gericht(shof *m*) *n*
tributary ['trɪbjʊtərɪ] Nebenfluss *m*

trick [trɪk] **1.** Trick *m*; (*Karten- etc.*)Kunststück *n*; Streich *m*; ***play a ~ on s.o.*** j-m e-n Streich spielen; **2.** überlisten
trickle ['trɪkl] tröpfeln; rieseln
trickster ['trɪkstə] Betrüger(in); '**tricky** schwierig; heikel; durchtrieben
tricycle ['traɪsɪkl] Dreirad *n*
trifle ['traɪfl] Kleinigkeit *f*, Lappalie *f*; '**trifling** geringfügig, unbedeutend
trigger ['trɪgə] **1.** *Gewehr*: Abzug *m*; **2.** *a.* ***~ off*** auslösen
trim [trɪm] **1.** schneiden; stutzen; trimmen; beschneiden; *Kleid etc.* besetzen; schmücken; **2.** adrett, gepflegt; **3.** ***in good ~*** F gut in Form; '**trimmings** *pl* Besatz *m*; Zubehör *n*; *gastr.* Beilagen *pl*
trinket ['trɪŋkɪt] (*bsd.* billiges) Schmuckstück
trip [trɪp] **1.** (kurze) Reise; Ausflug *m*, Trip *m*; Stolpern *n*; *sl. unter Drogen*: Trip *m*; **2.** stolpern; *a.* ***~ up*** *j-m* ein Bein stellen
tripe [traɪp] *gastr.* Kutteln *pl*
triple ['trɪpl] dreifach; '**~ jump** *Sport*: Dreisprung *m*
triplets ['trɪplɪts] *pl* Drillinge *pl*
tripod ['traɪpɒd] Stativ *n*
trite [traɪt] abgedroschen, banal
triumph ['traɪəmf] **1.** Triumph *m*; **2.** triumphieren; **~ant** [traɪ'ʌmfənt] triumphierend
trivial ['trɪvɪəl] unbedeutend; trivial, alltäglich
trod [trɒd] *pret*, '**trodden** *pp von* ***tread*** 1
trolley ['trɒlɪ] *bsd. Brt.*: Einkaufs- *od.* Gepäckwagen *m*; Kofferkuli *m*; (*Tee-, Servier*)Wagen *m*; ***shopping ~*** Einkaufsroller *m*
troop [tru:p] **1.** Schar *f*, Haufe(n) *m*; *pl mil.* Truppen *pl*; **2.** (*herein- etc.*)strömen
trophy ['trəʊfɪ] Trophäe *f*
tropic ['trɒpɪk] *astr., geogr.* Wendekreis *m*; *pl* Tropen *pl*; '**~al** tropisch
trot [trɒt] **1.** Trab *m*; **2.** traben
trouble ['trʌbl] **1.** Schwierigkeiten *pl*, Ärger *m*; Mühe *f*; *pol.* Unruhe *f*; *med.* Beschwerden *pl*; ***be in ~*** in Schwierigkeiten sein; ***get into ~*** Ärger *od.* Schwierigkeiten bekommen; *j-n* in Schwierigkeiten bringen; **2.** beunruhigen; belästigen, stören; **~-'free** problemlos; '**~maker** Unruhestifter(in); '**~some** lästig
trough [trɒf] Trog *m*
trousers ['traʊzəz] *pl* Hose *f*
'**trouser suit** *Brt.* Hosenanzug *m*
trout [traʊt] Forelle *f*
truant ['tru:ənt] Schulschwänzer(in); ***play ~*** (die Schule) schwänzen

truce [tru:s] Waffenstillstand *m*
truck [trʌk] Last(kraft)wagen *m*; *Brt.* (offener) Güterwagen; '**~ driver,** '**~er** *bsd. Am.* Lastwagenfahrer *m*; Fernfahrer *m*
'**truck farm** *Am.* Gemüse- u. Obstgärtnerei *f*
trudge [trʌdʒ] stapfen
true [tru:] wahr; echt, wirklich; genau; treu
truly ['tru:lɪ] wirklich; *Geschäftsbrief*: **Yours ~** Hochachtungsvoll
trumpet ['trʌmpɪt] Trompete *f*
truncheon ['trʌntʃən] *bsd. Brt.* Gummiknüppel *m*
trunk [trʌŋk] (Baum)Stamm *m*; *Am. mot.* Kofferraum *m*; Schrankkoffer *m*; *Elefant*: Rüssel *m*; *anat.* Rumpf *m*; *pl* (*Bade*)Hose *f*; '**~ road** *Brt.* Fernstraße *f*
trust [trʌst] **1.** Vertrauen *n*; *jur.* Treuhand *f*; Treuhandvermögen *n*; *econ.* Trust *m*, Konzern *m*; **2.** (ver)trauen; sich verlassen auf
trustee [trʌs'ti:] *jur.* Treuhänder(in); Sachverwalter(in)
'**trust|ful,** '**~ing** vertrauensvoll; '**~worthy** vertrauenswürdig
truth [tru:θ] (*pl* **truths** [tru:ðz, tru:θs]) Wahrheit *f*; '**~ful** wahr(heitsliebend)
try [traɪ] **1.** versuchen; (aus-) probieren; *jur. j-m* den Prozess machen; *jur.* verhandeln (über); *Geduld etc.* auf e-e harte Probe stellen; **~ on** anprobieren; **~ out** ausprobieren; **2.** Versuch *m*; **have a ~** e-n Versuch machen; '**~ing** anstrengend
TU [ti: 'ju:] **trade(s) union** Gewerkschaft *f*
tub [tʌb] Bottich *m*, Zuber *m*; *für Eis, Margarine etc.*: Becher *m*; F (Bade)Wanne *f*
tube [tju:b] Röhre *f* (*a. anat.*), Rohr *n*; Tube *f*; Schlauch *m*; **the ~** die (Londoner) U-Bahn; **the ~** *Am.* F die Glotze; '**~less** schlauchlos
tuberculosis [tju:bɜ:kjʊ'ləʊsɪs] Tuberkulose *f*
tuck [tʌk] stecken; **~ away** weg-, verstecken; **~ in, ~ up** (warm) zudecken
Tuesday ['tju:zdɪ] Dienstag *m*
tuft [tʌft] Büschel *n*
tug [tʌg] **1.** Zug *m*, Ruck *m*; **2.** ziehen, zerren; **~-of-'war** Tauziehen *n*
tuition [tju:'ɪʃn] Unterricht *m*; *Am.* Unterrichtsgebühren *pl*
tulip ['tju:lɪp] Tulpe *f*
tumble ['tʌmbl] **1.** fallen, stürzen, purzeln; **2.** Sturz *m*; '**~down** baufällig; '**~-dryer** *Brt.* Wäschetrockner *m*
tummy ['tʌmɪ] F Bäuchlein *n*
tumo(u)r ['tju:mə] Tumor *m*
tumult ['tju:mʌlt] Tumult *m*;
tumultuous [tju:'mʌltjʊəs] tumultartig; stürmisch
tuna ['tu:nə] Thunfisch *m*
tune [tju:n] **1.** Melodie *f*; **out**

of ~ verstimmt; **2. ~ in** *Radio etc.* einstellen; *a.* **~ up** *mus.* stimmen; *Motor* tunen; **'~ful** melodisch
tunnel ['tʌnl] Tunnel *m*
turbine ['tɜ:baɪn] Turbine *f*
turbot ['tɜ:bət] Steinbutt *m*
turbulent ['tɜ:bjʊlənt] stürmisch, turbulent
tureen [tə'ri:n] Terrine *f*
turf [tɜ:f] (*pl* **turfs, turves** [tɜ:vz]) Rasen *m*; Sode *f*; **the ~** die (Pferde)Rennbahn; der (Pferde)Rennsport
Turk [tɜ:k] Türk|e *m*, -in *f*
Turkey ['tɜ:kɪ] die Türkei
turkey ['tɜ:kɪ] Truthahn *m*, -henne *f*, Puter *m*, Pute *f*
Turkish ['tɜ:kɪʃ] türkisch
turmoil ['tɜ:mɔɪl] Aufruhr *m*
turn [tɜ:n] **1.** (sich) (um-, herum)drehen; wenden; umblättern; zukehren, -wenden; lenken, richten; *tech.* formen, drechseln; (sich) verwandeln; sich (ab-, hin-, zu)wenden; ab-, einbiegen; *Straße*: e-e Biegung machen; *grau etc.* werden; *Laub*: sich verfärben; *Milch*: sauer werden; *Wetter*: umschlagen; **~ left/right** (sich) nach links/rechts wenden; *mot.* links/rechts abbiegen; **~ away** (sich) abwenden; abweisen; **~ back** umkehren; *j-n* zurückschicken; *Uhr* zurückstellen; **~ down** *Kragen* umschlagen; *Decke* zurückschlagen; *Gas* kleiner stellen; *Radio* leiser stellen; ablehnen; **~ in** zurückgeben; F ins Bett gehen; **~ off** *Wasser*, *Gas* abdrehen; *Licht*, *Radio etc.* ausschalten, -machen; abbiegen; **~ on** *Gas*, *Wasser etc.* aufdrehen; *Gerät* anstellen; *Licht*, *Radio* anmachen, einschalten; **~ out** hinauswerfen; abdrehen, ausschalten, -machen; *et.* produzieren; *gut etc.* ausfallen *od.* ausgehen; sich herausstellen; **~ round** sich umdrehen; **~ to** sich zuwenden; sich an *j-n* wenden; **~ up** *Kragen* hochschlagen; *Gas*, *Radio* aufdrehen; auftauchen; **2.** (Um-)Drehung *f*; Biegung *f*, Kurve *f*, Kehre *f*; Abzweigung *f*; *fig.* Wende *f*; **it's my ~** ich bin an der Reihe; **by ~s** abwechselnd; **take ~s** sich abwechseln
'turning *Brt.* Abzweigung *f*; **'~ point** *fig.* Wendepunkt *m*
turnip ['tɜ:nɪp] Rübe *f*
'turn|out Besucher(zahl *f*) *pl*; F Aufmachung *f*; Wahlbeteiligung *f*; **'~over** *econ.* Umsatz *m*; **~pike** ['tɜ:npaɪk] *Am.*, **~pike 'road** *Am.* gebührenpflichtige Schnellstraße; **~stile** ['tɜ:nstaɪl] Drehkreuz *n*; **'~table** Plattenteller *m*; **'~-up** *Brt.* Hosenaufschlag *m*
turquoise ['tɜ:kwɔɪz] Türkis *m*
turret ['tʌrɪt] Türmchen *n*
turtle ['tɜ:tl] (See)Schildkröte

f; **'~neck** *bsd. Am.* Rollkragen(pullover) *m*
turves [tɜːvz] *pl von* ***turf***
tusk [tʌsk] Stoßzahn *m*
tutor ['tjuːtə] Privat-, Hauslehrer(in); Tutor(in)
tutorial [tjuː'tɔːrɪəl] Tutorenkurs *m*
tuxedo [tʌk'siːdəʊ] *Am.* Smoking *m*
TV [tiː'viː] TV *n*, Fernsehen *n*; Fernseher *m*, Fernsehapparat *m*; ***on*** ~ im Fernsehen; ***watch*** ~ fernsehen
twang [twæŋ] Näseln *n*
tweezers ['twiːzəz] *pl* (*a.* ***a pair of*** ~ e-e) Pinzette
twelfth [twelfθ] zwölft
twelve [twelv] zwölf
twentieth ['twentɪɪθ] zwanzigst; **twenty** ['twentɪ] zwanzig
twice [twaɪs] zweimal
twig [twɪg] (dünner) Zweig
twilight ['twaɪlaɪt] Zwielicht *n*; Dämmerung *f*
twin [twɪn] Zwilling *m*; *pl* Zwillinge *pl*; Zwillings..., Doppel...; **~ 'beds** *pl* zwei Einzelbetten *pl*
twinge [twɪndʒ] stechender Schmerz, Stechen *n*
twinkle ['twɪŋkl] glitzern, funkeln
twin 'town *Brt.* Partnerstadt *f*
twirl [twɜːl] **1.** (herum)wirbeln; **2.** Wirbel *m*
twist [twɪst] **1.** (sich) drehen *od.* winden; wickeln; ~ ***one's ankle*** (mit dem Fuß) umknicken; ~ ***off*** *Deckel* abschrauben; **2.** Drehung *f*; Biegung *f*
twitch [twɪtʃ] **1.** zucken (mit); **2.** Zucken *n*, Zuckung *f*
twitter ['twɪtə] zwitschern
two [tuː] zwei; ***cut in*** ~ in zwei Teile schneiden; **~-'piece** zweiteilig; **'~-stroke** *mot.* Zweitakt...; **~-way 'traffic** Gegenverkehr *m*
type [taɪp] **1.** Typ *m*; Art *f*; Sorte *f*; *print.* Type *f*, Buchstabe *m*; **2.** mit der Maschine schreiben, tippen; Maschine schreiben; **'~writer** Schreibmaschine *f*; **'~written** maschine(n)geschrieben
typhoid ['taɪfɔɪd], **~ 'fever** Typhus *m*
typhoon [taɪ'fuːn] Taifun *m*
typhus ['taɪfəs] Flecktyphus *m*
typical ['tɪpɪkl] typisch
typist ['taɪpɪst] Schreibkraft *f*
tyrannical [tɪ'rænɪkl] tyrannisch; **tyrannize** ['tɪrənaɪz] tyrannisieren; **tyranny** ['tɪrənɪ] Tyrannei *f*
tyrant ['taɪərənt] Tyrann(in)
tyre ['taɪə] *bsd. Brt.* Reifen *m*

U

udder ['ʌdə] Euter *n*
ugly ['ʌglɪ] hässlich; schlimm
UK [juː 'keɪ] ***United Kingdom*** *das* Vereinigte Königreich (*England, Schottland, Wales u. Nordirland*)
ulcer ['ʌlsə] Geschwür *n*
ultimate ['ʌltɪmət] letzt; höchst; **'~ly** letztlich
ultimatum [ʌltɪ'meɪtəm] Ultimatum *n*
ultra|sonic [ʌltrə'sɒnɪk] Ultraschall...; **'~sound** Ultraschall *m*; **~'violet** ultraviolett
umbilical cord [ʌmbɪlɪkəl 'kɔːd] Nabelschnur *f*
umbrella [ʌm'brelə] (Regen-) Schirm *m*
umpire ['ʌmpaɪə] Schiedsrichter(in)
UN [juː 'en] ***United Nations*** *pl* UN *f*, Vereinte Nationen *pl*
un|abashed [ʌnə'bæʃt] unverfroren; **~abated** [ʌnə'beɪtɪd] unvermindert; **~'able** unfähig, außerstande; **~ac'ceptable** unannehmbar
unanimous [juː'nænɪməs] einmütig; einstimmig
un|ap'proachable unnahbar; **~'armed** unbewaffnet; **~at'tached** ungebunden, frei; **~at'tended** unbeaufsichtigt; **~'authorized** unberechtigt; unbefugt; **~a'voidable** unvermeidlich
unaware [ʌnə'weə]: ***be ~ of*** *et.* nicht bemerken, sich *e-r Sache* nicht bewusst sein; **~s** [ʌnə'weəz]: ***catch*** *od.* ***take s.o. ~*** j-n überraschen
un|'balanced unausgeglichen, labil; **~'bearable** unerträglich; **~be'lievable** unglaublich; **~'bias(s)ed** unvoreingenommen; **~'born** ungeboren; **~'button** aufknöpfen; **~'called-for** F unnötig; **~'canny** unheimlich; **~'ceasing** unaufhörlich; **~'certain** unsicher, ungewiss; unbeständig; **~'checked** ungehindert
uncle ['ʌŋkl] Onkel *m*
un|'comfortable unbehaglich; unbequem; **~'common** ungewöhnlich; **~'compromising** kompromisslos; **~con'ditional** bedingungslos; **~'conscious** bewusstlos; unbewusst; **~con'trollable** unkontrollierbar; **~'cover** aufdecken; **~daunted** [ʌn'dɔːntɪd] unerschrocken; **~de'cided** unentschlossen; unentschieden, offen; **~deniable** [ʌndɪ'naɪəbl] unbestreitbar
under ['ʌndə] **1.** *prp* unter; **2.** *adv* unten; darunter; **~'age** minderjährig; **~'bid** (*-bid*)

unterbieten; '**~carriage** *aviat.* Fahrwerk *n*; **~'cover** geheim; **~cover 'agent** verdeckter Ermittler; **~'cut** (*-cut*) unterbieten; **~de'veloped** unterentwickelt; '**~dog** Benachteiligte *m, f*; **~'done** nicht gar; nicht durchgebraten; **~'estimate** unterschätzen; **~ex'posed** *phot.* unterbelichtet; **~'go** (*-went, -gone*) durchmachen; sich unterziehen; **~'ground** *adv* unterirdisch, unter der Erde; '**~ground 1.** *adj* unterirdisch; *fig.* Untergrund...; **2.** *bsd. Brt.* Untergrundbahn *f*, U-Bahn *f*; '**~growth** Unterholz *n*; **~'line** unterstreichen; **~neath** [ʌndə'ni:θ] **1.** *prp* unter; **2.** *adv* darunter; **~'nourished** unterernährt; '**~pants** *pl* Unterhose *f*; '**~pass** Unterführung *f*; **~'privileged** benachteiligt; **~'rate** unterschätzen; '**~shirt** *Am.* Unterhemd *n*; **~'size(d)** zu klein; **~'staffed** (personell) unterbesetzt; **~'stand** (*-stood*) verstehen; erfahren *od.* gehört haben (*that* dass); **~'standable** verständlich; **~'standing 1.** verständnisvoll; **2.** Verständnis *n*; Abmachung *f*; **~'statement** Understatement *n*, Untertreibung *f*; **~'take** (*-took, -taken*) übernehmen; sich verpflichten; '**~taker** *Brt.* Leichenbestatter *m*; Bestattungsinstitut *n*; **~'taking** Unternehmen *n*; **~'value** unterschätzen; **~'water** Unterwasser...; unter Wasser; '**~wear** Unterwäsche *f*; '**~weight** Untergewicht *n*

un|de'served unverdient; **~de'sirable** unerwünscht; **~de'veloped** unentwickelt; unerschlossen; **~di'sputed** unbestritten; **~'do** (*-did, -done*) aufmachen, öffnen; ungeschehen machen; **~'doubted** unbestritten; **~ly** zweifellos, ohne (jeden) Zweifel; **~'dress** (sich) ausziehen; **~'earth** ausgraben, *fig. a.* ausfindig machen, aufstöbern; **~'easy** unbehaglich; unruhig; unsicher; **~'educated** ungebildet

unem'ployed 1. arbeitslos; **2.** *the ~ pl* die Arbeitslosen *pl*

unem'ployment Arbeitslosigkeit *f*; **~ benefit** *Brt.*, **~ compensation** *Am.* Arbeitslosengeld *n*

un|'ending endlos; **~'equal** ungleich; *be ~ to e-r Aufgabe etc.* nicht gewachsen sein; **~'erring** unfehlbar; **~'even** uneben; ungleich(mäßig); *Zahl:* ungerade; **~e'ventful** ereignislos; **~ex'pected** unerwartet; **~'failing** unerschöpflich; **~'fair** ungerecht, unfair; **~'faithful** untreu (*to dat*); **~fa'miliar** unbekannt; nicht vertraut; **~'fasten** aufmachen, öffnen; **~'favo(u)rable** ungünstig; **~'feeling** gefühl-, herzlos; **~'finished** unvollendet; unerledigt; **~'fit** nicht fit, nicht in Form; ungeeignet, untauglich; **~'fold** auseinander falten; sich entfalten; **~fore'seen** unvorhergesehen; **~for'gettable** unvergesslich; **~'fortunate** unglücklich; bedauerlich; ***~ly*** leider; **~'founded** unbegründet; **~'friendly** unfreundlich; **~'furnished** unmöbliert; **~'grateful** undankbar; **~'guarded** unbedacht, unüberlegt; **~'happy** unglücklich; **~'harmed** unversehrt; **~'healthy** ungesund; nicht gesund; **~'heard-of** noch nie da gewesen; **~'hoped-for** unverhofft; **~'hurt** unverletzt

unification [juːnɪfɪ'keɪʃn] Vereinigung *f*

uniform ['juːnɪfɔːm] **1.** Uniform *f*; **2.** gleichmäßig; einheitlich

unify ['juːnɪfaɪ] verein(ig)en

un|i'maginable unvorstellbar; **~i'maginative** einfallslos; **~im'portant** unwichtig; **~in'habitable** unbewohnbar; **~in'habited** unbewohnt; **~'injured** unverletzt; **~in'telligible** unverständlich; **~in'tentional** unabsichtlich; **~inter'rupted** ununterbrochen

union ['juːnjən] Vereinigung *f*; Union *f*; Gewerkschaft *f*; **'~ist** Gewerkschaftler(in)

unique [juː'niːk] einzigartig, einmalig

unit ['juːnɪt] Einheit *f*

unite [juː'naɪt] (sich) vereinigen; verbinden; **u'nited** vereint, vereinigt; → ***UK***; ***UN***(***O***); ***US***(***A***)

unity ['juːnətɪ] Einheit *f*

universal [juːnɪ'vɜːsl] allgemein; Universal...

universe ['juːnɪvɜːs] (Welt-) All *n*, Universum *n*

university [juːnɪ'vɜːsətɪ] Universität *f*

un|'just ungerecht; **~kempt** [ʌn'kempt] ungepflegt; **~'kind** unfreundlich; lieblos; **~'known** unbekannt; **~leaded** [ʌn'ledɪd] *Benzin*: bleifrei

unless [ən'les] wenn ... nicht, es sei denn

un|'like anders als; im Gegensatz zu; ***~ly*** unwahrscheinlich; **~'limited** unbegrenzt; **~'load** ab-, aus-, entladen; **~'lock** aufschließen; **~'lucky** unglücklich; ***be ~*** Pech haben; **~'manned** unbemannt; **~'married** unverheiratet, ledig; **~mis'takable** unverkennbar; **~'moved** ungerührt; **~'natural** unnatürlich; **~'necessary** unnötig; **~'noticed** unbemerkt

UNO ['juːnəʊ] ***United Nations Organization*** UNO *f*, Orga-

nisation *f* der Vereinten Nationen
un|ob'trusive unauffällig, bescheiden; **~'occupied** *Platz*: frei; *Haus*: unbewohnt; **~of'ficial** nichtamtlich, inoffiziell; **~'pack** auspacken; **~'paid** unbezahlt; **~'pleasant** unangenehm, unerfreulich; unfreundlich; **~'plug** den Stecker (*gen*) herausziehen; **~precedented** [ʌn'presɪdentɪd] beispiellos, noch nie da gewesen; **~pre'dictable** unvorhersehbar; *Person*: unberechenbar; **~pretentious** [ʌnprɪ'tenʃəs] bescheiden, schlicht; **~'qualified** unqualifiziert, ungeeignet; uneingeschränkt; **~'questionable** unbestritten; **~'real** unwirklich; **~rea'listic** unrealistisch; **~'reasonable** unvernünftig; übertrieben, unzumutbar; **~re'liable** unzuverlässig; **~'rest** *pol.* Unruhen *pl*; **~re'strained** hemmungslos, ungezügelt; **~'roll** ent-, aufrollen; **~ruly** [ʌn'ru:lɪ] ungebärdig; widerspenstig; **~'said** unausgesprochen; **~satis'factory** unbefriedigend; unzulänglich; **~'savo(u)ry** unerfreulich, widerlich; **~'screw** ab-, los-, aufschrauben; **~'scrupulous** skrupellos; **~'settled** *Frage*: ungeklärt, offen; *Lage etc.*: unsicher; *Wetter*: unbeständig; **~'sightly** hässlich; **~'skilled** ungelernt; **~'sociable** ungesellig; **~'social**: ***work ~ hours*** außerhalb der normalen Arbeitszeit arbeiten; **~so'phisticated** einfach, unkompliziert; **~'sound** nicht intakt *od.* in Ordnung; nicht stichhaltig; **~'speakable** unbeschreiblich, entsetzlich; **~'stable** unsicher, schwankend; labil; **~'steady** wack(e)lig, unsicher, schwankend; **~'stuck**: ***come ~*** abgehen, sich lösen; **~'suitable** unpassend, ungeeignet; **~su'specting** nichts ahnend, ahnungslos; **~'swerving** unbeirrbar; **~'thinkable** unvorstellbar; **~'tie** aufknoten, *Knoten etc.* lösen; losbinden
until [ən'tɪl] bis; ***not ~*** erst; erst wenn, nicht bevor
un|'timely vorzeitig; ungelegen, unpassend; **~'tiring** unermüdlich; **~'told** unermesslich; **~'touched** unberührt; **~'true** unwahr; **~used 1.** [ʌn'ju:zd] unbenutzt, ungebraucht; **2.** [ʌn'ju:st]: ***be ~ to s.th.*** et. nicht gewohnt sein; **~'usual** ungewöhnlich; **~'veil** enthüllen; **~'willing** widerwillig; ***be ~ to do s.th.*** et. nicht tun wollen; **~'wind** (**-*wound***) abwickeln; *fig.* abschalten, sich entspannen; **~'wrap** auspacken, -wickeln
up [ʌp] **1.** *adv* (her-, hin)auf,

aufwärts, nach oben, hoch, in die Höhe; oben; **~ to** bis (zu); **be ~ to** *et.* vorhaben; *e-r Sache* gewachsen sein; ***it's ~ to you*** das liegt bei dir; **2.** *prp* herauf, hinauf; oben auf; **3.** *adj* nach oben gerichtet, Aufwärts...; auf(gestanden); *Sonne*: aufgegangen; *Preise*: gestiegen; *Zeit*: abgelaufen, um; ***~ and about*** F wieder auf den Beinen; ***what's ~?*** F was ist los?; **4.** *su* ***~s and downs*** *pl* Höhen u. Tiefen *pl*
'up|bringing Erziehung *f*; **~'date** auf den neuesten Stand bringen, aktualisieren; **~'grade** *j-n* befördern; nachbessern, aktualisieren; **~heaval** [ʌp'hiːvl] Umwälzung *f*; **~'hill** bergan; bergauf führend; *fig.* mühsam; **~holster** [ʌp'həʊlstə] *Möbel* polstern; **~'holstery** Polsterung *f*; **'~keep** Unterhalt(skosten *pl*) *m*; Instandhaltung(skosten *pl*) *f*
upon [ə'pɒn] → ***on***
upper ['ʌpə] ober, Ober...; **~ 'class** Oberschicht *f*; **'~most** oberst; an erster Stelle
'up|right aufrecht; *fig.* rechtschaffen; **'~rising** Aufstand *m*; **'~roar** Aufruhr *m*; **~'set** (***-set***) umkippen, umstoßen, umwerfen; *Plan etc.* durcheinander bringen, stören; *fig. j-n* aus der Fassung bringen; ***the fish has ~ me*** *od.* ***my stomach*** ich habe mir an dem Fisch den Magen verdorben; **be ~** aus der Fassung *od.* durcheinander sein; **'~shot** Ergebnis *n*; **~side 'down** verkehrt herum; *fig.* drunter u. drüber; ***turn ~*** umdrehen, *a. fig.* auf den Kopf stellen; **~'stairs** (nach) oben; **~'stream** stromaufwärts; **'~take** F: ***be quick / slow on the ~*** schnell begreifen/schwer von Begriff sein; **~-to-'date** modern; aktuell, auf dem neuesten Stand; auf dem Laufenden; **'~ward(s)** aufwärts; nach oben
uranium [jʊ'reɪnɪəm] Uran *n*
urban ['ɜːbən] städtisch, Stadt...
urge [ɜːdʒ] **1.** drängen; ***~ on*** antreiben; **2.** Drang *m*, Verlangen *n*
urgent ['ɜːdʒənt] dringend; ***be ~*** *a.* eilen
urinate ['jʊərɪneɪt] urinieren;
urine ['jʊərɪn] Urin *m*
urn [ɜːn] Urne *f*
us [ʌs, əs] uns
US [juː 'es] ***United States*** Vereinigte Staaten *pl*
USA [juː es 'eɪ] ***United States of America*** *die* USA *pl*, Vereinigte Staaten *pl* von Amerika
usage ['juːzɪdʒ] Sprachgebrauch *m*; Verwendung *f*, Gebrauch *m*; Behandlung *f*
use 1. [juːz] benutzen, gebrauchen, an-, verwenden; ***~ up*** auf-, verbrauchen; **2.**

[ju:s] Benutzung *f*, Gebrauch *m*, Verwendung *f*; Nutzen *m*, Zweck *m*; ***be of ~*** nützlich sein; ***it's no ~*** es ist zwecklos

used[1] [ju:st]: ***be ~ to s.th.*** an et. gewöhnt sein; ***get ~ to s.th.*** sich an et. gewöhnen

used[2] [ju:zd] gebraucht; **~ 'car** Gebrauchtwagen *m*

use|ful ['ju:sfʊl] nützlich; **'~less** nutz-, zwecklos

user ['ju:zə] Benutzer(in); Anwender(in); **~-'friendly** benutzerfreundlich

usher ['ʌʃə] **1.** Platzanweiser *m*; **2. *~ in*** (hinein)führen

usherette [ʌʃə'ret] Platzanweiserin *f*

usual ['ju:ʒl] gewöhnlich, üblich; **~ly** ['ju:ʒəlɪ] (für) gewöhnlich, normalerweise

utensil [ju:'tensl] Gerät *n*

uterus ['ju:tərəs] (*pl* ***-ri*** [-raɪ], ***-ruses***) Gebärmutter *f*

utility [ju:'tɪlətɪ] Nutzen *m*;

utilize ['ju:təlaɪz] nutzen

utmost ['ʌtməʊst] äußerst

utter ['ʌtə] total, völlig; **'~ly** äußerst, total, völlig

U-turn ['ju:tɜ:n] *mot.* Wende *f*; *fig.* F Kehrtwendung *f*

UV [ju: 'vi:] ***ultraviolet*** ultraviolett

V

vacancy ['veɪkənsɪ] freie *od.* offene Stelle; Leere *f*; ***vacancies*** Zimmer frei; ***no vacancies*** belegt; **'vacant** leer stehend, unbewohnt; (*Sitz-*) *Platz*: frei; *Stelle*: frei, offen; *Blick etc.* leer; ~ *Toilette*: frei

vacation [və'keɪʃn] *bsd. Brt.* Semester- *od.* Gerichtsferien *pl*; *bsd. Am.* Urlaub *m*, Ferien *pl*; **~er** *Am.* Urlauber(in)

vaccinate ['væksɪneɪt] impfen; **vacci'nation** (Schutz-) Impfung *f*; **vaccine** ['væksi:n] Impfstoff *m*

vacuum ['vækjʊəm] Vakuum *n*; **'~ bottle** *Am.* Thermosflasche® *f*; **'~ cleaner** Staubsauger *m*; **'~ flask** *Brt.* Thermosflasche® *f*; **'~-packed** vakuumverpackt

vagaries ['veɪgərɪz] *pl Wetter etc.*: Launen *pl*

vagina [və'dʒaɪnə] *anat.* Vagina *f*, Scheide *f*

vague [veɪg] vage, verschwommen; unklar

vain [veɪn] eitel; vergeblich; ***in ~*** vergebens, vergeblich

valerian [və'lɪərɪən] Baldrian *m*

valet ['vælɪt] (Kammer)Diener *m*

valiant ['væljənt] tapfer

valid ['vælɪd] gültig; stichhaltig, triftig

valley ['vælɪ] Tal *n*

valuable ['væljʊəbl] **1.** wert-

voll; *Zeit*: kostbar; **2.** *pl* Wertsachen *pl*
valuation [væljʊ'eiʃn] Schätzung *f*; Schätzwert *m*
value ['vælju:] **1.** Wert *m*; Nutzen *m*; **2.** schätzen, veranschlagen; *fig.* schätzen, achten; **~-added 'tax** (*Abk.* ***VAT***) Mehrwertsteuer *f*; **'~less** wertlos
valve [vælv] Ventil *n*; (*Herz-etc.*)Klappe *f*
van [væn] Lieferwagen *m*; *Brt. rail.* Güterwagen *m*
vandalism ['vændəlɪzəm] Vandalismus *m*
vanilla [və'nɪlə] Vanille *f*
vanish ['vænɪʃ] verschwinden
vanity ['vænətɪ] Eitelkeit *f*; **'~ case** Kosmetiktäschchen *n*
'vantage point ['vɑ:ntɪdʒ-] Aussichtspunkt *m*
vapo(u)r ['veɪpə] Dampf *m*; Dunst *m*; **'~ trail** *aviat.* Kondensstreifen *m*
variable ['veərɪəbl] variabel, veränderlich; wechselhaft; regulierbar
variation [veərɪ'eɪʃn] Abweichung *f*; Schwankung *f*; Variation *f*
varicose veins [værɪkəʊs 'veinz] *pl* Krampfadern *pl*
varied ['veərɪd] unterschiedlich; abwechslungsreich
variety [və'raɪətɪ] Abwechslung *f*; Vielfalt *f*; *econ.* Auswahl *f*, Sortiment *n* (**of** an); *bot., zo.* Art *f*; Varietee *n*
various ['veərɪəs] verschieden; mehrere,verschiedene
varnish ['vɑ:nɪʃ] **1.** Firnis *m*; Lack *m*; Glasur *f*; **2.** firnissen, lackieren, glasieren
vary ['veərɪ] (sich) (ver)ändern; variieren; *Preise*: schwanken; abweichen
vase [vɑ:z] Vase *f*
vast [vɑ:st] gewaltig, riesig; weit, ausgedehnt
vat [væt] Fass *n*, Bottich *m*
VAT [vi: eɪ 'ti:, væt] ***value-added tax*** MwSt., Mehrwertsteuer *f*
vault[1] [vɔ:lt] (Keller)Gewölbe *n*; Gruft *f*; Tresorraum *m*
vault[2] [vɔ:lt] **1.** Sprung *m*; **2.** *a.* **~ over** springen über
VCR [vi: si: 'ɑ:] ***video cassette recorder*** *bsd. Am.* Videorekorder *m*, -gerät *n*
veal [vi:l] Kalbfleisch *n*; ***roast* ~** Kalbsbraten *m*
vegetable ['vedʒtəbl] Gemüse(sorte *f*) *n*; *pl* Gemüse *n*
vegetarian [vedʒɪ'teərɪən] **1.** Vegetarier(in); **2.** vegetarisch
vehicle ['vɪəkl] Fahrzeug *n*
veil [veɪl] **1.** Schleier *m*; **2.** verschleiern
vein [veɪn] Ader *f*
velocity [vɪ'lɒsətɪ] Geschwindigkeit *f*
velvet ['velvɪt] Samt *m*
'vending machine ['vendɪŋ-] (Verkaufs)Automat *m*
vendor ['vendɔ:] (*Zeitungs- etc.*)Verkäufer(in)
veneer [və'nɪə] Furnier *n*

venereal disease [vəˈnɪərɪəl dɪˈziːz] *med.* Geschlechtskrankheit *f*
venetian blind [vəniːʃn ˈblaɪnd] Jalousie *f*
vengeance [ˈvendʒəns] Rache *f*; ***with a*** ~ F wie verrückt
venison [ˈvenɪzn] Wildbret *n*
venom [ˈvenəm] *zo.* Gift *n*; Gift *n*, Gehässigkeit *f*; **ˈ~ous** *zo.* giftig; giftig, gehässig
vent [vent] **1.** (Abzugs)Öffnung *f*; *Kleid*: Schlitz *m*; **2.** *Wut etc.* abreagieren (***on*** an)
ventilate [ˈventɪleɪt] (be)lüften; **ventiˈlation** Lüftung *f*; **ˈventilator** Ventilator *m*
ventriloquist [venˈtrɪləkwɪst] Bauchredner *m*
venture [ˈventʃə] *econ.* Unternehmen *n*, Projekt *n*
verb [vɜːb] Verb *n*, Zeitwort *n*; **ˈ~al** mündlich; wörtlich; verbal
verdict [ˈvɜːdɪkt] Urteil *n*
verge [vɜːdʒ] **1.** Rand *m*; *Straße*: Seitenstreifen *m*; ***be on the ~ of*** kurz vor ... stehen; den *Tränen*, *der Verzweiflung* nahe sein; **2. *~ on*** *fig.* grenzen an
verify [ˈverɪfaɪ] bestätigen; nachweisen; (über)prüfen
vermicelli [vɜːmɪˈselɪ] Fadennudeln *pl*
vermin [ˈvɜːmɪn] Ungeziefer *n*
vernacular [vəˈnækjʊlə] Dialekt *m*, Mundart *f*
versatile [ˈvɜːsətaɪl] vielseitig; vielseitig verwendbar
verse [vɜːs] Versdichtung *f*; Vers *m*; Strophe *f*
versed [vɜːst]: ***be (well) ~ in*** beschlagen *od.* bewandert sein in
version [ˈvɜːʃn] Version *f*; Ausführung *f*; Darstellung *f*; Übersetzung *f*
versus [ˈvɜːsəs] (*Abk.* **vs.**) *jur.*, *Sport*: gegen
vertebra [ˈvɜːtɪbrə] (*pl* ***-brae*** [-briː]) *anat.* Wirbel *m*
vertebrate [ˈvɜːtɪbreɪt] Wirbeltier *n*
vertical [ˈvɜːtɪkl] vertikal, senkrecht
vertigo [ˈvɜːtɪgəʊ] Schwindel(gefühl *n*) *m*
very [ˈverɪ] **1.** *adv* sehr; *vor sup*: aller...; ***the ~ best*** das Allerbeste; **2.** *adj*: ***the ~ thing*** genau das Richtige; ***the ~ thought of*** der bloße Gedanke an
vessel [ˈvesl] *anat.*, *bot.* Gefäß *n*
vest [vest] Unterhemd *n*; *Am.* Weste *f*
vestry [ˈvestrɪ] *rel.* Sakristei *f*
vet [vet] Tierarzt *m*, -ärztin *f*
veteran [ˈvetərən] Veteran *m*
veterinarian [vetərɪˈneərɪən] *Am.* Tierarzt *m*, -ärztin *f*
ˈveterinary surgeon [ˈvetərɪnərɪ-] *Brt.* → ***vet***
veto [ˈviːtəʊ] **1.** (*pl* ***-toes***) Veto *n*; **2.** sein Veto einlegen gegen
via [ˈvaɪə] über, via
vibrate [vaɪˈbreɪt] vibrieren,

zittern; schwingen; **vi'bration** Vibrieren *n*, Zittern *n*; Schwingung *f*
vicar ['vɪkə] Pfarrer *m*; **'~age** Pfarrhaus *n*
vice¹ [vaɪs] Laster *n*
vice² [vaɪs] Schraubstock *m*
vice... [vaɪs] Vize...
vice versa [vaɪs(ɪ) 'vɜːsə]: ***and ~*** und umgekehrt
vicinity [vɪ'sɪnətɪ] Nähe *f*, Nachbarschaft *f*
vicious ['vɪʃəs] bösartig; boshaft, gemein
victim ['vɪktɪm] Opfer *n*
victorious [vɪk'tɔːrɪəs] siegreich; **victory** ['vɪktərɪ] Sieg *m*
video ['vɪdɪəʊ] **1.** (*pl* **-os**) Video *n*; Videokassette *f*; F Videoband *n*; *bsd. Brt.* Videorekorder *m*, -gerät *n*; Video...; ***on ~*** auf Video; **2.** *bsd. Brt.* auf Video aufnehmen, aufzeichnen; **'~ camera** Videokamera *f*; **~ cas'sette** Videokassette *f*; **~ cas'sette recorder** → ***video recorder***; **'~ clip** Videoclip *m*; **'~ game** Videospiel *n*; **'~ recorder** Videorekorder *m*, -gerät *n*; **'~ recording** Videoaufnahme *f*, -aufzeichnung *f*; **'~tape 1.** Videokassette *f*; Videoband *n*; **2.** → ***video*** 2
view [vjuː] **1.** Sicht *f*; Aussicht *f*, (Aus)Blick *m*; Ansicht *f*, Meinung *f*; ***in ~ of*** angesichts; ***be on ~*** zu besichtigen sein; **2.** ansehen, besichtigen; betrachten; **'~er** Fernsehzuschauer(in); **'~finder** *phot.* Sucher *m*; **'~point** Gesichts-, Standpunkt *m*
vigorous ['vɪgərəs] energisch; kräftig; **vigo(u)r** ['vɪgə] Kraft *f*, Energie *f*
village ['vɪlɪdʒ] Dorf *n*; **'villager** Dorfbewohner(in)
villain ['vɪlən] Schurke *m*; *Brt.* F Ganove *m*
vindictive [vɪn'dɪktɪv] rachsüchtig; nachtragend
vine [vaɪn] (Wein)Rebe *f*; Kletterpflanze *f*
vinegar ['vɪnɪgə] Essig *m*
vineyard ['vɪnjəd] Weinberg *m*
vintage ['vɪntɪdʒ] **1.** *Wein*: Jahrgang *m*; **2.** edel, erlesen; hervorragend
violate ['vaɪəleɪt] *Vertrag* verletzen, *a. Versprechen* brechen; *Gesetz etc.* übertreten; **vio'lation** Verletzung *f*, Bruch *m*, Übertretung *f*
violence ['vaɪələns] Gewalt(tätigkeit) *f*; Heftigkeit *f*; **'violent** gewalttätig, brutal; gewaltsam; heftig
violet ['vaɪələt] **1.** Veilchen *n*; **2.** violett
violin [vaɪə'lɪn] Violine *f*, Geige *f*; **~ist** Geiger(in)
VIP [viː aɪ 'piː] ***very important person*** VIP *m*, *f* (*prominente Persönlichkeit*)
viper ['vaɪpə] Viper *f*
viral ['vaɪərəl] Virus...

virgin ['vɜːdʒɪn] **1.** Jungfrau *f*; **2.** jungfräulich, unberührt; **~ity** [və'dʒɪnətɪ] Jungfräulichkeit *f*
Virgo ['vɜːgəʊ] (*pl* **-gos**) *astr.* Jungfrau *f*
virile ['vɪraɪl] männlich; potent; **virility** [vɪ'rɪlətɪ] Männlichkeit *f*; Potenz *f*
virtual ['vɜːtʃʊəl] eigentlich; **'~ly** praktisch, so gut wie; **~ re'ality** virtuelle Realität (*mit dem Computer erzeugte künstliche Welt etc.*)
virtue ['vɜːtjuː] Tugend *f*; Vorzug *m*; **virtuous** ['vɜːtʃʊəs] tugendhaft
virulent ['vɪrʊlənt] *med.* (akut u.) bösartig; *Gift*: stark
virus ['vaɪərəs] Virus *n*, *m*
visa ['viːzə] Visum *n*
vise [vaɪs] *Am.* Schraubstock *m*
visibility [vɪzə'bɪlətɪ] Sicht (-verhältnisse *pl*, -weite) *f*
visible ['vɪzəbl] sichtbar
vision ['vɪʒn] Sehkraft *f*; *fig.* Weitblick *m*; Vision *f*
visit ['vɪzɪt] **1.** besuchen; besichtigen; **2.** Besuch *m*; Besichtigung *f*; **pay s.o. a ~** j-n besuchen; **'~ing hours** *pl Krankenhaus*: Besuchszeit *f*; **'~or** Besucher(in), Gast *m*
visor ['vaɪzə] Visier *n*; (*Mützen*)Schirm *m*; *mot.* Sonnenblende *f*
visual ['vɪʒʊəl] Seh...; visuell; **~ 'aids** *pl* Anschauungsmaterial *n*, Lehrmittel *pl*; **~ dis'play unit** Bildschirm-, Datensichtgerät *n*; **'~ize** sich *et.* vorstellen
vital ['vaɪtl] lebenswichtig; unbedingt notwendig; vital; **~ity** [vaɪ'tælətɪ] Vitalität *f*
vitamin ['vɪtəmɪn] Vitamin *n*
vivacious [vɪ'veɪʃəs] lebhaft
vivid ['vɪvɪd] lebhaft, lebendig; *Farben*: leuchtend
vocabulary [vəʊ'kæbjʊlərɪ] Vokabular *n*, Wortschatz *m*; Wörterverzeichnis *n*
vocal ['vəʊkl] Stimm...; *mus.* Vokal..., Gesang(s)...; **'~ cords** *pl* Stimmbänder *pl*
vocation [vəʊ'keɪʃn] Berufung *f*; Begabung *f* (**for** für)
vogue [vəʊg] Mode *f*
voice [vɔɪs] **1.** Stimme *f*; **2.** *Bedenken etc.* äußern
void [vɔɪd] *jur.* ungültig
volatile ['vɒlətaɪl] *chem.* flüchtig; *Person*: leicht aufbrausend; *Lage*: explosiv
volcano [vɒl'keɪnəʊ] (*pl* **-noes, -nos**) Vulkan *m*
volley ['vɒlɪ] Salve *f*; (*Stein- etc.*)Hagel *m*; *fig.* Schwall *m*; *Tennis*: Volley *m*, Flugball *m*; **'~ball** Volleyball *m*
volt [vəʊlt] *electr.* Volt *n*; **'~age** *electr.* Spannung *f*
volume ['vɒljuːm] *Buch*: Band *m*; Volumen *n*, Rauminhalt *m*; Umfang *m*, Ausmaß *n*; Lautstärke *f*
voluntary ['vɒləntərɪ] freiwillig; unbezahlt
volunteer [vɒlən'tɪə] **1.** *Hilfe*

etc. anbieten; sich freiwillig melden (***for*** zu); **2.** Freiwillige *m, f*; freiwilliger Helfer
voluptuous [vəˈlʌptʃʊəs] sinnlich; üppig
vomit [ˈvɒmɪt] *v/t* erbrechen; *v/i* sich übergeben
voracious [vəˈreɪʃəs] gefräßig; unersättlich
vote [vəʊt] **1.** (Wahl)Stimme *f*; Abstimmung *f*, Wahl *f*; Wahlergebnis *n*; Stimmzettel *m*; Wahlrecht *n*; **2.** wählen; **~ *for/against*** stimmen für/gegen; **~ *on*** abstimmen über; **ˈvoter** Wähler(in)
vouch [vaʊtʃ]: **~ *for*** (sich ver)bürgen für; **ˈ~er** Gutschein *m*, Kupon *m*
vow [vaʊ] **1.** Gelöbnis *n*; *rel.* Gelübde *n*; **2.** schwören
vowel [ˈvaʊəl] Vokal *m*, Selbstlaut *m*
voyage [ˈvɔɪɪdʒ] Seereise *f*
vs. *Am.* ***versus*** (= ***against***) *bsd. Sport, jur.*: gegen
vulgar [ˈvʌlgə] gewöhnlich, vulgär
vulnerable [ˈvʌlnərəbl] verwundbar; *fig.* verletzlich
vulture [ˈvʌltʃə] Geier *m*

W

wad [wɒd] (*Watte- etc.*) Bausch *m*; *Banknoten*: Bündel *n*; *Papier*: Stoß *m*
waddle [ˈwɒdl] watscheln
wade [weɪd] (durch)waten
wafer [ˈweɪfə] (*Eis- etc.*)Waffel *f*; Oblate *f*; *rel.* Hostie *f*
waffle [ˈwɒfl] Waffel *f*
wag [wæg] wedeln (mit)
wage¹ [weɪdʒ] *mst pl* Lohn *m*
wage² [weɪdʒ] *Krieg* führen
ˈwage| earner Lohnempfänger(in); **ˈ~ freeze** Lohnstopp *m*; **ˈ~ packet** Lohntüte *f*; **ˈ~ rise** Lohnerhöhung *f*
waggle [ˈwægl] wackeln (mit)
wagon [ˈwægən], *Brt. a.* ***waggon*** Wagen *m*; *Brt. rail.* (offener) Güterwagen
wail [weɪl] jammern; heulen
waist [weɪst] Taille *f*; **~coat** [ˈweɪskəʊt] *bsd. Brt.* Weste *f*; **ˈ~line** Taille *f*
wait [weɪt] **1.** warten (***for*** auf); erwarten; **~ *on s.o.*** j-n bedienen; **2.** Wartezeit *f*; **ˈ~er** Kellner *m*, Ober *m*
ˈwaiting Warten *n*; ***no ~*** *mot. auf Schild*: Halt(e)verbot *n*; **ˈ~ room** Wartezimmer *n*; *rail.* Wartesaal *m*
waitress [ˈweɪtrɪs] Kellnerin *f*
wake¹ [weɪk] (***woke*** *od.* ***waked, woken*** *od.* ***waked***) *a.* **~ *up*** aufwachen; (auf)wecken
wake² [weɪk] Kielwasser *n*; ***follow in the ~ of*** *fig.* folgen auf
walk [wɔːk] **1.** gehen; zu Fuß

gehen, laufen; spazieren gehen; wandern; *j-n* begleiten, bringen; *Hund* ausführen; ~ ***out*** streiken; ~ ***out on s.o.*** j-n verlassen, j-n im Stich lassen; **2.** Spaziergang *m*; Wanderung *f*; (Spazier)Weg *m*; **'~about** *bsd. Brt.* F Bad *n* in der Menge; **'~er** Spaziergänger(in); Wanderer *m*, Wand(r)erin *f*

'walking| distance: *be within* ~ leicht zu Fuß zu erreichen sein; **'~ shoes** *pl* Wanderschuhe *pl*

'walkout Auszug *m*; Streik *m*

wall [wɔːl] Wand *f*; Mauer *f*

wallet ['wɒlɪt] Brieftasche *f*

'wall|flower *fig.* F Mauerblümchen *n*; **'~paper 1.** Tapete *f*; **2.** tapezieren; **~-to-wall 'carpet(ing)** Spannteppich *m*, Teppichboden *m*

walnut ['wɔːlnʌt] Walnuss(baum *m*) *f*

walrus ['wɔːlrəs] Walross *n*

waltz [wɔːls] **1.** Walzer *m*; **2.** Walzer tanzen

wander ['wɒndə] (herum-) wandern; *fig.* abschweifen

wane [weɪn] *Mond*: abnehmen; *Macht etc.*: schwinden

want [wɒnt] **1.** wollen; brauchen; *j-n* verlangen, sprechen wollen; nicht haben; **2.** Mangel *m* (***of*** an); ***for*** ~ ***of*** in Ermangelung (*gen*), mangels; **'~ ad** *bsd. Am.* Kleinanzeige *f*; **'~ed** gesucht

wanton ['wɒntən] mutwillig

war [wɔː] Krieg *m*

warble ['wɔːbl] trillern

ward [wɔːd] **1.** *Krankenhaus*: Station *f*; (Stadt)Bezirk *m*; *jur.* Mündel *n*; **2.** ~ ***off*** abwehren; **'~en** Aufseher(in); *Brt.* Heimleiter(in); **'~er** *Gefängnis*: Aufsichtsbeamt|er *m*, -in *f*

wardrobe ['wɔːdrəʊb] Kleiderschrank *m*; *Kleidung*: Garderobe *f*

ware [weə] *in Zssgn* (*Glas- etc.*)Waren *pl*; **'~house** Lagerhaus *n*

warfare ['wɔːfeə] Krieg *m*

warm [wɔːm] **1.** warm; *fig.* herzlich; **2.** *a.* ~ ***up*** (auf-, an-, er)wärmen; sich erwärmen, warm *od.* wärmer werden; **~-'hearted** warmherzig

warmth [wɔːmθ] Wärme *f*

'warm-up *Sport*: Aufwärmen *n*

warn [wɔːn] warnen (***against, of*** vor); **'~ing** Warnung *f*; ***without*** ~ ohne Vorwarnung

warp [wɔːp] *Holz*: sich verziehen *od.* werfen

warrant ['wɒrənt] **1.** (Haft-, Durchsuchungs- *etc.*)Befehl *m*; **2.** *et.* rechtfertigen

warranty ['wɒrəntɪ] *econ.* Garantie(erklärung) *f*

wart [wɔːt] Warze *f*

wary ['weərɪ] vorsichtig

was [wɒz, wəz] *ich, er, sie, es* war; *ich, er, sie, es* wurde

wash [wɒʃ] **1.** (sich) waschen;

~ up *Brt. Geschirr* spülen, abwaschen; **2.** Wäsche *f*; **have a ~** sich waschen; **'~able** (ab)waschbar; **'~basin** *Brt.*, **'~bowl** *Am.* Waschbecken *n*; **'~cloth** *Am.* Waschlappen *m*; **'~er** *tech.* Unterlegscheibe *f*; *Am.* Waschmaschine *f*; → **dishwasher**

'washing Wäsche *f* (*a. Textilien*); Wasch...; **'~ machine** Waschmaschine *f*; **'~ powder** Waschpulver *n*; **~-'up** *Brt.* F Abwasch *m*; **do the ~** den Abwasch machen

'washroom *Am.* Toilette *f*

wasp [wɒsp] Wespe *f*

waste [weɪst] **1.** Verschwendung *f*; Abfall *m*; Müll *m*; **hazardous ~, special toxic ~** Sondermüll *m*; **special ~ dump** Sondermülldeponie *f*; **2.** verschwenden, -geuden; **~ away** *Person*: immer schwächer werden; **3.** überschüssig; Abfall...; *Land*: öde; **'~ disposal** Abfall-, Müllbeseitigung *f*; Entsorgung *f*; **'~ disposal site** Deponie *f*; **'~ful** verschwenderisch; **'~ gas** Abgas *n*; **~ 'paper** Abfallpapier *n*; Altpapier *n*; **~'paper basket** Papierkorb *m*; **'~ pipe** Abflussrohr *n*

watch [wɒtʃ] **1.** zusehen, zuschauen; beobachten; sich *et.* ansehen; Acht geben auf; **~ for** warten auf; **~ out** F aufpassen; **~ out!** Vorsicht!, pass auf!; **~ out for** Ausschau halten nach; **~ TV** fernsehen; **2.** (*Armband-, Taschen*)Uhr *f*; Wache *f*; **'~dog** Wachhund *m*; **'~ful** wachsam; **'~maker** Uhrmacher(in)

water ['wɔːtə] **1.** Wasser *n*; **2.** *v/t* gießen; bewässern; *Rasen etc.* sprengen; *Vieh* tränken; **~ down** verdünnen; *fig.* abschwächen; *v/i Augen*: tränen; **make s.o.'s mouth ~** j-m den Mund wäss(e)rig machen; **'~colo(u)r** Aquarell(malerei *f*) *n*; Wasserfarbe *f*; **'~course** Wasserlauf *m*; **'~cress** Brunnenkresse *f*; **'~fall** Wasserfall *m*; **'~hole** Wasserloch *n*; **'~ing can** Gießkanne *f*; **'~ level** Wasserstand(slinie *f*) *m*; **'~ lily** Seerose *f*; **'~mark** Wasserzeichen *n*; **'~proof 1.** wasserdicht; **2.** *Brt.* Regenmantel *m*; **'~shed** Wasserscheide *f*; **'~side** Ufer *n*; **'~tight** wasserdicht, *fig. a.* hieb- u. stichfest; **'~way** Wasserstraße *f*; **'~works** *oft sg* Wasserwerk *n*

'watery wäss(e)rig

watt [wɒt] *electr.* Watt *n*

wave [weɪv] **1.** Welle *f*; Winken *n*; **2.** schwenken; winken (mit); *Haar*: (sich) wellen; wehen; **~ to s.o., ~ at s.o.** j-m zuwinken; **'~length** *phys.* Wellenlänge *f* (*a. fig.*)

waver ['weɪvə] flackern; schwanken

wavy ['weɪvɪ] wellig, gewellt

wax[1] [wæks] **1.** Wachs *n*;

Ohrenschmalz *n*; **2.** wachsen, bohnern
wax² [wæks] *Mond*: zunehmen
way [weɪ] Weg *m*; Richtung *f*; Weg *m*, Entfernung *f*, Strecke *f*; Art *f*, Weise *f*, Methode *f*; ***this ~*** hierher; hier entlang; ***the other ~ round*** umgekehrt; ***by the ~*** übrigens; ***by ~ of*** *örtlich*: über; statt; ***in a ~*** in gewisser Weise; ***give ~*** nachgeben; *Brt. mot.* die Vorfahrt lassen (***to*** *dat*); abgelöst werden; ***get one's*** (***own***) ~ s-n Willen durchsetzen; ***lead the ~*** vorangehen; ***lose one's ~*** sich verlaufen *od.* verirren; ***make ~*** Platz machen (***for*** für); ***~ back*** Rückweg *m*; ***~ in*** Eingang *m*; ***~ of life*** Lebensart *f*, -weise *f*; ***~ out*** Ausgang *m*; *fig.* Ausweg *m*; **'~ward** eigensinnig
we [wiː, wɪ] wir
weak [wiːk] schwach; *Getränk*: dünn; **'~en** schwächen; schwächer werden (*a. fig.*); *fig.* nachgeben; **'~ling** Schwächling *m*; **'~ness** Schwäche *f*
wealth [welθ] Reichtum *m*; *fig.* Fülle *f*; **'wealthy** reich
wean [wiːn] entwöhnen
weapon ['wepən] Waffe *f*
wear [weə] **1.** (***wore, worn***) *v/t am Körper* tragen, *Kleidungsstück* anhaben, *Hut etc. a.* aufhaben; abnutzen, abtragen; *v/i* sich abnutzen, verschleißen; sich *gut etc.* halten; ***~ away*** (sich) abtragen *od.* abschleifen; ***~ down*** *Absätze*: (sich) ablaufen; *Reifen*: (sich) abfahren; *fig. j-n* zermürben; ***~ off*** *Schmerz etc.*: nachlassen; ***~ out*** (sich) abnutzen *od.* abtragen; *fig. j-n* erschöpfen; **2.** *oft in Zssgn* Kleidung *f*; *a.* ***~ and tear*** Abnutzung *f*, Verschleiß *m*
weary ['wɪərɪ] müde, erschöpft
weasel ['wiːzl] Wiesel *n*
weather ['weðə] Wetter *n*; Witterung *f*; **'~ chart** Wetterkarte *f*; **'~ forecast** Wetterbericht *m*, -vorhersage *f*
weave [wiːv] (***wove, woven***) weben; flechten
web [web] Netz *n*; *zo.* Schwimmhaut *f*
wedding ['wedɪŋ] Hochzeit *f*; Hochzeits...; **'~ ring** Ehe-, Trauring *m*
wedge [wedʒ] **1.** Keil *m*; **2.** verkeilen, festklemmen; ***~ in*** einkeilen, -zwängen
Wednesday ['wenzdɪ] Mittwoch *m*
wee [wiː] F winzig; ***a ~ bit*** F ein kleines bisschen
weed [wiːd] **1.** Unkraut *n*; **2.** jäten; **'~killer** Unkrautvertilgungsmittel *n*
week [wiːk] Woche *f*; **'~day** Wochentag *m*; **~'end** Wochenende *n*; **'~ly** wöchentlich; Wochen...

weep [wi:p] (***wept***) weinen; **~ing 'willow** Trauerweide *f*
weigh [weɪ] wiegen; *fig.* abwägen; **~ *down*** niederdrücken; **~ *on*** *fig.* lasten auf
weight [weɪt] Gewicht *n*; *fig.* Last *f*; *fig.* Bedeutung *f*; **'~less** schwerelos; **'~lessness** Schwerelosigkeit *f*; **'~ lifting** Gewichtheben *n*
'weighty schwer; *fig.* schwerwiegend
weir [wɪə] Wehr *n*
weird [wɪəd] unheimlich; F sonderbar
welcome ['welkəm] **1.** *int* **~ *home!*** willkommen zu Hause (*östr.*, *Schweiz*: *a.* zuhause)!; **2.** begrüßen (*a. fig.*), willkommen heißen; **3.** *adj* willkommen; ***you're* ~** *bsd. Am.* nichts zu danken, keine Ursache, bitte sehr; **4.** Empfang *m*, Willkommen *n*
weld [weld] schweißen
welfare ['welfeə] Wohl(ergehen) *n*; Fürsorge *f*; *Am.* Sozialhilfe *f*; ***be on*** **~** Sozialhilfe beziehen; **~ 'state** Wohlfahrtsstaat *m*; **~ 'work** Sozialarbeit *f*; **~ 'worker** Sozialarbeiter(in)
well¹ [wel] **1.** *adv* gut; ***as*** **~** auch; ***as*** **~ *as*** sowohl ... als auch; nicht nur ..., sondern auch; **2.** *adj* gesund; ***feel*** **~** sich wohl fühlen; ***get* ~ *soon!*** gute Besserung!; **3.** *int* nun, also; ***very* ~ *then*** also gut
well² [wel] Brunnen *m*; (*Öl-*) Quelle *f*; (*Aufzugs- etc.*) Schacht *m*
well|-'balanced ausgeglichen; ausgewogen; **~'being** Wohl(befinden) *n*; **~-'done** *gastr.* durchgebraten; **~-'earned** wohlverdient
wellingtons ['welɪŋtənz] *pl* Gummistiefel *pl*
well|-'known (wohl) bekannt; **~-'mannered** mit guten Manieren; **~-'off** wohlhabend; **~-read** [wel'red] belesen; **~-'timed** (zeitlich) günstig, im richtigen Augenblick; **~-to-'do** wohlhabend; **~-'worn** abgetragen; *fig.* abgedroschen
went [went] *pret von* **go** 1
wept [wept] *pret u. pp von* **weep**
were [wɜ:] *du* warst, *Sie* waren, *wir*, *sie* waren, *ihr* wart
west [west] **1.** *su* West(en *m*); **2.** *adj* westlich, West...; **3.** *adv* nach Westen, westwärts;
western ['westən] **1.** westlich, West...; **2.** *Film*: Western *m*; **'westward(s)** westlich, nach Westen
wet [wet] **1.** nass, feucht; **2.** Nässe *f*, Feuchtigkeit *f*; **3.** (***wet*** *od.* ***wetted***) nass machen, anfeuchten
whale [weɪl] Wal *m*
wharf [wɔ:f] (*pl* ***wharfs***, ***wharves*** [wɔ:vz]) Kai *m*
what [wɒt] **1.** *pron* was; **~ *about ...?*** wie wärs mit ...?; **~ *for?*** wozu?; ***so* ~*?*** na und?; **2.** *adj* was für ein(e), wel-

che(r, -s); ~'**ever 1.** *pron* was (auch immer); egal, was; **2.** *adj* welche(r, -s) ... auch (immer)
wheat [wi:t] Weizen *m*
wheel [wi:l] **1.** Rad *n*; Steuer(rad) *n*; **2.** schieben; '**~barrow** Schubkarren *m*; '**~chair** Rollstuhl *m*; '**~ clamp** *mot.* Parkkralle *f*
whelp [welp] Welpe *m*
when [wen] wann; wenn; als; ***since ~?*** seit wann?; ~'**ever** jedesmal, wenn; wann (auch) immer
where [weə] wo; wohin; ***~ ... from?*** woher?; **~abouts 1.** [weərə'baʊts] wo etwa; **2.** ['weərəbaʊts] *sg, pl* Verbleib *m*; Aufenthalt(sort) *m*; ~'**as** während, wohingegen; **~up'on** worauf(hin)
wherever [weər'evə] wo(hin) auch (immer); ganz gleich, wo(hin)
whet [wet] *fig. Appetit* anregen
whether ['weðə] ob
which [wɪtʃ] welche(r, -s); der, die, das; was; ~'**ever** welche(r, -s) auch (immer); ganz gleich, welche(r, -s)
whiff [wɪf] Hauch *m*, leichter Geruch *od.* Duft (***of*** von)
while [waɪl] **1.** während; **2.** Weile *f*; ***for a ~*** e-e Zeit lang; **3.** ***~ away*** sich *die Zeit* vertreiben
whim [wɪm] Laune *f*
whimper ['wɪmpə] wimmern
whimsical ['wɪmzɪkl] wunderlich; launisch
whine [waɪn] **1.** jammern; winseln, jaulen; **2.** Gejammer *n*; Winseln *n*, Jaulen *n*
whinny ['wɪnɪ] wiehern
whip [wɪp] **1.** Peitsche *f*; **2.** peitschen; verprügeln; *Sahne etc.* schlagen; flitzen; **whipped 'cream** Schlagsahne *f*; '**whipping** Prügel *pl*
whirl [wɜ:l] **1.** wirbeln, sich drehen; **2.** Wirbel *m*; '**~pool** Strudel *m*; Whirlpool *m*; '**~wind** Wirbelsturm *m*
whirr [wɜ:] *a.* ***whir*** schwirren
whisk [wɪsk] **1.** schnelle Bewegung; *gastr.* Schneebesen *m*; **2.** *Eiweiß etc.* schlagen; ***~ away, ~ off*** schnell verschwinden lassen
whisker ['wɪskə] *zo.* Bart-, Schnurrhaar *n*; *pl* Backenbart *m*
whisper ['wɪspə] **1.** flüstern; **2.** Flüstern *n*
whistle ['wɪsl] **1.** Pfeife *f*; Pfiff *m*; **2.** pfeifen
white [waɪt] **1.** weiß; **2.** Weiß(e) *n*; Weiße *m*, *f*; ~ '**coffee** Milchkaffee *m*; **~-'collar worker** (Büro)Angestellte *m*, *f*; ~ '**lie** F Notlüge *f*; '**whiten** weiß machen *od.* werden; '**~wash 1.** Tünche *f*; **2.** tünchen, anstreichen; *fig.* beschönigen
Whitsun ['wɪtsn] Pfingsten *n* *od. pl*; Pfingst...
whizz [wɪz] *a.* ***whiz*** **1.** F ***~ by, ~***

past vorbeizischen, -düsen; **2.** F As *n*, Kanone *f* (*at* in); '**~kid** F Senkrechtstarter(in)
who [huː] wer; wen; wem; der, die, das
whodun(n)it [huː'dʌnɪt] F Krimi *m*
whoever [huː'evə] wer *od.* wen *od.* wem auch (immer); jeder, der
whole [həʊl] **1.** ganz; **2.** *das* Ganze; *on the ~* im Großen u. Ganzen; '**~food** Vollwertkost *f*; **~-'hearted** uneingeschränkt; '**~meal** Vollkorn...; *~ bread* Vollkornbrot *n*; '**~sale** Großhandel *m*; *~ dealer* → '**~saler** Großhändler *m*; '**~some** gesund; '**~ wheat** → ***wholemeal***
wholly ['həʊllɪ] völlig
whom [huːm] wen; wem; den, die, das
'**whooping cough** ['huːpɪŋ-] Keuchhusten *m*
whore [hɔː] Hure *f*
whose [huːz] wessen; dessen, deren
why [waɪ] warum, weshalb; *that's ~* deshalb
wick [wɪk] Docht *m*
wicked ['wɪkɪd] böse; schlecht; gemein
wicker ['wɪkə] Korb...
wicket ['wɪkɪt] *Kricket*: Tor *n*
wide [waɪd] breit; weit (offen); *fig.* umfangreich, vielfältig; **~-'angle** *phot.* Weitwinkel...; **~-a'wake** hellwach; *fig.* aufgeweckt, wach; '**~ly** weit; '**widen** verbreitern; (sich) erweitern; breiter werden; **~-'open** weit geöffnet; '**~spread** weit verbreitet
widow ['wɪdəʊ] Witwe *f*; '**~ed** verwitwet; '**~er** Witwer *m*
width [wɪdθ] Breite *f*
wield [wiːld] *Einfluss etc.* ausüben
wife [waɪf] (*pl* ***wives*** [waɪvz]) (Ehe)Frau *f*, Gattin *f*
wig [wɪg] Perücke *f*
wild [waɪld] wild; stürmisch; außer sich (*with* vor); *be ~ about* (ganz) verrückt sein nach; '**~cat** Wildkatze *f*; **~cat 'strike** wilder Streik
wilderness ['wɪldənɪs] Wildnis *f*; *fig.* Wüste *f*
'**wild|fire:** ***spread like ~*** sich wie ein Lauffeuer verbreiten; '**~life** Tier- u. Pflanzenwelt *f*
wilful ['wɪlfʊl], *Am.* ***willful*** eigensinnig; vorsätzlich
will[1] [wɪl] *v/aux* (*pret* ***would***) *ich, du* will(st) *etc.*; *ich, du* werde, wirst *etc.*
will[2] [wɪl] Wille *m*; Testament *n*
'**willing** bereit (*to do* zu tun); (bereit)willig
willow ['wɪləʊ] *bot.* Weide *f*
'**willpower** Willenskraft *f*
willy-nilly [wɪlɪ'nɪlɪ] wohl oder übel
wilt [wɪlt] verwelken, welk werden
wily ['waɪlɪ] gerissen, listig
win [wɪn] **1.** (*won*) gewinnen;

siegen; **2.** *bsd. Sport*: Sieg *m*
wince [wɪns] (zs.-)zucken
winch [wɪntʃ] *tech.* Winde *f*
wind¹ [wɪnd] Wind *m*; Blähungen *pl*
wind² [waɪnd] (***wound***) sich winden *od.* schlängeln; wickeln; kurbeln; **~ *up*** *Uhr* aufziehen
winding ['waɪndɪŋ] gewunden; **'~ stairs** *pl* Wendeltreppe *f*
'wind instrument ['wɪnd-] Blasinstrument *n*
windlass ['wɪndləs] *tech.* Winde *f*
windmill ['wɪnmɪl] Windmühle *f*
window ['wɪndəʊ] Fenster *n*; Schaufenster *n*; Schalter *m*; **'~ box** Blumenkasten *m*; **'~ pane** Fensterscheibe *f*; **'~ shade** *Am.* Rouleau *n*, Rollo *n*, Jalousie *f*; **'~-shop: *go ~ping*** e-n Schaufensterbummel machen; **'~sill** Fensterbank *f*, -brett *n*
'wind|pipe ['wɪnd-] Luftröhre *f*; **'~screen** *Brt. mot.* Windschutzscheibe *f*; **'~screen wiper** *Brt. mot.* Scheibenwischer *m*; **'~shield** *Am. mot.* Windschutzscheibe *f*; **'~shield wiper** *Am. mot.* Scheibenwischer *m*
windy ['wɪndɪ] windig
wine [waɪn] Wein *m*
wing [wɪŋ] Flügel *m*; *Brt. mot.* Kotflügel *m*; *aviat.* Tragfläche *f*; **'~er** *Sport*: Außen-, Flügelstürmer(in)
wink [wɪŋk] **1.** zwinkern; **2.** Zwinkern *n*
winner ['wɪnə] Gewinner(in), *bsd. Sport*: Sieger(in)
winning ['wɪnɪŋ] **1.** *fig.* gewinnend; **2.** *pl* (*Spiel*)Gewinn *m*
winter ['wɪntə] **1.** Winter *m*; **2.** überwintern; **~ 'sports** *pl* Wintersport *m*
wintry ['wɪntrɪ] winterlich; *fig.* frostig
wipe [waɪp] (ab-, auf)wischen; (ab)trocknen; **~ *off*** ab-, wegwischen; tilgen; **~ *out*** auswischen; auslöschen, -rotten; **~ *up*** aufwischen
wire ['waɪə] **1.** Draht *m*; *electr.* Leitung *f*; *Am.* Telegramm *n*; **2.** *Am.* telegrafieren; **'~less** drahtlos, Funk...
wire netting [waɪə'netɪŋ] Maschendraht *m*
wiry ['waɪərɪ] drahtig
wisdom ['wɪzdəm] Weisheit *f*, Klugheit *f*; **'~ tooth** (*pl* ***-teeth***) Weisheitszahn *m*
wise [waɪz] weise, klug; **'~crack** F witzige Bemerkung; **'~ guy** F Klugscheißer *m*
wish [wɪʃ] **1.** wünschen; wollen; **~ *s.o. well*** j-m alles Gute wünschen; **~ *for s.th.*** sich et. wünschen; **2.** Wunsch *m*; ***best ~es*** alles Gute; *Briefschluss*: Herzliche Grüße; **~ful 'thinking** Wunschdenken *n*
wishy-washy ['wɪʃɪwɒʃɪ]

lasch, soso, farblos; *Vorstellungen*: *a.* verschwommen
wistful ['wɪstfʊl] wehmütig
wit [wɪt] Geist *m*, Witz *m*; *a. pl* Verstand *m*; ***be at one's ~s' end*** mit s-r Weisheit am Ende sein
witch [wɪtʃ] Hexe *f*; **'~craft** Hexerei *f*
with [wɪð] mit; bei
with'draw (***-drew***, ***-drawn***) *Geld* abheben; *Truppen etc.* abziehen; (sich) zurückziehen
wither ['wɪðə] (ver)welken *od.* verdorren (lassen)
with'hold (***-held***) zurückhalten; vorenthalten
with|in [wɪ'ðɪn] innerhalb; ***~ call/reach*** in Ruf-/Reichweite; **~out** [wɪ'ðaʊt] ohne
withstand [wɪð'stænd] (***-stood***) *Beanspruchung etc.* aushalten; *Angriff etc.* standhalten
witness ['wɪtnɪs] **1.** Zeug|e *m*, -in *f*; **2.** Zeuge sein von *et.*; *et.* bezeugen; beglaubigen; **'~ box** *Brt.*, **'~ stand** *Am.* Zeugenstand *m*
witticism ['wɪtɪsɪzəm] geistreiche *od.* witzige Bemerkung; **'witty** geistreich, witzig
wives [waɪvz] *pl von* ***wife***
wizard ['wɪzəd] Zauberer *m*; Genie *n*
wobble ['wɒbl] wackeln; *Körperfett etc.*: schwabbeln; schwanken
woke [wəʊk] *pret*, **'woken** *pp von* ***wake***[1]
wolf [wʊlf] **1.** (*pl* ***wolves*** [wʊlvz]) Wolf *m*; **2.** *a.* ***~ down*** F hinunterschlingen
wolves [wʊlvz] *pl von* ***wolf*** 1
woman ['wʊmən] (*pl* ***women*** ['wɪmɪn]) Frau *f*; **~ 'doctor** Ärztin *f*; **'~ly** fraulich, weiblich
womb [wuːm] Gebärmutter *f*
women ['wɪmɪn] *pl von* ***woman***
women's| 'refuge *Brt.*, **~ 'shelter** *Am.* Frauenhaus *n*
won [wʌn] *pret u. pp von* ***win*** 1
wonder ['wʌndə] **1.** gern wissen mögen, sich fragen, überlegen; sich wundern, erstaunt sein (***about*** über); **2.** Staunen *n*, Verwunderung *f*; Wunder *n*; **'~ful** wunderbar
won't [wəʊnt] *für* ***will not***
wood [wʊd] Holz *n*; *a. pl* Wald *m*, Gehölz *n*; **'~cut** Holzschnitt *m*; **'~cutter** Holzfäller *m*; **'~ed** bewaldet; **'~en** hölzern (*a. fig.*), aus Holz, Holz...; **~pecker** ['wʊdpekə] Specht *m*; **~wind** ['wʊdwɪnd] ***the ~*** *sg od. pl* die Holzblasinstrumente *pl*; die Holzbläser *pl*; **'~work** Holzarbeit *f*
'woody waldig; holzig
wool [wʊl] Wolle *f*; **'wool(l)en** **1.** wollen, Woll...; **2.** *pl* Wollsachen *pl*, -kleidung *f*; **'wool(l)y** wollig, Woll...; *fig.* wirr

Worcester sauce [wʊstə ˈsɔːs] Worcestersoße *f*

word [wɜːd] **1.** Wort *n*; Nachricht *f*; Versprechen *n*; *pl* (*Lied*)Text *m*; ***have a ~ with s.o.*** kurz mit j-m sprechen; **2.** *et.* ausdrücken, *Text* abfassen, formulieren; **ˈ~ing** Wortlaut *m*; **ˈ~ processing** Textverarbeitung *f*; **ˈ~ processor** Textverarbeitungsgerät *n*

wore [wɔː] *pret von* **wear** 1

work [wɜːk] **1.** *v/i* arbeiten; *tech.* funktionieren, gehen; wirken; ***~ to rule*** *Brt.* Dienst nach Vorschrift tun; *v/t et.* bearbeiten; *Maschine etc.* bedienen, *et.* betätigen; *fig.* bewirken; ***~ off*** *Gefühle* abreagieren; ***~ out*** *v/t* ausrechnen; *Plan etc.* ausarbeiten; *v/i* klappen; *fig.* aufgehen; *Sport*: trainieren; ***~ up*** sich *Appetit etc.* holen; *Begeisterung, Mut etc.* aufbringen; ***be ~ed up*** aufgeregt *od.* nervös sein (***about*** wegen); **2.** Arbeit *f*; Werk *n*; **~s** *pl* Werk *n*, Getriebe *n*; **~s** *sg mst in Zssgn* Werk *n*, Fabrik *f*; ***at ~*** bei der Arbeit; ***be out of ~*** arbeitslos sein; **~aholic** [wɜːkəˈhɒlɪk] F Arbeitssüchtige *m, f*; **ˈ~day** Arbeitstag *m*; Werktag *m*; ***on ~s*** werktags; **ˈ~er** Arbeiter(in); Angestellte *m, f*

ˈworking Arbeits...; ***have a ~ knowledge of*** ein bisschen was verstehen von; **~ ˈday** → ***workday***; **~ ˈhours** *pl* Arbeitszeit *f*

ˈworkman (*pl* ***-men***) Handwerker *m*; **ˈ~like** fachmännisch; **ˈ~ship** fachmännische Arbeit

work| of ˈart Kunstwerk *n*; **ˈ~out** *Sport*: Training *n*; **ˈ~ permit** Arbeitserlaubnis *f*; **ˈ~place** Arbeitsplatz *m*

ˈworks council Betriebsrat *m* (*einzelner*: ***member of the ~***)

ˈwork|shop Werkstatt *f*; *Seminar*: Workshop *m*; **ˈ~station** Bildschirmarbeitsplatz *m*; **~-to-ˈrule** *Brt.* Dienst *m* nach Vorschrift

world [wɜːld] Welt *f*; **ˈ~ly** weltlich; irdisch; **~ ˈpower** Weltmacht *f*; **~ ˈwar** Weltkrieg *m*; **~ˈwide** weltweit

worm [wɜːm] Wurm *m*; **ˈ~-eaten** wurmstichig; **~ˈs-eye ˈview** Froschperspektive *f*

worn [wɔːn] *pp von* **wear** 1; **~-ˈout** abgenutzt, abgetragen; erschöpft

worried [ˈwʌrɪd] besorgt, beunruhigt

worry [ˈwʌrɪ] **1.** *j-n* beunruhigen, *j-m* Sorgen machen; sich Sorgen machen; ***don't ~*** keine Angst!; keine Sorge!; **2.** Sorge *f*; **ˈ~ing** beunruhigend

worse [wɜːs] (*comp von* ***bad***) schlechter, schlimmer; ***~ luck!*** F (so ein) Pech!; **ˈwors-**

en schlechter machen *od.* werden, (sich) verschlechtern
worship ['wɜːʃɪp] **1.** Verehrung *f*; Gottesdienst *m*; **2.** verehren, anbeten; zum Gottesdienst gehen
worst [wɜːst] **1.** *adj* (*sup von* ***bad***) schlechtest, schlimmst; **2.** *adv* (*sup von* ***badly***) am schlechtesten, am schlimmsten; **3.** *su* ***the*** ~ der, die, das Schlechteste *od.* Schlimmste; ***at*** (***the***) ~ schlimmstenfalls
worsted ['wʊstɪd] Kammgarn *n*
worth [wɜːθ] **1.** wert; ~ ***reading*** lesenswert; ~ ***seeing*** sehenswert; **2.** Wert *m*; '**~less** wertlos; **~'while** lohnend; ***be*** ~ sich lohnen
worthy ['wɜːðɪ] würdig
would [wʊd] *pret von* ***will***[1]; ~ ***you like ...?*** möchten Sie ...?
wound[1] [waʊnd] *pret u. pp von* ***wind***[2]
wound[2] [wuːnd] **1.** Wunde *f*, Verletzung *f*; **2.** verwunden, -letzen (*a. fig.*)
wove [wəʊv] *pret*, '**woven** *pp von* ***weave***
wow [waʊ] *int* F wow!, Mensch!, toll!
wrap [ræp] wickeln; *a.* ~ ***up*** einwickeln, -packen; '**wrapper** Verpackung *f*; (Schutz-) Umschlag *m*; '**wrapping** Verpackung *f*; '**wrapping paper** Geschenkpapier *n*
wreath [riːθ] Kranz *m*
wreck [rek] **1.** Wrack *n* (*a. fig.*); ***nervous*** ~ Nervenbündel *n*; **2.** *Pläne etc.* zunichte machen; zerstören; ***be*** **~ed** zerschellen; Schiffbruch erleiden; '**~age** Trümmer *pl* (*a. fig.*), Wrack(teile *pl*) *n*
'**wrecking| company** *Am.* Abbruchfirma *f*; '**~ service** *Am. mot.* Abschleppdienst *m*
wren [ren] Zaunkönig *m*
wrench [rentʃ] **1.** sich *das Knie etc.* verrenken; ~ ***s.th. away from s.o.*** j-m et. entwinden; ~ ***o.s. away from s.o.*** sich von j-m losreißen; **2.** Ruck *m*; *med.* Verrenkung *f*; *Am.* Schraubenschlüssel *m*
wrestle ['resl] ringen; '**wrestling** Ringen *n*
wretch [retʃ] Schuft *m*; *a.* ***poor*** ~ armer Teufel; '**~ed** elend; scheußlich; verdammt, -flixt
wriggle ['rɪgl] sich winden, zappeln; sich schlängeln
wring [rɪŋ] (***wrung***) (~ ***out*** aus)wringen; *Hände* ringen
wrinkle ['rɪŋkl] **1.** Falte *f*, Runzel *f*; Knitterfalte *f*; **2.** runzeln; *Nase* kraus ziehen, rümpfen; faltig *od.* runz(e)lig werden; knittern
wrist [rɪst] Handgelenk *n*; '**~watch** Armbanduhr *f*
write [raɪt] (***wrote, written***) schreiben; ~ ***down*** auf-, niederschreiben; ~ ***off*** *j-n, econ. et.* abschreiben; ~ ***out*** *Scheck etc.* ausstellen; '**~ protection**

Computer: Schreibschutz *m*
'**writer** Schreiber(in), Verfasser(in); Schriftsteller(in)
writhe [raɪð] sich krümmen
writing ['raɪtɪŋ] Schreiben *n*; (Hand)Schrift *f*; **in ~** schriftlich; '**~ desk** Schreibtisch *m*; '**~ paper** Briefpapier *n*
written ['rɪtn] **1.** *pp von* **write**; **2.** *adj* schriftlich
wrong [rɒŋ] **1.** falsch, verkehrt; unrecht; **be ~** falsch sein, nicht stimmen; Unrecht haben; *Uhr*: falsch gehen; **what's ~ with you?** was ist los mit dir?; **go ~** kaputtgehen; e-n Fehler machen; *fig*. schief gehen; **2.** Unrecht *n*; '**~ful** unrechtmäßig; '**~ly** falsch; zu Unrecht
wrote [rəʊt] *pret von* **write**
wrought| '**iron** [rɔːt-] Schmiedeeisen *n*; **~-'iron** schmiedeeisern
wrung [rʌŋ] *pret u. pp von* **wring**
WWF [dʌbljuː dʌbljuː 'ef] ***World Wide Fund for Nature*** WWF *m* (*internationale Umweltstiftung*)
WYSIWYG ['wɪzɪwɪg] ***what you see is what you get*** *Computer*: was du (*auf dem Bildschirm*) siehst, bekommst du (*auch ausgedruckt etc.*)

X

xenophobia [zenə'fəʊbjə] Ausländerfeindlichkeit *f*
XL [eks 'el] ***extra large*** (***size***) extragroß
Xmas ['krɪsməs, 'eksməs] F → ***Christmas***
X-ray ['eksreɪ] **1.** Röntgenstrahl *m*; Röntgenaufnahme *f*; **2.** röntgen

Y

yacht [jɒt] Jacht *f*; *Sport*: (Segel)Boot *n*
yap [jæp] kläffen
yard¹ [jɑːd] (*Abk*. ***yd***) Yard *n* (*91,44 cm*)
yard² [jɑːd] Hof *m*
yarn [jɑːn] Garn *n*
yawn [jɔːn] **1.** gähnen; **2.** Gähnen *n*
year [jɪə, jɜː] Jahr *n*; '**~ly** jährlich
yearn [jɜːn] sich sehnen (***for*** nach)
yeast [jiːst] Hefe *f*
yell [jel] **1.** *a*. **~ out** schreien, brüllen; **~ at s.o.** j-n anschreien *od.* anbrüllen; **2.** Schrei *m*

yellow ['jeləʊ] gelb; ♀ **'Pages®** *pl tel. die* gelben Seiten *pl*, Branchenverzeichnis *n*; ~ **'press** Sensationspresse *f*
yelp [jelp] (auf)jaulen
yes [jes] **1.** ja; doch; **2.** Ja *n*
yesterday ['jestədɪ] gestern; ~ ***afternoon/morning*** gestern Nachmittag/Morgen; ***the day before*** ~ vorgestern
yet [jet] **1.** *adv fragend*: schon; noch; ***as*** ~ bis jetzt, bisher; ***not*** ~ noch nicht; **2.** *cj* aber, doch
yew [ju:] Eibe *f*
yield [ji:ld] **1.** *v/t Früchte* tragen, hervorbringen; *Gewinn* abwerfen; *Resultat etc.* ergeben, liefern; *v/i* nachgeben; ~ ***to*** *Am. mot. j-m* die Vorfahrt lassen; **2.** Ertrag *m*
yoghurt, yogurt ['jɒgət] Joghurt *m, n*
yolk [jəʊk] (Ei)Dotter *m, n*, Eigelb *n*
you [ju:, jʊ] du, ihr, Sie; dir, euch, Ihnen; dich, euch, Sie; man
young [jʌŋ] **1.** jung; **2.** *zo.* Junge *pl*
your [jɔ:] dein(e); *pl* euer, eure; Ihr(e)
yours [jɔ:z] deine(r, -s); *pl* euer, eure(s); Ihre(r, -s)
your'self (*pl* ***-selves*** [-selvz]) *verstärkend*: selbst; *reflexiv*: dir, dich, sich; ***by*** ~ allein
youth [ju:θ] (*pl* ***youths*** [ju:ðz]) Jugend *f*; Jugendliche *m*; **'~ful** jugendlich; **'~ club** Jugendklub *m* **'~ hostel** Jugendherberge *f*
yuppie, yuppy ['jʌpɪ] ***young upwardly-mobile*** *od.* ***urban professional*** Yuppie *m*

Z

zap [zæp] F *TV* zappen, umschalten
zeal [zi:l] Eifer *m*; **~ous** ['zeləs] eifrig
zebra ['zi:brə, 'zebrə] Zebra *n*; ~ **'crossing** Zebrastreifen *m*
zenith ['zenɪθ] Zenit *m*, *fig. a.* Höhepunkt *m*
zero ['zɪərəʊ] (*pl* ***-ros, -roes***) Null *f*; Nullpunkt *m*; ~ **'growth** *econ.* Nullwachstum *n*; ~ **'interest:** ***have*** ~ ***in s.th.*** F null Bock auf et. haben; ~ **'option** *pol.* Nulllösung *f*
zest [zest] Begeisterung *f*
zigzag ['zɪgzæg] Zickzack *m*
zinc [zɪŋk] Zink *n*
zip [zɪp] **1.** Reißverschluss *m*; **2.** *a.* ~ ***up*** den Reißverschluss zumachen; **'~ code** *Am.* Postleitzahl *f*
'zipper *bsd. Am.* Reißverschluss *m*
zodiac ['zəʊdɪæk] Tierkreis

m; ***sign of the*** ~ Tierkreiszeichen *n*
zone [zəʊn] Zone *f*
zoo [zuː] Zoo *m*
zoological [zəʊə'lɒdʒɪkl] zoologisch; **zoology** [zəʊ'ɒlədʒɪ] Zoologie *f*
zoom [zuːm] **1.** F *Preise etc.*: in die Höhe schnellen; *phot.* zoomen; ~ ***by***, ~ ***past*** F vorbeisausen, -düsen; ~ ***in on*** *phot. et.* heranholen; **2.** *a.* ~ ***lens*** *phot.* Zoom(objektiv) *n*

Deutsch-Englisches Wörterverzeichnis

A

Aal *m* eel
Aas *n* carrion; F beast
ab *prp u. adv örtlich*: from; *zeitlich*: from ... (on); *fort, weg*: off; ~ ***und zu*** now and then; ***von jetzt*** ~ from now on; ***... ist*** ~ ... has come off
Abart *f* variety
Abbau *m* mining; *Verringerung*: reduction; *Vorurteile etc.*: overcoming; *biol. etc.* decomposition; **2bar: *biologisch*** ~ biodegradable; **2en** mine; *fig.* reduce; *Vorurteile etc.*: overcome*
ab|beißen bite* off; **~bekommen** get* off; ***s-n Teil od. et.*** ~ get* one's share; ***et.*** ~ *fig.* get* hurt *od.* damaged; **~bestellen** *Zeitung* (*Waren*): cancel one's subscription (order) for; **~biegen** turn (off); ***nach rechts*** (***links***) ~ turn right (left)
abbild|en show*, depict; **2ung** *f* picture, illustration
ab|blenden *mot.* dip (*Am.* dim) the headlights; **2blendlicht** *n* dipped (*Am.* dimmed) headlights *pl*; **~brechen** break* off (*a. fig.*); *Gebäude*: pull down, demolish; *Zelt, Lager*: strike*; **~bremsen** slow down; **~brennen** burn* down; **~bringen: *j-n*** ~ ***von*** talk s.o. out of (doing) *s.th.*; **~bröckeln** crumble away; **2bruch** *m* breaking off; *Haus etc.*: demolition; **~buchen** debit (***von*** to); **~bürsten** brush (off)
Abc *n* ABC, alphabet
ab|danken resign; *Herrscher*: abdicate; **~decken** uncover; *zudecken*: cover (up); **~dichten** make* tight, insulate; **~drehen** *v/t* turn off; *v/i* change (one's) course
Abdruck *m* print, mark; **2en** print
abdrücken fire
Abend *m* evening; ***am*** ~ → ***abends***; ***heute*** ~ tonight; ***morgen*** (***gestern***) ~ tomorrow (last) night; **~brot** *n*, **~essen** *n* supper, dinner; **~kleid** *n* evening dress (*Am.* gown); **~kurs** *m* evening classes *pl*; **~land** *n* West, Occident; **~mahl** *n rel.* *the* (Holy) Communion, *the* Lord's Supper; **2s** in the evening, at night; ***montags*** ~ (on) Monday evenings
Abenteuer *n* adventure;

≈lich adventurous; *fig.* fantastic; *riskant*: risky
aber but; ***oder*** ~ or else
Aber|glaube *m* superstition; **≈gläubisch** superstitious
abfahr|en leave*, depart, start (*alle*: **nach** for); *Schutt etc.*: remove; **≈t** *f* departure; *Ski*: descent; **≈tslauf** *m* downhill skiing (*Rennen*: race); **≈tszeit** *f* departure (time)
Abfall *m* rubbish, refuse, *Am.* garbage, trash; *Industrie≈*: waste; **~beseitigung** *f* waste disposal; **~eimer** *m* → ***Mülleimer***
abfallen fall* off; *fig. a.* fall* *od.* break* away (***von*** from); *Gelände*: slope (down)
abfällig derogatory; ***~ reden von*** run* *s.o.* down
Abfallprodukt *n* waste product
ab|fälschen *Ball*: deflect; **~fangen** catch*, intercept; *mot.*, *aviat.* right; **~färben** *Farbe etc.*: run*; *Stoff*: *a.* bleed*; ***~ auf*** *fig.* rub off on; **~fassen** write*, compose; **~fertigen** dispatch; *Zoll*: clear; *Kunden*: serve; *Flug-*, *Hotelgast*: check in; **~feuern** fire (off); *Rakete*: launch
abfind|en pay* off; *Partner*: buy* out; *entschädigen*: compensate; ***sich ~ mit*** put* up with; **≈ung** *f* compensation
ab|fliegen leave*, depart; → ***starten***; **~fließen** flow off

Abflug *m* departure; → ***Start***
Abfluss *m tech.* drain; **~rohr** *n* waste pipe, drainpipe
abführ|en lead* away; **~end**, **≈mittel** *n* laxative
abfüllen *in Flaschen*: bottle; *in Dosen*: can
Abgabe *f Sport*: pass; *Gebühr*: rate; *Zoll*: duty; *e-r Arbeit*: handing in
Abgang *m* school-leaving, *Am.* graduation; *ohne Abschluss*: dropping out; *thea.* exit
Abgas *n* waste gas; **~e** *pl* emission(s *pl*); *mot.* exhaust fumes *pl*; **≈frei** emission-free; **~(sonder)untersuchung** *f* exhaust emission test, *Am.* emissions test
abgearbeitet worn out
abgeben leave* (***bei*** with); *Gepäck*: *a.* deposit, *Am.* check; *Arbeit*: hand in; *Ball*: pass; *Wärme etc.*: give* off, emit; ***j-m et. ~ von*** share s.th. with s.o.; ***sich ~ mit*** concern o.s. (*j-m*: associate) with
abge|griffen worn; **~härtet** hardened (***gegen*** to)
abgehen leave*; *Post*, *Ware*: get* off; *Weg*: branch off; *Knopf etc.*: come* off; ***~ von*** *Schule*: leave*; *Plan*: drop; *Meinung*: change; ***gut ~*** *fig.* pass off well
abge|hetzt, ~kämpft exhausted, worn out; **~legen** remote, distant; **~macht: *~!*** it's a deal!; **~magert** emacia-

ted; **~neigt:** ***e-r Sache ~ sein*** be* averse to s.th.; ***ich wäre nicht ~, das zu tun*** I wouldn't mind doing that; **~nutzt** worn
Abgeordnete *m, f* representative, member of parliament, *Am. mst* congress(wo)man
abge|packt prepacked; **~schlossen** completed; **~*e Wohnung*** self-contained flat (*Am.* apartment); **~sehen:** ***~ von*** apart from; **~spannt** worn out; **~standen** stale; **~storben** dead; *Glied*: *a.* numb; **~stumpft** insensitive; **~tragen, ~wetzt** worn
abgewöhnen: ***j-m et. ~*** break* (*od.* cure) s.o. of s.th.; ***sich das Rauchen*** *etc.* **~** give* up smoking *etc.*
Abgrund *m* abyss, chasm
ab|hacken chop (*od.* cut*) off; **~haken** tick (*Am.* check) off; **~halten** *Versammlung etc.*: hold*; ***j-n ~ von*** keep* s.o. from (doing) *s.th.*
abhanden: ***~ kommen*** get* lost
Abhandlung *f* treatise
Abhang *m* slope, incline
abhängen *Bild etc.*: take* down; *rail. etc.* uncouple; *gastr.* hang*; F *j-n*: shake* off; ***~ von*** depend on
abhängig: ***~ von*** dependent on; **≗keit** *f* dependence (***von*** on)
ab|härten harden (***sich*** o.s.) (***gegen*** to); **~hauen** cut* *od.* chop off; F make* off (***mit*** with), run* (away) (with); ***hau ab!*** *sl.* get lost!, beat it!, scram!; **~heben** lift (*od.* take*) off; *Geld*: (with-) draw*; *tel.* answer the phone; *Hörer*: pick up; *Karten*: cut*; *aviat.* take* off; *Rakete*: lift off; ***sich ~ von*** stand* out from; *fig. a.* contrast with; **~heften** file (away); **~hetzen:** ***sich ~*** wear* o.s. out
Abhilfe *f* remedy
ab|holen pick up; ***j-n von der Bahn ~*** meet* s.o. at the station; **~holzen** *Gebiet*: deforest; **~horchen** *med.* sound, auscultate
abhör|en *tel.* listen in on, tap; *Schule*: quiz, test *s.o.* orally; **≗gerät** *n* bug(ging device)
Abitur *n* school-leaving exam
ab|kaufen buy* *s.th.* from *s.o.* (*a. fig. Geschichte*); **~klingen** *Schmerz etc.*: ease off; **~klopfen** *Staub etc.*: knock off; *med.* sound; **~knicken** snap off; *verbiegen*: bend*; **~kochen** boil
Abkommen *n* agreement
abkommen: ***~ von*** get* off; *aufgeben*: give* up; ***vom Weg ~*** lose* one's way; ***vom Thema ~*** stray from the point
ab|koppeln uncouple; **~kratzen** scrape off; F *sterben*: kick the bucket; **~kühlen**

cool down (*a. fig. u.* **sich ~**)
abkürz|en shorten; *Wort etc.*: abbreviate; **den Weg ~** take* a short cut; **2ung** *f* abbreviation; short cut
abladen unload; → **Schutt**
Ablage *f* place to put s.th.; *Bord*: shelf; *econ.* filing; *Akten*: files *pl*
ab|lagern *Holz*: season; *Wein etc.*: mature; *geol. etc.*: deposit; **sich ~** settle, be* deposited; **~lassen** *Wasser*: drain (off); *Dampf*: let* off (*a. fig.*); *vom Preis*: take* *s.th.* off
Ablauf *m Verlauf*: course; *Vorgang*: process; *Programm2*: order of events; *Frist etc.*: expiration; → **Abfluss**; **2en** *Wasser etc.*: run* (*od.* flow, *Badewasser*: *a.* drain) off; *Frist, Pass*: expire; *Uhr*: run* down; *verlaufen*: go*; *Schuhe*: wear* out; *Absätze*: wear* down
ab|lecken lick (off); **~legen** *v/t Kleidung*: take* off; *Akten*: file; *Gewohnheit etc.*: give* up; *Eid, Prüfung*: take*; *v/i* take* one's coat off; *Schiff*: put* out, sail
Ableger *m* shoot
ablehn|en refuse; *höflich*: decline; *Antrag*: turn down; *parl.* reject; *mißbilligen*: disapprove of; *Bewerber*: turn down; **~end** negative; **2ung** *f* refusal; rejection; disapproval
ableiten derive (**von** from)
ablenk|en divert (**von** from); **2ung** *f* diversion
ab|lesen *Gerät*: read*; **~liefern** deliver (**bei** to); hand in (to)
ablös|en *entfernen*: remove, take* off; *j-n*: take* over from; *bsd. mil. etc.* relieve; *ersetzen*: replace; **sich ~** take* turns; **2ung** *f* relief
abmach|en take* off, remove; *vereinbaren*: arrange, agree (on); *regeln*: settle; **2ung** *f* agreement, arrangement; settlement
ab|melden *Auto etc.*: cancel the registration of; *von der Schule*: give* notice of *s.o.'s* withdrawal (from school); **sich ~** *bei Behörde*: give* notice of change of address; *vom Dienst*: report off duty; *Hotel*: check out; **~messen** measure; **~montieren** take* off (*Gerüst etc.*: down); **~mühen: sich ~** slave away; **sich ~ mit** struggle with; **~nagen** gnaw (off)
Abnahme *f* decrease; *an Gewicht*: loss; *econ.* purchase
abnehm|en *v/i* decrease, diminish; lose* weight; *durch Diät*: be* slimming; *Mond*: wane; *v/t* take* off, remove; *Hörer*: pick up; *med. Bein etc*: amputate, take* off; *econ.* buy*; **j-m et. ~** *wegnehmen*: take* s.th. (away) from s.o.; **2er** *m econ.* buyer

Abneigung *f* dislike (**gegen** of, for); *starke*: aversion (to)
abnutz|en wear* out (*a.* **sich** **~**); **\~ung** *f* wear
Abonn|ement *n* subscription; **~ent(in)** subscriber; **\~ieren** subscribe to
Abordnung *f* delegation
ab|pfeifen stop the game; *beenden*: blow* the final whistle; **\~pfiff** *m* final whistle; **~plagen: sich ~** toil; struggle (**mit** with); **~prallen** rebound, bounce (off); *Geschoss*: ricochet; **~putzen** clean; wipe off; **~rasieren** shave off; **~raten: *j-m* von et. ~** advise (*od.* warn) s.o. against (doing) s.th.; **~räumen** clear away; *Tisch*: clear; **~reagieren** *s-n Ärger etc.*: work off (**an** on); **sich ~** F let* off steam
abrechn|en *Summe*: deduct; *Spesen*: claim; **mit *j-m* ~** settle accounts (*fig.* get* even) with s.o.; **\~ung** *f* settlement; F *fig.* showdown
abreiben rub off (*Körper*: down); *polieren*: polish
Abreise *f* departure (**nach** for); **\~n** leave* (**nach** for)
ab|reißen *v/t* tear* (*od.* pull) off (*Gebäude*: down); *v/i Knopf etc.*: come* off; **~richten** train; *Pferd*: *a.* break* (in); **~riegeln** block (*durch Polizei*: *a.* cordon) off; **~rollen** unroll (*a. fig.*); **~rücken** move away; *mil.* march off
Abruf *m*: **auf ~** on call; **\~en** call away; *Daten*: recall, read* back
abrunden round (off)
abrüst|en disarm; **\~ung** *f* disarmament
ABS *mot.* ***Antiblockiersystem*** anti-lock (*od.* anti-skid) braking system
Absa|ge *f* cancellation; *Ablehnung*: refusal; **\~gen** call off; *v/t a.* cancel
absägen saw* off; F *j-n*: oust
Absatz *m Schuh*: heel; *print.* paragraph; *econ.* sales *pl*
ab|schaffen abolish, do* away with; **~schalten** *v/t* switch (*od.* turn) off; *v/i* F relax, switch off; **~schätzen** estimate; *ermessen*: assess; **~schätzig** contemptuous
Abschaum *m* scum
Abscheu *m* disgust (**vor** at, for); **~ *haben vor*** detest, loathe; **\~lich** despicable; *Verbrechen*: *a.* atrocious
ab|schicken → ***absenden***; **~schieben** push away; *fig.* get* rid of; *Ausländer*: deport; **~ *auf*** shove *s.th.* off on(to) *s.o.*
Abschied *m* parting; **~ *nehmen*** (**von**) say* goodbye (to); **~sfeier** *f* farewell party
ab|schießen shoot* off (*aviat.* down); *hunt.* shoot*, kill; *Rakete*: launch; F *fig.* oust; **~schirmen** shield (**gegen** from)
Abschlag *m Sport*: kickout;

econ. down payment; **&en** knock (*Kopf*: cut*) off; *Baum*: cut* down; *Angriff*: beat* off; → ***ablehnen***
abschleifen grind* off
Abschlepp|dienst *m* breakdown (*Am.* emergency road) service; **&en** (give* *s.o.* a) tow; *durch Polizei*: tow away; **~seil** *n* towrope; **~wagen** *m* breakdown truck (*od.* lorry), *Am.* tow truck
abschließen lock (up); *beenden*: finish, complete; *Versicherung*: take* out; *Vertrag etc.*: conclude; ***e-n Handel ~*** strike* a bargain; **~d** concluding; *letzte*: final
Abschluss *m* conclusion; **~prüfung** *f* final examination, finals *pl*; **~zeugnis** *n* school-leaving certificate, *Am.* diploma
ab|schmieren lubricate, grease; **~schnallen** undo*; *Skier*: take* off; ***sich ~*** unfasten one's seatbelt; **~schneiden** cut* (off); *fig.* do*, come* off
Abschnitt *m* section; *Absatz*: paragraph; *Kontroll&*: coupon, slip, stub; *Zeit&*: period; *math.* segment
abschrauben unscrew
abschreck|en deter; **&ung** *f* deterrence; *Mittel*: deterrent
ab|schreiben copy; *mogeln*: crib; *econ.* write* off (*a. fig.* F); **&schrift** *f* copy, duplicate; **~schürfen** graze
Abschuss *m Rakete*: launching; *aviat.* shooting down; *mil.*, *hunt.* kill; **~rampe** *f* launching pad
ab|schüssig sloping; *steil*: steep; **~schütteln** shake* off; **~schwächen** lessen; **~schweifen** digress
abseh|bar foreseeable; ***in ~er (auf ~e) Zeit*** in (for) the foreseeable future; **~en** foresee*; ***es abgesehen haben auf*** be* after; ***~ von*** refrain from; *beiseite lassen*: leave* aside
abseits away (*od.* remote) from; ***~ stehen*** *Sport*: be* offside; *fig.* be* left out
Abseits *n Sport*: offside; **~falle** *f* offside trap
absend|en send* off, dispatch; post, *bsd. Am.* mail; **&er** *m* sender
absetz|bar: *steuerlich ~* tax deductible; **~en** set* (*od.* put*) down; *Brille*, *Hut*: take off; *Fahrgast*: drop; *von Amt*: dismiss; *Film etc.*: take* off; *Herrscher*: depose; *steuerlich*: deduct; *econ.* sell*; ***sich ~*** → ***ablagern***
Absicht *f* intention; **&lich 1.** *adj* intentional; **2.** *adv* on purpose
absolut absolute(ly)
ab|sondern separate; *med.* secrete; ***sich ~*** cut* o.s. off; **~sorbieren** absorb; **~speichern** *Computer*: save, store
absperr|en lock; → ***abrie-***

geln; **≈ung** *f* barrier; barricade; *polizeiliche*: cordon
ab|spielen play; *Sport*: pass; ***sich*** **~** happen, take* place; **≈sprache** *f* agreement; **~springen** jump off; *aviat*. jump; *fig*. back out; **≈sprung** *m* jump; **~spülen** rinse; → ***abwaschen***
abstamm|en: **~** ***von*** be* descended from; **≈ung** *f* descent
Ab|stand *m* distance; *zeitlich*: interval; **≈stauben** dust; F sponge; F *stehlen*: swipe; **~stecher** *m* sidetrip; **≈stehen** stick* out; **≈steigen** get* off (***vom Rad*** *etc*. one's bike *etc*.); *Hotel*: stay (***in*** at); *Sport*: be* relegated; **≈stellen** put* down; *bei j-m*: leave*; *Gas etc*.: turn off; *Auto*: park; *Missstände*: remedy; **≈stempeln** stamp
Abstieg *m* descent, *fig*. decline; *Sport*: relegation
abstimm|en vote (***über*** on); *aufeinander*: harmonize; **≈ung** *f* vote; *Radio*: tuning
Abstoß *m Sport*: goal kick; **≈en** push off; *fig*. repel; *med*. reject; F get* rid of; *Sport*: take the goal kick; **≈end** repulsive
abstreiten deny
Abstrich *m med*. smear; *econ*. cut; **~*e machen*** *fig*. lower one's sights
Ab|sturz *m*, **≈stürzen** fall*; *aviat*. crash; **≈suchen** search (***nach*** for)
absurd absurd
ab|tasten *Radar*, *TV*: scan; **~tauen** defrost
Abteil *n* compartment
abteil|en divide; *arch*. partition off; **≈ung** *f* department; **≈ungsleiter(in)** head of department
abtreib|en *med*. have* an abortion; *Kind*: abort; **≈ung** *f* abortion
abtrennen detach; *Fläche etc*.: separate; *med*. sever
abtret|en *Absätze*: wear* down; give* *s.th*. up (**an** to); *pol. a*. cede; *vom Amt*: resign; **≈er** *m* doormat
ab|trocknen dry; ***sich die Hände*** **~** dry one's hands; ***das Geschirr*** **~** dry the dishes; **~wägen** weigh (***gegen*** against); **~wälzen: *et. auf j-n*** **~** pass the buck to s.o.; **~wandeln** modify; **~warten** *v/t* wait for; *v/i* wait (and see)
abwärts down(wards)
abwasch|bar wipe-clean; **~en** *v/t* wash off; *v/i* do* the dishes, do* the washing-up
Abwasser *n* sewage, waste water
abwechs|eln alternate; ***sich*** **~** take* turns; **~elnd** by turns; **≈lung** *f* change; ***zur*** **~** for a change
Abwehr *f* defen|ce, *Am*. -se (*a. Sport*); **≈en** *Angriff etc*.: beat* off; *Sport*: block; **~spieler(in)** *Sport*: defender
abweichen deviate

abweisen reject, turn down; **~d** unfriendly
ab|wenden turn away (*a. sich ~*); *Unheil etc.*: avert; **~werfen** throw* off; *Bomben*: drop; *Gewinn*: yield
abwert|en devalue; **2ung** *f* devaluation
abwesen|d absent; *fig.* absent-minded; **2heit** *f* absence
ab|wickeln unwind*; *erledigen*: handle; **~wiegen** weigh out; **~wischen** wipe (off); **2wurf** *m* dropping; *Sport*: throw-out; **~würgen** stifle; *mot.* stall; **~zahlen** pay for *s.th.* by instal(l)ments; *ganz*: pay* off; **~zählen** count; *Geld*: count out; **2zahlung** *f*: ***auf ~*** on hire purchase, *Am.* on the installment plan
Abzeichen *n* badge
ab|zeichnen copy, draw*; *unterschreiben*: sign, initial; ***sich ~*** stand* out; *fig.* (begin* to) show*; **~ziehen** *v/t* take* off; *math.* subtract; *Bett*: strip; *Schlüssel*: take* out; *v/i* go* away; *mil.* withdraw*; *Rauch etc.*: escape; **~zischen** F zoom off
Abzug *m mil.* withdrawal; *Waffe*: trigger; *econ.* deduction; *phot.* print; *Kopie*: copy; *tech.* vent, outlet
abzüglich less, minus
abzweig|en branch off; *Geld*: divert (***für*** to); **2ung** *f* junction
ach *int.* oh!; ***~ so!*** I see; ***~ was!, ~ wo!*** of course not!
Achse *f* axle; *math. etc.* axis
Achsel *f* shoulder; ***die ~n zucken*** shrug one's shoulders; **~höhle** *f* armpit
acht eight; ***heute in*** (***vor***) ***~ Tagen*** a week from (ago) today
Acht *f*: ***~ geben*** be* careful; pay* attention (***auf*** to); ***gib ~!*** look (*od.* watch) out!; → ***aufpassen***; ***außer ~ lassen*** disregard; ***sich in ~ nehmen*** be* careful, watch out (***vor*** for)
ach|te, Achtel *n* eighth
achten respect; ***~ auf*** pay* attention to; ***darauf ~, dass*** see* to it that
Achter *m Rudern*: eight
Achterbahn *f* roller coaster
achtlos careless
Achtung *f* respect; ***~!*** look out!; *mil.* attention!; ***~, ~!*** attention please!; → ***Vorsicht***
achtzehn(te) eighteen(th)
achtzig eighty; **~er:** ***die ~ Jahre*** the eighties; **~ste** eightieth
ächzen groan (***vor*** with)
Acker *m* field; **~bau** *m* agriculture; farming
Adapter *m tech.* adapter
addieren add (up)
Adel *m* aristocracy
Ader *f* vein (*a. min.*)
adieu *int.* good-bye!
Adler *m* eagle
adlig noble; **2e** *m, f* noble|man (-woman)

adoptieren adopt
Adressbuch *n* directory
Adress|e *f* address; **≈ieren** address (***an*** to)
Advent *m* Advent; **~szeit** *f* Christmas season
Aerobic *n* aerobics *pl*
Affäre *f* affair
Affe *m* monkey; *großer*: ape
affektiert affected
Afrika Africa; **~ner(in)**, **≈nisch** African
After *m* anus
Agent(in) (*pol.* secret) agent
Agentur *f* agency
Aggress|ion *f* aggression; **≈iv** aggressive
aha *int.* I see!
ähneln resemble, look like
ahnen foresee*; *vermuten*: suspect
ähnlich similar (*dat* to), like; ***j-m ~ sehen*** look like s.o.; **≈keit** *f* resemblance; *fig.* similarity
Ahnung *f* presentiment; *schlimme*: foreboding; *Vorstellung*: notion, idea; ***keine ~ haben*** have* no idea; **≈slos** unsuspecting
Ahorn *m* maple (tree)
Ähre *f* ear
Aids *n med.* AIDS, Aids; **~kranke** *m, f* person with AIDS
Akade|mie *f* academy; college; **~miker(in)** university graduate; **≈misch** academic
akklimatisieren: ***sich ~*** become* acclimatized (*a. fig.*)
Akkord[1] *m mus.* chord
Akkord[2] *m*: ***im ~*** *econ.* by the piece; **~arbeit** *f* piecework
Akkordeon *n* accordion
Akku *m* storage battery
Akne *f* acne
Akrobat(in) acrobat
Akt *m* act(ion); *thea.* act; *paint., phot.* nude
Akte *f* file; **~n** *pl* files, records; **~ntasche** *f* briefcase
Aktie *f* share, *bsd. Am.* stock; **~ngesellschaft** *f* joint-stock company, *Am.* stock company
Aktion *f* action; *Maßnahme*: measures *pl*; *Hilfs≈*: operation; *Werbe≈*: campaign, drive
aktiv active; **≈ität** *f* activity; **≈urlaub** *m* activity holiday
aktuell topical; *heutig*: current; up-to-date
Akusti|k *f* acoustics *pl* (*Lehre*: *sg*); **≈sch** acoustic
akut urgent; *med.* acute
Akzent *m* accent; *Betonung*: *a.* stress (*a. fig.*)
akzeptieren accept
Alarm *m* alarm; **~bereitschaft** *f*: ***in ~*** on alert; **≈ieren** *Polizei etc.*: call; *warnen*: alert; **≈ierend** alarming
albern silly, foolish
Albtraum *m* nightmare
Album *n* album (*a. LP*)
Algen *pl* algae *pl*
Alibi *n* alibi
Alimente *pl* alimony *sg*
Alkohol *m* alcohol; **≈abhän-**

gig: ~ *sein* be* addicted to alcohol; **℞frei** nonalcoholic; ***~e Getränke*** soft drinks; **~iker(in), ℞isch** alcoholic; **℞süchtig** → ***℞abhängig***

all all; ***~es*** everything; ***~e*** **(*Leute*)** everybody; ***~e drei Tage*** every three days; ***vor ~em*** above all; ***~es in ~em*** all in all

All *n* universe

Allee *f* avenue

allein alone; *selbst*: by o.s.; ***~ Erziehende*** single parent; ***~ stehend*** single

allerbeste very best

allerdings however, though; ***~!*** certainly!

allererste very first

Allerg|ie *f* allergy (***gegen*** to); **℞isch** allergic (***gegen*** to)

aller|hand a good deal (of); ***das ist ja ~!*** that's a bit much!; **℞heiligen** *n* All Saints' Day; **~letzte** very last; **~meiste** (very) most; **~nächste** very next; **~neu(e)ste** very latest; **~seits: *Tag ~!*** hi, everybody!; **~wenigst** least ... of all

allgemein general; *üblich*: common; ***im ℞en*** in general; **℞bildung** *f* general education; **℞heit** *f* general public

Alligator *m* alligator

Alliierte: *die ~n* *pl* the allies *pl*

alljährlich annual(ly *adv*)

allmählich gradual(ly *adv*)

Allradantrieb *m* all-wheel drive

All|tag *m* everyday life; **℞täglich** everyday

allzu all too; ***~ viel*** too much

Alm *f* alpine pasture

Almosen *n* alms *pl*; *contp.* pittance, handout

Alpen *pl* Alps *pl*

Alphabet *n* alphabet; **℞isch** alphabetical

Alptraum *m* → ***Albtraum***

als *zeitlich*: when; *nach comp*: than; ***~ Kind*** as a child; ***~ ob*** as if; ***nichts ~*** nothing but

also so, therefore; F well; ***~ gut!*** all right (then)!

alt old; *hist.* ancient

Altar *m* altar

Alte *m, f* old man (woman) (*a. fig.*); ***die ~n*** *pl* the old

Alter *n* age; *hohes*: old age; ***im ~ von*** at the age of; *jemand* ***in deinem ~*** *s.o.* your age

älter older; ***e-e ~e Dame*** an elderly lady

altern grow* old, age

alternativ alternative; *pol.* ecological, green

Altersheim *n* old people's home

Altertum *n* antiquity

Alt|glascontainer *m* bottle bank, *Am.* glass recycling bin; **~lasten** *pl* residual pollution *sg*; contaminated soil *sg*; **℞modisch** old-fashioned; **~öl** *n* waste oil; **~papier** *n* waste paper

Altstadt *f* old town; **~sanierung** *f* town-cent|re (*Am.* -er) rehabilitation

Aluminium *n* alumin(i)um
am at the; *Montag etc.*: on; **~ *1. Mai*** on May 1st; → ***Abend, beste*** *etc.*
Amateur(in) amateur
Amboss *m* anvil
ambu|lant: *~ behandelt werden* get* outpatient treatment; **≈lanz** *f* outpatients' department; *Krankenwagen*: ambulance
Ameise *f* ant
Amerika America; **~ner(in), ≈nisch** American
Amnestie *f* amnesty
Ampel *f* traffic lights *pl*
Ampulle *f* ampoule
amputieren amputate
Amsel *f* blackbird
Amt *n* office; *Aufgabe*: duty; *tel.* exchange; **≈lich** official
Amtszeichen *n* dialling (*Am.* dial) tone
Amulett *n* amulet, charm
amüs|ant entertaining; *lustig*: amusing; **~ieren** amuse; ***sich ~*** enjoy o.s., have* a good time
an on (*a. Licht etc.*); *Tisch etc.*: at; *gegen*: against; ***von ... ~*** from ... on
Anabolikum *n* anabolic steroid
Analog... analog(ue) ...
Analphabet(in) illiterate
Analyse *f* analysis
Ananas *f* pineapple
Anarchie *f* anarchy
Anatomie *f* anatomy
Anbau *m agr.* cultivation; *arch.* annex(e), extension; **≈en** grow*; *arch.* add
anbehalten keep* on
anbei enclosed
an|beißen bite* into; *Fisch*: bite*; *fig.* take* the bait; **~beten** adore, worship
Anbetracht: *in ~* (*dessen, dass*) considering (that)
an|bieten offer; **~binden** *Hund*: tie up; ***~ an*** tie to
Anblick *m* sight
an|brechen *v/t Vorräte*: break* into; *Flasche*: open; *v/i* begin*; *Tag*: break*; *Nacht*: fall*; **~brennen** burn* (*a.* ***~ lassen***); **~bringen** fix (***an*** to); **~brüllen** roar at
An|dacht *f* devotion; *Morgen≈ etc.*: prayers *pl*; **≈dächtig** devout; *fig.* rapt
andauern continue, go* on; **~d** → ***dauernd***
Andenken *n* keepsake; *Reise≈*: souvenir (*beide*: **an** of); ***zum ~ an*** in memory of
andere other; *verschieden*: different; ***et.* (*nichts*) ~s** s.th. (nothing) else; ***nichts ~s als*** nothing but; → ***anders***
andererseits on the other hand
ändern change (*a.* ***sich ~***); *Kleid etc.*: alter
andernfalls otherwise
anders different(ly); ***jemand ~*** somebody else; ***~ werden*** change; **~herum** the other

way round; F *fig.* queer; **~wo** elsewhere
anderthalb one and a half
Änderung *f* change; *bsd. kleine, a. Kleid etc.*: alteration
andeut|en hint (at), suggest; **2ung** *f* hint, suggestion
Andrang *m* crush; *Nachfrage*: rush
an|drehen *Gas*: turn on; *Licht a.* switch on; F ***j-m et.*** ~ fob s.th. off on s.o.; **~drohen: *j-m et.*** ~ threaten s.o. with s.th.; **~eignen: *sich*** ~ acquire; *jur.* appropriate
aneinander (of, to *etc.*) each other
Anekdote *f* anecdote
anekeln disgust, sicken; ***es ekelt mich an*** it makes me sick
anerkenn|en acknowledge, recognize; *lobend*: appreciate; **2ung** *f* acknowledg(e)ment, recognition; appreciation
anfahren *v/i* start; *v/t* hit*, run* into, *j-n a.* knock *s.o.* down; *fig. j-n*: snap at
Anfall *m* fit, attack; **2en** *v/t* attack, *Hund a.*: go* for; *v/i Arbeit etc*: come up
anfällig susceptible (***für*** to); *für Krankheiten a.*: prone (to); *Gesundheit*: delicate
Anfang *m* beginning, start; **2en** begin*, start; *tun*: do*
Anfänger(in) beginner
anfangs at first; **2buchstabe** *m* first (*od.* initial) letter; ***großer*** ~ capital letter
an|fassen touch; *ergreifen*: take* (hold of); ***mit*** ~ lend* (s.o.) a hand (***bei*** with); **~fechten** contest; **~fertigen** make*, manufacture; **~feuchten** moisten
anfeue|rn cheer; **2rungsrufe** *pl* cheers
an|flehen implore; **~fliegen** fly* to
Anflug *m aviat.* approach; *fig.* touch, trace, hint
anforder|n request, demand; **2ung** *f* demand; ***~en*** *pl* requirements *pl*, qualifications *pl*
Anfrage *f* inquiry
an|freunden: *sich* ~ make* friends (***mit*** with); **~fühlen: *sich*** ~ feel* (***wie*** like)
anführ|en lead*; *täuschen*: fool; **2er(in)** leader; **2ungszeichen** *pl* quotation marks *pl*, inverted commas *pl*
Angabe *f* statement; *Hinweis*: indication; F big talk; *Sport*: service; **~n** *pl* information *sg*, data *pl*; *tech.* specifications *pl*
angeb|en give*, state; *zeigen*: indicate; *Preis*: quote; F brag (***mit*** with), show* off (with); **2er(in)** F show-off
angeblich alleged(ly *adv*)
angeboren innate, inborn; *med.* congenital
Angebot *n* offer; ~ ***und Nachfrage*** supply and demand
ange|bracht appropriate; **~**-

bunden: ***kurz*** ~ curt; short; **~heitert** (slightly) drunk
angehen *Licht*: go* on; *betreffen*: concern; ***das geht dich nichts an*** that's none of your business; **~d** future
angehör|en belong to; **2ige** *m, f* relative; member
Angeklagte *m, f* defendant
Angel *f* fishing rod; *Tür2*: hinge
Angelegenheit *f* matter, affair; ***m-e*** ~ my business
angelehnt: ~ ***sein*** be* ajar
Angelhaken *m* fishhook
angeln fish
Angel|rute *f* fishing rod; **~schein** *m* fishing permit; **~schnur** *f* fishing line
ange|messen proper, suitable; *Strafe*: just; *Preis*: reasonable; **~nehm** pleasant; ***~!*** pleased to meet you; **~nommen** supposing; **~regt** lively; **~sehen** respected; **~sichts** in view of; **~spannt** tense
Angestellte *m, f* employee; ***die ~n pl*** the staff *pl*
ange|tan: ~ ***sein von*** be* taken with; **~wandt** applied; **~wiesen:** ~ ***sein auf*** be* dependent on
ange|wöhnen: ***sich et.*** ~ get* used to doing s.th.; ***sich das Rauchen*** ~ start smoking; **2wohnheit** *f* habit
Angina *f* tonsillitis
Angler(in) angler
angreif|en attack; *Gesundheit*: affect; **2er** *m* attacker; *bsd. pol.* aggressor
Angriff *m* attack
Angst *f* fear (***vor*** of); ~ ***haben*** (***vor***) be* afraid (*od.* frightened) (of)
ängst|igen frighten, scare; **~lich** fearful, timid
anhaben have* on (*a. Licht*); *Kleid etc.*: *a.* wear*
anhalt|en stop; *dauern*: continue; ***den Atem*** ~ hold* one's breath; **~end** continual; **2er(in)** hitchhiker; ***per ~er fahren*** hitchhike
Anhaltspunkt *m* clue
anhand by means of
Anhang *m* appendix
anhäng|en add; *rail. etc.* couple up (***an*** to); **2er** *m* supporter; *Schmuck*: pendant; *Schild*: label, tag; *mot.* trailer; **2erin** *f* supporter; **~lich** affectionate
an|häufen heap up, accumulate (*a.* ***sich*** ~); **~heben** lift, raise; **2hieb** *m*: ***auf*** ~ on the first try
anhören listen to; ***mit*** ~ overhear*; ***sich*** ~ sound
Anim|ateur(in) host(ess); **2ieren** encourage; stimulate
Ankauf *m* purchase
Anker *m*, **2n** anchor
Anklage *f* accusation, charge; **2n** accuse (***wegen*** of), charge (with)
Anklang *m*: ~ ***finden*** meet* with approval
an|kleben stick* on (***an*** to);

~klicken *Computer*: click on; **~klopfen** knock (***an*** at); **~knipsen** switch on; **~kommen** arrive; ***es kommt*** (***ganz***) ***darauf an*** it (all) depends; ***es kommt darauf an, dass*** what matters is; ***es darauf ~ lassen*** take* a chance, chance it; ***gut ~*** (***bei***) *fig.* go* down well (with); **~kreuzen** tick, *Am.* check
ankündigen announce
Ankunft *f* arrival
an|lächeln, ~lachen smile at
Anlage *f* arrangement; *Einrichtung*: facility; *Werk*: plant; *tech.* system; (stereo *etc.*) set; *Geld*2: investment; *zu Brief*: enclosure; *Talent*: gift; **~n** *pl* park *sg*, gardens *pl*
Anlass *m* occasion; cause
anlas|sen *Licht etc.*: leave* on; *Mantel etc.*: keep* on; *mot.* start; **2ser** *m* starter
anlässlich on the occasion of
Anlauf *m* run-up, *Am.* approach; *fig.* attempt; **2en** *v/i* run* up; *fig.* start; *Metall*: tarnish; *Brille etc.*: steam up; *v/t naut.* call at
anlegen *v/t Schmuck etc.*: put* on; *Gurt*: fasten; *Garten*: lay* out; *Straße*: build*; *Verband*: apply; *Vorräte*: lay* in; *Geld*: invest; *v/i naut.* land; ***es auf et. ~*** aim at s.th.
Anleger *m econ.* investor; *naut.* landing stage
anlehnen *Tür*: leave* ajar; (***sich***) ***~ an*** lean* against (*fig.* on)
Anleitung *f* direction, guidance; *tech.* instructions *pl*
Anliegen *n* request
Anlieger *m* resident
an|lügen: ***j-n ~*** lie to s.o.; **machen** turn on; *anzünden*: light*; *Salat*: dress; F *Frau*: chat *s.o.* up; F *begeistern*: turn *s.o.* on; **~malen** paint; **~maßend** arrogant
Anmel|deformular *n* registration form; → ***Antrag;*** **2den** announce; *amtlich*: register; *Zollgut*: declare; ***sich ~*** register; *für Schule etc.*: *a.* enrol(l); ***sich ~ bei*** make* an appointment with; **~dung** *f* registration; appointment
anmer|ken: ***j-m et. ~*** notice s.th. in s.o.; ***sich et.*** (***nichts***) ***~ lassen*** (not) let* it show; **2kung** *f* note; *erklärend*: annotation; → ***Fußnote***
anmutig graceful
annähen sew* on
annähernd approximate(ly)
Annahme *f* acceptance; *Vermutung*: assumption
annehm|bar acceptable; *Preis*: reasonable; **~en** accept; *vermuten*: suppose; *Kind*, *Namen*: adopt; *Ball*: take*; *Form etc.*: take* on; ***sich gen ~*** take* care of; **2lichkeit** *f* convenience
Annonce *f* advertisement
anonym anonymous
Anorak *m* anorak

anord|nen arrange; *befehlen*: order; **≗nung** *f* arrangement; order
an|packen *Problem etc.*: tackle; **~passen** adapt, adjust (*beide a.* **sich ~**) (*dat od.* **an** to); **~passungsfähig** adaptable; **~pflanzen** cultivate, plant; **~preisen** push; **~probieren** try on
Anrainer *m östr.* resident
anrechnen charge; *gutschreiben*: allow
Anrede *f* address; **≗n** address
anregen stimulate; *vorschlagen*: suggest
Anreiz *m* incentive
anrichten *Speisen*: prepare; *Schaden*: cause; F do*
Anruf *m* (phone) call; **~beantworter** *m* answering machine; **≗en** call (up), ring* (up), phone (up)
anrühren touch; *Teig*: mix
Ansage *f* announcement; **≗n** announce; **~r(in)** announcer
ansammeln accumulate (*a.* **sich ~**)
Ansatz *m* start (**zu** of); *erstes Zeichen*: first sign
anschaff|en get* (*a.* **sich ~**); **≗ung** *f* purchase, buy
anschau|en → **ansehen**; **~lich** graphic, plastic
Anschein *m*: **allem ~ nach** to all appearances; **≗end** apparently
Anschlag *m* attack, bombing; *Bekanntmachung*: poster, bill, notice; *mus.*, *Sport*: touch; **e-n ~ verüben auf** make * an attempt on *s.o.'s* life; **~brett** *n* notice (*Am.* bulletin) board; **≗en** *v/t Plakat*: post; *mus.* strike*; *Tasse*: chip; *v/i Hund*: bark; *wirken*: take* effect
anschließen connect; **sich ~** follow; *zustimmen*: agree with; *j-m*: join *s.o.*; **~d 1.** *adj* following; **2.** *adv* afterwards
Anschluss *m* connection; **im ~ an** after, following; **~ finden** (**bei**) make* friends (with); **~ bekommen** *tel.* get* through; **~flug** *m* connecting flight
anschnall|en *Ski etc.*: put* on; **sich ~** fasten one's seat belt, *mot. a.* belt (*od.* buckle) up; **≗gurt** *m* seatbelt
an|schnauzen F snarl at; **~schneiden** cut*; *Thema*: bring* up; **~schrauben** screw on; **~schreiben** write* *s.th.* up on the (black)board; *j-n*: write* to; **~schreien** shout at
Anschrift *f* address
an|schwellen swell* (*a. fig.*); **~schwemmen** wash ashore
ansehen (have* *od.* take* a) look at; see*; *Spiel etc.*: watch (*alle a.* **sich ~**); **mit ~** watch, witness; **~ als** look upon as; **man sieht ihm an, dass ...** one can see that...
Ansehen *n* respect, esteem
ansehnlich considerable
ansetzen *v/t* add (**an** to);

sew* on(to); *Termin*: fix, set*; ***Fett*** **~** put* on weight; *v/i*: **~ *zu*** be* about to

Ansicht *f* sight, view; *Meinung*: opinion, view; ***meiner*** **~ *nach*** in my opinion

Ansichts|karte *f* (picture) postcard; **~sache** *f* matter of opinion

anspann|en, ≗ung *f* strain

anspiel|en: **~ *auf*** hint at; **≗ung** *f* hint, allusion

Ansporn *m* incentive; **≗en** encourage; spur *s.o.* on

Ansprache *f* address, speech

ansprech|en speak* to, address; *fig.* appeal to; **~end** appealing; **≗partner** *m* s.o. to talk to; contact

anspringen *v/t* jump at; *v/i Motor*: start

Anspruch *m* claim (***auf*** to); → ***beanspruchen***

anspruchs|los modest; *Buch etc.*: lowbrow; *contp.* trivial; **≗voll** hard to please; *Buch etc.*: demanding

Anstalt *f* institution; *med.* mental hospital

An|stand *m* decency; **≗ständig** decent (*a.* F); **≗standshalber** for decency's sake; **≗standslos** without further ado

anstarren stare at

anstatt instead of

ansteck|en pin on; *Ring*: put* on; *med.* infect; ***sich*** **~ *bei*** catch* s.th. from *s.o.*; → ***anzünden***; **~end** infectious (*a. fig.*), *durch Berührung*: contagious; **≗ung** *f* infection, contagion

an|stehen queue (up), *Am.* line up, stand* in line; **~steigen** rise*; **~stellen** employ; *TV etc.*: turn on; F *tun*: do*; *Verbotenes*: be* up to; ***sich*** **~** queue (up), *Am.* line up; F (make* a) fuss

Anstieg *m* rise, increase

an|stiften incite; **~stimmen** *Lied*: start singing

Anstoß *m Fußball*: kickoff; *fig.* initiative; **~ *erregen*** cause offen|ce (*Am.* -se); **~ *nehmen an*** take* offen|ce (*Am.* -se) at; **≗en** *v/t j-n*: nudge; *v/i* clink glasses; **~ *auf*** drink* to

anstößig offensive

anstrahlen illuminate; *fig. j-n*: beam at

anstreichen paint; *Fehler, Textstelle*: mark

anstreng|en: ***sich*** **~** try (hard), make* an effort, work hard; **~end** strenuous, hard; **≗ung** *f* exertion, strain; *Bemühung*: effort

Anteil *m* share (*a. econ.*), part, proportion; **~ *nehmen an*** take* an interest in; *mitfühlen*: sympathize with; **~nahme** *f* sympathy; interest

Antenne *f* aerial, *Am.* antenna

Anti|alkoholiker(in) teetotal(l)er; **~babypille** *f* (birth control) pill; **~biotikum** *n*

antibiotic; **~blockiersystem** *n mot.* anti-lock (*od.* anti-skid) braking system
antik antique, *hist. a.* ancient; **≈e** *f* ancient world
Antikörper *m* antibody
Antiquari|at *n* second-hand bookshop; **≈sch** second-hand
Antiquitäten *pl* antiques *pl*
antisemit|isch anti-Semitic; **≈ismus** *m* anti-Semitism
Antrag *m* application (*Formular*: form); *parl.* motion; **~steller(in)** applicant
an|treffen meet*, find*; **~treiben** *tech.* drive*, power; *zu et.*: urge (on); *Strandgut*: float ashore; **~treten** *v/i* line up; *v/t Amt, Erbe*: enter upon; *Reise*: set* out on
Antrieb *m* drive (*a. fig. Schwung*), propulsion; *fig.* motive, impulse
antun: ***j-m et.*** **~** do* s.th. to s.o.; ***sich et.*** **~** lay* hands upon o.s.
Antwort *f*, **≈en** answer, reply
anvertrauen: ***j-m et.*** **~** (en)trust s.o. with s.th.; *Geheimnis*: confide s.th. to s.o.
Anwalt *m* → ***Rechtsanwalt***
Anwärter(in) candidate
anweis|en *zuweisen*: assign; *anleiten*: instruct; *befehlen*: *a.* direct, order; **≈ung** *f* instruction; order
anwend|en use; *Regel, Arznei*: apply; **≈ung** *f* application; use
anwesen|d present; **≈heit** *f* presence
anwidern → ***anekeln***
Anzahl *f* number
anzahl|en pay* on account; **≈ung** *f* down payment
anzapfen tap
Anzeichen *n* symptom, sign
Anzeige *f* advertisement; *jur.* information; *Bekanntgabe*: announcement; *tech.* display, scale; **~ *erstatten*** →**≈n** report to the police; *Instrument*: indicate, show*; *Thermometer*: read*; **~tafel** *f* scoreboard
anziehen *Kleidung*: put* on; *Kind etc.*: dress; *Schraube*: tighten; *Bremse, Hebel*: pull; *fig.* attract, draw*; **sich ~** get* dressed; *sich kleiden*: dress; **~d** attractive
Anzug *m* suit
anzüglich suggestive
anzünden light*; *Gebäude*: set* on fire
apart striking
apathisch apathetic
Apfel *m* apple; **~mus** *n* apple sauce; **~saft** *m* apple juice
Apfelsine *f* orange
Apfelwein *m* (*Am.* hard) cider
Apostroph *m* apostrophe
Apothe|ke *f* pharmacy, *Brt. mst* chemist's, *Am. a.* drugstore; **~ker(in)** pharmacist, *Brt. mst.* chemist, *Am. a.* druggist
Apparat *m* apparatus; *Vor-*

richtung: device; *tel.* phone; radio; TV set; camera; ***am ~!*** speaking!; ***am ~ bleiben*** hold* the line
Appartement *n* studio
appellieren appeal (***an*** to)
Appetit *m* appetite (***auf*** for); ***guten ~!*** enjoy your meal!; **Ձlich** appetizing
Applaus *m* applause
Aprikose *f* apricot
April *m* April
Aquaplaning *n* aquaplaning, *Am.* hydroplaning
Aquarell *n* water-colo(u)r
Aquarium *n* aquarium
Äquator *m* equator
Arab|er(in) Arab; **Ձisch** Arabian; *Zahl, ling.*: Arabic
Arbeit *f* work, *econ., pol. u. in Zssgn a.* labo(u)r; *Stelle, einzelne ~*: job; *Produkt*: piece of work; *Schule etc.*: test; paper; **Ձen** work; **~er(in)** worker; **~geber(in)** employer; **~nehmer(in)** employee
Arbeits|amt *n* employment office, *Brt. a.* job centre; **~erlaubnis** *f* work permit, *Am. a.* green card; **Ձlos** out of work, unemployed; **~lose** *m, f* unemployed person; ***die ~n*** *pl* the unemployed *pl*; **~losengeld** *n*, **~losenunterstützung** *f* unemployment benefit (*Am.* compensation); **~losigkeit** *f* unemployment; **~platz** *m* workplace; *Stelle*: job; **~speicher** *m Computer*: main memory; **~süchtige** *m, f* workaholic; **~tag** *m* workday; **Ձunfähig** unfit for work; *ständig*: disabled; **~zeit** *f* working hours *pl*; ***gleitende ~*** flexible working hours *pl*, flexitime, *Am.* flextime; **~zeitverkürzung** *f* reduction in working hours; **~zimmer** *n* study
Archäolog|e, ~in arch(a)eologist; **~ie** *f* arch(a)eology
Archi|tekt(in) architect; **Ձtektur** *f* architecture
Archiv *n* archives *pl*
Arena *f* ring; *fig.* arena
Ärger *m* trouble; *Zorn*: anger; ***~ bekommen*** get into trouble; **Ձlich** angry; *störend*: annoying
ärgern annoy, irritate; ***sich ~*** be* (*od.* get*) annoyed
Argument *n* argument
Arie *f* aria
arm poor
Arm *m* arm; *Fluss*: branch
Armaturen *pl* instruments *pl*; *Bad etc.*: fixtures *pl*; **~brett** *n* dashboard
Armband *n* bracelet; **~uhr** *f* wristwatch
Armee *f* army (*a. fig.*)
Ärmel *m* sleeve; **~kanal** *m the* (English) Channel
ärmlich poor (*a. fig.*)
Armreif(en) *m* bangle
armselig miserable
Armut *f* poverty
Aroma *n* flavo(u)r
Arrest *m* detention
arrogant arrogant

Arsch *m* V arse, *Am.* ass; **~loch** *n* V arsehole, *Am.* asshole

Art *f* kind, sort; *biol.* species; *Weise*: way; **~enschutz** *m* protection of endangered species

Arte|rie *f* artery; **~rienverkalkung** *f* arteriosclerosis

artig good, well-behaved

Artikel *m* article

Artist(in) *mst* acrobat

Arznei(mittel *n*) *f* medicine

Arzt *m*, **Ärztin** *f* doctor

ärztlich medical

Arztpraxis *f* (doctor's) surgery

As *n mus.* A flat; → **Ass**

Asbest *m* asbestos

Asche *f* ash(es *pl*); **~nbahn** *f* cinder track, *mot.* dirt track; **~nbecher** *m* ashtray; **~rmittwoch** *m* Ash Wednesday

Asiat|(in), **2isch** Asian

Asien Asia

asozial antisocial

Asphalt *m*, **2ieren** asphalt

Ass *n* ace

Assistent(in) assistant

Assistenz|arzt *m*, **~ärztin** *f* *Brt.* houseman, *Am.* intern

Ast *m* branch

Astro|logie *f* astrology; **~naut(in)** astronaut; **~nomie** *f* astronomy

Asyl *n* asylum; **~ant** asylum seeker; **~antenwohnheim** *n* asylum-seeker's hostel; **~antin** *f* asylum seeker; **~bewerber(in)** asylum seeker; **~recht** *n* right of asylum

Atelier *n* studio

Atem *m* breath; ***außer ~*** out of breath; **2beraubend** breathtaking; **2los** breathless; **~pause** *f* F breather; **~zug** *m* breath

Äther *m* ether

Athlet|(in) athlete; **2isch** athletic

Atlas *m* atlas

atmen breathe

Atmosphäre *f* atmosphere

Atmung *f* breathing

Atoll *n* atoll

Atom *n* atom; *in Zssgn Energie, Forschung, Kraft, Rakete, Reaktor, Waffen etc.*: *mst* nuclear; **2ar** atomic, nuclear; **~bombe** *f* atom(ic) bomb; **~gegner** *m* anti-nuclear activist; **~kern** *m* (atomic) nucleus; **~krieg** *m* nuclear war; **~müll** *m* nuclear waste; **~sperrvertrag** *m* nonproliferation treaty; **2waffenfrei** nuclear-free

Atten|tat *n* assassination (attempt); ***Opfer e-s ~s werden*** be* assassinated; **~täter(in)** assassin

Attest *n* certificate

Attrak|tion *f* attraction; **2tiv** attractive

Attrappe *f* dummy

ätzend corrosive, caustic (*a. fig.*); *sl.* crappy, *Am.* gross

au *int.* oh!; ouch!

Aubergine *f* aubergine, *Am. a.* eggplant

auch also, too, as well; *sogar*: even; ***ich*** ~ so am (do) I, me too; ~ ***nicht*** not ... either; ***was*** ~ (***immer***) whatever

auf *prp u. adv räumlich*: on; in; at; *offen*: open; *wach, hoch*: up; ~ ***der Welt*** in the world; ~ ***Deutsch*** in German; ~ ***und ab*** up and down; ~ ***sein*** be* open; *wach*: be* up; ~ ***gehts!*** let's go!

aufatmen breathe a sigh of relief

Aufbau *m* building (up); *Gefüge*: structure; **2en** build* (up); construct; ~ ***auf*** *fig*. be* based on

auf|bekommen *Tür etc*.: get* open; *Aufgabe*: be* given; **~bereiten** process, treat; **~bewahren** keep*; *Vorrat*: store; **~blasen** blow* up; **~bleiben** stay up; *Tür, Laden*: stay open; **~blenden** *mot*. turn the headlights up; **~blicken** look up; **~blühen** blossom, open; *fig*. blossom out; **~brausen** fly* into a temper; **~brechen** *v/t* break* (*od*. force) open; *v/i* burst* open; *fig*. leave*; **2bruch** *m* departure; **~decken** uncover; **~drängen** force *s.th*. on *s.o*.; ***sich*** ~ *Gedanke*: suggest itself; ***sich j-m*** ~ force o.s. on s.o.; **~drehen** *v/t* turn on; *v/i fig*. open up; **~dringlich** obtrusive; **2druck** *m* imprint

aufeinander on top of each other; one after another; ~ ***folgend*** successive

Aufenthalt *m* stay; *rail*. stop

Aufenthalts|genehmigung *f* residence permit; **~ort** *m* whereabouts; **~raum** *m* common room; *Hotel*: lounge

Auferstehung *f* resurrection

auf|essen eat* up; **~fahren** *mot*. crash (***auf*** into); *fig*. start up; **2fahrt** *f* drive(way); **2fahrunfall** *m* rear-end collision; *Massen2*: pileup; **~fallen** attract attention; ***j-m*** ~ strike* s.o.; **~fallend, ~fällig** striking, conspicuous; *ungewöhnlich*: strange; *Kleider*: flashy; **~fangen** catch*

auffass|en understand* (***als*** as); **2ung** *f* view; **2ungsgabe** *f* grasp

aufforder|n ask; *stärker*: tell*; **2ung** *f* request

auffrischen freshen up; *Wissen*: brush up

aufführ|en perform, present; *nennen*: list; ***sich*** ~ behave; **2ung** *f* performance

Aufgabe *f* task, job; *Pflicht*: duty; *math*. problem; *Schule*: exercise; homework; *Verzicht*: giving up

Aufgang *m* way up; staircase

auf|geben give* up (*a. v/i*); *Anzeige*: insert; *Brief*: post, *Am*. mail; *Telegramm*: send*; *Gepäck*: register, *Am*. check; *Bestellung*: place; *Hausaufgabe*: set; **~gehen**

open; *Sonne, Teig etc.*: rise
aufge|legt: *zu et.* ~ *sein* feel* like (doing) s.th.; → ***gelaunt***; **~regt** excited; nervous; **~schlossen** *fig.* open-minded; ~ ***für*** open to; **~weckt** bright
auf|greifen pick up; **~grund** because of; **~haben** *v/t* have* on, wear*; *Aufgabe*: have* to do; *v/i Geschäft*: be* open; **~halten** stop, hold* up; *Augen, Tür*: keep* open; ***sich*** ~ stay
aufhänge|n hang* (up); *j-n*: hang; **2r** *m* tab
auf|heben pick up; *aufbewahren*: keep*; *abschaffen*: abolish; **~heitern** cheer up; ***sich*** ~ clear up; **~hellen** brighten (*a.* ***sich*** ~); **~hetzen** stir *s.o.* up (***gegen*** against); **~holen** *v/t Zeit*: make* up for; *v/i* catch* up (***gegen*** with); **~hören** stop; ***mit et.*** ~ stop (doing) s.th.; **~kaufen** buy* up; **~klären** clear up (*a.* ***sich*** ~); ***j-n*** ~ inform s.o. (***über*** about); *sexuell*: F tell* s.o. the facts of life; **~kleben** stick* on; **2kleber** *m* sticker; **~knöpfen** unbutton; **~kommen** come* up; *Mode etc.*: come* into fashion; *Zweifel etc.*: arise*; ~ ***für*** pay* (for); **~laden** load; *electr.* charge
Auflage *f Buch*: edition; *Zeitung*: circulation
auflassen leave* open; *Hut etc.*: keep* on
Auflauf *m* soufflé, pudding
auf|leben come to life again; (***wieder***) ~ ***lassen*** revive; **~legen** *v/t* put* on; *v/i tel.* hang* up; **~lehnen: *sich*** ~ (***gegen***) revolt (against); **~lesen** pick up; **~leuchten** flash (up)
auflös|en dissolve (*a.* ***sich*** ~); *Rätsel*: solve; **2ung** *f Rätsel*: solution
aufmach|en open; ***sich*** ~ set* out; **2ung** *f* getup
aufmerksam attentive; *höflich a.*: considerate; ***j-n*** ~ ***machen auf*** call s.o.'s attention to; **2keit** *f* attention; *Geschenk*: little present
aufmuntern cheer up
Aufnahme *f e-r Tätigkeit*: taking up; *Empfang*: reception; *Zulassung*: admission; *phot.* photo(graph); *Ton2*: recording; *Film*: shooting; **~gebühr** *f* admission (*od.* entrance) fee; **~prüfung** *f* entrance exam(ination)
auf|nehmen take* up (*a. Arbeit, Geld*); *Nahrung*: take* in; *aufheben*: pick up; *erfassen*: take* in; *fassen*: hold*; *empfangen*: receive; *zulassen*: admit; *phot.* take* a picture of; *Band, Platte*: record; *Film*: shoot*; **~passen** pay* attention; ~ ***auf*** take* care of, look after; ***pass auf!*** look out!
Aufprall *m* impact; **2en:** ~ ***auf*** hit*; *mot. a.* crash into

auf|pumpen pump up; **~putschen** pep up; **~räumen** tidy up, clean up (*a. fig.*)
aufrecht upright (*a. fig.*); **~erhalten** maintain
aufreg|en excite; ***sich*** ~ get* upset (***über*** about); **~end** exciting; **Չung** *f* excitement
auf|reibend stressful; **~reißen** tear* open; *Tür*: fling* open; *Augen*: open wide; F *j-n*: pick up; **~reizend** provocative; **~richten** put* up, raise; ***sich*** ~ stand* up; *im Bett*: sit* up; **~richtig** sincere; *offen*: frank; **~rollen** roll up; **~rücken** move up
Aufruf *m* call; appeal (***zu*** for); **Չen** call on *s.o.*
Auf|ruhr *m* revolt; *Krawall*: riot; **Չrührerisch** rebellious
auf|runden round off; **Չrüstung** *f* (re)armament; **~sagen** say*, recite
Aufsatz *m* essay; *Schul*Չ: composition; *tech.* top
auf|saugen absorb; **~schieben** *fig.* put* off, postpone
Aufschlag *m* impact; *Geld*: extra charge; *Mantel*: lapel; *Hose*: turnup, *Am.* cuff; *Tennis*: service, *Art*: serve; ~ ***Becker*** Becker to serve; **Չen** *v/t* open; *Zelt*: pitch; *v/i Tennis*: serve; ***auf dem Boden*** ~ hit* the ground
auf|schließen unlock, open; **~schneiden** *v/t* cut* open (*Fleisch*: up); *v/i* F brag, boast
Aufschnitt *m* (slices *pl* of) cold meat, *Am.* cold cuts *pl*
auf|schnüren untie; *Schuh*: unlace; **~schrauben** unscrew; **~schrecken** *v/t* startle; *v/i* start (up)
Aufschrei *m* (*fig.* out)cry
aufschrei|ben write* down; **~en** cry out, scream
Auf|schrift *f* inscription; **~schub** *m* delay; *e-r Frist*: respite; **~schwung** *m econ.* boom; *Turnen*: swing-up
Aufsehen *n*: ~ ***erregen*** attract attention; *stärker*: cause a sensation; ~ ***erregend*** sensational
Aufseher(in) guard
auf|sein → ***auf***; **~setzen** put* on; *abfassen*: draw* up; *aviat.* touch down; ***sich*** ~ sit* up
Aufsicht *f* supervision, control
Aufsichts|behörde *f* government agency (*od.* commission); **~rat** *m* supervisory board; board (of directors)
auf|spannen *Schirm*: put* up; **~sparen** save; **~sperren** unlock; **~spielen: *sich*** ~ show* off; **~spießen** spear; *mit Hörnern*: gore; **~springen** jump up; *Tür*: fly* open; *Haut*: chap; **~stampfen** stamp (one's foot)
Auf|stand *m* revolt; **Չständisch** rebellious; **~ständische** *pl* rebels *pl*
auf|stapeln pile up; **~stecken** *Haar*: put* up; **~stehen** get* up; **~steigen** rise*;

Beruf, *Sport*: be* promoted
aufstell|en set* (*od.* put*) up; *pol. etc.*: nominate; *Rechnung*: draw* up; *Rekord*: set* up; **Ձung** *f* nomination; list; *Sport*: line-up
Aufstieg *m* ascent; *fig. a.* rise; *Sport*: promotion
auf|stoßen *v/t* push open; *v/i* belch; **~stützen: *sich* ~** lean* (***auf*** on); **~suchen** visit; *Arzt etc.*: see*
auf|tanken fill up; (re)fuel; **~tauchen** appear; *naut.* surface; **~tauen** thaw; *Speisen*: defrost; **~teilen** divide (up)
Auftrag *m* order (*a. econ.*); *mil.* mission; ***im ~ von*** on behalf of; **Ձen** *Speisen*: serve; *Farbe etc.*: apply; ***j-m et. ~*** tell* s.o. to do s.th.; **~geber(in)** customer, client
auf|trennen undo*; **~treten** behave, act; *vorkommen*: occur; ***~ als*** appear as; **Ձtreten** *n* appearance; behavio(u)r
Auftrieb *m phys.* buoyancy; *fig.* impetus, stimulus
Auftritt *m* appearance
auf|wachen wake* up; **~wachsen** grow* up
Auf|wand *m* cost, expense; *Mühe*: effort; *Luxus*: luxury; **~wändig** costly
aufwärmen warm up
aufwärts upward(s)
auf|wecken wake* (up); **~weichen** soften; **~weisen** show*; **~wenden** spend* (***für*** on)
aufwert|en revalue; *fig.* upgrade; **Ձung** *f* revaluation
auf|wickeln wind* up (*a.* ***sich ~***); *Haar*: put* in curlers; **~wiegeln** stir up, incite; **~wiegen** *fig.* make* up for; **~wirbeln** whirl up; ***viel Staub ~*** cause quite a stir; **~wischen** wipe up; **~zählen** list, name
aufzeichn|en *auf Band*: record, tape; *auf Video*: videotape, *bsd. Brt.* video, F tape; *zeichnen*: draw*; **Ձung** *f* recording; ***~en*** *pl* notes *pl*
aufziehen draw* (*od.* pull) up; *öffnen*: (pull) open; *Uhr etc.*: wind* (up); *Kind*: bring* up; ***j-n ~*** tease s.o.
Aufzug *m* lift, *Am.* elevator; *thea.* act; F getup
aufzwingen: *j-m et. ~* force s.th. upon s.o.
Augapfel *m* eyeball
Auge *n* eye; ***aus den ~n verlieren*** lose* sight of; ***unter vier ~n*** in private; ***et. scharf im ~ behalten*** keep a close (*od.* careful) watch on s.th.
Augen|arzt *m*, **~ärztin** *f* eye specialist (*od.* F doctor), ophthalmologist; **~blick** *m* moment; **Ձblicklich 1.** *adj* present; *sofortig*: immediate; **2.** *adv* at present; *sofort*: immediately; **~braue** *f* eyebrow; **~licht** *n* eyesight; **~zeuge** *m* eyewitness
August *m* August

Auktion *f* auction; **~ator(in)** auctioneer
Aula *f* assembly hall, *Am.* auditorium
aus 1. *prp u. adv räumlich*: *mst* out of, from; *Material*: of; *Grund*: out of; *~geschaltet etc.*: out, off; *zu Ende*: over, finished; *Sport*: out; ***ein – aus*** *tech.* on – off; ~ ***sein*** be* out (*od.* over); ~ ***sein auf*** be* out for; *j-s Geld*: be* after; **2.** ♀ *s*: ***der Ball ist im*** ~ the ball's out of play
aus|arbeiten work out; *entwerfen*: prepare; **~atmen** breathe out; **~bauen** *erweitern*: extend; *fertig stellen*: complete; *Motor etc.*: remove; *verbessern*: improve; **~bessern** mend, repair
Ausbeute *f* profit; *Ertrag*: yield; **♀n** exploit (*a. fig.*)
ausbil|den train, instruct; **♀der(in)** instructor; **♀dung** *f* training
ausbleiben fail to come
Ausblick *m* outlook
aus|brechen break* out; ~ ***in*** burst* into; **~breiten** spread* (out); *Arme etc.*: stretch (out); ***sich*** ~ spread*
Ausbruch *m* outbreak; *Vulkan*: eruption; *Flucht*: escape, breakout; *Gefühl*: (out)burst
ausbrüten hatch (*a. fig.*)
Ausdauer *f* perseverance, endurance; **♀nd** persevering
ausdeh|nen stretch; *fig.* expand, extend (*alle a.* ***sich*** ~); **♀nung** *f* expansion; extension
aus|denken: ***sich*** ~ think* *s.th.* up, invent; *vorstellen*: imagine; **~drehen** turn off
Ausdruck *m* expression; *Computer*: printout; **♀en** *Computer*: print out
ausdrück|en express; *Zigarette*: put* out; **~lich** express, explicit
ausdrucks|los expressionless; **~voll** expressive; **♀weise** *f* language, style
Ausdünstung *f* odo(u)r
auseinander apart; separate(d); ~ ***bringen*** separate; ~ ***gehen*** separate, part; *Meinungen*: differ; ~ ***halten*** tell* apart; ~ ***nehmen*** take* apart (*a. fig.*); ~ ***setzen*** place (*od.* seat) apart; ***sich*** ~ ***setzen mit*** deal* with; argue with *s.o.*; **♀setzung** *f* argument; ***kriegerische*** ~ armed conflict
auserlesen choice
aus|fahr|en *j-n*: take* out; *Waren*: deliver; **♀fahrt** *f* drive, ride; *mot.* exit; ~ ***freihalten!*** do not block exit
Ausfall *m* failure; *Verlust*: loss; **♀en** fall* out; *nicht stattfinden*: be* cancel(l)ed, be* called off; *tech.* break* down; *Ergebnis*: turn out; ~ ***lassen*** cancel; ***die Schule fällt aus*** there is no school; **♀end** insulting
Ausfertigung *f* drawing up;

in doppelter ~ in two copies
aus|findig: ***~ machen*** find*; **~flippen** F freak out
Ausflüchte *pl* excuses *pl*
Ausflug *m* trip, excursion
ausfragen question (***über*** about); *indirekt*: pump
Ausfuhr *f* export(ation)
ausführ|en *et.*: carry out; *econ.* export; *darlegen*: explain; *j-n*: take* out; **~lich 1.** *adj* detailed; *umfassend*: comprehensive; **2.** *adv* in detail; **≈ung** *f* execution; *e-r Ware*: design, style
ausfüllen fill in (*Am. a.* out)
Ausgabe *f* distribution; *Buch etc.*: edition; *Geld*: expense; *Computer*: output
Ausgang *m* exit, way out; *Ende*: end; *e-r Geschichte*: ending; *Ergebnis*: outcome; **~spunkt** *m* starting point
ausgeben give* out; *Geld*: spend*; (***sich***) ***~ als*** pass (o.s.) off as; F ***e-n*** ~ buy* *s.o.* a drink
ausge|beult baggy; **~bucht** booked up; **~dehnt** extensive; **~fallen** odd, unusual; **~glichen** (well-)balanced
ausgehen go* out; *Haare*: fall* out; *Geld, Vorräte*: run* out; *enden*: end; ***davon ~, dass*** assume that
ausge|lassen cheerful; **~lastet:** ***voll ~ sein*** be* fully stretched; **~nommen** except; **~geprägt** marked; **~rechnet:** ***~ er*** he of all people; ***~ heute*** today of all days; **~schlossen** out of the question; **~sprochen** *adv* decidedly; **~sucht** exquisite; *Leute*: select; **~waschen** *bsd. Jeans*: faded; **~wogen** (well-)balanced; **~zeichnet** excellent
ausgiebig thorough; *Mahlzeit*: substantial
ausgießen pour out
Ausgleich *m* compensation; *Sport*: equalizer, *Am.* even score; ***den ~ erzielen*** equalize; **≈en** equalize (*a. Sport*); *Am. Sport*: make* the score even; *Verlust*: compensate; *econ.* balance; **≈end:** ***~e Gerechtigkeit*** poetic justice
Ausgleichs|tor *n*, **~treffer** *m* equalizer
ausgrab|en dig* out (*od.* up); **≈ungen** *pl* excavations *pl*
ausgrenzen isolate, exclude
Ausguss *m* (kitchen) sink
aus|halten bear*, stand*; **~händigen** hand over
Aushang *m* notice
aus|hängen hang* out, put* up; *Tür*: unhinge; **~harren** hold* out; **~helfen** help out
Aushilf|e *f* (temporary) help; **~s...** temporary ...
aus|holen swing* one's arm back; ***~ mit*** raise; **~horchen** sound; **~kennen:** ***sich ~*** (***in***) know* one's way (around); *fig.* know* all about; **~klopfen** *Pfeife*: knock out; **~kommen** get* by; ***~ mit*** *et.*:

manage with; *j-m*: get* on (*od.* along) with; **≈kommen** *n*: ***sein ~ haben*** make* one's living; **~kundschaften** explore
Auskunft *f* information (desk); *tel.* inquiries *pl*
aus|lachen laugh at; **~laden** unload; *j-n*: disinvite
Auslage *f* (window) display; **~n** *pl* expenses *pl*
Aus|land *n*: ***das ~*** foreign countries *pl*; ***ins*** **(*im*)** ***~*** abroad
Ausländ|er *m* foreigner; ***Gewalt gegen ~*** anti-foreigner violence; **~erfeindlichkeit** *f*, **~erhass** *m* hostility to foreigners, xenophobia; **~erin** *f* foreigner; **≈isch** foreign
Auslands|gespräch *n* international call; **~korrespondent(in)** foreign correspondent
auslass|en leave* (*Saum*: let*) out; *Fett*: melt; *j-n*: miss out; **s-e *Wut ~ an*** take* it out on; ***sich ~ über*** express o.s. on; ***e-n Tanz ~*** sit out a dance; **≈ungszeichen** *n* apostrophe
auslaufen run* out (*a. Produktion*); *naut.* leave* port
auslegen lay* out; *Boden*: carpet; *Schrank*: line; *deuten*: interpret; *Geld*: advance
ausleihen *verleihen*: lend* (out); *sich ~*: borrow
Ausles|e *f* selection; *fig.* pick, elite; **≈en** pick out, select; *Buch*: read to the end, finish
ausliefer|n hand over; *pol.* extradite; *econ.* deliver; **≈ung** *f* delivery; extradition
aus|löschen put* out; *fig.* wipe out; **~losen** draw* lots for
auslös|en *tech.* release; *Gefangene*, *Pfand*: redeem; *Alarm*, *Krieg etc*: trigger off; *Gefühl*, *Reaktion*: cause; **≈er** *m phot.* shutter release; ***der ~ sein für*** trigger *s.th.*
ausmachen put* out; *Gerät etc.*: turn off; *vereinbaren*: arrange; *Teil*: make* up; *Betrag*: amount to; *regeln*: settle; *sichten*: sight; ***macht es dir et. aus*****(*, wenn ...*)?** do you mind (if ...)?
Ausmaß *n* extent
ausmessen measure
Ausnahme *f* exception; **~zustand** *m* state of emergency
ausnahms|los without exception; **~weise** by way of exception; *diesmal*: for once
aus|nehmen *gastr.* clean; *j-n*: except, exclude; F *betrügerisch*: fleece, F take* *s.o.* to the cleaners; **~nutzen** use, take* advantage of (*a. contp.*); → ***ausbeuten***; **~packen** *v/t* unpack; *Geschenk*: unwrap; *v/i* F *reden*: talk, blab; **~pfeifen** boo (at); *thea. a.* boo off the stage; *Sportler*: boo off the park; **~pressen** squeeze (out); **~probieren** try (out)
Auspuff *m* exhaust; **~gase** *pl*

exhaust fumes *pl*; **~rohr** *n* exhaust pipe, *Am.* tail pipe; **~topf** *m* silencer, *Am.* muffler

aus|radieren erase; *fig.* wipe out; **~rangieren** discard; **~rauben** rob; **~räumen** empty, clear; **~rechnen** calculate, work out

Ausrede *f* excuse; **2n** *v/i* finish speaking; **~ *lassen*** hear* *s.o.* out; *v/t*: ***j-m et.* ~** talk s.o. out of s.th.

ausreichen be* enough; **~d** sufficient; *Note*: D

Ausreise *f* departure; **2n** leave* (the country); **~visum** *n* exit visa

aus|reißen *v/t* pull (*od.* tear*) out; *v/i* F run* away; **~renken** dislocate; **~richten** *erreichen*: accomplish; *Nachricht*: pass on; → ***bestellen***; **~rotten** exterminate

Ausruf *m* cry, shout; **2en** cry, shout, exclaim; *Namen etc.*: call out; **~ungszeichen** *n* exclamation mark

ausruhen rest (*a.* ***sich*** **~**)

ausrüst|en equip; **2ung** *f* equipment

ausrutschen slip

Aussage *f* statement; *jur.* evidence; *fig.* message; **2n** state, declare; *jur.* testify

aus|schalten switch off; *fig.* eliminate; **~schauen: ~ *nach*** look out for; → ***aussehen***; **~scheiden** *v/i* be* ruled out; *Sport etc.*: drop out; **~ *aus*** *Firma etc.*: leave*; *v/t med.* secrete; **~schimpfen** scold; **~schlafen** sleep* in (*a.* ***sich*** **~**); ***s-n Rausch*** **~** sleep* it off

Ausschlag *m med.* rash; *Zeiger*: deflection; ***den*** **~ *geben*** decide the issue; **2en** *v/i Pferd*: kick; *Zeiger*: deflect; *bot.* sprout, bud; *v/t Zahn etc*: knock out; *ablehnen*: refuse; **2gebend** decisive

ausschließ|en lock out; *fig.* exclude; *ausstoßen*: expel; *Sport*: disqualify; **~lich** exclusive(ly)

aus|schmücken decorate; *fig.* embellish; **~schneiden** cut* out

Ausschnitt *m Kleid*: neck; *Zeitung*: cutting, *Am.* clipping; *fig.* part; *Buch, Rede*: extract; ***mit tiefem*** **~** low-necked

ausschreiben write* out; *Stelle etc.*: advertise

Ausschreitungen *pl* riot(ing) *sg*

Ausschuss *m* committee, board; *Abfall*: waste

ausschütten pour out; *verschütten*: spill*; *econ.* pay*; ***sich*** **~** (***vor Lachen***) split* one's sides (laughing); ***sein Herz*** **~** pour one's heart out

ausschweifend dissolute

aussehen 1. *v/i* look (***wie, nach*** like); **2.** **2** *n* looks *pl*, appearance *sg*

aussein → ***aus***

außen outside; ***nach* ~** outward(s); *fig.* outwardly
Außen|bordmotor *m* outboard motor; **~handel** *m* foreign trade; **~minister(in)** foreign minister, *Brt.* Foreign Secretary, *Am.* Secretary of State; **~politik** *f* foreign affairs *pl*; *bestimmte*: foreign policy; **~seite** *f* outside; **~seiter(in)** outsider; **~stelle** *f* branch; **~stürmer** *m Sport*: winger; **~verteidiger** *m Sport*: ***rechter* (*linker*)** ~ right (left) back; **~welt** *f* outside world
außer out of; *neben*: beside(s); *ausgenommen*: except; ~ ***dass*** except that; ***alle*** ~ all but; ~ ***sich sein*** be* beside o.s.; ~ ***wenn*** unless; **~dem** besides, moreover
äußere exterior, outer, outward
Äußere *n* exterior, outside; (outward) appearance
außer|gewöhnlich unusual; **~halb** outside, out of; *jenseits*: beyond; **~irdisch** extraterrestrial
äußerlich external; outward; ***rein*** ~ *fig.* on the surface
äußern express; ***sich*** ~ say* s.th.; ***sich*** ~ ***zu*** give one's opinion on
außer|ordentlich extraordinary; **~planmäßig** unscheduled
äußerst outermost; *fig.* extreme(ly); ***bis zum*** **ᒑen** ***gehen*** go* to extremes
außerstande unable
Äußerung *f* utterance
aussetzen *v/t Tier etc.*: abandon; *der Sonne, Kritik etc*: expose to (*a.* **sich** ~); *Preis etc.*: offer; ***et. auszusetzen haben an*** find* fault with; *v/i* stop, break* off; *Motor etc.*: fail
Aussicht *f* view (***auf*** of); *fig.* chance (***auf*** of)
aussichts|los hopeless; **~reich** promising; **ᒑturm** *m* observation tower
Aussiedler *m* resettler
aussitzen *Krise etc.* sit out
aussöh|nen → ***versöhnen***
aus|sortieren sort out; **~spannen** *fig.* (take* a) rest, relax; **~sperren** lock out; **~spielen** *v/t Karte*: play; *v/i* lead*
Aus|sprache *f* pronunciation; discussion, debate; *private*: heart-to-heart (talk); **ᒑsprechen** pronounce; *äußern*: express; **sich** ~ have* a heart-to-heart (talk); → ***ausreden***; **~spruch** *m* saying
aus|spucken spit* out; **~spülen** rinse
ausstatt|en fit out, equip, furnish; **ᒑung** *f* equipment; furnishings *pl*; design
ausstehen *v/t*: ***ich kann ihn* (*es*) *nicht*** ~ I can't stand him (it); *v/i* be* outstanding
aussteig|en get* out (*od.*

off); *fig.* drop out; **2er(in)** dropout

ausstell|en exhibit, display; *Rechnung*, *Scheck*: make* out; *Pass*: issue; **2er** *m* exhibitor; **2ung** *f* exhibition

aussterben die out

Aussteuer *f* trousseau

Ausstieg *m* exit; *fig.* withdrawal (***aus*** from)

aus|stopfen stuff; **~stoßen** eject, emit; *econ.* turn out; *Schrei etc.*: give*; *j-n*: expel

ausstrahl|en radiate (*a. fig.*); *senden*: broadcast*; **2ung** *f* broadcast; *fig.* charisma

aus|strecken stretch out; **~strömen** escape (***aus*** from); **~suchen** pick, choose*

Austausch *m*, **2en** exchange (***gegen*** for); **~schüler(in)** exchange pupil (*Am.* student)

austeilen distribute

Auster *f* oyster

austrag|en deliver; *Streit*: settle; *Wettkampf*: hold*; **2ungsort** *m Sport*: venue

Austra|lien Australia; **~lier(in), 2lisch** Australian

aus|treiben *Teufel*: exorcise; F ***j-m et. ~*** cure s.o. of s.th.; **~treten** *v/t* tread* (*od.* stamp) out; *Schuhe*: wear* out; *v/i entweichen*: escape; F go* to the toilet (*Am.* bathroom); **~ *aus*** leave*; **~trinken** drink* up; *leeren*: empty; **2tritt** *m* leaving; **~trocknen** dry up; **~üben** practi|se, *Am.* -ce; *Amt*: hold*; *Macht*: exercise; *Druck*: exert

Ausverkauf *m* sale; **2t** sold out (*a. thea.*)

Aus|wahl *f* choice, selection; *Sport*: representative team; **2wählen** choose*, select

Auswander|er *m* emigrant; **2n** emigrate; **~ung** *f* emigration

auswärtig out-of-town; *pol.* foreign

auswärts out of town; **~ *essen*** eat* out; **2...** *Spiel etc*: away ...

auswechsel|n exchange (***gegen*** for); *Rad*: change; *ersetzen*: replace; *Sport*: substitute ; **2spieler(in)** substitute

Ausweg *m* way out

ausweichen make* way (*dat* for); avoid (*a. fig. j-m*); *e-r Frage*: evade; **~d** evasive

Ausweis *m* identity (*od.* ID) card; **2en** expel; ***sich ~*** identify o.s.; **~papiere** *pl* documents *pl*; **~ung** *f* expulsion

aus|weiten expand; **~wendig** by heart; **~werten** evaluate; *nützen*: utilize; **~wickeln** unwrap; **~wirken: *sich ~ auf*** affect; **2wirkung** *f* effect; **~wischen** wipe out; **~wringen** wring* out; **2wuchs** *m* excess; **~wuchten** balance; **~zahlen** pay* (out); pay* *s.o.* off; ***sich ~*** pay*; **~zählen** count (*Boxer*: out); **2zahlung** *f* payment

auszeichn|en *Ware*: price;

j-n ~ mit award *s.th.* to s.o.; ***sich ~*** distinguish o.s.; **℘ung** *f* pricing; *fig.* distinction, hono(u)r; *Orden*: decoration; *Preis*: award
ausziehen *v/t Kleidung*: take* off; *j-n*: undress (*a.* ***sich ~***); *v/i* move out
Auszubildende *m, f* apprentice, trainee
Auszug *m* move, removal; *Buch etc.*: excerpt; *Konto℘*: statement (of account)
Auto *n* car, *bsd. Am. a.* auto(mobile); ***~ fahren*** drive*; ***mit dem ~ fahren*** go* by car
Autobahn *f* motorway, *Am.* expressway, superhighway; **~dreieck** *n* interchange; **~gebühr** *f* toll; **~kreuz** *n* interchange
Autobiographie *f* autobiography
Auto|bombe *f* car bomb; **~bus** *m* → ***Bus***; **~fähre** *f* car ferry; **~fahrer(in)** motorist, driver; **~fahrt** *f* drive; **~friedhof** *m* F scrapyard, *Am.* auto junkyard
Autogramm *n* autograph
Auto|karte *f* road map; **~kino** *n* drive-in (cinema, *Am.* theater)
Automat *m* vending machine; *tech.* robot; *Spiel℘*: slot machine
Automa|tik *f* automatic (system *od.* control); *mot.* automatic transmission; **~tion** *f* automation; **℘tisch** automatic
Auto|mechaniker *m* car (*od.* motor, *Am.* auto) mechanic; **~mobil** *n* → ***Auto***; **~nummer** *f* licen|ce (*Am.* -se) number
Autor(in) author
autori|sieren authorize; **~tär** authoritarian; **℘tät** *f* authority
Auto|telefon *n* car phone; **~vermietung** *f* car hire (*Am.* rental) service; **~waschanlage** *f* car wash; **~werkstatt** *f* garage, car repair shop
Axt *f* ax(e)

B

Bach *m* brook, stream, *Am. a.* creek
Backbord *n* port
Backe *f* cheek
backen bake; *in Fett*: fry
Backenzahn *m* molar
Bäcker *m* baker; **~ei** *f* baker's (shop), bakery; **~in** *f* baker
Back|form *f* baking pan (*od.* tin); **~hähnchen** *n* fried chicken; **~obst** *n* dried fruit; **~ofen** *m* oven; **~pulver** *n* baking powder; **~stein** *m* brick
Bad *n* bath; *im Freien*: swim; bathroom

Bade|anstalt *f* swimming pool; **~anzug** *m* swimsuit; **~hose** *f* (swimming) trunks *pl*; **~kappe** *f* bathing cap; **~mantel** *m* bathrobe; **~meister** *m* pool attendant

baden *v/i* have* (*od.* take*) a bath; *im Freien*: swim*; ***~ gehen*** go* swimming; *v/t* bathe; *Baby*: *Brt. a.* bath

Bade|ort *m* seaside resort; **~tuch** *n* bath towel; **~urlaub** *m* holiday at the seaside; **~wanne** *f* bath(tub); **~zeug** *n* swimming things *pl*; **~zimmer** *n* bath(room)

Bafög *n*: ***~ erhalten*** get* a grant

Bagger *m* excavator; *naut.* dredge(r); **≈n** excavate; dredge

Bahn *f* railway, *Am.* railroad; *Zug*: train; *Weg*, *Kurs*: way, path, course; *Sport*: track; ***mit der ~*** by train (*od.* rail); **~damm** *m* railway (*Am.* railroad) embankment

bahnen: *j-m* (***e-r Sache***) ***den Weg ~*** clear the way for s.o. (s.th.); ***sich e-n Weg ~*** force (*od.* work) one's way

Bahn|hof *m* (railway, *Am.* railroad) station; **~linie** *f* railway (*Am.* railroad) line; **~steig** *m* platform; **~übergang** *m* level (*Am.* grade) crossing

Bahre *f* stretcher

Bakterien *pl* germs *pl*, bacteria *pl*

bald soon; F *beinahe*: almost, nearly; ***so ~ wie möglich*** as soon as possible; **~ig** speedy; ***~e Antwort*** early reply

Balken *m* beam

Balkon *m* balcony

Ball *m* ball; *Tanz≈*: *a.* dance

Ballast *m* ballast; **~stoffe** *pl* roughage *sg*

ballen *Faust*: clench

Ballen *m* bale; *anat.* ball

ballern F bang (away)

Ballett *n* ballet

Ballon *m* balloon

Ballungs|raum *m*, **~zentrum** *n* conurbation

Bambus *m* bamboo

banal banal, trite

Banane *f* banana

Banause *m* philistine

Band[1] *m* volume

Band[2] *n* band; *Zier≈*: ribbon; *Mess≈*, *Ton≈*, *Ziel≈*: tape; *anat.* ligament; *fig.* tie, link, bond; ***auf ~ aufnehmen*** tape, record

bandagieren bandage

Bandbreite *f* range, spectrum

Bande[1] *f* gang

Bande[2] *f Billard*, *Kegeln*: cushion; *Eishockey*: boards *pl*

bändigen tame (*a. fig.*); *Kinder*, *Zorn etc.*: control

Bandit *m* bandit

Band|maß *n* measuring tape; **~scheibe** *f* (intervertebral) disc; **~scheibenvorfall** *m* slipped disc; **~wurm** *m* tapeworm

bang(e) afraid; *besorgt*: anxious; ***Bange machen*** frighten, scare
Bank *f* bench; *Schul*&: desk; *econ.* bank; **~angestellte** *m*, *f* bank clerk (*od.* employee); **~automat** *m* cash dispenser (*od.* F machine), cashpoint
Bankier *m* banker
Bank|konto *n* bank(ing) account; **~leitzahl** *f* bank code (*Am.* A.B.A. *od.* routing) number; **~note** *f* (bank)note, *Am. a.* bill
bankrott bankrupt
Bann *m* ban; *Zauber*: spell
Banner *n* banner (*a. fig.*)
bar: (***in***) ~ ***zahlen*** pay (in) cash
Bar *f* bar; nightclub
Bär *m* bear
Baracke *f* hut; *contp.* shack
barfuß barefoot
Bargeld *n* cash; **&los** cashless
barmherzig merciful
Barmixer *m* barman
Barometer *n* barometer
Barren *m metall.* ingot; *Turnen*: parallel bars *pl*
Barriere *f* barrier
Barrikade *f* barricade
barsch gruff, brusque
Bart *m* beard; *Schlüssel*&: bit
bärtig bearded
Barzahlung *f* cash payment
Basar *m* bazaar
Basis *f* basis; *mil.*, *arch.* base
Baskenmütze *f* beret
Bass *m* bass
Bast *m* bast; *zo.* velvet
bast|eln *v/i* make* and repair things o.s.; *v/t* make*; **&ler** *m* do-it-yourselfer
Batterie *f* battery
Bau *m* building (*a. Gebäude*), construction; *Tier*&: hole; ***im*** ~ under construction
Bauarbeit|en *pl* construction work(s *pl*); **~er** *m* construction worker
Bauch *m* belly (*a. fig.*); *anat.* abdomen; F tummy; **&ig** bulbous; **~redner** *m* ventriloquist; **~schmerzen** *pl* bellyache *sg*, stomachache *sg*; **~tanz** *m* belly dancing
bauen build*, construct; *Möbel etc.*: *a.* make*
Bauer[1] *m* farmer; *Schach*: pawn
Bauer[2] *n*, *m* (bird) cage
Bäuer|in *f* (woman) farmer; farmer's wife; **&lich** rustic
Bauern|haus *n* farmhouse; **~hof** *m* farm
bau|fällig dilapidated; **&gerüst** *n* scaffold(ing); **&herr(in)** owner; **&holz** *n* timber, *Am. a.* lumber; **&jahr** *n* year of construction; *Auto*: ~ ***1996*** 1996 model
Baum *m* tree
Baumarkt *m* DIY store
baumeln dangle, swing*
Baum|stamm *m* trunk; *gefällter*: log; **~wolle** *f* cotton
Bauplatz *m* building site
Bausch *m* wad, ball; **&en:** ***sich*** ~ billow
Bau|stein *m* brick; *Spielzeug*

u. fig.: building block; **~stelle** *f* building site; *mot.* roadworks *pl*, *Am.* construction zone; **~teil** *n* component (part); **~unternehmer** *m* building contractor; **~werk** *n* building

Bay|er(in) **℘(e)risch** Bavarian; **~ern** Bavaria

Bazillus *m* bacillus, germ

beabsichtigen intend, plan

beacht|en pay* attention to; *Regel etc.*: observe, follow; **~ Sie, dass** note that; **nicht ~** take* no notice of; disregard, ignore; **~lich** considerable; **℘ung** *f* attention; observance; *Berücksichtigung*: consideration

Beamt|e *m*, **~in** *f* official; *Polizei*: officer; *Staats℘*: civil servant

be|ängstigend alarming; **~anspruchen** claim; *Zeit, Raum etc.*: take* up; *j-n*: keep* *s.o.* busy; *tech.* stress; **~anstanden** object to; **~antragen** apply for; *parl.*, *jur.* move (for); **~antworten** answer, reply to; **~arbeiten** work; *Buch*: revise; *Sachgebiet*: work on; *Fall etc.*: deal* with; F *j-n*: work on; **~aufsichtigen** supervise; *Kind*: look after; **~auftragen** commission; *anweisen*: instruct; **~ mit** put *s.o.* in charge of; **~bauen** build* on; *agr.* cultivate

beben shake*, tremble (*bei-de*: **vor** with); *Erde*: quake

Becher *m* cup; *Henkel℘*: *a.* mug

Becken *n* basin; pool; *anat.* pelvis; *mus.* cymbal(s *pl*)

bedächtig circumspect; *langsam*: measured

bedanken: sich bei j-m (für et.) ~ thank s.o. (for s.th.)

Bedarf *m* need (**an** of); *econ.* demand (for); **~shaltestelle** *f* request stop

bedauerlich regrettable; **~erweise** unfortunately

bedauern *j-n*: feel* sorry for, pity; *et.*: regret

Bedauern *n* regret (**über** at); **℘swert** pitiable, deplorable

be|decken cover; **~deckt** *Himmel*: overcast

bedenken consider

Bedenken *pl* doubts *pl*; scruples *pl*; *Einwände*: objections *pl*

bedenklich doubtful; *ernst*: serious; critical

bedeut|en mean*; **~end** important; *beträchtlich*: considerable; **℘ung** *f* meaning; *Wichtigkeit*: importance

bedeutungs|los insignificant; **~voll** significant

bedien|en *v/t j-n*: serve, wait on; *tech.* operate, work; **sich ~** help o.s.; *v/i* serve; *bei Tisch*: wait (at table); *Karten*: follow suit; **℘ung** *f* service; *Person*: waiter, waitress; shop assistant, *bsd. Am.* clerk; *tech.* operation

Bedingung *f* condition; *Anforderung*: requirement; **≈slos** unconditional
bedrängen press (hard)
bedroh|en threaten; **~lich** threatening; **≈ung** *f* threat
bedrücken depress, sadden; **~d** depressing
Bedürf|nis *n* need, necessity (***nach*** for); **≈tig** needy, poor
be|eilen: *sich* ~ hurry (up); **~eindrucken** impress; **~einflussen** influence; *nachteilig*: affect; **~einträchtigen** affect, impair; **~enden** (bring* to an) end, finish; **~erben: *j-n* ~** be* s.o.'s heir
beerdig|en bury; **≈ung** *f* funeral; **≈ungsinstitut** *n* undertakers *pl*, *Am.* funeral home (*od.* parlor)
Beere *f* berry
Beet *n* bed
befahr|bar passable; **~en** drive* on; *naut.* navigate
befangen self-conscious; prejudiced (*a. jur.*)
befassen: *sich* ~ *mit* concern o.s. with; *Buch etc.*: deal* with
Befehl *m* order; command (***über*** of); **≈en** order; command
befestigen fasten (***an*** to), fix (to), attach (to); *mil.* fortify
befeuchten moisten, damp
befinden: *sich* ~ be* (situated *od.* located)
befolgen follow; *Vorschrift*: *a.* observe; *Gebote*: keep*
beförder|n carry, transport; *beruflich*: promote (***zu*** to); **≈ung** *f* transport(ation); promotion
be|fragen question, interview; **~freien** free; *retten*: rescue; **~freunden: *sich* ~ *mit*** make* friends with; *fig.* warm to; **~freundet** friendly; ~ ***sein*** be* friends
befriedig|en satisfy; ***sich selbst* ~** masturbate; **~end** satisfactory; **≈ung** *f* satisfaction
befristet limited (***auf*** to)
befugt authorized
Befund *m* finding(s *pl*)
befürcht|en, ≈ung *f* fear
befürworten advocate
begab|t gifted, talented; **≈ung** *f* gift, talent(s *pl*)
begegn|en meet* (*a.* ***sich*** ~); **≈ung** *f* meeting; *feindliche*: encounter
begehen *feiern*: celebrate; *Tat*: commit; *Fehler*: make*
begehr|en desire; **~t** popular, (much) in demand
begeister|n fill with enthusiasm; ***sich* ~ *für*** be* enthusiastic about; **~t** enthusiastic; **≈ung** *f* enthusiasm
Begier|de *f* desire (***nach*** for); **≈ig** eager (***nach*** for); *contp.* greedy
begießen water; *Braten*: baste; *fig.* F celebrate
Beginn *m* beginning, start; ***zu*** ~ at the beginning; **≈en** begin*, start

beglaubig|en certify; **≈ung** *f* certification
begleichen pay*, settle
beglei|ten accompany; **≈ter(in)** companion; **≈tung** *f* company; *Schutz*: escort; *mus.* accompaniment
be|glückwünschen congratulate (***zu*** on); **~gnadigen** pardon; **~gnügen: *sich ~ mit*** be* satisfied with; **~graben** bury; **≈gräbnis** *n* funeral; **~greifen** understand*; *erfassen*: grasp; **~greiflich** understandable; **~grenzen** limit, restrict (***auf*** to)
Begriff *m* idea, notion; *Ausdruck*: term; ***im ~ sein zu*** be* about to
begründen give* reasons for
begrüß|en greet, welcome; **≈ung** *f* greeting, welcome
begünstigen favo(u)r
be|haart hairy; **~haglich** comfortable; cosy
behalten keep* (***für sich*** to o.s.); *sich merken*: remember
Behälter *m* container
behand|eln treat (*a. med.*); *Thema*: deal* with; *umgehen mit*: handle; **≈lung** *f* treatment
beharr|en insist (***auf*** on); **~lich** persistent
behaupt|en claim; *fälschlich*: pretend; **≈ung** *f* claim
be|heben repair; **~helfen: *sich ~ mit*** make* do with; ***sich ~ ohne*** do* without; **~herbergen** accommodate
beherrsch|en rule (over), govern; *Lage*, *Markt etc.*: control; *Sprache*: have* command of; ***sich ~*** control o.s.; **≈ung** *f* control; ***die ~ verlieren*** lose* control
behilflich: *j-m ~ sein* help s.o. (***bei*** with)
behinder|n hinder; *Verkehr etc*: obstruct; **~t** *med.* handicapped, disabled; **≈te** *m, f* handicapped (*od.* disabled) person; **≈ung** *f* obstruction; *med.* handicap
Behörde *f* authority
bei *räumlich*: near; at; *zeitlich*: during; ***~ Jim*** at Jim's (place); ***wohnen ~*** stay (*ständig*: live) with; ***arbeiten ~*** work for; ***e-e Stelle ~*** a job with; ***~ Müller*** *Adresse*: c/o Müller; ***ich habe ... ~ mir*** I have ... with (*od.* on) me; ***~ Licht*** by light; ***~ Tag*** during the day; ***~ Nacht*** at night; ***~ Regen*** (***Gefahr***) in case of rain (danger); ***~ der Arbeit*** at work; ***~ weitem*** by far
bei|behalten keep* up, retain; **~bringen** teach*
Beichte *f* confession; **≈n** confess (*a. fig.*)
beide both; *Tennis*: all; ***m-e ~n Brüder*** my two brothers; ***wir ~*** the two of us; *betont*: both of us; ***keiner von ~n*** neither of them
beieinander together
Bei|fahrer *m* front(-seat) passenger; **~fall** *m* applause; *fig.*

approval; **⁀fügen** *e-m Brief*: enclose
beige beige
Bei|geschmack *m* smack (***von*** of) (*a. fig.*); **~hilfe** *f* grant, subsidy; *jur.* aiding and abetting
Beil *n* hatchet; *großes*: ax(e)
Beilage *f Zeitung*: supplement; *Essen*: side dish; vegetables *pl*
bei|läufig casual(ly); **~legen** *Streit*: settle; → ***beifügen***
Beileid *n* condolences *pl*, sympathy; ***herzliches ~*** my deepest sympathy
beiliegend enclosed
beim: ***~ Arzt*** *etc.* at the doctor's *etc.*; ***~ Sprechen*** while speaking; ***~ Spielen*** at play
beimessen attach (*dat.* to)
Bein *n* leg
beinah(e) almost, nearly
beisammen together; **⁀sein** *n* get-together
Beischlaf *m* sexual intercourse
Beisein *n* presence
beiseite aside; ***~ schaffen*** remove; *j-n*: liquidate
beisetz|en bury; **⁀ung** *f* funeral
Beispiel *n* example; ***zum ~*** for example; ***sich an j-m ein ~ nehmen*** take s.o. as an example; **⁀haft** exemplary; **⁀los** unprecedented
beißen bite*; ***sich ~*** *Farben*: clash; **~d** *Wind, Kritik*: biting; *Geruch*: caustic
Bei|stand *m* assistance; **⁀stehen** assist, help; **⁀steuern** contribute (***zu*** to)
Beitrag *m* contribution; *Klub etc.*: subscription, *Am.* dues *pl*; **⁀en** contribute (**zu** to)
beitreten join
Beiwagen *m* sidecar
beizen *Holz*: stain; *Fleisch*: marinade
bejahen answer in the affirmative; **~d** affirmative
bekämpfen fight* (against)
bekannt (well-)known; *vertraut*: familiar; ***~ geben*** announce; ***j-n ~ machen mit*** introduce s.o. to
Bekannte *m,f* acquaintance, *mst* friend
bekannt|lich as you know; **⁀machung** *f* announcement; **⁀schaft** *f* acquaintance
bekenn|en confess; *zugeben*: admit; ***sich schuldig ~*** *jur.* plead guilty; **⁀tnis** *n* confession; *rel.* denomination
beklagen lament; ***sich ~*** complain (***über*** of, about)
Bekleidung *f* clothing
beklommen uneasy
be|kommen get*; *Brief, Geschenk*: *a.* receive; *Krankheit etc.*: *a.* catch*; *Kind*: have*; ***j-m ~*** agree with s.o.; **~kräftigen** confirm; **~laden** load
Belag *m* covering; *tech.* coat(ing); *Brot⁀*: spread; (sandwich) filling
be|langlos irrelevant; **~lasten** load; *fig.* burden; worry;

beschweren: weight; *jur*. incriminate; *Umwelt*: pollute; ***j-s Konto ~ mit*** charge *s.th.* to s.o.'s account; **~lästigen** molest; *ärgern*: annoy, pester; **⁀lästigung** *f* molestation; pestering; ***sexuelle ~*** sexual harassment; **⁀lastung** *f* load; *fig*. burden; strain, stress; **~laufen: *sich ~ auf*** amount to; **~lebt** *Straße*: busy, crowded

Be|leg *m Beweis*: proof; *econ*. receipt; *Unterlage*: document; **⁀legen** cover; *Platz etc*.: reserve; *Kurs etc*.: enrol(l) for; *beweisen*: prove; *Brot*: ***~ mit*** put* *s.th.* on; ***den 1. Platz ~*** take* first place; **~legschaft** *f* staff *mst pl*; **⁀legt** *Hotel etc*.: full; *Stimme*: husky; *Zunge*: coated; **→ *besetzt*; *~es Brot*** sandwich

belehren teach*; inform

beleidi|gen offend, *stärker*: insult; **~gend** offensive, insulting; **⁀gung** *f* offen|ce (*Am*. -se), insult

beleuch|ten light* (up), illuminate; **⁀tung** *f* light(ing); illumination

Belgi|en Belgium; **~er(in)**, **⁀sch** Belgian

belich|ten expose; **⁀tung** *f* exposure (*a*. **~szeit**); **⁀tungsmesser** *m* exposure meter

Belieben *n*: ***nach ~*** at will

beliebig: *jeder ⁀e* anyone

beliebt popular (***bei*** with); **⁀heit** *f* popularity

beliefern supply

bellen bark

belohn|en, ⁀ung *f* reward

be|lügen: *j-n ~* lie to s.o.; **~malen** paint; **~mängeln** find* fault with

bemerkbar noticeable; ***sich ~ machen*** draw* attention to o.s.; *Folgen*: become* apparent

bemerk|en notice; *sagen*: remark; **~enswert** remarkable; **⁀ung** *f* remark

bemitleiden pity, feel* sorry for; **~swert** pitiable

bemüh|en: *sich ~* try (hard); ***sich ~ um et.***: try to get; *j-n*: try to help; **⁀ung** *f* effort; ***danke für Ihre ~en!*** thank you for your trouble

benachbart neighbo(u)ring

benachrichtig|en inform; **⁀ung** *f* information

benachteilig|en put *s.o.* at a disadvantage; *sozial*: discriminate against; **⁀ung** *f* disadvantage; discrimination

benehmen 1. *v/refl* ***sich ~*** behave (o.s.); **2. ⁀** *n* behavio(u)r, conduct; manners *pl*

beneiden envy (***j-n um et.*** s.o. s.th.); **~swert** enviable

benennen name

Bengel *m* (little) rascal

benommen dazed

benötigen need, require

benutz|en use; *nützen*: make* use of; **⁀er(in)** user;

~erfreundlich user-friendly; **≗eroberfläche** *f Computer*: user interface; **≗ung** *f* use

Benzin *n* petrol, *Am.* gas(oline)

beobacht|en watch; *genau*: observe; **≗er(in)** observer; **≗ung** *f* observation

bepflanzen plant (***mit*** with)

bequem comfortable; *leicht*: easy; *faul*: lazy; **≗lichkeit** *f* comfort; laziness; ***~en*** *pl* conveniences *pl*

berat|en *j-n*: advise; *etw.*: discuss; ***sich ~ lassen*** ask s.o.'s advice; ***sich ~ mit*** consult; **≗er(in)** adviser; consultant; **≗ung** *f* advice (*a. med.*); discussion; *Besprechung*: consultation; **≗ungsstelle** *f* advice cent|re (*Am.* -er)

berauben rob

berechn|en calculate; *econ.* charge; **~end** calculating; **≗ung** *f* calculation

berechtig|en entitle; *ermächtigen*: authorize; **~t** entitled; *Anspruch*: legitimate

Bereich *m* area; *Umfang*: range; (*Sach*)*Gebiet*: field; **≗ern** enrich; ***sich ~*** get* rich (***an*** on), F line one's pockets

Bereifung *f* (set of) tyres (*Am.* tires)

bereinigen settle

bereit ready, prepared

bereit|en *verursachen*: cause; *Freude*: give*; **~halten** have* *s.th.* ready; ***sich ~*** stand* by

bereits already

Bereitschaft *f* readiness; ***in ~ stehen → bereitstehen***

Bereitschafts|arzt *m*, **~ärztin** *f* duty doctor; **~dienst** *m*: ***~ haben*** be* on call

bereit|stehen stand* by, be* on standby; **~stellen** make* available, provide; **~willig** willing

bereuen regret; repent (of)

Berg *m* mountain; ***~e von*** heaps (*od.* piles) of; ***die Haare standen ihm zu ~e*** his hair stood on end; **≗ab** downhill (*a. fig.*); **≗auf** uphill; **~bahn** *f* mountain railway; **~bau** *m* mining

bergen rescue; *Tote*: recover; *enthalten*: hold*

Bergführer(in) mountain guide

bergig mountainous

Berg|kette *f* mountain range; **~mann** *m* miner; **~rutsch** *m* landslide; **~schuhe** *pl* mountain(eering) boots *pl*; **~steigen** *n* mountaineering; **~steiger(in)** mountaineer

Bergung *f* recovery; *Rettung*: rescue

Berg|wacht *f* alpine rescue service; **~werk** *n* mine

Bericht *m* report (***über*** on), account (of); **≗en** report; *erzählen*: tell; ***j-m et. ~*** inform s.o. of s.th.; **~erstatter(in)** reporter; correspondent

berichtigen correct
Bernstein *m* amber
berüchtigt infamous, notorious (***wegen*** for)
berücksichtigen consider
Beruf *m* job, occupation; *Gewerbe*: trade; *bsd. akademischer*: profession
berufen *j-n*: appoint; ***sich ~ auf*** refer to
beruflich 1. *adj* professional; **2.** *adv* on business
Berufs|... *Sportler etc.*: professional ...; **~ausbildung** *f* vocational (*od.* professional) training; **~berater(in)** careers adviser (*od.* officer); **~beratung** *f* careers guidance (*od.* advice); **~kleidung** *f* work clothes *pl*; **~schule** *f* vocational school; **²tätig** working; **~tätige** *pl* working people *pl*; **~verkehr** *m* rush-hour traffic
Berufung *f* appointment (***zu*** to); ***unter ~ auf*** with reference to; ***~ einlegen*** appeal
beruhen: ***~ auf*** be* based on; ***et. auf sich ~ lassen*** let* s.th. rest
beruhig|en calm (down), *Nerven*: *a.* soothe; *Besorgte*: reassure; ***sich ~*** calm down; **²ung** *f* calming (down); reassurance, relief; **²ungsmittel** *n* sedative, tranquil(l)izer
berühmt famous
berühr|en touch; *fig. a.* affect; **²ung** *f* contact, touch
Besatzung *f* crew; *mil.* occupying forces *pl*
beschädig|en damage; **²ung** *f* damage (*gen* to)
beschaffen provide, get*; *Geld*: raise
beschäftig|en employ; keep* busy; ***sich ~*** occupy o.s.; **²ung** *f* employment; occupation
beschäm|en make* *s.o.* feel ashamed; **~end** shameful; humiliating; **~t** ashamed
Bescheid *m*: ***j-m ~ geben*** (*od.* ***sagen***) let* s.o. know; ***~ bekommen*** be* informed; ***~ wissen*** (***über***) know* (all about)
bescheiden modest; **²heit** *f* modesty
bescheinig|en certify; *Empfang*: acknowledge; **²ung** *f* certification; *Schein*: certificate; *Quittung*: receipt
bescheißen *sl.* cheat, F do
beschenken: ***j-n ~*** give* s.o. presents
Bescherung *f* giving out of (Christmas) presents
beschicht|en coat; **~et** coated; **²ung** *f* coat(ing)
be|schießen fire at; *mil.* bombard (*a. phys. mit Neutronen etc.*); **~schimpfen** insult; **~schissen** V lousy, rotten, bloody awful
Beschlag *m* metal fitting(s *pl*); ***in ~ nehmen*** occupy; *j-n*: monopolize; **²en 1.** *v/i Glas*: steam up; *v/t Pferd*: shoe; **2.** *adj* steamed up; ***sehr ~ sein***

in be* well up in; **~nahme** *f* seizure, confiscation; **2nahmen** seize, confiscate
beschleunig|en accelerate, speed* up; **2ung** *f* acceleration
beschl|ießen decide (on); *Gesetz*: pass; *beenden*: conclude; **2uss** *m* decision
be|schmieren smear, soil; *Wand*: cover with graffiti; **~schmutzen** soil, dirty; **~schneiden** clip, cut* (*a. fig.*); *Baum*: prune; *med.* circumcise; **~schönigen** gloss over
beschränk|en limit, restrict; ***sich ~ auf*** confine o.s. to; **2ung** *f* limitation, restriction
beschreib|en describe; *Papier*: write* on; **2ung** *f* description; *Bericht*: account
beschriften label; *Brief*: address
beschuldig|en: ***j-n e-r Sache ~*** accuse s.o. of (doing) s.th.; **2ung** *f* accusation
beschützen protect
Beschwer|de *f* complaint; **2en:** ***sich ~*** complain (***über*** about; ***bei*** to)
be|schwichtigen appease; calm down; **~schwingt** buoyant; *mus.* lively; **~schwipst** tipsy; **~schwören** *et.*: swear* to; *j-n*: implore; **~seitigen** remove
Besen *m* broom
besessen obsessed (***von*** by)
besetz|en occupy (*a. mil.*); *Stelle*: fill; *thea.* cast*; *Kleid*: trim; *Haus*: squat in; **~t** occupied; *Platz*: taken; *tel.* engaged, *Am.* busy; *Toilette*: engaged; **2tzeichen** *n tel.* engaged tone (*od.* signal), *Am.* busy signal; **2zung** *f thea.* cast; *mil.* occupation
besichtig|en visit, see*; *prüfend*: inspect; **2ung** *f* sightseeing; visit (to); inspection
besied|eln settle; *bevölkern*: populate; **~elt:** ***dicht ~*** densely populated; **2lung** *f* settlement
besiegen defeat, beat*
Besinnung *f* consciousness; ***zur ~ kommen*** come* to one's senses; **2slos** unconscious
Besitz *m* possession; *Eigentum*: property; **2en** possess, own; **~er(in)** owner
besohlen (*neu*: re)sole
Besoldung *f* pay; salary
besonder|e special, particular; **2heit** *f* peculiarity
besonders especially; *hauptsächlich*: chiefly, mainly
besonnen level-headed
besorgen get*, buy*; → ***erledigen***
Besorgnis *f* concern, anxiety; ***~ erregend*** worrying, *stärker*: alarming
besorgt worried, concerned
Besorgung *f*: ***~en machen*** go* shopping
bespitzeln: ***j-n ~*** spy on s.o.
besprech|en discuss, talk *s.th.* over; *Buch etc.*: review;

2**ung** *f* discussion; meeting, conference; review
besser better; ***es geht ihm ~*** he is better; **~n:** ***sich ~*** get* better, improve; *moralisch*: mend one's ways; 2**ung** *f* improvement; ***gute ~!*** get better soon!
Bestand *m* (continued) existence; *Vorrat*: stock; ***~ haben*** be* lasting, last
beständig constant, steady; *Wetter*: settled
Bestandteil *m* part, component; *Zutat*: ingredient
bestärken *j-n*: encourage
bestätig|en confirm; *bescheinigen*: certify; *Empfang*: acknowledge; ***sich ~*** prove (to be) true; 2**ung** *f* confirmation; certificate; acknowledg(e)ment
beste best; ***am ~n*** best; ***der*** (***die, das***) 2 the best; ***sein*** 2***es tun*** do* ones (level) best; ***das*** 2 ***draus machen*** make* the best of it
bestech|en bribe; **~lich** corrupt; 2**ung** *f* bribery
Besteck *n* knife, fork and spoon; **~(e** *pl*) cutlery
bestehen *v/t Prüfung*: pass; *v/i* exist, be*; ***~ auf*** insist on; ***~ aus*** (***in***) consist of (in); ***~ bleiben*** last, survive
be|stehlen rob, steal* from; **~steigen** *Berg, Turm*: climb (up); *Thron*: ascend (to)
bestell|en order; *Zimmer etc.*: book; *vor~*: reserve; *Gruß*: give*, send*; *Boden*: cultivate; ***kann ich et. ~?*** can I take a message?; ***~ Sie ihm ...*** tell him ...; 2**nummer** *f* order number; 2**schein** *m* order form; 2**ung** *f* order; booking; reservation
Bestie *f* beast; *fig. a.* brute
bestimmen determine, decide; *Preis etc*: fix; *Begriff*: define; ***zu ~ haben*** be* in charge, F be* the boss; ***bestimmt für*** meant for
bestimmt 1. *adj* certain; *besondere*: special; *festgelegt*: fixed; *energisch*: firm; **2.** *adv* certainly; ***ganz ~*** definitely
Bestimmung *f* regulation; *Zweck*: purpose; **~sort** *m* destination
bestraf|en punish; 2**ung** *f* punishment
bestrahl|en *med.* give* *s.o.* ray treatment; 2**ung** *f* ray treatment
Bestreb|en *n*, **~ung** *f* effort
be|streichen spread*; **~streiten** deny
bestürzt dismayed
Besuch *m* visit; *Teilnahme*: attendance; ***~ haben*** have* visitors; 2**en** go and see; *kurz*: call on; *offiziell*: visit; *Ort*: visit; *Theater, Vortrag etc*: go to, *Schule*: *a.* attend; **~er(in)** visitor, guest; **~szeit** *f* visiting hours *pl*
be|tasten touch, feel*; **~tätigen** *tech.* operate; *Bremse*: apply; ***sich ~*** be* active

betäub|en stun (*a. fig.*), daze; *med.* an(a)esthetize; **2ung** *f med.* an(a)esthetization; *Zustand*: an(a)esthesia; *fig.* daze, stupor; **2ungsmittel** *n med.* an(a)esthetic

Bete *f*: ***Rote** ~* beet(root *Brt.*)

beteilig|en give* *s.o.* a share (***an*** in); ***sich** ~* (***an***) take* part (in), participate (in); **~t:** *~ **sein an*** have* a share in; *Unfall etc*: be* involved in; **2ung** *f* participation; share

beten pray, say* a prayer

beteuern protest

Beton *m* concrete

beton|en stress; *fig. a.* emphasize; **2ung** *f* stress; *fig.* emphasis

Be|tracht: ***in** ~ **ziehen*** take* into consideration; **~trachten** look at; *~ **als*** look upon (*od.* regard) as; **2trächtlich** considerable

Betrag *m* amount, sum

betragen[1] amount to

betragen[2]: sich ~ behave (o.s.)

betreffen concern; ***betrifft*** (***Betr.***) re; ***was mich betrifft*** as far as I'm concerned; **~d** concerning; ***die ~e Person*** the person concerned

betreten[1] *v/t* step on; *eintreten*: enter; *2 **verboten!*** keep off!, no entrance!

betreten[2] embarrassed

betreuen look after

Betrieb *m* business, firm, company; *tech.* operation; ***außer** ~* out of order; ***wir hatten viel** ~* we were very busy

Betriebs|ferien *pl* company holiday *sg*; **~leitung** *f* management; **~rat** *m* works council; **~system** *n Computer*: operating system; **~unfall** *m* industrial accident; **~wirtschaft** *f* business administration

be|trinken: *sich ~* get* drunk

Be|trug *m* cheating; *jur.* fraud; **2trügen** cheat, swindle; *Ehepartner*: deceive, cheat (on); **~trüger(in)** swindler, fraud

betrunken drunken, *pred* drunk; **2e** *m, f* drunk

Bett *n* bed; ***ins** ~ **gehen*** (***bringen***) go* (put*) to bed; **~decke** *f* blanket; quilt

betteln beg (***um*** for)

Bett|gestell *n* bedstead; **2lägerig** bedridden; **~laken** *n* sheet

Bettler(in) beggar

Bett|ruhe *f*: *~ **verordnen*** tell* *s.o.* to stay in bed; **~vorleger** *m* bedside rug; **~wäsche** *f* bed linen; **~zeug** *n* bedclothes *pl*, bedding

beugen bend* (*a. **sich** ~*)

Beule *f* bump; *Auto*: dent

be|unruhigen worry, alarm; **~urlauben** give* *s.o.* leave (*od.* time off); *vom Amt*: suspend; **~urteilen** judge

Beute *f* loot; *~tier*: prey (*a. fig.*); *Opfer*: victim

Beutel *m* bag; *zo.* pouch
bevölker|n populate; **2ung** *f* population
bevollmächtig|en authorize; **2te** *m, f* authorized person
bevor before; **~munden** patronize; **~stehen** be* approaching; *Problem*: lie* ahead; *Gefahr*: be* imminent; ***j-m*** **~** be* in store for (*od.* await) s.o.; **~zugen** prefer; **~zugt** privileged
bewach|en guard; *Sport*: mark; **2er** *m Sport*: marker
bewaffn|en arm; **2ung** *f* armament; *Waffen*: arms *pl*
bewahren keep*; **~ *vor*** protect (*od.* save) from
bewähr|en: *sich* ~ prove successful; ***sich* ~ *als*** prove to be; **~t** (well-)tried, reliable; *Person*: experienced; **2ung** *f jur.* (release on) probation
be|waldet wooded, woody; **~wältigen** master, manage; **~wandert** (well-)versed
bewässer|n *Land etc.*: irrigate; **2ung** *f* irrigation
bewegen: (*sich*) ~ move
Beweg|grund *m* motive; **2lich** movable; *Teil*: moving; *flink*: agile; *flexibel*: flexible
bewegt *See*: rough; *Leben*: turbulent, eventful; *gerührt*: moved, touched
Bewegung *f* movement (*a. pol.*); motion (*a. phys.*); *körperliche*: exercise; ***in* ~ *setzen*** set* in motion; ***sich in* ~ *setzen*** start moving, move off; **2slos** motionless
Beweis *m* proof (***für*** of); **2en** prove*; **~mittel** *n*, **~stück** *n* (piece of) evidence
bewerb|en: *sich* ~ *um* apply for; *pol.* → ***kandidieren***; **2er(in)** applicant; *Sport*: competitor; **2ung** *f* (*Schreiben*: letter of) application
be|werten rate, judge; *econ.* value; **~willigen** allow; *Antrag*: grant; **~wirken** cause, bring* about
bewirt|en entertain; **~schaften** *Gut etc*: run; *agr.* cultivate; **~schaftet** *Hütte*: open (to the public); **2ung** *f* entertaining; *Lokal*: service
bewohn|en live in; *Gebiet*: inhabit; **~t** *Haus*: occupied; **2er(in)** occupant; *Mieter*: tenant; *e-s Gebiets*: inhabitant
bewölk|en: *sich* ~ cloud over (*a. fig.*); **~t** cloudy, overcast; **2ung** *f* clouds *pl*
Bewunder|er *m* admirer; **2n** admire (***wegen*** for); **2nswert** admirable
bewusst conscious; ***sich gen* ~ *sein*** be* aware (*od.* conscious) of; **~los** unconscious; **2sein** *n* consciousness; ***bei*** **~** conscious
bezahl|en pay*; *Ware etc.*: pay* for (*a. fig.*); **2ung** *f* payment; *Lohn*: pay
bezaubernd charming
bezeichn|en: call; *beschrei-*

bend: describe; **~end** characteristic; **&ung** *f* name
bezeugen testify to
bezieh|en cover; *Bett*: put* clean sheets on; *Haus etc.*: move into; *Ware*: get; *Zeitung*: subscribe to; **et. ~ auf** relate s.th. to; **sich ~** *Himmel*: cloud over; **sich ~ auf** refer to; **&ung** *f* relation (**zu** to *s.th.*); relationship (with *s.o.*); *Hinsicht*: respect; **~en haben** have* connections, F know* the right people; **~ungsweise** respectively; *oder vielmehr*: or rather
Bezirk *m* district
Be|zug *m* cover; case, slip; *econ.* purchase; *Zeitung*: subscription (to); **Bezüge** *pl* earnings *pl*; **~ nehmen auf** refer to; **in ~ auf** → **&züglich** regarding, concerning
be|zwecken aim at, intend; **~zweifeln** doubt
Bibel *f* Bible
Biber *m* beaver
Bibliothek *f* library; **~ar(in)** librarian
biblisch biblical
bieder upright
bieg|en bend* (*a.* **sich ~**); *abbiegen*: turn; **~sam** flexible; **&ung** *f* curve
Biene *f* bee
Bienen|korb *m*, **~stock** *m* beehive
Bier *n* beer; **~deckel** *m* beer mat, *bsd. Am.* coaster; **~krug** *m* beer mug
Biest *n* F beast
bieten offer; *Auktion*: bid*; **sich ~** present itself; **sich et. ~ lassen** put* up with s.th.
Bilanz *f* balance; *fig.* result
Bild *n* picture; *gedankliches*: image; *fig.* idea
bilden form (*a.* **sich ~**); *fig.* educate (**sich** o.s.)
Bild|erbuch *n* picture book; **~hauer(in)** sculptor; **&lich** *fig.* figurative; **~platte** *f* videodis|c, *Am.* -k; **~röhre** *f* picture tube
Bildschirm *m* *TV* screen; *Computer*: *a.* display, monitor; *Gerät*: VDT, video display terminal; **~arbeitsplatz** *m* workstation; **~text** *m* viewdata, *Am.* videotex(t)
Bildung *f* education; *Vorgang*: formation; **~s...** educational ...
Billard *n* billiards *sg*
billig cheap, inexpensive
billigen approve of
Billion *f* trillion
Binde *f* bandage, *Am.* gauze; *Arm~*: sling; → **Damenbinde**; **~glied** *n* (connecting) link
Bindehaut *f* conjunctiva; **~entzündung** *f* conjunctivitis
binden tie (**an** to); *Buch*: bind*; *gastr.* thicken, bind; **sich ~** commit o.s., tie o.s. down; **~d** binding
Bindestrich *m* hyphen
Bindfaden *m* string

Bindung *f fig.* ties *pl.*, bond; *Ski*ℒ: binding
Binnen|... inland ...; **~markt** *m* home (*od.* domestic) market; *der EG*: single market
Binsenweisheit *f* truism
Bio..., ℒ**...** *Chemie*, *dynamisch*, *etc.*: bio...
Biographie *f* biography
Bio|laden *m* health food shop; **~logie** *f* biology; ℒ**logisch** biological; *agr.* organic; **~rhythmus** *m* biorhythms *pl*; **~top** *n* biotope
Birke *f* birch (tree)
Birne *f* pear; *electr.* bulb
bis *zeitlich*: till, until; *räumlich*: (up) to, as far as; **~ *jetzt*** up to now, so far; ***von ...* ~** from ... to; **~ *auf*** except; ***zwei* ~ *drei*** two or three
Bischof *m* bishop
bisexuell bisexual
bisher up to now, so far
Biss *m* bite (*a. fig.*)
bisschen: *ein* ~ a little, a (little) bit (of)
Bissen *m* bite
bissig vicious; *fig.* cutting; *Person*: snappy; ***...* *ist* ~** ... bites; ***Vorsicht,* ~*er Hund!*** beware of the dog!;
Bit *n Computer*: bit
Bitte *f* request (***um*** for)
bitte please; *nach Dank*: that's all right, not at all; *beim Bedienen etc.*: here you are; (***wie***) **~*?*** pardon?
bitten ask (***um*** for)
bitter bitter
bläh|en swell* (*a.* ***sich*** ~); ℒ**ungen** *pl* flatulence *sg*
Blam|age *f* disgrace; ℒ**ieren** make* *s.o.* look like a fool; ***sich*** ~ make* a fool of o.s.
blank shining, shiny; F broke
Blanko... blank ...
Blase *f* bubble; *anat.* bladder; *med.* blister
blasen blow*
Blas|instrument *n* wind instrument; **~kapelle** *f* brass band
blass pale (***vor*** with); **~ *werden*** turn (*od.* go*) pale
Blässe *f* paleness, pallor
Blatt *n* leaf; *Papier*ℒ: sheet; *Säge*: blade; *Karten*: hand; (news)paper
blättern: ~ *in* leaf through
Blätterteig *m* puff pastry
blau blue; F tight; **~*er Fleck*** bruise; **~*es Auge*** black eye; ***Fahrt ins*** ℒ***e*** unplanned pleasure trip; *organisiert*: mystery tour; ℒ**beere** *f* bilberry, *Am.* blueberry; ℒ**helme** *pl* blue berets *pl*
Blech *n* sheet metal; **~dose** *f* tin (can), *bsd. Am.* can; **~schaden** *m mot.* damage to the bodywork
Blei *n* lead
bleiben stay, remain; **~ *bei*** stick* to; ***et.* ~ *lassen*** leave* s.th.; stop (*doing*) s.th.; ***lass das* ~** stop it!; **~d** lasting
bleich pale (***vor*** with); **~en** bleach; ℒ**gesicht** *n* paleface
blei|ern lead; *fig.* leaden;

~frei unleaded, lead-free; **♀stift** *m* pencil; **♀stiftspitzer** *m* pencil sharpener
Blende *f* blind; *phot.* aperture; (***bei***) **~ *8*** (at) f-8; **♀n** blind, dazzle; **♀nd** F great
Blick *m* look; *flüchtiger*: glance; *Aussicht*: view; ***auf den ersten ~*** at first sight; **♀en** look; ***sich ~ lassen*** show* one's face
blind blind; *Spiegel etc.*: dull; *Alarm*: false; ***~er Passagier*** stowaway
Blinddarm *m* appendix; **~entzündung** *f* appendicitis; **~operation** *f* appendectomy
Blinde *m, f* blind (wo)man
Blinden|hund *m* guide dog; **~schrift** *f* braille
Blind|gänger *m mil.* dud; *fig.* F dead loss; **♀lings** blindly; **~schleiche** *f* blindworm
blink|en sparkle, shine*; flash (a signal); *mot.* indicate, signal; **♀er** *m mot.* indicator, *Am.* turn signal
blinzeln blink (one's eyes)
Blitz *m* (flash of) lightning; **~ableiter** *m* lightning conductor; **♀en** flash; ***es blitzt*** it is lightning; **~gerät** *n* flash; **~lampe** *f* flashbulb; **~licht** *n* flash(light); **~lichtaufnahme** *f* flash shot; **~schlag** *m* lightning stroke; **♀schnell** like a flash; **~würfel** *m* flashcube
Block *m* block; *pol.* bloc; *Schreib♀*: pad
Blockade *f* blockade
Block|flöte *f* recorder; **~haus** *n* log cabin; **♀ieren** block; *mot.* lock; **~schrift** *f* block letters *pl*
blöd|(e) silly, stupid; **~eln** fool around; **♀sinn** *m* nonsense; **~sinnig** idiotic
blöken bleat
blond blond, fair
bloß 1. *adj* bare; *Auge*: naked; *nichts als*: mere; **2.** *adv* just, only; **~legen** lay* bare; **~stellen** show *s.o.* up
blühen bloom; *Baum*: blossom; *fig.* flourish
Blume *f* flower; *Wein*: bouquet; *Bier*: froth
Blumen|händler(in) florist; *Laden*: florist's; **~kohl** *m* cauliflower; **~strauß** *m* bunch of flowers; bouquet; **~topf** *m* flowerpot
Bluse *f* blouse
Blut *n* blood; **♀arm** an(a)emic; **~bad** *n* massacre; **~bank** *f med.* blood bank; **~druck** *m* blood pressure
Blüte *f* flower; bloom; *Bäume*: blossom; *fig.* height
Blutegel *m* leech
bluten bleed*
Blütenblatt *n* petal
Bluter *m med.* h(a)emophiliac
Blut|erguss *m* haematoma; *blauer Fleck*: bruise; **~gruppe** *f* blood group; **♀ig** bloody; **~kreislauf** *m* (blood) circulation; **~probe** *f* blood test; **~spender(in)**

blood donor; **＿stillend** styptic; **～sverwandte** *m, f* blood relation; **～transfusion** *f* blood transfusion; **～ung** *f* bleeding, h(a)emorrhage; **～vergießen** *n* bloodshed; **～vergiftung** *f* blood poisoning; **～verlust** *m* loss of blood; **～wurst** *f* black pudding, *Am.* blood sausage

Bö *f* gust, squall

Bock *m* buck (*a. Turnen*); ***keinen*** (*od.* ***null***) ***～ auf et. haben*** *sl.* have* zero interest in s.th.; **＿ig** obstinate; sulky; **～springen** *n* leapfrog; **～wurst** *f* hot sausage

Boden *m* ground; *agr.* soil; *Gefäß, Meer*: bottom; *Fuß＿*: floor; *Dach＿*: attic; **＿los** bottomless; *fig.* incredible; **～schätze** *pl* mineral resources *pl*

Body *m* bodystocking

Bogen *m* curve, bend; *math.* arc; *arch.* arch; *Ski*: turn; *Papier*: sheet

Bohne *f* bean; ***grüne ～n*** French (*od.* runner, *Am.* string) beans; **～nstange** *f* beanpole (*a.* F *fig.*)

bohnern polish, wax

bohr|en drill, bore; **＿er** *m* drill; **＿insel** *f* oil rig; **＿maschine** *f* drill; **＿turm** *m* derrick

Boje *f* buoy

Bolzen *m* bolt

bombardieren bomb; *fig.* bombard

Bombe *f* bomb; **～nangriff** *m* air raid; **～nanschlag** *m* bomb attack **～nleger** *m* bomber, bomb planter

Bon *m* voucher; *Kassen＿*: receipt

Bonbon *m, n* sweet, *Am.* candy

Boot *n* boat; **～ *fahren*** go* boating

Bord[1] *n* shelf

Bord[2] *m naut., aviat.*: **an ～** on board; ***über ～*** overboard; ***von ～ gehen*** go* ashore; **～karte** *f* boarding pass; **～stein** *m* kerb, *Am.* curb

borgen → ***leihen***

Borke *f* bark

Börse *f* stock exchange; **～nbericht** *m* market report; **～nkurs** *m* quotation; **～nmakler(in)** stockbroker

Borst|e *f* bristle; **＿ig** bristly

Borte *f* border; *Besatz*: lace

bösartig vicious; *med.* malignant

Böschung *f* slope, bank

böse bad, evil; *zornig*: angry, *Am. a.* mad

bos|haft malicious; **＿heit** *f* malice; malicious act (*od.* remark)

Botani|k *f* botany; **～ker(in)** botanist; **＿sch** botanical

Bote *m*, **Botin** *f* messenger

Botschaft *f* message; *Amt*: embassy; **～er(in)** ambassador

Boulevardblatt *n* tabloid

Bowle *f* cup; *heiße*: punch

box|en box; **2en** *n* boxing; **2er** *m* boxer; **2kampf** *m* boxing match, fight
Boykott *m*, **2ieren** boycott
Branche *f* line (of business), trade
Branchen|buch *n*, **~verzeichnis** *n* classified directory, F yellow pages *pl*
Brand *m* fire; ***in ~ geraten*** (***stecken***) catch* (set* on) fire; **~stifter** *m* arsonist; **~stiftung** *f* arson
Brandung *f* surf, breakers *pl*
Brandwunde *f* burn
braten fry; *im Ofen*: roast
Braten *m* roast (meat); *~stück*: joint; **~fett** *n* dripping; **~soße** *f* gravy
Brat|fisch *m* fried fish; **~huhn** *n* roast chicken; **~kartoffeln** *pl* fried potatoes *pl*; **~pfanne** *f* frying pan; **~röhre** *f* oven; **~wurst** *f* grilled sausage
Brauch *m* custom; **2bar** useful; **2en** need; *Zeit*: take*; *ge~*: use; *müssen*: have* to
braue|n brew; **2rei** *f* brewery
braun brown; (sun)tanned; ***~ werden*** get* a tan
Bräune *f* (sun)tan
Braus|e *f* shower; **2en** roar; F *flitzen*: zoom; → ***duschen***
Braut *f* bride; *Verlobte*: fiancée
Bräutigam *m* bridegroom; *Verlobter*: fiancé
Braut|jungfer *f* bridesmaid; **~kleid** *n* wedding dress; **~paar** *n* bride and (bride-) groom
brav good, well-behaved
brech|en break*; *er~*: throw* up, *Brt. a.* be* sick; *med.* vomit; **2reiz** *m* nausea
Brei *m* pulp, mash; *Kinder2*: pap; **2ig** pulpy, mushy
breit wide; broad (*a. fig.*)
Breit|e *f* width, breadth; *geogr.* latitude; **~engrad** *m* degree of latitude; **~wand** *f* wide screen
Brems|belag *m* brake lining; **~e** *f* brake; *zo.* gadfly; **2en** brake; slow down; **~leuchte** *f* stop light; **~pedal** *n* brake pedal; **~spur** *f* skid marks *pl*; **~weg** *m* stopping distance
brenn|bar combustible; **~en** burn*; be* on fire; *fig. Wunde etc.*: sting; **2er** *m* burner; **2holz** *n* firewood; **2nessel** *f* nettle; **2punkt** *m* focus; **2stoff** *m* fuel
Brett *n* board; **~spiel** *n* board game
Brezel *f* pretzel
Brief *m* letter; **~bogen** *m* sheet of writing paper; **~kasten** *m* letterbox, *Am.* mailbox; **2lich** by letter; **~marke** *f* stamp; **~öffner** *m* paper knife, *Am.* letter opener; **~papier** *n* stationery; **~tasche** *f* wallet; **~träger(in)** post(wo)man, *Am.* mailman, mail carrier; **~umschlag** *m* envelope; **~wahl** *f*

postal vote; **~wechsel** *m* correspondence
Brillant *m* diamond
brillant brilliant
Brille *f* (pair of) glasses *pl*, spectacles *pl*; *Schutz*2: goggles *pl*; toilet seat
bringen bring*; *fort~*, *hin~*: take*; *verursachen*: cause; **~ *zu*** get* *s.o.* to do *s.th.*, make* *s.o.* do *s.th.*
Brise *f* breeze
Brit|e *m*, **~in** *f* Briton; ***die Briten*** *pl* the British *pl*; **2isch** British
bröckeln crumble
Brocken *m* piece; *Klumpen*: lump; ~ *pl Worte*: scraps *pl*
Brombeere *f* blackberry
Bronchitis *f* bronchitis
Bronze *f* bronze
Brosche *f* brooch, *Am. a.* pin
Broschüre *f* booklet
Brot *n* bread; *belegtes*: sandwich; ***ein*** ~ a loaf of bread; **~aufstrich** *m* spread
Brötchen *n* roll
Bruch *m* break (*a. fig.*), breakage; *med.* hernia; *Knochen*2: fracture; *math.* fraction; *geol.* fault; *Nichteinhalten*: breach; *jur.* violation
brüchig brittle; cracked
Bruch|landung *f* crash landing; **~rechnung** *f* fractions *pl*; **~stück** *n* fragment; **~teil** *m* fraction
Brücke *f* bridge; *Teppich*: rug; **~npfeiler** *m* pier
Bruder *m* brother (*a. rel.*)
brüderlich brotherly
Brühe *f* broth; F *contp.* slop
brüllen roar; *Rind*: bellow
brumm|en growl; *Insekt*: hum, buzz (*a. Motor etc.*); **~ig** grumpy
brünett dark(-haired)
Brunnen *m* well; *Quelle*: spring; *Spring*2: fountain
Brunst *f* rutting season
Brust *f* chest; *weibliche* ~: breast(s *pl*); bosom
brüsten: *sich* ~ (***mit***) boast (about)
Brust|korb *m* chest; *anat.* thorax; **~schwimmen** *n* breaststroke
Brüstung *f* parapet
Brustwarze *f* nipple
Brut *f* brood (*a. fig.*), hatch
brutal brutal; **2ität** *f* brutality
brüten brood, sit* (on eggs); ~ ***über*** brood over
brutto gross (*a. in Zssgn*)
BSE *vet.* → ***Rinderwahn(-sinn)***
Bube *m Karten*: knave, jack
Buch *n* book; *Dreh*2: script
Buche *f* beech
buchen book; *econ.* enter
Bücher|ei *f* library; **~regal** *n* bookshelf; **~schrank** *m* bookcase
Buch|fink *m* chaffinch; **~halter(in)** bookkeeper; **~haltung** *f* bookkeeping; **~händler(in)** bookseller; **~handlung** *f* bookshop, *Am.* bookstore
Büchse *f* box, case; *Blech*2:

can, *Brt. a.* tin; *Gewehr*: rifle; **~nfleisch** *n* canned (*Brt. a.* tinned) meat; **~öffner** *m* tin (*Am.* can) opener
Buch|stab|e *m* letter; **2stabieren** spell*; **2stäblich** literally
Bucht *f* bay; *kleine*: creek
Buchung *f* booking, reservation; *econ.* entry
Buckel *m* hump; hunchback
bücken: ***sich*** **~** bend* (down)
bucklig hunchbacked; **2e** *m,f* hunchback
Bude *f* stall, booth; F place, pad; F *Studenten2*: digs *pl*
Büfett *n* sideboard; counter, bar; ***kaltes*** **(*warmes*)** **~** cold (hot) buffet (meal)
Büffel *m* buffalo; **2n** cram
Bug *m naut.* bow; *aviat.* nose
Bügel *m* hanger; *Brillen2 etc.*: bow; **~brett** *n* ironing board; **~eisen** *n* iron; **~falte** *f* crease; **2frei** non-iron
bügeln iron, press
Bühne *f* stage; *fig. a.* scene; **~nbild** *n* (stage) set
Bullauge *n* porthole
Bulle *m* bull; F cop(per)
Bummel *m* stroll; **2n** stroll; *trödeln*: dawdle; **~streik** *m* go-slow, *Am.* slowdown; **~zug** *m* slow train
bumsen F bang (*a.* V)
Bund[1] *m* union, federation; *Hosen2 etc.*: (waist)band
Bund[2] *n Schlüssel etc.*: bunch
Bündel *n*, **2n** bundle
Bundes|... Federal ...; **~kanzler(in)** Federal Chancellor; **~land** *n* (federal) state, Land; **~liga** *f* First Division; **~republik** *f* Federal Republic; **~staat** *m* confederation; **~tag** *m* (Lower House of the) German Parliament; **~wehr** *f* German Armed Forces *pl*
Bündnis *n* alliance
Bunker *m* air-raid shelter
bunt colo(u)rful (*a. fig.*); (multi)colo(u)red; **2stift** *m* crayon
Burg *f* castle
Bürge *m* guarantor; **2n:** **~ *für*** *jur.* stand* surety for; *garantieren*: guarantee, vouch for
Bürger|(in) citizen; **~krieg** *m* civil war; **2lich** civil; middle-class; *contp.* bourgeois; **~meister(in)** mayor; **~rechte** *pl* civil rights *pl*; **~steig** *m* pavement, *Am.* sidewalk
Büro *n* office; **~angestellte** *m,f* clerk; **~klammer** *f* paper clip; **~kratie** *f* bureaucracy
Bursche *m* fellow, guy
Bürste *f*, **2n** brush
Bus *m* bus; *Reise2*: *a.* coach
Busch *m* bush, shrub
Büschel *n* bunch; *Haar*: tuft
buschig bushy
Busen *m* breasts *pl*
Bus|fahrer *m* bus driver; **~haltestelle** *f* bus stop
Bussard *m* buzzard
Buße *f* penance (***tun*** do*); *Geld2*: fine
büßen pay* (*od.* suffer) for *s.th.*; *rel.* repent

Bußgeld *n* fine, penalty
Büste *f* bust; **~nhalter** *m* bra
Butter *f* butter; **~blume** *f* buttercup; **~brot** *n* (slice of) bread and butter; **~milch** *f* buttermilk
Byte *n* *Computer*: byte

C

Café *n* café
Camping *n* camping; **~bus** *m* camper; **~platz** *m* campsite, *Am.* campground
Catcher(in) (all-in) wrestler
CD(-Platte) *f* CD, compact disc (*Am.* disk); **~-ROM** *f* CD-ROM; **~-Spieler** *m* CD player
Cello *n* (violon)cello
Celsius: 5 *Grad* ~ (*abbr.* **5°C**) five degrees centigrade (*od.* Celsius)
Champagner *m* champagne
Champignon *m* (field) mushroom
Chance *f* chance
Chao|s *n* chaos; **≈tisch** chaotic
Charakter *m* character; **≈isieren** characterize; **≈istisch** characteristic; **~zug** *m* trait
charm|ant charming; **≈e** *m* charm
Charter... charter ...
Chauffeur *m* chauffeur
Chauvi *m* male chauvinist (pig)
Chef *m* boss; head; **~arzt** *m*, **~ärztin** *f* senior consultant, *Am.* medical director; **~in** *f* → ***Chef***
Chem|ie *f* chemistry; **~ikalien** *pl* chemicals *pl*; **~iker(in)** chemist; **≈isch** chemical; **~otherapie** *f* chemotherapy
Chiffre *f* code, cipher; *Anzeige*: box (number)
Chines|e *m*, **~in** *f*, **≈isch** Chinese
Chip *m* chip; **~s** *pl* crisps *pl*, *Am.* chips *pl*
Chirurg *m* surgeon; **~ie** *f* surgery; **~in** *f* surgeon; **≈isch** surgical
Chlor *n* chlorine
Cholera *f* cholera
Cholesterin *n* cholesterol
Chor *m* choir (*a. arch.*); ***im* ~** in chorus
Christ *m* Christian; **~entum** *n* Christianity; **~in** *f* Christian; **~kind** *n*: ***das* ~** the infant Jesus; **≈lich** Christian
Chrom *n* chrome
Chron|ik *f* chronicle; **≈isch** chronic; **≈ologisch** chronological
Computer *m* computer; ***auf* ~ *umstellen*** computerize; **~ausdruck** *m* computer printout; **~befehl** *m* computer command; **≈gesteuert**

computer-controlled; **≈gestützt** computer-aided; **~grafik** *f* computer graphics *pl*; **≈isieren** computerize; **~spiel** *n* computer game

Conférencier *m* compère, *Am.* master of ceremonies

Control-Taste *f Computer*: control key

Corner *m östr.* corner (kick)

Couch *f* couch

Coupon *m* voucher, coupon

Cousin *m*, **~e** *f* cousin

Creme *f* cream

Cursor *m Computer*: cursor

Cyberspace *m Computer*: cyberspace, virtual reality

D

da 1. *adv* there; here; *zeitlich*: then; **~ sein** be* there, exist; ***ist noch Tee ~?*** is there any tea left?; **2.** *cj* as, since, because

dabei *enthalten*: included, with it; *gleichzeitig*: at the same time; ***es ~ lassen*** leave* it at that; ***es ist nichts ~*** there's no harm in it; ***es bleibt ~*** that's final; ***und ~ bleibts*** and that's that; **~ *sein*** be* there; **~ *sein, et. zu tun*** be* about (*od.* going) to do s.th., be* doing s.th.; **~bleiben** stick* to it

dableiben stay

Dach *n* roof; **~boden** *m* attic; **~gepäckträger** *m* roof rack, *Am.* (roof-top) luggage rack; **~kammer** *f* garret; **~rinne** *f* gutter

Dachs *m* badger

Dach|terrasse *f* roof terrace, sunroof; **~ziegel** *m* tile

Dackel *m* dachshund

dadurch that way; *deshalb*: that's why; **~, *dass*** due to the fact that, because

dafür for it, for that; *anstatt*: instead; *im Austausch*: in return, in exchange; **~ *sein*** be* for (*od.* in favo[u])r) of it; ***er kann nichts ~*** it's not his fault

dagegen against it; *jedoch*: however, on the other hand; ***haben Sie et. ~ (, dass)?*** do you mind (if)?; ***ich habe nichts ~*** I don't mind

daheim at home

daher from there; *deshalb*: that's why; *bei Verben der Bewegung*: ... along

dahin there; *bei Verben der Bewegung*: ... along; ***bis ~*** *zeitlich*: till then; *örtlich*: up to there

dahinten back there

dahinter behind it; **~ *kommen*** find* out (about it); **~ *stecken*** be* behind it

dalassen leave* behind

damalig then, of that time

damals then, at that time; in those days

Dame *f* lady; *Tanz*: partner; *Karte*, *Schach*: queen; *Spiel*: draughts, *Am.* checkers

Damen|binde *f* sanitary towel (*Am.* napkin); **~einzel** *n* *Tennis*: women's singles *pl*; **♀haft** ladylike

damit 1. *adv* with it; ***was meinst du ~?*** what do you mean by that?; **2.** *cj* so that

Damm *m* → ***Staudamm*** *etc.*

dämmer|ig dim; **~n** dawn (*a.* F ***j-m*** on s.o.); get* dark; **♀ung** *f* dusk; *Morgen♀*: dawn

Dampf *m* steam, vapo(u)r; **♀en** steam

dämpfen soften; *Schall*: muffle; *Stoff*, *Speisen*: steam; *fig.* dampen; subdue

Dampfer *m* steamer, steamship

Dampf|kochtopf *m* pressure cooker; **~maschine** *f* steam engine

danach after it; *später*: afterwards; *entsprechend*: according to it; *suchen etc.*: for it; *fragen*: about it

Däne *m* Dane

daneben next to it, beside it; *außerdem*: in addition; *im Vergleich*: beside it, in comparison; *am Ziel vorbei*: off the mark; ***~!*** missed!

Dän|emark Denmark; **~in** *f* Dane; **♀isch** Danish

Dank *m* thanks *pl*; ***vielen ~!*** thank you very much, many thanks; ***Gott sei ~!*** thank God!

dank thanks to

dankbar grateful; *lohnend*: rewarding; **♀keit** *f* gratitude

danke: ~ (***schön***) thank you (very much)

danken thank; ***nichts zu ~*** not at all

dann then; ***~ und wann*** (every) now and then

daran on it; *sterben*, *denken*: of it; *glauben*: in it; *leiden*: from it

darauf on (top of) it; *zeitlich*: after (that); ***am Tag ~*** the day after; → ***ankommen***; **~hin** as a result, then

daraus from it; ***was ist ~ geworden?*** what has become of it?

darin in it; ***gut ~ sein*** be* good at it

Darlehen *n* loan

Darm *m* bowel(s *pl*), intestine(s *pl*); **~grippe** *f* intestinal flu

darstell|en show*; *thea.* play; *schildern*: describe; **♀er(in)** ac|tor (-tress); **♀ung** *f* representation

darüber over (*od.* above) it; *quer*: across it; *davon*: about it; ***~ hinaus*** in addition

darum (a)round it; *deshalb*: therefore, that's why; *bitten*: for it

darunter under (*od.* below) it; *dazwischen*: among them;

weniger: less; ***was verstehst du ~?*** what do you understand by it?
das → ***der***
dasein → ***da***
Dasein *n* life, existence
dass that; *damit*: so (that); ***ohne ~*** without *ger*
dastehen stand* (there)
Datei *f Computer*: file; **~verwaltung** *f* file management
Daten *pl* data *pl*, *a. sg*, facts *pl*; *persönliche*: *a.* particulars *pl*; ***technische ~*** specifications; **~ausgabe** *f* output; **~bank** *f* database; **~fluss** *m* data flow; **~schutz** *m* data protection; **~sicherheit** *f* data security; **~speicher** *m* data memory (*od.* storage); **~träger** *m* data storage medium; **~übertragung** *f* data transfer; **~verarbeitung** *f* data processing
datieren date
Dattel *f* date
Datum *n* date
Dauer *f* duration; ***für die ~ von*** for a period of; ***auf die ~*** in the long run; **~auftrag** *m* standing order; **2haft** lasting; *Stoff etc.*: durable; **~karte** *f* season ticket; **~lauf** *m* jog(ging); **2n** last, take*; **2nd** continual(ly); ***~ et. tun*** keep* doing s.th.; **~welle** *f* perm, *Am.* permanent
Daumen *m* thumb
Daune *f* down; **~ndecke** *f* eiderdown (quilt)
davon (away) from it; *dadurch*: by it; *darüber*: about it; *fort*: away; *in Zssgn mst* off; *von et.*: of it (*od.* them); ***das kommt ~!*** there you are!; **~kommen** get* away
davor before it; in front of it; *sich fürchten etc.*: of it
dazu *Zweck*: for it; *trinken etc.*: with it; *außerdem*: in addition; ***~ kommen (, es zu tun)*** get* around to (doing) it; **~gehören** belong to it, be* part of it; **~kommen** join *s.o.*; *et.*: be* added
dazwischen between (them); *zeitlich*: (in) between; *darunter*: among them; **~kommen: *wenn nichts dazwischenkommt*** if all goes well
deal|en F push drugs; **2er(in)** drug dealer, F pusher
Debatte *f* debate
Deck *n* deck
Decke *f* blanket; *Zimmer*2: ceiling; *Tisch*2: tablecloth
Deckel *m* lid, top
decken cover; ***sich ~*** coincide; → ***Tisch***
Deckung *f* cover
defekt 1. *adj* defective, faulty; out of order; **2.** 2 *m* defect, fault
defensiv, **2e** *f* defensive
defi|nieren define; **2nition** *f* definition; **2zit** *n* deficit; *Mangel*: deficiency
Degen *m* sword; *Fechten*: épée
dehn|bar elastic (*a. fig.*); **~en** stretch (*a. fig.*)

Deich *m* dike
Deichsel *f* pole, shaft(s *pl*)
dein your; **~er, ~e, ~(e)s** yours; **~etwegen** for your sake; *wegen dir*: because of you
Dekan *m* dean
Dekor|ateur(in) decorator; window dresser; **~ation** *f* (window) display; *thea.* scenery; **²ieren** decorate; *Fenster etc.*: dress
Delfin *m* → ***Delphin***
delikat delicious; *fig.* ticklish; **²esse** *f* delicacy; **²essengeschäft** *n* delicatessen *sg*
Delle *f* dent
Delphin *m* dolphin
dementieren deny
dem|entsprechend accordingly; **~nach** therefore; **~nächst** shortly
Demo *f* F demo
Demokrat|(in) democrat; **~ie** *f* democracy; **²isch** democratic
demolieren damage
Demonstr|ant(in) demonstrator; **~ation** *f* demonstration; **²ieren** demonstrate
demontieren dismantle
De|mut *f* humility; **²mütig** humble; **²mütigen** humiliate; **~mütigung** *f* humiliation
denk|bar conceivable; **~en** think* (***an, über*** of, about); ***daran ~*** (***zu***) remember (to); ***das kann ich mir ~*** I can imagine; **²fabrik** *f* think tank; **²mal** *n* monument; *Ehrenmal*: memorial; **²zettel** *m fig.* lesson
denn for, because; ***es sei ~, dass*** unless, except
dennoch yet, nevertheless
Denunz|iant(in) informer; **²ieren** inform against
Deo(dorant) *n* deodorant
Deponie *f* waste disposal site, dump; **²ren** deposit
Depression *f* depression
deprimieren depress; **~d** depressing
der, die, das the; *dem pron* that, this; he, she, it; ***die*** *pl* these, those, they; *rel pron* who, which, that
derart so (much), like that; **~ig** such ... (as this)
derb coarse; tough, sturdy
dergleichen: ***und ~*** and the like; ***nichts ~*** nothing of the kind
der-, die-, dasjenige the one; ***diejenigen*** *pl* those
dermaßen → ***derart***
der-, die-, dasselbe the same; ***derselbe, dieselbe*** *Person*: the same person
deshalb that is why, so, therefore
Desin|fektionsmittel *n* disinfectant; **²fizieren** disinfect
Dessert *n* dessert
destillieren distil(l)
desto → ***je***
deswegen → ***deshalb***
Detail *n* detail
Detektiv(in) detective

deuten interpret; *Traum etc.*: read*; ~ ***auf*** point at
deutlich clear, distinct
deutsch German; ***auf*** ℒ in German; ℒ**e** *m, f* German; ℒ**land** Germany
Devise *f* motto; ~**n** *pl* foreign currency *sg*
Dezember *m* December
dezent discreet
Dezimal... decimal ...
Dia *n* slide
Diagnose *f* diagnosis
diagonal, ℒ**e** *f* diagonal
Dialekt *m* dialect
Dialog *m* dialog(ue)
Diamant *m* diamond
Diaprojektor *m* slide projec·tor
Diät *f* (***auf*** on a) diet; ~ ***leben*** be* on (*od.* keep* to) a diet
dich you; ~ (***selbst***) yourself
dicht dense, thick; ~ ***an*** (*od.* ***bei***) close to
dichte|n compose, write* (poetry); ℒ**r**(**in**) poet(ess); writer; ℒ**ung** *f* poetry; (poetic) work; *tech.* seal(ing)
dick thick; *Person*: fat; ~ ***machen*** be* fattening; ℒ**icht** *n* thicket; ~**köpfig** stubborn; ℒ**milch** *f* curd(s *pl*)
Dieb|(in) thief; ~**stahl** *m* theft, *jur. mst* larceny
Diele *f* board, plank; *Vorraum*: hall, *Am. a.* hallway
dien|en serve (***j-m*** s.o.); ℒ**er** *m* servant; ℒ**erin** *f* maid; ℒ**st** *m* service; *Arbeit*: work; ***im*** (***außer***) ~ on (off) duty; ~ ***haben*** be* on duty; ~ ***habend***, ~ ***tuend*** on duty
Dienstag *m* Tuesday
Dienst|grad *m* grade, rank; ~**leistung** *f* service; ℒ**lich** official; ~**mädchen** *n* maid, help; ~**stunden** *pl* office hours *pl*
dies, ~er, ~e, ~es this (one); ~***e*** *pl* these
diesig hazy, misty
dies|jährig this year's; ~**mal** this time; ~**seits** on this side of
Dietrich *m* picklock
Differenz *f* difference
Digital... digital ...
Dikt|at *n* dictation; ~**ator** *m* dictator; ~**atur** *f* dictatorship; ℒ**ieren** dictate; ~**iergerät** *n* Dictaphone®
DIN ***Deutsche Industrie-Norm***(***en***) German Industrial Standard; ~ ***A4-Papier*** A4 paper
Ding *n* thing; ***vor allen*** ~***en*** above all; ~**s(bums), ~sda** **1.** *n* what-d'you-call-it; **2.** *m, f* thingamajig
Dinosaurier *m* dinosaur
Diphtherie *f* diphtheria
Diplom *n* diploma
Diplomat|(in) diplomat; ~**ie** *f* diplomacy; ℒ**isch** diplomatic (*a. fig.*)
dir (to) you; ~ (***selbst***) yourself
direkt direct; *TV*: live; ~ ***neben*** *etc.* right next to *etc.*; ℒ**ion** *f* management; ℒ**or**(**in**) director, manager; *Schule*:

head|master (-mistress), *Am.* principal; **℘übertragung** *f* live broadcast
Dirig|ent(in) conductor; **℘ieren** *mus.* conduct; direct
Diskette *f* diskette; **~nlaufwerk** *n* disk drive
Diskont *m* discount
Disko(thek) *f* disco(theque)
dis|kret discreet; **℘kretion** *f* discretion; **~kriminieren** discriminate against; **℘kriminierung** *f* discrimination; **℘kussion** *f* discussion; **℘kussionsleiter(in)** chair(wo)man; **~kutieren** discuss; **~qualifizieren** disqualify
Distanz *f* distance (*a. fig.*); **℘ieren: *sich ~ von*** distance o.s. from
Distel *f* thistle
Disziplin *f* discipline; *Sport*: event; **℘iert** disciplined
divi|dieren divide (***durch*** by); **℘sion** *f* division
doch but, however, yet; → ***trotzdem***; ***also ~*** (***noch***) after all; ***setz dich ~!*** do sit down!; ***das stimmt nicht! – ~!*** that's not true! - yes, it is!
Docht *m* wick
Dock *n* dock
Dogge *f* Great Dane
Dohle *f* (jack)daw
Doktor *m* doctor('s degree); **~arbeit** *f* (doctoral *od.* PhD) thesis
Dokument *n* document; **~arfilm** *m* documentary
Dolch *m* dagger
dolmetsch|en interpret; **℘er(in)** interpreter
Dom *m* cathedral
Dompteur *m* (animal) trainer
Donner *m*, **℘n** thunder; **~stag** *m* Thursday; **~wetter: *~!*** F wow!
doof dumb, stupid
Doppel *n* duplicate; *Sport*: doubles *pl*; ***~...*** *Bett*, *Zimmer etc.*: double ...; **~decker** *m aviat.* biplane; *Bus*: double-decker; **~gänger(in)** double; **~haus** *n* pair of semis, *Am.* duplex; **~haushälfte** *f* semi-detached house, F semi; **~pass** *m Sport*: one-two; **~punkt** *m* colon; **~stecker** *m* two-way adapter; **℘t** double; ***~ so viel*** twice as much
Dorf *n* village; **~fest** *n* village fete
Dorn *m* thorn (*a. fig.*)
Dorsch *m* cod(fish)
dort (over) there; **~hin** there
Dose *f* can, *Brt. a.* tin; **~nöffner** *m* tin (*Am.* can) opener
Dosis *f* dose (*a. fig.*)
Dotter *m*, *n* yolk
Double *n Film*, *TV*: stunt man; stunt woman
Dozent(in) lecturer
Drache *m* dragon; **~n** *m* kite; *Sport*: hang glider; ***e-n ~ steigen lassen*** fly* a kite; **~nfliegen** *n* hang gliding
Draht *m* wire; **℘los** wireless; **~seilbahn** *f* cable railway

Drama *n* drama; **2tisch** dramatic
dran F → ***daran***; ***ich bin*** ~ it's my turn
dräng|eln push, shove; **~en** push, shove; *zu et.*: press, urge; *Zeit*: be* pressing; ***sich*** ~ push (and shove); *durch et.*: force one's way
drankommen: ***ich komme dran*** it's my turn; ***als erster*** ~ be* first
drauf F → ***darauf***; ~ ***und dran sein zu*** be* on the point of *doing*
draußen outside; outdoors
Dreck *m* F dirt; filth; *fig. a.* trash; **2ig** dirty; filthy
Dreh|arbeiten *pl* shooting *sg*; **~buch** *n* script; **2en** turn; *Film*: shoot*; ***sich*** ~ turn; *schnell*: spin*; ***sich*** ~ ***um*** *fig.* be* about; **~stuhl** *m* swivel chair; **~tür** *f* revolving door; **~ung** *f* turn; rotation; **~zahl** *f* speed, revolutions *pl* per minute; **~zahlmesser** *m* rev(olution) counter, tachometer
drei 1. *adj* three; **2.** 2 *f Note*: fair, C; **2eck** *n* triangle; **~eckig** triangular; **~fach** threefold, triple; **2rad** *n* tricycle; **~ßig** thirty; **~ßigste** thirtieth; **~zehn(te)** thirteen(th)
dressieren train
Dressman *m* male model
Drillinge *pl* triplets *pl*
drin F → ***darin***; ***das ist nicht*** ~***!*** no way!
dringen: ~ ***auf*** insist on; ~ ***aus*** escape (*Töne*: come*) from; ~ ***durch*** (***in***) penetrate (into); **~d** urgent, pressing; *Verdacht*: strong
drinnen inside; indoors
dritte third; 2 ***Welt*** Third World; **2-Welt-Laden** *m* Third-World shop **2l** *n* third; **~ns** thirdly
Droge *f* drug
drogen|abhängig addicted to drugs; ~ ***sein*** be* a drug addict; **2missbrauch** *m* drug abuse; **~süchtig** → ***~abhängig***; **2süchtige** *m, f* drug addict; **2tote** *m, f* drug victim
Drog|erie *f* chemist's, *Am.* drugstore; **~ist(in)** chemist, *Am.* druggist
drohen threaten, menace
dröhnen roar; resound
Drohung *f* threat, menace
drollig funny, droll
Droschke *f* carriage
Drossel *f* thrush; **2n** *tech.* throttle (*a. fig.*)
drüben over there
Druck *m* pressure; *print.* print(ing); **~buchstabe** *m* block letter; **2en** print
drücken *v/t* press; *Knopf*: *a.* push; *fig. Preis etc.*: bring* down; ***sich*** ~ ***vor*** shirk (doing) *s.th.*; *v/i Schuh*: pinch; **~d** oppressive
Druck|er *m* printer (*a. Computer*); **~erei** *f* printing of-

fice, *Am.* print shop; **~knopf** *m* press-stud, *Am.* snap fastener; *electr.* push button; **~sache** *f* printed matter; **~schrift** *f* block letters *pl*
Drüse *f* gland
Dschungel *m* jungle
du you
Dübel *m*, **2n** dowel
ducken: *sich* ~ crouch
Dudelsack *m* bagpipes *pl*
Du|ell *n* duel; **~ett** *n* duet
Duft *m* scent, fragrance, smell; **2en** smell* (***nach*** of); **2end** fragrant; **2ig** filmy, gauzy
duld|en tolerate, put* up with; **~sam** tolerant
dumm stupid; **2heit** *f* stupidity; stupid (*od.* foolish) thing; **2kopf** *m* fool
dumpf dull; *Ahnung*: vague
Düne *f* (sand) dune
Dung *m* dung, manure
dünge|n fertilize; **2r** *m* fertilizer
dunkel dark (*a. fig.*); **2heit** *f* dark(ness); **2kammer** *f* darkroom
dünn thin; *Kaffee*: weak
Dunst *m* haze; *chem.* vapo(u)r
dünsten stew, braise
dunstig hazy, misty
Dur *n* major (key)
durch through; by *s.o.*; *math.* divided by; *gastr.* (well) done; **~aus** absolutely, quite; **~ *nicht*** by no means; **~blättern** leaf through
Durchblick *m fig.* grasp *of s.th.*; **2en** look through; F get* it; **~ *lassen*** give* to understand
durch|bohren pierce; *durchlöchern*: perforate; **~brechen** break* through; break* (in two); **~brennen** *Sicherung*: blow*; *Reaktor*: melt* down; F run* away; **~bringen** get* (*Kranke*: pull) through; **~dacht** (well) thought-out; **~drehen** *v/t* mince; *v/i Rad*: spin; F crack up; **~dringen** *v/t* penetrate; *v/i* get* through
durcheinander 1. *adj Person*: confused; *Sache*: in a mess; **~ *bringen*** mix up; **2. 2** *n* mess, confusion
durchfahr|en go* through; **2t** *f* passage; **~ *verboten!*** no thoroughfare
Durchfall *m* diarrh(o)ea; **2en** fall* through; *Prüfling*: fail; *thea.* be* a flop
durchführ|bar practicable; **~en** carry out, do*
Durchgang *m* passage; *Sport*: round; **~ *verboten!*** private; **~slager** *n* transit camp; **~sverkehr** *m* through traffic
durchgebraten well done
durchgehen go* through; *Pferd*: bolt; F run* away (***mit*** with); **~d** continuous; *Zug*: through; **~ *geöffnet*** open all day
durchgreifen take* drastic measures; **~d** drastic; radical
durch|halten *v/t* keep* up; *v/i*

hold* out; **²hänger** *m* F: ***e-n ~ haben*** have* a low; **~kommen** come* (*od.* get*) through; **~kreuzen** *Plan etc.*: cross, thwart; **~lassen** let* pass (*od.* through); **~lässig** permeable (to); *undicht*: leaky; **~laufen** run* (*Schuhe*: wear*) through; *Schule, Stufen*: pass through; **²lauferhitzer** *m* instant(aneous) water heater; **~lesen** read* (through); **~leuchten** *med.* X-ray; *pol. etc.* screen; **~machen** go* through; ***die Nacht*** ~ make* a night of it; **²messer** *m* diameter; **~nässt** soaked; **~queren** cross

Durchreise *f* transit (*a. inZssgn*); ***auf der ~ sein*** be* passing through; **²n** *v/i* travel through; *v/t* tour

durch|reißen tear* (in two); **²sage** *f* announcement; **~schauen** *j-n, et.*: see* through

durchscheinen shine* through; **~d** transparent

Durchschlag *m* (carbon) copy; **²en** cut* in two; *Kugel etc.*: go* through; ***sich ~*** struggle along; **²end** *Erfolg*: sweeping; **~papier** *n* carbon paper; **~skraft** *f* force

durchschneiden cut*

Durchschnitt *m* (***im*** on an) average; **²lich 1.** *adj* average; ordinary; **2.** *adv* on an average

Durchschrift *f* copy

durch|sehen *v/i* see* *od.* look through; *v/t* look *od.* go* through; **~setzen** *et.*: put* (*stärker*: push) through; ***sich ~*** get* one's way; be* successful; **~sichtig** transparent; *klar*: clear; **~sickern** seep through; *fig.* leak out; **~sieben** sift; *mit Kugeln*: riddle; **~sprechen** discuss, talk *s.th.* over; **~stehen** go* through; **~streichen** cross out; **~suchen, ²suchung** *f* search; **²wahl** *f* direct dial(l)ing; direct number; **~wählen** dial direct; **~weg** without exception; **~wühlen** ransack, rummage through; **²zug** *m* draught, *Am.* draft

dürfen be* allowed to; ***darf ich (...)?*** may I (...)?; ***du darfst nicht*** you must not

dürftig poor; scanty

dürr dry; *Boden etc.*: barren, arid; *mager*: skinny; **²e** *f* drought

Durst *m* thirst; ***~ haben*** be* thirsty (***auf*** for); **²ig** thirsty

Dusche *f* shower; **²n** have* *od.* take* a shower

Düse *f* nozzle, jet; **~nflugzeug** *n* jet (plane); **~njäger** *m* jet fighter

düster dark, gloomy

Dutzend *n* dozen

duzen use the familiar 'du' with *s.o.*; ***sich ~*** be* on 'du' terms

Dyna|mik *f phys.* dynamics

sg; *fig*. dynamism; **&misch** dynamic; **~mit** *n* dynamite; **~mo** *m* dynamo
D-Zug *m* express train

E

Ebbe *f* ebb tide, *Niedrigwasser*: low tide
eben 1. *adj* even; *flach*: flat; *math*. plane; **2.** *adv* just; *genau*: exactly; ***so ist es ~*** that's the way it is
Ebene *f* plain; *math*. plane; *fig*. level
ebenfalls as well, too
ebenso just as; *~ **gut*** just as well; *~ **viel*** just as much; *~ **wenig*** just as little (*pl* few)
Eber *m* boar
ebnen level; *fig*. smooth
Echo *n* echo; *fig*. response
echt genuine, real; *wahr*: true; *Dokument*: authentic; F ***~ gut*** real good
Eck|ball *m Sport*: corner; **~e** *f* corner (*a. Sport*); *Kante*: edge; **&ig** square, angular; **~stoß** *m Sport*: corner kick; **~zahn** *m* canine tooth
edel noble; **&metall** *n* precious metal; **&stein** *m* precious stone; *geschnitten*: gem
EDV *f **elektronische Datenverarbeitung*** EDP, electronic data processing
Efeu *m* ivy
egal F → ***gleich***; ***das ist mir ~*** I don't care
Egge *f*, **&n** harrow
Egois|mus *m* ego(t)ism; **~t(in)** ego(t)ist; **&tisch** selfish, ego(t)istic(al)
ehe before
Ehe *f* marriage; **~bruch** *m* adultery; **~frau** *f* wife; **&lich** conjugal; *Kind*: legitimate
ehemal|ig former, ex-...; **~s** formerly
Ehe|mann *m* husband; **~paar** *n* married couple
eher sooner; *lieber*: rather; ***nicht ~ als*** not until
Ehering *m* wedding ring
ehrbar respectable
Ehre *f*, **&n** hono(u)r
Ehren|... *Bürger*, *Doktor*, *Mitglied etc*.: honorary ...; **&amtlich** honorary; **~gast** *m* guest of hono(u)r; **~runde** *f* lap of hono(u)r; **~tor** *n*, **~treffer** *m* consolation goal; **&tribüne** *f* VIP lounge; **~wort** *n* word of hono(u)r
Ehr|furcht *f* respect (***vor*** for); **&fürchtig** respectful; **~geiz** *m* ambition; **&geizig** ambitious
ehrlich honest; F ***~!(?)*** honestly!(?); **&keit** *f* honesty
Ehrung *f* hono(u)r(ing)
Ei *n* egg; V ***~er*** *pl* balls *pl*
Eiche *f* oak (tree)
Eichel *f* acorn; *anat*. glans (penis)

eichen *tech.* ga(u)ge
Eichhörnchen *n* squirrel
Eid *m* oath (***ablegen*** take*)
Eidechse *f* lizard
eidesstattlich: *~e Erklärung* statutory declaration
Eidotter *m*, *n* (egg) yolk
Eier|becher *m* eggcup; **~kuchen** *m* pancake; **~stock** *m* ovary; **~schale** *f* eggshell; **~uhr** *f* egg timer
Eifer *m* zeal, eagerness; **~sucht** *f* jealousy; **≈süchtig** jealous (***auf*** of)
eifrig eager, zealous
Eigelb *n* (egg) yolk
eigen (of one's) own; (*über-*) *genau*: particular, F fussy; **≈art** *f* peculiarity; **~artig** peculiar; *seltsam*: strange; **~händig** with one's own hands; **≈heim** *n* home (of one's own); **~mächtig** arbitrary; **≈name** *m* proper noun
Eigenschaft *f* quality; *chem. etc.* property; **~swort** *n* adjective
eigensinnig stubborn
eigentlich actual(ly), real(ly)
Eigen|tor *n* own goal (*a. fig.*); **~tum** *n* property; **~tümer(in)** owner, propriet|or (-ress); **≈tümlich** peculiar; **~tumswohnung** *f* owner-occupied flat, *Am.* condominium, F condo; **≈willig** wil(l)ful; *fig.* individual
eign|en: *sich ~ für* be* suited (*od.* fit) for; **≈ung** *f* suitability
Eil|bote *m*: ***durch ~n*** express, *Am.* (by) special delivery; **~brief** *m* express (*Am.* special delivery) letter
Eil|e *f* (***in*** in a) hurry; **≈en** hurry; *et.*: be* urgent; **≈ig** hurried, hasty; *dringend*: urgent; ***es ~ haben*** be* in a hurry; **~zug** *m* semifast train, *Am.* limited
Eimer *m* bucket, pail
ein one; a, an; ***~ - aus*** on - off; **~ander** each other
ein|arbeiten break* *s.o.* in; ***sich ~*** work o.s. in; **~äschern** *Leiche*: cremate; **~atmen** breathe, inhale
Ein|bahnstraße *f* one-way street; **~band** *m* binding, cover; **~bau** *m* installation, fitting; **~bau...** *Möbel etc.*: built-in ...; **≈bauen** build* in, instal(l), fit; **≈berufen** call; *mil.* call up, *Am.* draft; **≈biegen** turn (***in*** into)
einbild|en: *sich ~* imagine; ***sich et. ~ auf*** be* conceited about; **≈ung** *f* imagination; *Dünkel*: conceit
ein|binden bind*; *fig.* integrate; **~blenden** fade in
einbreche|n *Dach etc.*: collapse; *Winter*: set* in; ***~ in*** break* into, burgle; *auf dem Eis*: break* through the ice; **≈r** *m* burglar
einbringen bring* in; *Gewinn etc.*: yield; ***sich ~*** put* a lot of time and energy into it; ***das bringt nichts ein*** it doesn't pay

Einbruch *m* burglary; ***bei ~ der Nacht*** at nightfall
ein|bürgern naturalize; ***sich ~*** come* into use; **~büßen** lose*; **~deutig** clear
eindring|en: *~ in* enter; force one's way into; *mil.* invade; **~lich** urgent; **2ling** *m* intruder
Ein|druck *m* impression; **2drücken** break* *od.* push in; **2drucksvoll** impressive
ein|eiig *Zwillinge*: identical; **~einhalb** one and a half
ein|er, ~e, ~(e)s one
einerlei of the same kind; → ***gleich***; **2** *n*: ***das ewige (tägliche) ~*** the same old (daily) rut
einerseits on the one hand
einfach 1. *adj* simple; *leicht*: *a.* easy; *Fahrkarte*: single, *Am.* one-way; **2.** *adv* simply, just; **2heit** *f* simplicity
einfädeln thread; *fig.* arrange; ***sich ~*** get* in lane
einfahr|en *v/i* come* (*Zug*: *a.* pull) in; *v/t mot.* break* in; *Ernte*: bring* in; **2t** *f* entrance, way in; *mot.* drive(-way)
Einfall *m* idea; *mil.* invasion; **2en** fall* in, collapse; ***~ in*** invade; ***j-m ~*** occur to s.o., come* to s.o.'s mind
Einfamilienhaus *n* single-family home
ein|farbig self-coloured, *Am.* solid-color(ed); **~fassen** border; **~fetten** grease
Einfluss *m* influence; **2reich** influential
ein|förmig uniform; **~frieren** freeze*; **~fügen** insert
Ein|fuhr *f* import(ation); **2führen** introduce; *ins Amt*: instal(l); *econ.* import; **~führung** *f* introduction
Eingabe *f* petition; *Computer*: input; **~taste** *f* enter (*od.* return) key
Ein|gang *m* entrance; *econ.* arrival; *Brief*: receipt; **2geben** *med.* administer (to *s.o.*); *Daten*: feed*, enter
einge|bildet imaginary; *dünkelhaft*: conceited; **2borene** *m, f* native; **~fallen** sunken, hollow
eingehen *v/i* come* in, arrive; *Stoff*: shrink*; *bot., zo.* die; ***~ auf*** agree to; *Details*: go* into; *j-n*: listen *od.* talk to; *v/t Risiko*: take*; *Wette*: make*; **~d** thorough(ly)
einge|macht preserved; pickled; **~meinden** incorporate; **~nommen: *~ sein von*** be* taken with; ***von sich ~ sein*** be* full of o.s.; **~schrieben** registered
Eingeweide *pl* intestines *pl*, bowels *pl*
eingewöhnen: *sich ~ in* settle in, get* used to
ein|gießen pour; **~gleisig** single-track; **~gliedern** integrate (***in*** into); **~greifen** step in, interfere; *in Gespräch*: join in

Eingriff *m* intervention, interference; *med.* operation
ein|halten *v/t* keep*; *v/i* stop; **~hängen** *tel.* hang* up
einheimisch native; *econ.* domestic; **2e** *m, f* local, native
Einheit *f* unit; *pol. etc.* unity; **2lich** uniform; homogeneous; **~s...** *Preis etc.*: standard ...
einholen catch* up with; *Zeitverlust*: make* up for; *Segel, Fahne*: strike*
einig united; **~ *sein*** agree; **(*sich*) *nicht* ~ *sein*** differ
einige some, several
einigen unite; ***sich* ~** come* to an agreement
einigermaßen fairly, reasonably; *leidlich*: quite (*od.* fairly) well; not too bad
einiges some(thing); quite a lot
Einig|keit *f* unity; agreement; **~ung** *f* agreement; *p[illegible]* unification
einkalkulieren take* into account, allow for
Einkauf *m* purchase; **2en** buy*, purchase; **~ *gehen*** go* shopping; **~s...** *Tasche, Zentrum etc.*: shopping ...; **~sbummel** *m* shopping tour (*od.* spree); **~spreis** *m* purchase price; **~swagen** *m* (supermarket) trolley, *Am.* grocery cart; **~szentrum** *n* shopping cent|re (*Am.* -er), *Am. a.* shopping mall
ein|kehren stop (off) (***in*** at); **~kleiden** clothe; **~klemmen** jam
Einkommen *n* income; **~steuer** *f* income tax
Einkünfte *pl* income *sg*
einlad|en *j-n*: invite; *Güter etc.*: load; **~end** inviting; **2ung** *f* invitation
Einlage *f econ.* deposit; investment; *Schuh2*: insole; *thea. etc.* interlude
einlassen let* in, admit; ***sich* ~ *mit* (*auf*)** get* involved with (in)
ein|laufen *v/i Sport*: come* on (*ins Ziel*: in); *Zug*: pull in; *Schiff*: enter port; *Stoff*: shrink*; *Wasser*: run* in; ***sich* ~** warm up; **~leben: *sich* ~** settle in; **~legen** put* in (*a. Gang, gutes Wort*); *Haare*: set*; *gastr.* pickle
einleit|en start; introduce; *med.* induce; **2ung** *f* introduction
ein|leuchten make* sense; **~liefern: ~ *in*(*s*)** take* to; **~lösen** *Scheck*: cash; **~machen** preserve; pickle; *Marmelade*: make*
einmal once: one day; ***auf* ~** all at once; ***nicht* ~** not even; **→ *noch***; **2eins** *n* multiplication table; **~ig** *fig.* unique; F fabulous
einmischen: *sich* ~ meddle, interfere
Einmündung *f* junction
Ein|nahme *f* taking; **~n** *pl*

receipts *pl*; **≗nehmen** take* (*a. mil.*); *Geld*: earn, make*; **≗nehmend** engaging

ein|ordnen put* in its place; *Akten*: file; ***sich** ~ mot.* get* in lane; **~packen** pack (up); *einwickeln*: wrap up; **~parken** park; **~pflanzen** (*med.*, *fig.* im)plant; **~planen** plan (*Zeit etc.*: allow) for; **~prägen:** ***j-m et.*** ~ impress s.th. on s.o.; ***sich et.*** ~ memorize s.th.; **~rahmen** frame; **~reiben** rub (*s.th.* in); **~reichen** hand (*od.* send*) in

Einreise *f* entry; **~visum** *n* entry visa

einrenken *med.* set*; *fig.* straighten out

einricht|en furnish; *gründen*: establish; *ermöglichen*: arrange; ***sich*** ~ furnish one's home; ***sich*** ~ ***auf*** prepare for; **≗ung** *f* furnishings *pl*; *tech.* installation(s *pl*), facilities *pl*; *öffentliche*: institution, facility

eins one; one thing; ≗ *f Note*: excellent, A

einsam lonely; solitary; **≗keit** *f* loneliness; solitude

einsammeln collect

Einsatz *m tech.* insert(ion); *Spiel*: stake(s *pl*); *Eifer*: effort(s *pl*); *Verwendung*: use; *Risiko*: risk

ein|schalten switch (*od.* turn) on; *j-n*: call in; ***sich*** ~ step in; **~schätzen** judge, rate; **~schenken** pour (out); **~schicken** send* in; **~schlafen** fall* asleep, go* to sleep (*a. Glied*); **~schläfern** lull (*Tier*: put*) to sleep; **~schlagen** *v/t* knock in (*Zähne*: out); *zerbrechen*: break*, smash; *Weg*: take*; *v/i Blitz*, *Geschoss*: strike*; *fig.* be* a success; **~schließen** lock in (*od.* up); *umgeben*: enclose; *mil.* surround; *fig.* include; **~schließlich** including; **~schmelzen** melt down; **~schneidend** *fig.* drastic; **≗schnitt** *m* cut; *fig.* break

einschränk|en restrict, reduce, cut* down on (*a. Rauchen etc.*); ***sich*** ~ economize; **≗ung** *f* restriction; ***ohne*** ~ without reservation

Einschreiben *n* registered letter; ≗ → ***eintragen***; ***sich*** ~ enrol(l)

ein|schreiten intervene, step in; take* (legal) measures; **~schüchtern** intimidate; **~schweißen** shrink-wrap; **~sehen** see*, realize; **~seitig** one-sided; *pol.* unilateral; **~senden** send* in; **≗sendeschluß** *m* closing date (for entries); **~setzen** *v/t* put* in, insert; *ernennen*: appoint; *Mittel*: use; *Geld*: stake; *Leben*: risk; ***sich*** ~ try hard; ***sich*** ~ ***für*** support; *v/i* set* in, start

Einsicht *f* insight; realization; **≗ig** reasonable

einsilbig monosyllabic; *fig.* taciturn
ein|sparen save, economize on; **~sperren** lock (*Tier*: shut*) up; **~springen** fill in (***für*** for)
Einspritz... fuel-injection ...
Einspruch *m* objection (*a. jur.*), protest
einspurig single-lane
einst once; *künftig*: one day
Ein|stand *m Tennis*: deuce; **≗stecken** pocket (*a. fig.*); *electr.* plug in; *Brief*: post, *Am. a.* mail; *hinnehmen*: take*; **≗steigen** get* in; *Bus, Zug, aviat.*: get* on, board
einstell|en *j-n*: engage, employ, hire; *aufgeben*: give* up; *beenden*: stop; *tech.* adjust (***auf*** to); *Radio*: tune in (to); *opt.* focus (on); ***sich ~*** appear; ***sich ~ auf*** adjust to; *vorsorglich*: be* prepared for; **≗ung** *f* employment; *Haltung*: attitude; *tech.* adjustment; *opt., phot.* focus(sing); *Film*: take
Einstieg *m* entrance, way in; **~sdroge** *f* gateway drug
ein|stimmig unanimous; **~stöckig** one-storey(ed) (*Am.* -storied)
einstudieren *thea.* rehearse
einstuf|en class, rate; **≗ung** *f* classification, rating; **≗ungsprüfung** *f* placement test
Ein|sturz *m*, **≗stürzen** collapse
einstweilen for the time being
eintauschen exchange (***gegen*** for)
einteil|en divide (***in*** into); *Zeit*: organize; **~ig** one-piece; **≗ung** *f* division; organization
eintönig monotonous
Eintopf *m* stew
Eintracht *f* harmony
eintragen enter; *amtlich*: register (*a.* ***sich ~***)
einträglich profitable
ein|treffen arrive; happen; *sich erfüllen*: come* true; **~treten** enter; happen; ***~ in*** join; ***~ für*** support
Eintritt *m* entry; *Zutritt, Gebühr*: admission; ***~ frei!*** admission free; ***~ verboten!*** keep out!; **~sgeld** *n* admission (fee); **~skarte** *f* ticket
einver|standen: *~ sein* agree (***mit*** to); ***~!*** agreed!; **≗ständnis** *n* agreement
Einwand *m* objection
Einwander|er *m* immigrant; **≗n** immigrate; **~ung** *f* immigration
einwandfrei perfect
Einweg|... *Flasche etc.*: non-returnable; *Spritze, Besteck etc.*: disposable, throwaway; **~spiegel** *m* two-way mirror
ein|weichen soak; **~weihen** inaugurate, *Am.* dedicate; ***~ in*** let* *s.o.* in on *s.th.*; **~weisen: *~ in*** send* to; *Arbeit*:

instruct in; **~wenden** object (***gegen*** to); **~werfen** throw* in (*a. Wort*; *Sport a. v/i*); *Fenster*: break*; *Brief*: post, *Am. a.* mail; *Münze*: insert
einwickeln wrap (up)
einwilli|gen, ℒgung *f* consent (***in*** to)
einwirken: ~ *auf* act (up)on; *j-n*: work on
Einwohner|(in) inhabitant; **~meldeamt** *n* registration office
Einwurf *m Sport*: throw-in; *Schlitz*: slot; *fig.* objection
Einzahl *f* singular; **ℒen** pay* in; **~ung** *f* payment, deposit
einzäunen fence in
Einzel *n Tennis*: singles *sg*; **~gänger(in)** loner; **~handel** *m* retail; **~haus** *n* detached house; **~heit** *f* detail
einzeln single; *getrennt*: separate(ly); *Schuh etc.*: odd
Einzelne: *der* ~ the individual; ***jeder* ~** every single person; ***im* ~*n*** in detail
Einzelzimmer *n* single room
einziehen *v/i* move in; *v/t* draw* in; *bsd. tech.* retract; *Kopf*: duck; *Segel, Fahne*: strike*; *mil.* call up, *Am. a.* draft; *Besitz*: confiscate
einzig only; ***kein ~es Auto*** not a single car; ***~ und allein*** entirely
einzigartig unique
Einzige: *der~, die ~* the only person; ***das ~*** the only thing; ***ein ~r*** just one person; ***kein ~r*** not a single one
Einzug *m* moving in; entry
Einzugsermächtigung *f* direct debit
Eis *n* ice; ice cream; **~bahn** *f* skating rink; **~bär** *m* polar bear; **~becher** *m* sundae; **~berg** *m* iceberg; **~café** *n*, **~diele** *f* ice-cream parlo(u)r
Eisen *n* iron
Eisenbahn *f* railway, *Am.* railroad; **~er** *m* railwayman, *Am.* railroad man; **~wagen** *m* coach
Eisen|erz *n* iron ore; **~waren** *pl* hardware *sg*
eisern iron (*a. fig.*), of iron
eis|gekühlt iced; **ℒhockey** *n* (*Brt.* ice) hockey; **~ig** icy (*a. fig.*); **~kalt** icecold; **ℒkunstlauf** *m* figure skating; **ℒkunstläufer(in)** figure skater; **ℒrevue** *f* ice show; **ℒsalat** *m* iceberg lettuce; **ℒwürfel** *m* ice cube; **ℒzapfen** *m* icicle
eitel vain; **ℒkeit** *f* vanity
Eit|er *m* pus; **ℒern** fester; **ℒrig** purulent, festering
Eiweiß *n* white of egg; *biol.* protein
Ekel 1. *m* disgust (***vor*** at), nausea (at); ***~ erregend*** → ***ekelhaft***; **2.** *n* F beast; **ℒhaft** sickening, disgusting, nauseating; **ℒn: *sich ~ vor*** find *s.th., s.o.* disgusting
Ekzem *n* eczema
elastisch elastic, flexible
Elch *m* elk; *Nordamer.* **~**: moose

Elefant *m* elephant
elegant elegant, smart
Elektri|ker(in) electrician; **≈sch** electric(al)
Elektrizität *f* electricity; **~swerk** *n* power station
Elektrogerät *n* electric appliance
Elektron|en... electron(ic) ...; **~ik** *f* electronics *sg*; **≈isch** electronic
Elektro|rasierer *m* electric razor; **~technik** *f* electrical engineering; **~techniker(in)** electrical engineer
Element *n* element
Elend *n* misery; **≈** miserable; **~sviertel** *n* slum(s *pl*)
elf 1. eleven; **2. ≈** *f Sport*: team
Elfenbein *n* ivory
Elfmeter *m* penalty (kick); **~punkt** *m* penalty spot; **~schießen** *n* penalty shoot-out
elfte eleventh
Ellbogen *m* elbow
Elster *f* magpie
elterlich parental
Eltern *pl* parents *pl*; **~haus** *n* *one's* parents' house; home; **~teil** *m* parent
Email *n*, **~le** *f* enamel
Emanz|e *f* F women's libber; **~ipation** *f* emancipation; **≈ipiert** emancipated
Emigrant(in) emigrant; *politischer*: èmigrè
Empfang *m* reception (*a. Radio*); *Erhalt*: receipt; **≈en** receive; welcome
Empfäng|er *m* receiver (*a. Radio*); *post.* addressee; **≈lich** susceptible (*für* to); **~nisverhütung** *f* contraception, birth control
Empfangs|bestätigung *f* receipt; **~chef** *m*, **~dame** *f* receptionist
empfehl|en recommend; **~enswert** recommendable; *ratsam*: advisable; **≈ung** *f* recommendation
empfind|en feel*; **~lich** sensitive (*gegen* to); *leicht gekränkt*: touchy; **~e Stelle** sore spot; **~sam** sensitive; **≈ung** *f* sensation; *seelisch*: feeling
empör|end shocking; **~t** indignant, shocked; **≈ung** *f* indignation
emsig busy
Ende *n* end; *Film etc.*: ending; ***am ~*** at the end; *schließlich*: in the end, eventually; ***~ Mai*** at the end of May; ***zu ~*** over; *Zeit*: up; ***zu ~ gehen*** come* to an end; **≈n** (come* to an) end; finish
End|ergebnis *n* final result; **≈gültig** final; **~lagerung** *f* final disposal; **≈lich** finally, at last; **≈los** endless; **~runde** *f*, **~spiel** *n* final(s *pl*); **~station** *f* terminus; **~summe** *f* (sum) total; **~verbraucher** *m* end user
Energie *f* energy; **~sparen** *n* conservation of energy; **~versorgung** *f* power supply

energisch energetic; *streng*: strict, firm
eng narrow; *Kleidung*: tight; *vertraut*: close; *beengt*: cramped
Engel *m* angel
Eng|land England; **~länder** *m* Englishman; **die ~** *pl* the English *pl*; **~länderin** *f* Englishwoman
englisch English; **auf ≈** in English
Engpass *m* bottleneck
engstirnig narrow-minded
Enkel *m* grandchild; grandson; **~in** *f* granddaughter
enorm enormous
Ensemble *n thea.* company; *Besetzung*: cast
entbehr|en do* without; *erübrigen*: spare; *vermissen*: miss
entbind|en give* birth; *fig.* relieve *s.o.* (**von** of); ***entbunden werden von*** give* birth to; **≈ung** *f* delivery
entdeck|en discover, find*; **≈er** *m* discoverer; **≈ung** *f* discovery
Ente *f* duck; F *fig.* hoax
ent|eignen expropriate; **~erben** disinherit; **~fallen** be* cancel(l)ed (*od.* dropped); *j-m*: slip *s.o.*'s memory; **~falten** unfold (*a.* **sich ~**); *fig. Fähigkeiten, sich*: develop
entfern|en remove; **sich ~** leave*; **~t** distant (*a. fig.*); **≈ung** *f* distance; removal; **≈ungsmesser** *m phot.* range finder
ent|fliehen flee*, escape; **~fremden** estrange (*dat* from); **~frosten** *mot.* demist, *Am.* defrost
entführ|en kidnap; *Flugzeug etc.*: hijack; **≈er** *m* kidnap(p)er; hijacker; **≈ung** *f* kidnap(p)ing; hijacking
entgegen contrary to; *Richtung*: toward(s); **~gehen** go* to meet; **~gesetzt** opposite; **~kommen** come* to meet; *fig.* meet* *s.o.* halfway; **~kommend** obliging, kind, helpful; **~nehmen** accept, receive; **~sehen** await; *freudig*: look forward to
ent|gegnen reply; **~gehen** escape; ***sich ~ lassen*** miss; **~giften** decontaminate; **~gleisen** be* derailed
enthalt|en contain, hold*; ***sich ~*** abstain (*gen* from); **~sam** abstinent
enthüllen uncover; *Denkmal*: unveil; *fig.* reveal
enthusiastisch enthusiastic
ent|kleiden: (*sich*) ~ undress, strip; **~kommen** escape; get* away; **~laden** unload; ***sich ~*** *electr.* discharge
entlang along; **~...** *fahren, gehen etc.*: ... along
entlass|en dismiss; *Patient*: discharge (*a. mil.*); *Häftling*: release; **≈ung** *f* dismissal; discharge; release
ent|lasten relieve; *jur.* exonerate; ***den Verkehr ~*** ease

the traffic load; **~legen** remote; **~lüften** ventilate; **~mutigen** discourage; **~nehmen** take* (*dat* from); **~ aus** *fig.* gather from; **~reißen** snatch (away) (*dat* from); **~rinnen** escape (*dat* from)
entrüst|en: sich ~ get* indignant (**über** at *s.th.*, with *s.o.*); **~et** indignant, shocked; **2ung** *f* indignation
entschädig|en compensate; **2ung** *f* compensation
entscheid|en: (sich) ~ decide; **~end** decisive; *kritisch*: crucial; **2ung** *f* decision
ent|schließen: sich ~ decide, make* up one's mind; **~schlossen** determined; **2schluss** *m* decision
entschlüsseln decipher, decode
entschuldig|en excuse; **sich ~** apologize (**bei** to); *absagen*: excuse o.s.; **~ Sie (bitte)!** excuse me!; **2ung** *f* excuse (*a. Schreiben*); apology; **um ~ bitten** apologize (**j-n** to s.o.); **~!** excuse me!; *tut mir leid*: (I'm) sorry!
Entsetz|en *n* horror; **2lich** horrible, terrible
entsorg|en dispose of; **2ung** *f* (waste) disposal
entspann|en: sich ~ relax; *pol.* ease (up); **2ung** *f* relaxation; *pol.* détente
entsprech|en correspond to; *e-r Beschreibung*: answer to; *Anforderungen etc.*: meet*; **~end** corresponding (to); *passend*: appropriate; **2ung** *f* equivalent
entspringen *Fluss*: rise*
entsteh|en come* into being; *auftreten*: arise*; *allmählich*: emerge, develop; **~ aus** originate from; **~ durch** be* caused by; **2ung** *f* origin
entstellen disfigure; *fig.* distort
enttäusch|en disappoint; **2ung** *f* disappointment
entweder: ~ ... oder either ... or
ent|weichen escape; **~werfen** design; *Schriftstück*: draw* up
entwert|en lower the value of; *Fahrschein etc.*: cancel; **2ung** *f* devaluation; cancellation
entwick|eln: (sich) ~ develop (**zu** into); **2lung** *f* development; **2lungshelfer(in)** development aid worker (*od.* volunteer); *Brt.* VSO worker; *Am.* Peace Corps worker; **2lungsland** *n* developing country
ent|wirren disentangle; **~wischen** get* away
entzieh|en take* away (*dat* from); *Führerschein, Lizenz*: revoke; **2ungskur** *f* detoxification (treatment)
entziffern decipher
entzück|end delightful; **~t** delighted (**von** at, with)
entzünd|en: sich ~ catch*

fire; *med.* become* inflamed; **~et** inflamed; **≈ung** *f* inflammation
Epidemie *f* epidemic
Epoche *f* epoch
er he; *Sache*: it
Erbanlage *f* genes *pl*, genetic code
Er|barmen *n* pity, mercy; **≈bärmlich** pitiful; *elend*: miserable; **≈barmungslos** merciless, relentless
erbaue|n build*, construct; **≈r** *m* builder, constructor
Erbe 1. *m* heir; **2.** *n* inheritance, heritage; **≈n** inherit
erbeuten capture
Erbfaktor *m* gene
Erbin *f* heiress
erbittert fierce, furious
erblich hereditary
erblinden go* blind
Erbschaft *f* inheritance
Erbse *f* pea
Erd|apfel *m östr.* potato; **~beben** *n* earthquake; **~beere** *f* strawberry; **~boden** *m* earth, ground; **~e** *f* earth; *Bodenart*: ground, soil; **≈en** *electr.* earth, *Am.* ground; **~gas** *n* natural gas; **~geschoss** *n*, **~geschoß** *n östr.* ground (*Am. a.* first) floor; **~kugel** *f* globe; **~kunde** *f* geography; **~nuss** *f* peanut; **~öl** *n* (crude) oil, petroleum
erdrosseln strangle
erdrücken crush (to death); **~d** *fig.* overwhelming
Erd|rutsch *m* landslide (*a. pol.*); **~teil** *m* continent
erdulden suffer, endure
ereig|nen: ***sich*** **~** happen; **≈nis** *n* event; **~nisreich** eventful
Erektion *f* erection
erfahr|en 1. *v/t* learn*, hear*; *erleben*: experienc; **2.** *adj* experienced; **≈ung** *f* experience
erfassen seize; *begreifen*: grasp; *amtlich*: register; *Daten*: collect
erfind|en invent; **≈er(in)** inventor; **~erisch** inventive; **≈ung** *f* invention
Erfolg *m* success; *Folge*: result; **~** ***haben*** be* successful, succeed; **~** ***versprechend*** promising; **≈los** unsuccessful; **≈reich** successful
erforder|lich necessary; **~n** require, demand
erforschen explore
erfreu|en please; **~lich** pleasing; **~licherweise** fortunately; **~t** pleased
erfrier|en freeze* (to death); *Pflanze*: be* killed by frost; ***erfrorene Zehen*** frostbitten toes; **≈ung** *f* frostbite
erfrisch|en refresh; **~end** refreshing; **≈ung** *f* refreshment
er|füllen fulfil(l); *halten*: keep*; *Zweck*: serve; *Erwartung*: meet*; **~** ***mit*** fill with; ***sich*** **~** come* true; **~gänzen** complement (***sich*** each other); *hinzutun*: supplement, add; **~geben** amount to; ***sich*** **~**

surrender; → ***entstehen; sich ~ aus*** result from
Ergebnis *n* result (*a. Sport*), outcome; **≈los** fruitless
ergehen: ***so erging es mir auch*** the same thing happened to me; ***et. über sich ~ lassen*** (grin and) bear it
ergiebig productive, rich
ergreifen seize, grasp, take* hold of; *Gelegenheit, Maßnahme*: take*; *Beruf*: take* up; *fig.* move, touch
ergriffen moved
er|halten get*, receive; *bewahren*: preserve, keep*; *unterstützen*: support; *schützen*: protect; ***gut ~*** in good condition; **~hältlich** obtainable, available
erhängen: (***sich***) ~ hang* (o.s.)
erheb|en raise; ***sich ~*** rise*; **~lich** considerable; **≈ung** *f* survey; *geogr.* elevation
Erheiterung *f* amusement
er|hitzen heat; **~hoffen** hope for
erhöh|en raise; *fig. a.* increase; **≈ung** *f fig.* increase
erhol|en: ***sich ~*** recover; *entspannen*: relax; **~sam** restful; **≈ung** *f* recovery; rest, relaxation; **≈ungsheim** *n* rest home
erinner|n: ***j-n ~*** (***an***) remind s.o. (of); ***sich ~*** (***an***) remember; **≈ung** *f* memory (***an*** of); → ***Andenken***
erkält|en: ***sich ~*** catch* (a) cold; ***erkältet sein*** have* a cold; **≈ung** *f* cold
erkennen recognize
erkennt|lich: ***sich ~ zeigen*** show* (*s.o.*) one's gratitude; **≈nis** *f* realization; **~se** *pl* findings *pl*
Erker *m* bay
erklär|en explain (***j-m*** to s.o.); *verkünden*: declare; **≈ung** *f* explanation; declaration; ***e-e ~ abgeben*** make* a statement
erkrank|en fall* ill; ***~ an*** get*
erkundig|en: ***sich ~*** inquire (***nach*** about *s.th.*, after *s.o.*); **≈ungen** *pl* inquiries *pl*
erlassen *Verordnung*: issue; *j-m et.*: release *s.o.* from
erlaub|en allow, permit; ***sich ~ zu*** take* the liberty of *doing*; dare to; → ***gönnen***; **≈nis** *f* permission
erläutern explain
erleb|en experience; see*; *Schlimmes*: go* through; ***das ~ wir nicht mehr*** we won't live to see that; **≈nis** *n* experience; adventure
erledigen take* care of; *Problem*: settle; F *j-n*: finish
erleichter|n make* *s.th.* easier; **~t** relieved; **≈ung** *f* relief
er|leiden suffer; **~lernen** learn*; **~lesen** choice
Erlös *m* proceeds *pl*
erloschen extinct
erlös|en deliver (***von*** from); **≈er** *m* Saviour; **≈ung** *f rel.* salvation; *fig.* relief

er|mächtigen authorize; **~mahnen** admonish; *verwarnen*: warn, caution; **2mahnung** *f* admonition; warning, caution (*Brt. a. Sport*)
ermäßig|en reduce; **2ung** *f* reduction
ermessen 1. *v/t* assess, judge; **2.** 2 *n* discretion
ermitt|eln find* out; *bestimmen*: determine; *jur.* investigate; **2lung** *f* finding; **~en** *pl* investigations *pl*
ermöglichen make* possible
ermord|en murder; *bsd. pol.* assassinate; **2ung** *f* murder (*gen* of); assassination (of)
ermüd|en tire; **~end** tiring; **2ung** *f* fatigue
er|muntern, ~mutigen encourage; **2mutigung** *f* encouragement
ernähr|en feed*; *Familie*: support; ***sich ~ von*** live on; **2ung** *f* nutrition, diet
ernenn|en appoint; **2ung** *f* appointment
erneuern renew
ernst 1. *adj* serious; ***~ nehmen*** take* seriously; **2.** 2 *m* seriousness; ***im ~ (?)*** seriously (?); **~haft, ~lich** serious(ly)
Ernte *f* harvest; *Ertrag*: crop(s *pl*); **~dankfest** *n* harvest festival, *Am.* Thanksgiving; **2n** harvest, reap (*a. fig.*)
Erober|er *m* conqueror; **2n** conquer; **~ung** *f* conquest
eröffn|en open; **2ung** *f* opening
erotisch erotic
erpress|en blackmail; *Summe*: extort; **2er(in)** blackmailer; **2ung** *f* blackmail
erraten guess
erreg|en excite; *verursachen*: cause; **2er** *m* germ, virus; **2ung** *f* excitement
er|reichen reach; *Zug etc.*: catch*; *fig.* achieve; **~richten** set* up, erect; *fig.* establish; **~röten** blush
Errungenschaft *f* achievement; F acquisition
Ersatz *m* replacement; substitute (*a. Person*); **~...** *Reifen, Teil etc.*: spare ...; **~spieler(in)** substitute
erschein|en 1. *v/t* appear; **2.** 2 *n* appearance; **2ung** *f* appearance; *Geist*: apparition; *Natur2 etc.*: phenomenon
er|schießen shoot* (dead); **~schlagen** kill; **~schließen** develop
erschöp|ft exhausted; **2fung** *f* exhaustion
erschrecken *v/t* frighten, scare; *v/i* be* frightened
erschütter|n shake*; *fig. a.* move; **2ung** *f fig.* shock
erschweren make* (more) difficult
erschwinglich affordable
ersetz|bar replaceable; **~en** replace (***durch*** by); *Auslagen*: reimburse, refund
erspar|en save; *j-m et.*: spare *s.o. s.th.*; **2nisse** *pl* savings *pl*
erst first; *nicht früher als*: not

till (*od.* before); *nur, nicht mehr od. später als*: only
erstarr|en stiffen; *fig.* freeze*; **~t** stiff, numb
erstatten *Geld*: reimburse, refund; → ***Anzeige***
Erstaun|en *n* astonishment; **2lich** astonishing, amazing; **2t** astonished
erstbeste first; any old
Erstbesteigung *f* first ascent
erste first; ***er war 2r*** he was (*od.* came) first; ***als 2s am Morgen*** first thing in the morning; ***fürs 2*** for the time being
erstechen stab (to death)
erstens first(ly)
ersticken suffocate, choke
erstklassig first-class
er|strecken: *sich ~* extend, stretch; ***sich ~ über*** *zeitlich*: cover (a period of); **~suchen** request; **~tappen** catch*, surprise; **~teilen** give*
Ertrag *m* yield; *Einnahmen*: proceeds *pl*, returns *pl*; **2en** bear*, endure, stand*
erträglich tolerable
er|tränken, ~trinken drown; **~übrigen** spare; ***sich ~*** be* unnecessary; **~wachen** wake* (up)
erwachsen adult; **2e** *m, f* adult; ***nur für ~*** adults only; **2enbildung** *f* adult education
er|wägen consider; **~wähnen** mention; **~wärmen** warm (*a.* ***sich ~***; ***für*** to); **2wärmung** *f* warming up; **~ *der Erdatmosphäre*** global warming
erwart|en expect; *Kind*: be* expecting; *warten auf*: wait for; **2ung** *f* expectation
er|weisen *Dienst, Gefallen*: do*; ***sich ~ als*** prove to be; **~weitern: (*sich*) ~** enlarge, extend; *bsd. econ.* expand
erwerb|en acquire; **2ung** *f* acquisition
erwidern reply; *Besuch, Gruß, Liebe*: return
erwischen catch*, get*
erwünscht desirable
erwürgen strangle
Erz *n* ore
erzähl|en tell*; narrate; **2er(in)** narrator; **2ung** *f* story, tale
Erz|bischof *m* archbishop; **~engel** *m* archangel
erzeug|en produce; **2er** *m* producer; **2nis** *n* product
erzie|hen bring* up (***zu*** to be); *geistig*: educate; **2her(in)** educator; teacher; nursery-school teacher; **2hung** *f* upbringing; education
erzielen achieve; *Treffer, Punkte etc.*: score
es it; *Baby, Tier*: *a.* he; she
Esche *f* ash (tree)
Esel *m* donkey, ass (*a.* F *contp.*); **~sohr** *n fig.* dog-ear
Eskimo *m* Eskimo
essbar eatable, edible
essen eat*; ***zu Abend ~***

have* supper (*feiner*: dinner); ~ **gehen** eat* out; → **Mittag**
Essen *n* food; *Mahlzeit*: meal; *Gericht*: dish
Essig *m* vinegar; **~gurke** *f* (pickled) gherkin, *Am.* pickle
Ess|löffel *m* tablespoon; **~tisch** *m* dining table; **~zimmer** *n* dining room
Etage *f* floor, stor(e)y; **~nbett** *n* bunk bed
Etat *m* budget
Etikett *n* label; (price) tag
Etui *n* case
etwa *zirka*: about; *in Fragen*: perhaps, by any chance; *zum Beispiel*: for example; **nicht** ~(, **dass**) not that
etwas 1. *indef pron* something; *fragend*: anything; **2.** *adj* some; **3.** *adv* a little; somewhat
EU ***Europäische Union*** EC, European Community
euch you; ~ (**selbst**) yourselves
eu|er, ~(e)re your
Eule *f* owl
Eurocheque *m* Eurocheque
Euro|pa Europe; **~pa...** *Meister*, *Parlament*, *etc.*: European ...; **~päer(in), ꝏpäisch** European
Euter *n* udder
evangelisch Protestant; *lutherisch*: Lutheran
eventuell possibly
ewig eternal; F constant(ly); ***auf*** ~ for ever; **ꝏkeit** *f* eternity
exakt exact, precise
Examen *n* exam(ination)
Exemplar *n* specimen; *Buch etc.*: copy
Exil *n* exile
Existenz *f* existence; **~kampf** *m* struggle for survival
existieren exist; *leben*: live (**von** on)
Expedition *f* expedition
Experiment *n*, **ꝏieren** experiment
explo|dieren explode (*a. fig.*); **ꝏsion** *f* explosion
Export *m* export(ation); *Bier*: lager; **ꝏieren** export
extra 1. *adj u. adv* extra; *speziell*: special(ly); F *absichtlich*: on purpose; **2.** ꝏ *n Zubehör*: (optional) extra
extrem extreme

F

Fabel *f* fable; **ꝏhaft** fabulous
Fabrik *f* factory; **~at** *n* make; *Erzeugnis*: product
Fach *n* compartment, shelf; *in Wand etc.*: box, pigeonhole; *ped.*, *univ.* subject; *Gebiet*: line, (special) field; **~arbeiter(in)** skilled worker; **~arzt** *m*, **~ärztin** *f* specialist (**für** in)
Fächer *m* fan

Fach|geschäft *n* specialist shop (*od.* store); **~kenntnisse** *pl* specialized knowledge *sg*; **~mann** *m* expert; **~werkhaus** *n* half-timbered house

Fackel *f* torch

fad(e) tasteless; *fig.* dull

Faden *m* thread (*a. fig.*)

fähig capable, able; **&keit** *f* (cap)ability; talent; skill

fahnd|en, &ung *f* search (***nach*** for)

Fahne *f* flag; F ***e-e ~ haben*** reek of alcohol

Fahrbahn *f* road; *Spur*: lane

Fähre *f* ferry(boat)

fahren *v/i* go* (***mit dem Auto, Bus*** *etc.* by car, bus *etc.*); *in od. auf e-m Fahrzeug*: ride*; *Auto ~*: drive*; *v/t* drive*; *Zweirad*: ride*

Fahrer|(in) driver; **~flucht** *f* hit-and-run offen|ce (*Am.* -se)

Fahr|gast *m* passenger; **~geld** *n* fare; **~gemeinschaft** *f* car pool; **~gestell** *n mot.* chassis; **~karte** *f* ticket; **~kartenautomat** *m* ticket machine; **~kartenschalter** *m* ticket office; **&lässig** reckless; **~lehrer(in)** driving instructor; **~plan** *m* timetable, *Am. a.* schedule; **&planmäßig 1.** *adj* scheduled; **2.** *adv* according to schedule; **~preis** *m* fare; **~prüfung** *f* driving test; **~rad** *n* bicycle, F bike; **~radweg** *m* cycle path; **~schein** *m* ticket; **~scheinentwerter** *m* ticket-cancel(l)ing machine; **~schule** *f* driving school; **~schüler(in)** learner(-driver), *Am.* student driver; **~stuhl** *m* lift, *Am.* elevator; **~stunde** *f* driving lesson

Fahrt *f* ride, *mot. a.* drive; *Reise*: trip (*a. Ausflug*), journey; ***in voller ~*** at full speed

Fährte *f* track (*a. fig.*)

Fahrtenschreiber *m* tachograph

Fahr|werk *n aviat.* landing gear; **~zeug** *n* vehicle

Fakultät *f univ.* faculty

Falke *m* hawk (*a. pol.*), falcon

Fall *m* fall; *gr., jur., med.* case; ***auf jeden ~*** in any case; ***auf keinen ~*** on no account; ***für den ~, dass ...*** in case ...

Falle *f* trap

fallen fall*, drop; *mil.* be* killed (in action); ***~ lassen*** drop (*a. fig. j-n, Pläne etc.*)

fällen *Baum*: fell, cut* down; *Urteil*: pass

fällig due; *Geld*: *a.* payable

Fallrückzieher *m Fußball*: overhead kick

falls if, in case

Fallschirm *m* parachute

falsch wrong; *unecht*: false; *gefälscht*: forged; ***~ gehen*** *Uhr*: be* wrong; ***~ verbunden*** sorry, wrong number

fälschen forge, fake; *Geld*: counterfeit

Falschgeld *n* counterfeit money

Fälschung *f* forgery, fake; counterfeit; **≈ssicher** forgery-proof

Falt|e *f* fold; *Knitter≈, Runzel*: wrinkle; *Rock etc.*: pleat; *Bügel≈*: crease; **≈en** fold; **≈ig** wrinkled

familiär informal, personal; ***~e Probleme*** family problems

Familie *f* family; **~nname** *m* family name, surname, *Am. a.* last name; **~nstand** *m* marital status

Fanati|ker(in), ≈sch fanatic

Fang *m* catch; **≈en** catch*; ***sich (wieder) ~*** recover o.s.

Fantas|ie *f* imagination; *Trugbild*: fantasy; **≈ieren** *med.* be* delirious; F talk nonsense; **≈tisch** fantastic

Farb|e *f* colo(u)r; *Mal≈*: paint; *Gesichts≈*: complexion; *Bräune*: tan; *Karten*: suit; **≈echt** colo(u)rfast

färben dye; *ab~*: bleed*; ***sich rot ~*** turn red

Farb|fernseher *m* colo(u)r TV set; **~film** *m* colo(u)r film; **≈ig** colo(u)red; *Glas*: stained; *fig.* colo(u)rful; **≈los** colo(u)rless; **~stift** *m* → ***Buntstift***; **~ton** *m* shade

Farn *m*, **~kraut** *n* fern

Fasan *m* pheasant

Fasching *m* → ***Karneval***

Faschismus *m* fascism

Fas|er *f* fib|re, *Am.* -er; *Holz*: grain; **≈ern** fray (out)

Fass *n* barrel; **~bier** *n* draught (*Am.* draft) beer

Fassade *f* facade, front

fassen grasp, take* hold of, seize; *Verbrecher*: catch*; *enthalten*: hold*; *Schmuck*: set*; *fig.* grasp, understand*; ***sich ~*** compose o.s.; ***nicht zu ~*** incredible

Fassung *f Schmuck*: setting; *Brille*: frame; *electr.* socket; *Version*: version; ***die ~ verlieren*** lose* one's composure; ***aus der ~ bringen*** put* out; **≈slos** stunned

fast almost, nearly

fast|en fast; **≈enzeit** *f* Lent; **≈nacht** *f* → ***Karneval***

fauchen hiss (*a.* F *fig.*)

faul rotten, bad; *Person*: lazy; *Ausrede*: lame; F *verdächtig*: fishy; **~en** rot, decay

faulenze|n laze, loaf; **≈r(in)** lazybones; *contp.* loafer

Faulheit *f* laziness

Fäulnis *f* rottenness, decay

Faust *f* fist; **~handschuh** *m* mitt(en); **~regel** *f* rule of thumb; **~schlag** *m* punch

Favorit(in) favo(u)rite

Fax *n* fax; fax machine; **≈en** fax

FCKW ***Fluorchlorkohlenwasserstoff*** chlorofluorocarbon, CFC

Feber *östr.* → **Februar** *m* February

fechten fence

Feder *f* feather; *Schreib≈*: nib; *tech.* spring; **~ball** *m* badminton; *Ball*: shuttle-

cock; **~bett** *n* duvet, continental quilt; **~gewicht** *n* featherweight; **2n** be* springy; **~ung** *f* suspension
Fee *f* fairy
fegen sweep* (*a. fig.*)
fehlen be* missing; *Schule etc.*: be* absent; *ermangeln*: be* lacking; ***sie fehlt uns*** we miss her; ***was fehlt Ihnen?*** what's wrong with you?
Fehler *m* mistake; *Schuld, Mangel*: fault (*a. Tennis*); *tech. a.* defect, flaw; *Computer*: error; **2frei** faultless, perfect; **2haft** full of mistakes; *tech.* faulty; **~meldung** *f Computer*: error message
Fehl|ernährung *f* malnutrition; **~geburt** *f* miscarriage; **~schlag** *m* failure; **2schlagen** fail; **~start** *m* false start; **~zündung** *f* backfire (*a.* ***~ haben***)
Feier *f* celebration; party; **~abend** *m* end of a day's work; closing time; evening (at home); ***~ machen*** quit* work; ***nach ~*** after work; **2lich** solemn; **2n** celebrate; **~tag** *m* holiday
feig(e) cowardly, F yellow
Feige *f* fig
Feig|heit *f* cowardice; **~ling** *m* coward
Feile *f*, **2n** file
feilschen haggle (**um** over)
fein fine; *Gehör etc.*: keen; *zart*: delicate; *vornehm*: distinguished, F posh
Feind|(in) enemy; **2lich** hostile; *mil.* enemy ...; **~schaft** *f* hostility; **2selig** hostile
fein|fühlig sensitive; **2heit** *f* fineness; delicacy; **2kostgeschäft** *n* delicatessen *sg*; **2schmecker(in)** gourmet
Feld *n* field; *Schach*: square; **~webel** *m* sergeant; **~weg** *m* (field) path; **~zug** *m* campaign (*a. fig.*)
Felge *f* (wheel) rim
Fell *n* coat; *abgezogenes*: skin; *Pelz*: fur
Fels|(en) *m* rock; **~block** *m*, **~brocken** *m* boulder, (piece of) rock; **2ig** rocky
femin|in feminine; **2ismus** *m* feminism; **2ist(in), ~istisch** feminist
Fenster *n* window; **~bank** *f*, **~brett** *n* windowsill; **~laden** *m* shutter; **~platz** *m* window seat; **~putzer** *m* window cleaner; **~rahmen** *m* window frame; **~scheibe** *f* windowpane
Ferien *pl* holiday(s *pl*), *Am.* vacation *sg*; ***~ haben*** be* on holiday (*Am.* vacation); **~haus** *n* holiday (*Am.* vacation) home; **~lager** *n* summer camp; **~wohnung** *f* holiday flat, *Am.* vacation rental
Ferkel *n* piglet; F *fig.* pig
fern far(away), distant (*a. Zukunft*); ***~ halten*** keep* away (***von*** from); **2amt** *n* telephone exchange; **2bedie-**

nung *f* remote control, *Am.* F zapper
Ferne *f* (***aus der*** from a) distance; **2r** in addition
Fern|fahrer(in) long-distance lorry driver, *Am.* trucker; **2gespräch** *n* long-distance call; **~gesteuert** remote-controlled; *Rakete*: guided; **2glas** *n* binoculars *pl*; **2heizung** *f* district heating; **2kopierer** *m* fax machine; **~kurs** *m* correspondence course; **2lenkung** *f* remote control; **2licht** *n mot.* main (*Am.* high) beam; **2meldewesen** *n* telecommunications *pl*; **2rohr** *n* telescope; **2schreiben** *n*, **2schreiber** *m* telex
Fernseh|en *n* (*im* on) television; **2en** watch television; **~er** *m* TV set; television viewer; **~sendung** *f* TV program(me)
Fernsprech... → ***Telefon...***; **~amt** *n* telephone exchange
Fernverkehr *m* long-distance traffic
Ferse *f* heel
fertig finished; *bereit*: ready; **~ *bringen*** manage; **~*machen*** finish (*a. fig. j-n*); *für et.*: get* ready (*a.* ***sich*** ~); **2gericht** *n* ready meal; **2haus** *n* prefabricated house, F prefab; **2keit** *f* skill
fesch smart, neat
Fessel *f anat.* ankle; **~n** *pl* bonds *pl* (*a. fig.*); **2n** bind*, tie (up); *fig.* fascinate
fest firm (*a. fig.*); *nicht flüssig*: solid; *Schlaf*: sound
Fest *n* festival (*a. rel.*); *Feier*: celebration; party; *im Freien*: fete, fête
fest|binden fasten, tie (***an*** to); **~halten** hold* on to (*a.* ***sich ~ an***); **~ *an*** *fig.* stick* to; **2land** *n* mainland; *europäisches*: continent; **~legen** fix; ***sich ~ auf*** commit o.s. to; **~lich** festive; **~machen** fix, fasten; *naut.* moor (*alle*: ***an*** to); **2nahme** *f*, **~nehmen** arrest; **2platte** *f Computer*: hard disk; **~setzen** fix, set*; **~sitzen** be* stuck, be* stranded; **2speicher** *m Computer*: read-only memory, ROM; **2spiele** *pl* festival *sg*; **~stehen** be* certain (*Termin etc.*: fixed); **~stellen** find* (out); see*, notice; *ermitteln*: determine
Festung *f* fortress
Festzug *m* procession
fett fat (*a. fig.*); *gastr.* fatty; *print.* bold; **~ *gedruckt*** bold, in bold print
Fett *n* fat; grease (*a. tech.*); **2arm** low-fat, low in fat; **~fleck** *m* grease spot; **2ig** greasy
Fetzen *m* shred; *Lumpen*: rag; *Papier*: scrap
feucht damp, moist; *Luft*: *a.* humid; **2igkeit** *f* moisture; dampness; *Luft*: humidity
Feuer *n* fire (*a. fig.*); ***hast du***

~? have you got a light?; **~alarm** *m* fire alarm; **~bestattung** *f* cremation; **2fest** fireproof; **2gefährlich** (in-)flammable; **~leiter** *f* fire escape; **~löscher** *m* fire extinguisher; **~melder** *m* fire alarm; **2n** fire; **~wehr** *f* fire brigade (*Am. a.* department); *Löschzug*: fire engine (*Am.* truck); *Gebäude*: fire station; **~wehrmann** *m* fireman, fire fighter; **~werk** *n* fireworks *pl*; **~werkskörper** *m* firework; *kleiner*: firecracker; **~zeug** *n* lighter
Fiberglas *n* fibreglass, *Am.* fiberglass
Fichte *f* spruce, F pine; **~nnadel** *f* pine needle
ficken V fuck
Fieber *n* temperature, fever; **~ haben** have* a temperature; **~thermometer** *n* clinical (*Am.* fever) thermometer
fies mean, nasty
Figur *f* figure
Filet *n* fil(l)et
Filiale *f* branch
Film *m* film; *Spiel2*: *a.* picture, *bsd. Am.* movie; ***e-n ~ einlegen*** load a camera; **~aufnahme** *f* filming, shooting; *Einstellung*: take, shot; **2en** film, shoot*; **~kamera** *f* film (*Am.* motion-picture) camera; **~schauspieler(in)** film (*bsd. Am.* movie) act|or (-ress); **~star** *m* film (*Am.* movie) star; **~verleih** *m* film distributors *pl*
Filter *m*, *tech. n* filter (*a. in Zssgn Papier, Zigarette etc.*); **~kaffee** *m* filter coffee; **2n** filter
Filz|schreiber *m*, **~stift** *m* felt-tip(ped) pen, felt tip, felt pen
Finale *n* finale; *Sport*: final(s *pl*)
Finanz|amt *n* Inland (*Am.* Internal) Revenue; **~en** *pl* finances *pl*; **2iell** financial; **2ieren** finance; **~minister** *m* minister of finance, *Brt.* Chancellor of the Exchequer, *Am.* Secretary of the Treasury
find|en find*; *meinen*: think*, believe; ***wie ~ Sie ...?*** how do you like ...?; **2erlohn** *m* finder's reward
Finger *m* finger; **~abdruck** *m* fingerprint; **~hut** *m* thimble; *bot.* foxglove; **~spitze** *f* fingertip
Fink *m* finch
Finn|e *m*, **~in** *f* Finn; **2isch** Finnish; **~land** Finland
finster dark; *düster*: gloomy; *Miene*: grim; *fragwürdig*: shady; **2nis** *f* darkness
Firma *f* firm, company
firmen *rel.* confirm
First *m arch.* ridge
Fisch *m* fish; **~e** *pl astr.* Pisces *sg*; **~dampfer** *m* trawler; **2en** fish; **~er** *m* fisherman; **~er...** *Boot, Dorf etc.*: fishing ...; **~fang** *m* fishing; **~gräte** *f*

fishbone; **~händler** *m* fish dealer, *bsd. Brt.* fishmonger; **~stäbchen** *n* fish finger, *bsd. Am.* fish stick

fit fit; ***sich ~ halten*** keep fit; **Ωnesscenter** *n* health club, fitness cent|re (*Am.* -er), gym

FKK nudism

flach flat; *seicht*: shallow

Fläche *f* surface; *geom.* area; *weite ~*: expanse

Flachland *n* lowland, plain

flackern flicker

Flagge *f* flag

Flamme *f* flame (*a. Herd*)

Flanell *m* flannel

Flanke *f* flank; *Sport*: cross

Flasche *f* bottle; **~nbier** *n* bottled beer; **~nöffner** *m* bottle opener; **~npfand** *n* deposit; **~nzug** *m* pulley

flatter|haft flighty, fickle; **~n** flutter; *Räder*: wobble

Flaum *m* down, fluff, fuzz

flauschig fluffy

Flaute *f naut.* calm; *econ.* slack period

Flechte *f bot., med.* lichen; **Ωn** plait; *Korb, Kranz*: weave*

Fleck *m* spot (*a. Stelle*), stain; *kleiner*: speck; **~entferner** *m* stain remover; **Ωig** spotted; *schmutzig*: *a.* stained

Fledermaus *f* bat

Flegel *m* lout, boor

flehen beg (***um*** for)

Fleisch *n* meat; *lebendes*: flesh (*a. fig.*); **~brühe** *f* consommé; **~er** *m* butcher; **~erei** *f* butcher's (shop); **~hauer** *m östr.* butcher; **Ωig** fleshy; *bot.* pulpy; **~konserven** *pl* canned (*Brt. a.* tinned) meat *sg*

Fleiß *m* hard work, diligence, industry; **Ωig** hard-working, diligent, industrious

fletschen *Zähne*: bare

Flick|en *m* patch; **Ωen** mend, repair; *notdürftig*: patch (up); **~werk** *n* patch-up job

Flieder *m* lilac

Fliege *f* fly; *Krawatte*: bow tie

fliegen fly*; F *fallen*: fall*; *fig.* be* kicked out; → ***Luft***

Fliegen|fenster *n* fly screen; **~gewicht** *n* flyweight; **~klatsche** *f* flyswatter; **~pilz** *m* fly agaric

Flieger *m mil.* aircraftman; F plane

fliehen flee*, run* away (*beide*: ***vor*** from)

Fliese *f*, **Ωn** tile

Fließ|band *n* assembly line; *Förderband*: conveyor belt; **Ωen** flow; **Ωend** flowing; *Wasser*: running; *Sprache*: fluent; *unbestimmt*: fluid

flimmern flicker

flink quick, nimble, brisk

Flinte *f* shotgun; F gun

Flipper|(automat) *m* pinball machine; **Ωn** play pinball

Flirt *m* flirtation; **Ωen** flirt

Flitterwochen *pl* honeymoon *sg*

flitzen flit, whiz(z)

Flock|e *f* flake; **Ωig** fluffy

Floh *m* flea; **~markt** *m* flea market
Floppy *f* *Computer*: floppy (disk), diskette
Floß *n* raft, float
Flosse *f* fin; *Robbe*: flipper
Flöte *f* flute; → ***Blockflöte***
flott brisk; *beschwingt*: lively; *schick*: smart
Flotte *f* fleet; **≈nstützpunkt** *m* naval base
flottmachen set* afloat; F get* *s.th.* going again
Fluch *m* curse; *Wort*: swearword; **≈en** swear*, curse
Flucht *f* flight (***vor*** from); escape (***aus*** from)
flüchten flee* (***nach***, ***zu*** to); run* away; *entkommen*: escape
Fluchthelfer(in) escape agent
flüchtig fugitive; *kurz*: fleeting; *oberflächlich*: superficial; *nachlässig*: careless; **≈keitsfehler** *m* slip
Flüchtling *m* refugee; **~slager** *n* refugee camp
Flug *m* flight; **~ball** *m* *Tennis*: volley; **~blatt** *n* leaflet
Flügel *m* wing (*a. Sport*); *Mühle*: sail; *mus.* grand piano
Fluggast *m* (air) passenger
flügge (full[y]) fledged
Flug|gesellschaft *f* airline; **~hafen** *m* airport; **~linie** *f* airline; air route; **~lotse** *m* air traffic controller; **~plan** *m* flight schedule; **~platz** *m* airfield; *großer*: airport; **~schein** *m* (air) ticket; **~schreiber** *m* black box; **~sicherung** *f* air traffic control; **~steig** *m* gate; **~verkehr** *m* air traffic; **~zeit** *f* flying time
Flugzeug *n* plane, aircraft; **~absturz** *m* plane crash; **~entführung** *f* hijacking, skyjacking; **~träger** *m* aircraft carrier
Fluor *n* fluorine; *Wirkstoff*: fluoride; **~chlorkohlenwasserstoff** *m* chlorofluorocarbon, CFC
Flur *m* hall; *Gang*: corridor
Fluss *m* river; *Fließen*: flow; **≈abwärts** downstream; **≈aufwärts** upstream; **~bett** *n* river bed
flüssig liquid; *Metall*: melted; *Sprache*, *Stil*: fluent; **≈keit** *f* liquid; fluency; **≈kristallanzeige** *f* liquid crystal display
flüstern whisper
Flut *f* flood (*a. fig.*); → ***Hochwasser***; **~licht** *n* floodlights *pl*; **~welle** *f* tidal wave
Fohlen *n* foal; *männliches*: colt; *weibliches*: filly
Föhn *m* foehn, warm dry wind; hairdryer; **≈en** blow-dry
Folg|e *f* result, consequence; *Wirkung*: effect; *Serie*: series; *Teil*: sequel, episode; ***in*** (***rascher***) **~** in (quick) succession; **≈en** follow; *gehorchen*: obey; ***daraus folgt*** it follows from this; ***wie folgt***

as follows; **2end** following; **2ern** conclude (***aus*** from); **~erung** *f* conclusion; **2lich** therefore
Folie *f* foil; *Projektor*: transparency; → ***Frischhaltefolie***
Folter *f*, **2n** torture
Fön® *m* hairdryer
Fonds *m* fund(s *pl*)
fönen blow-dry
Fontäne *f* jet, spout
Förderband *n* conveyor belt
fordern demand; *jur. a.* claim (*a. Tote*); *Preis*: ask
fördern promote; *unterstützen*: support; *tech.* mine
Forderung *f* demand; *Anspruch*: claim; *econ.* charge
Forelle *f* trout
Form *f* form, shape; *Sport*: *a.* condition; *tech.* mo(u)ld
Format *n* size; *Buch etc.*: format; **2ieren** *Computer*: format; **~ierung** *f* formatting
Form|el *f* formula; **2ell** formal; **2en** shape, form; *Ton, Charakter etc*: mo(u)ld
förmlich formal
formlos shapeless; *zwanglos*: informal
Formul|ar *n* form, blank; **2ieren** formulate; *ausdrücken*: express; **~ierung** *f* formulation; expression
forsch get up and go; brisk
forsch|en do* research (work); ~ ***nach*** search for; **2er(in)** researcher, (research) scientist; *Entdecker*: explorer; **2ung** *f* research (work)
Förster(in) forester
Forstwirtschaft *f* forestry
fort away, off; *nicht da*: gone; **~bewegen:** ***sich*** ~ move; **2bildung** *f* further education; *berufliche*: further training; **~fahren** leave*; *mot. a.* drive* off; *fig.* continue; **~führen** continue; **~gehen** go* away, leave*; **~geschritten** advanced; **~laufend** continuous; **~pflanzen:** ***sich*** ~ reproduce; **2pflanzung** *f* reproduction; **~schreiten** progress; **2schritt** *m* progress; **~schrittlich** progressive; **~setzen** continue; **2setzung** *f* continuation; *TV etc.*: sequel; ~ ***folgt*** to be continued
Foto *n* photo(graph), picture; ***auf dem*** ~ in the photo; ***ein ~ machen*** (***von***) take a photo (of); **~album** *n* photo album; **~apparat** *m* camera; **~graf** *m* photographer; **~grafie** *f* photography; *Bild*: → ***Foto***; **2grafieren** take* a photo (*od.* picture) of; **~grafin** *f* photographer; **~kopie** *f* photocopy; **~modell** *n* model; **~termin** *m* photo session
Foul *n Sport*: foul
Foyer *n* foyer, lobby
Fracht *f* freight, load; *naut., aviat. a.* cargo; *Gebühr*: carriage, *Am.* freight; **~er** *m* freighter

Frack *m* tails *pl*
Frage *f* question; ***in ~ kommen*** be* a possibility; *Person*: be* considered; **~bogen** *m* question(n)aire; **2n** ask (***nach*** for); ***sich ~*** wonder; **~zeichen** *n* question mark
frag|lich doubtful; *betreffend*: in question; **~würdig** dubious, F shady
frankieren stamp
Franse *f* fringe
Franz|ose *m*, **~ösin** *f* French|man (-woman); **2ösisch** French
Frau *f* woman; *Ehe2*: wife; ~ **X** Mrs (*od. bsd. im Berufsleben* Ms) X
Frauen|arzt *m*, **~ärztin** *f* gyn(a)ecologist; **~bewegung: *die ~*** women's lib(eration); **2feindlich** anti-women; **~haus** *n* women's refuge (*Am.* shelter)
Fräulein *n* Miss
frech impudent, F cheeky, *Am. a.* fresh; **2heit** *f* impudence, F cheek, nerve
frei free (***von*** from, of); *nicht besetzt*: vacant; *~beruflich*: freelance; ***ein ~er Tag*** a day off; ***im 2en*** outdoors
Frei|bad *n* outdoor swimming pool; **2bekommen** get* *a day etc.* off; **2geben** release; give* *s.o. a day etc.* off; **2gebig** generous; **~gepäck** *n* free luggage; **2haben** have* *a day etc.* off; **~hafen** *m* free port; **2halten** *Straße etc.*: keep* clear; *Platz*: save; *j-n*: treat *s.o.* (to s.th.); **~handel** *m* free trade; **~handelszone** *f* free trade area; **~heit** *f* freedom, liberty; **~heitsstrafe** *f* prison sentence; **~karte** *f* free ticket; **2lassen** release, set* free; **~lassung** *f* release
freilich indeed, of course
Frei|licht... open-air ...; **2machen** *Post*: prepay*, stamp; ***sich ~*** undress; ***sich ~ von*** free o.s. from; **~maurer** *m* Freemason; **2sprechen** acquit; *rel.* absolve (***von*** from); **~spruch** *m* acquittal; **2stehen** *Sport*: be* unmarked; ***es steht dir frei zu*** you're free to; **2stellen** exempt (***von*** from); ***j-m et. ~*** leave* s.th. to s.o.; **~stoß** *m* free kick; **~tag** *m* Friday; **~wild** *n* fair game; **2willig** voluntary; **~willige** *m*, *f* volunteer
Freizeit *f* free (*od.* leisure) time; **~beschäftigung** *f* leisure-time activity; **~kleidung** *f* leisurewear; **~park** *m* amusement park
fremd strange; *~artig*: foreign; **2e** *m*, *f* stranger; *Ausländer(in)*: foreigner
Fremden|führer(in) guide; **~legion** *f* Foreign Legion; **~verkehr** *m* tourism; **~verkehrsbüro** *n* tourist office; **~zimmer** *n* (guest) room
fremd|gehen be* unfaithful (to one's wife *etc.*); **2körper**

m foreign body; **&sprache** *f* foreign language; **&sprachenkorrespondentin** *f* foreign language correspondent; **&sprachensekretärin** *f* bilingual secretary; **&wort** *n* foreign word

Frequenz *f* frequency

fressen eat*, feed* on; *verschlingen*: devour

Freud|e *f* joy; *Vergnügen*: pleasure; **~ *haben an*** enjoy; **&estrahlend** radiant (with joy); **&ig** joyful; *Ereignis*: happy

freuen: *sich* ~ be* glad, be* pleased (***über*** about); ***sich ~ auf*** look forward to

Freund *m* friend; boyfriend; **~in** *f* friend; girlfriend; **&lich** friendly; *angenehm*: pleasant; *Raum*: cheerful; **~schaft** *f* friendship; **~schaftsspiel** *n* friendly

Frieden *m* peace; **~sbewegung** *f* peace movement

Fried|hof *m* cemetery; **&lich** peaceful

frieren freeze*; ***ich friere*** I'm cold (*stärker*: freezing)

frisch fresh; *Wäsche*: clean; ***~ gestrichen!*** wet paint!; **&e** *f* freshness; **&haltefolie** *f* clingfilm, *Am.* plastic wrap

Friseu|r *m* hairdresser; *Herren&*: *a.* barber; *Salon*: hairdresser's (shop), *für Herren a.* barbershop; **~se** *f* hairdresser

frisieren do* *s.o.*'s (***sich*** one's) hair

Frist *f* (fixed) period of time; *Termin*: deadline; **&los** without notice

Frisur *f* hairstyle, haircut

Fritten *pl* F chips *pl*, *Am.* fries *pl*

froh glad (***über*** about)

fröhlich cheerful, happy

fromm religious, pious

Fronleichnam *m* Corpus Christi

Front *f* front; ***in ~ liegen*** be* ahead

frontal head-on; **&zusammenstoß** *m* head-on collision

Frontantrieb *m* front-wheel drive

Frosch *m* frog; **~perspektive** *f* worm's eye view; **~schenkel** *pl* frog's legs *pl*

Frost *m* frost

frost|ig frosty (*a. fig.*); **&schutz(mittel** *n*) *m* antifreeze

Frott|ee *n, m* terry(cloth); **&ieren** rub down

Frucht *f* fruit; **&bar** fertile; **~barkeit** *f* fertility; **~saft** *m* fruit juice

früh early; ***zu ~ kommen*** be* early; ***heute ~*** this morning; **&aufsteher** *m* early riser, F early bird; **~er** in former times; ***ich war ~ ...*** I used to be ...; **~ere** *ehemalige*: former; **~estens** at the earliest; **&geburt** *f* premature birth; premature baby; **&jahr** *n*

spring; ≗**jahrsputz** *m* spring cleaning; ≗**ling** *m* spring; ~**morgens** early in the morning; ~**reif** precocious
Frühstück *n* (**zum** for) breakfast; ≗**en** (have*) breakfast
Frust *m* frustration; ≗**riert** frustrated
Fuchs *m* fox; *Pferd*: sorrel
Fuchsschwanz *m Werkzeug*: handsaw
Fuge *f* joint; *mus.* fugue
fügen: sich ~ (**in**) submit (to)
fühl|bar noticeable; ~**en:** (**sich**) ~ feel*; ≗**er** *m* feeler
führen *v/t* lead*; *bringen*: take*; *Betrieb etc.*: run*, manage; *Waren*: sell*, deal* in; *Bücher*: keep*; ~ **durch** show* *s.o.* round; **sich** ~ conduct o.s.; *v/i* lead* (**zu** to); ~**d** leading, prominent
Führer *m* leader (*a. pol.*); *Fremden*≗: guide; *Buch*: guide(-book); ~**schein** *m mot.* driving licence, *Am.* driver's license
Führung *f* leadership; *econ.* management; *Besichtigung*: (conducted) tour; **gute** ~ good conduct; **in** ~ **gehen** (**sein**) take* (be* in) the lead; ~**squalitäten** *pl* leadership qualities *pl*; ~**szeugnis** *n* certificate of (good) conduct
Füll|e *f* wealth, abundance; *Gedränge*: crush; *Haar, Wein*: body; ≗**en** fill; *Kissen, gastr.*: stuff; ~**er** *m* fountain pen; ~**ung** *f* filling (*a. Zahn*); *gastr.* stuffing
fummeln fumble, fiddle
Fund *m* find, discovery
Fundament *n* foundation(s *pl*); *fig. a.* basis; ~**alist(in)** fundamentalist
Fund|büro *n* lost-property office, *Am.* lost and found (office); ~**gegenstand** *m* found article; ~**grube** *f* (gold)mine
fünf five; *Note*: fail, poor; ≗**kampf** *m* pentathlon; ≗**linge** *pl* quintuplets *pl*; ~**te,** ≗**tel** *n* fifth; ~**tens** fifthly, in the fifth place; ~**zehn(te)** fifteen(th); ~**zig** fifty; ~**zigste** fiftieth
Funk *m* radio; ~**amateur** *m* radio ham
Funke *m* spark; *fig. a.* glimmer; ≗**ln** sparkle, glitter; *Stern*: *a.* twinkle
funk|en radio, send out; ≗**er(in)** radio operator; ≗**gerät** *n* transmitter; ≗**haus** *n* broadcasting studios *pl*; ≗**signal** *n* radio signal; ≗**spruch** *m* radio message; ≗**streife** *f* (radio) patrol car; ≗**telefon** *n* cellular phone
Funktion *f* function; ~**är(in)** functionary, official; ≗**ieren** work; ~**staste** *f* function key
Funk|turm *m* radio tower; ~**verkehr** *m* radio communication(s *pl*)
für for; *zugunsten*: *a.* in favo(u)r of; **Tag** ~ **Tag** day after day; **Wort** ~ **Wort** word by

word; ***was ~ ...?*** what kind of ...?

Furche *f*, **ℒn** furrow

Furcht *f* fear, dread; ***aus ~ vor*** for fear of; **ℒbar** terrible, awful

fürcht|en fear (***um*** for); ***sich ~*** be* scared (*od.* afraid) (***vor*** of); ***ich fürchte, ...*** I'm afraid ...; **~erlich** → ***furchtbar***

furchtlos fearless

füreinander for each other

Fürsorge *f* care; ***öffentliche ~*** public welfare (work); ***von der ~ leben*** be* on social security (*Am.* on welfare); **~r(in)** social (*od.* welfare) worker

Fürst *m* prince; **~entum** *n* principality; **~in** *f* princess

Furt *f* ford

Furunkel *m* boil, furuncle

Fuß *m* foot; ***zu ~*** on (*Am. a.* by) foot; ***zu ~ gehen*** walk; ***e-e Stunde zu ~*** an hour's walk; **~abstreifer** *m* doormat

Fußball *m* football, *bsd. Am.* soccer; *Ball*: football, soccer ball; **~platz** football pitch; **~rowdy** *m* football hooligan; **~spiel** *n* football match, *Am.* soccer game; **~spieler(in)** football (*bsd. Am.* soccer) player

Fuß|boden *m* floor; **~bremse** *f mot.* footbrake

Fußgänger|(in) pedestrian; **~überführung** *f* (pedestrian) overpass; **~übergang** *m* pedestrian crossing; **~unterführung** *f* (pedestrian) underpass, *Brt. a.* subway; **~zone** *f* pedestrian precinct, *Am.* (pedestrian *od.* shopping) mall

Fuß|gelenk *n* ankle; **~note** *f* footnote; **~pflege** *f* pedicure; **~pfleger(in)** pedicurist, *bsd. Brt.* chiropodist; **~sohle** *f* sole (of the foot); **~spur** *f* footprint; **~tritt** *m* kick; **~weg** *m* footpath

Futter[1] *n agr.* feed; *Heu etc.*: fodder; dog *etc.* food

Futter[2] *n Mantel*ℒ, *tech*: lining

Futteral *n* case; *Hülle*: cover

füttern[1] feed*

füttern[2] *Kleid etc.*: line

Fütterung *f* feeding (time)

G

Gabe *f* gift (*a. Talent*); *med.* dose; ***milde ~*** alms *pl*

Gabel *f* fork; *tel.* cradle; **ℒn:** ***sich ~*** fork; **~stapler** *m* fork-lift truck

gaff|en F gawk, gawp, *Am. bsd. bei Unfall*: rubberneck; **ℒer(in)** F gawker, *Am. bsd. bei Unfall*: rubbernecker

Gage *f* fee

gähnen yawn

Galerie *f* gallery

Galgen *m* gallows *sg*; **~humor** *m* gallows humo(u)r
Galle *f* bile; *Organ*: → **~nblase** *f* gall bladder; **~nstein** *m* gallstone
Galopp *m*, **&ieren** gallop
gamm|eln F bum around; **&ler(in)** loafer, bum
Gämse *f* chamois
Gang *m* walk; *~art*: *a.* gait, way *s.o.* walks; *Pferd*: pace; *Durch&*: passage; *Kirche*, *aviat. etc.*: aisle; → **Flur**; *mot.* gear; *gastr.*, *Verlauf*: course; ***in ~ bringen*** get* *s.th.* going, start *s.th.*; ***in ~ kommen*** get* started; ***im ~e sein*** be* (going) on, be* in progress; ***in vollem ~(e)*** in full swing
gängig current; *Ware*: sal(e)able
Gangschaltung *f* gears *pl*; *Hebel*: gear stick
Gans *f* goose
Gänse|blümchen *n* daisy; **~braten** *m* roast goose; **~haut** *f fig.* gooseflesh; ***dabei kriege ich e-e ~*** it gives me the creeps; **~rich** *m* gander
ganz 1. *adj* whole; *heil*: *a.* undamaged; ***den ~en Tag*** all day; ***sein ~es Geld*** all his money; **2.** *adv* wholly, completely; *sehr*: very; *ziemlich*: quite, rather; ***~ und gar nicht*** not at all; → ***groß***
gänzlich complete(ly)
Ganztagsbeschäftigung *f* full-time job
gar *Speisen*: done; ***~ nicht(s)*** not(hing) at all; → ***ganz***
Garage *f* garage
Garantie *f*, **&ren** guarantee
Garde *f* guard; *mil.* Guards *pl*
Garderobe *f* clothes *pl*, wardrobe; cloakroom, *Am.* checkroom; *thea.* dressing room; *Flur&*: coat rack
Gardine *f* curtain
gären ferment, work
Garn *n* yarn; thread
Garnele *f* shrimp, prawn
garnieren garnish
Garnison *f* garrison
Garnitur *f* set; *Möbel*: *a.* suite
Garten *m* garden; **~architekt(in)** landscape gardener
Gärtner|(in) gardener; **~ei** *f* market (*Am.* truck) garden
Gas *n* gas; ***~ geben*** accelerate; **~hahn** *m* gas tap (*Am.* valve); **~heizung** *f* gas heating; **~herd** *m* gas cooker (*od.* stove); **~leitung** *f* gas pipe; **~pedal** *n* accelerator
Gasse *f* lane, alley
Gast *m* guest; visitor; *im Lokal*: customer; **~arbeiter(in)** foreign worker; **~rolle** *f thea.* guest part
Gästezimmer *n* guest room; spare (bed)room
gast|freundlich hospitable; **&freundschaft** *f* hospitality; **&geber(in)** host(ess); **&haus** *n*, **&hof** *m* restaurant; hotel; *Land&*: inn; **~lich** hospitable; **&spiel** *n thea.* (guest) performance; concert; **&stätte** *f* restaurant; **&stube**

f taproom; restaurant; **2wirt(in)** land|lord (-lady); **2wirtschaft** *f* restaurant
Gas|werk *n* gasworks *sg*, *pl*; **~zähler** *m* gas meter
Gatt|e *m* husband; **~in** *f* wife;
Gattung *f* type, class, sort; *biol.* genus; *Art*: species
GAU *m* MCA, maximum credible accident, *Am.* worst-case scenario
Gaumen *m* palate (*a. fig.*)
Gauner(in) swindler, crook
Gazelle *f* gazelle
Gebäck *n* pastry; → ***Keks***
gebär|en give* birth to; **2mutter** *f* uterus, womb
Gebäude *n* building
geben give*; *Karten*: deal*; ***sich ~*** behave; *nachlassen*: pass; get* better; ***es gibt*** there is, there are; ***was gibt es?*** what is it?; *zum Essen etc.*: what's for lunch *etc.?*; *TV etc.*: what's on?
Gebet *n* prayer
Gebiet *n* area; *bsd. pol.* territory; *fig.* field
gebildet educated
Gebirg|e *n* mountains *pl*; **2ig** mountainous
Gebiss *n* (set of) teeth; *künstliches*: (set of) false teeth, dentures *pl*
geboren born; ***~er Deutscher*** German by birth; ***~e Smith*** née Smith
geborgen safe, secure
Gebot *n rel.* commandment; *Vorschrift*: rule; *Erfordernis*: necessity; *Auktion*: bid
Gebrauch *m* use; **2en** use; ***ich könnte ... ~*** I could do with ...
gebräuchlich common
Gebrauchs|anweisung *f* instructions *pl*; **~grafik** *f* commercial art; **~grafiker(in)** commercial artist
gebraucht used; *econ. a.* second-hand; **2wagen** *m* used car; **2wagenhändler** *m* used car dealer
gebrechlich frail, infirm
Ge|brüder *pl* brothers *pl*; **~brüll** *n* roaring
Gebühr *f* charge, fee; *Abgabe*: dues *pl*, rate(s *pl*); *Post*: postage; *Maut*: toll; **2end** due, proper; **2enfrei** free of charge; **2enpflichtig** subject to charge(s)
Geburt *f* birth; **~enkontrolle** *f*, **~enregelung** *f* birth control
gebürtig: *~er Italiener* Italian by birth
Geburts|datum *n* date of birth; **~jahr** *n* year of birth; **~ort** *m* birthplace; **~tag** *m* birthday; → ***haben***; **~urkunde** *f* birth certificate
Gebüsch *n* bushes *pl*
Gedächtnis *n* memory; **~lücke** *f* lapse of memory
Gedanke *m* thought; idea; ***sich ~n machen über*** think* about; be* worried about; **2nlos** thoughtless; **~nstrich** *m* dash

Ge|därme bowels *pl*, intestines *pl*; **~deck** *n* cover; → ***Menü***; **²deihen** thrive*, prosper

gedenk|en (*gen*) remember; **~ *zu*** intend to; **²feier** *f* commemoration; **²stätte** *f* memorial

Gedicht *n* poem

Gedränge *n* crowd, crush

gedrungen stocky, thickset

Geduld *f* patience; **²en: *sich* ~** wait; be* patient; **²ig** patient

ge|ehrt hono(u)red; *Brief*: ***Sehr ~er Herr N.!*** Dear Mr N.; **~eignet** suitable, fit

Gefahr *f* danger; ***auf eigene ~*** at one's own risk

gefähr|den endanger; risk; **~lich** dangerous

Gefährt|e *m*, **~in** *f* companion

Gefälle *n* slope, incline; *fig.* difference(s *pl*)

Gefallen¹ *m* favo(u)r

Gefallen² *n*: **~ *finden an*** take* pleasure in *s.th.*; take* (a fancy) to *s.o.*

gefallen please; ***es gefällt mir*** (***nicht***) I (don't) like it; (***wie***) ***gefällt dir ...?*** (how) do you like ...?; ***sich ~ lassen*** put* up with

gefällig pleasant; obliging, kind; **²keit** *f* kindness; *Gefallen*: favo(u)r

gefangen captive; imprisoned; **~ *nehmen*** take* prisoner; *fig.* captivate; **²e** *m*, *f* prisoner; *Sträfling*: convict; **²schaft** *f* captivity, imprisonment

Gefängnis *n* prison, jail; **~strafe** *f* prison sentence

Gefäß *n* vessel (*a. anat.*)

gefasst composed; **~ *auf*** prepared for

Ge|fecht *n mil.* combat, action; **²federt: *gut* ~** well sprung; **~fieder** *n* plumage, feathers *pl*; **~flügel** *n* poultry; **²fragt** in demand, popular; **²fräßig** voracious

gefrier|en freeze*; **²fach** *n* freezing compartment; **²fleisch** *n* frozen meat; **~getrocknet** freeze-dried; **²punkt** *m* freezing point; **²schrank** *m*, **²truhe** *f* freezer

Gefüg|e *n* structure; **²ig** compliant

Gefühl *n* feeling; *Sinn*: *a.* sense; *bsd. kurzes*: sensation; *~sregung*: *a.* emotion; **²los** insensible; *taub*: numb; *herzlos*: unfeeling, heartless; **²voll** (full of) feeling; emotional; *sanft*: gentle; *a. contp.*: sentimental

gegen against; *Mittel*: for; *ungefähr*: about, around; *für*: (in return) for; *verglichen mit*: compared with

Gegen... *Angriff*, *Argument etc.*: counter...

Gegend *f* region, area

gegen|einander against each other; **²fahrbahn** *f* opposite lane; **²gewicht** *n* counterweight; **²gift** *n* antidote; ≈**leistung** *f* quid pro quo; *als* ~ in return; ≈**licht** *n* back light; *bei* (*od.* *im*) ~ against the light; ≈**maßnahme** *f* countermeasure; ≈**mittel** *n* antidote; ≈**satz** *m* contrast; *Gegenteil*: opposite; *im* ~ *zu* in contrast to (*od.* with); *im Widerspruch*: in opposition to; **~sätzlich** contrary, opposite; ≈**seite** *f* opposite side; **~seitig 1.** *adj* mutual; **2.** *adv* each other; ≈**spieler(in)** opponent; ≈**stand** *m* object; *Thema*: subject (matter); ≈**stück** *n* counterpart; ≈**teil** *n* opposite; *im* ~ on the contrary

gegenüber opposite; *fig.* to, towards; compared with; **~stehen** be* faced with, face; **~stellen** confront with; compare with *s.th.*

Gegen|verkehr *m* oncoming traffic; **~wart** *f* present (time); *Anwesenheit*: presence; *gr.* present (tense); ≈**wärtig** (at) present; **~wind** *m* head wind

Gegner|(in) opponent; *Feind*: enemy; ≈**isch** opposing; *mil.* enemy

Gehacktes *n* → ***Hackfleisch***

Gehalt¹ *m* content

Gehalt² *n* salary; **~serhöhung** *f* (pay) rise, *Am.* raise

gehässig malicious, spiteful

Gehäuse *n* case, casing; *zo.* shell; *Kern*≈: core

geheim secret; ≈**agent(in)** secret agent; ≈**dienst** *m* secret service; ≈**nis** *n* secret; mystery; **~nisvoll** mysterious; ≈**nummer** *f tel.* ex-directory (*Am.* unlisted) number

gehemmt inhibited, self-conscious

gehen go*; *zu Fuß*: walk; *weg~*: leave*; *funktionieren*: work; *Ware*: sell*; *dauern*: take*, last; *möglich sein*: be* possible; ~ ***um*** be* about, concern; ***wie geht es Ihnen?*** how are you? ***mir geht es gut*** I'm fine; ***es geht nichts über*** there's nothing like; ***sich ~ lassen*** let* o.s. go

geheuer: ***nicht*** (***ganz***) ~ eerie, creepy; *verdächtig*: fishy

Gehilf|e *m*, **~in** *f* assistant

Gehirn *n* brain(s *pl*); **~erschütterung** *f* concussion

Gehör *n* hearing; ear

gehorchen obey

gehör|en belong (*dat*, **zu** to); ***es gehört sich*** (***nicht***) it's proper *od.* right (not done); **~ig 1.** *adj* due, proper; F good; **2.** *adv* F thoroughly

gehorsam 1. *adj.* obedient; **2.** ≈ *m* obedience

Geh|steig *m*, **~weg** *m* pavement, *Am.* sidewalk

Geier *m* vulture

Geige *f* violin, F fiddle; **~r(in)** violinist

Geigerzähler *m* Geiger counter

geil randy, V horny; *sl.* magic, *Am.* awesome
Geisel *f* hostage; **~nehmer** *m* hostage-taker
Geiß(bock) → **Ziege(nbock)**
Geißel *f* scourge (*a. fig.*)
Geist *m* spirit; *Sinn, Gemüt, Verstand*: mind; *Witz*: wit; *Gespenst*: ghost; **~erfahrer** *m* wrong-way driver
geistes|abwesend absent-minded; **2gegenwart** *f* presence of mind; **~gegenwärtig** alert; *schlagfertig*: quick-witted; **~gestört** mentally disturbed; **~krank** insane, mentally ill; **2zustand** *m* state of mind
geistig mental; *Fähigkeiten etc.*: intellectual; ~ **behindert** mentally handicapped
geist|lich religious, spiritual; **2licher** *m* clergyman; priest; *protestantisch*: minister; **~los** trivial, silly; **~reich** witty, clever
Geiz *m* stinginess; **~hals** *m* skinflint, miser; **2ig** stingy
ge|konnt masterly, skil(l)ful; **2lächter** *n* laughter; **~laden** loaded; *electr.* charged; F furious; ~ **haben** be* drunk; **~lähmt** paraly|sed, *Am.* -zed
Gelände *n* country, ground; *Bau2 etc.*: site; **auf dem** (*Betriebs- etc.*) ~ on the premises; **~...** *Lauf etc.*: cross-country ...
Geländer *n* banister(s *pl*); *~stange*: handrail; *Balkon, Brücke*: parapet
gelassen calm, cool
Gelatine *f* gelatin(e)
ge|läufig common; *vertraut*: familiar; **~launt:** **gut** (**schlecht**) ~ **sein** be* in a good (bad) mood
gelb yellow; **~lich** yellowish; **2sucht** *f* jaundice
Geld *n* money; **~anlage** *f* investment; **~automat** *m* cash dispenser (F machine), *Am.* automatic teller machine, ATM; **~beutel** *m* purse; **~buße** *f* fine; **~schein** *m* (bank)note, *Am.* bill; **~schrank** *m* safe; **~strafe** *f* fine; **~stück** *n* coin; **~wäsche** *f* money laundering; **~wechsel** *m* exchange of money
Gelee *n, m* jelly
gelegen situated; *passend*: convenient; ~ **kommen** suit
Gelegenheit *f* occasion; *günstige*: opportunity; **~sarbeit** *f* odd job; **~skauf** *m* bargain
gelegentlich occasional(ly)
gelehr|ig docile; **~t** learned; **2te** *m, f* scholar
Gelenk *n* joint; **2ig** flexible (*a. tech.*), supple
gelernt skilled, trained
Geliebte 1. *f* mistress; **2.** *m* lover
gelinde: ~ **gesagt** to put it mildly
gelingen succeed, be* suc-

cessful; *geraten*: turn out (well); ***es gelang mir, et. zu tun*** I succeeded in doing (managed to do) s.th.
gellend shrill, piercing
geloben vow, promise
gelt|en be* valid; *Sport*: count; *Mittel etc.*: be* allowed; ~ ***für*** apply to; ***j-m*** ~ be* meant for s.o.; ~ ***als*** be* regarded as; ~ ***lassen*** accept; ***nicht viel*** ~ not count for much; **~end** *Recht etc.*: established; ~ ***machen*** assert; **2ung** *f*: ~ ***haben*** be* valid; ***zur*** ~ ***kommen*** show* to advantage
Gelübde *n* vow
gelungen successful
gemächlich leisurely
Gemälde *n* painting, picture; **~galerie** *f* art (*od.* picture) gallery
gemäß according to; **~igt** moderate; *meteor.* temperate
gemein mean; ~ ***haben*** (***mit***) have* in common (with)
Gemeinde *f pol.* municipality; *Gemeinschaft*: community; *rel.* parish; *in der Kirche*: congregation; **~rat** *m* local council; *Person*: local council(l)or
Gemein|heit *f* mean thing (to do *od.* say); F dirty trick; **2sam 1.** *adj* common; joint; **2.** *adv* together; **~schaft** *f* community
Gemetzel *n* massacre
Gemisch *n* mixture; **2t** mixed (*a. Gefühle etc.*)
Gemse *f* → ***Gämse***
Gemurmel *n* murmur
Gemüse *n* vegetable(s *pl*); **~händler(in)** greengrocer, *Am.* retailer of fruit and vegetables
Gemüt *n* mind; **~sart**: nature; **2lich** comfortable, snug, cosy; ***mach es dir*** ~ make yourself at home; **~lichkeit** *f* cosiness; cosy (*od.* relaxed) atmosphere; **~sbewegung** *f* emotion; **~szustand** *m* state of mind
Gen *n* gene
genau exact(ly), precise(ly); *sorgfältig*: careful(ly); *zuhören etc.*: closely; ~ ***genommen*** strictly speaking; **2igkeit** *f* accuracy, precision
genehmig|en permit; *amtlich*: *a.* approve; F ***sich*** ~ treat o.s. to *s.th.*; **2ung** *f* permission; *Schein*: permit
geneigt inclined (***zu*** to)
General *m* general; **~direktor(in)** general manager; **~konsul** *m* consul general; **~konsulat** *n* consulate general; **~probe** *f* dress rehearsal; **~sekretär(in)** secretary-general; **~streik** *m* general strike; **~vertreter(in)** general agent
Generation *f* generation
Generator *m* generator
genes|en recover (***von*** from); **2ung** *f* recovery
Geneti|k *f* genetics *sg*; **2sch**

genetic; **~er Fingerabdruck** genetic fingerprint
genial brilliant
Genick *n* (back of the) neck
Genie *n* genius
genieren: sich ~ feel* (*od.* be*) embarrassed
genieß|bar edible; drinkable; **~en** enjoy (**et. zu tun** doing s.th.); **²er(in)** gourmet; bon vivant
Genmanipulation *f* genetic engineering
genormt standardized
Genoss|e *m pol.* comrade; **~enschaft** *f* cooperative (society); **~in** *f pol.* comrade
Gentechnik *f* genetic engineering
genug enough, sufficient
genüg|en be* enough; **das genügt** that will do; **~end** → **genug**; **~sam** modest
Genugtuung *f* satisfaction
Genus *n gr.* gender
Genuss *m* pleasure; *von Nahrung*: consumption; **ein ~** a real treat
Geo|graphie *f* geography; **~logie** *f* geology; **~metrie** *f* geometry
Gepäck *n* luggage, *Am. a.* baggage; **~ablage** *f* luggage rack; **~annahme** *f* luggage counter; *aviat.* check-in counter; **~aufbewahrung** *f* left-luggage office, *Am.* baggage room; **~ausgabe** *f aviat.* luggage (*Am.* baggage) claim (area); *rail.* → **Gepäckaufbewahrung**; **~kontrolle** *f* luggage check; **~schein** *m* luggage ticket, *Am.* baggage check (receipt); **~stück** *n* piece of luggage; **~träger** *m* porter; *am Rad etc.*: rack; **~wagen** *m* luggage van, *Am.* baggage car
gepflegt well-groomed, neat
Ge|plapper *n* babbling; **~polter** *n* rumble; **~quassel** *n* blabber
gerade 1. *adj* straight (*a. fig.*); *Zahl etc.*: even; *direkt*: direct; *Haltung*: upright, erect; **2.** *adv* just (*a.* **~ noch**); **nicht ~** not exactly; **ich wollte ~** I was just about to; **warum ~ ich?** why me of all people?
Gerade *f* (straight) line; *Boxen*: jab; **²aus** straight ahead; **²wegs** straight, directly; **²zu** simply, downright
Gerät *n* device, F gadget; *Haushalts² etc.*: appliance; *TV etc.*: set; *Mess²*: instrument; *Werkzeug*: tool; *Turnen*: apparatus; *Ausrüstung*: equipment, gear; tools *pl*; (kitchen) utensils *pl*
gerat|en turn out (**gut** well); **~ an** come* across; **~ in** get* into; **²ewohl** *n*: **aufs ~** at random
geräumig spacious
Geräusch *n* sound, noise; **²los 1.** *adj* noiseless; **2.** *adv* without a sound

gerben tan
gerecht just, fair; ~ ***werden*** do* justice to; **2igkeit** *f* justice, fairness
Gerede *n* talk; gossip
gereizt irritable
Gericht *n* dish; *jur.* court; **2lich** judicial, legal
Gerichts|hof *m* law court; ***Oberster*** ~ Supreme Court; **~medizin** *f* forensic medicine; **~saal** *m* courtroom; **~verhandlung** *f* (court) hearing; *Straf2*: trial; **~vollzieher** *m* bailiff, *Am.* marshal
gering little, small; *unbedeutend*: → **~fügig** slight, minor; *Betrag*, *Vergehen*: petty; **~schätzig** contemptuous; **~ste** least
gerinnen coagulate; *Milch*: *a.* curdle; *Blut*: *a.* clot
Gerippe *n* skeleton
gerissen cunning, clever
gern(e) willingly, gladly; ~ ***haben*** like, be* fond of; ***et.*** **(*sehr*)** ~ ***tun*** like (love) doing s.th.; ~ ***geschehen!*** not at all
Geröll *n* scree
Gerste *f* barley; **~nkorn** *n* *med.* sty(e)
Geruch *m* smell; *bsd. unangenehmer*: odo(u)r; *Duft*: scent; **2los** odo(u)rless
Gerücht *n* rumo(u)r
gerührt touched, moved
Gerümpel *n* lumber, junk
Gerüst *n* scaffold(ing)
gesamt whole, entire, all; *Summe etc.*: total; *vollständig*: complete; **2ausgabe** *f* complete edition; **2heit** *f* whole, totality; **2schule** *f* comprehensive school
Gesandt|e(r) envoy; **~schaft** *f* legation, mission
Gesang *m* singing; *Lied*: song; **~buch** *n* hymn book; **~verein** *m* choral society
Gesäß *n* bottom
Geschäft *n* business; *Laden*: shop, *Am.* store; *gutes etc.*: deal, bargain; **2ig** busy, active; **2lich 1.** *adj* business ...; **2.** *adv* on business
Geschäfts|... business ...; **~frau** *f* businesswoman; **~führer(in)** manager; **~mann** *m* businessman; **~ordnung** *f* rules *pl* of procedure; *parl.* standing orders *pl*; **~partner(in)** partner; **~räume** *pl* business premises *pl*; **~reise** *f* business trip; **~schluss** *m* closing-time; ***nach*** ~ *a.* after business hours
geschehen 1. happen, occur, take* place; ***es geschieht ihm recht*** it serves him right; **2.** 2 *n* events *pl*
gescheit clever, bright
Geschenk *n* present, gift; **~packung** *f* gift box
Geschicht|e *f* story; *Wissenschaft*: history; F *Sache*: business, affair; **2lich** historical
Geschick *n* fate, destiny; → **~lichkeit** *f* skill; **2t** skil(l)ful
geschieden divorced

Geschirr *n* dishes *pl*; *Porzellan*: china; kitchen utensils *pl*, pots and pans; *Pferde*2: harness; **~spüler** *m* dishwasher; **~tuch** *n* tea (*Am.* dish) towel
Geschlecht *n* sex; *Gattung*: kind, species; *Familie*: family; *gr*. gender; **2lich** sexual
Geschlechts|krankheit *f* venereal disease; **~teile** *pl* genitals *pl*; **~verkehr** *m* (sexual) intercourse
ge|schliffen cut; *fig*. polished; **~schlossen** closed; **~*e Gesellschaft*** private party
Geschmack *m* taste (*a. fig.*); *Aroma*: flavo(u)r; **2los** tasteless; **~ssache** *f* matter of taste; **2voll** tasteful, in good taste
geschmeidig supple, lithe
Geschöpf *n* creature
Geschoss *n*, **Geschoß** *n östr*. projectile, missile; *Stockwerk*: stor(e)y, floor
Geschrei *n* shouting; *Angst*2: screams *pl*; *Baby*: crying; *fig*. fuss
Geschütz *n* gun, cannon
Geschwader *n naut*. squadron; *aviat*. wing, *Am*. group
Geschwätz *n* babble; *Klatsch*: gossip; *Unsinn*: nonsense; **2ig** talkative
geschweige: ~ (**denn**) let alone
Geschwindigkeit *f* speed; **~sbegrenzung** *f* speed limit; **~süberschreitung** *f* speeding
Geschwister *pl* brother(s *pl*) and sister(s *pl*)
geschwollen swollen; *fig*. pompous, bombastic
Geschworene *m*, *f* member of a jury; ***die ~n*** *pl* the jury *sg*, *pl*
Geschwulst *f* growth, tumo(u)r
Geschwür *n* ulcer
Geselchte *n östr*. smoked meat
Gesell|e *m* journeyman, skilled worker; F fellow; **2ig** social; **~in** *f* trained woman *hairdresser etc.*, journeywoman
Gesellschaft *f* society; *econ.*, *Umgang*: company; party; ***j-m ~ leisten*** keep* s.o. company; **2lich** social
Gesellschafts|... *Kritik etc.*: social ...; **2fähig** socially acceptable, decent; **~reise** *f* package (*od.* conducted) tour; **~spiel** *n* parlo(u)r game
Gesetz *n* law; **~buch** *n* code (of law); **~entwurf** *m* bill; **~geber** *m* legislator; **~gebung** *f* legislation; **2lich** legal; *rechtmäßig*: lawful; **~ *geschützt*** patented, registered
gesetzt staid; *Alter*: mature; ***~ den Fall ...*** supposing ...
gesetzwidrig illegal
Gesicht *n* face; **~sausdruck**

m (facial) expression, look; **~sfarbe** *f* complexion; **~spunkt** *m* point of view, aspect; **~szüge** *pl* features *pl*
Gesindel *n* riffraff *sg*, *pl*
Gesinnung *f* mind; *Haltung*: attitude; *pol.* convictions *pl*
gespannt tense (*a. fig.*); *neugierig*: curious; **~ sein auf** be* anxious to see; **~ sein, ob** (**wie**) wonder if (how)
Gespenst *n* ghost; **2isch** ghostly, F spooky
Gespräch *n* talk (*a. pol.*), conversation; *tel.* call; **2ig** talkative
Gestalt *f* shape (**annehmen** take*), form; *Figur, Person*: figure; **2en** arrange; *entwerfen*: design; **sich ... ~** turn out to be ...; **~ung** *f* arrangement; design; *Raum2*: decoration
geständ|ig: ~ sein confess; **2nis** *n* confession
Gestank *m* stench, stink
gestatten allow, permit
Geste *f* gesture
gestehen confess
Ge|stein *n* rock, stone; **~stell** *n* stand, base; *Regal*: shelves *pl*; *Rahmen*: frame
gestern yesterday; **~ Abend** last night
gestreift striped
gestrig yesterday's
Gestrüpp *n* undergrowth
Gestüt *n* stud farm
Gesuch *n* application; **2t** wanted (**wegen** for)
gesund healthy; (**wieder**) **~ werden** get* well (again); **~er Menschenverstand** common sense; **2heit** *f* health; **~!** bless you!
Gesundheits|amt *n* Public Health Office (*Am.* Department); **~gründe** *pl*: **aus ~n** for health reasons; **2schädlich** injurious to health; *ungesund*: unhealthy; **~zeugnis** *n* health certificate; **~zustand** *m* state of health
Getränk *n* drink, beverage; **~eautomat** *m* drinks machine
Getreide *n* grain, cereals *pl*
Getriebe *n* (**automatisches** automatic) transmission
getrost safely
Ge|tue *n* fuss; **~tümmel** *n* turmoil
Gewächs *n* plant; *med.* growth
gewachsen: j-m ~ sein be* a match for s.o.; **e-r Sache ~ sein** be* equal to s.th.
Gewächshaus *n* greenhouse, hothouse
gewagt daring; *Witz*: risqué
Gewähr *f*: **~ übernehmen** (**für**) guarantee; **2en** grant, allow; **2leisten** guarantee
Gewahrsam *m*: **in ~ nehmen** take* in safekeeping (*j-n*: into custody)
Gewalt *f* force, violence; *Macht*: power; *Beherrschung*: control; **mit ~** by force; **2ig** powerful, mighty;

riesig: enormous; **≈los** nonviolent; **~losigkeit** *f* nonviolence; **≈sam 1.** *adj* violent; **2.** *adv* by force; **~ *öffnen*** force open; **≈tätig** violent
Gewand *n* robe, gown; *rel.* vestment
gewandt nimble; *geschickt*: skil(l)ful; *fig.* clever
Ge|wässer *n* body of water; **~** *pl* waters *pl*; **~webe** *n* fabric; *biol.* tissue; **~wehr** *n* gun; **~weih** *n* antlers *pl*, horns *pl*
Gewerb|e *n* trade, business; **≈lich** commercial, industrial; **≈smäßig** professional
Gewerkschaft *f* (trade) union, *Am.* labor union; **~(l)er(in)** trade (*Am.* labor) unionist; **≈lich** trade (*Am.* labor) union ...; ***sich ~ organisieren*** unionize
Gewicht *n* weight (*a. fig.*); **~heben** *n* weight lifting; **≈ig** weighty
gewillt willing, ready
Ge|wimmel *n* throng; **~winde** *n* thread
Gewinn *m* profit; *Ertrag*: gain(s *pl*); *Lotterie*: prize; *Spiel≈*: winnings *pl*; **~ *bringend*** profitable; **≈en** win*; *fig.* gain; **~er(in)** winner
gewiss certain(ly)
Gewissen *n* conscience; **≈haft** conscientious; **≈los** unscrupulous; **~sbisse** *pl* pangs *pl* (*od.* pricks *pl*) of conscience
gewissermaßen to a certain extent, more or less
Gewissheit *f* certainty
Gewitter *n* thunderstorm
gewöhnen: *sich ~ an* get* used to
Gewohnheit *f* habit
gewöhnlich common, ordinary, usual; *unfein*: vulgar; ***wie ~*** as usual; **(*für*) ~** usually
gewohnt usual; **~ *sein*** be* used to (*doing*) *s.th.*
Gewölbe *n* vault
gewunden winding
Gewürz *n* spice; **~gurke** *f* → ***Essiggurke***
Gezeiten *pl* tide(s *pl*)
geziert affected
Gezwitscher *n* chirp(ing), twitter(ing)
gezwungen forced, unnatural
Gicht *f* gout
Giebel *m* gable
Gier *f* greed; **≈ig** greedy
gieß|en pour; *tech.* cast*; *Blumen*: water; ***es gießt*** it's pouring; **≈erei** *f* foundry; **≈kanne** *f* watering can
Gift *n* poison; *zo. a.* venom (*a. fig.*); **≈ig** poisonous; venomous (*a. fig.*); *vergiftet*: poisoned; *chem.*, *med.* toxic; **~müll** *m* toxic waste; **~mülldeponie** *f* toxic waste dump; **~pilz** *m* poisonous mushroom, toadstool; **~schlange** *f* venomous snake; **~zahn** *m* poisonous fang
Gipfel *m* summit, top; *Spitze*:

peak; F limit; **~konferenz** *f* summit (meeting)
Gips *m* plaster (of Paris); ***in ~*** *med.* in plaster, in a (plaster) cast; **~abdruck** *m*, **~verband** *m* plaster cast
Giraffe *f* giraffe
Girlande *f* garland
Girokonto *n* current (*Am.* checking) account
Gischt *m*, *f* (sea) spray
Gitarre *f* guitar; ***~ spielen*** play the guitar
Gitter *n* lattice; *Fenster*: grating, grille; ***hinter ~n*** behind bars
Glanz *m* shine, gloss, lust|re, *Am.* -er; *fig.* glamo(u)r
glänzen shine*; **~d** shiny, glossy; *fig.* brilliant, excellent
Glas *n* glass; **~er(in)** glazier
glas|ieren glaze; *Kuchen*: ice, frost; **~ig** glassy; **2scheibe** *f* (glass) pane; **2ur** *f* glaze; *Kuchen*: icing
glatt smooth (*a. fig.*); *rutschig*: slippery; *Sieg*: clear; *Lüge etc.*: downright; ***~ rasiert*** clean-shaven
Glätte *f* slipperiness
Glatteis *n* (black, *Am.* glare) ice; icy roads *pl*
glätten smooth
Glatze *f* bald head; ***e-e ~ haben*** be* bald
Glaube *m* belief, *bsd. rel.* faith (*beide*: **an** in); **2n** believe; *meinen*: *a.* think*; *annehmen*: *a.* suppose; **~nsbekenntnis** *n* creed
glaubhaft credible
Gläubiger *m* creditor
glaubwürdig credible
gleich 1. *adj* same; *Rechte, Lohn etc.*: equal; ***~ bleibend*** constant, steady; ***zur ~en Zeit*** at the same time; ***es ist mir ~*** it doesn't make any difference to me; (***ist***) ***~*** *math.* equals, is; **2.** *adv* alike, equally; *so~*: at once, right away; ***~ groß*** (***alt***) of the same size (age); ***~ nach*** (***neben***) right after (next to); ***~ gegenüber*** just opposite; ***es ist ~ 5*** it's almost 5 o'clock; **~altrig** (of) the same age; **~berechtigt** having equal rights; **2berechtigung** *f* equal rights *pl*; **~en** be* (*od.* look) like; **~falls** also, likewise; ***danke, ~!*** (thanks,) the same to you!; **2gewicht** *n* balance (*a. fig.*); **~gültig** indifferent (***gegen*** to); ***das ist mir ~*** I don't care; **2gültigkeit** *f* indifference; **2heit** *f* equality; **~mäßig** regular; *Verteilung*: equal; **~namig** of the same name; **2strom** *m* direct current, DC; **2ung** *f* *math.* equation; **~wertig** equally good; ***~er Gegner*** *s.o.'s* match; **~zeitig** simultaneous(ly), at the same time
Gleis *n* rails *pl*, track(s *pl*), line; *Bahnsteig*: platform, *Am. a.* gate
gleit|en glide, slide*; **~end**:

~e Arbeitszeit flexible working hours *pl*, *Brt. a.* flexitime, *Am. a.* flextime; **2flug** *m* glide; **2schirm** *m* paraglider; **2schirmfliegen** *n* paragliding

Gletscher *m* glacier; **~spalte** *f* crevasse

Glied *n anat.* limb; *Penis*: penis; *tech.*, *fig.* link; **2ern** structure; divide (***in*** into)

glimmen smo(u)lder

glimpflich: **~ *davonkommen*** get* off lightly

glitschig slippery

glitzern glitter, sparkle

glob|al global; **2us** *m* globe

Glocke *f* bell; **~nspiel** *n* chimes *pl*; **~nturm** *m* bell tower, belfry

glotzen gawk, gawp

Glück *n* (good) luck, fortune; *Gefühl*: happiness; **~ *haben*** be* lucky; ***viel ~!*** good luck!; ***zum ~*** fortunately

Glucke *f* sitting hen

glücken → ***gelingen***

gluckern gurgle

glücklich happy; *vom Glück begünstigt*: lucky, fortunate; **~erweise** fortunately

glucksen gurgle; F chuckle

Glück|sspiel *n* game of chance; gambling; **2strahlend** radiant; **~wunsch** *m* congratulations *pl* (***zu*** on); ***herzlichen ~!*** congratulations!; happy birthday!

Glüh|birne *f* light bulb; **2en** glow; **2end** glowing; *Eisen*: red-hot; *fig.* ardent; **~ *heiß*** blazing hot; **~wein** *m* mulled wine; **~würmchen** *n* glow-worm

Glut *f* (glowing) fire; embers *pl*; *Hitze*: blazing heat; *fig.* ardo(u)r

GmbH *f* ***Gesellschaft mit beschränkter Haftung*** limited(-liability) company, *Am.* close corporation

Gnade *f* mercy; *rel.* grace; *Gunst*: favo(u)r; **~ngesuch** *n* petition for mercy

gnädig merciful; *gütig*: gracious; ***~e Frau*** madam

Goal *n östr.* goal

Gold *n* gold; **~barren** *m* gold bar (*od.* ingot); **2en** gold(en *fig.*); **~fisch** *m* goldfish; **2ig** *fig.* sweet, cute; **~schmied(in)** goldsmith; **~stück** *n* gold coin; *fig.* gem

Golf[1] *m geogr.* gulf

Golf[2] *n* golf; **~platz** *m* golf course; **~schläger** *m* golf club; **~spieler(in)** golfer

Gondel *f* gondola; *Lift2*: *a.* cabin; **~bahn** *f* cable railway

gönne|n: ***j-m et. ~*** not grudge s.o. s.th.; ***sich et. ~*** allow o.s. s.th., treat o.s. to s.th.; **~rhaft** patronizing

Gorilla *m* gorilla (*a. fig.*)

Gosse *f* gutter (*a. fig.*)

Gott *m* God; *~heit*: god; ***~ sei Dank(!)*** thank God(!); ***um ~es willen!*** for heaven's sake!

Gottes|dienst *m* service; **~lästerung** *f* blasphemy

Gött|in *f* goddess; **2lich** divine
Götze *m*, **~nbild** *n* idol
Gouverneur *m* governor
Grab *n* grave; **~mal**: tomb
Graben *m* ditch; *mil*. trench
graben dig*; *Tier*: *a*. burrow
Grab|gewölbe *n* vault, tomb; **~mal** *n* tomb; *Ehrenmal*: monument; **~schrift** *f* epitaph; **~stein** *m* gravestone, tombstone
Grad *m* degree; *mil. etc*. rank, grade; **15 ~ Kälte** 15 degrees below zero; **2uell** in degree; *gradweise*: gradual(ly)
Graf *m* count; *Brt*. earl
Graffiti *pl* graffiti *sg*
Graf|ik *f* graphic arts *pl*; *Druck*: print; *tech. etc*. graph, diagram; **~iker(in)** graphic artist; **~ikkarte** *f* *Computer*: graphics card (*od*. board)
Gräfin *f* countess
grafisch graphic
Grafschaft *f* county
Gramm *n* gram
Grammati|k *f* grammar; **2sch** grammatical
Granate *f mil*. shell
Granit *m* granite
Graphik *f* → **Grafik**
Gras *n* grass; **2en** graze
grässlich hideous, atrocious
Grat *m* ridge, crest
Gräte *f* (fish)bone
gratis free (of charge)
Grätsche *f* straddle; *Fußball*: slide tackle
gratulieren congratulate (**zu** on); **zum Geburtstag ~** wish *s.o*. happy birthday
grau grey, *bsd. Am*. gray
grauen: 1. *v/i* **mir graut vor** I dread (the thought of); **2. 2** *n* horror; **~haft** horrific; F horrible, terrible
Graupel *f* sleet
grausam cruel; **2keit** *f* cruelty
graus|en → **grauen**; **~ig** → **grauenhaft**
gravieren engrave
graziös graceful
greif|bar at hand; *fig*. tangible; **~en** seize, grab, take* hold of; *fig*. *Maßnahmen etc*.: take effect; **~ nach** reach for; **~ zu** resort to; **um sich ~** spread*
Greis(in) (very) old (wo)man
grell glaring; *Ton*: shrill
Grenze *f* border; *Linie*: boundary; *fig*. limit; **2n: ~ an** border on; *fig*. *a*. verge on; **2nlos** boundless
Grenzübergang *m* border crossing-point, checkpoint
Griech|e *m* Greek; **~enland** Greece; **~in, 2isch** Greek
griesgrämig grumpy
Grieß *m* semolina
Griff *m* grip, grasp; *Tür2*, *Messer2 etc*.: handle
Grill *m* grill; *bsd. draußen*: barbecue
Grille *f zo*. cricket
grill|en grill, barbecue; **2fest** *n* barbecue
Grimasse *f* grimace; **~n schneiden** pull faces

grimmig grim
grinsen 1. *v/i* grin (*über* at); *höhnisch*: sneer (at); **2.** ♀ *n* grin; sneer
Grippe *f* flu, influenza
grob coarse (*a. fig. derb*); *Fehler etc.*: gross; *frech*: rude; *ungefähr*: rough(ly)
grölen bawl
grollen *Donner*: rumble
Groschen *m* ten-pfennig piece; *östr.* groschen; *fig.* penny
groß big; *bsd. Umfang, Zahl*: large; *hoch* (*gewachsen*): tall; *erwachsen*: grown-up; *fig. bedeutend*: great (*a. Freude, Schmerz etc.*); *Buchstabe*: capital; **~es Geld** paper money; F big money; **im ♀en (und) Ganzen** on the whole; **~artig** great, F *a.* terrific; **♀aufnahme** *f* close-up
Größe *f* size; *Körper*♀: height; *bsd. math.* quantity; *Bedeutung*: greatness; *Person*: celebrity; star
Groß|eltern *pl* grandparents *pl*; **~familie** *f* extended family; **~handel** *m* wholesale (trade); **~händler** *m* wholesaler; **~macht** *f* Great Power; **~markt** *m* wholesale market; hypermarket; **~mutter** *f* grandmother; **~raumflugzeug** *n* wide-bodied aircraft; **~schreibung** *f* capitalization; **♀spurig** arrogant; **~stadt** *f* big city
größtenteils mostly, mainly
Groß|vater *m* grandfather; **~wild** *n* big game; **♀ziehen** raise, rear; *Kind*: *a.* bring* up; **♀zügig** generous, liberal (*a. Erziehung*); *Planung etc.*: on a large scale
grotesk grotesque
Grotte *f* grotto
Grübchen *n* dimple
Grube *f* pit; *Bergwerk*: mine
grübeln ponder, muse (*über* on, over)
Gruft *f* tomb, vault
grün green (*a. fig. u. pol.*); → ***Grüne***; **♀anlage** *f* park
Grund *m* reason; *Boden*: ground; *agr. a.* soil; *Meer etc.*: bottom; ***aus diesem ~(e)*** for this reason; ***im ~(e)*** actually, basically; → ***aufgrund***; **~...** *Ausbildung, Regel, Wissen etc.*: *mst* basic ...; **~begriffe** *pl* basics *pl*, fundamentals *pl*; **~besitz** *m* land(ed property); **~besitzer(in)** landowner, **~buch** *n* land register (*Am.* record)
gründe|n found (*a. Familie*), establish; **♀r(in)** founder
Grund|fläche *f math.* base; *arch.* (surface) area; **~gebühr** *f* basic charge; **~gedanke** *m* basic idea; **~gesetz** *n* constitution; **~lage** *f* foundation; **♀legend** fundamental, basic
gründlich thorough(ly)
Grund|linie *f Tennis*: base line; **♀los** unfounded; **~mauer** *f* foundation

Gründonnerstag *m* Maundy Thursday

Grund|riss *m* ground plan; **~satz** *m* principle; **⁀sätzlich** fundamental; **~ dagegen** against it on principle; **~schule** *f* primary school, *Am.* elementary (*od.* grade) school; **~stein** *m* foundation stone; **~stück** *n* plot (of land); (building) site; premises *pl*; **~stücksmakler(in)** (*Am.* real) estate agent

Gründung *f* foundation

grund|verschieden entirely different; **⁀wasser** *n* ground water

Grüne *m, f pol.* Green

grunzen grunt

Grupp|e *f* group; **⁀ieren** group; **sich ~** form groups

Grusel|... *Film etc.*: horror ...; **⁀ig** eerie, creepy; **⁀n: es gruselt mich** it gives me the creeps

Gruß *m* greeting(s *pl*); *mil.* salute

Grüße *pl*: **viele ~ an ...** give my regards (*herzlicher*: love) to ...; **mit freundlichen ~n** yours sincerely; **herzliche ~** best wishes; love; **⁀n** greet, say* hello (to); *mil.* salute; **grüß dich!** hello!, hi!; **er läßt Sie ~** he sends* his regards

gucken look; F *TV* watch

Gulasch *n* goulash

gültig valid, good (*a. Sport*); **⁀keit** *f* validity

Gummi 1. *m, n* rubber (*a. in Zssgn Ball, Sohle etc.*); **2.** *m* F *Kondom*: rubber; **~band** *n* rubber band; **~bärchen** *n Brt.* jelly baby

gummiert gummed

Gummi|knüppel *m* truncheon, *Am. a.* billy (club); **~stiefel** *pl* wellingtons *pl*, wellington (*Am.* rubber) boots *pl*

günstig favo(u)rable; *passend*: convenient; *Preis*: reasonable; **im ~sten Fall** at best

Gurgel *f* throat; **⁀n** gargle; *Wasser*: gurgle

Gurke *f* cucumber; *Gewürz⁀*: pickle(d gherkin)

Gurt *m* belt; *Halte⁀, Trage⁀*: strap

Gürtel *m* belt; **~reifen** *m* radial tyre (*Am.* tire)

GUS Gemeinschaft unabhängiger Staaten CIS, Commonwealth of Independent States

Guss *m* downpour; *tech.* casting; *gastr.* icing; **~eisen** *n* cast iron

gut 1. *adj* good; *Wetter*: *a.* fine; **ganz ~** not bad; **also ~!** all right (then)!; **schon ~!** never mind!; **(wieder) ~ werden** be* all right; **~ in et.** good at (doing) s.th.; **2.** *adv* well; *aussehen, klingen, schmecken etc.*: good; **~ aussehend** good-looking; **~ gehen** go* (off) well, work out well; **wenn alles ~ geht** if nothing goes wrong; **mir**

geht es** ~* I'm (*bsd. finanziell*: doing) fine; ~ ***gelaunt cheerful; → ***gelaunt***; ~ ***gemeint*** well-meant; ***machs ~!*** take care (of yourself)!; ~ ***tun*** do* *s.o.* good
Gut *n* estate; *econ.* goods *pl*
Gut|achten *n* (expert) opinion; **~achter(in)** expert
gutartig good-natured; *med.* benign
Gute *n* good; ***~s tun*** do* good; ***alles ~!*** good luck!
Güte *f* kindness; *econ.* quality; ***meine ~*** good gracious!
Güter *pl* goods *pl*; **~bahnhof** *m* goods station, *Am.* freight depot; **~wagen** *m* (goods) waggon, *Am.* freight car; **~zug** *m* goods (*Am.* freight) train
gut|gläubig credulous; **~haben: *du hast (noch) ... gut*** I (still) owe you ...; **2haben** *n* credit (balance)
gut|machen make* up for, repay*; **~mütig** good-natured
Gut|schein *m* coupon, voucher; **~schrift** *f* credit (slip)
Guts|haus *n* manor house; **~hof** *m* estate, manor
Gymnasium *n* (German) secondary school, *Brt. etwa* grammar school, *Am. etwa* high school
Gymnastik *f* exercises *pl*; *Turnen*: gymnastics *pl*
Gynäkolog|e *m*, **~in** *f* gyn(a)ecologist

H

Haar *n* hair; ***sich die ~e schneiden lassen*** have* one's hair cut; ***um ein ~*** by a hair's breadth; **~bürste** *f* hairbrush; **~festiger** *m* setting lotion; **2ig** hairy; *fig. a.* ticklish; *in Zssgn*: ...-haired; **~klemme** *f* hair clip, *Am.* bobby pin; **~nadel** *f* hairpin; **~nadelkurve** *f* hairpin bend (*Am.* curve); **~schnitt** *m* haircut; **~spalterei** *f* hairsplitting; **2sträubend** hair-raising; **~trockner** *m* hairdryer; **~wäsche** *f* hair-wash, *beim Friseur*: shampoo; **~waschmittel** *n* shampoo; **~wasser** *n* hair tonic
haben have* (got); ***er hat Geburtstag*** it's his birthday; ***welche Farbe hat ...?*** what colo(u)r is ...?; → ***Durst, Hunger*** *etc.*
Haben *n econ.* credit (side)
habgierig greedy
Habicht *m* hawk
Hacke[1] *f Ferse*: heel
Hack|e[2] *f* hoe; **2en** chop (*a. Fleisch*), hack; **~er** *m Computer*: hacker; **~fleisch** *n* minced (*Am.* ground) meat
Hafen *m* harbo(u)r, port;

~arbeiter *m* docker; **~stadt** *f* (sea)port
Hafer *m* oats *pl*; **~brei** *m* porridge; **~flocken** *pl* rolled oats *pl*; **~schleim** *m* gruel
Haft *f* imprisonment; ***in ~*** under arrest; **2bar** responsible; *jur*. liable; **2en** stick*, adhere (***an*** to); ***~ für*** answer for, be* liable for
Häftling *m* prisoner
Haft|pflichtversicherung *f* liability (*mot*. third-party) insurance; **~ung** *f* liability
Hagel *m* hail (*a. fig.*); **~korn** *n* hailstone; **2n** hail (*a. fig.*)
hager lean, gaunt
Hahn *m* cock; *Haus2*: *a*. rooster; *Wasser2*: tap, *Am*. *a*. faucet; → ***Gashahn***
Hähnchen *n* chicken
Hai(fisch) *m* shark
häkeln crochet
Haken *m* hook; *Zeichen*: tick, *Am*. check; *fig*. snag, catch; **~kreuz** *n* swastika
halb half; ***e-e ~e Stunde*** half an hour; ***~ elf*** half past ten, 10.30; **2finale** *n* semifinal; **~ieren** halve; **2insel** *f* peninsula; **2kreis** *m* semicircle; **2kugel** *f* hemisphere; **~laut 1.** *adj* low, subdued; **2.** *adv* in an undertone; **2leiter** *m* semiconductor; **2mond** *m* half moon, crescent; **2pension** *f* half board, *Am*. room plus one main meal; **2schuh** *m* (low) shoe
halbtags: ***~ arbeiten*** work half-days, have* a part-time job; **2kraft** *f* part-time worker, part-timer
halb|wegs more or less; *leidlich*: tolerably; **2wertzeit** *f* *phys*. half-life; **2wüchsige** *m*, *f* adolescent, teenager; **2zeit** *f* *Sport*: *first*, *second* half; *Pause*: half-time
Hälfte *f* half; ***die ~ von*** half of
Halfter 1. *m*, *n* *Pferde2*: halter; **2.** *n*, *f* *Pistolen2*: holster
Halle *f* hall; *Hotel*: foyer, lobby; ***in der ~*** *Sport*: indoors
hallen resound, reverberate
Hallenbad *n* indoor swimming pool
Halm *m* blade; *Getreide*: stalk, stem; *Stroh2*: straw
hallo hello!; *Gruß*: *a*. hi!
Hals *m* neck; *Kehle*: throat; **~band** *n* *Hunde2*: collar; **~entzündung** *f* sore throat; **~kette** *f* necklace; **~-Nasen-Ohren-Arzt** *m* ear nose and throat specialist; **~schlagader** *f* carotid; **~schmerzen** *pl*: ***~ haben*** have* a sore throat; **~tuch** *n* scarf
Halt *m* hold; *Stütze*: support; *Stopp*: stop; ***~ machen*** stop
halt! *int* stop!; *mil*. halt!
haltbar durable; *Lebensmittel*: not perishable; *fig*. *Argument*: tenable; ***~ bis*** best before; **2keitsdatum** *n* best-by (*od*. best-before, sell-by, *Am*. expiration) date
halten *v/t* hold*; *Tier*, *Wort etc*.: keep*; *Rede*: make*; ~

für regard as; *irrtümlich*: (mis)take* for; ***viel*** (***wenig***) ~ ***von*** think* highly (little) of; ***sich*** ~ keep*; *Wetter etc.*: last; *v/i* hold*, last; *an~*: stop; ~ ***zu*** stand* by
Halter *m* owner
Halte|stelle *f* stop; **~verbot** *n* no stopping (area)
Haltung *f* posture; *fig.* attitude (***zu*** towards)
hämisch malicious
Hammel *m* wether; **~fleisch** *n* mutton
Hammer *m* hammer
hämmern hammer
Hampelmann *m* jumping jack; *contp.* wimp
Hamster *m* hamster; **2n** hoard
Hand *f* hand; ***von*** (***mit der***) ~ by hand; ***sich die*** ~ ***geben*** shake* hands (with s.o.); ***Hände hoch!*** hands up!; ***e-e*** ~ ***voll ...*** a handful of ...; **~arbeit** *f* manual labo(u)r; needlework; ***es ist*** ~ it's handmade; **~ball** *m* handball; **~bremse** *f* handbrake; **~buch** *n* manual, handbook
Händedruck *m* handshake
Handel *m* commerce; *~sverkehr*: trade; *abgeschlossener*: transaction, deal; ~ ***treiben*** trade (***mit*** with *s.o.*); **2n** act; *feilschen*: bargain (***um*** for); ~ ***mit*** deal* (*od.* trade) in *s.th.*; ~ ***von*** deal* with, be* about
Handels|abkommen *n* trade agreement; **~bilanz** *f* balance of trade; **~kammer** *f* chamber of commerce; **~schule** *f* commercial school; **~ware** *f* merchandise
Hand|feger *m* handbrush; **~fläche** *f* palm; **~gelenk** *n* wrist; **~gemenge** *n* scuffle; **~gepäck** *n* hand luggage; **~granate** *f* hand grenade; **~griff** *m am Koffer, Messer etc*: handle; movement; ***mit ein paar ~en*** in no time; **2haben** handle, manage
Händler(in) dealer, trader
handlich handy
Handlung *f* act(ion); *Film, Buch*: story, plot, action; **~sreisende** *m, f* sales representative; **~sweise** *f* conduct
Hand|schellen *pl* handcuffs *pl*; **~schrift** *f* hand(writing); *hist.* manuscript; **2schriftlich** handwritten; **~schuh** *m* glove; **~spiel** *n Fußball*: handball; **~tasche** *f* handbag; **~tuch** *n* towel; **~werk** *n* (handi)craft, trade; **~werker** *m* workman; *künstlerischer*: craftsman; **~werkszeug** *n* tools *pl*
Handy *n* mobile phone
Hanf *m* hemp
Hang *m* slope; *fig.* inclination (***zu*** for), tendency (to)
Hänge|brücke *f* suspension bridge; **~matte** *f* hammock
hängen hang* (***an*** on); ~ ***an*** *fig.* be* fond of; *stärker*: be* devoted to; ~ ***bleiben*** get*

stuck (*a. fig.*); ~ ***bleiben an*** get* caught on
hänseln tease (***wegen*** about)
Happen *m* morsel, bite
Hardware *f Computer*: hardware
Harfe *f* harp
Harke *f*, **2n** rake
harmlos harmless
Harmon|ie *f* harmony; **2ieren** harmonize; **2isch** harmonious
Harn *m* urine; **~blase** *f* (urinary) bladder
Harpun|e *f*, **2ieren** harpoon
hart hard, F *a.* tough; *Sport*: rough; *streng*: severe; ~ ***gekocht*** *Ei*: hard-boiled
Härte *f* hardness; roughness; severity
Hart|faserplatte *f* hardboard, *Am.* fiberboard; **2herzig** hardhearted; **2näckig** stubborn
Harz *n* resin
Haschisch *n* hashish, *sl.* pot
Hase *m* hare
Haselnuss *f* hazelnut
Hasenscharte *f* harelip
Hass *m* hatred, hate
hassen hate
hässlich ugly; *fig. a.* nasty
hastig hasty, hurried
Haube *f* bonnet; *Schwestern2*: cap; *mot.* bonnet, *Am.* hood
Hauch *m* breath; *Duft*: whiff; *fig.* touch; **2en** breathe
hauen hit*; *tech.* hew*; ***sich*** ~ have* a fight, fight*
Haufen *m* heap, pile; F *fig.* crowd; ***ein*** ~ F loads of
häuf|en pile up, accumulate; (*beide a.* ***sich*** ~); ***sich*** ~ *fig.* increase; **~ig** frequent(ly)
Haupt *n* head; *fig. a.* leader; **~...** *in Zssgn mst* main ...; **~bahnhof** *m* main (*od.* central) station; **~darsteller(in)** lead(ing actor *od.* actress); **~figur** *f* main character; **~film** *m* feature (film); **~gewinn** *m* first prize
Häuptling *m* chief(tain)
Haupt|mann *m* captain; **~menü** *n Computer*: main menu; **~quartier** *n* headquarters *pl*; **~rolle** *f* lead(ing part); **~sache** *f* main thing; **2sächlich** main(ly), chief(-ly); **~satz** *m gr.* main clause; **~sendezeit** *f* peak viewing hours *pl*, peak time, *Am.* prime time; **~speicher** *m Computer*: main memory; **~stadt** *f* capital; **~straße** *f* main street; → **~verkehrsstraße** *f* main road; **~verkehrszeit** *f* rush hour
Haus *n* house; ***nach*** **~*e*** home; ***zu*** **~*e*** at home; **~angestellte** *m, f* domestic (servant); **~apotheke** *f* medicine cabinet; **~arbeit** *f* housework; *univ.* paper; **~arzt** *m*, **~ärztin** *f* family doctor; **~aufgaben** *pl* homework *sg*; **s-e** ~ ***machen*** do* one's homework; **~besetzer(in)** squatter; **~besitzer(in)** house owner;

→ ***Vermieter(in)***; **~flur** *m* hall; **~frau** *f* housewife; **~halt** *m* household; *pol.* budget; **~hälterin** *f* housekeeper; **~haltsplan** *m* budget; **~haltsgerät** *n* household appliance; **~herr(in)** head (lady) of the house; → ***Gastgeber(in)***
hausiere|n peddle, hawk; **2r(in)** pedlar, hawker
häuslich domestic
Haus|meister(in) caretaker, *Am.* janitor; **~ordnung** *f* house rules *pl*; **~putz** *m* spring-clean(ing); **~schlüssel** *m* front-door key; **~schuh** *m* slipper; **~suchung** *f* house search; **~tier** *n* domestic animal; **~tür** *f* front door; **~wirt(in)** land|lord (-lady); **~wirtschaft** *f* housekeeping; *Lehre*: domestic science, *Am.* home economics *sg*
Haut *f* skin; **~arzt** *m*, **~ärztin** *f* dermatologist; **~farbe** *f* colo(u)r (of one's skin); *Teint*: complexion; **2farben** flesh-colo(u)red; *Make-up*: skin-colo(u)red
Hebamme *f* midwife
Hebebühne *f* (car) hoist
Hebel *m* lever
heben lift, raise (*a. fig.*); heave; ***sich*** ~ rise*, go* up
hebräisch Hebrew
Hecht *m* pike
hechten dive*
Heck *n* *naut.* stern; *aviat.* tail; *mot.* rear (*a. in Zssgn*)
Hecke *f* hedge
Heer *n* army; *fig. a.* host
Hefe *f* yeast
Heft *n* notebook; *Schul2*: *Brt. a.* exercise book; **~chen**: booklet; *Ausgabe*: issue, number; **2en** fasten, fix (***an*** to); *tech.* staple, tack; **~er** *m* stapler; *Ordner*: file
heftig violent, fierce; *stark*: hard; *Schmerz*: severe
Heft|klammer *f* staple; **~pflaster** *n* (sticking) plaster, *Am.* bandage, Band-Aid®
Heide[1] *m* heathen
Heide[2] *f* heath(land); **~kraut** *n* heather, heath
Heidelbeere *f* → ***Blaubeere***
heidnisch heathen
heikel delicate, tricky
heil safe, unhurt; *Sache*: undamaged, whole
Heil|anstalt *f* sanatorium; *Nerven2*: mental hospital; **2bar** curable; **2en** *v/t* cure; *v/i* heal (up)
heilig holy; *geweiht*: sacred (*a. fig.*); **2abend** *m* Christmas Eve; **2e** *m, f* saint; **2tum** *n* sanctuary, shrine
Heil|mittel *n* remedy; **~praktiker(in)** nonmedical practitioner
heim home
Heim *n* home (*a. in Zssgn Spiel etc.*); **~arbeit** *f* outwork, *Am.* homework
Heimat *f* home; home coun-

try; home town; 2**los** homeless
Heim|computer *m* home computer; 2**isch** home, domestic; *bot., zo., etc.* native; ***sich ~ fühlen*** feel* at home; 2**kehren,** 2**kommen** return home; 2**lich** secret(ly); **~reise** *f* journey home; 2**tückisch** insidious (*a. Krankheit*); *Mord etc.*: treacherous; **~weg** *m* way home; **~weh** *n* homesickness; ***~ haben*** be* homesick; **~werker** *m* do-it-yourselfer
Heirat *f* marriage; 2**en** marry, get* married (to); **~santrag** *m* proposal; **~surkunde** *f* marriage certificate
heiser hoarse; 2**keit** *f* hoarseness
heiß hot (*a. fig. u.* F); ***mir ist ~*** I am (*od.* feel) hot
heißen be* called; *bedeuten*: mean*; ***wie ~ Sie?*** what's your name?; ***wie heißt das?*** what do you call this?; ***es heißt*** *im Text*: it says; ***das heißt*** that is
heiter cheerful; *Film etc.*: humorous; *meteor.* fair; 2**keit** *f Belustigung*: amusement
heiz|en heat; 2**er** *m naut., rail.* stoker; 2**kissen** *n* heating pad; 2**körper** *m* radiator; 2**öl** *n* fuel oil; 2**platte** *f* hot plate; 2**ung** *f* heating
hektisch hectic
Held *m* hero; 2**enhaft** heroic; **~in** *f* heroine
helfen help (***bei*** with); ***j-m ~*** help s.o., lend s.o. a hand; ***~ gegen*** be* good for; ***er weiß sich zu ~*** he can manage; ***es hilft nichts*** it's no use
Helfer(in) helper, assistant
hell light (*a. Farbe*); *Licht etc.*: bright; *Klang, Stimme*: clear; *Kleid etc.*: light-colo(u)red; *Bier*: pale; *fig.* bright, clever; ***~...*** *blau etc.*: light ...; **~blond** very fair; 2**seher(in)** clairvoyant(e)
Helm *m* helmet
Hemd *n* shirt
hemm|en check, stop; → ***gehemmt***; 2**ung** *f Scheu*: inhibition; *Skrupel*: scruple; **~ungslos** unrestrained; unscrupulous
Hengst *m* stallion
Henkel *m* handle
Henne *f* hen
Henker *m* executioner
her: *von ... ~* from; *fig.* from the point of view of; ***~ damit!*** give it to me!; ***das ist lange ~*** that was a long time ago; ***hinter*** *j-m, et.* ***~ sein*** be* after *s.o., s.th.*; F ***damit ist es nicht weit ~*** that's no great shakes
herab down; **~lassend** condescending; **~sehen: *~ auf*** look down upon; **~setzen** reduce; *fig.* disparage
heran: *~ an* up to; **~kommen: *~ an*** come* up to; ***die Dinge an sich ~ lassen*** wait and see; **~wachsen** grow*

(up) (***zu*** into); **2wachsende** *m*, *f* adolescent
herauf up (here); upstairs; **~beschwören** call up; *verursachen*: provoke; **~ziehen** *v/t* pull up; *v/i* come* up
heraus out; *fig.* ***aus ... ~*** out of ...; **~bekommen** *Fleck etc*: get* out; *Geld*: get* back; *fig.* find* out; **~bringen** bring* out; *fig.* → **~finden** find* out, discover; **~fordern** challenge; *et.*: provoke, ask for *it*; **2forderung** *f* challenge; provocation; **~geben** give* back; *ausliefern*: give* up, surrender; *Buch*: publish; *Geld*: give* change (***auf*** for); **2geber(in)** publisher; *Zeitung*: editor; **~holen** get* out (***aus*** of); **~kommen** come* out; ***~ aus*** get* out of; ***groß ~*** make* it (big); **~nehmen** take* out; ***sich et. ~*** take* liberties; **~stellen: *sich ~ als*** turn out (*od.* prove*) to be; **~strecken** stick* out; **~ziehen** pull out
herb tart; *Wein*: dry; *fig. Verlust etc.*: bitter; *Kritik etc.*: harsh; *Gesicht etc.*: austere
Herberge *f* hostel
Herbst *m* autumn, *Am. a.* fall
Herd *m* cooker, *Am.* stove
Herde *f* herd; *Schaf2, Gänse2 etc.*: flock
herein in (here); ***~!*** come in!; **~fallen** *fig.* be* taken in; **~legen** *fig.* take* in, fool
her|fallen: *~ über* attack; **2gang** *m*: ***den ~ schildern*** give* an account of what happened; **~geben** give* up; ***sich ~ zu*** lend* o.s. to
Hering *m* herring
her|kommen come* (here); **2kunft** *f* origin
Heroin *n* heroin
Herr *m* gentleman; *Besitzer, Gebieter*: master; *rel. the* Lord; ***~ Brown*** Mr Brown; ***m-e ~en*** gentlemen
Herren|... *in Zssgn*: men's ...; **2los** ownerless
herrichten get* *s.th.* ready
Herrin *f* mistress
herrisch imperious
herrlich marvel(l)ous
Herrschaft *f* rule, power, control (*a. fig.*) (***über*** over); ***m-e ~en!*** ladies and gentlemen
herrsche|n rule; ***es herrschte ...*** there was ...; **2r(in)** ruler; sovereign, monarch
her|rühren: *~ von* come* from; **~stellen** make*, produce, manufacture; *fig.* establish; **2stellung** *f* manufacture, production
herüber over (here), across
herum (a)round; **~führen** show* *s.o.* (a)round; **~kommen** get* around (***um et.*** s.th.); **~kriegen: *~ zu*** get* *s.o.* to do *s.th.*; **~lungern** hang* around; **~reichen** pass (*od.* hand) round; **~treiben: *sich ~*** knock about

herunter down; downstairs; **~gekommen** *Haus etc.*: run-down; *Person*: down-at-heel, scruffy; **~holen** get* down; **~kommen** come* down(stairs); *fig.* get* run-down

hervor out of, out from; **~bringen** bring* out, produce (*a. fig.*); *Wort*: utter; **~gehen:** ~ **aus** follow from; **~heben** stress, emphasize; **~ragend** *fig.* outstanding; **~rufen** cause, bring* about; **~stechend** *fig.* striking

Herz *n* heart (*a. fig.*); *Karten*: heart(s *pl*); **~anfall** *m* heart attack; **~enslust** *f*: **nach** ~ to one's heart's content; **~fehler** *m* heart defect; **≈haft** hearty; *nicht süß*: savo(u)ry; **~infarkt** *m* cardiac infarct(ion), F *mst* coronary; **~klopfen** *n med.* palpitation; **er hatte** ~ (**vor**) his heart was thumping (with); **≈krank** suffering from a heart disease; **≈lich** cordial, hearty; **~lichkeit** *f* cordiality; **≈los** heartless

Herzog *m* duke; **~in** *f* duchess; **~tum** *n* duchy

Herz|schlag *m* heartbeat; *med.* heart failure; **~schrittmacher** *m* pacemaker; **~verpflanzung** *f* heart transplant

Hetze *f* rush; *pol.* agitation; **≈n** *v/i* rush; agitate; *v/t* chase; *fig.* rush; ~ **auf** *Hund etc.*: set* on *s.o.*

Heu *n* hay

Heuch|elei *f* hypocrisy; **≈eln** feign; **~ler(in)** hypocrite; **≈lerisch** hypocritical

heuer *östr.* this year

heulen howl; *weinen*: bawl

Heu|schnupfen *m* hay fever; **~schrecke** *f* grasshopper; *Afrika etc.*: locust

heut|e today; ~ **Abend** this evening, tonight; ~ **früh,** ~ **Morgen** this morning; ~ **in acht Tagen** a week from now; ~ **vor acht Tagen** a week ago today; **~ig** today's; *gegenwärtig*: present; **~zutage** nowadays, these days

Hexe *f* witch; **~nschuss** *m* lumbago; **~rei** *f* witchcraft

Hieb *m* blow, stroke

hier here; ~ **entlang!** this way!

hier|auf on this; *zeitlich*: after that, then; **~aus** from this; **~bei** here, in this case; while doing this; **~durch** by this, hereby; **~für** for this; **~her** (over) here, this way; **bis** ~ so far; **~in** in this; **~mit** with this; **~nach** after this; *demzufolge*: according to this; **~über** about this (subject); **~von** of (*od.* from) this

hierzu for this (purpose); *dazu*: to this; **~lande** in this country, here

hiesig local

Hi-Fi-Anlage *f* hi-fi, stereo

Hilfe *f* help; *Beistand*: aid (*a. econ.*); relief (**für** to); **erste** ~

first aid; **~!** help!; **~ruf** *m* cry for help
hilflos helpless
Hilfs|arbeiter(in) unskilled worker; **2bedürftig** needy; **2bereit** helpful, ready to help; **~mittel** *n* aid; *tech. a.* device; **~organisation** *f* relief organization
Himbeere *f* raspberry
Himmel *m* sky; *rel., fig.* heaven; **2blau** sky-blue; **~fahrt** *f* Ascension (Day); **~srichtung** *f* direction
himmlisch heavenly
hin there; ***bis ~ zu*** as far as; ***auf j-s ... ~*** at s.o.'s ...; ***~ und her*** to and fro, back and forth; ***~ und wieder*** now and then; ***~ und zurück*** there and back; *Fahrkarte*: return (ticket), *Am.* round trip
hinab → ***hinunter***
hinauf up (there); upstairs; ***die ... ~*** up the ...; **~gehen** go* up; *fig. a.* rise*; **~steigen** climb up
hinaus out; ***aus ... ~*** out of ...; **~gehen** go* out(side); ***~ über*** go* beyond; **~laufen: *~ auf*** come* (*od.* amount) to; **~schieben** *fig.* put* off, postpone; **~werfen** throw* out (***aus*** of); **~zögern** put* off
Hin|blick *m*: ***im ~ auf*** with regard to; **2bringen** take* there
hinder|lich: *j-m ~ sein* be* in s.o.'s way; **~n** hinder; ***~ an*** prevent from *ger*; **2nis** *n* obstacle
hindurch through; ***... ~*** throughout ...
hinein in; **~gehen** go* in(side); ***~ in*** *passen*: go* into; **~steigern: *sich ~*** get* all worked up (***in*** over)
hinfahr|en go* (*j-n*: take* *s.o.*) there; **2t: *auf der ~*** on the way there
hin|fallen fall* (down); **~führen** lead* (*od.* take*) there; **2gabe** *f* devotion; **~geben: *sich ~*** *e-r Aufgabe*: devote o.s. to; *Hoffnungen etc*: cherish; *e-m Mann*: give* o.s. to; **~gehen** go* (there); *Zeit*: pass; **~halten** hold* out; *j-n*: stall, put* off
hinken limp
hin|legen lay* (*od.* put*) down; ***sich ~*** lie* down; **~nehmen** *ertragen*: put* up with; **2reise** *f* → ***Hinfahrt***; **~richten** execute; **2richtung** *f* execution; **~setzen** put* (down); ***sich ~*** sit* down; **~sichtlich** with regard to; **~spiel** *n Sport*: first leg; **~stellen** put* (down); ***sich ~*** stand* (up); ***~ als*** make* *s.o., s.th.* out to be
hinten at (*Auto etc.*: in) the back; ***von ~*** from behind
hinter behind
Hinter|... *Achse, Eingang, Rad etc.*: rear ...; **~bein** *n* hind leg; **~bliebene** *m, f* surviving dependant; ***die***

trauernden **~n** the bereaved
hinter|e rear, back; **~einander** one after the other; ***dreimal*** **~** three times in a row; **≈gedanke** *m* ulterior motive; **~gehen** deceive; **≈grund** *m* background; **≈halt** *m* ambush; **~her** behind, after; *zeitlich*: afterwards; **≈kopf** *m* back of the head; **~lassen** leave*; **~legen** deposit; **≈n** *m* F bottom, behind, backside; **≈teil** *n* back (part); F → ***Hintern***; **≈treppe** *f* back stairs *pl*; **≈tür** *f* back door
hinüber over, across; **~** ***sein*** F have* had it
hinunter down; downstairs; ***den ...*** **~** down the ...; **~schlucken** swallow
Hinweg *m* way there
hinweg: ***über ...*** **~** over ...; **~kommen:** **~** ***über*** get* over; **~setzen:** ***sich*** **~** ***über*** ignore
Hin|weis *m* hint; *Zeichen*: indication, clue; *Verweis*: reference; **≈weisen:** **~** ***auf*** point at (*od.* to); ***j-n*** **~** ***auf*** draw* (*od.* call) s.o.'s attention to; **≈werfen** throw* down; *fig. Arbeit*: give up, chuck in; **≈ziehen:** ***sich*** **~** stretch (***bis zu*** to); *zeitlich*: drag on
hinzu in addition; **~fügen** add; **~kommen** be* added; **~ziehen** *Arzt etc.*: call in
Hirn *n* brain; **~gespinst** *n* fantasy; **≈verbrannt** F crazy, crackpot
Hirsch *m* stag; *Gattung*: (red) deer; *gastr.* venison; **~kuh** *f* hind
Hirt(e) *m* herdsman; *Schaf≈*, *fig.*: shepherd
hissen hoist
historisch historic(al)
Hitliste *f* charts *pl*; ***auf der*** **~** in the charts
Hitz|e *f* heat (*a. zo.*); **≈ebeständig** heat-resistant; **~ewelle** *f* heat wave; **≈ig** hot-tempered; *Debatte*: heated; **~kopf** *m* hothead; **~schlag** *m* heatstroke
HIV|-negativ HIV-negative; **~-positiv** HIV-positive; **~-Positive** *m, f* HIV carrier
H-Milch *f* long-life milk
Hobby *n* hobby; **~...** *in Zssgn Fotograf, Gärtner, Maler etc.*: amateur ...
Hobel *m*, **≈n** plane
hoch high; *Baum, Gebäude*: tall; *Strafe*: heavy, severe; *Alter*: great; *Schnee*: deep; **~** ***oben*** high up; *math.* **~** ***zwei*** squared
Hoch *n meteor.* high (*a. fig.*); **~achtung** *f* respect; **≈achtungsvoll** *Brief*: Yours sincerely; **~betrieb** *m* rush; **~deutsch** standard (*od.* High) German; **~druck** *m* high pressure; **~ebene** *f* plateau; **~form** *f*: ***in*** **~** in top form; **~gebirge** *n* high mountains *pl*; **~geschwindigkeits...** high-speed ...; **~haus** *n* high-

-rise, tower block; **~konjunktur** *f* boom; **~mut** *m* arrogance; **ℒmütig** arrogant; **~ofen** *m* blast furnace; **~rechnung** *f* projection; *bei Wahlen*: computer prediction; **~saison** *f* peak season; **~schulausbildung** *f* higher education; **~schule** *f* university; college; academy; **~sommer** *m* midsummer; **~spannung** *f* high tension (*a. fig.*) (*od.* voltage); **~sprung** *m* high jump

höchst 1. *adj* highest; *äußerst*: extreme; **2.** *adv* highly, most, extremely

Hochstapler(in) impostor

höchst|ens at (the) most, at best; **ℒform** *f* top form; **ℒgeschwindigkeit** *f* (*mit* at) top speed; ***zulässige*** **~** speed limit; **ℒleistung** *f* top performance; **~wahrscheinlich** most likely

Hoch|technologie *f* high tech(nology); **~verrat** *m* high treason; **~wasser** *n* high tide; *Überschwemmung*: flood; **ℒwertig** high-grade; **~zahl** *f* exponent

Hochzeit *f* wedding; *Trauung*: *a.* marriage; **~s...** *Geschenk*, *Kleid*, *Tag etc.*: wedding ...; **~sreise** *f* honeymoon

hocke|n squat; **ℒr** *m* stool

Höcker *m Kamel*: hump

Hoden *m* testicle

Hof *m* yard; *agr.* farm; *Fürstenℒ*, *Innenℒ*: court

hoff|en hope (***auf*** for); **~entlich** I hope, let's hope, hopefully; *als Antwort*: I hope so; ***~ nicht*** I hope not; **ℒnung** *f* hope; **~nungslos** hopeless

höflich polite, courteous (***zu*** to); **ℒkeit** *f* politeness

Höhe *f* height; *aviat.*, *geogr.* altitude; *Anℒ*: hill; *e-r Summe*, *Strafe etc.*: amount; *Niveau*: level; *Ausmaß*: extent; *mus.* pitch; ***in die*** **~** up

Hoheitsgebiet *n* territory

Höhen|luft *f* mountain air; **~messer** *m* altimeter; **~sonne** *f* sunlamp, sunray lamp; **~zug** *m* mountain range

Höhepunkt *m* climax

hohl hollow (*a. fig.*)

Höhle *f* cave; *zo.* hole

Hohl|maß *n* measure of capacity; **~raum** *m* hollow, cavity

Hohn *m* derision, scorn

höhnisch sneering

holen (go* and) get*, fetch, go* for; *rufen*: call; **~ *lassen*** send* for; ***sich*** **~** *Krankheit etc.*: catch*, get*

Holland Holland, *the* Netherlands

Holländ|er(in) Dutch|man (-woman); **ℒisch** Dutch

Höll|e *f* hell; **ℒisch** *fig.* dreadful, hellish

holper|ig bumpy; *Sprache*: clumsy; **~n** jolt, bump

Holunder *m* elder

Holz *n* wood; *Nutz*♀: timber, *Am. a.* lumber
hölzern wooden
Holz|fäller *m* logger; ♀**ig** woody; **~kohle** *f* charcoal; **~schnitt** *m* woodcut; **~schuh** *m* clog; **~wolle** *f* wood shavings *pl*; **~wurm** *m* woodworm
homosexuell homosexual
Honig *m* honey
Honorar *n* fee
Hopfen *m* hops *pl*; *bot.* hop
Hör|apparat *m* hearing aid; ♀**bar** audible
horchen listen (**auf** to); *heimlich*: eavesdrop
Horde *f* horde, mob
hör|en hear*; *an~, Radio, Musik etc.*: listen to (*a.* **~ auf**); *gehorchen*: obey, listen; **~ von** hear* from *s.o.*; hear* about *s.th. od. s.o.*; **er hört schwer** his hearing is bad; ♀**er** *m* listener; *tel.* receiver; ♀**erin** *f* listener; ♀**gerät** *n* hearing aid
Horizont *m* (**am** on the) horizon; ♀**al** horizontal
Horn *n* horn; *mus.* (French) horn; **~haut** *f* horny skin; *Auge*: cornea
Hornisse *f* hornet
Horoskop *n* horoscope
Hör|saal *m* lecture hall; **~spiel** *n* radio play; **~weite** *f*: **in ~** within earshot
Hose *f* (pair of) trousers *pl* (*Am.* pants *pl*); *sportliche*: slacks *pl*; *kurze*: shorts *pl*
Hosen|anzug *m* trouser (*Am.* pants) suit; **~schlitz** *m* fly; **~tasche** *f* trouser pocket; **~träger** *pl* (pair of) braces *pl od. Am.* suspenders *pl*
Hospital *n* hospital
Hostess *f* hostess
Hostie *f rel.* host
Hotel *n* hotel; **~direktor(in)** hotel manager; **~zimmer** *n* hotel room
Hubraum *m* cubic capacity
hübsch pretty, nice(-looking); *Geschenk*: nice
Hubschrauber *m* helicopter
Huf *m* hoof; **~eisen** *n* horseshoe
Hüft|e *f* hip; **~gelenk** *n* hip-joint; **~halter** *m* girdle
Hügel *m* hill; ♀**ig** hilly
Huhn *n* chicken; *Henne*: hen
Hühner|auge *n* corn; **~brühe** *f* chicken broth; **~stall** *m* henhouse
Hülle *f* cover(ing), wrap(-ping); *Schutz*♀, *Buch*♀: jacket; *Platten*♀: *Brt. a.* sleeve; ***in ~ und Fülle*** in abundance; ♀**n** wrap, cover
Hülse *f* case; *bot.* pod; **~nfrüchte** *pl* pulse *sg*
human humane, decent
Hummel *f* bumble-bee
Hummer *m* lobster
Humor *m* humo(u)r; ***keinen ~ haben*** have* no sense of humo(u)r; ♀**voll** humorous
humpeln limp, hobble
Hund *m* dog; F bastard

Hunde|hütte *f* kennel, *Am.* doghouse; **~kuchen** *m* dog biscuit; **~leine** *f* lead, leash; **~marke** *f* dog tag; **ℒmüde** dog-tired
hundert a (*od.* one) hundred; **ℒjahrfeier** *f* centenary, *Am. a.* centennial; **~ste, ℒstel** *n* hundredth
Hündin *f* bitch
Hundstage *pl* dogdays *pl*
Hüne *m* giant
Hunger *m* hunger; **~ *bekommen*** (***haben***) get* (be*) hungry; **ℒn** go* hungry, starve; **~snot** *f* famine
hungrig hungry (***auf*** for)
Hupe *f* horn; **ℒn** hoot, honk
hüpfen hop, skip; *Ball*: bounce
Hürde *f* hurdle
Hure *f* whore, prostitute
hurra hooray!
huschen flit, dart
husten cough
Husten *m* cough; **~saft** *m* cough syrup
Hut *m* hat
hüten guard; *Schafe etc.*: herd; *Kind*, *Haus*: look after; ***sich ~ vor*** beware of; ***sich ~, zu*** be* careful not to *do s.th.*
Hütte *f* hut; *Häuschen*: cabin; *Bergℒ etc.*: lodge
Hydrant *m* hydrant
hydraulisch hydraulic
Hygien|e *f* hygiene; **ℒisch** hygienic(ally)
Hymne *f* hymn
Hypno|se *f* hypnosis; **ℒtisieren** hypnotize
Hypothek *f* mortgage
Hypothese *f* hypothesis
Hysteri|e *f* hysteria; **ℒsch** hysterical

I

ich I; **~ *selbst*** (I) myself; **~ *bins*** it's me
ideal 1. *adj*, **2.** ℒ *n* ideal
Idee *f* idea; **e-e ~** *fig.* a bit
identi|fizieren identify (***sich*** o.s.); **~sch** identical; **ℒtät** *f* identity
Ideologie *f* ideology
Idiot|(in) idiot; **ℒisch** idiotic
Idol *n* idol
Igel *m* hedgehog
ignorieren ignore
ihm (to) him; (to) it
ihn him; it
ihnen *pl* (to) them; **Ihnen** *sg, pl* (to) you
ihr 1. *pers pron* you; (to) her; **2.** *poss pron* her; *pl* their; **3.** ℒ *sg, pl* your; **~etwegen** for her (*pl* their) sake; because of her (*pl* them)
Ikone *f* icon
illegal illegal
Illustr|ation *f* illustration; **ℒieren** illustrate; **~ierte** *f* magazine

Imbiss *m* snack; **~stube** *f* snack bar
Imker(in) beekeeper
immatrikulieren: ***sich ~*** enrol(l), register
immer always; ***~ mehr*** more and more; ***~ noch*** still; ***~ wieder*** again and again; ***für ~*** for ever, for good; ***wer*** (***was*** *etc.*) (***auch***) *~* whoever, what(so)ever *etc.*; **~hin** after all; **~zu** all the time
Immobilien *pl* real estate *sg*; **~makler(in)** (*Am.* real) estate agent
immun immune; ***~ machen*** immunize (***gegen*** against); **≗ität** *f* immunity; **≗schwäche** *f* immunodeficiency
Imperativ *m* imperative
Imperfekt *n* past (tense)
impf|en vaccinate; **≗schein** *m* certificate of vaccination; **≗stoff** *m* vaccine; **≗ung** *f* vaccination
imponieren: ***j-m ~*** impress s.o.
Import *m* import(ation); **~eur** *m* importer; **≗ieren** import
impotent impotent
imprägnieren waterproof
improvisieren improvise
impulsiv impulsive
imstande capable of
in *räumlich*: in, at; *innerhalb*: within, inside; *wohin?* into, in, to; *zeitlich*: in, at, during; within; ***~ der*** (***die***) ***Schule*** at (to) school; ***~s Bett*** (***Kino*** *etc.*) to bed (the cinema *etc.*); ***gut ~*** good at; F ***~ sein*** be in
inbegriffen included
indem while, as; *dadurch, dass*: by *doing s.th.*
Ind|ien India; **~er(in)** Indian; **~ianer(in)** (American) Indian
indirekt indirect
indisch Indian
individu|ell, **≗um** *n* individual
Indiz *n* indication, sign; **~ien** *pl*, **~beweis** *m* circumstantial evidence *sg*
Industrialisierung *f* industrialization
Industrie *f* industry; **~...** *Arbeiter*, *Gelände*, *Staat etc.* industrial
ineinander in(to) one another; ***~ verliebt*** in love with each other
Infektion *f* infection; **~skrankheit** *f* infectious disease
infizieren infect
Inflation *f* inflation
infolge as a result of; **~dessen** consequently
Inform|atik *f* computer science; **~atiker(in)** computer scientist; **~ation** *f* information (*a.* ***~en*** *pl*); **≗ieren** inform
Infrastruktur *f* infrastructure
Ingenieur(in) engineer
Ingwer *m* ginger
Inhaber(in) owner, propriet|or (-ress); *Pass, Amt etc.*: holder

Inhalt *m* contents *pl*; *Raum*2: volume; *Sinn*: meaning; **~sangabe** *f* summary; **~sverzeichnis** *n* table of contents
Initiative *f* initiative; ***die ~ ergreifen*** take* the initiative
inklusive including
In|land *n* home; *Landesinnere*: inland; **2ländisch** home ..., domestic
Inlett *n* ticking
innen inside; *im Haus*: *a.* indoors; ***nach ~*** inwards
Innen|architekt(in) interior designer; **~minister** *m* minister of the interior, *Brt.* Home Secretary, *Am.* Secretary of the Interior; **~politik** *f* domestic politics; **~seite** *f*: ***auf der ~*** (on the) inside; **~stadt** *f* town (*od.* city) cent|re (*Am.* -er), *Am. a.* downtown
inner inner; *med.*, *pol.* internal; **2e** *n* interior; **2eien** *pl* offal *sg*; *Fisch*: guts *pl*; **~halb** within; **~lich** internal; **~ste** innermost, *fig. a.* inmost
inoffiziell unofficial
Insass|e *m*, **~in** *f* passenger; *Gefängnis etc.*: inmate
Inschrift *f* inscription
Insekt *n* insect
Insel *f* island
Inser|at *n* advertisement, F ad; **2ieren** advertise
insgesamt altogether
insofern: ***~ als*** in so far as
Inspektion *f* inspection
Install|ateur(in) plumber; fitter; **2ieren** instal(l)
instand: ***~ halten*** keep* in good condition, maintain
Instinkt *m* instinct
Institut *n* institute; **~ion** *f* institution
Instrument *n* instrument
Inszenierung *f* production, staging (*a. fig.*)
intellektuell, 2e *m*, *f* intellectual, F highbrow
intelligen|t intelligent; **2z** *f* intelligence
Intendant(in) director
intensiv intensive; *Geruch etc.*: strong; **2kurs** *m* crash course; **2station** *f* intensive care unit
Intercity *m* intercity train
interess|ant interesting; **2e** *n* interest (***an, für*** in); **2ent(in)** *econ.* prospect; **~ieren** interest (***für*** in); ***sich ~ für*** be* interested in
Internat *n* boarding school
international international
interpretieren interpret
Interview *n*, **2en** interview
intim intimate
intolerant intolerant
Invalide *m*, *f* invalid
Invasion *f* invasion
invest|ieren invest; **2ition** *f* investment
inwie|fern in what way; **~weit** to what extent
inzwischen meanwhile
irdisch earthly; worldly
Ire *m* Irishman; ***die ~n*** *pl* the Irish *pl*

irgend|etwas something; anything; **~jemand** someone, somebody; anyone, anybody; **~ein(e)** some(-one); any(one); **~wann** sometime (or other); **~wie** somehow; F kind (*od.* sort) of; **~wo** somewhere; anywhere

Ir|in *f* Irishwoman; ***sie ist ~*** she's Irish; **²isch** Irish; **~land** Ireland

Iron|ie *f* irony; **²isch** ironic(ally)

irre 1. mad, insane; F *toll*: magic, *Am.* awesome; **2. ²** *m, f* mad|man (-woman), lunatic; **~führen** mislead*; **~machen** confuse; **~n** *umher~*: wander, stray; ***sich ~*** be* wrong (*od.* mistaken); ***sich ~ in*** get* *s.th.* wrong; **²nanstalt** *f* mental hospital

irritieren *reizen*: irritate; *verwirren*: confuse

Irrsinn *m* madness; **²ig** insane, mad; F → ***irre***

Irr|tum *m* error, mistake; ***im ~ sein*** be* mistaken; **²tümlich(erweise)** by mistake

Ischias *m* sciatica

Islam *m* Islam

Isol|ation *f* isolation; *tech.* insulation; **~ierband** *n* insulating tape; **²ieren** isolate; *tech.* insulate

Isra|el Israel; **~eli** *m, f*, **²elisch** Israeli

Itali|en Italy; **~ener(in)**, **²enisch** Italian

J

ja yes; ***wenn ~*** if so

Jacht *f* yacht

Jacke *f* jacket; *längere*: coat; **~tt** *n* jacket, coat

Jagd *f* hunt(ing); *Brt. a.* shoot(ing); *Verfolgung*: chase; **~flugzeug** *n* fighter (plane); **~hund** *m* hound; **~revier** *n* hunting ground; **~schein** *m* hunting licen|ce (*Am.* -se)

jagen hunt; *rasen*: race, dash; *verfolgen*: chase; ***~ aus*** drive* out of

Jäger *m* hunter; *aviat.* fighter

Jaguar *m* jaguar

jäh sudden; *steil*: steep

Jahr *n* year; ***im ~e ...*** in (the year) ...; ***mit 18 ~en*** at the age of eighteen; ***ein 20 ~e altes Auto*** a 20-year-old car; **²elang 1.** *adj* (many) years of *experience etc*; **2.** *adv* for (many) years

Jahres... *Bericht etc.*: annual ...; **~tag** *m* anniversary; **~zahl** *f* date, year; **~zeit** *f* season, time of the year

Jahr|gang *m* age group; *Schule*: year, *Am. a.* class; *Wein*: vintage; **~hundert** *n* century

...jährig *in Zssgn*: ...-year-old, of ... (years)
jährlich yearly, annual(ly); *adv a.* every year
Jahr|markt *m* fair; **~zehnt** *n* decade
jähzornig hot-tempered
Jalousie *f* (venetian) blind
Jammer *m* misery; ***es ist ein ~*** it's a shame
jämmerlich miserable
jammern moan (***über*** about), complain (about)
Janker *m östr.* jacket
Jänner *östr.* → **Januar** *m* January
Japan Japan; **~er(in)**, **&isch** Japanese
jäten weed (*a.* ***Unkraut ~***)
Jauche *f* liquid manure
jauchzen shout for joy
jaulen howl, yowl
Jause *f östr.* snack
jawohl yes, sir!; (that's) right
je ever; *pro*: per; ***~ zwei*** two each; ***~ nach ...*** according to ...; ***~ nachdem(, wie)*** it depends (on how); ***~ ..., desto ...*** the ... the ...
Jeans *pl*, *a. f* (pair of) jeans *pl*; **~...** *Anzug*, *Farbe*, *Jacke etc*: denim ...
jed|er, ~e, ~es every; *~ Beliebige*: any; *~ Einzelne*: each; *von zweien*: either; ***jedes Mal*** every time; ***jeden zweiten Tag*** every other day; **~enfalls** in any case, anyway; **~ermann** everyone, everybody; **~erzeit** always, (at) any time
jedoch however, yet
jemals ever
jemand someone, somebody; anyone, anybody
jene, ~r, ~s that (one); ***jene*** *pl* those *pl*
jenseits **1.** *prp* beyond (*a. fig.*); **2.** **&** *n* hereafter
jetzige present; existing
jetzt now, at present; ***bis ~*** so far; ***erst ~*** only now; ***von ~ an*** from now on
jeweils at a time; *je*: each
Jockei *m* jockey
Jod *n* iodine
Joga *m*, *n* yoga
jogg|en **1.** *v/i* jog; **2.** **&en** *n* jogging; **&er(in)** jogger
Joghurt *m*, *n* yog(h)urt
Johannisbeere *f*: ***rote ~*** redcurrant; ***schwarze ~*** blackcurrant
Joule *n* joule
Journalist(in) journalist
jubeln cheer, shout for joy
Jubiläum *n* anniversary
juck|en, **&reiz** *m* itch
Jude *m* Jewish person; ***er ist ~*** he is Jewish
Jüd|in *f* Jewish woman (*od.* girl); ***sie ist ~*** she is Jewish; **&isch** Jewish
Judo *n* judo
Jugend *f* youth; ***die ~*** young people *pl*; **~amt** *n* youth welfare office; **&frei** *Film*: U-certificate, *Am.* G-rated; ***nicht ~*** for adults only, *Am.*

X-rated; **~herberge** *f* youth hostel; **~kriminalität** *f* juvenile delinquency; **&lich** youthful, young; **~liche** *m, f* young person, *m a.* youth; **~** *pl* young people *pl*; **~stil** *m* Art Nouveau; **~zentrum** *n* youth cent|re (*Am.* -er)
Juli *m* July
jung young
Junge[1] *m* boy, F kid
Junge[2] *n* young; *Hund*: puppy; *Katze*: kitten; *Raubtier*: cub; **~** *pl* young *pl*
jungenhaft boyish
jünger younger; *zeitlich näher*: (more) recent
Jünger(in) disciple
Jung|fer *f*: ***alte ~*** old maid; **~frau** *f* virgin; *astr.* Virgo; **~geselle** *m* bachelor; **~gesellin** *f* bachelor girl
jüngste youngest; *Ereignisse*: latest; ***in ~r Zeit*** lately, recently; ***das & Gericht, der & Tag*** the Last Judg(e)ment, Doomsday
Juni *m* June
junior 1. *adj*, **2.** **&** *m* junior
Jur|a: ***~ studieren*** study (the) law; **~ist(in)** lawyer; law student; **&istisch** legal
Jury *f* jury
Justiz *f* (administration of) justice; **~minister** *m* minister of justice; *Brt.* Lord Chancellor, *Am.* Attorney General; **~ministerium** *n* ministry of justice; *Am.* Department of Justice
Juwel|en *pl* jewel(le)ry *sg*; **~ier(in)** jewel(l)er
Jux *m* joke

K

Kabel *n* cable; **~fernsehen** *n* cable TV
Kabeljau *m* cod(fish)
Kabine *f* cabin; *Sport*: dressing (*od.* locker) room; *Umkleide& etc.*: cubicle
Kabinett *n pol.* cabinet
Kabriolett *n* convertible
Kachel *f*, **&n** tile; **~ofen** *m* tiled stove
Kadaver *m* carcass
Käfer *m* beetle, *Am. a.* bug
Kaffee *m* coffee; **~kanne** *f* coffeepot; **~maschine** *f* coffee maker; **~mühle** *f* coffee grinder
Käfig *m* cage
kahl bare; *Mensch*: bald
Kahn *m* boat; *Last&*: barge
Kai *m* quay, wharf
Kaiser|(in) emp|eror (-ress); **~reich** *n* empire; **~schnitt** *m* c(a)esarean
Kajüte *f* cabin
Kakao *m* cocoa; *bot.* cacao
Kakt|ee *f*, **~us** *m* cactus
Kalb *n* calf; **~fleisch** *n* veal; **~sbraten** *m* roast veal;

~schnitzel *n* veal cutlet; *paniertes*: escalope (of veal)
Kalender *m* calendar
Kalk *m* lime; *med.* calcium; *geol.* → **~stein** *m* limestone
Kalorie *f* calorie; **≈narm, ≈reduziert** low-calorie, low in calories; **≈reich** high-calory, high in calories, rich
kalt cold; ***mir ist ~*** I'm cold; **~blütig 1.** *adj* cold-blooded; **2.** *adv* in cold blood
Kälte *f* cold(ness *fig.*); → ***Grad***; **~welle** *f* cold wave
Kamee *f* cameo
Kamel *n* camel
Kamera *f* camera
Kamerad companion, F mate; *mil.* comrade; **~schaft** *f* comradship
Kamera|mann *m* cameraman; **~recorder** *m* camcorder
Kamille *f* camomile
Kamin *m* fireplace; ***am ~*** by the fire(side); → ***Schornstein***; **~sims** *m*, *n* mantelpiece
Kamm *m* comb; *zo. a.* crest
kämmen comb
Kammer *f* (small) room; **~musik** *f* chamber music
Kampagne *f* campaign
Kampf *m* fight (*a. fig.*); *mil. a.* combat; *Schlacht*: battle
kämpfe|n fight*, struggle; **≈r(in)** fighter
Kampf|richter(in) judge; **~sport** *m Judo, Karate etc*: martial arts *pl*
Kanad|a Canada; **~ier(in), ≈isch** Canadian
Kanal *m* canal; *natürlicher*: channel (*a. TV*, *tech.*, *fig.*); *Abwasser≈*: sewer, drain; **~isation** *f* sewerage; *Fluß*: canalization; **≈isieren** provide with a sewerage (system); *Fluß*: canalize; *fig.* channel; **~tunnel** *m* Channel tunnel, F Chunnel
Kanarienvogel *m* canary
Kandid|at(in) candidate; **≈ieren** stand* (*Am.* run*) for election; ***~ für ...*** stand* for...
Känguru *n* kangaroo
Kaninchen *n* rabbit
Kanister *m* (fuel) can
Kanne *f Kaffee≈, Tee≈*: pot; *Milch≈ etc.*: can
Kanon *m mus.* canon, round
Kanone *f* cannon, gun (*a.* F *Waffe*); *fig.* ace, crack
Kante *f* edge
Kantine *f* canteen, *Am.* cafeteria
Kanu *n* canoe
Kanzel *f* pulpit; *aviat.* cockpit
Kanzler(in) chancellor
Kap *n* cape, headland
Kapazität *f* capacity; *fig.* authority
Kapelle *f* chapel; *mus.* band
kapieren F get* (it); ***kapiert?*** got it?
Kapital *n* capital; **~anlage** *f* investment; **~ismus** *m* capitalism; **~ist(in), ≈istisch** capitalist; **~verbrechen** *n* capital crime

Kapitän *m* captain (*a. Sport*)
Kapitel *n* chapter; F story
kapitulieren surrender
Kaplan *m* curate
Kappe *f* cap; *tech. a.* top
Kapsel *f* capsule; case
kaputt broken; *Lift etc.*: out of order; *erschöpft*: worn out; *ruiniert*: ruined; **~gehen** break*; *mot. etc.* break* down; *Ehe etc.*: break* up; *Mensch*: crack (up); **~machen** break*, wreck; ruin
Kapuze *f* hood; *rel.* cowl
Karaffe *f* decanter, carafe
Karate *n* karate
Karawane *f* caravan
Kardinal *m* cardinal; **~zahl** *f* cardinal number
Karfiol *m östr.* cauliflower
Karfreitag *m* Good Friday
kariert checked; *Papier*: squared
Karies *f* (dental) caries
Karikatur *f Porträt, fig.*: caricature; cartoon
Karneval *m* carnival
Karo *n* square, check; *Karten*: diamonds *pl*
Karosserie *f mot.* body
Karotte *f* carrot
Karpfen *m* carp
Karre *f*, **~n** *m* cart
Karriere *f* career
Karte *f* card; ***gelbe*** (***rote***) **~** *Sport*: yellow (red) card; **~n *spielen*** play cards; → ***Fahr-, Land-, Speisekarte*** *etc.*
Kartei *f* card index; **~karte** *f* index (*od.* file) card
Karten|spiel *n* card game; pack (*Am. a.* deck) of cards; **~telefon** *n* cardphone
Kartoffel *f* potato; **~brei** *m* mashed potatoes *pl*
Karton *m* cardboard box, carton; → ***Pappe***
Karussell *n* merry-go-round
Karwoche *f* Holy Week
Käse *m* cheese; F nonsense; **~kuchen** *m* cheesecake
Kaserne *f* barracks *sg, pl*
Kasino *n* casino; cafeteria; *mil.* (officers') mess
Kasperletheater *n* Punch and Judy show
Kasse *f Kaufhaus etc.*: cash desk, *Am.* cashier('s stand); *Bank*: cashier's counter; *Supermarkt*: checkout; *Laden*℞: till; *Registrier*℞: cash register; *thea. etc.* box-office
Kassen|arzt *m*, **~ärztin** *f* panel doctor; **~patient(in)** health plan patient; *Brt.* NHS patient, *Am.* medicaid patient; **~schlager** *m* box-office hit; **~zettel** *m* sales slip (*Am.* check)
Kassette *f* box, case; *mus., TV, phot.* cassette; **~n...** *Rekorder etc.*: cassette ...
kassiere|n collect, take* (the money); ***darf ich jetzt ~?*** do you mind if I give you the bill now?; **℞r(in)** cashier; *Bank*: *a.* teller; *Beiträge etc.*: collector
Kastanie *f* chestnut
Kasten *m* box (*a.* F *TV*), case; *Getränke*℞: crate

Katalog *m* catalog(ue)
Katalysator *m* catalyst; *mot.* catalytic converter
Katastrophe *f* disaster; **~n-gebiet** *n* disaster (*Am.* distressed) area
Kategorie *f* category
Kater *m* tomcat; F hangover
Kathedrale *f* cathedral
Katholi|k(in), **2sch** Catholic
Katze *f* cat; *junge*: kitten
Kauderwelsch *n* gibberish
kauen chew
kauern crouch, squat
Kauf *m* purchase; ***guter ~*** bargain; ***in ~ nehmen*** put* up with; **2en** buy*, purchase
Käufer(in) buyer; customer
Kauf|frau *f* businesswoman; **~haus** *n* department store; **~kraft** *f* purchasing power
käuflich for sale; *fig.* venal
Kaufmann *m* businessman; *Händler*: trader; shopkeeper, *Am.* storekeeper; grocer
Kaugummi *m* chewing gum
kaum hardly
Kaution *f* security; *jur.* bail
Kauz *m* tawny owl; F ***komischer ~*** strange customer
Kavalier *m* gentleman
Kaviar *m* caviar(e)
Kegel *m* cone; *Figur*: pin; **~bahn** *f* skittle alley; bowling alley; **2förmig** conic(al); **2n** play (at) skittles (*od.* ninepins); bowl, go* bowling
Kehl|e *f* throat; **~kopf** *m* larynx
Kehre *f* (sharp) bend
kehr|en sweep*; *wenden*: turn; **2schaufel** *f* dustpan
keifen nag
Keil *m* wedge
Keiler *m* wild boar
Keilriemen *m* V-belt
Keim *m* germ; *bot.* bud; **2en** *Samen*: germinate; *sprießen*: sprout; **2frei** sterile
kein: ~(e) no, not any; **~e(r)** no one, nobody, none (*a.* ***~es***); ***~er von beiden*** neither (of the two); ***~er von uns*** none of us; **~esfalls, ~eswegs** by no means; **~mal** not once
Keks *m*, *n* biscuit, *Am.* cookie
Kelch *m* cup; *rel.* chalice
Kelle *f* ladle; *tech.* trowel
Keller *m* cellar; *bewohnt*: basement (*a.* ***~geschoss***)
Kellner(in) wait|er (-ress)
keltern *Trauben*: press
kennen know*; ***~lernen*** get* to know (***sich*** each other); *j-n*: *a.* meet*
Kenn|er(in) expert; *Kunst2*, *Wein2*: connoisseur; **~tnis** *f* knowledge; **~wort** *n* password; **~zeichen** *n* mark, sign; *mot.* registration (*Am.* license) number; **2zeichnen** mark; *fig.* characterize
kentern capsize
Keramik *f* ceramics *pl*, pottery
Kerbe *f* notch
Kerl *m* fellow, guy
Kern *m* *Obst*: pip, seed; *Kirsch2 etc.*: stone; *Nuss*:

kernel; *tech.* core (*a. Reaktor*≈); *phys.* nucleus (*a. Atom*≈); *fig.* core, heart; **~...** *Energie, Forschung, Reaktor, Waffen etc.*: nuclear ...; **≈gesund** (as) fit as a fiddle; **~kraft** *f* nuclear power; **~kraftgegner(in)** anti-nuclear activist; **~kraftwerk** *n* nuclear power station; **~spaltung** *f* nuclear fission; **~zeit** *f Arbeitszeit*: core time

Kerze *f* candle; *mot.* spark(-ing) plug

Kessel *m* kettle, *tech.* boiler

Kette *f* chain; *Hals*≈: necklace; **~n...** *Laden, Raucher, Reaktion etc.*: chain ...

keuch|en pant, gasp; **≈husten** *m* whooping cough

Keule *f* club; *Fleisch*: leg

Kfz-|Brief *m* vehicle registration document (*Am.* certificate); **~Steuer** *f* road (*Am.* automobile) tax; **~Versicherung** *f* car insurance

kichern giggle; *spöttisch*: snigger

Kiefer¹ *m* jaw(bone)

Kiefer² *f bot.* pine(tree)

Kiel *m naut.* keel

Kieme *f* gill

Kies *m* gravel; **~el** *m* pebble

Kilo|(gramm) *n* kilogram; **~meter** *m* kilomet|re, *Am.* -er; **~watt** *n* kilowatt

Kind *n* child, F kid; baby

Kinder|arzt *m*, **~ärztin** *f* p(a)ediatrician; **~bett** *n* cot, *Am.* crib; **~garten** *m* kindergarten, nursery school; **~gärtnerin** *f* → ***Erzieher(in)***; **~geld** *n* child benefit; **~hort** *m* after-school care cent|re (*Am.* -er); **~krippe** *f* créche, day nursery, *Am.* day-care center; **~lähmung** *f* polio(myelitis); **≈los** childless; **~mädchen** *n* nanny; **~wagen** *m* pram, *Am.* baby carriage; **~zimmer** *n* children's room

Kindesmisshandlung *f* child abuse

Kind|heit *f* childhood; **≈isch** childish; **≈lich** childlike

Kinn *n* chin

Kino *n* cinema, F *the* pictures *pl*, *Am.* motion pictures *pl*, F *the* movies *pl*; *Gebäude*: cinema, *bsd. Am.* movie theater

Kip|pe *f* butt, *bsd. Am.* stub; → ***Müllkippe***; **≈pen** *v/i* tip over; *v/t* tilt

Kirch|e *f* church; **~enlied** *n* hymn; **~enschiff** *n* nave; **~enstuhl** *m* pew; **~gänger(in)** churchgoer; **≈lich** church..., ecclesiastical(ly); **~turm** *m* steeple; *Spitze*: spire; *ohne Spitze*: church tower

Kirsche *f* cherry

Kissen *n* cushion; *Kopf*≈: pillow

Kiste *f* box; *Obst*≈: case; *Truhe*: chest; *Latten*≈: crate

Kitsch *m* trash, kitsch

Kitt *m Glaser*≈: putty; *für Kacheln etc*: cement

Kittel *m* overall, *Am.* work coat; *Arzt*2 *etc*: (white) coat
kitten putty; cement
kitz|eln tickle; **~lig** ticklish
kläffen yap, yelp
klaffend gaping
Klage *f* complaint; *Weh*2: lament; *jur.* action, (law)suit; 2**n** complain; *jur.* go* to court; ***gegen j-n*** ~ sue s.o.
Kläger(in) *jur.* plaintiff
kläglich miserable
klamm *Finger etc.*: numb
Klammer *f* clamp, cramp; *Haar*2: clip; *Zahn*2: brace; *math., print.* bracket(s *pl*); → ***Büro-, Wäscheklammer***; 2**n** clip, attach (***an*** to); ***sich*** ~ ***an*** cling* to (*a. fig.*)
Klang *m* sound; ring(ing)
Klapp... *Bett, Rad, Sitz, Stuhl, Tisch etc.*: folding ...
Klappe *f* flap; *Deckel*: lid; *anat.* valve; *mot.* tail|board, *Am.* -gate; F *Mund*: trap; 2**n** *v/t* fold; ***nach hinten*** ~ fold back; *v/i* clap, clack; *fig.* work, go off well
Klapper *f* rattle; 2**n** clatter, rattle (***mit et.*** s.th.); **~schlange** *f* rattlesnake
Klapp|fahrrad *n* folding bicycle; **~messer** *n* jackknife
Klaps *m* smack
klar clear; *offensichtlich*: *a.* obvious; ~ ***zu(m)*** ... ready for ...; ***ist dir*** ~, ***dass ...?*** do you realize that ...?; ***alles*** ~(***?***) everything o.k.(?)
Klär|anlage *f* sewage plant; 2**en** clear up, clarify; *Wasser*: purify; *Sport*: clear; ***sich*** ~ *Sache*: be* settled
klar|machen: ***j-m et.*** ~ make* s.th. clear to s.o.; ***sich et.*** ~ realize s.th.; **~stellen** get* *s.th.* straight
Klasse *f* class; *Schul*2: *a.* form, *Am.* grade
klasse *adj., int.* F great, fantastic
Klassen|arbeit *f* (classroom) test; **~nlehrer(in)** form teacher, form master (mistress); **~nzimmer** *n* classroom
Klass|ik *f* classical period; 2**isch** classical (*a. mus.*); *fig. Beispiel etc*: classic
Klatsch *m* gossip; **~base** *f* (old) gossip; 2**en** clap; F *schlagen, werfen*: slap; *ins Wasser*: splash; F gossip; ***Beifall*** ~ applaud
klauben *östr.* pick; gather
Klaue *f* claw; F *Schrift*: scrawl; 2**n** F pinch, steal*
Klavier *n* piano
Kleb|eband *n* adhesive tape; 2**en** *v/t* glue, paste, stick*; *v/i* stick*, cling* (***an*** to); 2**rig** sticky; **~stoff** *m* glue; **~estreifen** *m* adhesive tape
Klecks *m* blotch; *kleiner*: blob
Klee(blatt *n*) *m* clover(leaf)
Kleid *n* dress; **~er** *pl* clothes *pl*; 2**en** dress (*a.* ***sich*** ~)
Kleider|bügel *m* (coat) hanger; **~bürste** *f* clothes brush;

~haken *m* (coat) hook *od.* peg; **~schrank** *m* wardrobe
Kleidung *f* clothes *pl*
Kleie *f* bran
klein small, *bsd.* F little (*a. Bruder*, *Finger etc.*); *von Wuchs*: short; **et. ~ schneiden** chop s.th. up; **2...** *Bus etc.*: mini...; **2anzeige** *f* small (*od.* classified, *Am.* want) ad; **2bildkamera** *f* 35 mm camera; **2familie** *f* nuclear family; **2geld** *n* (small) change; **2igkeit** *f* trifle; *Geschenk*: little something; *zu essen*: snack; **e-e ~** *leicht*: nothing, child's play; **2kind** *n* infant; **~laut** subdued; **~lich** narrow-minded; *geizig*: stingy; **2st...** *mst* micro...; **2stadt** *f* small town; **~städtisch** smalltown, provincial; **2wagen** *m* small car, F runabout, *Am.* subcompact
Kleister *m*, **2n** paste
Klemme *f tech.* clamp; *electr.* terminal; → ***Haarklemme***; ***in der ~*** in a jam; **2n** jam, squeeze; *Tür etc.*: be* stuck; ***sich ~*** jam one's finger *etc.*
Klempner(in) plumber
Klette *f* bur(r); *fig.* leech
klettern climb (*a.* ~ ***auf***)
Klient(in) client
Klima *n* climate; **~anlage** *f* air-conditioning
klimpern jingle, chink; F tinkle (away) (***auf*** at)
Klinge *f* blade
Klingel *f* bell; **~knopf** *m* bell-push; **2n** ring* (the bell)
klingen sound; ring*
Klinik *f* hospital, clinic
Klinke *f* (door) handle
Klippe *f* cliff, rock
klirren clink, tinkle; *Fenster, Kette etc.*: rattle; *Schwerter, Teller*: clatter
Klischee *n fig.* cliché
Klo *n* loo, *Am.* john
klobig bulky, clumsy
klopfen knock; *Herz*: beat*; *heftig*: throb; *auf die Schulter etc.*: tap; *freundlich*: pat; ***es klopft*** there's a knock at the door
Klops *m* meatball
Klosett *n* lavatory, toilet
Kloß *m* dumpling; *fig.* lump
Kloster *n* monastery; *Nonnen2*: convent
Klotz *m* block; *Holz*: *a.* log
Klub *m* club
Kluft *f fig.* gap, chasm
klug clever, intelligent
Klump|en *m* lump; *Erd2 etc.*: clod; **~fuß** *m* clubfoot
knabbern nibble, gnaw
Knäckebrot *n* crispbread
knack|en crack (*a. fig. u.* F); **2punkt** *m* sticking point
Knall *m* bang; *Peitsche*: crack; *Korken*: pop; ***e-n ~ haben*** be* nuts; **~bonbon** *m, n* cracker; **2en** bang; crack; pop
knapp scarce; *kurz*: brief; *spärlich*: scanty, meag|re, *Am.* -er; *Mehrheit, Sieg etc.*:

narrow; *eng*: tight; **~ an ...** short of ...; ***j-n* ~ *halten*** keep* s.o. short; **~ *werden*** run* short
knarren creak
knattern crackle; *mot*. roar
Knäuel *m*, *n* ball; tangle
Knauf *m* knob
knautsch|en crumple; **2zone** *f* crumple zone
Knebel *m*, **2n** gag
kneif|en pinch; F chicken out; **2zange** *f* pincers *pl*
Kneipe *f* pub, *Am*. saloon
kneten knead; mo(u)ld
Knick *m* fold, crease; *Kurve*: bend; **2en** fold, crease; bend*; *brechen*: break*
Knie *n* knee; **2n** kneel*; **~kehle** *f* hollow of the knee; **~scheibe** *f* kneecap; **~strumpf** *m* knee(-length) sock
knipsen punch; *phot*. take* a picture (of)
Knirps *m* shrimp
knirschen crunch; ***mit den Zähnen*** **~** grind* one's teeth
knistern crackle; *Papier etc*.: rustle
knittern crumple, crease
Knoblauch *m* garlic
Knöchel *m Fuß2*: ankle; *Finger2*: knuckle
Knoch|en *m* bone; **~enbruch** *m* fracture; **2ig** bony
Knödel *m* dumpling
Knolle *f* tuber; *Zwiebel*: bulb
Knopf *m*, **knöpfen** button
Knopfloch *n* buttonhole
Knorpel *m* gristle; *anat*. cartilage
Knospe *f*, **2n** bud
Knoten *m* knot; *med*. lump; **2** (make* a) knot (in); **~punkt** *m* junction
Knüller *m* (smash) hit
knüpfen tie; *Teppich*: weave*
Knüppel *m* stick (*a*. *Steuer2 etc*.), cudgel; **~schaltung** *f mot*. floor shift
knurren growl, snarl; *fig*. grumble; *Magen*: rumble
knusprig crisp, crunchy
Koch *m* cook; chef; **~buch** *n* cookery book, *bsd. Am*. cookbook; **2en** *v/t* cook; *Eier*, *Wasser*, *Wäsche*: boil; *Kaffee*, *Tee etc*.: make*; *v/i* (do* the) cook(ing); *Flüssiges*: boil (*fig*. **vor Wut** with rage); **~er** *m* cooker
Köchin *f* cook
Koch|nische *f* kitchenette; **~platte** *f* hotplate; **~topf** *m* pot, saucepan
Kode *m* code
Köder *m*, **2n** bait
kodier|en (en)code; **2ung** *f* (en)coding
Koffein *n* caffeine; **2frei** decaffeinated
Koffer *m* (suit)case; **~radio** *n* portable radio; **~raum** *m mot*. boot, *Am*. trunk
Kohl *m* cabbage
Kohle *f* coal; *electr*. carbon; **~hydrat** *n* carbohydrate; **~ndioxyd** *n* carbon dioxide;

~nsäure *f* carbonic acid; *im Getränk*: fizz; **~nstoff** *m* carbon: **~nwasserstoff** *m* hydrocarbon
Koje *f* berth, bunk
Kokain *n* cocaine
Kokosnuss *f* coconut
Koks *m* coke (*a. sl. Kokain*)
Kolben *m Gewehr*2: butt; *tech.* piston
Kolik *f* colic
Kolleg|e *m*, **~in** *f* colleague
Kolonie *f* colony
Kolonne *f* column; *Wagen*2: convoy
Kombi *m* estate car, *bsd. Am.* station wagon; **~nation** *f* combination; *Mode*: set; *aviat.* flying suit; *Fußball etc.*: combined move; **2nieren** *v/t* combine; *v/i* reason
Komfort *m* luxury; *Ausstattung*: (modern) conveniences *pl*; **2abel** luxurious
Komi|k *f* humo(u)r; comic effect; **~ker(in)** comedian; *f Beruf*: comedienne; **2sch** funny; *fig. a.* strange; *Oper etc.*: comic
Komitee *n* committee
Komma *n* comma; ***sechs ~ vier*** six point four
Kommand|ant *m* commander; **2ieren, ~o** *n* command
kommen come*; *an~*: arrive; *gelangen*: get*; ***zur Schule ~*** start school; ***ins Gefängnis ~*** go* to jail; ***~ lassen*** send* for; *j-n*: *a.* call; ***~ auf*** think* of; remember; ***zu et. ~*** come* by s.th.; get* around to (doing) s.th.; ***zu sich ~*** come* round *od.* to; ***du kommst*** it's your turn
Komment|ar *m* comment(ary *TV etc.*); **2ieren** comment on
Kommiss|ar(in) *Polizei*: superintendent, *Am.* captain; **~ion** *f* commission; *Ausschuss*: *a.* committee
Kommode *f* chest of drawers, *Am. a.* bureau
Kommunis|mus *m* communism; **~t(in), 2tisch** communist
Komödie *f* comedy
Kompaktanlage *f* music cent|re (*Am.* -er), *Am.* stereo system
Kompanie *f* company
Komparativ *m* comparative
Kompass *m* compass
kompatibel compatible
komplett complete
komplex, 2 *m* complex
Kompliment *n* compliment
Kompliz|e, ~in accomplice
komplizier|en complicate; **~t** complicated, complex
kompo|nieren compose; **2nist(in)** composer
Kompost *m* compost; **~haufen** *m* compost heap
Kompott *n* stewed fruit
Kompromiss *m* compromise
kondens|ieren condense; **2milch** *f* condensed milk
Kondition *f* condition; **2al, ~al** *m* conditional

Konditor|(in) confectioner; **~ei** *f* confectionery (*a.* **~waren**); café
kondolieren: ***j-m*** **~** express one's condolences to s.o.
Kondom *n*, *m* condom
Konfekt *n* sweets *pl*, *Am.* candy; chocolates *pl*
Konferenz *f* conference
Konfession *f* denomination
Konfirmation *f* confirmation
Konfitüre *f* jam
Konflikt *m* conflict
konfrontieren confront
Kongress *m* congress
König *m* king; **~in** *f* queen; **2lich** royal; **~reich** *n* kingdom
Konjug|ation *f gr.* conjugation; **2ieren** *gr.* conjugate
Konjunkt|ion *f gr.* conjunction; **~iv** *m* subjunctive; **~ur** *f* economic situation
Konkurr|ent(in) competitor, rival; **~enz** *f* competition; ***die*** **~** one's competitor(s *pl*); **2enzfähig** competitive; **2ieren** compete
Konkurs *m* bankruptcy
können can*, be* able to, know* how to; *Sprache*: know*, speak*; ***kann ich ...?*** can *od.* may I ...?; ***ich kann nicht mehr*** I can't go on; I can't eat any more; ***es kann sein*** it may be
konsequen|t consistent; **2z** *f* consistency; *Folge*: consequence
konservativ conservative
Konserven *pl* canned (*Brt. a.* tinned) food(s *pl*); **~büchse** *f*, **~dose** *f* can, *Brt. a.* tin
konservier|en preserve; **2ungsstoff** *m* preservative
Konsonant *m* consonant
konstru|ieren construct; *entwerfen*: design; **2ktion** *f* construction
Konsul|(in) consul; **~at** *n* consulate
Konsum *m* consumption; *econ.* cooperative (store); **~gesellschaft** *f* consumer society
Kontakt *m* contact; **~ *aufnehmen*** (***haben***) get* (be*) in touch; **2arm** unsociable; **2freudig** sociable; **~linsen** *pl* contact lenses *pl*; **~person** *f* contact
Konter *m* counter(attack); **~...** *Attacke*, *Revolution etc*: counter...; **2n** counter; *Fußball*: counterattack
Kontinent *m* continent
Konto *n* account; **~auszug** *m* statement of account; **~stand** *m* balance (of an account)
kontra against, versus; → ***pro***
Kontrast *m* contrast
Kontroll|e *f* control; *Aufsicht*: *a.* supervision; *Prüfung*: *a.* check(up); **~eur(in)** (ticket) inspector; **~gang** *m* round; **~gerät** *n* monitor; **2ieren** check (*j-n*: up on *s.o.*); *beherrschen*, *überwachen*: control

Konversation *f* conversation
Konzentr|ation *f* concentration; **~ationslager** *n* concentration camp; **ℒieren** concentrate (*a.* ***sich*** **~**)
Konzert *n* concert; *Musikstück*: concerto; **~saal** *m* concert hall, auditorium
Konzession *f* concession; *jur*. licen|ce, *Am*. -se
Kopf *m* head (*a. fig.*); **~ball** *m* header; **~balltor** *n* headed goal; **~ende** *n* head, top; **~hörer** *m* headphones *pl*; **~kissen** *n* pillow; **~salat** *m* lettuce; **~schmerzen** *pl* headache *sg*; **~sprung** *m* header; **~tuch** *n* (head)scarf; **ℒüber** head first
Kopie *f* copy
kopier|en copy; **ℒer** *m*, **ℒgerät** *n* copier; **ℒladen** *m* copy shop (*od.* cent|re, *Am*. -er)
Kopilot(in) copilot
koppeln couple
Koralle *f* coral
Korb *m* basket; ***j-m e-n ~ geben*** F *fig*. turn s.o. down; **~...** *Möbel etc*.: wicker ...
Kord *m* corduroy; **~el** *f* cord
Kork|(en) *m* cork; **~enzieher** *m* corkscrew
Korn *n* grain (*a. phot., tech.*)
körnig grainy; ...-grained
Körper *m* body; **~bau** *m* physique; **ℒbehindert** physically handicapped, disabled; **~geruch** *m* body odo(u)r, BO; **ℒlich** physical; **~pflege** *f* hygiene; **~teil** *m* part of the body
korrekt correct; **ℒur** *f* correction; *print*. proof(reading)
Korrespond|ent(in) correspondent; **~enz** *f* correspondence; **ℒieren** correspond
korrigieren correct
Korsett *n* corset
Kosename *m* pet name
Kosmet|ik *f* beauty culture; *Mittel*: cosmetics *pl*; **~ikerin** *f* beautician; **~ikkoffer** *m* vanity case; **~iksalon** *m* beauty parlo(u)r (*od.* salon); **ℒisch** cosmetic(ally)
Kost *f* food, diet; *Verpflegung*: board; **ℒbar** precious, valuable; **~barkeit** *f* precious object
kosten¹ cost*; *Zeit, Mühe a.*: take*; ***wie viel kostet ...?*** how much is ...?
kosten² taste, try
Kosten *pl* cost(s *pl*); *Unℒ*: expenses *pl*; **ℒlos** free (of charge), *get* for nothing
köstlich delicious; *fig*. priceless; ***sich ~ amüsieren*** have* a very good time
Kost|probe *f* sample; **ℒspielig** expensive, costly
Kostüm *n* (woman's) suit; *thea. etc*. costume
K.-o.-System *n* *Sport*: knockout system
Kot *m* excrement
Kotelett *n* chop, cutlet; ***~en*** *pl* sideburns *pl*
Köter *m* mutt, cur

Kotflügel *m* mudguard, *Am.* fender
Krabbe *f* shrimp; prawn
krabbeln crawl
Krach *m* crash (*a. fig., pol.*); *Lärm*: noise; *Streit*: quarrel; **≈en** crack (*a. Schuss*), crash (*a. prallen*)
krächzen croak
Kraft *f* strength, force (*a. fig., pol.*), power (*a. phys.*); ***in ~ treten*** come* into force; **~brühe** *f* consommée; **~fahrer(in)** motorist; **~fahrzeug** *n* motor vehicle; *Zssgn* → ***Kfz..., Auto...***
kräftig strong (*a. fig.*); *Essen*: substantial; F *tüchtig*: good
kraft|los weak; **≈stoff** *m* fuel; **≈werk** *n* power station
Kragen *m* collar
Krähe *f*, **≈n** crow*
Kralle *f* claw (*a. fig.*)
Kram *m* stuff, junk; **≈en** rummage (around)
Krampf *m* cramp; *stärker*: spasm; F *fig.* fuss; **~ader** *f* varicose vein
Kran *m* crane
Kranich *m* crane
krank ill (*nur pred*), sick (*a. fig.*); ***~ werden*** fall ill; **≈e** *m, f* sick person, patient; ***die ~n*** the sick
kränken hurt*, offend
Kranken|geld *n* sickpay; **~haus** *n* hospital; **~kasse** *f* health insurance; **~pfleger** *m* male nurse; **~schein** *m* health insurance certificate; **~schwester** *f* nurse; **~versicherung** *f* health insurance; **~wagen** *m* ambulance; **~zimmer** *n* sickroom
krank|haft morbid; **≈heit** *f* illness; *bestimmte*: disease
kränk|lich sickly; **≈ung** *f* insult, offen|ce, *Am.* -se
Kranz *m* wreath; *fig.* ring
krass crass, gross
Krater *m* crater
kratz|en: (*sich*) ~ scratch (o.s.); **≈er** *m* scratch (*a.* F)
kraulen scratch (gently); *Sport*: crawl
kraus curly, frizzy
Kraut *n* herb; *Kohl*: cabbage; sauerkraut
Krawall *m* riot
Krawatte *f* (neck)tie
Krebs *m Fluss≈*: crayfish; *Taschen≈*: crab; *med.* cancer; *astr.* Cancer
Kredit *m* credit; → ***Darlehen***; **~hai** *m* F loan shark; **~karte** *f* credit card
Kreide *f* chalk
Kreis *m* circle (*a. fig.*); *pol.* district; **~bahn** *f* orbit
kreischen screech; *vor Vergnügen*: squeal
kreis|en (move in a) circle, revolve, rotate; *Blut*: circulate; **~förmig** circular; **≈lauf** *m* circulation; *biol., fig.* cycle; **≈laufstörungen** *pl* circulatory trouble *sg*; **≈verkehr** *m* roundabout, *Am.* traffic circle
Krempe *f* brim

Kren *m östr.* horseradish
Krepp *m* crepe (*a. in Zssgn*)
Kreuz *n* cross; crucifix; *anat.* (small of the) back; *Karten*: club(s *pl*)
kreuz|en *v/t* cross (*a.* ***sich*** **~**); *v/i mar.* cruise; **²fahrt** *f* cruise; **~igen** crucify; **²otter** *f* adder; **²schmerzen** *pl* backache *sg*; **²ung** *f* crossing, junction; *biol., fig.* cross; **²verhör** *n*: ***ins ~ nehmen*** cross-examine; **²worträtsel** *n* crossword (puzzle); **²zug** *m* crusade
kriech|en creep*, crawl (*a. contp.*); **²spur** *f* slow lane
Krieg *m* war
kriegen get*; catch*
Kriegs|dienstverweigerer *m* conscientious objector; **~gefangene** *m* prisoner of war; **~gefangenschaft** *f* captivity; **~schiff** *n* warship; **~verbrechen** *n* war crime
Kriminal|beamte *m*, **~beamtin** *f* (plain-clothes) detective; **~film** *m* (crime) thriller; **~ität** *f* crime; **~polizei** *f* criminal investigation department (*Am.* division); **~roman** *m* detective novel
kriminell, ²e *m, f* criminal
Krippe *f* crib, manger; → ***Kinderkrippe***
Krise *f* crisis
Kristall *m*, **~** *n* crystal
Kriterium *n* criterion
Kriti|k *f* criticism; *thea. etc.* review; **~ker(in)** critic; **²sch** critical; **²sieren** criticize
kritzeln scrawl, scribble
Krokodil *n* crocodile
Krone *f*, **krönen** crown
Kron|enkorken *m* crown cap; **~leuchter** *m* chandelier
Krönung *f* coronation
Kropf *m* goit|re, *Am.* -er
Kröte *f* toad
Krücke *f* crutch
Krug *m* jug, pitcher; mug
Krümel *m* crumb
krumm crooked (*a. fig.*), bent
krümm|en bend*; crook (*a. Finger*); **²ung** *f* bend; curve; *math., geogr., med.* curvature
Krüppel *m* cripple
Kruste *f* crust
Kruzifix *n* crucifix
Kubik... cubic ...
Küche *f* kitchen; *gastr.* cuisine, cooking
Kuchen *m* cake
Küchenschrank *m* (kitchen) cupboard
Kuckuck *m* cuckoo
Kufe *f* runner; *aviat.* skid
Kugel *f* ball; *Gewehr etc.*: bullet; *math., geogr.* sphere; *Sport*: shot; **~lager** *n* ball bearing; **~schreiber** *m* ballpoint (pen), *Brt. a.* biro®; **²sicher** bulletproof; **~stoßen** *n* shot put
Kuh *f* cow
kühl cool (*a. fig.*); **²box** *f* cold box; **~en** cool, chill; **²er** *m mot.* radiator; **²erhaube** *f* bonnet, *Am.* hood;

≈schrank *m* refrigerator; **≈truhe** *f* freezer
kühn bold, daring
Kuhstall *m* cowshed
Küken *n* chick (*a.* F *fig.*)
Kuli *m* F → ***Kugelschreiber***
Kulisse *f thea.* scenery; *fig.* background; ***hinter den ~n*** backstage (*a. fig*)
kultivieren cultivate
Kultur *f* culture (*a. biol.*), civilization; **~beutel** *m* toilet bag (*Am.* kit); **≈ell** cultural
Kümmel *m* caraway
Kummer *m* grief, sorrow
kümmer|lich miserable; *dürftig*: poor; **~n** concern; ***sich ~ um*** look after, take* care of
Kumpel *m* miner; F pal
Kunde *m* customer; **~ndienst** *m* service (department)
Kundgebung *f pol.* rally
kündig|en cancel; *j-m*: give* *s.o.* notice; **≈ung** *f* (*Frist*: period of) notice
Kund|in *f* customer; **~schaft** *f* customers *pl*
Kunst *f* art; *Fertigkeit*: *a.* skill; **~dünger** *m* artificial fertilizer; **~faser** *f* man-made (*od.* synthetic) fib|re (*Am.* -er); **~gewerbe** *n* arts and crafts *pl*
Künstler|(in) artist; **≈isch** artistic
künstlich artificial; ~ *hergestellt*: synthetic, man-made
Kunst|stoff *m* synthetic (material), plastic; **~stück** *n* trick; **~werk** *n* work of art
Kupfer *n* copper; **~stich** *m* copperplate
Kuppe *f* (hill)top; (finger)tip
Kupp|el *f* dome; **~elei** *f* procuring; **≈eln** couple; *mot.* operate the clutch; **~lung** *f* coupling; *mot.* clutch
Kur *f* cure
Kür *f Eislauf*: free skating; *Turnen*: free exercises *pl*
Kurbel *f*, **≈n** crank; **~welle** *f* crankshaft
Kürbis *m* pumpkin
Kur|gast *m* visitor; **≈ieren** cure; **~ort** *m* health resort
Kurs *m* course; *Börse*: price; *Wechsel≈*: (exchange) rate; **~buch** *n* railway (*Am.* railroad) timetable
kursieren circulate
Kurswagen *m* through carriage
Kurve *f* curve; **≈nreich** winding; F *Frau*: curvaceous
kurz short; *zeitlich*: *a.* brief; ***~e Hose*** shorts *pl*; ***sich ~ fassen*** be* brief; **~ (*gesagt*)** in short; ***vor ~em*** a short time ago
Kurzarbeit *f* short time, *Am.* reduced (working) hours *pl*
Kürze *f* shortness; ***in ~*** shortly; **≈n** shorten (***um*** by); *Buch etc.*: abridge; *Ausgaben*: cut*, reduce
kurz|erhand without hesitation; **~fristig 1.** *adj* short-term; **2.** *adv* at short notice; **≈geschichte** *f* short story

kürzlich recently
Kurz|schluss *m* short circuit; **~schrift** *f* shorthand; **2sichtig** shortsighted, *bsd. Am.* nearsighted; **~waren** *pl* haberdashery *sg*, *Am.* notions *pl*; **~welle** *f* short wave
Kusine *f* cousin
Kuss *m*, **küssen** kiss (*a.* ***sich** ~*)
Küste *f* coast, shore
Küster(in) verger, sexton
Kutsche *f* coach, carriage; **~r** *m* coachman
Kutte *f* cowl
Kutter *m* cutter

L

Labor *n* lab(oratory); **~ant(in)** laboratory technician
Lache *f* pool, puddle
lächeln, **2** *n* smile
lachen laugh; **2** *n* laugh(ter)
lächerlich ridiculous
Lachs *m* salmon
Lack *m* varnish; *Farb2*: lacquer; *mot.* paint(work); **2ieren** varnish; *mot., Nägel*: paint
Ladegerät *n* battery charger
laden load; *electr.* charge; *Computer*: boot (up)
Laden *m* shop, *Am.* store; *Fenster*: shutter; **~dieb(in)** shoplifter; **~diebstahl** *m* shoplifting; **~schluß** *m* closing time; **~tisch** *m* counter
Ladung *f* load, freight; *mar., aviat.* cargo; *electr.* charge
Lage *f* situation, position; *Schicht*: layer; ***in der ~ sein zu*** be* able to
Lager *n* camp; *econ.* stock (***auf*** in); *tech.* bearing; *geol.* deposit; **~feuer** *n* campfire; **~haus** *n* warehouse; **2n** *v/i* camp; *econ.* be* stored; *ab~*: age; *v/t* store, keep* *in a place*; **~ung** *f* storage
lahm lame; **~en** be* lame (***auf*** in)
lähm|en paraly|se, *Am.* -ze; **2ung** *f* paralysis
Laib *m* loaf
Laie *m* layman; amateur
Laken *n* sheet
Lakritze *f* liquorice
lallen speak* drunkenly
Lamm *n* lamb
Lampe *f* lamp; **~nschirm** *m* lampshade
Land *n Fest2*: land (*a.* *~besitz*); *pol.* country; *Bundes2*: state; Land; ***an ~*** ashore; ***auf dem ~(e)*** in the country; → ***hierzulande***; **~ebahn** *f* runway; **2en** land
Länderspiel *n* international match (*od.* game)
Landes|... *Grenze etc.*: national ...; **~innere** *n* interior
Land|karte *f* map; **~kreis** *m* district

ländlich rural; *derb*: rustic
Land|schaft *f* countryside; landscape (*a. paint.*); *schöne*: scenery; **~smann** *m* **~smännin** *f* (fellow) country|man (-woman); **~straße** *f* (secondary *od.* country) road; **~streicher(in)** tramp; **~tag** *m* Land parliament
Landung *f* landing; **~ssteg** *m* gangway
Land|weg *m*: ***auf dem ~(e)*** by land; **~wirt(in)** farmer; **~wirtschaft** *f* agriculture, farming; **&wirtschaftlich** agricultural
lang long; *Person*: tall; **~e** (for a) long (time)
Länge *f* length; *geogr.* longitude
langen → ***genügen, reichen***; ***mir langts*** I've had enough
Langeweile *f* boredom
lang|fristig long-term; **~jährig** ... of many years, (many) years of ...; **&lauf** *m* cross-country skiing
länglich longish, oblong
längs along(side)
lang|sam slow; **&schläfer(in)** late riser; **&spielplatte** *f* LP
längst long ago *od.* before
Langstrecken... long-distance ...; *aviat.*, *mil.* long-range ...
langweil|en bore; ***sich ~*** be* bored; **~ig** boring, dull; **~e *Person*** bore
Langwelle *f* long wave
Lappalie *f* trifle
Lappen *m* rag, cloth
läppisch ridiculous
Lärche *f* larch
Lärm *m* noise
Larve *f* mask; *zo.* larva
Lasche *f* flap; tongue
Laser *m* laser; **~drucker** *m* laser printer; **~technik** *f* laser technology
lassen let*; *an e-m Ort, in e-m Zustand*: leave*; *unter~*: stop; *veran~*: make*; ***et. tun od. machen ~*** have* s.th. done *od.* made
lässig casual; careless
Last *f* load; burden; *Gewicht*: weight; ***zur ~ fallen*** be* a burden to *s.o.*; **&en: *~ auf*** weigh (up)on
Laster *n* vice
läst|ern: *~ über* run* down; **~ig** troublesome
Lastwagen *m* truck, *Brt. a.* lorry
Latein *n*, **&isch** Latin
Laterne *f* lantern; streetlight; **~npfahl** *m* lamppost
Latte *f* lath; *Zaun*: pale; *Sport*: (cross)bar
Lätzchen *n* bib, feeder
Laub *n* foliage, leaves *pl*; **~baum** *m* deciduous tree
Laube *f* arbo(u)r, bower
Laub|frosch *m* tree frog; **~säge** *f* fretsaw
Lauch *m* leek
lauern lurk, lie* in wait
Lauf *m* run; *Bahn*, *Ver&*:

course; *Gewehr*: barrel; **~bahn** *f* career
laufen run*; *gehen*: walk; ~ ***lassen*** let* *s.o.* go (*straffrei*: off) **~d** continuously; *regelmäßig*: regularly
Läufer *m* runner (*a. Teppich*); *Schach*: bishop
Lauf|masche *f* ladder, *Am.* run; **~werk** *n* drive
Lauge *f* lye; *Seifen*≗: suds *pl*
Laun|e *f*: ***...*** ~ ***haben*** be* in a ... mood; **≗isch** moody
Laus *f* louse
Lausch|angriff *m* bugging operation; **≗en** listen (*dat* to); *heimlich*: *a.* eavesdrop; **≗ig** snug, cosy
laut 1. *adj* loud; noisy; **2.** *adv* aloud, loud(ly); **3.** *prp* according to; **4.** ≗ *m* sound; **~en** be*; *Satz*: read*
läuten ring*; ***es läutet*** the bell is ringing
lauter nothing but
laut|los soundless; **≗sprecher** *m* loudspeaker; **≗stärke** *f* volume
lauwarm lukewarm
Lava *f* lava
Lavendel *m* lavender
Lawine *f* avalanche
leben 1. *v/i* live (**von** on); be* alive; **2.** ≗ *n* life; ***am*** ~ alive; ***ums*** ~ ***kommen*** lose* one's life; **~dig** living, alive; *fig.* lively
Lebens|bedingungen *pl* living conditions *pl*; **~gefahr** *f* mortal danger; ***unter*** ~ at the risk of one's life; **≗gefährlich** dangerous (to life); **~gefährte** *m* partner, common-law husband; **~gefährtin** *f* partner, common-law wife; **~haltungskosten** *pl* cost *sg* of living; **≗länglich** for life; **~lauf** *m* personal record, curriculum vitae; **≗lustig** fond of life; **~mittel** *pl* food *sg*; **~mittelgeschäft** *n* grocer's, *Am.* grocery store; **~standard** *m* standard of living; **~unterhalt** *m* livelihood; **s-n** ~ ***verdienen*** earn one's living; **~versicherung** *f* life insurance; **≗wichtig** vital, essential; **~zeichen** *n* sign of life
Leber *f* liver; **~fleck** *m* mole
Lebewesen *n* living being
leb|haft lively; *Verkehr*: heavy; **≗kuchen** *m* gingerbread; **~los** lifeless
Leck *n*, **≗en¹** leak
lecken² lick (*a.* ~ ***an***)
lecker delicious, F yummy; **≗bissen** *m* delicacy, treat
Leder *n* leather
ledig single, unmarried
leer empty; *Haus etc.*: *a.* vacant; *Seite etc.*: blank; *Batterie*: dead; **≗e** *f* emptiness; **~en** empty (*a.* ***sich*** ~); **≗lauf** *m* neutral; **≗ung** *f post.* collection, *Am.* mail pick-up
legal legal, lawful
legen lay* (*a. Ei*); place, put*; *Haare*: set*; ***sich*** ~ lie* down; *fig.* calm down

Legende *f* legend
Lehm *m* loam; *Ton*: clay
Lehn|e *f* back(rest); arm(-rest); **≈en** lean* (*a.* ***sich*** **~**), rest (***an, gegen*** against); **~stuhl** *m* armchair
Lehrbuch *n* textbook
Lehre *f* science; theory; *rel., pol.* teachings *pl*; *Ausbildung*: apprenticeship; *Warnung*: lesson; **≈n** teach*, instruct; **~r(in)** teacher, instructor
Lehr|gang *m* course; **~ling** *m* apprentice; **≈reich** instructive; **~stelle** *f* apprenticeship; **~tochter** *f Schweiz*: (female) apprentice
Leib *m* body; *anat.* abdomen; **~gericht** *n* favo(u)rite dish; **~wache** *f*, **~wächter** *m* bodyguard
Leiche *f* (dead) body, corpse; **~nhalle** *f* mortuary; **~nschauhaus** *n* morgue
leicht light (*a. fig.*); *einfach*: easy; **≈athlet(in)** (track-and-field) athlete; **≈athletik** *f* track and field (events *pl*); **≈sinn** *m* carelessness; **~sinnig** careless
Leid *n* grief, sorrow
leid: ***es*** **(*er*)** ***tut mir*** **~** I'm sorry (for him); **~en** suffer (***an*** from); ***ich kann ... nicht*** **~** I can't stand ...; **≈en** *n* suffering; *med.* complaint
Leidenschaft *f* passion; **≈lich** passionate
leider unfortunately
Leih|bücherei *f* public library; **≈en** *j-m*: lend*; *sich* **~**: borrow; → ***mieten***; **~gebühr** *f* rental (fee); **~haus** *n* pawnshop; **~mutter** *f* surrogate mother; **~wagen** *m* hire (*Am.* rented) car
Leim *m*, **≈en** glue
Leine *f* line; → ***Hundeleine***
Lein|en *n* linen; **~tuch** *n* sheet; **~wand** *f paint.* canvas; *Kino*: screen
leise quiet; *Stimme*: *a.* low; ***~r stellen*** turn down
Leiste *f* ledge; *anat.* groin
leisten do*, work; *Dienst, Hilfe*: render; *vollbringen*: achieve; ***ich kann mir ... (nicht)*** **~** I can('t) afford ...
Leistung *f* performance; achievement; *tech. a.* output; *Dienst≈*: service; *Sozial≈*: benefit
Leit|artikel *m* editorial; **≈en** lead*, guide; conduct (*a. phys., mus.*); *Betrieb etc.*: run*, manage
Leiter *f* ladder (*a. fig.*)
Leiter(in) leader; conductor (*a. mus., phys.*); *Firma, Amt*: head, manager; chairperson
Leitplanke *f* crash barrier, *Am.* guardrail
Leitung *f* management, direction; *Vorsitz*: chairmanship; *tech., tel.* line; *Haupt≈*: main(s *pl*); pipe(s *pl*); cable(s *pl*); **~srohr** *n* pipe; **~swasser** *n* tap water

Lekt|ion *f* lesson; **~üre** *f* reading (matter); *ped.* reader
Lende *f* loin
lenk|en steer, drive*; *fig.* direct; *Kind*: guide; **2er** *m* handlebar; **2rad** *n* steering wheel; **2ung** *f* steering (system)
Leopard *m* leopard
Lerche *f* lark
lernen learn*; study
lesbisch lesbian
Lese|buch *n* reader; **2n** read*; *Wein*: harvest; **~r(in)** reader; **2rlich** legible; **~zeichen** *n* bookmark
letzte last; *neueste*: latest
Leucht|anzeige *f* luminous (*od. LED*) display; **~e** *f* light, lamp; **2en** shine*; *schimmern*: gleam; **2end** shining, bright; **~er** *m* candlestick; → ***Kronleuchter***; **~farbe** *f* luminous paint; **~reklame** *f* neon sign(s *pl*); **~turm** *m* lighthouse; **~ziffer** *f* luminous digit
leugnen deny
Leute *pl* people *pl*; F folks *pl*
Lexikon *n* dictionary; encyclop(a)edia
Libelle *f* dragonfly
liberal liberal
Libero *m* sweeper, libero
Licht *n* light; **~bild** *n* photo(graph); *Dia*: slide; **2empfindlich** *phot.* sensitive; **~empfindlichkeit** *f* *phot.* speed
lichten *Wald*: clear; ***den Anker ~*** weigh anchor; ***sich ~*** get* thin(ner)
Licht|hupe *f*: ***die ~ benutzen*** flash one's lights (at s.o.); **~jahr** *n* light year; **~maschine** *f* generator; **~schalter** *m* light switch; **~schutzfaktor** *m* sun protection factor; **~strahl** *m* ray (*od.* beam) of light
Lichtung *f* clearing
Lid *n* (eye)lid; **~schatten** *m* eye shadow
lieb dear; *nett*: nice, kind
Liebe *f*, **2n** love
liebenswürdig kind
lieber rather, sooner; ***~ haben*** prefer, like better
Liebes|brief *m* love letter; **~paar** *n* lovers *pl*
liebevoll loving, affectionate
Lieb|haber *m* lover (*a. fig.*); **~haberei** *f* hobby; **2lich** sweet (*a. Wein*); **~ling** *m* darling (*a. Anrede*); *bsd. Kind, Tier*: pet; **~lings...** favo(u)rite ...; **2los** unkind; *nachlässig*: careless(ly)
Lied *n* song
liederlich slovenly, sloppy
Liedermacher(in) singer--songwriter
Liefer|ant(in) supplier; **2bar** available; **2n** deliver; supply; **~schein** *m* receipt (for delivery); **~ung** *f* delivery; supply; **~wagen** *m* (delivery) van
Liege *f* couch; (camp) bed
liegen lie*; *Haus etc.*: be*

(situated); ~ ***nach*** face; ***es liegt daran, dass*** it's because; ***es liegt mir viel*** (***nichts***) ***daran*** it means a lot (doesn't mean much) to me; ***j-m*** ~ appeal to s.o.; ~ ***bleiben*** stay in bed; *Sache*: be* left behind; ~ ***lassen*** leave* (behind)
Liege|stuhl *m* deck chair; **~stütz** *m* press-up, *Am.* push-up; **~wagen** *m* couchette
Lift *m* lift, *Am.* elevator
Liga *f* league
Likör *m* liqueur
lila purple, violet
Lilie *f* lily
Limonade *f* lemonade
Limousine *f* saloon car, *Am.* sedan
Linde *f* lime tree, linden
lindern relieve, ease
Lineal *n* ruler
Linie *f* line; *fig.* figure; **~nflug** *m* scheduled flight; **~nrichter(in)** linesman (-woman)
link|e left (*a. pol.*); **2e¹** *f pol.* left; **2e²** *m, f* leftist; **~s** (on the *od.* to the) left; **2saußen** *m Sport*: outside left, left winger; **2shänder(in)** left-hander; **2radikale** *m, f* left-wing extremist
Linse *f bot.* lentil; *opt.* lens
Lippe *f* lip; **~nstift** *m* lipstick
lispeln (have* a) lisp
List *f* cunning; trick
Liste *f* list; *Namen*: *a.* roll
listig cunning, sly
Liter *m, n* lit|re, *Am.* -er
litera|risch literary; **2tur** *f* literature
Lizenz *f* licen|ce, *Am.* -se
Lob *n*, **2en** praise; **2enswert** praiseworthy
Loch *n* hole; **2en, ~er** *m* punch; **~karte** *f* punch(ed) card
Locke *f* curl; ***~n haben*** have curly hair; **2n¹** curl (*a.* ***sich*** ~)
locken² lure, entice
Lockenwickler *m* curler
locker loose; *fig.* relaxed; **~n** loosen (*a.* ***sich*** ~), slacken; *Griff*, *fig.*: relax
lockig curly, curled
Löffel *m* spoon
Loge *f thea.* box; *Bund*: lodge
logisch logical
Lohn *m* wages *pl*, pay; *fig.* reward; **2en: *sich*** ~ be* worth it, pay*; **~erhöhung** *f* (pay) rise, *Am.* raise; **~steuer** *f* income tax; **~stopp** *m* wage freeze
Loipe *f* (cross-country) course
Lokal *n* restaurant, pub *etc.*; **~...** *mst* local ...
Lokomotiv|e *f* engine; **~führer** *m* train driver, *Am.* engineer
Lorbeer *m* laurel; *gastr.* bay leaf
Los *n* lot (*a. fig.*); (lottery) ticket; ***~e ziehen*** draw* lots
los off; *Hund etc.*: loose; ***was ist ~?*** what's the matter?; ~ ***sein*** be* rid of; ***~!*** hurry

up!; let's go!; **~binden** untie
Lösch|blatt *n* blotting paper; **2en** extinguish, put* out; *Schrift, tech.*: erase; *Durst*: quench; *mar.* unload; *Computer*: erase, delete
lose loose (*a. fig.*)
Lösegeld *n* ransom
losen draw* lots (***um*** for)
lösen undo*; *lockern*: loosen; *Bremse etc.*: release; *Problem etc.*: solve; *Karte*: buy*; → ***ab-, auflösen***
los|fahren leave*; drive* off; **~gehen** leave*; start, begin*; **~ *auf*** go* for *s.o.*; **~lassen** let* go
löslich soluble
los|machen release; loosen; **~reißen** tear* off
Lösung *f* solution (*a. fig.*); **~smittel** *n* solvent
loswerden get* rid of
Lot *n* plumb (line)
löten solder
Lotse *m*, **2n** pilot
Lott|erie *f* lottery; **~o** *n* lotto
Löw|e *m* lion; *ast.* Leo; **~enzahn** *m* dandelion; **~in** *f* lioness
Luchs *m* lynx
Lücke *f* gap; **2nhaft** incomplete; **2nlos** complete
Luft *f* air; (***frische***) **~ *schöpfen*** get* a breath of fresh air; ***in die* ~ *sprengen*** (***fliegen***) blow* up; **~angriff** *m* air raid; **~aufnahme** *f* aerial photograph (*od.* view); **~ballon** *m* balloon; **~blase** *f* air bubble; **~brücke** *f* airlift; **2dicht** airtight; **~druck** *m* air pressure
lüften air, ventilate
Luft|fahrt *f* aviation; **~kissenfahrzeug** *n* hovercraft; **2krank** airsick; **~kurort** *m* health resort; **2leer: ~*er Raum*** vacuum; **~linie** *f*: ***50 km* ~** 50 km as the crow flies; **~loch** *n* air vent (*aviat.* pocket); **~matratze** *f* air mattress; **~post** *f* air mail; **~pumpe** *f* bicycle pump; **~röhre** *f* windpipe
Lüftung *f* ventilation
Luft|veränderung *f* change of air; **~verschmutzung** *f* air pollution; **~waffe** *f* air force; **~zug** *m* draught, *Am.* draft
Lüg|e *f*, **2en** lie; **~ner(in)** liar
Luke *f* hatch; *Dach*: skylight
Lumpen *m* rag
Lunge *f* lungs *pl*; **~nentzündung** *f* pneumonia
Lupe *f* magnifying glass
Lust *f* desire; *contp.* lust; **~ *haben zu*** *od.* ***auf*** feel* like (doing) *s.th.*
lust|ig funny; *fröhlich*: cheerful; ***sich* ~ *machen über*** make* fun of; **2spiel** *n* comedy
lutsch|en suck (*a.* **~ *an***); **2er** *m* lollipop
luxuriös luxurious
Luxus *m*, **~artikel** *m* luxury; **~hotel** *n* luxury hotel
Lymphdrüse *f* lymph gland
Lyrik *f* poetry

M

machbar feasible
machen *tun, erledigen*: do*; *herstellen, verursachen*: make*; *Prüfung*: take*; *bestehen*: pass; *Betrag etc.*: be*, amount to; ***wie viel macht das?*** how much is it?; ***das macht 5 Pfund*** that'll be 5 pounds; **(*das*) *macht nichts*** it doesn't matter; ***sich et.*** **(*nichts*) ~ *aus*** (not) care about; (*nicht*) *mögen*: (not) care for; ***mach schon!*** hurry up!; → ***lassen***
Macho *m* macho
Macht *f* power (*a. Staat*)
mächtig powerful, mighty (*a.* F *sehr*); *riesig*: huge
macht|los powerless; **≈missbrauch** *m* abuse of power
Mädchen *n* girl; *Dienst≈*: maid; **~name** *m* girl's name; *Frau*: maiden name
Mad|e *f* maggot; *Obst≈*: worm; **≈ig** wormeaten
Magazin *n* magazine
Magen *m* stomach; **~beschwerden** *pl* stomach trouble *sg*; **~geschwür** *n* ulcer; **~schmerzen** *pl* stomachache *sg*
mager lean (*a. Fleisch*), thin, skinny; low-fat, low-calorie; *fig.* meag|re, *Am.* -er
Mag|ie *f*, **≈isch** magic
Magnet *m* magnet; **~...** *Band etc.*: magnetic ...; **≈isch** magnetic
mähen cut*, mow*; reap
mahlen grind*
Mahlzeit *f* meal
Mähne *f* mane
Mahnung *f econ.* reminder
Mai *m* May; **~glöckchen** *n* lily of the valley; **~käfer** *m* cockchafer
Mais *m* maize, *Am.* corn
Majestät *f* majesty
Major *m* major
makellos immaculate
Makler(in) (*Am.* real) estate agent; *Börsen≈*: broker
Mal *n* time; *Zeichen*: mark; ***zum ersten*** (***letzten***) **~** for the first (last) time
mal times; multiplied by
male|n paint; **≈r(in)** painter; **≈rei** *f* painting; **~risch** picturesque
Malz *n* malt
Mama *f* → ***Mutti***
man you, one; they *pl*
manch, ~er, ~e, ~es *mst* some *pl*; many *pl*; **~mal** sometimes
Mandant(in) client
Mandarine *f* tangerine
Mandel *f bot.* almond; *anat.* tonsil; **~entzündung** *f* tonsillitis
Manege *f* (circus) ring
Mangel *m* lack (**an** of); *tech.*

fault; *med.* deficiency; **⁓haft** poor, unsatisfactory; **⁓ware** *f*: **⁓ *sein*** be* scarce
Manieren *pl* manners *pl*
Mann *m* man; *Ehe⁓*: husband
Männchen *n zo.* male
Manndeckung *f Sport*: man-to-man marking
Mannequin *n* model
männlich masculine (*a. gr.*); *biol.* male
Mannschaft *f* team; *naut.*, *aviat.* crew
Manöv|er *n*, **⁓rieren** manoeuvre, *Am.* maneuver
Mansarde *f* attic (room)
Manschette *f* cuff; **⁓nknopf** *m* cuff link
Mantel *m* coat; *tech.* jacket
Manuskript *n* manuscript
Mappe *f* portfolio; → ***Aktentasche***
Marathonlauf *m* marathon (race)
Märchen *n* fairy tale
Marder *m* marten
Margarine *f* margarine
Marienkäfer *m* ladybird, *Am.* lady bug
Marille *f östr.* apricot
Marine *f* navy; **⁓blau** navy blue
Marionette *f* puppet
Mark[1] *f Geld*: mark
Mark[2] *n anat.* marrow
Marke *f econ.* brand; *Fabrikat*: make; *post. etc.* stamp
markier|en mark; *fig.* act; **⁓stift** *m* marker
Markise *f* awning
Markt *m* market
Marmelade *f* jam; *Orangen⁓*: marmalade
Marmor *m* marble
Marsch *m* march (*a. mus.*); **⁓flugkörper** *m* cruise missile; **⁓ieren** march
Märtyrer(in) martyr
März *m* March
Marzipan *n* marzipan
Masche *f* mesh; *Strick⁓*: stitch; F *fig.* trick
Maschi|ne *f* machine; *Motor*: engine; *aviat.* plane; **⁓ *schreiben*** type; **⁓nell** mechanical; **⁓nengewehr** *n* machinegun; **⁓nenlesbar** *Computer*: machine-readable; **⁓nenpistole** *f* submachine gun
Masern *pl* measles *pl*
Maserung *f Holz etc.*: grain
Mask|e *f* mask; **⁓ieren: *sich* ⁓** put* on a mask
Maß[1] *n* measure; *Grad*: extent; **⁓e** *pl* measurements *pl*
Maß[2] *f* lit|re (*Am.* -er) of beer
Massaker *n* massacre
Masse *f* mass; *Substanz*: substance; **e-e ⁓** F loads of; **⁓nkarambolage** *f* pile-up; **⁓nproduktion** *f* mass production
Masseu|r *m* masseur; **⁓rin** *f*, **⁓se** *f* masseuse
massieren massage
mäßig, ⁓en moderate
massiv solid; *fig.* massive
maß|los immoderate; **⁓nahme** *f* measure, step; **⁓stab** *m*

scale; *fig.* standard; **~voll** moderate
Mast *m* mast; *Stange*: pole
mästen fatten; F stuff
Material *n* material(s *pl tech.*); **²istisch** materialistic
Materie *f* matter
Mathematik *f* mathematics *sg*; **~er(in)** mathematician
Matratze *f* mattress
Matrose *m* sailor, seaman
Matsch *m* mud; slush
matt weak; *Farbe etc.*: dull, pale; *phot.* matt(e); *Glas*: frosted; *Schach*: checkmate
Matte *f* mat
Mattscheibe *f* screen
Matura *f österr.* → ***Abitur***
Mauer *f* wall
Maul *n* mouth; **~korb** *m* muzzle; **~tier** *n* mule; **~wurf** *m* mole
Maurer(in) bricklayer
Maus *f* mouse (*a. Computer*); **~efalle** *f* mousetrap
maxim|al, ²um *n* maximum
Mayonnaise *f* mayonnaise
Mechani|k *f* mechanics *sg*; *tech.* mechanism; **~ker(in)** mechanic; **²sch** mechanical; **~smus** *m* mechanism
meckern bleat; F grumble
Medaille *f* medal
Medien *pl* (mass) media *pl*
Medi|kament *n* medicine, drug; **~zin** *f* medicine; **²zinisch** medical
Meer *n* sea, ocean; **~enge** *f* straits *pl*; **~esspiegel** *m* sea level; **~rettich** *m* horseradish; **~schweinchen** *n* guinea pig
Megabyte *n* megabyte
Mehl *n* flour; *grobes*: meal
mehr more; *übrig*: left; **~ere** several; **~fach** repeated(ly); **²heit** *f* majority; **~mals** several times; **²weg...** returnable ...; reusable ...; **²wertsteuer** *f* value-added tax, VAT; **²zahl** *f* majority; *gr.* plural
meiden avoid
Meile *f* mile
mein my; **~e(*r*), ~s** mine
Meineid *m* perjury
meinen think*, believe; *äußern*: say*; *sagen wollen, sprechen von*: mean*
meinetwegen for my sake; *wegen mir*: because of me; **~!** I don't mind
Meinung *f* opinion; ***meiner ~ nach*** in my opinion; **~sforscher(in)** (opinion) pollster; **~sforschung** *f* opinion research; **~sumfrage** *f* opinion poll; **~sverschiedenheit** *f* disagreement
Meise *f* titmouse
Meißel *m*, **²n** chisel
meist most(ly); ***am ~en*** most (of all); **~ens** mostly
Meister|(in) master; *Sport*: champion; **~schaft** *f* championship; **~werk** *n* masterpiece
melancholisch melancholy
Melanom *n med.* melanoma

meld|en report; *Funk etc.*: *a.* announce; ***sich*** ~ report (***bei*** to); *amtlich*: register (with); *Schule*: raise one's hand; answer the telephone; *Teilnahme*: enter (***zu*** for); **2ung** *f* report; announcement; registration; entry
melken milk
Melodie *f* melody, tune
Melone *f* melon; *Hut*: bowler (hat), *Am.* derby
Menge *f* quantity, amount; *Menschen2*: crowd; *math.* set; **e-e** ~ lots of
Mensa *f* cafeteria
Mensch *m* human being; person; ***der*** ~ man(kind); ***die*** ~***en*** *pl* people *pl*; mankind *sg*; ***kein*** ~ nobody
Menschen|affe *m* ape; **~leben** *n* human life; **2leer** deserted; **~menge** *f* crowd; **~rechte** *pl* human rights *pl*; **~verstand** *m* → ***gesund***
Menschheit *f* mankind
menschlich human; *fig.* humane; **2keit** *f* humanity
Menstruation *f* menstruation
Menü *n* set meal, *mittags a.* set lunch *etc*; *Computer*: menu
merk|en notice; ***sich*** ~ remember; **2mal** *n* feature; **~würdig** strange, odd
Messe *f* fair; *rel.* mass
messen measure
Messer *n* knife
Messgerät *n* measuring instrument, meter
Messing *n* brass
Metall *n* metal
Metastase *f med.* metastasis
Meter *m*, *n* met|re, *Am.* -er; **~maß** *n* tape measure
Methode *f* method, way
Metzger(ei *f*) *m* butcher('s)
Meuterei *f* mutiny
mich me; ~ (***selbst***) myself
Miene *f* look, expression
mies rotten, lousy
Miet|e *f* rent; **2en** rent; *Brt. Auto*: hire; **~er(in)** tenant; *Unter2*: lodger; **~shaus** *n* block of flats, *Am.* apartment building (*od.* house); **~vertrag** *m* lease; **~wagen** *m* hire (*Am.* rented) car; **~wohnung** *f* (rented) flat, *Am.* apartment
Mikro|chip *m* microchip; **~computer** *m* microcomputer; **~phon** *n* microphone, F mike; **~prozessor** *m* microprocessor; **~skop** *n* microscope; **~welle** *f* microwave (*a. Gerät*)
Milch *f* milk; **~glas** *n* frosted glass; **2ig** milky; **~kaffee** *m* coffee with milk; **~reis** *m* rice pudding; **~straße** *f* Milky Way; **~zahn** *m* milk (*Am.* baby) tooth
mild mild; **~ern** lessen, soften
Milieu *n* environment
Militär *n the* military *pl*
Milli|arde *f* billion; **~meter** *m*, *n* millimet|re, *Am.* -er; **~on** *f* million; **~onär(in)** millionaire(ss)

Milz *f* spleen
Minder|heit *f* minority; **⁓jährig** under age
minderwertig inferior; *econ.* of inferior quality; **⁓keitskomplex** *m* inferiority complex
mindest least; **⁓...** minimum ...; **⁓ens** at least; **⁓haltbarkeitsdatum** *n* best-by (*od.* best-before, sell-by, *Am.* expiration) date
Mine *f* mine; *Bleistift*: lead; *Ersatz⁓*: refill
Mineral *n* mineral; **⁓öl** *n* mineral oil; **⁓wasser** *n* mineral water
Minirock *m* miniskirt
Minister|(in) minister, secretary; **⁓ium** *n* ministry, department, *Brit. a.* office
minus minus; below zero
Minute *f* minute
mir (to) me
misch|en mix; *Tee etc.*: blend; *Karten*: shuffle; **⁓ling** *m Hund*: mongrel; **⁓maschine** *f* (cement) mixer; **⁓pult** *n* mixer; **⁓ung** *f* mixture; blend
miss|achten disregard, ignore; **⁓bildung** *f* deformity; **⁓billigen** disapprove of; **⁓brauch** *m*, **⁓brauchen** abuse; **⁓erfolg** *m* failure; **⁓geschick** *n* mishap; **⁓handlung** *f* ill-treatment; *jur.* assault and battery
Mission *f* mission; **⁓ar(in)** missionary
miss|lingen, ⁓raten fail; turn out badly; **⁓stand** *m* bad state of affairs; grievance; **⁓trauen** *n* distrust, suspicion; **⁓trauisch** suspicious; **⁓verständnis** *n* misunderstanding; **⁓verstehen** misunderstand*
Mist *m* manure; F trash
Mistel *f* mistletoe
Misthaufen *m* manure heap
mit with; ⁓ ***der Bahn*** *etc.* by train *etc.*; → ***Jahr***; **⁓arbeit** *f* cooperation; **⁓arbeiter(in)** colleague; employee; *pl* staff *pl*; **⁓bringen** bring* (with one); **⁓bürger(in)** fellow citizen; **⁓einander** with each other; together; **⁓esser** *m med.* blackhead; **⁓fahren: *mit j-m*** ⁓ go* with s.o.; ***j-n*** ⁓ ***lassen*** give* s.o. a lift; **⁓fahrzentrale** *f* car pool(ing) service; **⁓fühlend** sympathetic; **⁓geben** give* *s.o. s.th.* (to take along); **⁓gefühl** *n* sympathy; **⁓gehen: *mit j-m*** ⁓ go* with s.o.
Mitglied *n* member; **⁓schaft** *f* membership
Mit|inhaber(in) copartner; **⁓kommen** come* along; *Schritt halten*: keep* up (***mit*** with)
Mitleid *n* pity (*a.* ⁓ ***haben mit***); **⁓ig** compassionate
mit|machen *v/i* join in; *v/t* take* part in; *erleben*: go* through; **⁓mensch** *m* fellow human being; **⁓nehmen**

take* (along) (with one); *im Auto*: give* *s.o.* a lift; *fig.* put* *s.o.* under stress; **~schreiben** take* notes; take* *s.th.* down; **2schüler(in)** fellow student; **~spielen** join in; **~ *in*** be* *od.* appear in

Mittag *m* noon, midday; ***heute* ~** at noon today; **(*et.*) *zu* ~ *essen*** have* (s.th. for) lunch; **~essen** *n* (***zum*** for) lunch; **2s** at noon; **~spause** *f* lunch break

Mitte *f* middle; cent|re, *Am.* -er

mitteil|en inform *s.o.* of *s.th.*; **2ung** *f* message, information

Mittel *n* means, way; remedy (***gegen*** for); *Durchschnitt*: average; **~** *pl* means *pl*; **~alter** *n* Middle Ages *pl*; **2alterlich** medi(a)eval; **~feld** *n* *Fußball*: midfield; **~feldspieler** *m* midfielder; **2groß** of medium height; medium-sized; **~klassewagen** *m* middle-sized car; **~linie** *f* *Sport*: halfway line; **2los** without means; **2mäßig** average; **~punkt** *m* cent|re, *Am.* -er; **~streifen** *m* *mot.* central reservation, *Am.* median strip; **~stürmer(in)** cent|re (*Am.* -er) forward; **~weg** *m* middle course; **~welle** *f* medium wave, AM

mitten: ~ *in* (*auf, unter*) in the middle of

Mitternacht *f* midnight

mittlere middle; average

Mittwoch *m* Wednesday

mix|en mix; **2er** *m* mixer

Möbel *pl* furniture *sg*; **~stück** *n* piece of furniture; **~wagen** *m* furniture (*Am.* moving) van

Mobiltelefon *n* mobile phone

möblieren furnish

Mode *f* fashion

Modell *n* model

Modem *m*, *n* modem

Modenschau *f* fashion show

Moder|ator(in) *TV* presenter, host, anchorman (-woman); **2ieren** present, host

moderig musty, mo(u)ldy

modern modern; fashionable; **~isieren** modernize

Modeschmuck *m* costume jewel(le)ry

modisch fashionable

Modul *n* module

Mofa *n* moped

mogeln cheat

mögen like; ***lieber* ~** like better, prefer; ***nicht* ~** dislike; ***ich möchte*** I'd like; ***ich möchte lieber*** I'd rather

möglich possible; ***alle* ~*en* ...** all sorts of ...; → ***bald***; **~erweise** possibly; **2keit** *f* possibility; **~st** if possible; as ... as possible

Mohammedaner(in) Muslim

Mohn *m* poppy (seeds *pl*)

Möhre *f*, **Mohrrübe** *f* carrot

Molkerei *f* dairy

Moll *n* minor (key)
mollig snug, cosy; *rundlich*: chubby, plump
Moment *m* (**im** at the) moment; **&an 1.** *adj* present; **2.** *adv* at the moment
Monarchie *f* monarchy
Monat *m* month; **&lich** monthly; **~skarte** *f* (monthly) season ticket
Mönch *m* monk
Mond *m* moon; **~fähre** *f* lunar module; **~finsternis** *f* lunar eclipse; **~schein** *m* moonlight
Monitor *m* monitor
Mono|log *m* monolog(ue); **&ton** monotonous
Montag *m* Monday
Mont|age *f* assembly; **~eur(in)** fitter; mechanic; **&ieren** assemble; *anbringen*: fit
Moor *n* bog; moor(land)
Moos *n* moss
Moped *n* moped
Moral *f* morals *pl*; *Lehre*: moral; *mil. etc.* morale; **&isch** moral
Morast *m* morass; **&ig** muddy
Mord *m* murder (***an*** of)
Mörder(in) murder|er (-ess)
morgen tomorrow; **~ *früh*** tomorrow morning
Morgen *m* morning; *Maß*: acre; ***am ~*** → ***morgens***; **~rock** *m* dressing gown; **&s** (***früh*** early) in the morning
morgig tomorrow's
Morphium *n* morphine
morsch rotten, decayed
Mörtel *m* mortar
Mosaik *n* mosaic
Moschee *f* mosque
Moskito *m* mosquito
Moslem *m*, **&isch** Muslim
Most *m* grape juice; *Apfel&*: cider
Motiv *n* motive; *paint.*, *mus.* motif; **&ieren** motivate
Motor *m* motor, engine; **~boot** *n* motor boat; **~haube** *f* bonnet, *Am.* hood; **~rad** *n* motorcycle; **~radfahrer(in)** motorcyclist, biker; **~roller** *m* (motor) scooter; **~schaden** *m* engine trouble
Motte *f* moth
Mountainbike *n* mountain bike
Möwe *f* (sea)gull
Mücke *f* mosquito, midge
müde tired; *matt*: weary
Muffel *m* sourpuss; **&ig** musty; F grumpy
Mühe *f* trouble; *Anstrengung*: effort; ***j-m ~ machen*** give* s.o. trouble; ***sich ~ geben*** try hard; **&los** without difficulty; **&voll** laborious
Mühle *f* mill
mühsam laborious
Mulde *f* hollow, depression
Mull *m* gauze
Müll *m* refuse, rubbish, *Am. a.* garbage; **~abfuhr** *f* refuse (*Am.* garbage) collection; **~beseitigung** *f* waste disposal; **~beutel** *m* dustbin liner, *Am.* garbage bag; **~de-**

ponie *f* dump; **~eimer** *m* dustbin, *Am.* garbage can
Müller(in) miller
Müll|halde *f*, **~kippe** *f* dump; **~schlucker** *m* refuse (*Am.* garbage) chute
multiplizieren multiply (**mit** by)
Mund *m* mouth; ***halt den ~!*** shut* up!; **~art** *f* dialect
münden: ***~ in*** *Fluss*: flow into; *Straße*: lead* into
Mund|geruch *m* bad breath; **~harmonika** *f* harmonica
mündlich verbal; *Prüfung etc.*: oral
Mundstück *n* mouthpiece; *Zigarette*: tip
Mündung *f* mouth; *Feuerwaffe*: muzzle
Mundwasser *n* mouthwash
Munition *f* ammunition
Münster *n* cathedral
munter *wach*: awake; *lebhaft*: lively
Münz|e *f* coin; *Gedenk*&: medal; **~fernsprecher** *m* pay phone; **~tank(automat)** *m* coin-operated (petrol, *Am.* gas) pump; **~wechsler** *m* change machine
mürbe tender; *Gebäck*: crisp; *brüchig*: brittle
murmel|n murmur; **&tier** *n* marmot
murren grumble
mürrisch sullen, grumpy
Mus *n* mush; stewed fruit
Muschel *f* mussel; *Schale*: shell; *tel.* earpiece
Museum *n* museum
Musik *f* music; **&alisch** musical; **~automat** *m*, **~box** *f* jukebox; **~er(in)** musician; **~instrument** *n* musical instrument
Muskat *m*, **~nuss** *f* nutmeg
Muskel *m* muscle; **~kater** *m* aching muscles *pl*; **~zerrung** *f* pulled muscle
muskulös muscular
Müsli *n* muesli; **~riegel** *m* cereal bar
Muße *f* leisure
müssen must*, have* (got) to; F have* to go to the toilet; ***müsste*** should; ought to
Muster *n* pattern; *Probe*: sample; *Vorbild*: model (*a. in Zssgn*); **&n** eye *s.o.*; size *s.o.* up; *mil.* ***gemustert werden*** have* one's medical
Mut *m* courage; ***~ machen*** encourage *s.o.*; **&ig** courageous; **&maßlich** presumed
Mutter *f* mother; *tech.* nut
mütterlich motherly
Mutter|mal *n* birthmark; **~sprache** *f* mother tongue; **~sprachler(in)** native speaker
Mutti *f* mum(my), *Am.* mom(my)
mutwillig wilful, wanton
Mütze *f* cap
mysteriös mysterious
Mythologie *f* mythology

N

Nabe *f* hub
Nabel *m* navel; **~schnur** *f* umbilical cord
nach after; *Richtung*: to, towards, for; *gemäß*: according to, by; **~ *und* ~** gradually
nachahmen imitate, copy; *fälschen*: counterfeit
Nachbar|(in) neighbo(u)r; **~schaft** *f* neighbo(u)rhood
nachdem after, when; ***je* ~, *wie*** depending on how
nach|denken think* (***über*** about); **~denklich** thoughtful; **2druck** *m* emphasis; *print*. reprint; **~drücklich** emphatic; *raten etc.*: strongly; **~eifern** emulate
nacheinander one after the other, in turns
nacherzähl|en retell*; **2ung** *f* reproduction
Nachfolger(in) successor
nachforsch|en investigate; **2ung** *f* investigation
Nachfrage *f* inquiry; *econ.* demand; **2n** inquire, ask
nach|fühlen: *j-m et.* ~ understand* how s.o. feels; **~füllen** refill; **~geben** give* way; *fig.* give* in; **2gebühr** *f* surcharge; **~gehen** follow; *e-m Fall*: investigate; *Uhr*: be* slow; **~giebig** yielding, soft; **~haltig** lasting
nachhause *östr. u. Schweiz*: home
nachher afterwards
Nachhilfe *f* coaching
nachholen make* up for
Nachkomme *m* descendant; **~n** *pl jur*. issue *sg*; **2n** follow; *fig.* comply with
Nachkriegs... postwar ...
Nachlass *m econ.* reduction, discount; *jur.* estate
nach|lassen decrease, diminish; *Schmerz etc.*: wear* off; **~lässig** careless, negligent; **~laufen** run* after (*a. fig.*); **~lesen** look up; **~machen** → ***nachahmen***
Nachmittag *m* afternoon; ***am* ~** → **2s** in the afternoon
Nach|nahme *f* cash on delivery; **~name** *m* surname, last name; **~porto** *n* surcharge; **2prüfen** check; **2rechnen** check
Nachricht *f* news *sg*; *Botschaft*: message; **~en** *pl TV, Radio*: news *sg*; **~ensatellit** *m* communications satellite; **~ensprecher(in)** newscaster, *bsd. Brt.* newsreader
Nachruf *m* obituary
Nach|saison *f* off(-peak) season; **2schlagen** look up; **~schub** *m* supplies *pl*; **2sehen** *v/i* (have* a) look; **~ *ob*** (go* and) see* if; *v/t* check;

Wort etc.: look up; **≈senden** send* on, forward; **≈sichtig** indulgent; **~silbe** *f* suffix; **≈sitzen:** *~ müssen* be* kept in; **~spiel** *n* sequel; **~spielzeit** *f Sport*: injury time; **≈sprechen:** *j-m ~* say* (*od.* repeat) *s.th.* after s.o.
nächst|beste first; **~e** next; *nächstliegend*: nearest (*a. Verwandte*)
nachstellen *Uhr*: put* back; *tech.* (re)adjust; *j-m*: be* after *s.o.*
Nächstenliebe *f* charity
Nacht *f* night; *in der ~* → *nachts*; **~dienst** *m* night duty
Nachteil *m* disadvantage
Nachthemd *n* nightdress, *Am.* nightgown; *Männer≈*: nightshirt
Nachtigall *f* nightingale
Nachtisch *m* dessert
Nachtlokal *n* nightclub
nachträglich additional; *später*: later; *Wünsche*: belated
nacht|s at night, in (*od.* during) the night; **≈schicht** *f* night shift; **≈tisch** *m* bedside table; **≈wächter** *m* (night) watchman
nach|wachsen grow* again; **≈weis** *m* proof; **~weisen** prove*; **≈welt** *f* posterity; **≈wirkung** *f* after-effect; **≈wort** *n* epilog(ue); **~zahlen** pay* extra; **~zählen** count (again); check; **≈zahlung** *f* additional payment
Nacken *m* (nape of the) neck
nackt naked; *bloß, fig.*: bare
Nadel *f* needle; *Steck≈, Haar≈ etc.*: pin; **~baum** *m* conifer(ous tree)
Nagel *m* nail; **~lack** *m* nail-polish; **~lackentferner** *m* nail polish remover
nage|n gnaw (*an* at); **≈tier** *n* rodent
nah near, close (*bei* to)
Nähe *f* proximity; *Umgebung*: vicinity; *in der ~* close by; *mit gen*: near
nahe → *nah*; *~ gehen* affect deeply; *~ legen* suggest; *~ liegen* be* obvious
nähen sew*; *Kleid*: make*
Näher|es *n* details *pl*; **≈n:** *sich ~* approach
Näh|garn *n* thread; **~maschine** *f* sewing machine; **~nadel** *f* needle
nahr|haft nutritious, nourishing; **≈ung** *f* food, nourishment; **≈ungsmittel** *pl* food *sg*, foodstuffs *pl*
Nährwert *m* nutritional value
Naht *f* seam; *med.* suture
Nahverkehr *m* local traffic
Nähzeug *n* sewing kit
naiv naive
Nam|e *m* name; **~enstag** *m* name-day; **≈entlich** by name; *fig.* in particular
nämlich that is (to say)
Napf *m* bowl, basin
Narbe *f* scar
Narkose *f*: *in ~* under an an(a)esthetic

Narr *m*, **≈en** fool
Narzisse *f mst* daffodil
nasal nasal
naschen: *gern* ~ have* a sweet tooth
Nase *f* nose; **~nbluten** *n* nosebleed; **~nloch** *n* nostril; **~nspitze** *f* tip of the nose
Nashorn *n* rhinoceros, F rhino
nass wet
Nässe *f* wet(ness)
nasskalt damp and cold
Nation *f* nation
national national; **≈hymne** *f* national anthem; **≈ität** *f* nationality; **≈mannschaft** *f* national team; **≈park** *m* national park; **≈sozialismus** *m* National Socialism; **≈spieler** *m* international (player)
Natron *n* baking soda
Natter *f* adder, viper
Natur *f* nature; **~ereignis** *n* natural phenomenon; **~gesetz** *n* law of nature; **≈getreu** true to life; lifelike; **~katastrophe** *f* natural disaster
natürlich 1. *adj* natural; **2.** *adv* naturally, of course
Natur|schätze *pl* natural resources *pl*; **~schutz** *m* nature conservation; ***unter ~ stehen*** be* protected; **~schützer(in)** conservationist; **~schutzgebiet** *n* nature reserve; **~wissenschaft** *f* (natural) science; **~wissenschaftler(in)** (natural) scientist
Nazi *m* Nazi
Nebel *m* fog; *leichter*: mist; **~(schluss)leuchte** *f* (rear) fog lamp
neben beside, next to; *außer*: besides; *verglichen mit*: compared with; **~an** next door; **~bei** in addition, at the same time; *übrigens*: by the way; **≈beschäftigung** *f* sideline; **~einander** next (door) to each other; **≈fach** *n* subsidiary subject, *Am.* minor; **≈fluss** *m* tributary; **≈gebäude** *n* adjoining building; *Anbau*: annex(e); **≈kosten** *pl* extras *pl*; **≈produkt** *n* by-product; **≈rolle** *f* minor part; **~sächlich** unimportant; **≈satz** *m* subordinate clause; **≈straße** *f* side street; minor road; **≈tisch** *m* next table; **≈wirkung** *f* side effect; **≈zimmer** *n* adjoining room
neblig foggy; misty
neck|en tease; **~isch** saucy
Neffe *m* nephew
negativ negative
nehmen take* (*a.* ***sich*** ~)
Neid *m* envy; **≈isch** envious
neig|en: (*sich*) ~ bend*, incline; **~ *zu*** tend to (*do*) *s.th.*; **≈ung** *f* inclination; *fig. a.* tendency
nein no
Nelke *f* carnation; *Gewürz*: clove
nennen name, call; mention;

sich ... ~ be* called ...; **~swert** worth mentioning
Neon *n* neon (*a. in Zssgn*)
Nerv *m* nerve; ***j-m auf die ~en gehen*** get* on s.o.'s nerves; **≈en** be* a pain (in the neck)
Nerven|arzt *m*, **~ärztin** *f* neurologist; **~klinik** *f* mental hospital; **~system** *n* nervous system; **~zusammenbruch** *m* nervous breakdown
nerv|ös nervous; **≈osität** *f* nervousness
Nerz *m* mink (*a. Mantel*)
Nest *n* nest; *contp.* dump
nett nice; ***so ~ sein zu ...*** be* kind enough to ...
netto net (*a. in Zssgn*)
Netz *n* net; *fig.* network (*a. tel.*); *electr.* power, *Brt. a.* mains *sg, pl*; **~anschluss** *m* mains supply; **~haut** *f* retina; **~karte** *f* (rail *etc.*) pass
neu new; *~zeitlich*: modern; ***~(e)ste*** latest; ***von ~em*** anew, afresh; ***was gibt es ≈es?*** what's new?; **~artig** novel; **≈bau** *n* new building; **≈erung** *f* innovation; **~geboren** newborn; **≈gier** *f* curiosity; **~gierig** curious, F nosy; **≈heit** *f* novelty; **≈igkeit** *f* (piece of) news; **≈jahr** *n* New Year('s Day); **~lich** the other day; **≈mond** *m* new moon
neun nine; **~te, ≈tel** *n* ninth; **~zehn(te)** nineteen(th); **~zig** ninety; **~zigste** ninetieth
Neurose *f* neurosis
neutr|al neutral; **≈alität** *f* neutrality; **≈on(en ...)** *n* neutron (...); **≈um** *n gr.* neuter
Neuzeit *f* modern history
nicht not; ~ ***mehr*** not any more, no longer
Nicht... *Mitglied, Raucher, Schwimmer etc.*: non...
Nichte *f* niece
nichts, ≈ *n* nothing; **~sagend** meaningless
nick|en nod; **≈erchen** *n* nap
nie never; ***fast ~*** hardly ever
nieder *adj* low; *adv* down; **~geschlagen** depressed; **≈kunft** *f* childbirth; **≈lage** *f* defeat; **~lassen: *sich ~*** settle (down); *econ.* set* up; **≈lassung** *f* establishment; *Filiale*: branch; **~legen** lay* down; *Amt*: resign (from); **≈schlag** *m* rain(fall); *radioaktiver*: fallout; *Boxen*: knockdown; **~schlagen** knock (*Aufstand*: put*) down; **~trächtig** base, mean; **≈ung** *f* lowland(s *pl*)
niedlich pretty, sweet, cute
niedrig low (*a. fig.*)
niemals never, at no time
niemand nobody, no one; **≈sland** *n* no-man's-land
Niere *f* kidney
niesel|n, ≈regen *m* drizzle
niesen sneeze
Niete *f Los*: blank; *fig.* failure; *tech.* rivet
Nilpferd *n* hippopotamus
nippen sip (***an*** at)
nirgends nowhere

Nische *f* niche, recess
nisten nest
Niveau *n* level; *fig. a.* standard
noch still (*a.* ~ ***immer***); ~ ***ein*** another, one more; ~ ***einmal*** once more *od.* again; ~ ***etwas?*** anything else?; ~ ***nicht(s)*** not(hing) yet; ~ ***nie*** never before; ~ ***größer*** *etc.* even bigger *etc.*; **~mals** once more *od.* again
Nomade *m* nomad
nominieren nominate
Nonne *f* nun
Nord(en *m*) north
nördlich north(ern); *Wind, Kurs*: northerly
Nord|ost(en *m*) northeast; **~pol** *m* North Pole; **~west(en** *m*) northwest
nörgeln carp, nag
Norm *f* standard, norm
normal normal; **2...** *tech.* standard ...; *Verbraucher etc.*: average ...; **2benzin** *n* regular petrol (*Am.* gas); **~erweise** normally
Norweg|en Norway; **~er(in)**, **2isch** Norwegian
Not *f* need; *Elend*: misery; ***in*** ~ in need (*od.* trouble); ~ ***leidend*** needy
Notar(in) notary (public)
Not|arzt *m* doctor on call; *mot.* (emergency) ambulance; **~aufnahme** *f* casualty, *Am.* emergency room; **~ausgang** *m* emergency exit; **~bremse** *f* emergency brake; **2dürftig** scanty; ~ ***reparieren*** patch up
Note *f* note; *Zensur*: mark, grade; **~*n lesen*** read* music
Not|fall *m* emergency; **2falls** if necessary
notieren make* a note of
nötig necessary; ~ ***haben*** need
Notiz *f* note, memo; **~buch** *n* notebook
not|landen make* an emergency landing; **2ruf** *m tel.* emergency call; **2rufsäule** *f* emergency phone, *Am.* call box; **2rutsche** *f aviat.* (emergency) escape chute; **2signal** *n* distress signal; **2standsgebiet** *n* disaster (*Am.* distressed) area; **2wehr** *f* self-defen|ce, *Am.* -se; **~wendig** necessary; **2zucht** *f* rape
Novelle *f* novella
November *m* November
Nu *m*: ***im*** ~ in no time
nüchtern sober; *sachlich*: matter-of-fact
Nudel *f* noodle
null 1. *adj* zero; *tel.* 0 [əʊ]; *Sport*: nil, nothing; *Tennis*: love; *Fehler*: no; **2.** **2** *f* → ***null***; *contp. a* nobody; ***gleich*** ~ nil; **2diät** *f* no-calorie (*od.* starvation) diet; **2punkt** *m* zero; **2tarif** *m*: ***zum*** ~ free
numerieren → ***nummerieren***
Nummer *f* number; *Zeitung etc.*: *a.* issue; *Größe*: size; **2ieren** number; **~nschild** *n*

mot. number (*Am.* license) plate
nun now; *also, na*: well; **~?** well?; ***was ~?*** now what?
nur only, just; *bloß*: merely; ***~ noch*** only
Nuss *f* nut; **~knacker** *m* nutcracker; **~schale** *f* nutshell
Nüstern *pl* nostrils *pl*
Nutte *f* tart, *Am. a.* hooker
Nutzen *m* use; *Gewinn*: profit, gain; *Vorteil*: advantage; **2** → ***nützen***
nütz|en *v/i* be* of use; ***es nützt nichts*** (***zu***) it's no use (*ger*); *v/t* (make*) use (of), take* advantage of; **~lich** useful; advantageous
nutzlos useless, (of) no use
Nylon *n* nylon

O

o *int.* oh!; ***~ weh!*** oh dear!
Oase *f* oasis
ob whether, if; ***als ~*** as if
Obdach *n* shelter; **~lose** *m, f* homeless person
O-Beine *pl*: ***~ haben*** be* bow-legged
oben above; up; at the top; upstairs; ***siehe ~*** see above; ***die ~ erwähnte ...*** the above-mentioned ...; ***~ ohne*** topless; **~auf** on (the) top; *fig.* feeling great
Ober *m* waiter; **~arm** *m* upper arm; **~arzt** *m*, **~ärztin** *f* assistant medical director; **~befehlshaber** *m* commander in chief; **2e** upper, top; **~fläche** *f* surface; **2flächlich** superficial; **2halb** above; **~haus** *n Brt. parl.* House of Lords; **~hemd** *n* shirt; **~kellner(in)** head wait|er (-ress); **~kiefer** *m* upper jaw; **~körper** *m* upper part of the body; **~lippe** *f* upper lip
Obers *n östr.* cream
Ober|schenkel *m* thigh; **~schule** *f* → ***Gymnasium***
Ober|st *m* colonel; **2ste** top; highest; **~teil** *n* top; **~weite** *f* bust size
obgleich (al)though
Obhut *f* care
Objekt *n* object (*a. gr.*); **~iv** *n phot.* lens; **2iv** objective
Obst *n* fruit; **~garten** *m* orchard; **~salat** *m* fruit salad; **~torte** *f* fruit flan
obszön obscene, filthy
obwohl (al)though
Ochse *m* ox; **~nschwanzsuppe** *f* oxtail soup
öd(e) deserted, desolate
oder or; ***~ aber*** or else
Ofen *m* stove; *Back2*: oven
offen open; *Stelle*: vacant; *fig.* frank; ***~ gesagt*** frankly (speaking); ***~ lassen*** leave* open (*a. fig*); ***~ stehen*** be* open (*a. fig.*: ***j-m*** to s.o.)
offen|bar obvious(ly); *an-*

scheinend: apparent(ly); **~sichtlich** → ***offenbar***
offensiv offensive
öffentlich public; *auftreten etc.*: in public; **2keit** *f the* public
offiziell official
Offizier *m* officer
öffn|en open (*a.* ***sich ~***); **2er** *m* opener; **2ung** *f* opening; **2ungszeiten** *pl* opening hours *pl*
oft often, frequently
öfter several times; often
oh *int.* o(h)!
ohne without; **~hin** anyhow
Ohn|macht *f med.* unconsciousness; ***in ~ fallen*** faint; **2mächtig** helpless; *med.* unconscious; ***~ werden*** faint
Ohr *n* ear
Öhr *n* eye
Ohren|arzt *m*, **~ärztin** *f* ear nose and throat doctor; **2betäubend** deafening; **~schmerzen** *pl* earache *sg*
Ohr|feige *f* slap in the face; **~läppchen** *n* ear lobe; **~ring** *m* earring
Öko|logie *f* ecology; **2logisch** ecological; **~system** *n* ecosystem
Oktober *m* October
Öl *n* oil; **2en** oil; *tech. a.* lubricate; **~gemälde** *n* oil painting; **~heizung** *f* oil heating; **2ig** oily; **~pest** *f* oil pollution
oliv, 2e *f* olive
Öl|quelle *f* oil well; **~teppich** *m* oil slick; **~unfall** *m* oil spill
Olymp|ia..., 2isch Olympic; ***Olympische Spiele*** *pl* Olympic Games *pl*
Oma *f* Grandma
Omnibus *m* → ***Bus***
Onkel *m* uncle
Opa *m* Grandpa
Oper *f* opera; opera house
Operation *f* operation; **~ssaal** *m* operating theatre (*Am.* room)
Operette *f* operetta
operieren: ***j-n ~*** operate on s.o.; ***sich ~ lassen*** have* an operation
Opfer *n* sacrifice; *Mensch, Tier*: victim; **2n** sacrifice
Opposition *f* opposition
Optiker(in) optician
Optimist|(in) optimist; **2isch** optimistic
Option *f* option
Orange *f* orange; **~nmarmelade** *f* marmalade
Orchester *n* orchestra
Orchidee *f* orchid
Orden *m* order (*a. rel.*); medal, decoration
ordentlich tidy, neat; *richtig*: proper; → ***anständig***
ordinär vulgar
ordn|en put* in order; arrange; **2er** *m* file; *Helfer*: attendant; **2ung** *f* order; class; ***in ~*** all right, *Am.* alright; ***in ~ bringen*** put* right; repair, fix
Organ *n* organ; F voice; **~empfänger(in)** organ recipient; **~isation** *f* organiza-

tion; **Ձisch** organic; **Ձisieren** organize (*a.* ***sich*** ~); F get*; **~ismus** *m* organism; **~spender(in)** organ donor
Orgasmus *m* orgasm
Orgel *f* organ
orientalisch oriental
orientier|en *j-n*: inform; ***sich*** ~ orient o.s.; **Ձung** *f* orientation; ***die*** ~ ***verlieren*** lose* one's bearings; **Ձungssinn** *m* sense of direction
Origin|al *n*, **Ձal** original; **Ձell** original; *Idee etc.*: ingenious; witty
Orkan *m* hurricane
Ort *m* place; → ***Ortschaft;*** ***vor*** ~ *fig.* on the spot
Orthopäd|e *m*, **~in** *f* orthop(a)edic doctor
örtlich local
Ortschaft *f* place, village
Orts|gespräch *n* local call; **~kenntnis** *f*: ~***se haben*** know* one's way around; **~zeit** *f* local time
Öse *f* eye; *Schuh*: eyelet
Ost(en *m*) east
Oster|ei *n* Easter egg; **~glocke** *f* daffodil; **~hase** *m* Easter bunny; **~n** *n* Easter
Österreich Austria; **~er(in), Ձisch** Austrian
östlich eastern; *Wind etc.*: easterly; ~ ***von*** east of
Otter[1] *m* otter
Otter[2] *f* adder, viper
Ouvertüre *f* overture
oval, Ձ *n* oval
Oxid *n* oxide; **Ձieren** oxidize
Ozean *m* ocean, sea
Ozon|loch *n* ozone hole; **~schicht** *f* ozone layer; **~werte** *pl* ozone levels *pl*

P

Paar *n* pair; *Ehe*Ձ *etc.*: couple
paar: *ein* ~ a few, some; ***ein*** ~ ***Mal*** a few times; **~en: (*sich*)** ~ mate; **~weise** in pairs
Pacht *f*, **Ձen** lease
Pächter(in) leaseholder
Päckchen *n* small parcel; → ***Packung***
pack|en pack; *ergreifen*: grab, seize; *fig.* grip, thrill; **Ձpapier** *n* brown paper; **Ձung** *f* package, box; *kleinere, a. Zigaretten*Ձ: packet, *Am. a.* pack
pädagogisch educational
Paddel *n* paddle; **~boot** *n* canoe; **Ձn** paddle, canoe
Paket *n* package; *post.* parcel; **~karte** *f* (parcel) mailing form, *Am.* parcel post slip
Palast *m* palace
Palm|e *f* palm (tree); **~sonntag** *m* Palm Sunday
Pampelmuse *f* grapefruit
paniert breaded
Panne *f* breakdown; *fig.* mishap; **~ndienst** *m*, **~nhilfe** *f*

breakdown (*Am.* emergency road) service
Panter *m*, **Panther** *m* panther
Pantoffel *m* slipper
Panzer *m* armo(u)r; *mil.* tank; *zo.* shell; **~schrank** *m* safe; **~wagen** *m* armo(u)red car
Papa *m* dad(dy), pa
Papagei *m* parrot
Papier *n* paper; **~e** *pl* papers *pl*, documents *pl*; *Ausweis*2*e*: identification *sg*; **~geschäft** *n* stationer's (shop, *Am.* store); **~korb** *m* waste-paper (*Am.* waste) basket
Pappe *f* cardboard
Pappel *f* poplar
Papp|karton *m*, **~schachtel** *f* cardboard box, carton
Paprika 1. *f* *~schote*: pepper; **2.** *m* *Gewürz*: paprika
Papst *m* pope
Parade *f* parade; *Fußball*: save
Paradeiser *m* *östr.* tomato
Paradies *n* paradise
Paragraph *m* *jur.* article, section; *print.* paragraph
parallel, 2e *f* parallel
Parfüm *n* perfume; **~erie** *f* perfumery; **2iert** perfumed
Park *m* park; **2en** park; ***2en verboten!*** no parking!
Parkett *n* parquet; *thea.* stalls *pl*, *Am.* orchestra
Park|gebühr *f* parking fee; **~(hoch)haus** *n* multi-storey carpark, *Am.* parking garage; **~kralle** *f* wheel clamp; **~lücke** *f* parking space; **~platz** *m* parking space; *Anlage*: car park, *Am.* parking lot; **~scheibe** *f* parking dis|c (*Am.* -k); **~uhr** *f* parking meter; **~verbot** *n* no parking
Parlament *n* parliament
Parodie *f* parody, takeoff
Partei *f* party; **2isch** partial; **2los** independent
Parterre *n* ground floor
Partie *f* *Spiel*: game; *Teil*: part, passage (*a. mus.*)
Partisan(in) partisan, guerrilla
Partizip *n* participle
Partner|(in) partner; **~schaft** *f* partnership
Pass *m* passport; *Sport*, *geogr.*: pass
Passage *f* passage
Passagier(in) passenger
Passant(in) passerby
Passbild *n* passport photo
passen fit; *zusagen*: suit (***j-m*** s.o.), be* convenient; **~ zu** go* with, match; **~d** suitable; matching
passieren *v/i* happen; *v/t* pass (through)
passiv, 2 *n* passive
Paste *f* paste
Pastete *f* pie
Pate *m* godfather; godchild; **~nkind** *n* godchild
Patent 1. *n* patent; **2. 2** *adj* *Person*, *Lösung etc*: clever
Patient(in) patient
Patin *f* godmother
Patriot(in) patriot

Patrone *f* cartridge
Patsche *f*: ***in der ~ sitzen*** be* in a jam
patzig rude, *Am. a.* fresh
Pauke *f* kettledrum
Pauschal|e *f* lump sum; **~reise** *f* package tour; **~urlaub** *m* package holiday; **~urteil** *n* sweeping statement
Pause *f* break, *Am. Schul*2: recess; *thea. etc.* interval, *Am.* intermission; *Sprech*2: pause; **2nlos** uninterrupted, nonstop
Pavian *m* baboon
Pavillon *m* pavilion
Pazifist|(in), 2isch pacifist
PC ***Personalcomputer*** PC, personal computer; **~-Benutzer** PC user
Pech *n* pitch; *fig.* bad luck
Pedal *n* pedal
pedantisch pedantic
peinlich embarrassing; ***~ genau*** meticulous
Peitsche *f*, **2n** whip
Pell|e *f* skin; **2en** peel; **~kartoffeln** *pl* potatoes *pl* (boiled) in their jackets
Pelz *m* fur; **2gefüttert** fur-lined; **~mantel** *m* fur coat
Pend|el *n* pendulum; **2eln** swing*; *Bus etc.*: shuttle; *Person*: commute; **~eltür** *f* swing door; **~elverkehr** *m* shuttle service; **~ler** *m* commuter
penetrant obtrusive
Penis *m* penis
Pension *f* (old-age) pension; boarding-house; **~är(in)** old-age pensioner; **2ieren:** ***sich ~ lassen*** retire; **2iert** retired
per *pro*: per; *durch*: by
perfekt perfect; **2** *n gr.* present perfect
Periode *f* period (*a. med.*)
Perle *f* pearl; *Glas*2: bead; **2n** sparkle, bubble
Perlmutt *n* mother-of-pearl
Person *f* person; ***für zwei ~en*** for two
Personal *n* staff, personnel; **~abteilung** *f* personnel department; **~ausweis** *m* identity card; **~chef(in)** staff manager; **~computer** *m* personal computer; **~ien** *pl* particulars *pl*, personal data *pl*
Personen|(kraft)wagen *m* (motor)car, *Am. a.* auto(mobile); **~zug** *m* passenger train; local train
persönlich personal(ly); **2keit** *f* personality
Perücke *f* wig
Pessimist|(in) pessimist; **2isch** pessimistic
Pest *f* plague; **~izid** *n* pesticide
Petersilie *f* parsley
Petroleum *n* kerosene
Pfad *m* path; **~finder** *m* boy scout; **~finderin** *f* girl guide (*Am.* scout)
Pfahl *m* stake, post; pole
Pfand *n* security; *Sache*: pawn; *Flaschen*2: deposit
pfänden seize, attach

Pfandflasche *f* returnable bottle
Pfann|e *f* pan; **~kuchen** *m* pancake
Pfarrer *m* priest; *Protestant*: minister; *evangelischer*: pastor; **~in** *f* (woman) pastor
Pfau *m* peacock
Pfeffer *m* pepper; **~kuchen** *m* gingerbread; **~minze** *f* peppermint; **2n** pepper; **~streuer** *m* pepper pot
Pfeife *f* whistle; *Tabak2*, *Orgel2*: pipe; **2n** whistle
Pfeil *m* arrow; **~ u. Bogen** bow and arrow
Pfeiler *m* pillar
Pferd *n* horse; **zu ~e** on horseback; **~erennen** *n* horse race; **~eschwanz** *m* *Frisur*: ponytail; **~estall** *m* stable; **~estärke** *f* horsepower
Pfiff *m* whistle
Pfifferling *m* chanterelle
pfiffig clever
Pfingst|en *n* Whitsun; **~montag** *m* Whit Monday; **~rose** *f* peony; **~sonntag** *m* Whit Sunday
Pfirsich *m* peach
Pflanze *f*, **2n** plant; **~nfett** *n* vegetable fat *od.* oil
Pflaster *n* (sticking) plaster, *Am.* Band-Aid®, bandage; *Straßen2*: pavement; **2n** pave; **~stein** *m* paving stone
Pflaume *f* plum; *Back2*: prune
Pflege *f* care; *med.* nursing; *fig.* cultivation; **~...** *Eltern, Kind etc.*: foster-...; **~heim** *n* nursing home; **2leicht** easy-care, wash-and-wear; **2n** care for; *med. a.* nurse; *fig.* cultivate; ***sie pflegte zu sagen*** she used to say; **~r** *m* male nurse; **~rin** *f* nurse
Pflicht *f* duty; *Sport*: compulsory event(s *pl*); **~fach** *n* compulsory subject; **~versicherung** *f* compulsory insurance
Pflock *m* peg
pflücken pick, gather
Pflug *m* plough, *Am.* plow
pflügen plough, *Am.* plow
Pforte *f* gate, door
Pförtner(in) gatekeeper; doorkeeper
Pfosten *m* (*Sport*: goal)post
Pfote *f* paw
Pfropfen *m* stopper; cork; *Watte etc.*: plug; *med.* clot
pfui ugh!; *Sport etc.*: boo!
Pfund *n* pound
pfuschen bungle
Pfütze *f* puddle, pool
Phantasie *etc* → ***Fantasie*** *etc*
Phantombild *n* identikit (*Am.* composite) picture
Phase *f* phase, stage
Philosoph|(in) philosopher; **~ie** *f* philosophy
phlegmatisch phlegmatic
phonetisch phonetic
Phosph|at *n* phosphate; **~or** *m* phosphorus
Photo *etc* → ***Foto*** *etc*
Physik *f* physics *sg*; **2alisch**

physical; **~er(in)** physicist
physisch physical
Pianist(in) pianist
Pick|el *m med.* pimple; **2(e)lig** pimpled, pimply
picken peck, pick
Picknick *n* picnic
piep(s)|en chirp; *electr.* bleep; **2er** *m* F bleeper, *Am.* beeper
Pik *n* spade(s *pl*)
pikant spicy, piquant (*a. fig.*)
Pilger(in) pilgrim
Pille *f* pill
Pilot pilot; **~...** *Film, Projekt etc*: pilot ...
Pilz *m* mushroom; *biol., med.* fungus
pingelig fussy
Pinguin *m* penguin
pinkeln (have* a) pee
Pinsel *m* brush
Pinzette *f* tweezers *pl*
Pionier *m* pioneer; *mil.* engineer
Pirat(in) pirate
Piste *f* course; *aviat.* runway
Pistole *f* pistol, gun
Pkw, PKW ***Personenkraftwagen*** (motor)car, *Am. a.* auto(mobile)
Plage *f* trouble; *Insekten2 etc.*: plague; **2n** trouble, bother; ***sich*** ~ toil, drudge
Plakat *n* poster, placard
Plakette *f* plaque, badge
Plan *m* plan; *Absicht*: *a.* intention
Plane *f* awning, tarpaulin
planen (make*) plan(s for)
Planet *m* planet
Planke *f* plank, board
plan|los without plan; *ziellos*: aimless; **~mäßig 1.** *adj* systematic; *rail. etc.* scheduled; **2.** *adv* as planned
Plansch|becken *n* paddling pool; **2en** splash, paddle
Plantage *f* plantation
plappern chatter, prattle
plärren bawl; *Radio*: blare
Plastik¹ *f* sculpture
Plastik² *n* plastic; **~...** *Becher, Geld, Tüte etc*: plastic ...
plastisch *Chirurgie*: plastic; *Beschreibung etc.*: graphic, vivid
Platin *n* platinum
plätschern ripple, splash
platt flat; *fig.* flabbergasted
Platte *f* plate; *Stein*: slab; *Schall2*: record; ***kalte*** ~ cold meats (*Am.* cuts)
plätten iron, press
Platten|spieler *m* record player; **~teller** *m* turntable
Platt|form *f* platform; **~fuß** *m* flat foot; *mot.* flat (tyre *Brt.*)
Platz *m* place; spot; *Raum*: room, space; *Lage, Bau2*: site; *Sitz*: seat; *öffentlicher*: square, *runder*: circus; ~ ***nehmen*** take* a seat; **~anweiser(in)** usher(ette)
Plätzchen *n* → ***Keks***
platz|en burst* (*a. fig.*); explode; F *fig.* come* to nothing; **2karte** *f* seat reservation; **2regen** *m* downpour; **2verweis** *m*: ***e-n ~ erhalten***

be* sent off; **≈wunde** *f* cut
Plauder|ei *f*, **≈n** chat
pleite F broke; ***total*** ~ stone broke
Pleite *f* F bankruptcy; flop; ~ ***machen*** go* bankrupt, F go* bust
Plomb|e *f* seal; *Zahn≈*: filling; **≈ieren** seal; fill
plötzlich sudden(ly)
plump clumsy
plündern plunder, loot
Plural *m* plural
plus plus
Plus *n* plus; ***im*** ~ *econ.* in the black
Pneu *m Schweiz*: tyre, *Am.* tire
Po *m* bottom, behind
Pöbel *m* mob, rabble
pochen *Herz etc.*: throb; ~ ***auf*** *fig.* insist on
Pocken *pl* smallpox *sg*; **~impfung** *f* smallpox vaccination
Podium *n* podium, platform
poetisch poetic(al)
Pokal *m Sport*: cup; **~endspiel** *n* cup final; **~spiel** *n* cup tie
Pol *m* pole; **≈ar** polar
Pole *m* Pole; **~n** Poland
Police *f* (insurance) policy
polieren polish
Polin *f* Pole, Polish woman
Politi|k *f* politics *sg*, *pl*; *bestimmte*: policy; **~ker(in)** politician; **≈sch** political
Politur *f* polish
Polizei *f* police *pl*; **~beamte** *m*, **~beamtin** *f* police officer; **~revier** *n* police station; **~streife** *f* police patrol; **~stunde** *f* closing time
Polizist(in) police(wo)man
polnisch Polish
Polster *n* pad; *Kissen*: cushion; **~möbel** *pl* upholstered furniture *sg*; **≈n** upholster, stuff; *wattieren*: pad
Polter|abend *m* eve-of-the--wedding party; **≈n** rumble
Pommes frites *pl* chips *pl*, *Am.* French fries *pl*
Pony[1] *n* pony
Pony[2] *m Frisur*: fringe, *Am.* bangs *pl*
Pop... *Gruppe*, *Konzert*, *Musik etc*: pop ...
Popo *m* F bottom, backside
populär popular
Por|e *f* pore; **≈ös** porous
Porree *m* leek
Portemonnaie *n* purse
Portier *m* porter
Portion *f* portion, share; *bei Tisch*: helping, serving
Portmonee *n* → ***Portemonnaie***
Porto *n* postage; **≈frei** postage paid
Porträt *n* portrait
Portug|al Portugal; **~ies|e** *m*, **~in** *f*, **≈isch** Portuguese
Porzellan *n* china
Posaune *f* trombone
Position *f* position
positiv positive
Post *f* post, *bsd. Am.* mail; ~*sachen*: mail, letters *pl*; **~amt** *n* post office; **~anweisung** *f*

money order; **~beamte** *m*, **~beamtin** *f* post-office (*Am.* postal) clerk; **~bote** *m*, **~botin** *f* → ***Briefträger(in)***
Posten *m* post; *Stelle*: *a.* job; *mil.* sentry; *econ.* item; *Waren*: lot
Post|fach *n* (PO) box; **~karte** *f* postcard; **~kutsche** *f* stagecoach; **2lagernd** poste restante, *Am.* general delivery; **~leitzahl** *f* postcode, *Am.* zip code; **~scheck** *m* (post office) giro cheque, *Am.* postal check; **~scheckkonto** *n* (post office) giro account, *Am.* postal check account; **~sparbuch** *n* post office (*Am.* postal) savings book; **~stempel** *m* postmark; **2wendend** by return (of post), *Am.* by return mail
Pracht *f* splendo(u)r
prächtig splendid
Prädikat *n gr.* predicate
prahlen brag, boast
Prakti|kant(in) trainee, *Am. a.* intern; **~ken** *pl* practices *pl*; **~kum** *n* practical training (period), *Am. a.* internship
praktisch practical; useful, handy; ***~er Arzt*** general practitioner
Praline *f* chocolate
prall tight; *drall*: plump; *Sonne*: blazing; **~en** bounce; **~ *gegen*** hit*
Prämie *f* premium; bonus
Präposition *f* preposition
Präsens *n* present (tense)
Präservativ *n* condom
Präsident(in) president
prasseln *Feuer*: crackle; **~ *gegen*** beat* against
Praxis *f* practice; *med.* **~***räume*: surgery, *Am.* doctor's office
predig|en preach; **2er(in)** preacher; **2t** *f* sermon
Preis *m* price; *erster etc.*: prize; *Film etc.*: award; **~ausschreiben** *n* competition
Preiselbeere *f* cranberry
Preis|erhöhung *f* rise (*od.* increase) in price(s); **2gekrönt** prize-winning; **~nachlass** *m* discount; **~schild** *n* price tag; **~stopp** *m* price freeze; **2wert** inexpensive
Prellung *f* contusion, bruise
Premiere *f* first night
Premierminister(in) prime minister
Presse *f* press; *Saft2*: squeezer; **~...** *Agentur*, *Konferenz etc*: press ...
pressen press
Pressetribüne *f* press box
prickeln, 2 *n* tingle
Priester(in) priest(ess)
prima great, super
primitiv primitive
Prinz *m* prince; **~essin** *f* princess
Prinzip *n* (***im*** in) principle
Prise *f*: **e-e ~** a pinch of
privat private; **2...** *Leben*, *Schule etc.*: private ...
Privileg *n* privilege

pro per; ***das* 2 *und Kontra*** the pros and cons *pl*
Probe *f* trial, test; *Muster*: sample; *thea.* rehearsal; ***auf die* ~ *stellen*** put* to the test; **~fahrt** *f* test drive; **~flug** *m* test flight; **2n** *thea.* rehearse
probieren try; *kosten*: *a.* taste
Problem *n* problem
Produkt *n* product; **~ion** *f* production; *Menge*: *a.* output; **2iv** productive
produzieren produce
Professor(in) professor
Profi *m* pro(fessional)
Profil *n* profile; *Reifen*: tread; **2ieren: *sich* ~** distinguish o.s
Profit *m*, **2ieren** profit (***von*** from)
Programm *n* program(me); *Computer*: program; *TV Kanal*: channel; **~fehler** *m Computer*: program error; **2ieren** program; **~ierer(in)** program(m)er
Projekt *n* project; **~or** *m* projector
Prolog *m* prolog(ue)
Promillegrenze *f* (blood) alcohol limit
prominen|t prominent; **2z** *f* notables *pl*, VIPs *pl*
prompt prompt, quick
Pronomen *n* pronoun
Propeller *m* propeller
prophezeien prophesy, predict
Prosa *f* prose
Prospekt *m* brochure
prost cheers!
Prostituierte *f* prostitute
Protest *m* protest; **~ant(in), 2antisch** Protestant; **2ieren** protest
Prothese *f* artificial limb; *Zahn2*: denture(s *pl*)
Protokoll *n* record, minutes *pl*; *pol.* protocol
protz|en show off (***mit et.*** s.th.); **2ig** showy
Proviant *m* provisions *pl*
Provinz *f* province
Provis|ion *f* commission; **2orisch** provisional
provozieren provoke
Prozent *n* per cent; **~satz** *m* percentage
Prozess *m jur.* lawsuit; *Straf2*: trial; *chem. etc.* process
prozessieren go* to law
Prozession *f* procession
Prozessor *m Computer*: processor
prüde prudish
prüf|en examine, test; *kontrollieren*: check; **2er(in)** examiner; *tech.* tester; **2ung** *f* exam(ination); test
Prügel *pl*: **~ *bekommen*** get* a beating *sg*; **2n** beat*, clobber; ***sich* ~** (have* a) fight*
pst s(s)h!; *hallo*: psst!
Psychi|ater(in) psychiatrist; **2sch** mental
Psycho|analyse *f* psychoanalysis; **~loge** *m* psychologist; **~logie** *f* psychology; **~login** *f* psychologist; **2lo-**

gisch psychological; **~terror** *m* psychological warfare
Pubertät *f* puberty
Publikum *n* audience; *Sport*: spectators *pl*
Pudding *m* pudding
Pudel *m* poodle
Puder *m* powder; **~dose** *f* compact; **≈n** powder (**sich** o.s.); **~zucker** *m* powdered sugar
Puff *m* F whorehouse
Pull|i *m* (light) sweater; **~over** *m* sweater, pullover
Puls *m* pulse (rate); **~ader** *f* artery
Pult *n* desk
Pulver *n* powder
pummelig chubby
Pumpe *f*, **≈n** pump
Punkt *m* point (*a. fig.*); *Tupfen*: dot; *Satzzeichen*: full stop, *Am.* period; *Stelle*: spot, place; ~ ***zehn Uhr*** 10 (o'clock) sharp
pünktlich punctual
Pupille *f* pupil
Puppe *f* doll (*a.* F *fig.*); *thea.* puppet; *zo.* chrysalis, pupa
pur pure; *Whisky*: straight
Püree *n* purée, mash
purpurrot crimson
Purzel|baum *m* somersault; **≈n** tumble
Pustel *f* pustule
pusten blow*; *keuchen*: puff
Pute *f* turkey (hen); **~r** *m* turkey (cock)
Putz *m* plaster(ing); **≈en** *v/t* clean; *wischen*: wipe; ***sich die Nase*** (**Zähne**) ~ blow* (brush) one's nose (teeth); *v/i* do* the cleaning; **~frau** *f* cleaning woman
Puzzle *n* jigsaw (puzzle)
Pyramide *f* pyramid

Q

Quacksalber *m* quack
Quadrat *n*, **~...** *Meter*, *Wurzel etc.*, **≈isch** square (...)
quaken quack; *Frosch*: croak
Qual *f* pain, torment, agony
quälen torment; *Tier etc.*: be* cruel to; F pester; ***sich*** ~ struggle
Qualifi|kation *f* qualification; **≈zieren: (*sich*)** ~ qualify
Qualität *f* quality
Qualle *f* jellyfish
Qualm *m* (thick) smoke; **≈en** smoke
qualvoll very painful; *Schmerz*: agonizing
Quantität *f* quantity
Quarantäne *f* quarantine
Quark *m* cottage cheese; curd(s *pl*)
Quartal *n* quarter
Quartett *n* quartet(te)
Quartier *n* accommodation
Quarz *m* quartz (*a. in Zssgn*)
Quatsch *m* nonsense; **≈en** chat; *contp.* babble

Quecksilber *n* mercury
Quelle *f* spring; source (*a. fig.*); **2n** pour, stream
quer across (*a.* **~ über**); **2flöte** *f* flute; **2latte** *f* *Sport*: crossbar; **2schnitt** *m* cross-section; **~schnittsgelähmt** paraplegic; **2straße** *f* intersecting road
quetsch|en squeeze; *med.* bruise; **2ung** *f* bruise
quiek(s)en squeak, squeal
quietschen squeak; *Person*: squeal; *Reifen*: screech, squeal; *Tür*: creak
quitt quits, even
quitt|ieren give* a receipt for; ***den Dienst*** **~** resign; **2ung** *f* receipt
Quote *f* quota; share; **~nregelung** *f* quota system

R

Rabatt *m* discount
Rabbi(ner) *m* rabbi
Rabe *m* raven
Rache *f* revenge, vengeance
Rachen *m* throat
rächen revenge (**sich** o.s.)
Rad *n* wheel; *Fahr2*: bike; **~ *fahren*** cycle, ride* a bicycle (F bike), F bike
Radar *m, n* radar; **~falle** *f* speed trap; **~kontrolle** *f* radar speed check; **~schirm** *m* radar screen
radfahre|n → ***Rad***; **2r(in)** cyclist, biker
radier|en erase; **2gummi** *m* eraser; **2ung** *f* etching
Radieschen *n* (red) radish
radikal radical
Radio *n* (**im** on the) radio; **2aktiv** radioactive; **~rekorder** *m* radiocassette recorder; **~wecker** *m* clock radio
Radius *m* radius
Rad|kappe *f* hubcap; **~rennen** *n* cycle race; **~tour** *f* bicycle tour; **~weg** *m* cycle path (*od.* track)
raffiniert refined; *fig.* clever, cunning
ragen tower (up), rise*
Rahm *m* cream
Rahmen 1. *m*, **2. 2** *v/t* frame
Rakete *f* rocket; *mil. a.* missile; **~nabwehr...** antiballistic ...
rammen ram; *mot. a.* hit*
Rampe *f* ramp
Ramsch *m* junk, trash
Rand *m* edge, border; *Seite*: margin; *Glas, Hut*: brim; *Teller, Brille*: rim; *fig.* brink
randalier|en (run*) riot; **2er** *m* hooligan, rioter
Randgruppe *f* fringe group
Rang *m* rank (*a. mil.*)
rangieren *rail.* shunt, *Am.* switch; *fig.* rank
Ranke *f* tendril; **2n: sich ~** creep*, climb

Ranzen *m* satchel
ranzig rancid, rank
Rappe *m* black horse
rar rare, scarce
rasch quick, swift; prompt
rascheln rustle
rasen race, speed*; *toben*: rage (*a. Sturm*), be* furious; **~d** raging; *Tempo*: breakneck; *Kopfschmerz*: splitting; **~ werden (machen)** go* (drive*) mad
Rasen *m* lawn; **~mäher** *m* lawn mower; **~platz** *m Tennis*: grass court
Raser *m* speed(st)er; **~ei** *f* frenzy; *mot.* reckless driving
Rasier|... *Creme, Pinsel, Seife etc.*: shaving ...; **~apparat** *m* (safety) razor; electric razor; **&en** shave (*a.* **sich ~**); **~klinge** *f* razor blade; **~messer** *n* razor; **~wasser** *n* aftershave
Rasse *f* race; *zo.* breed
rasseln rattle
Rassen|trennung *f* (racial) segregation; **~unruhen** *pl* race riots *pl*
Rassis|mus *m* racism; **~t(in)**, **&tisch** racist
Rast *f* rest, stop; **&en** rest, stop, take* a break; **&los** restless; **~platz** *m mot.* lay-by, *Am.* rest area; **~stätte** *f mot.* service area
Rasur *f* shave
Rat *m* (**ein** a piece of) advice; *pol.* council
Rate *f* instal(l)ment; rate; **in ~n** by instal(l)ments
raten advise; guess (*a. er~*); *Rätsel*: solve
Ratenzahlung *f* → ***Abzahlung***
Rat|geber(in) adviser; *Buch*: guide; **~haus** *n* town (*Am. a.* city) hall
Ration *f* ration; **&alisieren** rationalize, *Am.* reorganize; **&ieren** ration
rat|los at a loss; **~sam** advisable
Rätsel *n* puzzle; *~frage*: riddle; *fig. a.* mystery; **&haft** puzzling; mysterious
Ratte *f* rat
rattern rattle, clatter
rau rough, rugged; *Klima, Stimme*: *a.* harsh; *Haut etc.*: chapped
Raub *m* robbery; *Beute*: loot; *Opfer*: prey; **&en** rob; *j-n*: kidnap
Räuber(in) robber
Raub|mord *m* murder with robbery; **~tier** *n* beast of prey; **~überfall** *m* holdup; armed robbery; **~vogel** *m* bird of prey
Rauch *m* smoke; **&en** smoke; **& *verboten*** no smoking; **~er(in)** smoker (*a. rail.*)
Räucher|... *Lachs etc.*: smoked ...; **&n** smoke
rauchig smoky
rauh → ***rau***
Raum *m* room; *Welt&*: space; *Gebiet*: area; **~anzug** *m* spacesuit; **~deckung** *f Sport*: positional marking

räumen leave*; evacuate; *Straße*, *Lager*: clear; ~ ***in*** put* *s.th.* (away) in
Raum|fahrt *f* space flight; **~fahrt...** space ...; **~inhalt** *m* volume; **~kapsel** *f* space capsule
räumlich three-dimensional
Raumschiff *n* spacecraft; *bemannt*: *a.* spaceship
Raupe *f* caterpillar (*a. tech.*)
Raureif *m* hoarfrost
Rausch *m* intoxication; ***e-n ~ haben*** be* drunk; **2en** rush; *fig.* sweep*
Rauschgift *n* drug(s *pl*); **~handel** *m* drug traffic(king); **~händler(in)** drug trafficker, *sl.* pusher; **~süchtige** *m, f* drug addict
räuspern: ***sich ~*** clear one's throat
Razzia *f* raid
Reag|enzglas *n* test tube; **2ieren** react (***auf*** to)
Reaktor *m* reactor
real real; **~istisch** realistic; **2ität** *f* reality; **2schule** *f* secondary school
Rebe *f* vine
Rebell *m* rebel; **2ieren** rebel, revolt, rise*
Rebhuhn *n* partridge
Rechen *m*, **2** rake
Rechen|aufgabe *f* sum, problem; **~fehler** *m* error, miscalculation; **~schaft** *f*: ***~ ablegen über*** account for; ***zur ~ ziehen*** call to account; **~schieber** *m* slide rule
Rechnen 1. *n* arithmetic; **2. 2** *v/i u. v/t* calculate; *Aufgabe*: do*; ***~ mit*** expect; count on *s.o.*
Rechner *m* calculator; computer; **2abhängig** *Computer*: on-line; **2unabhängig** off-line
Rechnung *f* calculation; bill, *Am. Lokal*: check; *econ.* invoice
recht 1. *adj Hand, Winkel etc*: right; *richtig*: *a.* correct; ***~e Seite*** right(-hand) side; **2.** *adv* right(ly), correctly; *ziemlich*: rather, quite; ***erst ~*** all the more
Recht *n* right (***auf*** to); *jur.* law; *fig.* justice; ***~ haben*** be* right
Recht|e *f* right (hand); *pol. the* right (wing); **~eck** *n* rectangle; **2eckig** rectangular; **2fertigen** justify; **~fertigung** *f* justification; **2lich** legal; **2mäßig** legal, lawful; legitimate
rechts on the right; *pol.* right-wing, right(ist); ***nach ~*** to the right
Rechtsan|walt *m*, **~wältin** *f* lawyer, *Am. a.* attorney
Rechtsaußen *m Sport*: outside right, right winger
Rechtschreibung *f* spelling
Rechts|händer(in): ***~ sein*** be* right-handed; **2radikal** extreme right-wing; **~schutzversicherung** *f* legal costs insurance; **~verkehr** *m*

driving on the right; **≈widrig** illegal
recht|wink(e)lig rightangled; **~zeitig** in time (***zu*** for)
Reck *n* horizontal bar
recken stretch (***sich*** o.s.)
Recyclingpapier *n* recycled paper
Redakt|eur(in) editor; **~ion** *f* editorial staff, editors *pl*
Rede *f* speech (***halten*** make*); **≈gewandt** eloquent; **≈n** talk, speak*; **~nsart** *f* saying
redlich honest, upright
Red|ner(in) speaker; **≈selig** talkative
reduzieren reduce
Reeder|(in) shipowner; **~ei** *f* shipping company
reell *Preis etc.*: fair; *echt*: real; *Firma*: solid
reflektieren reflect
Reform *f* reform; **~haus** *n* health food shop (*Am.* store); **≈ieren** reform
Regal *n* shelves *pl*
rege active, lively; busy
Regel *f* rule; *med.* period; **≈mäßig** regular; **≈n** regulate; *erledigen*: take* care of; **~ung** *f* regulation; *e-r Sache*: settlement
regen: (*sich*) ~ move, stir
Regen *m* rain; **~bogen** *m* rainbow; **~mantel** *m* raincoat; **~schauer** *m* shower; **~schirm** *m* umbrella; **~tag** *m* rainy day; **~tropfen** *m* raindrop; **~wald** *m* rain forest; **~wasser** *n* rainwater; **~wetter** *n* rainy weather; **~wurm** *m* earthworm; **~zeit** *f* rainy season
Regie *f* direction
regier|en reign; govern; **≈ung** *f* government, *Am. a.* administration; *Monarchie*: reign
Regimekritiker(in) dissident
Region *f* region
Regisseur(in) director
registrieren register, record; *fig.* note
regne|n rain; **~risch** rainy
regulieren regulate, adjust; *steuern*: control
regungslos motionless
Reh *n* deer, roe; *weiblich*: doe; *gastr.* venison; **~bock** *m* (roe)buck; **~kitz** *n* fawn
Reib|e *f*, **~eisen** *n* grater; **≈en** rub; *gastr.* grate; **~ung** *f* friction
reich rich (***an*** in), wealthy
Reich *n* empire, kingdom (*a. rel., zo.*); *fig.* world; ***das Dritte*** ~ the Third Reich
reichen reach (***bis*** to; ***nach*** [out] for); *zu~*: *a.* hand, pass; *genügen*: be* enough; ***das reicht*** that will do
reich|haltig rich; **~lich** plenty (of); *ziemlich*: rather; **≈tum** *m* wealth (***an*** of); **≈weite** *f* reach; *mil.* range
Reif[1] *m* (hoar)frost
Reif[2] *m* bracelet; ring
reif ripe; *bsd. fig.* mature; **≈e**

f ripeness; maturity; **~en** ripen, mature
Reifen *m* hoop; *mot. etc.* tyre, *Am.* tire; **~panne** *f* puncture, *Am. a.* flat
Reihe *f* line, row (*a. Sitz*2); *Anzahl*: number; *Serie*: series; ***der ~ nach*** in turn; ***ich bin an der ~*** it's my turn; **~nfolge** *f* order; **~nhaus** *n* terrace(d) (*Am.* row) house
Reiher *m* heron
Reim *m* rhyme; **2en: (*sich*) ~** rhyme
rein pure; *sauber*: clean; *Gewissen, Haut*: clear; **2fall** *m* flop; **~igen** (*chemisch*: dry-)clean; **2igung** *f* (*chemische*: dry) cleaning; *Betrieb*: (dry) cleaners *pl*; **~rassig** pureblooded; *Tier*: thoroughbred
Reis *m* rice
Reise *f* trip; journey; *naut.* voyage; *Rund*2: tour; **~andenken** *n* souvenir; **~büro** *n* travel agency; **~führer** *m* guide(book); **~gesellschaft** *f* tourist party, *Am.* tour group; **~leiter(in)** courier, *Am.* tour guide; **2n** travel; ***durch ... ~*** tour ...; **~nde** *m, f* travel(l)er; **~pass** *m* passport; **~scheck** *m* travel(l)er's cheque (*Am.* check); **~tasche** *f* travel(l)ing bag; **~ziel** *n* destination
reiß|en tear*; *Witze*: crack; **~end** torrential; **2verschluss** *m* zip(per *Am.*); **2zwecke** *f* drawing pin, *Am.* thumbtack
Reit|... *Schule, Stiefel etc.*: riding ...; **2en** ride*; **~er(in)** rider, horse|man (-woman); **~hose** *f* (riding) breeches *pl*
Reiz *m* appeal, attraction; *med. etc.* stimulus; **2bar** irritable; **2en** irritate (*a. med.*); provoke; *anziehen*: appeal to; *Karten*: bid; **2end** delightful; *nett*: kind; **2voll** attractive
Reklam|ation *f* complaint; **~e** *f* advertising; *Anzeige*: advertisement, F ad
Rekord *m* record
Rekrut(in) recruit
Rektor(in) *Schule*: head|master (-mistress), *Am.* principal; *univ.* vice-chancellor, principal
relativ relative
Religi|on *f* religion; **2ös** religious
Reling *f* rail
Reliquie *f* relic
Renn|bahn *f* racecourse; **2en** run*; **~en** *n* race; **~fahrer(in)** racing driver; racing cyclist; **~läufer(in)** ski racer; **~pferd** *n* racehorse; **~rad** *n* racing bicycle; **~sport** *m* racing; **~stall** *m* racing stable; **~wagen** *m* racing car
renovieren *Haus*: renovate; *Zimmer*: redecorate
rentabel profitable
Rente *f* (old-age) pension
Rentier *n* reindeer

Rentner(in) (old-age) pensioner, senior citizen
Reparatur *f* repair; **~werkstatt** *f* workshop, repair shop; *mot.* garage
reparieren repair, F fix
Report|age *f* report; **~er(in)** reporter
Reptil *n* reptile
Republik *f* republic; **~aner(in)**, **≈anisch** republican
Reserve *f* reserve; **~rad** *n* spare wheel; **~tank** *m* reserve tank
reservier|en reserve (*a.* **~*lassen***); *freihalten*: keep*, save; **~t** reserved (*a. fig.*)
Residenz *f* residence
resignieren give* up
Respekt *m*, **≈ieren** respect
Rest *m* rest; **~*e*** *pl* remains *pl*; *Essen*: leftovers *pl*
Restaurant *n* restaurant
restaurieren restore
rest|lich remaining; **~los** entirely, completely
Retortenbaby *n* test-tube baby
rette|n save (***vor*** from); rescue (***aus*** from); **≈r(in)** rescuer
Rettich *m* radish
Rettung *f* rescue
Rettungs|boot *n* lifeboat; **~mannschaft** *f* rescue party; **~ring** *m* life belt (*Am.* preserver)
Reue *f* repentance, remorse
revanchieren: *sich* ~ *bei* pay* *s.o.* back
Revision *f jur.* appeal
Revolution *f* revolution; **≈är**, **~är(in)** revolutionary
Revolver *m* revolver
Rezept *n med.* prescription; *gastr., fig.* recipe
Rezeption *f* reception desk
Rhabarber *m* rhubarb
Rheuma *n* rheumatism
Rhinozeros *n* rhinoceros, F rhino; F twit, nitwit
Rhythmus *m* rhythm
Ribisel *f östr.* currant
richten fix; get* *s.th.* ready; **~ *auf*** direct to; *Waffe, Kamera*: point at; (***sich***) **~ *an*** address (o.s.) to; ***sich* ~ *nach*** go* by, act according to; *abhängen von*: depend on
Richter(in) judge
richtig right; correct; *echt*: real; **~ *gehen*** *Uhr*: be* right; **~ *stellen*** put* right; **~ *nett*** *etc.* really nice *etc.*; ***das* ≈*e*** the right thing (to do)
Richtlinien *pl* guidelines *pl*
Richtung *f* direction
riechen smell* (***nach*** of)
Riegel *m* bolt, bar (*a. Schokolade etc.*)
Riemen *m* strap; *Gürtel, tech.*: belt; *Ruder*: oar
Riese *m* giant
rieseln trickle, run*; *Schnee*: fall softly
riesig huge, gigantic
Riff *n* reef
Rille *f* groove
Rind *n* cow; **~*er*** *pl* cattle *pl*
Rinde *f* bark; *Käse*: rind; *Brot*: crust

Rind|erbraten *m* roast beef; **~erwahn(sinn)** *m vet.* mad cow disease; **~fleisch** *n* beef
Ring *m* ring; *fig. a.* circle
Ringel|natter *f* grass snake; **~spiel** *n östr.* merry-go-round
ring|en wrestle; *fig. a.* struggle; *Hände*: wring*; **2en** *n* wrestling; **2er(in)** wrestler; **2kampf** *m* wrestling match; **2richter** *m* referee; **~straße** *f* ring road, *Am.* beltway
Rinn|e *f* groove, channel; **2en** run*, flow*; **~sal** *n Flüsschen*: rivulet; *Flüssigkeit*: trickle; **~stein** *m* gutter
Rippe *f* rib; **~nbruch** *m* broken (*od.* fractured) rib(s *pl*); **~nfellentzündung** *f* pleurisy
Ris|iko *n* risk; **2kant** risky; **2kieren** risk
Riss *m* tear; *Sprung*: crack; *Haut*: chap
rissig cracked; chapped
Ritt *m* ride; **~er** *m* knight
Ritze *f* chink; **2n** scratch
Rival|e *m*, **~in** *f* rival
Robbe *f* seal; **2n** crawl
Robe *f* robe; gown
Roboter *m* robot
robust robust, sturdy
röcheln moan; *et.*: gasp
Rock *m* skirt
Rodel|bahn *f* toboggan run; **2n** toboggan; **~schlitten** *m* sled(ge), toboggan
roden clear; pull up
Rogen *m* roe
Roggen *m* rye
roh raw; *grob*: rough; *fig.* brutal; **2kost** *f* raw vegetables and fruit *pl*; **2öl** *n* crude (oil)
Rohr *n* tube, pipe; → ***Schilf***
Röhre *f* tube (*a. Am. TV*), pipe; *Brt. TV etc.* valve
Rohstoff *m* raw material
Roll|aden *m* rolling shutter; **~bahn** *f* taxiway; *Start-, Landebahn*: runway
Roll|e *f* roll; *tech. a.* roller; *thea.* part, role; *Garn etc.*: reel; **2en** roll; *aviat.* taxi; **~er** *m* scooter
Roll|feld *n* → ***Rollbahn***; **~kragen** *m* polo neck, *Am.* turtleneck; **~kragenpullover** *m* polo-neck (*Am.* turtleneck) jumper; **~schuh** *m* roller skate; **~stuhl** *m* wheelchair; **~treppe** *f* escalator
Roman *m* novel
romantisch romantic
Röm|er(in), 2isch Roman
röntgen, 2bild *n* X-ray; **2strahlen** *pl* X-rays *pl*
rosa pink
Rose *f* rose; **~nkohl** *m* Brussels sprouts *pl*; **~nkranz** *m* rosary
rosig rosy
Rosine *f* raisin, currant
Rost *m* rust; *tech.* grate; *Brat2*: grill; **2en** rust
rösten roast; *Brot*: toast
rost|frei rustproof, stainless; **~ig** rusty; **2schutzmittel** *n* anti-rust agent

rot red; ~ ***werden*** blush; **~blond** sandy(-haired)
Röteln *pl* German measles *sg*
röten: (***sich***) ~ redden
Rothaarige *m, f* redhead
rotieren rotate, revolve
Rot|kehlchen *n* robin; **~kohl** *m* red cabbage; **~stift** *m* red pencil; **~wein** *m* red wine; **~wild** *n* (red) deer
Roulade *f* roulade, roll
Route *f* route
Routine *f* routine
Rübe *f* turnip; (sugar) beet
Rubin *m* ruby
Ruck *m* jerk, jolt, start
Rück|antwortschein *m* reply coupon; **~blick** *m* review (***auf*** of)
rücken move; shift; ***näher*** ~ (be*) approach(ing)
Rücken *m* back; **~lehne** *f* back(rest); **~mark** *n* spinal cord; **~schwimmen** *n* backstroke; **~wind** *m* tailwind; **~wirbel** *m* dorsal vertebra
Rück|erstattung *f* refund; **~fahrkarte** *f* return (ticket), *Am.* round-trip ticket; **~fahrt** *f* return trip; ***auf der*** ~ on the way back; **²fällig:** ~ ***werden*** relapse; **~flug** *m* return flight; **²gängig:** ~ ***machen*** cancel; **~grat** *n* spine, backbone; **~halt** *m* support; **~hand(schlag** *m*) *f Tennis*: backhand; **~kehr** *f* return; **~licht** *n* taillight; **~porto** *n* return postage; **~reise** *f* → ***Rückfahrt***
Rucksack *m* rucksack, *Am. a.* backpack; **~tourismus** *m* backpacking; **~tourist** *m* backpacker
Rück|schlag *m* setback; **~schritt** *m* step back(ward); **~seite** *f* back, reverse; **~sicht** *f* consideration; ~ ***nehmen auf*** show* consideration for; **²sichtslos** inconsiderate (***gegen*** of); *skrupellos*: ruthless; *Fahren etc.*: reckless; **²sichtsvoll** considerate; **~sitz** *m* back seat; **~spiegel** *m* rearview mirror; **~spiel** *n* return match *od.* game; **~stand** *m* arrears *pl*; *chem.* residue; **²ständig** backward; **~stelltaste** *f* backspace key; **~tritt** *m* resignation; **~trittbremse** *f* backpedal (*Am.* coaster) brake; **²wärts** backward(s); **~wärtsgang** *m* reverse (gear); **~weg** *m* way back; **²wirkend** retroactive; **~zahlung** *f* repayment; **~zug** *m* retreat
Rudel *n* pack; *Rehe*: herd
Ruder *n* rudder; *Riemen*: oar; **~boot** *n* rowing boat, *Am.* rowboat; **²n** row
Ruf *m* call (*a. fig.*); cry, shout; *Ansehen*: reputation; **²en** call; cry, shout; ~ ***lassen*** send* for
Rüge *f* reproof, reproach
Ruhe *f* quiet, calm; *Gemüts²*: calm(ness); *Erholung*: rest (*a. phys.*); ***in*** ~ ***lassen*** leave*

alone; **2los** restless; **2n** rest (***auf*** on); **~pause** *f* break; **~stand** *m* retirement; **~störung** *f* disturbance (of the peace); **~tag** *m*: ***Montag ~*** closed on Mondays
ruhig quiet; calm
Ruhm *m* fame; *mil.* glory
Rühr|eier *pl* scrambled eggs *pl*; **2en** stir (*a. gastr.*), move (*beide a.* **sich** ~); *fig. a.* touch, effect; **2end** touching, moving; **~ung** *f* emotion
Ruin *m* ruin
Ruin|e *f* ruin(s *pl*); **2ieren** ruin (**sich** o.s.)
rülpsen belch
Rum *m* rum
Rummel *m* bustle; *Reklame etc.*: ballyhoo; **~platz** *m* fairground, *Am. a.* amusement park
rumpeln rumble
Rumpf *m anat.* trunk; *naut.* hull; *aviat.* fuselage
rümpfen *Nase*: turn up
rund 1. *adj* round; **2.** *adv* about; ~ ***um*** around; **2blick** *m* panorama; **2e** *f* round; *Rennen*: lap; **2fahrt** *f* tour
Rundfunk *m* (***im*** on the) radio; *Gesellschaft*: broadcasting corporation; **~hörer** *m* listener; *pl a.* (radio) audience *sg*; **~sender** *m* radio station; **~sendung** *f* broadcast
Rund|gang *m* tour (***durch*** of); **2herum** all (a)round; **2lich** plump; **~reise** *f* tour (***durch*** round); **~schreiben** *n* circular (letter)
Runz|el *f* wrinkle; **2(e)lig** wrinkled; **2eln** → ***Stirn***
rupfen pluck
Rüsche *f* frill, ruffle
Ruß *m* soot
Russe *m* Russian
Rüssel *m Elefant*: trunk; *Schwein*: snout
Russ|in *f*, **2isch** Russian
rüsten arm (***zum Krieg*** for war); ***sich*** ~ prepare, get* ready (***zu, für*** for)
rüstig vigorous, fit
Rüstung *f* armo(u)r; *mil.* armament; **~s...** *Kontrolle, Wettlauf*: arms ...
Rute *f* rod; *Gerte*: switch
Rutsch|bahn *f*, **~e** *f Kinder2*: slide; *Transport2*: chute; **2en** slide*, slip (*a. aus~*); *mot. etc.* skid; **2ig** slippery
rütteln *v/t* shake*; *v/i* jolt; ~ ***an*** rattle at

S

Saal *m* hall; **...2** *a.* ... room
Saat *f Säen*: sowing; *junge ~*: crop(s *pl*)
Säbel *m* sab|re, *Am.* -er
Sabotage *f* sabotage
Sach|bearbeiter(in) person

responsible (***für*** for); **2dienlich** relevant
Sach|e *f* thing; *Angelegenheit*: matter; *gute etc.*: cause; **~n** *pl* things *pl*; clothes *pl*; **2gerecht** proper; **~kenntnis** *f* expert knowledge; **2kundig** expert; **2lich** matter-of-fact, businesslike; objective
sächlich *gr*. neuter
Sach|register *n* (subject) index; **~schaden** *m* damage to property
sacht(e) softly; F easy
Sach|verhalt *m* facts *pl* (of the case); **~verständige** *m, f* expert (witness *jur.*)
Sack *m* sack, bag; **~gasse** *f* blind alley, cul-de-sac, dead end (street) (*alle a. fig.*)
säen sow (*a. fig.*)
Safari *f* safari
Saft *m* juice; **2ig** juicy
Sage *f* legend, myth
Säge *f* saw; **~mehl** *n* sawdust
sagen say*; *mitteilen*: tell*
sägen saw*
sagenhaft legendary; F fabulous, incredible
Sahne *f* cream
Saison *f* season
Saite *f* string, chord; **~ninstrument** *n* string(ed) instrument
Sakko *m, n* sport(s) coat
Salat *m* salad; *Kopf2*: lettuce; **~soße** *f* salad dressing
Salbe *f* ointment, salve
Salmiak *m, n* ammonium chloride
salopp casual
Salto *m* somersault
Salz *n*, **2en** salt; **2ig** salty; **~kartoffeln** *pl* boiled potatoes *pl*; **~säure** *f* hydrochloric acid; **~streuer** *m* saltcellar, *Am.* salt shaker; **~wasser** *n* salt water
Same(n) *m* seed; *biol.* sperm, semen
samm|eln collect; **2ler(in)** collector; **2lung** *f* collection
Samstag *m* Saturday
samt (along) with
Samt *m* velvet
sämtlich: ~e *pl* all the; *Werke*: the complete
Sanatorium *n* sanatorium
Sand *m* sand
Sandale *f* sandal
Sand|bank *f* sandbank; **2ig** sandy; **~papier** *n* sandpaper
sanft gentle, soft
Sänger(in) singer
sanitär sanitary
Sanitäter(in) ambulance (*od.* first-aid) (wo)man, *Am.* paramedic; *mil.* medic
Sankt Saint, *abbr*. St.
Sard|elle *f* anchovy; **~ine** *f* sardine
Sarg *m* coffin, *Am. a.* casket
Satellit *m* satellite; **~enschüssel** *f* satellite dish
Satire *f* satire
satt F full (up); ***sich ~ essen*** eat* one's fill; ***ich bin ~*** I've had enough; ***~ haben*** be* fed up with
Sattel *m*, **2n** saddle

sättigend filling
Satz *m* sentence, clause; *Sprung*: leap; *Tennis, Werkzeug etc.*: set; *econ.* rate; *mus.* movement; **~ung** *f* statute; **~zeichen** *n* punctuation mark
Sau *f* sow; **2...** F damn ...
sauber clean; *ordentlich*: neat, tidy; **~!** *ironisch*: great!; **~ machen** clean (up); **2keit** *f* clean(li)ness
sauer sour; acid; *Gurke*: pickled; *wütend*: mad; ***saurer Regen*** acid rain; **2kraut** *n* sauerkraut; **2stoff** *m* oxygen; **2teig** *m* leaven
saufen drink*; F booze
Säufer(in) drunkard
saugen suck (***an et.*** [at] s.th.)
säug|en suckle, nurse; **2etier** *n* mammal; **2ling** *m* baby
Säule *f* column, pillar
Saum *m* hem(line); seam
Sauna *f* sauna
Säure *f* acid
sausen rush, dash; *Ohren*: ring*; *Wind*: howl
Saxofon *n*, **Saxophon** *n* saxophone
S-Bahn *f* suburban fast train
scann|en *Computer*: scan; **2er** *m* scanner
Schabe *f* cockroach; **2n** scrape
schäbig shabby
Schach *n* chess; **~ (*und matt*)!** check(mate)!; **~brett** *n* chessboard; **~figur** *f* chessman; **2matt: ~ *setzen*** checkmate; **~spiel** *n* (game of) chess
Schacht *m* shaft
Schachtel *f* box; pack(et)
schade a pity, F too bad; ***wie ~!*** what a pity!
Schädel *m* skull; **~bruch** *m* fracture of the skull
schaden (do*) damage (to), harm, hurt*
Schaden *m* damage (***an*** to); *körperlicher*: injury; **~ersatz** *m* damages *pl*; **~freude** *f*: ***~ empfinden*** gloat; **2froh** gloating(ly)
schadhaft defective
schäd|igen damage, harm; **~lich** harmful, injurious
Schädling *m* pest; **~bekämpfung** *f* pest control; **~bekämpfungsmittel** *n* pesticide
Schadstoff *m* harmful (*od.* noxious) substance, pollutant; **2arm** *Auto*: low-emission, F clean; **~ausstoß** *m* noxious emission
Schaf *n* sheep; **~bock** *m* ram
Schäfer|(in) shepherd(ess); **~hund** *m* sheepdog; *deutscher*: Alsatian, *bsd. Am.* German shepherd (dog)
schaffen create (*a. er~*); cause; *bewältigen*: manage; *bringen*: take*; *arbeiten*: work; **es ~** make* it
Schaffner(in) conduct|or (-ress), *Brt. rail.* guard
Schaft *m* shaft; *Gewehr*:

stock; *Stiefel*: leg; **~stiefel** *pl* high boots *pl*
schal stale, flat; *fig. a.* empty
Schal *m* scarf
Schale *f* bowl, dish; *Ei, Nuß etc.*: shell; *Obst, Kartoffel*: peel, skin; **~n** *pl Kartoffeln*: peelings *pl*
schälen peel, skin; ***sich ~*** *Haut*: peel (*od.* come*) off
Schall *m* sound; **~dämpfer** *m* silencer, *mot. Am.* muffler; **~dicht** soundproof; **~en** sound; *klingen, dröhnen*: ring* (out); **~mauer** *f* sound barrier; **~platte** *f* record
schalt|en switch, turn; *mot.* change gear; **~er** *m* switch; *rail.* ticket office; *Post, Bank*: counter; **~hebel** *m* gear (*tech., aviat.* control) lever; **~jahr** *n* leap year; **~tafel** *f* switchboard, control panel
Scham *f* shame (*a.* **~***gefühl*)
schämen: *sich ~* be* (*od.* feel*) ashamed (***wegen*** of)
schamlos shameless
Schande *f* disgrace
schändlich disgraceful
Schanze *f* ski-jump
Schar *f* group, crowd; *Gänse etc.*: flock; **~en: *sich ~ um*** gather round
scharf sharp (*a. fig.*); **~** *gewürzt*: hot; *Munition*: live; F hot; → ***geil***; **~ *auf*** crazy about; *j-n*: *a.* hot on
Schärfe *f* sharpness; *Härte*: severity; **~n** sharpen
Scharf|schütze *m* sharpshooter; sniper; **~sinn** *m* acumen
Scharlach *m med.* scarlet fever; **~rot** scarlet
Scharnier *n* hinge
Schärpe *f* sash
scharren scrape, scratch
Schaschlik *m, n* (shish) kebab
Schatt|en *m* shadow; ***im ~*** in the shade; **~ierung** *f* shade; **~ig** shady
Schatz *m* treasure; *fig.* darling
schätz|en estimate (***auf*** at); F reckon; ***zu ~ wissen*** appreciate; **~ung** *f* estimate; **~ungsweise** roughly
Schau *f* show; exhibition
Schauder *m*, **~n** shudder
schauen look (***auf*** at)
Schauer *m* shower; → ***Schauder***; **~lich** dreadful, horrible
Schaufel *f* shovel; *Kehr~*: dustpan; **~n** shovel; dig*
Schaufenster *n* shop window; **~bummel** *m*: ***e-n ~ machen*** go* window-shopping
Schaukel *f* swing; **~n** swing*; *Boot*: rock; **~pferd** *n* rocking horse; **~stuhl** *m* rocking chair
Schaum *m* foam; *Bier*: froth; *Seife*: lather
schäumen foam (*a. fig.*); *Seife*: lather; *Wein*: sparkle
Schaum|gummi *m* foam rubber; **~ig** foamy, frothy
Schauplatz *m* scene
Schauspiel *n* spectacle; *thea.*

play; **~er(in)** act|or (-ress)
Scheck *m* che|que, *Am.* -ck; **~karte** *f* cheque (*Am.* check cashing) card
Scheibe *f* disc, *Am., EDV* disk; *Brot etc.*: slice; *Fenster*: pane; *Schieß*2: target; **~n-bremse** *f* dis|c (*Am.* -k) brake; **~nwischer** *m* windscreen (*Am.* windshield) wiper
Scheid|e *f* sheath; *anat.* vagina; **2en** divorce; ***sich ~ lassen*** get* a divorce; *von j-m*: divorce *s.o.*; **~ung** *f* divorce
Schein *m* certificate; *Formular*: form, *Am.* blank; *Geld*2: note, *Am. a.* bill; *Licht*2: light; *fig.* appearance; **2bar** seeming, apparent; **2en** shine*; *fig.* seem, appear, look; **2heilig** hypocritical; **~werfer** *m* searchlight; *mot.* headlight; *thea.* spotlight
Scheiß|... damn ..., fucking ...; **~e** *f*, **2en** shit*
Scheitel *m* parting, *Am.* part
scheitern fail, go* wrong
Schellfisch *m* haddock
Schelm *m* rascal; **2isch** impish
schelten scold
Schema *n* pattern
Schemel *m* stool
Schenkel *m* *Ober*2: thigh; *Unter*2: shank; *math.* leg
schenken give* (***zu*** for)
Scherbe *f*, **~n** *m* (broken) piece, fragment
Schere *f* scissors *pl*; *große*: shears *pl*; *zo.* claw; **2n** shear*, clip, cut* (*a. Haare*)
Scherereien *pl* trouble *sg*
Scherz *m*, **2en** joke; **2haft** joking(ly)
scheu shy; **2** *f* shyness; **~en** *v/i* shy (***vor*** at); *v/t* shun, avoid; ***sich ~ zu*** be* afraid of *doing s.th.*
scheuer|n scrub; *wund* **~**: chafe; **2tuch** *n* floor cloth
Scheune *f* barn
Scheusal *n* monster
scheußlich horrible
Schicht *f* layer; *Farb*2 *etc.*: coat; *dünne*: film; *Arbeits*2: shift; *pol.* class; **2en** pile up
schick smart, chic, stylish
schicken send*
Schick|eria *f* F smart set, beautiful people *pl*, trendies *pl*; **~imicki** *m* F trendy
Schicksal *n* fate, destiny
Schiebe|dach *n* *mot.* sunroof; **~fenster** *n* sash window; **2n** push, shove; **~tür** *f* sliding door
Schiebung *f* put-up job
Schiedsrichter(in) referee (*a. Fußball*), umpire (*a. Tennis*)
schief crooked; *schräg*: sloping, *Turm*: leaning; *fig. Bild etc.*: false; ***~ gehen*** go* wrong
Schiefer *m* slate; **~tafel** *f* slate
schielen squint
Schienbein *n* shin(bone)
Schiene *f* rail; *med.* splint; *fig.* (beaten) track; **2n** splint

schier sheer, pure; ~ ***unmöglich*** next to impossible

schieß|en shoot* (*a. fig.*), fire; *Tor*: score; **2erei** *f* gunfight; **2scheibe** *f* target; **2stand** *m* rifle range

Schiff *n* ship, boat; **2bar** navigable; **~bruch** *m* shipwreck; ~ ***erleiden*** be* shipwrecked; *fig.* fail; **2brüchig** shipwrecked; **~fahrt** *f* navigation

Schikan|e *f* harassment; **2ieren** harass; *Schüler, Angestellte*: pick on

Schild 1. *n* sign; *Namens2 etc.*: plate; **2.** *m* shield; **~drüse** *f* thyroid gland

schilder|n describe; **2ung** *f* description

Schildkröte *f* turtle; *Land2*: *Brt.* tortoise

Schilf(rohr) *n* reed

schillern be* iridescent

Schimm|el *m* white horse; *Pilz*: mo(u)ld; **2eln** go* mo(u)ldy; **2(e)lig** mo(u)ldy

Schimmer *m*, **2n** glimmer

Schimpanse *m* chimpanzee

schimpf|en scold, tell* *s.o.* off; **2wort** *n* swearword

Schindel *f* shingle

Schinken *m* ham

Schiri *m Sport* F ref

Schirm *m* umbrella; *Sonnen2*: sunshade; *Schutz, Bild2*: screen; *Mütze*: peak; **~mütze** *f* peaked cap

Schlacht *f* battle (***bei*** of); **2en** slaughter, butcher; **~feld** *n* battlefield; **~schiff** *n* battleship

Schlacke *f* cinder, slag

Schlaf *m* sleep; **~anzug** *m* pyjamas *pl*, *Am.* pajamas *pl*

Schläfe *f* temple

schlafen sleep*; ~ ***gehen, sich*** ~ ***legen*** go* to bed

schlaff slack; *Muskeln*: flabby; *kraftlos*: limp

Schlaf|gelegenheit *f* sleeping accommodation; **2los** sleepless; **~losigkeit** *f med.* insomnia; **~mittel** *n* sleeping pill(s *pl*)

schläfrig sleepy, drowsy

Schlaf|saal *m* dormitory; **~sack** *m* sleeping bag; **~tablette** *f* sleeping pill; **~wagen** *m* sleeping car; **~zimmer** *n* bedroom

Schlag *m* blow (*a. fig.*); *mit der Hand*: slap; *Faust2*: punch; *Uhr, Blitz, Tennis*: stroke; *electr.* shock; *Herz, Puls*: beat; *med.* *~anfall*: stroke; ***Schläge*** *pl* beating *sg*; **~ader** *f* artery; **~anfall** *m* stroke; **~baum** *m* barrier; **~bohrer** *m* percussion drill; **2en** hit*, beat* (*a. besiegen, Eier etc*); strike* (*a. Blitz, Uhr*[*zeit*]); knock (***zu Boden*** down); *Sahne*: whip; *Herz*: beat; ***sich*** ~ fight* (***um*** over); → ***fällen***; **~er** *m* hit; (pop) song

Schläger *m* bat; *Person*: tough; → ***Golf-, Tennisschläger***; **~ei** *f* fight

schlag|fertig quick-witted;

2obers *n östr.* → **2sahne** *f* whipped cream; **2wort** *n* catchword; **2zeile** *f* headline; **2zeug** *n* drums *pl*; **2zeuger(in)** drummer, percussionist

Schlamm *m* mud

Schlamp|e *f* slut; **2en** do* a slovenly (*od.* sloppy) job; **~erei** *f* mess; slovenly (*od.* sloppy) job; **2ig** slovenly, sloppy, *Arbeit etc*: *a.* slipshod

Schlange *f zo.* snake; *Menschen2*: queue, *Am.* line; **~ *stehen*** queue (*Am.* line) up

schlängeln: *sich* ~ wriggle; wind one's way *od.* o.s

schlank slim; **2heitskur** *f*: ***e-e ~ machen*** be* (*od.* go*) on a (slimming) diet

schlau clever; *listig*: sly

Schlauch *m* tube; *Spritz2*: hose; **~boot** *n* rubber dinghy; life raft; **2en** wear* *s.o.* out

Schlaufe *f* loop

schlecht bad; ***~ gelaunt*** grumpy, in a bad mood; ***~ werden*** *verderben*: go* bad; → ***übel***

schleichen creep*, sneak

Schleier *m* veil (*a. fig.*)

Schleife *f* bow; *Fluss*, *tech.*, *Computer*: loop

schleifen drag; *schärfen*: grind*, sharpen; *Holz*: sand; *Glas*, *Steine*: cut*

Schleim *m* slime; *med.* mucus; **~haut** *f* mucous membrane; **2ig** slimy (*a. fig. contp.*), mucous

schlemm|en feast; **2er(in)** gourmet

schlendern stroll, saunter

schlenkern dangle, swing*

schlepp|en drag (*a.* ***sich ~***); *naut.*, *mot.* tow; **2er** *m* tug; *mot.* tractor; **2lift** *m* T-bar (*od.* drag) lift, ski tow

Schleuder *f* sling, catapult; *Waffe*: *Am.* slingshot; *Trocken2*: spin drier; **2n** *v/t* fling*, hurl; *Wäsche*: spin-dry; *v/i mot.* skid; **~sitz** *m* ejection seat

schleunigst at once

Schleuse *f* sluice; *Kanal*: lock

schlicht plain, simple; **~en** settle; **2er(in)** mediator

schließ|en shut*, close (*beide a.* ***sich ~***); *für immer*: close down; (*be*)*enden*: finish; *Frieden*: make*; **~ *aus*** conclude from; **2fach** *n rail. etc.* (luggage) locker; *Bank*: safe-deposit box; **~lich** finally; *immerhin*: after all

schlimm bad; *furchtbar*: awful; ***~er*** worse; ***am ~sten*** (the) worst

Schling|e *f* loop, noose (*a. Galgen2*); *med.* sling; **2en** wind*; *binden*: tie; **2ern** roll; **~pflanze** *f* creeper, climber

Schlips *m* (neck)tie

Schlitten *m* sled(ge); *Rodel2*: toboggan; *Pferde2*: sleigh; **~fahrt** *f* sleigh ride

Schlittschuh *m* ice-skate (*a.* ***~ laufen***); **~läufer(in)** ice--skater

Schlitz *m* slit; *Einwurf*2: slot; *Hose*: fly; 2**en** slit*, slash
Schloss *n* lock; *Bau*: castle, palace
Schlosser(in) mechanic, fitter; locksmith
schlottern shake* (***vor*** with)
Schlucht *f* ravine, canyon
schluchzen sob
Schluck *m* swallow, draught; **~auf** *m*, **~en** *m the* hiccups *pl*; 2**en** swallow
Schlummer *m* slumber
schlüpf|en slip (***in*** into; ***aus*** out of), slide*; 2**er** *m* briefs *pl*; *Damen*2, *Kinder*2: *a.* panties *pl*; **~rig** slippery
schlurfen shuffle (along)
schlürfen slurp
Schluss *m* end; *Ab*2, *~folgerung*: conclusion
Schlüssel *m* key; **~bein** *n* collarbone; **~bund** *m*, *n* bunch of keys; **~loch** *n* keyhole
Schluss|folgerung *f* conclusion; **~licht** *n* taillight; *fig.* tail-ender; **~pfiff** *m Sport*: final whistle; **~verkauf** *m* (end-of-season) sale
schmächtig slight, thin
schmackhaft tasty
schmal narrow; *Figur*: thin, slender; 2**spur...** *fig.* small-time ...
Schmalz *n* lard; *fig.* schmaltz; 2**ig** schmaltzy
Schmarren *m östr. gastr.* pancake; F trash
schmatzen eat* noisily, smack one's lips
schmecken taste (***nach*** of); ***schmeckt es?*** do you like it?
Schmeich|elei *f* flattery; 2**elhaft** flattering; 2**eln** flatter; **~ler(in)** flatterer
schmeißen throw*, chuck; *Tür*: slam
schmelzen melt* (*a. fig.*)
Schmerz *m* pain (*a.* **~en** *pl*), *anhaltender*: ache; *fig.* grief, sorrow; 2**en** hurt* (*a. fig.*), ache; **~ensgeld** *n* punitive damages *pl*; 2**haft**, 2**lich** painful; 2**los** painless; **~mittel** *n* painkiller; 2**stillend** pain-relieving
Schmetter|ling *m* butterfly; 2**n** smash (*a. Tennis*)
Schmied *m* (black)smith; **~e** *f* forge, smithy; **~eeisen** *n* wrought iron; 2**en** forge; *Pläne*: make*
schmiegen: *sich ~ an* snuggle up to
schmier|en *tech.* grease, lubricate; *Butter etc.*: spread*; *schreiben*: scrawl **~ig** greasy; dirty; *fig.* filthy
Schminke *f* make-up; 2**n** make* (***sich*** o.s.) up
Schmirgelpapier *n* emery paper
schmollen sulk, pout
Schmor|braten *m* pot roast; 2**en** braise, stew
Schmuck *m* jewel(le)ry; *Zierde*: decoration
schmücken decorate
schmuddelig grubby
Schmugg|el *m* smuggling;

≈eln smuggle; **~ler(in)** smuggler
schmunzeln smile (to o.s.)
Schmutz *m* dirt, filth; **≈ig** dirty, filthy
Schnabel *m* bill, beak
Schnalle *f* buckle; **≈n** buckle; F ***et. ~*** get* it
schnapp|en catch*; ***sich ~*** snatch; ***nach Luft ~*** gasp for air; **≈schuss** *m* snapshot
Schnaps *m* hard liquor
schnarchen snore
schnattern cackle; chatter
schnauben snort; (***sich***) ***die Nase ~*** blow* one's nose
schnaufen pant, puff
Schnauz|bart *m* m(o)ustache; **~e** *f* snout, muzzle; *sl.* trap, kisser; ***die ~ halten*** keep* one's trap shut
Schnecke *f* snail; *Nackt≈*: slug; **~nhaus** *n* snail shell
Schnee *m* snow (*a. sl. Kokain*); **~ballschlacht** *f* snowball fight; **≈bedeckt** *Berg*: snowcapped; **~flocke** *f* snowflake; **~gestöber** *n* snow flurry; **~glöckchen** *n* snowdrop; **~ketten** *pl mot.* snow chains *pl*; **~mann** *m* snowman; **~matsch** *m* slush; **~mobil** *n* snowmobile; **~pflug** *m* snow|plough, *Am.* -plow; **~regen** *m* sleet; **~sturm** *m* snowstorm, blizzard; **~wehe** *f* snowdrift; **≈weiß** snow-white
Schneid|e *f* edge; **≈en** cut* (*a. mot.*); *schnitzen, tranchieren*: carve; *Ball*: slice; **≈end** *Kälte*: piercing; **~er** *m* tailor; **~erin** *f* dressmaker; **~ezahn** *m* incisor
schneien snow
Schneise *f* firebreak, lane
schnell fast, quick; (***mach***) ***~!*** hurry up!; **≈gaststätte** *f* fast food restaurant; **≈hefter** *m* folder; **≈igkeit** *f* speed; **≈imbiss** *m* snackbar; **≈kochtopf** *m* pressure cooker; **≈straße** *f* motorway, *Am.* expressway; **≈zug** *m* fast train
schnippisch pert, saucy
Schnitt *m* cut; *Durch≈*: average; *Film*: editing; **~blumen** *pl* cut flowers *pl*; **~e** *f* slice; (open) sandwich; **~lauch** *m* chives *pl*; **~muster** *n* pattern; **~punkt** *m* (point of) intersection; **~stelle** *f* *Computer*: interface; **~wunde** *f* cut
Schnitzel 1. *n* cutlet; ***Wiener ~*** Wiener schnitzel; **2.** *n, m* chip; *Papier≈*: scrap
schnitzen carve, cut*
schnodderig brash, snotty
Schnorchel *m*, **≈n** snorkel
Schnörkel *m* flourish
schnorren sponge, cadge
schnüffeln sniff; *fig.* snoop
Schnuller *m* dummy, *Am.* pacifier
Schnulze *f* tearjerker
Schnupfen *m* cold
schnuppern sniff
Schnur *f* string, cord; **≈los** *tel.* cordless

Schnürlsamt *m österr.* corduroy
Schnurr|bart *m* m(o)ustache; **2en** purr
Schnür|schuh *m* laced shoe; **~senkel** *m* shoelace
Schock *m*, **2ieren** shock
Schokolade *f* chocolate
Scholle *f Erd2*: clod; *Eis2*: (ice) floe; *zo.* plaice
schon already; *jemals*: ever; *sogar*: even; ***hast du ~ ...?*** have you ... yet?; ***~ gut!*** never mind!
schön beautiful; *gut, nett*: nice; *Wetter*: fine; ***~ warm*** nice and warm; ***ganz ~ ...*** pretty ...
schonen go* easy on; *Kräfte etc.*: save; *j-s Leben*: spare; ***sich ~*** take* it easy
Schönheit *f* beauty
Schonzeit *f* close season
schöpf|en scoop, ladle; *fig.* → ***Luft, Verdacht*** *etc.*; **2er** *m* creator; **~erisch** creative; **2ung** *f* creation
Schorf *m* scab
Schornstein *m* chimney; *naut., rail.* funnel; **~feger** *m* chimneysweep(er)
Schoß *m* lap; *Leib*: womb
Schote *f* pod, husk, shell
Schotte *m* Scot(sman); ***die ~n*** *pl* the Scots *pl*
Schotter *m* gravel
Schott|in *f* Scot(swoman); **2isch** Scottish; *Produkt*: Scotch; **~land** Scotland
schräg slanting, sloping
Schramme *f*, **2n** scratch
Schrank *m* cupboard; *Kleider2*: wardrobe; *Am. Wand2*: closet
Schranke *f* barrier (*a. fig.*)
Schraube *f*, **2n** screw; **~nschlüssel** *m* spanner, wrench; **~nzieher** *m* screwdriver
Schreck *m* fright, shock; ***e-n ~ einjagen*** scare; **~en** *m* terror; *Gräuel*: horror; **2haft** jumpy; **2lich** awful, terrible
Schrei *m* cry; *lauter*: shout, yell; *Angst2*: scream
schreiben write*; *tippen*: type; *recht~*: spell*
Schreib|en *n* letter; **2faul: *~ sein*** be* a poor correspondent; **~fehler** *m* spelling mistake; **~heft** *n* → ***Heft***; **~maschine** *f* typewriter; **~papier** *n* writing paper; **~schutz** *m Computer*: write (*od.* file) protection; **~tisch** *m* desk; **~ung** *f* spelling; **~waren** *pl* stationery *sg*; **~warengeschäft** *n* stationer's; **~zentrale** *f* typing pool
schreien cry: *lauter*: shout, yell; *angstvoll*: scream
Schreiner *m* → ***Tischler***
Schrift *f* (hand)writing; *~art*: script; *print.* typeface; **2lich 1.** *adj* written; **2.** *adv* in writing; **~steller(in)** author, writer; **~verkehr** *m*, **~wechsel** *m* correspondence
schrill shrill, piercing
Schritt *m* step (*a. fig.*); ***~ fah-***

ren! dead slow; **~macher** *m Sport*, *med.*: pacemaker, *Am.* pacesetter
schroff jagged; *steil*: steep; *fig.* gruff; *krass*: sharp
Schrot *m*, *n* coarse meal; *hunt.* (small) shot; **~flinte** *f* shotgun
Schrott *m* scrap metal; **~haufen** *m* scrapheap (*a. fig*); **~platz** *m* scrapyard
schrubben scrub, scour
schrumpfen shrink*
Schub|fach *n* drawer; **~karren** *m* wheelbarrow; **~kraft** *f* thrust; **~lade** *f* drawer
schüchtern shy
Schuft *m contp.* bastard; **2en** work like a dog
Schuh *m* shoe; **~anzieher** *m* shoehorn; **~creme** *f* shoe polish; **~geschäft** *n* shoe shop (*Am.* store); **~größe** *f*: **~ 9** (a) size 9 (shoe); **~macher(in)** shoemaker
Schul|bildung *f* education; **~buch** *n* textbook
Schuld *f* guilt; *Geld2*: debt; ***die ~ geben*** blame; ***es ist*** (***nicht***) ***meine ~*** it is(n't) my fault; ***~en haben*** be* in debt; **2en** owe; **2ig** *bsd. jur.* guilty (***an*** of); responsible (for); ***j-m et. ~ sein*** owe s. o. s. th.; **~ige** *m*, *f* offender; person *etc.* responsible *od.* to blame; **2los** innocent
Schule *f* (***auf*** *od.* ***in der*** at) school; ***höhere ~*** secondary school; **2n** train
Schüler(in) school|boy (-girl), *bsd. Brt.* pupil, *Am. mst* student
Schul|fernsehen *n* educational TV; **2frei: *~er Tag*** (school) holiday; ***heute ist ~*** there's no school today; **~freund(in)** schoolmate; **~funk** *m* schools programmes *pl*; **~hof** *m* schoolyard, playground; **~mappe** *f* schoolbag; **2pflichtig: *~es Kind*** schoolage child; **~schwänzer(in)** truant; **~stunde** *f* lesson, class, period; **~tasche** *f* schoolbag
Schulter *f* shoulder; **~blatt** *n* shoulder blade; **~tasche** *f* shoulder bag
Schulung *f* training
schummeln F cheat
Schund *m* trash, junk
Schuppe *f zo.* scale; **~n** *pl Kopf2n*: dandruff *sg*
Schuppen *m* shed
Schurke *m* villain
Schürze *f* apron
Schuss *m* shot; *Spritzer*: dash; *Ski*: schuss
Schüssel *f* bowl, dish (*a. TV*)
Schuss|waffe *f* firearm; **~wunde** *f* gunshot wound
Schuster *m* shoemaker
Schutt *m* rubble, debris; ***~ abladen verboten!*** no dumping!; **~abladeplatz** *m* dump
Schüttel|frost *m* shivering fit; **2n** shake*
schütten pour (*a.* F *regnen*)
Schutz *m* protection; *Zu-*

flucht: shelter; **~blech** *n* mudguard, *Am.* fender

Schütz|e *m astr.* Sagittarius; *Tor*2: scorer; ***guter*** ~ good shot; 2**en** protect; shelter

Schutz|engel *m* guardian angel; **~geld** *n* protection (money); **~gelderpressung** *f* protection racket; **~heilige** *m, f* patron (saint); **~impfung** *f* inoculation; *Pocken*: vaccination; 2**los** unprotected; *wehrlos*: defen|celess, *Am.* -seless; **~umschlag** *m* (dust) jacket

schwach weak; *unzulänglich*: poor; *leise*: faint

Schwäch|e *f* weakness; 2**en** weaken; 2**lich** weakly; *zart*: delicate, frail

schwach|sinnig feebleminded; F idiotic; 2**strom** *m* low-voltage current

Schwager *m* brother-in-law

Schwägerin *f* sister-in-law

Schwalbe *f* swallow; *Fußball*: dive

Schwall *m* gush (*a. fig.*)

Schwamm *m* sponge; **~erl** *n österr.* mushroom

Schwan *m* swan

schwanger pregnant; 2**schaft** *f* pregnancy; 2**schaftsabbruch** *m* abortion

schwanken sway (*a. fig. innerlich*); *torkeln*: stagger; ~ ***zwischen ... und*** vary from ... to

Schwanz *m* tail; V *sl.* cock

schwänzen: *die Schule* ~ play truant (*bsd. Am.* F hook[e]y), skip school

Schwarm *m* swarm; *Fische*: shoal; F dream; *Idol*: idol

schwärmen swarm; *erzählen*: rave; ~ ***für*** be* mad about

Schwarte *f* rind; F *Buch*: tome

schwarz black; **~es *Brett*** notice (*Am.* bulletin) board; 2**arbeit** *f* moonlighting; 2**brot** *n* rye bread; 2**fahrer(in)** fare dodger; 2**seher(in)** pessimist; TV- licen|ce (*Am.* -se) dodger; 2**weiß...** *Film etc.*: black-and-white ...

schwatzen, schwätzen chat; *Schule*: talk

Schwebe|bahn *f* cableway; 2**n** be* suspended; *Vogel, aviat.*: hover (*a. fig.*); *gleiten*: glide; *fig. in Gefahr*: be*

Schwed|e *m* Swede; **~en** Sweden; **~in** Swede; 2**isch** Swedish

Schwefel *m* sul|phur, *Am.* -fur

Schweif *m* tail (*a. ast.*)

schweig|en be* silent; 2**en** *n* silence; **~end** silent; **~sam** quiet, reticent

Schwein *n* pig (*a. fig.*); *contp.* swine, bastard; ~ ***haben*** be* lucky

Schweine|braten *m* roast pork; **~fleisch** *n* pork; **~rei** *f* mess; *Gemeinheit*: dirty trick; *Schande*: crying shame; **~stall** *m* pigsty (*a. fig.*)

Schweiß *m* sweat, perspiration; **2en** *tech.* weld
Schweiz: die ~ Switzerland
Schweizer|(in), 2isch Swiss
schwelen smo(u)lder
schwelgen: ~ *in* revel in
Schwell|e *f* threshold; **2en** swell*; **~ung** *f* swelling
schwenken swing*; *Hut*: wave; *spülen*: rinse
schwer heavy; *schwierig*: difficult, hard (*a. Arbeit*); *Wein etc.*: strong; *ernst*: serious; ***10 Kilo ~ sein*** weigh 10 kilos; ***~ arbeiten*** work hard; ***~ verdaulich*** indigestible, heavy; ***~ verständlich*** difficult to understand; ***~ verwundet*** seriously wounded; **2behinderte** *m, f* disabled person; **~fällig** clumsy; **2gewicht** *n* heavyweight; **~hörig** hard of hearing; **2kraft** *f* gravity; **2punkt** *m* cent|re (*Am.* -er) of gravity; *fig.* emphasis
Schwert *n* sword
schwerwiegend serious, grave
Schwester *f* sister; *Nonne*: *a.* nun; *Kranken2*: nurse
Schwieger... *Eltern, Mutter, Sohn etc.*: ...-in-law
schwielig horny
schwierig difficult, hard; **2keit** *f* difficulty, trouble; ***~en bekommen*** get* into trouble
Schwimm|bad *n* (*Hallen2*: indoor) swimming pool; **2en** swim*; *Gegenstand*: float; ***ins Schwimmen kommen*** start floundering; **~er(in)** swimmer; **~flosse** *f* flipper, *Am.* swimfin; **~gürtel** *m* swimming belt; **~haut** *f* web; **~weste** *f* life jacket
Schwindel *m* dizziness; *Betrug*: swindle; *Ulk*: hoax; **~anfall** *m* dizzy spell; **2n** fib, lie
Schwind|ler(in) swindler; **2lig** dizzy; ***mir ist ~*** I feel dizzy
Schwinge *f* wing; **2n** swing*; *phys.* oscillate
Schwips *m*: ***e-n ~ haben*** be* tipsy
schwitzen sweat, perspire
schwören swear*
schwul gay; *contp.* queer
schwül sultry, close
Schwung *m* swing; *fig.* verve, F pep; *Energie*: drive; **2voll** full of life
Schwur *m* oath; **~gericht** *n* *etwa*: jury court
sechs six; **2eck** *n* hexagon; **~eckig** hexagonal; **~te, 2tel** *n* sixth; **~tens** sixthly, in the sixth place
sech|zehn(te) sixteen(th); **~zig** sixty; **~zigste** sixtieth
See[1] *m* lake
See[2] *f* sea, ocean; ***an der ~*** at the seaside; **~bad** *n* seaside resort; **~gang** *m*: ***starker ~*** heavy sea; **~hund** *m* seal; **2krank** seasick
Seel|e *f* soul; **2isch** mental
See|macht *f* sea power; **~mann** *m* seaman, sailor; **~meile** *f* nautical mile; **~not**

f distress (at sea); **~reise** *f* voyage, cruise; **~streitkräfte** *pl* naval forces *pl*; **~zunge** *f* (*Brt.* Dover) sole

Segel *n* sail; **~boot** *n* sailing boat, *Am.* sailboat; **~fliegen** *n* gliding; **~flugzeug** *n* glider; **2n** sail; **~schiff** *n* sailing ship; **~tuch** *n* canvas

Segen *m* blessing (*a. fig.*)

Segler(in) yachts(wo)man

segnen bless

sehen see*; *blicken*: look; *sich an~*: watch; **~ *nach*** look after; **~swert** worth seeing; **2swürdigkeit** *f* sight

Sehne *f* sinew; *Bogen*: string

sehnen: *sich ~ nach* long for

sehn|lich(st) *Wunsch*: dearest; **2sucht** *f*, **~süchtig** longing, yearning

sehr very; *mit vb*: (very) much, greatly

seicht shallow (*a. fig.*)

Seid|e *f* silk; **~enpapier** *n* tissue (paper); **2ig** silky

Seife *f* soap; **~nblase** *f* soap bubble; **~noper** *f TV* soap opera; **~nschaum** *m* lather

Seil *n* rope; **~bahn** *f* cableway

sein[1] his; her; its

sein[2] be*; *existieren*: *a.* exist

seinerzeit in those days

seit *mit Zeitpunkt*: since; *mit Zeitraum*: for; ***~ 1990*** since 1990; ***~ 2 Jahren*** for two years; ***~ langem*** for a long time; **~dem 1.** *adv* since then; (ever) since; **2.** *cj* since

Seite *f* side; *Buch*: page

Seiten... *Straße etc.*: side ...; **~stechen** *n* stitch (in one's side); **~wechsel** *m* change of ends; **~wind** *m* crosswind

seit|lich side ..., at the side(s); **~wärts** sideways

Sekretär *m* secretary; *Möbel*: bureau; **~in** *f* secretary

Sekt *m* champagne

Sekt|e *f* sect; **~or** *m* sector

Sekunde *f* second

selbe same

selbst 1. *pron*: ***ich ~*** (I) myself; ***mach es ~*** do it yourself; ***~ gemacht*** homemade; ***von ~*** by itself, automatically; **2.** *adv* even

Selbst|bedienung *f* self-service; **~beherrschung** *f* self-control; **2bewusst** self-confident; **~gespräch** *n* monolog(ue); ***~e führen*** talk to o.s.; **~kostenpreis** *m*: ***zum ~*** at cost (price); **2los** unselfish; **~mord** *m* suicide; **2sicher** self-confident; **2ständig** independent; **~ständigkeit** *f* independence; **2süchtig** selfish; **2tätig** automatic; **2verständlich** of course, naturally; ***für ~ halten*** take* *s.th.* for granted; **~verständlichkeit** *f a* matter of course; **~verteidigung** *f* self-defen|ce, *Am.* -se; **~vertrauen** *n* self-confidence; **~verwaltung** *f* self-government, autonomy

selchen *bsd. östr.* smoke

selig *rel.* blessed; *verstorben*: late; *fig.* overjoyed
Sellerie *m*, *f* celery
selten 1. *adj* rare; **2.** *adv* rarely, seldom; **2heit** *f* rarity
seltsam strange, F funny
Semester *n* term
Semikolon *n* semicolon
Seminar *n univ.* department; *Übung*: seminar; *Priester*2: seminary; *Schulung*: workshop
Semmel *f* roll
Senat *m* senate
send|en send*; *Radio etc.*: broadcast*, transmit; *TV a.* televise; **2er** *m* transmitter; radio (*od.* TV) station; **2ung** *f* broadcast, program(me); *econ.* consignment, shipment
Senf *m* mustard
Senior 1. *m* senior; **~en** *pl* senior citizens *pl*; **2.** 2 *adj nach Namen*: senior; **2enpass** *m* senior citizen's rail pass
senk|en lower; *Kopf*: *a.* bow; *reduzieren*: *a.* reduce, cut*; ***sich*** ~ drop, go* (*od.* come*) down; **~recht** vertical
Sensation *f* sensation
Sense *f* scythe
sensibel sensitive
sentimental sentimental
September *m* September
Serie *f* series; *Satz*: set; **2nmäßig** *mot. Ausstattung*: standard; ~ ***herstellen*** mass-produce; **~nproduktion** *f* mass-production
Serum *n* serum
Service[1] *n* service, set
Service[2] *m* service
servieren serve
Serviette *f* serviette, napkin
Servus: ~! hi!; bye!
Sessel *m* armchair, easy chair; **~lift** *m* chair lift
setzen put*, set* (*a. print.*, *agr.*, *Segel*), place; ***sich*** ~ sit* down; *Bodensatz*: settle; ***sich*** ~ ***auf*** (***in***) get* on (into); ~ ***auf*** *wetten*: bet* on
Seuche *f* epidemic
seufze|n, **2r** *m* sigh
Sex *m* sex; **~ismus** *m* sexism; **2istisch** sexist; **~ual...** sex ...; **2uell** sexual
sich oneself; *sg* himself, herself, itself; *pl* themselves; *sg* yourself, *pl* yourselves; *einander*: each other
Sichel *f* sickle
sicher safe, secure (***vor*** from); *gewiss*: certain, sure; *selbst*~: confident; **2heit** *f bsd. persönliche*: safety; *bsd. öffentliche*: security (*a. pol.*, *mil.*); *Gewissheit*: certainty
Sicherheits|... security ...; *bsd. tech.* safety ...; **~gurt** *m* seat (*od.* safety) belt; **~nadel** *f* safety pin
sicher|n secure (***sich*** o.s.); *Computer*: save, store; **~stellen** secure; **2ung** *f* safeguard; *tech.* safety device (*Waffe*: catch); *electr.* fuse; **~ungskopie** *f Computer*:

backup; **e-e ~ machen** back up
Sicht *f* visibility; *Aus*♀: view; **in ~ kommen** come* into view; ♀**bar** visible; ♀**lich** obvious(ly); **~vermerk** *m* visa; **~weite** *f*: **in** (**außer**) **~** within (out of) view
sickern trickle, ooze, seep
sie she; *pl* they; ♀ *sg*, *pl* you
Sieb *n* sieve; *Tee*: strainer
sieben[1] sieve, sift
sieb|en[2] seven; **~te,** ♀**tel** *n* seventh; **~zehn(te)** seventeen(th); **~zig** seventy; **~zigste** seventieth
siedeln settle
siede|n boil; ♀**punkt** *m* boiling point
Sied|ler(in) settler; **~lung** *f* settlement; *Wohn*♀: housing development
Sieg *m* victory; *Sport*: *a.* win
Siegel *n* seal; *privat*: signet
sieg|en win*; ♀**er(in)** winner
siehe: ~ oben (**unten**) see above (below)
siezen: sich ~ be* on 'Sie' terms
Signal *n*, ♀**isieren** signal
Silbe *f* syllable
Silber *n*, ♀**n** silver
Silhouette *f* silhouette; *Stadt*: *a.* skyline
Silikon *n* silicone
Silvester *n* New Year's Eve
Sinfonie *f* symphony
singen sing*
Singular *m* singular
Singvogel *m* songbird
sinken sink*; *econ.* fall*
Sinn *m* sense; *Bedeutung*: *a.* meaning; **im ~ haben** have* in mind; (**keinen**) **~ ergeben** (not) make* sense; **es hat keinen ~** it's no use; **~esorgan** *n* sense organ
sinn|lich sensual; *Wahrnehmung*: sensory; **~los** senseless; useless
Sippe *f* family, clan
Sirup *m* syrup
Sitte *f* custom, habit; **~n** *pl* morals *pl*; manners *pl*
sittlich moral
Situation *f* situation
Sitz *m* seat; *Kleid*: fit; **~blockade** *f* sit-down demonstration (F demo), sit-in
sitzen sit*; *sein*: be*; *passen*: fit*; **~ bleiben** remain seated; *Schule*: have* to repeat a year
Sitz|platz *m* seat; **~streik** *m* sit-down (strike); **~ung** *f* session; meeting
Skala *f* scale; *fig.* range
Skandal *m* scandal
Skelett *n* skeleton
skeptisch sceptical
Ski *m* ski (*a.* **~ laufen** *od.* **fahren**); **~fahrer(in), ~läufer(in)** skier; **~lift** *m* ski lift; **~piste** *f* ski run; **~schuh** *m* ski boot; **~springen** *n* ski jumping; **~springer** *m* ski jumper
Skizz|e *f*, ♀**ieren** sketch
Sklav|e *m*, **~in** *f* slave
Skonto *m*, *n* (cash) discount

Skorpion *m* scorpion; *astr.* Scorpio
Skrupel *m* scruple; **⁀los** unscrupulous
Skulptur *f* sculpture
Slalom *m* slalom
Slip *m* → ***Schlüpfer***
Smoking *m* dinner jacket, *Am.* tuxedo
so so, thus; like this (*od.* that); ***~ ein*** such a; ***ein ~ genannter ...*** a so-called ...; (***nicht***) ***~ ... wie*** (not) as ... as; ***~ viel wie*** as much as; ***doppelt ~ viel*** twice as much; ***~ weit*** so far; ***ich bin ~ weit*** I'm ready; ***es ist ~ weit*** it's time; **~bald** as soon as
Socke *f* sock
Sockel *m* base; *Statue*, *fig.*: pedestal
Sodbrennen *n* heartburn
soeben just (now)
sofort at once, immediately; **⁀bildkamera** *f* instant camera
Software *f* software
Sog *m* suction; *aviat.*, *fig.* wake
sogar even
Sohle *f* sole; *Tal*: bottom
Sohn *m* son
solange as long as
Solar|... *Energie*, *Zelle etc.*: solar ...; **~ium** *n* solarium
solch such
Sold *m* pay; **~at(in)** soldier
Söldner *m* mercenary
solid(e) solid; *fig. a.* sound
Solist(in) soloist
Soll *n econ.* debit (side); *Plan⁀*: target; ***~ und Haben*** debit and credit
sollen be* to; be* supposed to; ***soll ich ...?*** shall I ...? ***du solltest*** you should; *stärker*: you ought to
Sommer *m* summer; **~ferien** *pl* summer holidays *pl* (*Am.* vacation *sg*); **⁀lich** summer(y); **~sprossen** *pl* freckles *pl*; **~zeit** *f* summertime; daylight saving time
Sonde *f* probe (*a. med.*)
Sonder|... *Angebot*, *Ausgabe*, *Zug etc.*: special ...; **⁀bar** strange, F funny; **~ling** *m* strange (*od.* odd) sort
Sondermüll *m* hazardous (*od.* special, toxic) waste; **~deponie** *f* special waste dump
sondern but; ***nicht nur ..., ~ auch*** not only ... but also
Sonnabend *m* Saturday
Sonne *f* sun
sonnen: *sich ~* sunbathe
Sonnen|aufgang *m* sunrise; **~bad** *n* sunbath; **~bank** *f* sunbed; **~brand** *m* sunburn; **~brille** *f* sunglasses *pl*; **~energie** *f* solar energy; **~finsternis** *f* solar eclipse; **~kollektor** *m* solar panel; **~licht** *n* sunlight; **~schein** *m* sunshine; **~schirm** *m* sunshade; **~schutz** *m Mittel*: suntan lotion; **~stich** *m* sunstroke; **~strahl** *m* sunbeam; **~system** *n* solar sys-

tem; **~uhr** *f* sundial; **~untergang** *m* sunset
sonnig sunny
Sonntag *m* Sunday
sonst otherwise, *mit pron*: else; *normalerweise*: normally; ***wer*** *etc.* **~?** who *etc.* else?; **~ *noch et.?*** anything else?; ***wie* ~** as usual; **~ *nichts*** nothing else
Sorge *f* worry, problem; *Ärger*: trouble; *Für*&: care; ***sich* ~*n machen*** (***um***) worry (about); ***keine* ~*!*** don't worry!; **&n:** **~ *für*** care for, take* care of; ***dafür* ~, *dass*** see (to it) that; ***sich* ~ *um*** worry about
sorg|fältig careful; **~los** carefree; *nachlässig*: careless
Sort|e *f* sort, kind, type; **&ieren** sort, arrange; **~iment** *n* assortment
Soße *f* sauce; *Braten*&: gravy
souverän *pol.* sovereign
so|viel as far as; → ***so***; **~weit** as far as; → ***so***; **sowie** as well as; *sobald*: as soon as; **~wieso** anyway
Sowjet *m*, **&isch** Soviet
sowohl: **~ ... *als*** (***auch***) both ... and, ... as well as
sozial social; **&...** *Arbeiter*(*in*), *Demokrat*(*in*) *etc.*: social ...; **&abgaben** *pl* social security contributions *pl*; **&hilfe** *f* social security; **&ismus** *m* socialism; **&ist(in)**, **~istisch** socialist; **&staat** *m* welfare state; **&versicherung** *f* social insurance; **&wohnung** *f* council flat, *Am.* public housing unit
sozusagen so to speak
Spalt *m* crack, gap; **~e** *f* → ***Spalt***; *print.* column; **&en:** (***sich***) **~** split*
Späne *pl* shavings *pl*
Spange *f* clasp; *Zahn*&: brace
Spani|en Spain; **~er(in)** Spaniard; **&sch** Spanish
Spann *m* instep; **~e** *f* span; **&en** stretch; *Bogen*: draw*; be* (too) tight; **&end** exciting, thrilling; **~ung** *f* tension (*a. tech., pol.*); *electr.* voltage; *fig.* suspense; **~weite** *f* spread
Spar|buch *n* savings book; **&en** save; economize (on); *er*&: spare; **~er(in)** saver
Spargel *m* asparagus
Spar|kasse *f* savings bank; **~konto** *n* savings account
spärlich scanty; sparse
sparsam economical
Spaß *m* fun; *Scherz*: joke; ***es macht* ~** it's fun; **~vogel** *m* joker
spät late; ***zu* ~ *kommen*** be* late; ***wie* ~ *ist es?*** what time is it?
Spaten *m* spade
spätestens at the latest
Spatz *m* sparrow
spazieren: **~ *fahren*** go* (*j-n*: take*) for a ride; *Baby*: take* out; **~ *gehen*** go* for a walk
Spazier|fahrt *f* drive, ride;

~gang *m* walk; ***e-n ~ machen*** go* for a walk; **~gänger(in)** walker, stroller
Specht *m* woodpecker
Speck *m* bacon
Spedition *f* shipping agency; *Möbel*≈: removal (*Am.* moving) firm
Speer *m* spear; *Sport*: javelin
Speiche *f* spoke
Speichel *m* spittle, saliva, F spit
Speicher *m* storehouse; *Wasser*≈: reservoir; *Boden*: attic; *Computer*: memory; **~dichte** *f* storage density; **~einheit** *f* storage device; **~funktion** *f* memory function; **~kapazität** *f* memory capacity; **≈n** store (up); **~ung** *f* storage
speien spit*; *fig.* spew
Speise *f* food; *Gericht*: dish; **~eis** *n* ice cream; **~kammer** *f* larder, pantry; **~karte** *f* menu; **≈n** *v/i* dine; *v/t* feed*; **~röhre** *f* gullet; **~saal** *m* dining room; **~wagen** *m* dining car, diner
spekulieren speculate
Spende *f* gift; donation; **≈n** give* (*a. Blut*); donate
Spengler *m* plumber
Sperling *m* sparrow
Sperr|e *f* barrier; *rail. a.* gate; *Verbot*: ban (on); *Sport*: suspension; **≈en** close; *Strom etc.*: cut* off; *Scheck*: stop; *Sport*: suspend; ***~ in*** lock (up) in; **~holz** *n* plywood; **≈ig** bulky; **~stunde** *f* (legal) closing time
Spesen *pl* expenses *pl*
speziali|sieren: *sich ~* specialize (***auf*** in); **≈st(in)** specialist; **≈tät** *f* special(i)ty
speziell special, particular
Spiegel *m* mirror; **~bild** *n* reflection; **~ei** *n* fried egg; **≈n** reflect; *glänzen*: shine*; ***sich ~*** be* reflected
Spiel *n* game; *Wett*≈: *a.* match; *das ~en*, *~weise*: play; *Glücks*≈: gambling; ***auf dem ~ stehen*** be* at stake; ***aufs ~ setzen*** risk; **~automat** *m* slot machine; **~bank** *f* casino; **≈en** play; gamble; ***gegen X ~*** play X; **≈end** *fig.* easily; **~er(in)** player; gambler; **~feld** *n* (playing) field; **~film** *m* feature film; **~halle** *f* amusement arcade, game room; **~kamerad(in)** playmate; **~karte** *f* playing card; **~marke** *f* chip; **~plan** *m* program(me); **~platz** *m* playground; **~raum** *m* scope; **~regel** *f* rule; **~sachen** *pl* toys *pl*; **~verderber(in)** spoilsport; **~waren** *pl* toys *pl*; **~zeug** *n* toy(s *pl*)
Spieß *m* spear, pike; *Brat*≈: spit; *Fleisch*≈: skewer
Spinat *m* spinach
Spind *m, n* locker
Spinn|e *f* spider; **≈en** spin*; F *fig.* be* nuts; talk nonsense; **~webe** *f* cobweb
Spion *m* spy; **~age** *f* espionage; **≈ieren** spy

Spirale *f* spiral
Spirituosen *pl* spirits *pl*
Spital *n* hospital
spitz pointed; *Winkel*: acute; *Zunge*: sharp; **⁡e** *f* point; *Finger*⁡ *etc.*: tip; *Turm*: spire; *Berg etc.*: peak, top; *Gewebe*: lace; *fig.* head; F *toll*: super; ***an der*** ~ at the top; **~en** point, sharpen; **~findig** quibbling; **⁡name** *m* nickname
Splitter *m*, **⁡n** splinter
spons|ern, ⁡or(in) sponsor
Sport *m* sports *pl*, sport (*a.* ~*art*); *Fach*: physical education; (***viel***) ~ ***treiben*** do* (a lot of) sports; **~...** *Nachrichten, Verein, Wagen etc.*: *mst* sports ...; **~kleidung** *f* sportswear; **~ler(in)** athlete; **⁡lich** athletic; *fair*: fair; *Kleidung*: casual; **~platz** *m* sports grounds *pl*; **~tauchen** *n* scuba diving; **~wagen** *m* sports car; *für Kinder*: pushchair, *Am.* stroller
Spott *m* mockery; *Hohn*: derision; **⁡billig** dirt cheap; **⁡en** mock (***über*** at); make* fun (of)
spöttisch mocking(ly)
Sprach|e *f* language; *Sprechen*: speech; *Sprechweise*: *a.* talk; **~labor** *n* language laboratory; **⁡los** speechless
Spray *m*, *n* spray; **~dose** *f* spray can
Sprech|anlage *f* intercom; *an der Haustür*: entryphone; **⁡en** speak*; talk; **~er(in)** speaker; *TV etc.* announcer; *Vertreter(in)*: spokesperson; **~stunde** *f* office hours *pl*; *Arzt*: consulting (*od.* surgery) hours *pl*; **~stundenhilfe** *f* receptionist; **~zimmer** *n* consulting room
spreizen spread* (out)
spreng|en blow* up; *Wasser*: sprinkle; *Rasen*: water; *fig.* break* up; **⁡stoff** *m* explosive; **⁡ung** *f* blasting; blowing up
sprenkeln speckle, spot
Sprichwort *n* proverb
sprießen sprout
Spring|brunnen *m* fountain; **⁡en** jump, leap*; *Ball*: bounce; *Schwimmen*: dive*; *Glas*: crack; *zer*~: break*; **~reiten** *n* show jumping; **~seil** *n* skipping rope
Spritze *f* syringe; *Injektion*: shot, injection; **⁡n** splash; *sprühen*: spray; *med.* inject; *Fett*: spatter; *Blut*: gush; **~r** *m* splash; *gastr.* dash
spröde brittle (*a. fig.*)
Spross *m* shoot, sprout
Sprosse *f* rung, step
Spruch *m* saying, words *pl*
Sprudel *m* mineral water; **⁡n** bubble (*a. fig.*)
Sprüh|dose *f* aerosol (can); **⁡en** spray; *Funken*: throw* out; **~regen** *m* drizzle
Sprung *m* jump, leap; *Schwimmen*: dive; *Riss*: crack; **~brett** *n* springboard

(*a. fig.*); *Schwimmen*: *a.* diving board; **~schanze** *f* ski jump
Spucke *f* spit(tle); **2n** spit*
spuken: ~ ***in*** haunt *s.th.*; ***in ... spukt es*** ... is haunted
Spule *f* spool, reel; *electr.* coil
Spül|e *f* (kitchen) sink; **2en** rinse; wash up (the dishes); *W.C.*: flush the toilet; **~maschine** *f* dishwasher; **~mittel** *n* (liquid) detergent
Spur *f* trace (*a. fig.*); *mehrere*: track(s *pl*); *Fahr2*: lane; *Tonband*: track
spüren feel*; sense
Staat *m* state; government; **2lich** state; *Einrichtung*: *a.* public
Staats|angehörigkeit *f* nationality, citizenship; **~anwalt** *m*, **~anwältin** *f* (public) prosecutor, *Am.* district attorney; **~bürger(in)** citizen; **~dienst** *m* civil service; **~mann** *m* statesman; **~oberhaupt** *n* head of (the) state
Stab *m* rod, bar; *mil.*, *Team*: staff; *mus.*, *Staffel2*: baton; *~hochsprung*: pole; **~hochsprung** *m* pole vault
stabil stable; *robust*: solid
Stachel *m* spine, prick; *Insekt*: sting; **~beere** *f* gooseberry; **~draht** *m* barbed wire; **2ig** prickly
Stadion *n* stadium
Stadium *n* stage, phase
Stadt *f* town; city; **~gebiet** *n* urban area; **~gespräch** *n* *fig.* talk of the town
städtisch municipal
Stadt|mensch *m* city person, F townie; **~mitte** *f* town (*od.* city) cent|re (*Am.* -er); **~plan** *m* city map; **~rand** *m* outskirts *pl*; **~rat** *m* town (*Am.* city) council; *Person*: town (*Am.* city) council(l)or; **~rundfahrt** *f* sightseeing tour; **~streicher(in)** city vagrant; **~teil** *m*, **~viertel** *n* district, area, quarter
Staffel *f* relay race *od.* team; *mil.* squadron; **~ei** *f* easel
Stahl *m* steel
Stall *m* stable; cowshed
Stamm *m* stem (*a. gr.*); *Baum2*: trunk; *Volks2*: tribe; **~baum** *m* family tree; *zo.* pedigree; **2eln** stammer; **2en:** ~ ***aus*** come* (*zeitlich*: date) from; **~gast** *m* regular
stämmig stocky, sturdy
Stammkunde *m* regular (customer)
stampfen *v/t* mash; *v/i* stamp (one's foot)
Stand *m* standing position; *Verkaufs2*: stand, stall; *Niveau*: level; *sozialer*: status; class; profession; *Sport*: score; → ***außerstande, imstande, instand; zustande;*** **~bild** *n* statue
Ständer *m* stand; rack
Standesamt *n* registry office, *Am.* marriage license bureau; **2lich:** ***~e Trauung*** civil marriage

stand|haft steadfast; **~halten** withstand*, resist
ständig constant(ly); *Adresse etc.*: permanent
Stand|licht *n* sidelights *pl*, *Am.* parking lights *pl*; **~ort** *m* position; **~pauke** *f* F lecture; **~punkt** *m* point of view; **~spur** *f* hard shoulder, *Am.* shoulder; **~uhr** *f* grandfather clock
Stange *f* pole; *Metall*&: rod, bar; *Zigaretten*: carton
Stängel *m* stalk, stem
Stanniol *n* tin foil
Stanze *f*, **&n** punch
Stapel *m* pile, stack; **&n** pile (up), stack
stapfen trudge, plod
Star *m zo.* starling; *med.* cataract; *Film etc.*: star
stark strong; *mächtig, leistungs~*: *a.* powerful; *Raucher, Verkehr*: heavy; *Schmerz*: severe; F super
Stärke *f* strength, power; *chem.* starch; **&n** strengthen (*a. fig.*); *Wäsche*: starch
Starkstrom *m* heavy current
Stärkung *f* strengthening; *Imbiss*: refreshment
starr stiff; *unbeweglich*: rigid; ***~er Blick*** (fixed) stare; **~en** stare (***auf*** at); **~köpfig** stubborn
Start *m* start (*a. fig.*); *aviat.* takeoff; *Rakete*: liftoff, launch(ing); **~bahn** *f* runway; **&bereit** ready to start (*aviat.* for takeoff); **&en** *v/i* start; *aviat.* take* (*Rakete*: lift) off; *v/t* start; *Rakete*: launch
Station *f* station; *Kranken*&: ward; *fig.* stage
Statistik *f* statistics *pl*
Stativ *n* tripod
statt instead of; ***~ zu*** instead of *ger*; **~dessen** instead
Stätte *f* place; scene
stattfinden take* place
stattlich imposing; *Summe etc.*: handsome
Statue *f* statue
Statuszeile *f Computer*: status line
Stau *m* traffic jam
Staub *m* dust (*a.* ***~ wischen***)
Staubecken *n* reservoir
staub|en make* dust; **~ig** dusty; **&sauger** *m* vacuum cleaner; **&tuch** *n* duster
Stau|damm *m* dam; **&en** dam up; ***sich ~*** *mot. etc.* be* stacked up; *med.* congest
staunen be* astonished (*od.* amazed) (***über*** at)
Staupe *f* distemper
Stausee *m* reservoir
stech|en prick; (***sich*** one's finger *etc.*); *Insekten*: sting*; *Mücke etc.*: bite*; *mit Messer*: stab; **~end** *Blick*: piercing; *Schmerz*: stabbing; **&uhr** *f* time clock
Steckdose *f* (wall) socket
stecken *v/t* stick*, put*; ***~ an*** pin to; *v/i sein*: be*; *festsitzen*: stick*, be* stuck; ***~ bleiben*** get* stuck; **&pferd** *n* hobbyhorse; *fig.* hobby

Steck|er *m* plug; **~nadel** *f* pin; **~platz** *m Computer*: slot
Steg *m* footbridge
stehen stand*; *sein*: be*; ***hier steht, dass*** it says here that; ***es steht ihr*** she looks good in it; ***wie steht es?*** what's the score?; ***wie stehts mit ...?*** what about ...?; ***~ bleiben*** stop; come* to a standstill; ***~ lassen*** leave* (*Schirm*: behind; *Essen*: untouched)
Stehlampe *f* standard (*Am.* floor) lamp
stehlen steal*
Stehplatz *m* standing room
steif stiff (***vor*** with)
Steig|bügel *m* stirrup; **2en** climb (*a. aviat.*); *hoch~, zunehmen*: rise*, go* up; → ***einsteigen*** *etc.*; **2ern: (*sich*)** ~ increase; *verbessern*: improve; **~ung** *f* gradient; *Hang*: slope
steil steep
Stein *m* stone; **~bock** *m* ibex; *astr.* Capricorn; **~butt** *m* turbot; **~bruch** *m* quarry; **~gut** *n* earthenware; **2ig** stony; **~kohle** *f* hard coal; **~zeit** *f* Stone Age
Stelle *f* place; *Fleck*: spot; *Punkt*: point; *Arbeits2*: job; *Behörde*: authority; ***freie ~*** vacancy; ***ich an deiner ~*** if I were you
stellen put*, place; set* (*a. Uhr, fig.*); *leiser etc.*: turn; *Frage*: ask; ***sich ~*** (go* and) stand*; *fig.* give* o.s. up
Stellen|angebot *n* job offer; **"~e"** *Zeitungsrubrik*: vacancies *pl*, situations vacant *pl*; **~anzeige** *f* job ad(vertisement), employment ad
Stellung *f* position; *Stelle*: job; **~nahme** *f* opinion, comment; **2slos** unemployed
Stellvertreter(in) representative; *amtlich*: deputy
stemmen lift; ***sich ~ gegen*** press against; *fig.* resist
Stempel *m* stamp; *Post2*: postmark; *bot.* pistil; **2n** stamp
Stengel *m* → ***Stängel***
Steno|grafie *f* shorthand; **2grafieren** take* *s.th.* down in shorthand; **~typistin** *f* shorthand typist
Steppdecke *f* quilt
Stepptanz *m* tap dancing
Sterb|ehilfe *f* euthanasia, mercy killing; **~eklinik** *f* hospice; **2en** die (***an*** of); **2lich** mortal
Stereo(...) *n* stereo (...)
steril sterile; **~isieren** sterilize
Stern *m* star (*a. fig.*); **~enbanner** *n* Star-Spangled Banner, Stars and Stripes *pl*; **~schnuppe** *f* shooting star; **~warte** *f* observatory
stet|ig constant; *gleichmäßig*: steady; **~s** always
Steuer[1] *n* (steering) wheel; *naut.* helm, rudder
Steuer[2] *f* tax; **~berater(in)** tax adviser; **~bord** *n* starboard; **~erklärung** *f* tax re-

turn; **≈frei** tax-free; *Waren*: duty-free; **~knüppel** *m* joystick (*a. Computer*); **~mann** *m naut.* helmsman; *Rudern*: cox(swain); **≈n** steer; *mot. a.* drive*; *tech.*, *fig.* control; **~rad** *n* steering wheel; **~ruder** *n* helm, rudder; **~ung** *f* steering; *tech.* control; **~zahler** *m* taxpayer

Stich *m* prick; *Bienen≈*: sting; *Mücken≈*: bite; *Messer≈*: stab; *Nähen*: stitch; *Karten*: trick; *Grafik*: engraving; ***im ~ lassen*** let* *s.o.* down; *verlassen*: abandon, desert; **~probe** *f* spot check; **~tag** *m* cutoff date; *letzter Termin*: deadline; **~wahl** *f* runoff; **~wort** *n thea.* cue; *Lexikon*: entry, *Brt. a.* headword; **~e** *pl* notes *pl*; **~wortverzeichnis** *n* index

stick|en embroider; **~ig** stuffy; **≈stoff** *m* nitrogen

Stiefel *m* boot

Stief|... *Mutter etc.*: step...; **~mütterchen** *n* pansy

Stiege *f östr.* → ***Treppe***

Stiel *m* handle; *Besen*: stick; *Glas*, *Pfeife*, *Blume*: stem

Stier *m* bull; *astr.* Taurus; **~kampf** *m* bullfight

Stift *m* pen; *Blei≈*: pencil; *tech.* pin; **≈en** found; *spenden*: donate

Stil *m* style

still quiet, silent; *unbewegt*: still; ***sei(d) ~!*** be quiet!; **≈e** *f* silence, quiet(ness); **~en** *Baby*: nurse, breastfeed*; *Schmerz*: relieve; *Hunger*, *Neugier*: satisfy; *Durst*: quench; *Blutung*: stop; **~halten** keep* still; **~legen** close down; **~schweigend** *fig.* tacit; **≈stand** *m* standstill, stop

Stimm|band *n* vocal cord; **≈berechtigt** entitled to vote; **~e** *f* voice; *pol.* vote; **≈en** *v/i* be* true *od.* right *od.* correct (*a. Summe*); *pol.* vote; *v/t* tune; **~recht** *n* right to vote; **~ung** *f* mood; atmosphere; **~zettel** *m* ballot

stinken stink* (***nach*** of)

Stipendium *n* scholarship

Stirn *f* forehead; ***die ~ runzeln*** frown; **~höhle** *f* sinus

stöbern rummage (about)

stochern: *~ in* *Feuer*: poke; *Zähnen*: pick; *Essen*: pick at

Stock *m* stick; *~werk*: floor, stor(e)y; ***im ersten ~*** on the first (*Am.* second) floor

stock|en stop (short); *zögern*: falter; *Verkehr*: be* jammed; **≈werk** *n* stor(e)y, floor

Stoff *m* material; *Gewebe*: fabric, textile; *Tuch*: cloth; *chem. etc.* substance; *Thema*, *Lern≈*: subject (matter); **~tier** *n* stuffed animal; **~wechsel** *m* metabolism

stöhnen groan, moan

stolpern stumble, trip

stolz proud

Stolz *m* pride

stopfen *v/t* stuff, fill (*a. Pfeife*); *Socke*, *Loch*: darn,

mend; *v/i Essen*: be* filling (*med.* constipating)
Stoppel *f* stubble
stopp|en stop; *Zeit*: time; **≈schild** *n* stop sign; **≈uhr** *f* stopwatch
Stöpsel *m* stopper, plug
Storch *m* stork
stör|en disturb, bother; be* in the way; **≈fall** *m Kernkraft*: accident
störrisch stubborn
Störung *f* disturbance; trouble (*a. tech.*); breakdown; *TV etc.* interference
Stoß *m* push, shove; *Schlag*: blow, knock; *Anprall*: impact; *Schwimm≈*: stroke; *Erschütterung*: shock; *Wagen*: jolt; *Stapel*: pile; **~dämpfer** *m* shock absorber; **≈en** push, shove; knock, strike*; **~ *an*** *od.* ***gegen*** bump (*od.* run*) into (*od.* against); ***sich ~ an*** knock one's head against; **~ *auf*** come* across; *Probleme etc.*: meet* with; *Öl etc.*: strike*; **~stange** *f* bumper; **~zeit** *f* rush hour, peak hours *pl*
stottern stutter
Straf|anstalt *f* prison; **≈bar** punishable, criminal; **~e** *f* punishment; *jur.*, *Sport*, *fig.*: penalty; *Geld≈*: fine; **≈en** punish
straff tight; *fig.* strict
Straf|porto *n* surcharge; **~raum** *m* penalty area; **~zettel** *m* ticket
Strahl *m* ray (*a. fig.*); *Licht*: *a.* beam; *Blitz*: flash; *Wasser etc.*: jet; **≈en** radiate; *Sonne*: shine*; *phys.* be* radioactive; *fig.* beam; **~ung** *f* radiation, rays *pl*
Strähne *f* strand
stramm tight
strampeln kick; *fig.* pedal
Strand *m* (***am*** on the) beach; **≈en** strand; *fig.* fail; **~korb** *m* roofed wicker beach chair
Strang *m* rope; *anat.* cord
Strapaz|e *f* strain, exertion; **≈ieren** wear* out; **≈ierfähig** durable
Straße *f* road; *e-r Stadt etc.*: street; *Meerenge*: strait(s *pl.*)
Straßen|arbeiten *pl* roadworks *pl*; **~bahn** *f* tram(car), *Am.* streetcar; **~café** *n* pavement (*Am.* sidewalk) café; **~karte** *f* road map; **~sperre** *f* roadblock; **~verkehrsordnung** *f* traffic regulations *pl*, *Brt.* Highway Code
sträuben *Federn*: ruffle (up); ***sich ~*** *Haare*: stand* on end; ***sich ~ gegen*** resist, fight
Strauch *m* shrub, bush
Strauß *m zo.* ostrich; *Blumen*: bunch, bouquet
streben: ~ *nach* strive* for
Strecke *f* distance; *Route*: route; *rail.* line; **≈n** stretch (***sich*** o.s.), extend
Streich *m* trick, prank; ***j-m e-n ~ spielen*** play a trick on s.o.; **≈eln** stroke, caress; **≈en** paint; *schmieren*: spread*;

aus~: cross out; *absagen*: cancel; ***über et.*** ~ run* one's hand over s.th.; ~ ***durch*** roam; **~holz** *n* match

Streife *f* patrol(man); **≈n** *berühren*: touch, brush (against); *Kugel*: graze; *Thema*: touch on; ~ ***durch*** roam; **~n** *m* stripe; *Teil*: strip; **~nwagen** *m* patrol car

Streik *m* strike; **≈en** (go* *od.* be* on) strike*

Streit *m* quarrel, argument, fight; *pol. etc.* dispute; **≈en:** (**sich**) ~ quarrel, argue, fight* (**um** for); **~kräfte** *pl* (armed) forces *pl*

streng strict, severe (*a. Kritik, Strafe, Winter*)

Stress *m* (**im** under) stress

stress|en cause stress; put* *s.o.* under stress; **~ig** stressful

streuen scatter; *Weg*: grit

Strich *m* stroke; *Linie*: line; ***auf den ~ gehen*** walk the streets; **~kode** *m* bar code

Strick *m* rope; **≈en** knit*; **~jacke** *f* cardigan; **~nadel** *f* knitting needle; **~waren** *pl* knitwear *sg*; **~zeug** *n* knitting

Striemen *m* welt, weal

Stroh *n* straw; **~dach** *n* thatched roof; **~halm** *m* straw

Strom *m* (large) river; *electr.* current; *fig.* stream

strömen stream, flow, run*; *Regen, Menschen*: pour

Strom|kreis *m* circuit; **~schnelle** *f* rapid

Strömung *f* current

Strophe *f* stanza, verse

Strudel *m* whirlpool, eddy

Struktur *f* structure

Strumpf *m* stocking; **~hose** *f* tights *pl*, pantie-hose

struppig shaggy

Stück *n* piece; *Teil*: *a.* part; *Zucker*: lump; *thea.* play

Student(in) student

Stud|ie *f* study; **≈ieren** study, be* a student (of); **~ium** *n* studies *pl*; studying *law etc*

Stufe *f* step; *Stadium, Raketen≈*: stage

Stuhl *m* chair; *med.* stool (specimen); **~gang** *m* (bowel) movement

stumm dumb, mute

Stummel *m* stump (*a. med.*), stub (*a. Zigarren≈*)

Stummfilm *m* silent film

Stümper *m* bungler

Stumpf *m* stump (*a. med.*)

stumpf blunt, dull (*a. fig.*); **~sinnig** dull

Stunde *f* hour; *Unterricht*: lesson, class

Stunden|kilometer *pl* kilomet|res (*Am.* -ers) per hour; **≈lang 1.** *adv* for hours; **2.** *adj* hours of ...; **~lohn** *m* hourly wage; **~plan** *m* timetable, *Am.* schedule; **≈weise** by the hour

stündlich hourly, every hour

Stupsnase *f* snub nose

stur pigheaded

Sturm *m* storm; *mil.* assault

stürm|en storm; *Sport*: attack; *fig*. rush; **2er(in)** forward; **~isch** stormy (*a. fig*)
Sturmspitze *f Sport*: spearhead
Sturz *m* fall (*a. fig*.); *Regierung etc*.: overthrow
stürzen fall*; *eilen*: rush; *Regierung*: overthrow*
Sturzhelm *m* crash helmet
Stute *f* mare
Stütze *f* support; *fig. a*. help
stutzen *v/t* trim, clip; *v/i* stop short; (begin* to) wonder
stützen support (*a. fig*.); ***sich ~ auf*** lean* on
stutzig: *~ machen* make* suspicious; → ***stutzen***
Stützpunkt *m* base
Styropor® *n* polystyrene, *Am*. styrofoam®
Subjekt *n gr*. subject; *contp*. character; **2iv** subjective
Sub|stantiv *n* noun; **~stanz** *f* substance; **2trahieren** subtract
Suche *f* search (***nach*** for); ***auf der ~ nach*** in search of; **2n** look (*intensiv*: search) for; **~r** *m phot*. viewfinder
Sucht *f* addiction
süchtig: *~ sein* be* addicted to *drugs etc*.; **2e** *m*, *f* addict
Süd|(en *m*) south; **~früchte** *pl* tropical fruits *pl*; **2lich** south(ern); *Wind etc*.: southerly; **~ost(en** *m*) southeast; **~pol** *m* South Pole; **~west(en** *m*) southwest
süffig pleasant (to drink)
Sülze *f* jellied meat
Summe *f* sum (*a. fig*.), (sum) total; *Betrag*: amount
summen buzz, hum
Sumpf *m* swamp, bog; **~...** *Pflanze etc*.: *mst* marsh ...; **2ig** swampy, marshy
Sünde *f* sin; **~nbock** scapegoat; **~r(in)** sinner
Super *n Benzin*: *Brt*. four-star (petrol), *Am*. premium (gasoline); **~lativ** *m* superlative; **~markt** *m* supermarket
Suppe *f* soup; **~nschüssel** *f* tureen
Surf|brett *n* sailboard; *Wellenreiten*: surfboard; **2en** windsurf; surf; **~er(in)** windsurfer; surfer
süß sweet (*a. fig*.); **~en** sweeten; **2igkeiten** *pl* sweets; **2speise** *f* sweet; **2stoff** *m* sweetener; **2wasser** *n* fresh water
Symbol *n* symbol; **2isch** symbolic(al)
symmetrisch symmetric(al)
sympathisch nice, likable; ***er ist mir ~*** I like him
Symphonie *f* symphony
Symptom *n* symptom
Synagoge *f* synagogue
synchronisieren synchronize; *Film etc*.: dub
synthetisch synthetic
System *n* system; **2atisch** systematic, methodical; **~fehler** *m Computer*: system error
Szene *f* scene

T

Tabak *m* tobacco
Tabelle *f* table; **~nkalkulation** *f Computer*: spreadsheet
Tablett *n* tray
Tablette *f* tablet, pill
Tabulator *m* tabulator
Tachometer *m* speedometer
Tadel *m* reproof, rebuke; **&los** faultless; excellent; **&n** criticize; *förmlich*: reprove
Tafel *f* (black)board; → ***Anschlagbrett***; *Schild*: sign; *Gedenk& etc.*: plaque; *Schokolade*: bar
täfel|n panel; **&ung** *f* panel(l)ing
Tag *m* day; ***am ~e*** during the day; ***guten ~!*** hello!; *beim Vorstellen*: *a.* how do you do?; → ***heute***
Tage|buch *n* diary; **&lang** for days; **&n** hold* a meeting
Tages|anbruch *m* (***bei*** at) dawn; **~ausflug** *m* day trip; **~licht** *n* daylight; **~lichtprojektor** *m* overhead projector; **~mutter** *f* childminder; **~rückfahrkarte** *f* day return; **~stätte** *f* (day) nursery, day-care cent|re (*Am.* -er); **~suppe** *f* soup of the day; **~zeit** *f* time of day; **~zeitung** *f* daily (paper)
täglich daily
tagsüber during the day
Tagung *f* conference
Taille *f* waist
Takt *m mus.* time; *Einzel&*: bar; *mot.* stroke; *~gefühl*: tact
Taktik *f* tactics *sg*, *pl*
takt|los tactless; **&stock** *m* baton; **~voll** tactful
Tal *n* valley
Talent *n* talent, gift
Talisman *m* charm
Talk|master *m* chat-show (*Am.* talk-show) host; **~show** *f* chat (*Am.* talk) show
Tampon *m* tampon
Tang *m* seaweed
Tank *m* tank; **&en** get* (some) petrol (*Am.* gas), fill up; **~er** *m* tanker; **~stelle** *f* petrol (*Am.* gas) station; **~wart** *m* petrol (*Am.* gas) station attendant
Tanne *f* fir (tree); **~nzapfen** *m* fir cone
Tante *f* aunt; **~-Emma-Laden** *m* F corner shop, *Am.* mom-and-pop store
Tanz *m*, **&en** dance
Tänzer(in) dancer
Tape|te *f*, **&zieren** wallpaper
tapfer brave; courageous
Tarif *m* rate(s *pl*); **~verhandlungen** *pl* wage negotiations *pl*
tarn|en camouflage; *fig.* disguise; **&ung** *f* camouflage

Tasche *f* bag; pocket
Taschen|buch *n* paperback; **~dieb(in)** pickpocket; **~geld** *n* pocket money; **~lampe** *f* torch, *Am.* flashlight; **~messer** *n* pocket knife; **~rechner** *m* pocket calculator; **~tuch** *n* handkerchief, F hankie; **~uhr** *f* pocket watch
Tasse *f* cup (***Tee*** of tea)
Tast|atur *f* keyboard; **~e** *f* key; **2en** grope (***nach*** for); ***sich* ~** feel* (*od.* grope) one's way; **~entelefon** *n* push-button phone
Tat *f* act, deed; *Handeln*: action; *Straf2*: offen|ce, *Am.* -se; crime; **2enlos** inactive
Täter(in) culprit, offender
tätig active; busy; **2keit** *f* activity; occupation, job
tat|kräftig active; **2ort** *m* scene of the crime
tätowier|en, 2ung *f* tattoo
Tat|sache *f* fact; **2sächlich** actual(ly), real(ly)
tätscheln pat
Tatze *f* paw
Tau[1] *n* rope
Tau[2] *m* dew
taub deaf; *Finger*: numb
Taube *f* pigeon; *poet.* dove
taubstumm deaf and dumb; **2e** *m, f* deaf mute
tauch|en dive; *Sport*: skin-dive; *U-Boot*: submerge; ~ ***in*** dip into; **2er(in)** (*Sport*: skin) diver; **2sport** *m* skin diving
tauen thaw, melt
Tauf|e *f* baptism, christening; **2en** baptize, christen
taug|en be* good (***zu*** for); ***nichts*** **~** be* no good; **~lich** fit (for service)
taumeln reel, stagger
Tausch *m* exchange; **2en** exchange (***gegen*** for), F swap
täusch|en mislead*; ***sich*** **~** be* mistaken; **~end** striking; **2ung** *f* deception
tausend(ste) thousand(th)
Tauwetter *n* thaw
Taxi *n* taxi, cab; **~stand** *m* taxi rank (*Am.* stand)
Technik *f* technology; *Verfahren*: technique (*a. Sport, Kunst*); **~er(in)** technician
technisch technical; technological; **~e *Hochschule*** college *etc.* of technology
Technologie *f* technology
Tee *m* tea; **~kanne** *f* teapot; **~löffel** *m* teaspoon
Teer *m*, **2en** tar
Teesieb *n* tea strainer
Teich *m* pond
Teig *m* dough; **~waren** *pl* pasta *sg*
Teil *m, n* part; *An2*: portion, share; ***zum*** **~** partly, in part; **2bar** divisible; **~chen** *n* particle; **2en** divide; share (*a. **sich** et.* ~); **2haben** share (***an*** in); **~haber(in)** partner; **~kaskoversicherung** *f* partial coverage insurance; **~nahme** *f* participation; *An2*: sympathy; **2nahmslos** apathetic; **2nehmen:** ~ ***an***

take* part in, participate in; **~nehmer(in)** participant; **&s** partly; **~ung** *f* division; **&weise** partly, in part

Teilzeit|arbeit *f* part-time employment; **~beschäftigte** *m, f* part-time employee, F part-timer

Teint *m* complexion

Telefax *n* → ***Fax***

Telefon *n* (tele)phone; **~buch** *n* phone book, telephone directory; **~gespräch** *n* (tele-) phone call; **&ieren** (tele-) phone; **&isch** by (tele-) phone; **~ist(in)** (telephone) operator; **~karte** *f* phonecard; **~nummer** *f* (tele-) phone number; **~zelle** *f* (tele)phone box (*Am.* booth), call box; **~zentrale** *f* (telephone) exchange

tele|grafieren telegraph; **&gramm** *n* telegram; **&kommunikation** *f* telecommunications *pl*; **&objektiv** *n* telephoto lens; **&text** *m* teletext

Telex *n*, **&en** telex

Teller *m* plate

Tempel *m* temple

Temperament *n* temper(ament); *Schwung*: life, F pep; **&voll** full of life

Temperatur *f* (***messen*** take* *s.o.'s*) temperature

Tempo *n* speed; *mus.* time; ***~30-Zone*** 30 kmph zone; **~limit** *n* speed limit

Tendenz *f* tendency, trend

Tennis *n* tennis; **~platz** *m* tennis court; **~schläger** *m* (tennis) racket

Teppich *m* carpet; **~boden** *m* (wall-to-wall) carpeting

Termin *m* date; *Arzt&*: appointment; *Frist*: deadline

Terminal *n Computer*: terminal

Terrasse *f* terrace

Terror *m* terror; **~anschlag** *m* terrorist attack; **&isieren** terrorize; **~ismus** *m* terrorism

Tesafilm® *m* sellotape®, *Am.* scotch tape®

Testament *n* (last) will; *rel.* Testament

Test *m* test; **~bild** *n TV*: test card; **&en** test; **~pilot** *m* test pilot

teuer expensive; ***wie ~ ist es?*** how much is it?

Teufel *m* devil

Text *m* text; *Lied*: words *pl*

Textilien *pl* textiles *pl*

Textverarbeitung *f* word processing; **~ssystem** *n* word processor

Theater *n* theat|re, *Am.* -er; F *fig.* fuss; **~besucher** *m* theatregoer, *Am.* theatergoer; **~kasse** *f* box office; **~stück** *n* play

Theke *f* bar, counter

Thema *n* subject, topic; *bsd. mus.* theme

Theologie *f* theology

theor|etisch theoretical(ly); **&ie** *f* theory

Therapie *f* therapy

Therm|al... thermal; **~ometer** *n* thermometer; **~osflasche®** *f* thermos® (flask), flask
Thrombose *f* thrombosis
Thron *m* throne
Thunfisch *m* tuna (fish)
Tick *m* kink; *med.* tic; **2en** tick
tief deep (*a. fig.*); *niedrig*: low (*a. Ausschnitt*)
Tief *n meteor.* low (*a. fig.*); **~e** *f* depth (*a. fig.*); **~enschärfe** *f* depth of focus; **2gekühlt** deep-frozen; **~kühlfach** *n* freezing compartment; **~kühlkost** *f* frozen foods *pl*; **~kühltruhe** *f* deep-freeze, freezer
Tier *n* animal; **~arzt** *m*, **~ärztin** *f* vet; **~freund(in)** animal lover; **~kreis** *m astr.* zodiac; **~kreiszeichen** *n* sign of the zodiac; **~quälerei** *f* cruelty to animals; **~schutzverein** *m* society for the prevention of cruelty to animals
Tiger *m* tiger; **~in** *f* tigress
tilgen *econ.* pay* off
Tinte *f* ink; **~nfisch** *m* squid
Tipp *m* tip; *Wink*: *a.* hint
tipp|en tap; *schreiben*: type; *raten*: guess; play Lotto *etc.*; *Toto*: do* the pools; **2fehler** *m* typing error
Tisch *m* table; ***den ~ decken*** set* (*Brt. a.* lay*) the table; **~decke** *f* tablecloth; **~ler(in)** cabinetmaker, carpenter, *bsd. Brt. a.* joiner; **~tennis** *n* table tennis
Titel *m* title; **~bild** *n* cover (picture); **~blatt** *n*, **~seite** *f* title page, *e-r Zeitschrift a.* front cover
Toast *m*, **2en** toast; **~er** *m* toaster
toben rage; *Kinder*: romp
Tochter *f* daughter
Tod *m* death; **2...** *müde*, *sicher etc.*: dead ...
Todes|anzeige *f* obituary (notice); **~opfer** *n* casualty; **~strafe** *f* capital punishment; death penalty
tödlich fatal; deadly
Toilette *f* toilet (*a.* **~n...**), *Am. mst* bathroom
tolerant tolerant
toll super, great
tollen romp
Tollpatsch *m* F clumsy oaf; **2ig** clumsy, oafish
Tollwut *f* rabies
Tomate *f* tomato
Ton¹ *m* clay
Ton² *m* sound; *mus.*, *fig.* tone; *Farb2*: *a.* shade; *Note*: note; *Betonung*: stress; **~abnehmer** *m* pickup; **2angebend** dominant; **~art** *f* key; **~band** *n* tape; **~bandgerät** *n* tape recorder
tönen *v/i* sound, ring*; *v/t* tint (*a. Haar*); *dunkel*: shade
Ton|fall *m* tone (of voice); accent; **~film** *m* sound film
Tonne *f* ton; *Fass*: barrel
Topf *m* pot
Topfen *m östr.* curd(s *pl*)
Töpfer|(in) potter; **~ei** *f* pottery (*a.* **~waren**)

Tor *n* gate; *Fußball etc.*: goal
Torhüter *m* → ***Torwart***
Torf *m* peat
torkeln reel, stagger
Tor|latte *f* crossbar; **~linie** *f* goal line; **~mann** *m* → ***~wart***; **~pfosten** *m* goalpost; **~raum** *m* goalmouth; **~schütze(nkönig)** *m* (top) scorer
Torte *f* gateau, layer cake
Torwart *m* goalkeeper, F goalie
tosend thunderous
tot dead (*a. fig.*); ***~er Punkt*** *fig.* deadlock; low point
total total; complete; **²schaden** *m* write-off, *Am.* total loss
Tote *m, f* dead man (*od.* woman); (dead) body, corpse; **~** *pl* casualties *pl*
töten kill
Totenschein *m* death certificate
Toto *n, m* football pools *pl*
Totschlag *m* manslaughter, homicide; **²en** kill
toupieren backcomb
Tour *f* tour (***durch*** of); **~ismus** *m* tourism; **~ist(in)** tourist; **~nee** *f* tour
trabe|n trot; **²r** *m* trotter
Tracht *f* costume; *Schwestern² etc.*: uniform; ***~ Prügel*** beating
trächtig pregnant
Tradition *f* tradition; **²ell** traditional
Trafik *f östr.* tobacconist's
Trag|bahre *f* stretcher; **²bar** portable; *Kleidung*: wearable; *fig.* bearable
träge lazy, indolent
tragen carry; *Kleidung, Haar etc.*: wear*; *fig.* bear*
Träger *m* carrier; *med.* stretcher-bearer; *am Kleid etc.*: strap; *tech.* support; *arch.* girder
Trage|tasche *f für Babys*: carrycot; *a.* **~tüte** *f* carrier (*Am.* shopping) bag;
Trag|fläche *f aviat.* wing; **~flügelboot** *n* hydrofoil
trag|isch tragic; **²ödie** *f* tragedy
Train|er(in) coach; **²ieren** *v/i* practi|se, *Am.* -ce, train; *v/t* train; *Team etc.*: *a.* coach; **~ing** *n* practi|ce, *Am.* -se; **~ingsanzug** *m* track suit
Traktor *m* tractor
trampeln trample, stamp
trampen hitchhike
Träne *f* tear; **²n** water; **~ngas** *n* teargas
tränken water; *et.*: soak
Transfusion *f* transfusion
Transistor *m* transistor
Transport *m* transport(ation); **²ieren** transport; **~mittel** *n* (means *sg* of) transport(ation); **~unternehmen** *n* haulage firm; **~unternehmer** *m* haulier, *Am.* hauler
Traube *f* bunch of grapes; *Beere*: grape; **~nsaft** *m* grape juice; **~nzucker** *m* glucose, dextrose

trauen[1] trust (***j-m*** s.o.); ***sich*** ~ dare
trauen[2] marry; ***getraut werden*** get married, marry
Trauer *f* sorrow; mourning; **~feier** *f* funeral (service); **~kleidung** *f* mourning; **2n** mourn (***um*** for)
Traum *m* dream
träumen dream*
traumhaft dreamlike; (absolutely) wonderful
traurig sad
Trau|ring *m* wedding ring; **~schein** *m* marriage certificate; **~ung** *f* marriage, wedding; **~zeuge** *m*, **~zeugin** *f* witness to a marriage
treff|en hit*; *begegnen*: meet* (*a.* **sich** ~); *kränken*: hurt*; *Entscheidung*: make*; ***nicht*** ~ miss; **2en** *n* meeting; **2er** *m mil.*, *Boxen*: hit; *Fußball*: goal; *Los*: winner; **2punkt** *m* meeting place
treib|en *v/t* drive* (*a. tech.*); *Sport*: do*; *j-n*: push; *v/i* drift, float; *bot.* shoot*; **2gas** *n* propellant; ***ohne*** ~ ozone-friendly; **2haus** *n* hothouse, greenhouse; **2hauseffekt** *m* greenhouse effect; **2riemen** *m* drive belt; **2stoff** *m* fuel
trenn|en separate (*a.* **sich** ~); *ab~*: sever; *pol.*, *Wort*: divide; *tel.* disconnect; ***sich*** ~ ***von*** part with; *j-m*: leave*; **2ung** *f* separation; division; **2wand** *f* partition
Treppe *f* staircase, stairs *pl*; **~nhaus** *n* staircase; hall
Tresor *m* safe; bank vault
treten kick; step (***auf*** on; ***aus*** out of; ***in*** into); *fahren*: pedal
treu faithful; loyal; **2e** *f* faithfulness; loyalty; **~los** unfaithful; disloyal
Tribüne *f* platform; *Sport*: (grand)stand
Trichter *m* funnel; crater
Trick *m* trick
Trieb *m bot.* (young) shoot; *Natur*2: instinct; sex urge; **~kraft** *f fig.* driving force; **~wagen** *m* rail car; **~werk** *n* engine
Trikot *n* tights *pl*; *Sport*: shirt
trink|bar drinkable; **~en** drink* (***auf*** to; ***zu*** *et.* with *s.th.*); **2er(in)** drinker; **2geld** *n* tip; **2halm** *m* straw; **2spruch** *m* toast; **2wasser** *n* drinking water
trippeln trip
Tripper *m* gonorrh(o)ea
Tritt *m* step; *Fuß*2: kick; **~brett** *n* running board
Triumph *m*, **2ieren** triumph
trocken dry (*a. Wein*); **2haube** *f* hairdrier; **2heit** *f* dryness; *Dürre*: drought; **~legen** drain; *Baby*: change
trockn|en dry; **2er** *m* dryer
Troddel *f* tassel
Trödel *m* junk; **2n** dawdle
Trog *m* trough
Trommel *f* drum; **~fell** *n anat.* eardrum; **2n** drum

Trompete *f* trumpet
Tropen *pl* tropics *pl*
tröpfeln drip; *regnen*: drizzle
tropf|en drip; **Ձen** *m* drop; **Ձ-steinhöhle** *f* stalactite cave
tropisch tropical
Trost *m* comfort
trösten comfort, console
trostlos miserable; *Gegend etc.*: desolate
Trottel *m* idiot
Trottoir *n Schweiz*: pavement, *Am.* sidewalk
trotz 1. *prp* in spite of, despite; **2.** Ձ *m* defiance; **~dem** still, nevertheless, all the same; **~ig** defiant; sulky
trüb(e) cloudy; *Wasser*: *a.* muddy; *Licht etc.*: dim; *Farbe*, *Wetter*: dull
Trubel *m* (hustle and) bustle
trübsinnig gloomy
trügerisch deceptive
Truhe *f* chest
Trümmer *pl* ruins *pl*; debris *sg*; *Stücke*: fragments *pl*
Trumpf *m* trump(s *pl*)
Trunkenheit *f* drunkenness; ***~ am Steuer*** drink-driving, *Am.* drunk driving
Trupp *m* troop; group; **~e** *f* troop; *thea.* company
Truthahn *m* turkey
Tschech|e *m* Czech; **~ien** Czech Republic; **~in** *f* Czech; **Ձisch** Czech; ***~e Republik*** Czech Republic
Tube *f* tube
Tuberkulose *f* tuberculosis
Tuch *n* cloth; → ***Hals-, Kopf-, Staubtuch***
tüchtig (cap)able, efficient; F *fig.* good; *arbeiten etc.*: hard, a lot
tückisch treacherous
Tugend *f* virtue
Tulpe *f* tulip
Tumor *m* tumo(u)r
Tümpel *m* pool
Tumult *m* tumult, uproar
tun do*; *legen etc.*: put*; ***zu ~ haben*** be* busy; ***so ~, als ob*** pretend to
Tunfisch *m* tuna (fish)
Tunke *f* sauce; **Ձn** dip
Tunnel *m* tunnel
tupfe|n dab; *tüpfeln*: dot; **Ձn** *m* dot, spot; **Ձr** *m med.* swab
Tür *f* door
Turban *m* turban
Turb|ine *f* turbine; **~olader** *m* turbo(charger)
Türk|e *m* Turk; **~ei:** ***die ~*** Turkey; **~in** *f* Turk
Türkis *m Stein*: turquoise
türkisch Turkish
Tür|klingel *f* doorbell; **~klinke** *f* doorhandle; **~knauf** *m* doorknob
Turm *m* tower; *Kirch*Ձ: *a.* steeple; **~spitze** *f* spire; **~springen** *n* platform diving
Turn|en *n* gymnastics *sg*; *Fach*: physical education, PE; **Ձen** do* gymnastics; **~er(in)** gymnast; **~halle** *f* gym(nasium); **~hose** *f* gym shorts *pl*
Turnier *n* tournament
Turn|schuh *m* trainer, *Am.*

sneaker; **~verein** *m* gymnastics (*Am.* athletics) club
Tür|rahmen *m* doorframe; **~schild** *n* door plate; **~sprechanlage** *f* entry-phone
Tusche *f* Indian ink
tuscheln whisper; *fig.* rumo(u)r
Tüte *f* bag
TÜV *m* ***Technischer Überwachungs-Verein*** *Brt. etwa* MOT (test), compulsory car inspection
Typ *m* type; *tech. a.* model; F fellow, guy
Typhus *m* typhoid (fever)
typisch typical (***für*** of)
Tyrann *m* tyrant; **≈isieren** tyrannize (over), F bully

U

U-Bahn *f* underground; *London*: *mst* tube; *Am.* subway
übel 1. bad; ***mir ist*** (***wird***) **~** I'm feeling (getting) sick; ***et.*** **~** ***nehmen*** take* offen|ce (*Am.* -se) at s.th.; **2.** ≈ *n* evil; **≈keit** *f* nausea
üben practi|se, *Am.* -ce
über over; *oberhalb*: *a.* above; *mehr als*: *a.* more than; *quer* **~**: across; *reisen* **~**: via; *Thema*: about; *Vortrag etc.*: on; **~** ***Nacht*** overnight; **~all** everywhere; **~** ***in*** all over
über|anstrengen overstrain (***sich*** o.s.); **~belichten** overexpose; **~bieten** outbid*; *fig.* beat*; *j-n*: *a.* outdo*; **≈bleibsel** *mst pl* remains *pl*; *Essen*: leftovers *pl*
Überblick *m* survey (***über*** of); *Vorstellung*: general idea; **≈en** overlook; *fig.* see*
über|bringen bring*, deliver; **~dauern** survive; **≈dosis** *f* overdose; **~drüssig** tired of; **~durchschnittlich** above-average
übereinander on top of each other; ***die Beine*** **~** ***schlagen*** cross one's legs
überein|kommen agree; **~stimmen:** **~** (***mit***) *Person*: agree (with); *Sache*: correspond (with, to); **≈stimmung** *f* agreement; correspondence
überempfindlich hypersensitive; *reizbar*: touchy
überfahr|en run* over; *Ampel*: jump; *fig. j-n*: bulldoze; **≈t** *f* crossing
Überfall *m* assault; *Raub*≈: (bank *etc.*) robbery, holdup; **≈en** attack; hold* up
überfällig overdue
Überfallkommando *n* flying (*Am.* riot) squad
über|fliegen fly* over (*od.* across); *fig.* glance over; **~fließen** overflow; **≈fluss** *m* abundance (***an*** of); **~flüssig**

superfluous; **~fluten** flood; **~fordern** overtax

überführ|en transport; *jur.* convict (*gen* of); **≈ung** *f* transportation; *mot.* flyover, *Am.* overpass

überfüllt overcrowded

Übergang *m* crossing; *fig.* transition; **~szeit** *f* transitional period

über|geben hand over; ***sich*** *~* throw* up; **~gehen** pass (***in*** into; ***zu*** on to); *ignorieren*: ignore; *auslassen*: leave out, omit; *j-n*: pass *s.o.* over, leave *s.o.* out; **≈gewicht** *n* (***haben*** be*) overweight; *fig.* predominance; **~glücklich** overjoyed; **~greifen:** *~* ***auf*** spread* to; **~größe** *f Kleidung*: outsize; **~hand:** *~* ***nehmen*** increase, become* rampant; **~haupt** at all; *sowieso*: anyway; *~* ***nicht*(s)** not(hing) at all; **~heblich** arrogant

überhol|en overtake*; *tech.* overhaul; **~t** outdated; **≈verbot** *n* no overtaking

über|kochen boil over; **~laden** overload; **~lassen:** ***j-m et.*** *~* let* s.o. have s.th.; *fig.* leave* s.th. to s.o.; **~lasten** overload; *fig.* overburden; **~laufen 1.** *v/i* run* over; *mil.* desert (***zu*** to); **2.** *adj* overcrowded

überleben survive; **≈de** *m, f* survivor

überleg|en 1. *v/t u. v/i* think* about, think *s.th.* over; ***es sich anders*** *~* change one's mind; **2.** *adj* superior (*dat* to; ***an*** in); **≈ung** *f* consideration, reflection

Über|lieferung *f* tradition; **≈listen** outwit; **~macht** *f* superiority; **≈mäßig** excessive; **≈mitteln** send*, transmit; **≈morgen** the day after tomorrow; **≈müdet** overtired; **≈mütig** overenthusiastic; **≈nächst** *the* next but one; **~*e Woche*** the week after next

übernacht|en stay overnight; **≈ung** *f* overnight stay; *~* ***und Frühstück*** bed and breakfast

über|natürlich supernatural; **~nehmen** take* over; *Verantwortung, Führung etc.*: take*; *erledigen*: take* care of; ***sich*** *~* overtax o.s.; **~prüfen** check; *j-n*: screen; **~queren** cross; **~ragen** tower above; **~ragend** superior

überrasch|en, ≈ung *f* surprise

über|reden persuade; **~reichen** present; **≈reste** *pl* remains *pl*; **~rumpeln** (take* by) surprise

Überschall... supersonic ...

über|schätzen overrate; **~schlagen** *auslassen*: skip; *econ.* make* a rough estimate of; ***sich*** *~* turn over; *Person*: go* head over heels; *Stimme*: break*; **~schnappen** crack up; **~schneiden:** ***sich*** *~* overlap; **~schreiten** cross; *fig.* go* beyond; *Maß,*

Befugnis: exceed; *Tempo*: *a.* break*; **＼schrift** *f* heading, title; *Schlagzeile*: headline; **＼schuss** *m*, **～schüssig** surplus; **＼schwemmung** *f* flood

Übersee... overseas ...

übersehen overlook (*a. fig.*)

übersetz|en translate (***in*** into); **＼er(in)** translator; **＼ung** *f* translation

Übersicht *f* general idea (***über*** of); *Zusammenfassung*: summary; **＼lich** clear(ly arranged)

über|siedeln (re)move (***nach*** to); **～springen** *Sport*: clear; *auslassen*: skip; **～stehen** *v/i* jut out; *v/t* get* over; *überleben*: survive (*a. fig.*); **～steigen** *fig.* exceed; **～stimmen** outvote

Überstunden *pl* overtime *sg*; ***～ machen*** work overtime

überstürz|en: *et. ～* rush things; **～t** (over)hasty

übertrag|bar transferable; *med.* contagious; **～en 1.** *v/t* broadcast*, transmit (*a. Kraft, Krankheit*); *Blut*: transfuse; *Organ*: transplant; *econ.*, *jur.* transfer; **2.** *adj* figurative; **＼ung** *f Radio, TV* broadcast; transmission; transfusion; transfer

übertreffen surpass, F beat*; *j-n*: *a.* outdo*

übertreib|en exaggerate; **＼ung** *f* exaggeration

über|treten *jur. etc.* break*, violate; **～trieben** exaggerated; **＼tritt** *m* change (***zu*** to); *rel.* conversion; **～völkert** overpopulated; **＼völkerung** *f* overpopulation; **～vorteilen** cheat; **～wachen** supervise, oversee*; *bsd. tech.* control, monitor (*a. med.*); *polizeilich*: shadow

überwältigen overwhelm; **～d** overwhelming

überweis|en *Geld*: remit (***an*** to); **＼ung** *f* remittance

über|winden overcome*; ***sich ～ zu*** bring* o.s. to *inf*; **＼zahl** *f*: ***in der ～*** in the majority

überzeug|en convince (***von*** of); **＼ung** *f* conviction

überziehen put* *s.th.* on; *tech. etc.* cover; *Bett*: change; *Konto*: overdraw*

üblich usual, common

U-Boot *n* submarine

übrig remaining; ***～ bleiben*** be* left; ***～ lassen*** leave*; ***～ sein*** (***haben***) be* (have*) left; ***die ＼en*** *pl* the others *pl*, the rest *sg*; **～ens** by the way

Übung *f* exercise; *Üben*, *Erfahrung*: practice

Ufer *n* shore; *Fluss*: bank; ***ans ～*** ashore

Uhr *f* clock; *Armband＼ etc.*: watch: ***um vier ～*** at four o'clock; (***um***) ***wie viel ～ ...?*** (at) what time ...?; **～armband** *n* watchstrap; **～macher(in)** watchmaker; **～zeiger** *m* hand

Uhu *m* eagle owl
ulkig funny
Ulme *f* elm
Ultra..., **♀...** *Schall, violett etc.*: ultra...
um (a)round; *zeitlich*: at; *ungefähr*: about, around; **~ sein** be* over; *Zeit*: be* up; **~ ... willen** for ...'s sake; **~ zu** (in order) to
um|armen: (sich) ~ embrace; **~bauen** rebuild*; **~blättern** turn over; **~bringen** kill (**sich** o.s.); **~buchen** change one's booking (for)
umdreh|en turn (a)round (*a.* **sich ~**); **♀ung** *f tech.* revolution
um|fahren run down; **~fallen** fall*; *zs.-brechen*: collapse; **tot ~** drop dead
Umfang *m* circumference; *Ausmaß*: size; *fig.* extent; **♀reich** extensive
um|fassen grasp, grip; *fig.* contain, comprise; **~fassend** comprehensive, extensive; *Geständnis*: full; **~formen** transform, convert; **♀frage** *f* (opinion) poll, survey; **~funktionieren: ~ in** convert into
Umgang *m* company; **~ haben mit** associate with; **~sformen** *pl* manners *pl*; **~ssprache** *f* colloquial speech
umgeb|en surround; **♀ung** *f* surroundings *pl*, vicinity; *Milieu*: environment
umgeh|en: ~ mit deal* with, handle, treat; **♀ungsstraße** *f* bypass
um|gekehrt 1. *adj* reverse; opposite; **2.** *adv* the other way round; **und ~** and vice versa; **~graben** dig* (up); **~hängen** put* on; sling over one's shoulder; *Bilder*: rehang*; **♀hängetasche** *f* shoulder bag
umher (a)round, about
um|hören: sich ~ keep* one's ears open, ask around; **~kehren** turn back; *et.*: turn (a)round; **~kippen** tip over; → **umfallen**; **~klammern** clasp (in one's arms)
Umkleide|kabine *f* (changing) cubicle; **~raum** *m* dressing (*Sport*: *a.* changing *od.* locker) room
umkommen be* killed (**bei** in); F **~ vor** be* dying with
Umkreis *m* vicinity; **im ~ von** within a radius of
Umlauf *m* circulation; **~bahn** *f* orbit
umlegen put* on; *Kosten*: share; *sl. töten*: bump off
umleit|en divert; **♀ung** *f* diversion, *Am. mot.* detour
umliegend surrounding
umrech|nen convert; **♀nungskurs** *m* exchange rate
um|ringen surround; **♀riss** *m* outline; **~rühren** stir; **♀satz** *m econ.* sales *pl*; **~schalten** switch (over) (**auf** to); **~schauen** → **umsehen**
Umschlag *m* envelope;

Hülle: cover, wrapper; *Buch*: jacket; *Hose*: turn-up, *Am.* cuff; *med.* compress; *econ.* handling; **2en** *Boot etc.*: turn over; *fig.* turn, change
um|schnallen buckle on; **~schreiben** rewrite*; *Begriff*: paraphrase; **~schulen** retrain; **~schwärmen** swarm (a)round; *fig.* idolize, worship; **2schwung** *m* (drastic) change; **~sehen: *sich* ~** look back; look around (***nach*** for); ***sich ~ nach** suchen*: be* looking for
umso: ***~ mehr*** (all) the more; ***~ besser*** so much the better
umsonst free (of charge); *vergebens*: in vain
Um|stand *m* fact; *Einzelheit*: detail; **~stände** *pl*: ***unter diesen*** (***keinen***) ***~n*** under the (no) circumstances; ***unter ~n*** possibly; ***keine ~ machen*** not go* to (*j-m*: not cause) any trouble; ***in anderen ~en sein*** be* expecting; **2ständlich** complicated; *langatmig*: long-winded; ***zu ~*** too much trouble
um|steigen change; **~stellen** change (***auf*** to); *Möbel etc.*: rearrange; *Uhr*: reset*; ***sich ~ auf*** change (over) to; *anpassen*: adjust (o.s.) to; **2stellung** *f* change; adjustment; **~stimmen** change *s.o.'s* mind; **~stoßen** knock over; *et.*: *a.* upset* (*a. Plan*); **2sturz** *m* overthrow; **~stürzen** upset*, overturn
Umtausch *m*, **2en** exchange (***gegen*** for)
um|wandeln transform, convert; **2weg** *m* detour
Umwelt *f* environment; **~...** *mst* environmental ...; **2freundlich** environment-friendly, non-polluting; *abbaubar*: biodegradable; **2schädlich** harmful, polluting; **~schutz** *m* conservation, environmental protection; **~schützer(in)** environmentalist, conservationist; **~schutzpapier** *n* recycled paper; **~sünder(in)** (environmental) polluter; **~verschmutzung** *f* (environmental) pollution
um|werfen upset*, overturn; **~ziehen** move (***nach*** to); ***sich ~*** change; **~zingeln** surround; **2zug** *m* move (***nach*** to); parade
unabhängig independent; **2keit** *f* independence
un|absichtlich unintentional; **~achtsam** careless
unan|gebracht inappropriate; *pred. a.* out of place; **~genehm** unpleasant; *peinlich*: embarrassing; **2nehmlichkeiten** *pl* trouble *sg*; **~ständig** indecent
un|appetitlich unappetizing; *schmuddelig*: grubby; **~artig** naughty, bad
unauf|fällig inconspicuous;

~hörlich continuous; **~merksam** inattentive
unausstehlich unbearable
unbarmherzig merciless
unbe|baut undeveloped; **~deutend** insignificant; *geringfügig*: *a.* minor; **~dingt** *adv* by all means; **~fahrbar** impassable; **~friedigend** unsatisfactory; **~friedigt** dissatisfied; disappointed; **~fugt** unauthorized; **~greiflich** incomprehensible; **~grenzt** unlimited; **~gründet** unfounded; **2hagen** *n* uneasiness; **~haglich** uneasy; **~herrscht** lacking in self-control; **~holfen** clumsy, awkward; **~kannt** unknown; **~kümmert** carefree; **~liebt** unpopular; **~merkt** unnoticed; **~quem** uncomfortable; *lästig*: inconvenient; **~rührt** untouched; **~ *sein*** *Mädchen*: be* a virgin; **~schränkt** unrestricted; *Macht*: absolute; **~schreiblich** indescribable; **~ständig** unstable, unsettled (*a. Wetter*); **~stechlich** incorruptible; **~stimmt** indefinite; *unsicher*: uncertain; *Gefühl*: vague; **~teiligt** *gleichgültig*: indifferent; **~wacht** unguarded; **~waffnet** unarmed; **~weglich** motionless; *fig.* inflexible; **~wohnt** uninhabited; *Gebäude*: unoccupied; **~wusst** unconscious; **~zahlbar** unaffordable; *fig.* invaluable, priceless
unbrauchbar useless
und and; ***na ~?*** so what?
un|dankbar ungrateful; *Aufgabe*: thankless; **~definierbar** nondescript; **~denkbar** unthinkable; **~deutlich** indistinct; **~dicht** leaky
undurch|dringlich impenetrable; **~lässig** impervious, impermeable; **~sichtig** opaque; *fig.* mysterious
un|eben uneven; **~echt** false; *künstlich*: artificial; *imitiert*: imitation; F *contp.* fake, phon(e)y; **~ehelich** illegitimate; **~empfindlich** insensitive (***gegen*** to); **~endlich 1.** *adj* infinite; *endlos*: endless; **2.** *adv* F *sehr*: incredibly
unent|behrlich indispensable; **~geltlich** free (of charge); **~schieden** undecided; **~ *enden*** end in a draw (*od.* tie); **2schieden** *n* draw, tie; **~schlossen** irresolute
uner|fahren inexperienced; **~freulich** unpleasant; **~hört** outrageous; **~kannt** unrecognized; **~klärlich** inexplicable; **~laubt** unlawful; *unbefugt*: unauthorized; **~messlich** immense; **~müdlich** indefatigable, untiring; **~reicht** unequal(l)ed; **~sättlich** insatiable; **~schöpflich** inexhaustible; **~schütterlich** unshak(e)able; **~setzlich** irreplaceable; *Schaden*:

irreparable; **~träglich** unbearable; **~wartet** unexpected; **~wünscht** undesirable
unfähig incapable (**zu** of *ger*), incompetent; **℞keit** *f* incompetence
Unfall *m* accident; **~flucht** *f* hit-and-run offen|ce (*Am.* -se)
un|fassbar unbelievable; **~förmig** shapeless; misshapen; **~frankiert** unstamped; **~freiwillig** involuntary; *Humor*: unintentional; **~freundlich** unfriendly; *Wetter*: nasty; *Zimmer*, *Tag*: cheerless; **~fruchtbar** infertile; **℞fug** *m* nonsense; **~ *treiben*** be* up to no good
Ungar|(in), **℞isch** Hungarian; **~n** Hungary
unge|bildet uneducated; **~bräuchlich** unusual; **~bunden** free, independent
Ungeduld *f* impatience; **℞ig** impatient
unge|eignet unfit; *Person*: *a.* unqualified; **~fähr** approximate(ly), rough(ly); *adv a.* about; **~fährlich** harmless; *sicher*: safe
ungeheuer 1. *adj* vast, huge, enormous; **2.** **℞** *n* monster
unge|hindert unhindered; **~hörig** improper; **~horsam** disobedient; **~kürzt** unabridged; **~legen** inconvenient; **~lernt** unskilled; **~mütlich** uncomfortable; **~ *werden*** get* nasty; **~nau** inaccurate; *fig.* vague
ungeniert uninhibited(ly)
unge|nießbar uneatable; undrinkable; *Person*: unbearable; **~nügend** insufficient; *Leistung*: unsatisfactory; **~pflegt** unkempt; **~rade** odd
ungerecht unjust (***gegen*** to); **℞igkeit** *f* injustice
ungern unwillingly; **~ *tun*** dislike doing *s.th.*
unge|schickt clumsy; **~spritzt** organic(ally grown); **~stört** undisturbed, uninterrupted; **~sund** unhealthy
ungewiss uncertain; **℞heit** *f* uncertainty
unge|wöhnlich unusual, uncommon; **℞ziefer** *n* pests *pl*; *Läuse etc.*: vermin *pl*; **~zogen** naughty; **~zwungen** informal
ungläubig incredulous
unglaub|lich incredible; **~würdig** untrustworthy; *et.*: implausible
ungleich unequal; *Socken etc*: odd; **~mäßig** uneven; irregular
Unglück *n* misfortune; *Pech*: bad luck; *Unfall etc.*: accident; *stärker*: disaster; *Elend*: misery; **℞lich** unfortunate; *traurig*: unhappy; **℞licherweise** unfortunately
un|gültig invalid; **~günstig** unfavo(u)rable; *nachteilig*: disadvantageous; **~handlich** unwieldy, bulky; **℞heil** *n* evil; disaster; **~ *anrichten*** wreak havoc; **~heilbar** in-

curable; **~heimlich** creepy, eerie; F *fig.* tremendous(ly); **~höflich** impolite; **~hörbar** inaudible; **~hygienisch** insanitary

Uniform *f* uniform

uninteress|ant uninteresting; **~iert** uninterested

Union *f* union

Univer|sität *f* university; **~sum** *n* universe

unkennt|lich unrecognizable; **²nis** *f* ignorance

un|klar unclear; *ungewiss*: uncertain; ***im ²en sein*** be* in the dark; **²kosten** *pl* expenses *pl*; **²kraut** *n* weeds *pl*; **~leserlich** illegible; **~logisch** illogical; **~lösbar** insoluble; **~mäßig** excessive; **²menge** *f* vast amount

Unmensch *m*: ***sei kein ~*** have a heart; **²lich** inhuman

un|missverständlich unmistakable; **~mittelbar** immediate(ly), direct(ly); **~möbliert** unfurnished; **~modern** dated; out of fashion; **~möglich** impossible; **~moralisch** immoral; **~mündig** under age; **~natürlich** unnatural; *geziert*: affected; **~nötig** unnecessary

unord|entlich untidy; **²nung** *f* disorder, mess

un|parteiisch impartial, unbias(s)ed; **²parteiische** *m Sport*: referee; **~passend** unsuitable; improper; → ***unangebracht***; **~passierbar** impassable; **~pässlich** indisposed, unwell; **~persönlich** impersonal; **~politisch** apolitical; **~praktisch** impractical; **~pünktlich** unpunctual; **~rasiert** unshaven

Unrecht *n* injustice; ***~ haben*** be* wrong; ***zu ~*** wrong(ful)ly

unrecht wrong; ***j-m ~ tun*** do* s.o. wrong; **~mäßig** unlawful

un|regelmäßig irregular; **~reif** unripe; *fig.* immature; **~rein** *fig.* unclean

Unruh|e *f* restlessness; *pol.* unrest; *Besorgnis*: anxiety; **~n** *pl* disturbances *pl*; *stärker*: riots *pl*; **²ig** restless; *Meer*: rough; *fig.* uneasy

uns (to) us; each other; ~ (***selbst***) ourselves

un|sachlich unobjective; **~sauber** dirty; *fig. a.* unfair; **~schädlich** harmless; **~scharf** blurred; **~schätzbar** invaluable; **~scheinbar** plain; **~schlüssig** undecided

Unschuld *f* innocence; **²ig** innocent

unselbstständig dependent (on others)

unser our; **~es** *etc.* ours

un|sicher unsafe, insecure (*a. psych.*); → ***ungewiss***; **~sichtbar** invisible; **²sinn** *m* nonsense; **~sittlich** indecent; **~sozial** unsocial; **~sterblich** immortal; **²stimmigkeiten**

pl disagreements *pl*; **~sympathisch** disagreeable; ***... ist mir ~*** I don't like ...; **~tätig** inactive; idle

unten below; down (*a.* ***nach ~***); downstairs; ***von oben bis ~*** from top to bottom

unter under; *weniger als*: *a.* less than; *bsd.* *~halb*: below; *zwischen*: among

Unter|arm *m* forearm; **2belichtet** underexposed; **2besetzt** understaffed; **~bewusstsein** *n*: ***im ~*** subconsciously; **2binden** stop; **~bodenschutz** *m* underseal

unterbrech|en interrupt; **2ung** *f* interruption

unter|bringen *j-n*: accommodate, put* *s.o.* up; find* a place for *s.th.*; **~drücke**[illegible] suppress; *pol.* oppress

unter|e lower; **~einander** [illegible] tween (*od.* among) e[illegible] other; *räumlich*: one un[illegible] the other; **~entwickelt** underdeveloped

unterernähr|t undernourished; **2ung** *f* malnutrition

Unter|führung *f* underpass, *Brt. a.* subway; **~gang** *m Sonne*: setting; *Schiff*: sinking; *fig.* *allmählicher*: decline; *totaler*: downfall; **2gehen** *Sonne etc*: set*; *naut.* go* down, sink*; *fig.* decline; fall

Untergrund *m* subsoil; *pol.*, *fig.* underground; **~bahn** *f* → ***U-Bahn***

unterhalb below, underneath

Unterhalt *m* support, maintenance (*a.* *Zahlungen*); **2en** entertain; *Familie*: support; *econ.* run*, keep*; ***sich ~*** (***mit***) talk (to, with); ***sich gut ~*** enjoy o.s., have* a good time; **~ung** *f* conversation, talk; *Vergnügen*: entertainment

Unter|hemd *n* vest, *Am.* undershirt; **~holz** *n* undergrowth; **~hose** *f* underpants *pl*; **2irdisch** underground; **~kiefer** *m* lower jaw; **~kleid** *n* slip; **~kunft** *f* accommodation; [illegible]**lage** *f* base; **~n** *pl* doc[illegible]s *pl*; **2lassen** fail [illegible].; *Rauchen*: refrain [illegible]r; **2legen** *adj* inferior [illegible]o.); **~leib** *m* abdo[illegible]; **2liegen** be* de[illegible] by s.o.); *fig.* be* [illegible]; **~lippe** *f* lower lip; [illegible](**in**) lodger

unternehm|en do* *s.th.* (***gegen*** about *s.th.*); *Reise*: go* on; **2en** *n* undertaking; *econ.* business; **2er(in)** businessman (-woman), entrepreneur; industrialist; *Arbeitgeber*: employer; **~ungslustig** adventurous

Unteroffizier *m* noncommissioned officer

Unterricht *m* instruction; lessons *pl*, classes *pl*; **2en** teach*; inform (**über** of)

Unter|rock *m* slip; **2schätzen** underestimate; **2scheiden**

distinguish; ***sich*** ~ differ; **~schenkel** *m* shank
Unterschied *m* difference; **≈lich** different; varying
unterschlag|en embezzle; **≈ung** *f* embezzlement
unter|schreiben sign; **≈schrift** *f* signature; **≈seeboot** *n* submarine; **≈setzer** *m* coaster; **~setzt** stocky; **~ste** lowest; **~stehen: *j-m*** ~ be* under (*offiziell*: report to) s.o.; ***sich*** ~ dare; ~ ***Sie sich*** don't you dare; **~stellen** *et.*: put* (***in*** in[to]); *annehmen*: assume; *j-m*: put* under the charge of; ***sich*** ~ take* shelter; **~streichen** underline (*a. fig.*)
unterstüt|zen support; **≈zung** *f* support; *staatliche*: *a.* aid; *Fürsorge*: welfare
untersuch|en examine (*a. med.*), investigate (*a. jur.*); *chem.* analyze; **≈ung** *f* examination (*a. med.*), investigation (*a. jur.*); *med. a.* checkup; *chem.* analysis; **≈ungshaft** *f* custody pending trial
Unter|tasse *f* saucer; **≈tauchen** dive*, submerge (*a. U-Boot*); *j-n*: duck; *fig.* disappear; **~teil** *n*, *m* lower part; **~titel** *m* subtitle; **~wäsche** *f* underwear; **≈wegs** on the (*od.* one's) way; **≈werfen** subject (*dat* to); ***sich*** ~ submit (*dat* to); **≈würfig** servile; **≈zeichnen** sign; **≈ziehen** put* on underneath; ***sich*** *dat* ~ *med.* undergo*; *Prüfung*: take*
un|tragbar unbearable; **~trennbar** inseparable; **~treu** unfaithful; **~tröstlich** inconsolable; **≈tugend** *f* bad habit
unüber|legt thoughtless; **~sichtlich** *Kreuzung etc.*: blind; *komplex*: intricate; **~windlich** insuperable
ununterbrochen uninterrupted; *ständig*: continuous
unver|ändert unchanged; **~antwortlich** irresponsible; **~besserlich** incorrigible; **~bindlich** not binding; *Art etc.*: noncommittal; **~daulich** indigestible; **~dient** undeserved; **~gesslich** unforgettable; **~gleichlich** incomparable; **~heiratet** unmarried, single; **~käuflich** not for sale; **~letzt** unhurt; **~meidlich** inevitable; **~nünftig** unwise, foolish
unverschämt rude, impertinent; **≈heit** *f* impertinence
unver|ständlich unintelligible; *unbegreiflich*: incomprehensible; **~wüstlich** indestructible; **~zeihlich** inexcusable; **~züglich** immediate(ly), without delay
unvoll|endet unfinished; **~kommen** imperfect; **~ständig** incomplete
unvor|bereitet unprepared; **~eingenommen** unbias(s)ed; **~hergesehen** un-

foreseen; **~sichtig** careless; **~stellbar** unthinkable; **~teilhaft** *Kleid*: unbecoming
unwahr untrue; **2heit** *f* untruth; **~scheinlich** improbable, unlikely; F incredibly
un|wesentlich irrelevant; *geringfügig*: negligible; **2wetter** *n* (violent) storm; **~wichtig** unimportant
unwider|ruflich irrevocable; **~stehlich** irresistible
Unwill|e(n) *m* indignation; **2kürlich** involuntary
un|wirksam ineffective; **~wissend** ignorant; **~wohl** unwell; uneasy; **~würdig** unworthy (*gen* of); **~zählig** countless
unzer|brechlich unbreakable; **~trennlich** inseparable
Un|zucht *f* sexual offen|ce, *Am.* -se; **2züchtig** indecent; *Buch etc.*: obscene
unzufrieden dissatisfied; **2heit** *f* dissatisfaction
unzu|gänglich inaccessible; **~länglich** inadequate; **~rechnungsfähig** *jur.* of unsound mind, *Am. a.* (mentally) incompetent; **~sammenhängend** *Rede etc*: incoherent; **~verlässig** unreliable
üppig luxuriant, lush; *Figur*: *a.* voluptuous; *Essen*: rich
uralt ancient (*a.* F *fig.*)
Uran *n* uranium
Ur|aufführung *f* première; **~enkel(in)** great-grand|son (-daughter); **~heberrechte** *pl* copyright *sg*
Urin *m* urine
Urkunde *f* document; *Zeugnis*, *Ehren2*: diploma
Urlaub *m* holiday(s *pl*), *bsd. Am.* vacation; *amtlich*, *mil.*: leave; ***auf*** (*od.* ***im***) **~** on holiday, *bsd. Am.* on vacation; **~er(in)** *m* holidaymaker, *Am.* vacationist
Urne *f* urn; *pol.* ballot box
Ur|sache *f* cause; *Grund*: reason; ***keine ~!*** don't mention it; *auf Entschuldigung*: that's all right, *bsd. Am.* you're welcome; **~sprung** *m* origin; **2sprünglich** original(ly)
Urteil *n* judg(e)ment; *Strafmaß*: sentence; **2en** judge (***über j-n*** s.o.); **~sspruch** *m* verdict
Urwald *m* primeval forest; *Dschungel*: jungle
Utensilien *pl* utensils *pl*
Utop|ie *f* illusion; **2isch** utopian; *Plan etc.*: fantastic

V

vage vague
Vakuum *n* vacuum
Vandalismus *m* vandalism
Vanille *f* vanilla
Varietee *n* variety theater, music hall, *Am.* vaudeville theater
Vase *f* vase
Vater *m* father; **~land** *n* native country
väterlich fatherly, paternal
Vaterunser *n* Lord's Prayer
Vegeta|rier(in), ~risch vegetarian; **~tion** *f* vegetation
Veilchen *n* violet
Velo *n Schweiz*: bicycle
Vene *f* vein
Ventil *n* valve; *fig.* vent, outlet; **~ator** *m* fan
verabred|en agree (up)on, arrange; ***sich ~*** make* a date (*geschäftlich*: an appointment); **~ung** *f* appointment; *bsd. private*: date
verab|scheuen detest; **~schieden** *parl.* pass; *Offizier*: discharge; ***sich ~ (von)*** say* goodbye (to)
ver|achten despise; **~ächtlich** contemptuous; **~achtung** *f* contempt; **~allgemeinern** generalize; **~altet** antiquated, out of date
veränder|lich changeable, variable; **~n: (*sich*) ~** change; **~ung** *f* change
veran|lagt (naturally) inclined (***für, zu*** to); ***künstlerisch ~ sein*** have* artistic talent; **~lagung** *f* disposition (*a. med.*); talent, gift; **~lassen** cause; **~stalten** organize; sponsor; **~stalter(in)** organizer; sponsor; **~staltung** *f* event; *Sport*: *a.* meeting, *Am.* meet
verantwort|en take* the responsibility for; ***sich ~ für*** answer for; **~lich** responsible; ***j-n ~ machen (für)*** hold* s.o. responsible (for); **~ung** *f* responsibility; **~ungslos** irresponsible
ver|arbeiten process; *fig.* digest; **~arbeitung** *f* processing (*a. Computer*); **~ärgern** annoy
Verb *n* verb
Verband *m* bandage; *Bund*: association, union; **~(s)kasten** *m* first-aid box; **~(s)zeug** *n* dressing material
ver|bannen banish (*a. fig.*), exile; **~bergen** hide* (*a. **sich** ~*), conceal
verbesser|n improve; *berichtigen*: correct; **~ung** *f* improvement; correction
verbeug|en: *sich ~* bow (***vor*** to); **~ung** *f* bow
ver|biegen twist; **~bieten**

forbid*, prohibit; **~billigen** reduce in price
verbind|en *med.* dress, bandage; *j-n*: bandage *s.o.* up; *mit et., auch tech.*: connect; *kombinieren*: combine (*a. chem.* **sich ~**); *fig.* associate; *tel.* put *s.o.* through (***mit*** to, *Am.* with); ***falsch verbunden!*** sorry, wrong number; **~lich** obligatory, binding (*a. econ.*); *nett*: friendly; **2ung** *f* connection; combination; *chem.* compound; *univ.* students' society, *Am.* fraternity; sorority; ***sich in ~ setzen mit*** get* in touch with
ver|blassen fade; **~bleit** leaded; **~blüffen** amaze; **~blühen** fade; wither; **~bluten** bleed* to death; **~borgen** hidden
Verbot *n* ban (on *s.th.*), prohibition; **2en** prohibited; ***Rauchen ~*** no smoking
Verbrauch *m* consumption (***an*** of); **2en** consume, use up; **~er** *m* consumer; *Benutzer*: user
Verbreche|n *n* crime (***begehen*** commit); **~r(in)**, **2risch** criminal
verbrei|ten: (***sich***) **~** spread*; **~tern:** (***sich***) **~** widen
verbrenn|en burn*; *Leiche*: cremate; *Müll*: incinerate; **2ung** *f* burning; cremation; incineration; *med.* burn; **2ungsmotor** *m* internal combustion engine
verbünde|n: ***sich ~*** ally o.s. (***mit*** to, with); **2te** *m, f* ally
ver|bürgen: ***sich ~ für*** answer for; **~büßen:** ***e-e Strafe ~*** serve a sentence
Verdacht *m* suspicion; ***~ schöpfen*** become* suspicious
verdächtig suspicious; **2e** *m, f,* **~en** suspect
verdamm|en condemn; **~t** damned; **~!** damn (it)!; **~ *gut*** *etc.* damn good *etc.*
ver|dampfen evaporate; **~danken** owe *s.th. to s.o.*
verdau|en digest; **~lich** (***leicht*** easily) digestible; **2ung** *f* digestion; **2ungsstörungen** *pl* constipation *sg*
Verdeck *n* top; *naut.* deck; **2en** cover (up), hide*
ver|derben spoil* (*a. fig. Spaß etc.*); *Fleisch etc.*: go* bad; ***sich den Magen ~*** upset* one's stomach; **~derblich** perishable; **~deutlichen** make* clear; **~dienen** *Geld*: earn; *fig.* deserve
Verdienst[1] *m* income
Verdienst[2] *n* merit
ver|doppeln: (***sich***) **~** double; **~dorben** spoiled; *Magen*: upset; *moralisch*: corrupt; **~drängen** displace; *psych.* repress; **~drehen** twist (*a. fig.*); *Augen*: roll; ***j-m den Kopf ~*** *fig.* turn s.o.'s head; **~dreifachen:** (***sich***) **~** triple; **~dummen** become stultified; *j-n*: stultify, dull *s.o.'s*

mind; **~dunkeln** darken (*a. sich*); **~dünnen** dilute; **~dunsten** evaporate; **~dursten** die of thirst; **~dutzt** puzzled
verehr|en worship (*a. fig.*); *bewundern*: admire; **2er(in)** admirer; fan; **2ung** *f* reverence; admiration
vereidigen swear* in; *Zeugen*: put* under an oath
Verein *m* club; society
vereinbar|en agree (up)on, arrange; **2ung** *f* agreement, arrangement
vereinfachen simplify
vereinig|en: (*sich*) ~ unite; **2ung** *f* union; *Akt*: unification
ver|eisen ice up; *med.* freeze*; **~eitert** → ***eitrig***; **~engen: (*sich*) ~** narrow; **~erben** leave*; *biol.* transmit
verfahren 1. proceed; ***sich* ~** get* lost; **2. 2** *n* procedure; *tech. a.* process; *jur.* proceedings *pl*
Verfall *m* decay (*a. fig.*); **2en** decay (*a. fig.*); *Haus etc.*: *a.* dilapidate; *ablaufen*: expire
Verfass|er(in) author; **~ung** *f* condition; *pol.* constitution
verfaulen rot, decay
verfilm|en film; **2ung** *f* filming; film version
ver|fliegen evaporate; *fig.* wear* off
verfluch|en curse; **~t** → ***verdammt***
verfolge|n pursue (*a. fig.*); *jagen*: chase; *rel., pol.* persecute; *fig.*: follow; **2r** *m* pursuer
verfrüht premature
verfüg|bar available; **~en** order; **~ *über*** have* at one's disposal; **2ung** *f* order; ***zur ~ stehen* (*stellen*)** be* (make*) available
verführe|n seduce; **~risch** seductive; tempting
vergammeln rot; *fig.* go* to the dogs
vergangen, 2heit *f* past
Vergaser *m* carburet(t)or
vergeb|en give* away; *verzeihen*: forgive*; **~lich 1.** *adj* futile; **2.** *adv* in vain
vergehen 1. *v/i* go* by, pass; **2. 2** *n* offen|ce, *Am.* -se
Vergeltung *f* retaliation
ver|gessen forget*; *Schirm etc.*: leave*; **~gesslich** forgetful; **~geuden** waste
vergewaltig|en, 2ung *f* rape
ver|gewissern: *sich* ~ make* sure (*gen* of); **~gießen** *Blut, Tränen*: shed*; *verschütten*: spill* (*a. Blut*)
vergift|en poison (*a. fig.*); **2ung** *f* poisoning
Vergissmeinnicht *n* forget-me-not
Vergleich *m* comparison; *jur.* compromise; **2bar** comparable; **2en** compare
vergnü|gen: *sich* ~ enjoy o.s.; **2gen** *n* pleasure; ***viel ~!*** have fun!; **~gt** cheerful;

≈gungspark *m* amusement park, fun fair; **≈gungsviertel** *n* entertainment district; *mit Bordellen*: red-light district
ver|graben bury; **~griffen** *Buch*: out of print
vergrößer|n enlarge (*a. phot.*); *opt.* magnify; ***sich*** **~** increase; **≈ung** *f* enlargement; **≈ungsglas** *n* magnifying glass
verhaft|en, ≈ung *f* arrest
verhalten: 1. *sich* ~ behave; **2. ≈** *n* behavio(u)r, conduct
Verhältnis *n* relationship; *Relation*: relation, proportion, *math.* ratio; *Liebes≈*: affair; **~se** *pl* conditions *pl*; *Mittel*: means *pl*; **≈mäßig** comparatively, relatively
verhand|eln negotiate; **≈lung** *f* negotiation; *jur.* hearing; *Straf≈*: trial
ver|hängnisvoll fatal, disastrous; **~harmlosen** play *s.th.* down; **~hasst** hated; *Sache*: *a.* hateful; **~hauen** beat* *s.o.* up; *Kind*: spank; **~heerend** disastrous; **~heilen** heal (up); **~heimlichen** hide*, conceal; **~heiratet** married; **~hindern** prevent; **~höhnen** deride, mock (at)
Verhör *n* interrogation; **≈en** interrogate, question; ***sich*** **~** get* it wrong
verhungern die of hunger, starve (to death)
verhüt|en prevent; **≈ung** *f* prevention; *Empfängnis≈*: contraception; **≈ungsmittel** *n* contraceptive
ver|irren: *sich* ~ get* lost, lose* one's way; **~jagen** drive* away; **~kabeln** cable
Verkauf *m* sale; **≈en** sell*; ***zu*** **~** for sale
Verkäuf|er(in) shop assistant, *Am.* (sales)clerk; *econ.* seller; *Auto≈ etc*: salesman (-woman), salesperson; **≈lich** for sale
Verkehr *m* traffic; *öffentlicher*: transport(ation *Am.*); *Geschlechts≈*: intercourse; **≈en** *Bus etc.*: run*; **~ *in*** frequent; **~ *mit*** associate (*od.* mix) with
Verkehrs|ampel *f* traffic lights *pl* (*Am.* light), *Am. a.* stoplight; **~behinderung** *f* holdup, delay; **~delikt** *n* traffic offen|ce, *Am.* -se; **~minister(in)** Minister of Transport; **~mittel** *n* (means of) transport (*bsd. Am.* transportation); ***öffentliche*** **~** *pl* public transport(ation *Am.*); **~polizei** *f* traffic police *pl*; **~sünder(in)** traffic offender; **~stau** *m* traffic jam (*od.* congestion); **~teilnehmer** *m* road user; **~unfall** *m* traffic accident; **~verbund** *m* linked transport system; **≈widrig** contrary to traffic regulations; **~zeichen** *n* traffic sign
ver|kehrt wrong; **~ (*herum*)**

upside down; inside out; **~kennen** mistake*, misjudge; **~klagen** sue (***auf, wegen*** for); **~klappen** dump (into the sea); **~kleiden** disguise (***sich*** o.s.); *tech.* cover; **~knallen** F: ***sich in j-n ~*** fall for s.o.; ***in j-n verknallt sein*** be* head over heels in love with s.o.; **~kommen 1.** *v/i* become* rundown; *Person*: go* to the dogs; **2.** *adj* run--down; *moralisch*: depraved; **~kracht: *~ sein*** (***mit***) have* fallen out (with); **~krüppelt** crippled; **~künden** announce; *Urteil*: pronounce; **~kürzen** shorten
Verlag *m* publishing house, publisher(s *pl*)
verlangen 1. ask for, demand; **2.** ☐ *n* desire
verlänger|n lengthen; *fig.* prolong (*a. Leben*), extend; *Ausweis*: renew; **☐ung** *f* extension; renewal; *Sport*: extra time; **☐ungsschnur** *f* extension lead (*Am.* cord)
ver|langsamen slow down (*a.* ***sich~***); **☐lass** *m*: ***auf ... ist*** (***kein***) ~ you can('t) rely on ...; **~lassen** leave*; ***sich ~ auf*** rely on; **~lässlich** reliable
Verlauf *m* course; **☐en** run*; ***sich*** ~ lose* one's way
verleb|en spend*; *Zeit etc.*: *a.* have*; **~t** dissipated
verlege|n 1. *v/t* move; *Brille*: mislay*; *tech.* lay*; *zeitlich*: postpone; *Buch*: publish; **2.** *adj* embarrassed; **☐nheit** *f* (*Geld☐*: financial) embarrassment; **☐r(in)** publisher
Verleih *m* hire *od. Am.* rental (service); *Film☐*: distributors *pl*; **☐en** lend*; *Autos etc.*: hire (*Am.* rent) out; *Preis*: award
ver|leiten mislead* (***zu*** into *ger*); **~lernen** forget*; **~lesen** read* out; ***sich*** ~ misread* s.th.
verletz|en hurt (***sich*** o.s.), injure; *fig. a.* offend; **☐te** *m, f* injured person; ***die ~n*** *pl* the injured *pl*; **☐ung** *f* injury
verleugnen deny
verleumd|en, ☐ung *f* slander; *schriftlich*: libel
verlieb|en: *sich* ~ (***in***) fall* in love (with); **~t** in love (***in*** with); *Blick*: amorous
verlieren lose*
verlob|en: *sich* ~ get* engaged (***mit*** to); **~t** engaged; **☐te 1.** *m* fiancé; **2.** *f* fiancée; **☐ung** *f* engagement
ver|lockend tempting; **~loren: *~ gehen*** be* (*od.* get*) lost; **~losen** draw* lots for; **☐losung** *f* raffle, lottery; **☐lust** *m* loss; **~machen** leave*; **~markten** (put on the) market; *contp.* exploit commercially; **☐marktung** *f* marketing; *contp.* commercial exploitation; **~mehren:** (***sich***) ~ increase; *biol.* multiply; **~meiden** avoid;

~meintlich supposed; **~messen 1.** *v/t* measure; *Land*: survey; **2.** *adj* presumptuous; **~mieten** let*, rent; *Autos etc.*: hire (*Am.* rent) out; **zu ~** to let; for hire; *Am. für beide*: for rent; **2mieter(in)** land|lord (-lady); **~mischen** mix; **~missen** miss; **~misst** missing (*mil.* in action)
vermitt|eln *v/t* arrange; *Eindruck*: give*, convey; ***j-m et.* ~** find* s.o. s.th.; *v/i* mediate; **2ler(in)** mediator, go-between; **2lung** *f* mediation; *Herbeiführung*: arrangement; *Stelle*: agency; *tel.* exchange
Vermögen *n* fortune
vermumm|t masked, disguised; **2ungsverbot** *n* ban on wearing masks at demonstrations
vermut|en suppose, assume; **~lich** presumably; probably; **2ung** *f* presumption; *bloße*: speculation
ver|nachlässigen neglect; **~nehmen** *jur.* question, interrogate; **~neigen: *sich* ~** bow (***vor*** to); **~neinen** deny; answer in the negative
Vernetzung *f* network(ing)
vernicht|en destroy; **2ung** *f* destruction
verniedlichen play down
Ver|nunft *f* reason; **2nünftig** sensible, reasonable (*a. Preis*)
veröffentlich|en publish; **2ung** *f* publication
ver|ordnen *med.* prescribe; **~pachten** lease
verpack|en pack (up); *tech.* package; **2ung** *f* pack(ag)ing; *Papier2*: wrapping; **2ungsmüll** *m* superfluous packaging
ver|passen miss; F ***j-m eine* ~** land s.o. one; **~pesten** pollute, foul; **~pfänden** pawn; **~pflanzen** transplant
verpfleg|en feed*; **2ung** *f* food
ver|pflichten engage; ***sich* ~ *zu*** undertake* to; **~pflichtet** obliged; **~pfuschen** ruin; **~prügeln** beat* *s.o.* up; **~putzen** *arch.* plaster
Ver|rat *m* betrayal; *pol.* treason; **2raten: (*sich*) ~** betray (o.s.), give* (o.s.) away; **~räter(in)** traitor
verrechn|en: ~ *mit* set* off against; ***sich* ~** miscalculate (*a. fig.*); **2ungsscheck** *m* crossed cheque, *Am.* check for deposit only
verregnet rainy, wet
verreisen go* away (*geschäftlich*: on business)
verrenk|en dislocate (***sich et.*** s.th.); **2ung** *f* dislocation
ver|riegeln bolt, bar; **~ringern** decrease, lessen (*beide*: *a.* ***sich* ~**); **~rosten** rust
verrück|en move, shift; **~t** mad, crazy (*beide*: ***nach*** about); **2te** *m*, *f* mad|man (-woman), lunatic

verrutschen slip
Vers *m* verse
versage|n fail; **≈n** *n*, **≈r(in)** failure
versalzen oversalt; *fig.* spoil
versamm|eln: (*sich*) ~ gather, assemble; **≈lung** *f* assembly, meeting
Versand *m* dispatch, shipment; **~...** *Haus, Katalog*: mail-order ...
ver|säumen miss; *Pflicht*: neglect; *zu tun*: fail; **~schaffen** get*; ***sich** ~ a.* obtain; **~schärfen: *sich*** ~ get* worse; **~schätzen: *sich*** ~ make* a mistake (*a. fig.*); ***sich um ...*** ~ be* ... out (*Am.* off); **~schenken** give* away; **~schicken** send* (off); *econ. a.* dispatch; **~schieben** shift; *zeitlich*: postpone
verschieden different; **~e** *pl mehrere*: several; **≈es** miscellaneous; **~artig** various
ver|schiffen ship; **~schimmeln** go* mo(u)ldy; **~schlafen 1.** *v/i* oversleep; **2.** *adj* sleepy (*a. fig.*); **≈schlag** *m* shed; **~schlagen** *adj* cunning; **~schlechtern:** (***sich***) ~ make* (get*) worse, deteriorate; **≈schleiß** *m* wear (and tear); **~schließen** close; *absperren*: lock (up); **~schlimmern** → ***verschlechtern***; **~schlingen** devour (*a. fig.*); **~schlossen** closed; locked; *fig.* reserved; **~schlucken** swallow; ***sich*** ~ choke; **≈schluss** *m Haken≈*: fastener; *aus Metall*: clasp; *Flaschen≈*: cap, top; *phot.* shutter; **~schlüsseln** encode; **~schmelzen** merge, fuse; **~schmerzen** get* over *s.th.*; **~schmieren** smear; **~schmutzen** soil, dirty; *Umwelt*: pollute; **~schneit** snow-covered; **~schnüren** tie up; **~schollen** missing; **~schonen** spare; **~schreiben** *med.* prescribe (***gegen*** for); ***sich*** ~ make* a slip of the pen; **~schrotten** scrap; **~schuldet** in debt; **~schütten** spill*; *j-n*: bury alive; **~schweigen** hide*, say* nothing about; **~schwenden, ≈schwendung** *f* waste; **~schwiegen** discreet; **~schwimmen** become* blurred; **~schwinden** disappear, vanish; **~schwommen** blurred (*a. phot.*)
Verschwör|er(in) conspirator; **~ung** *f* conspiracy, plot
versehen: 1. *sich* ~ make* a mistake; **2. ≈** *n* oversight; ***aus*** ~ → **~tlich** by mistake
ver|senden → ***verschicken***; **~sengen** singe, scorch; **~setzen** move; *dienstlich*: transfer; *Schule*: move up, *Am.* promote; *verpfänden*: pawn; F *j-n*: stand* *s.o.* up; ***sich in j-s Lage*** ~ put* o.s. in s.o.'s place; **~seuchen** contaminate

versicher|n insure (***sich*** o.s.); *sagen*: assure, assert; **2te** *m, f the* insured; **2ung** *f* insurance (company); assurance; **2ungspolice** *f* insurance policy
ver|sickern trickle away; **~sinken** sink*
Version *f* version
versöhn|en reconcile; ***sich*** (***wieder***) **~** become* reconciled; make* (it) up (***mit*** with *s.o.*); **2ung** *f* reconciliation
versorg|en provide, supply; *betreuen*: take* care of; **2ung** *f* supply; care
verspät|en: ***sich* ~** be* late; **~et** belated; delayed; **2ung** *f* delay; **~ *haben*** be* late
ver|speisen eat* (up); **~sperren** bar, block (up), obstruct (*a. Sicht*); **~spotten** mock, ridicule; **~sprechen** promise; ***sich* ~** make* a slip (of the tongue); **2sprechen** *n* promise; **~staatlichen** nationalize
Verstand *m* mind; *Vernunft*: reason; *Intelligenz*: brain(s *pl*); ***den* ~ *verlieren*** go* out of one's mind
verständ|igen inform; ***sich* ~** communicate; *einig werden*: come* to an agreement; **2igung** *f* communication; **~lich** intelligible; understandable; **2nis** *n* comprehension; understanding; **~nisvoll** understanding
verstärk|en strengthen; *mil.*, *tech.* reinforce; *Radio*, *phys.*: amplify; *steigern*: intensify; **2er** *m* amplifier; **2ung** *f* reinforcement(s *pl mil.*)
verstauben get* dusty
verstauch|en, 2ung *f* sprain
verstauen stow away
Versteck *n* hiding place; **2en** hide* (*a.* ***sich***), conceal
verstehen understand*, F get*; *einsehen*: see*; ***sich*** (***gut***) **~** get* along (well) (***mit*** with)
Versteigerung *f* auction
verstell|bar adjustable; **~en** move; *tech.* adjust; *versperren*: block; *Stimme*: disguise; ***sich* ~** put* on an act
ver|steuern pay* tax on; **~stimmt** out of tune; F cross; **~stohlen** furtive
verstopf|en block, jam; **~t** *Nase*: stuffed up, *Am.* stuffy; **2ung** *f med.* constipation
verstorben late, deceased; **2e** *m, f the* deceased
Verstoß *m* offen|ce, *Am.* -se; **2en: ~ *gegen*** violate
ver|strahlt radioactively contaminated; **~streichen** *Zeit*: pass; *Frist*: expire; **~streuen** scatter; **~stümmeln** mutilate; **~stummen** fall* silent
Versuch *m* attempt, try; *Probe*: trial; *phys. etc.* experiment; **2en** try (*a. kosten*), attempt; **~ung** *f* temptation
ver|tagen adjourn; **~tauschen** exchange

verteidig|en defend (***sich*** o.s.); **&er(in)** *Sport*: defender; *jur*. counsel for the defen|ce, *Am*. -se; **&ung** *f* defen|ce, *Am*. -se; **&ungsminister** *m* Minister (*Am*. Secretary) of Defen|ce, *Am*. -se

verteilen distribute

vertief|en: (***sich***) ~ deepen; ***sich ~ in*** *fig*. become engrossed in; **&ung** *f* hollow

vertonen set* to music

Vertrag *m* contract; *pol*. treaty; **&en** endure, bear*, stand*; ***ich kann ... nicht ~*** *Essen etc*. ... doesn't agree with me; *Lärm, j-n etc*.: I can't stand ...; ***sich ~ → verstehen***

vertrau|en trust; **&en** *n* confidence; trust; **~lich** confidential; **~t** familiar

vertreiben drive* away; expel (***aus*** from) (*a. pol*.); *Zeit*: pass; kill

vertret|en substitute for; *pol., econ*. represent; *Idee etc*.: support; **&er(in)** substitute; *pol., econ*. representative; *Handels&*: sales representative

ver|trocknen dry up; **~trösten** put* off

verun|glücken have* an accident; *tödlich*: be* killed in an accident; **~sichern** make* *s.o*. feel unsure of himself (*od*. herself), F rattle

verursachen cause

verurteil|en condemn (*a. fig*.), sentence, convict; **&ung** *f jur*. conviction

ver|vielfältigen copy; **~vollkommnen** perfect; **~vollständigen** complete; **~wackeln** *phot*. blur; **~wählen: *sich ~*** dial the wrong number; **~wahrlost** neglected

verwalt|en manage; **&er(in)** manager; **&ung** *f* administration (*a. pol*.)

verwand|eln turn (*a.* ***sich ~***) (***in*** into); **&lung** *f* change, transformation

verwandt related (***mit*** to); **&e** *m, f* relative, relation; **&schaft** *f* relationship; *Verwandte*: relations *pl*

verwarn|en warn, give *s.o.* a warning; *Sport*: book; **&ung** *f* warning; *Sport*: booking

verwechs|eln confuse (***mit*** with), mistake* (for); **&lung** *f* confusion; mistake

ver|wegen bold; **~weigern** deny, refuse

Verweis *m* reprimand; reference (***auf*** to); **&en** refer (***auf, an*** to); *hinauswerfen*: expel

verwelken wither (*a. fig*.)

verwend|en use; *Zeit etc*.: spend* (***auf*** on); **&ung** *f* use

ver|werfen reject; **~werten** make* use of, utilize, use; **~wirklichen** realize

verwirr|en confuse; **&ung** *f* confusion

ver|wischen blur; *Spuren*: cover; **~witwet** widowed;

~wöhnen spoil*; **~worren** confused
verwund|bar vulnerable (*a. fig.*); **~en** wound
Verwund|ete *m*, *f* wounded (person), casualty; **~ung** *f* wound, injury
ver|wünschen curse; **~wüsten** devastate; **~zählen:** ***sich ~*** miscount; **~zaubern** enchant; ***~ in*** turn into; **~zehren** consume
Verzeichnis *n* list; *Inhalts*2: index; *amtliches*: register
verzeih|en forgive*; *bsd. et.*: excuse; **2ung** *f* pardon; **(*j-n*) *um ~ bitten*** apologize (to s.o.); ***~!*** sorry!; *vor Bitten etc.*: excuse me!
verzerren distort; ***sich ~*** become* distorted
verzichten: ***~ auf*** do* without; *aufgeben*: give* up
ver|ziehen *Kind*: spoil; ***das Gesicht ~*** make* a face; ***sich ~*** *Holz*: warp; F disappear; **~zieren** decorate
verzinsen pay* interest on
verzöger|n delay; ***sich ~*** be* delayed; **2ung** *f* delay
verzollen pay* duty on; ***haben Sie et. zu ~?*** have you anything to declare?
verzweif|eln despair; **~elt** desperate; **2lung** *f* despair
Veto *n* veto
Vetter *m* cousin
Video *n* video; **~...** *Aufnahme, Band, Clip, Kamera, Kassette, Recorder, Spiel etc.*: video ...; ***auf ~ aufnehmen*** video(tape), *bsd. Am.* F tape; **~text** *m* teletext; **~thek** *f* video(tape) library, video shop (*Am.* store)
Vieh *n* cattle *pl*; **~zucht** *f* cattle breeding
viel a lot (of), much; **~e** *pl* a lot (of), many; ***nicht ~*** not much; ***~ beschäftigt*** very busy; ***~ sagend*** meaningful; ***~ versprechend*** promising
Viel|falt *f* (great) variety; **2leicht** perhaps, maybe; **2mehr** rather; **2seitig** versatile
vier four; **2eck** *n* quadrangle, square; **~eckig** square; **2linge** *pl* quadruplets *pl*; **2radantrieb** *m* four-wheel drive; **2taktmotor** *m* four-stroke engine; **~te** fourth
Viertel *n* fourth (part), quarter (*a. Stadt*2); **(*ein*) *~ vor*** **(*nach*)** (a) quarter to (past); **~finale** *n* quarter finals *pl*; **~jahr** *n* three months *pl*, quarter (of a year); **2jährlich** quarterly; *adv a.* every three months; **~stunde** *f* quarter of an hour
vierzehn fourteen; ***~ Tage*** *pl* two weeks *pl*; **~te** fourteenth
vierzig forty; **~ste** fortieth
Villa *f* villa
violett violet, purple
Virtuelle Realität *f Computer*: virtual reality
Virus *n*, *m* virus
Visum *n* visa

Vitamin *n* vitamin
Vize... vice-...
Vogel *m* bird; **~futter** *n* birdseed; **~käfig** *m* birdcage; **~perspektive** *f* bird's-eye view; **~scheuche** *f* scarecrow
Vokab|el *f* word; **~n** *pl* → **~ular** *n* vocabulary
Vokal *m* vowel
Volk *n* people; nation
Volks|hochschule *f* adult evening classes *pl*; **~lied** *n* folk song; **~musik** *f* folk music; **~republik** *f* people's republic; **~tanz** *m* folk dance; **~wirtschaft** *f* (national) economy; → **~wirtschaftslehre** *f* economics *sg*; **~zählung** *f* census
voll 1. *adj* full; **~er** full of; **~ *füllen*, ~ *gießen*** fill (up); **~ *machen*** fill (up); F dirty, mess up; ***die Hosen ~ machen*** fill one's pants; **~ *tanken*** fill up; **2.** *adv* fully; *zahlen etc.*: in full
voll|automatisch fully automatic; **&bart** *m* full beard; **&beschäftigung** *f* full employment; **~enden** complete, finish; **~endet** perfect; **&gas** *n* full throttle; **~ *geben*** F step on it
völlig complete(ly), total(ly)
voll|jährig of age; **&jährigkeit** *f* majority; **&kaskoversicherung** *f* comprehensive insurance; **~kommen** perfect; **&korn...** *Brot*, *Mehl etc*: wholemeal ...; **&macht** *f*: **~ *haben*** be* authorized; **&milch** *f* full-cream (*Am.* whole) milk; **&mond** *m* full moon; **&pension** *f* full board; **~ständig** complete(-ly); **&wertkost** *f* wholefood(s *pl*); **~zählig** complete
Volt *n* volt
Volumen *n* volume
von *räumlich*, *zeitlich*: from; *für Genitiv*: of; *Passiv*: by; **~einander** from each other
vor in front of; *zeitlich*, *Reihenfolge*: before; *Uhrzeit*: to; **~ *e-m Jahr*** *etc.* a year *etc.* ago; **~ *allem*** above all
Vor|abend *m* eve; **~ahnung** *f* presentiment, foreboding
voran (*dat*) at the head (of), in front (of), before; ***Kopf* ~** head first; **~gehen** go* ahead; **~kommen** get* along
Vorarbeiter(in) fore(wo)man
voraus (*dat*) ahead (of); ***im* &** in advance, beforehand; **~gehen** go* ahead; *zeitlich*: precede; **~gesetzt: ~, *dass*** provided (that); **~sagen** predict; **~schicken** send* on ahead; **~, *dass*** begin by mentioning that; **~sehen** foresee*; **~setzen** assume; **&setzung** *f* condition, prerequisite; **~en** *pl* requirements *pl*; **~sichtlich** *adv* probably; **&zahlung** *f* advance payment
vorbehalten: *sich* ~ reserve;

Änderungen ~ subject to change
vorbei *räumlich*: by, past (*an s.o., s.th.*); *zeitlich*: over, past, gone; **~fahren** drive* past; **~gehen** pass, go* past; *nicht treffen*: miss; **~lassen** let* pass
vorbereit|en prepare (*a.* ***sich*** ~); **2ung** *f* preparation
vorbestellen reserve
vorbeugen prevent (***e-r Sache*** s.th.); (***sich***) ~ bend* forward; **~d** preventive
Vorbild *n* model; ***sich zum ~ nehmen*** follow *s.o.'s* example; **2lich** exemplary
vorbringen bring* forward; *sagen*: say*, state
Vorder|... *Achse, Rad, Sitz, Teil etc.*: front ...; **2e** front; **~bein** *n* foreleg; **~grund** *m* foreground; **~seite** *f* front; *Münze*: head
vor|dränge(l)n: ***sich*** ~ jump the queue, *Am.* cut* into line; **~dringen** advance; **2druck** *m* form, *Am. a.* blank; **~ehelich** premarital; **~eilig** hasty, rash; **~eingenommen** prejudiced (***gegen*** against); **~enthalten:** ***j-m et.*** ~ withhold* s.th. from s.o.; **~erst** for the time being
Vorfahr *m* ancestor
vorfahr|en drive* up; **2t** *f* right of way; ***die ~ beachten*** give* way, *Am.* yield (right of way)
Vorfall *m* incident, event
vorfinden find*
vorführ|en show*, present; **2ung** *f* presentation, show(-ing); *thea., Film*: *a.* performance
Vor|gang *m* event; *biol., tech. etc.* process; **~gänger(in)** predecessor; **~garten** *m* front garden (*Am.* yard); **2gehen** go* (up) to the front; → ***vorangehen***; *geschehen*: go* on; *wichtiger sein*: come* first; *verfahren*: proceed; *Uhr*: be* fast; **~gesetzte** *m, f* superior, boss; **2gestern** the day before yesterday
vorhaben 1. *v/t* plan, intend, be* going to *do s.th.*; **2.** 2 *n* intention, plan(s *pl*); project
Vorhand *f* forehand
vorhanden existing; *verfügbar*: available; ~ ***sein*** exist; **2sein** *n* existence
Vorhang *m* curtain
vor|her before, earlier; *im Voraus*: in advance; **~herrschend** predominant
Vorhersage *f* forecast, prediction; **2n** predict
vor|hin earlier on, a (short) while ago; **~ig** previous; **2kenntnisse** *pl* previous knowledge *sg*
vorkommen 1. be* found; *geschehen*: happen; *scheinen*: seem; ***sich ...*** ~ feel* ...; **2.** 2 *n* occurrence
Vorkriegs... prewar ...
Vorladung *f* summons

Vor|lage *f Muster*: pattern; *parl.* bill; *Sport*: pass; **2lassen** let* pass; *empfangen*: admit; **2läufig 1.** *adj* provisional; **2.** *adv* for the time being; **2laut** pert, cheeky

vorlege|n present; *zeigen*: show*; **2r** *m* rug

vorles|en read* (out) (**j-m** to s.o.); **2ung** *f* lecture (**über** on)

vorletzte next-to-last; **~ Nacht** the night before last

Vor|liebe *f* preference; **~marsch** *m* advance; **2merken** put* *s.o.*('s name) down

Vormittag *m* (**am** in the; **heute** this) morning

Vormund *m* guardian

vorn in front; **nach ~** forward; **von ~** from the front (*zeitlich*: beginning)

Vorname *m* first name

vornehm distinguished; *fein*: fashionable, F posh; **~ tun** put* on airs; **~en: sich ~ zu** decide to, plan to

vornherein: von ~ from the first (*od.* start)

Vorort *m* suburb; **~(s)zug** *m* suburban train

Vor|programm *n* supporting program(me); **2programmiert** *fig.* inevitable; **das war ~** that was bound to happen; **~rang** *m* priority (**vor** over); **~rat** *m* supply, supplies *pl*, stocks *pl* (**an** of); **2rätig** in stock; **~recht** *n* privilege; **~richtung** *f* device; **2rücken** move forward; **~runde** *f* preliminary round; **~saison** *f* off-season; **~satz** *m* resolution; *jur.* intent; **2sätzlich** *bsd. jur.* wil(l)ful; **~schein** *m*: **zum ~ kommen** appear, come* out

Vorschlag *m* suggestion, proposal; **2en** suggest, propose

Vor|schrift *f* rule, regulation; *tech.*, *med.* instruction; **2schriftsmäßig** according to regulations *etc.*; **~schule** *f* nursery school, *Am.* preschool; **~schuss** *m* advance; **2sehen** plan; *jur.* provide; **sich ~** be* careful, watch out (**vor** for)

Vorsicht *f* caution, care; **~!** look out!, (be) careful!; **~, Stufe!** mind the step!, *Am.* caution: step!; **2ig** careful; **~smaßnahme** *f*: **~n treffen** take* precautions

Vorsilbe *f* prefix

Vorsitz *m* chair(manship); **~ende** *m*, *f* chairperson, chair|man (-woman), president

Vorsorg|e *f* precaution; **2lich** as a precaution

Vorspeise *f* hors d'oeuvre

Vorspiel *n* prelude (*a. fig.*); *sexuell*: foreplay; **2en: j-m et. ~** play s.th. to s.o.

Vor|sprung *m* projection; *Sport*: lead; **e-n ~ haben** be* ahead (*a. fig.*); **~stadt** *f* suburb; **~stand** *m* board (of directors); *Club*: managing

committee; 𝟐**stehen** protrude; *fig.* be* the head of
vorstell|en *Uhr*: put forward; introduce (***sich*** o.s.; ***j-n j-m*** s.o. to s.o.); ***sich et.*** ~ imagine s.th.; ***sich ~ bei*** have* an interview with; 𝟐**ung** *f* introduction; *Gedanke*: idea; *thea. etc.* performance; 𝟐**ungsgespräch** *n* interview
Vor|stopper *m Fußball*: cent|re (*Am.* -er) back; **~strafe** *f* previous conviction; **~n(register** *n*) *pl* criminal record; 𝟐**täuschen** feign, pretend
Vorteil *m* advantage (*a. Sport*); 𝟐**haft** advantageous (***für*** to)
Vortrag *m* lecture (***halten*** give*); 𝟐**en** *Gedicht*: recite; *äußern*: express, state
vortreten step forward; *fig.* protrude (*a. Augen*)
vorüber → ***vorbei***; **~gehen** pass, go* by; **~gehend** temporary
Vor|urteil *n* prejudice; **~verkauf** *m thea. etc.* advance booking; **~wahl** *f tel.* STD (*od.* dial[l]ing, *Am.* area) code; *pol.* preliminary election, *Am.* primary; **~wand** *m* pretext
vorwärts forward, on(ward); **~!** let's go!; **~ *kommen*** make* headway (*a. fig.*); *fig.* get ahead (*od.* on, somewhere)
vor|weg beforehand; **~wegnehmen** anticipate; **~weisen** show*; **~werfen:** ***j-m et. ~*** reproach s.o. with s.th.; → ***beschuldigen***; **~wiegend** chiefly, mainly, mostly
Vorwort *n* foreword; *bsd. des Autors*: preface
Vorwurf *m* reproach; ***j-m*** (***sich***) ***Vorwürfe machen*** reproach s.o. (o.s.) (***wegen*** for); 𝟐**svoll** reproachful
Vor|zeichen *n* omen, sign (*a. math.*); 𝟐**zeigen** show*; 𝟐**zeitig** premature; 𝟐**ziehen** *Vorhänge*: draw*; *fig.* prefer; **~zug** *m* preference; *Vorteil*: advantage; *Wert*: merit; 𝟐**züglich** exquisite
vulgär vulgar
Vulkan *m* volcano

W

Waag|e *f* scale(s *pl Brt.*); *Fein*𝟐: balance; *astr.* Libra; 𝟐(**e**)**recht** horizontal
Wabe *f* honeycomb
wach awake; **~ *werden*** wake* up; 𝟐**e** *f* guard (*a. mil.*); *Posten*: *a.* sentry; *naut., med.* watch; *Polizei*𝟐: police station; **~en** (keep*) watch
Wacholder *m* juniper
Wachs *n* wax
wachsam watchful

wachsen[1] grow* (*a.* ***sich ~ lassen***); *fig. a.* increase

wachsen[2] wax

Wächter(in) guard

Wacht(t)urm *m* watchtower

wackel|ig shaky; *Zahn*: loose; **⁀kontakt** *m* loose contact; **~n** shake*; *Tisch etc.*: wobble; *Zahn*: be* loose

Wade *f* calf

Waffe *f* weapon (*a. fig.*); **~n** *pl a.* arms *pl*

Waffel *f* waffle; *Eis⁀*: wafer

Waffenstillstand *m* armistice, truce

wagen dare; *riskieren*: risk; ***sich ~ in*** venture into

Wagen *m* car; → ***Lastwagen*** *etc.*; **~heber** *m* jack

Waggon *m*, *a.* **Wagon** *m* wag(g)on, *Am.* car

Wahl *f* choice; *andere*: alternative; *pol.* election; *~vorgang*: voting, poll; ***zweite ~*** *econ.* seconds *pl*; **⁀berechtigt** eligible (*od.* entitled) to vote; **~beteiligung** *f* (voter) turnout

wähle|n choose*; *pol.* vote; *j-n*: elect; *tel.* dial; **⁀r(in)** voter; **~risch** particular

Wahl|fach *n* optional subject, *Am. a.* elective; **~kabine** *f* polling booth; **~kampf** *m* election campaign; **~kreis** *m* constituency; **~lokal** *n* polling station (*Am.* place); **⁀los** (*adv* at) random; **~recht** *n* right to vote, franchise; **~urne** *f* ballot box

Wahnsinn *m* insanity, madness (*a. fig.*); **⁀ig 1.** *adj* insane, mad; **2.** *adv* F awfully

wahr true; *wirklich*: *a.* real

während 1. *prp* during; **2.** *cj* while; *Gegensatz*: *a.* whereas

Wahr|heit *f* truth; **⁀nehmen** perceive, notice; *fig. ergreifen*: seize; **~sager(in)** fortune-teller; **⁀scheinlich** probably; likely; **~scheinlichkeit** *f* probability, likelihood

Währung *f* currency

Wahrzeichen *n* landmark

Waise *f* orphan; **~nhaus** *n* orphanage

Wal *m* whale

Wald *m* wood(s *pl*), forest; **~sterben** *n* dying of forests, forest deaths *pl* (*od.* dieback)

Walkman® *m* personal stereo, Walkman ®

Wall *m* rampart

Wallfahrt *f* pilgrimage

Wal|nuss *f* walnut; **~ross** *n* walrus

Walze *f* roller; cylinder

wälzen: (*sich*) ~ roll

Walzer *m* waltz

Wand *f* wall

Wandel *m*, **⁀n: *sich* ~** change

Wander|er *m*, **~in** *f* hiker; **⁀n** hike; *streifen*: wander (*a. fig.*); **~pokal** *m* challenge cup; **~ung** *f* hike; **~weg** *m* (hiking) trail

Wand|gemälde *n* mural; **~lung** *f* change; **~schrank** *m* built-in cupboard, *Am.* clos-

et; **~tafel** *f* blackboard; **~teppich** *m* tapestry
Wange *f* cheek
wanke|lmütig fickle, inconstant; **~n** stagger, reel
wann when, (at) what time; ***seit ~?*** (for) how long?, since when?
Wanne *f* tub; bathtub
Wanze *f* bedbug; F *fig.* bug
Wappen *n* coat of arms
Ware *f* goods *pl*; *Artikel*: article; *Produkt*: product; **~nhaus** *n* department store; **~nlager** *n* stock; **~nprobe** *f* sample; **~nzeichen** *n* trademark
warm warm; *Essen*: hot
Wärm|e *f* warmth; *phys.* heat; **2en** warm (up); **~flasche** *f* hot-water bottle
Warn|dreieck *n mot.* warning triangle; **2en** warn (***vor*** of, against); **~ung** *f* warning
warten wait (***auf*** for)
Wärter(in) guard; *Zoo*: keeper; *Museum etc.*: attendant
Warte|saal *m*, **~zimmer** *n* waiting room
Wartung *f* maintenance
warum why, F what (...) for
Warze *f* wart
was what; **~ *kostet ...?*** how much is ...?
wasch|bar washable; **2becken** *n* wash|basin, *Am.* -bowl
Wäsche *f* wash(ing), laundry; *Tisch2, Bett2*: linen(s *pl*); *Unter2*: underwear; **~klammer** *f* clothes peg (*Am.* pin); **~leine** *f* clothesline
waschen wash; ***sich ~*** have a wash, wash (o.s.); ***sich die Haare*** *etc.* **~** wash one's hair *etc.*; **~ *und legen*** a shampoo and set
Wäscherei *f* laundry
Wasch|lappen *m* flannel, *Am.* washcloth; **~maschine** *f* washing machine, washer; **~pulver** *n* detergent, washing powder; **~salon** *m* launderette, *Am. a.* laundromat; **~straße** *f mot.* car wash
Wasser *n* water; **~ball** *m* beach ball; *Sport*: water polo; **2dicht** waterproof; **~fall** *m* waterfall; **~flugzeug** *n* seaplane; **~graben** *m* ditch; **~hahn** *m* tap, *Am. a.* faucet
wäss(e)rig watery
Wasser|kraftwerk *n* hydroelectric power station; **~leitung** *f* water pipe(s *pl*); **~mann** *m astr.* Aquarius
wässern water
Wasser|rohr *n* water pipe; **2scheu** scared of water; **~ski** *n* water skiing; **~ *laufen*** waterski; **~sport** *m* water (*od.* aquatic) sports *pl*; **~stoff** *m* hydrogen; **~stoffbombe** *f* hydrogen bomb, H-bomb; **~verschmutzung** *f* water pollution; **~waage** *f* spirit level; **~weg** *m* waterway; ***auf dem ~*** by water; **~welle** *f* waterwave; **~werfer** *m* water cannon; **~werk** *n* water-

works *sg*, *pl*; **~zeichen** *n* watermark
waten wade
watsch|eln waddle; **2e(n)** *f* *östr*. slap in the face
Watt *n electr*. watt; *geogr*. mud flats *pl*
Watte *f* cotton (wool)
web|en weave*; **2stuhl** *m* loom
Wechsel *m* change; *Geld2*: exchange; *Bank2*: bill of exchange; *Monats2*: allowance; **~geld** *n* (small) change; **~kurs** *m* exchange rate; **2n** change; *ab~*: vary; *Worte*: exchange; **~strom** *m* alternating current; **~stube** *f* exchange (office)
wecke|n wake* (up); **2r** *m* alarm clock
wedeln wave (***mit et.*** s.th.); *Ski*: wedel; *Hund*: wag its tail
weder: ~ ... *noch* neither ... nor
Weg *m* way (*a. fig.*); *Pfad*: path; *Route*: route; *Fuß2*: walk
weg away; *verschwunden*, *verloren*: gone; *los*, *ab*: off; **~ (*hier*)!** (let's) get out (of here)!; **~bleiben** stay away; **~bringen** take* away
wegen because of
weg|fahren leave*; *mot. a.* drive* away; **~fallen** be* dropped; **~gehen** go* away (*a. fig.*), leave*; *Ware*: sell*; **~jagen** drive* away; **~lassen** let* *s.o.* go; *et.*: leave* out; **~laufen** run* away; **~machen** *Fleck etc.*: get* out; **~nehmen** take* away (***j-m*** from s.o.); *Platz etc.*: take* up; **~räumen** clear away; **~schaffen** remove
Wegweiser *m* signpost
weg|werfen throw* away; **~wischen** wipe off
weh sore
Wehen *pl* labo(u)r *sg*
wehen blow*; *Fahne*: *a.* wave
wehleidig hypochondriac
Wehr *n* weir
Wehr|dienst *m* military service; **2en: *sich* ~** defend o.s.; **2los** defen|celess, *Am.* -seless
wehtun hurt* (***sich*** o.s.)
Weib|chen *n zo.* female; **2lich** female; *Wesensart*: feminine
weich soft (*a. fig.*); *Ei*: soft-boiled; F **~ *werden*** give* in
Weiche *f rail.* points *pl*, *Am.* switch
weichlich soft, F sissy
Weide *f bot.* willow; *agr.* pasture; **~land** *n* pasture; **2n** pasture, graze
weiger|n: *sich* ~ refuse; **2ung** *f* refusal
weihen *rel.* consecrate
Weihnachten *n* Christmas
Weihnachts|abend *m* Christmas Eve; **~baum** *m* Christmas tree; **~geschenk** *n* Christmas present; **~lied** *n* Christmas carol; **~mann** *m* Father Christmas, Santa Claus; **~tag** *m*: ***erster* ~** Christmas Day; ***zweiter* ~**

Boxing Day; **~zeit** *f* Christmas (season)
Weih|rauch *m* incense; **~wasser** *n* holy water
weil because; since, as
Weile *f*: **e-e ~** a while
Wein *m* wine; *Rebe*: vine; **~bau** *m* winegrowing; **~beere** *f* grape; **~berg** *m* vineyard; **~brand** *m* brandy
weinen cry (***vor*** with; ***um*** for; ***wegen*** about, over)
Wein|fass *n* wine cask; **~karte** *f* wine list; **~lese** *f* vintage; **~probe** *f* wine tasting; **~stock** *m* vine; **~traube** *f* → ***Traube***
weise wise
Weise *f Art u.* **~**: way; *mus.* tune; ***auf diese*** **(*m-e*)** **~** this (my) way
weisen show*; **~ *aus*** (*od.* ***von***) expel *s.o.* from; **~ *auf*** point at (*od.* to)
Weisheit *f* wisdom; **~szahn** *m* wisdom tooth
weiß white; **≈brot** *n* white bread; **≈e** *m, f* white (man *od.* woman); **≈wein** *m* white wine
weit 1. *adj* wide; *Reise*, *Weg*: long; ***wie ~ ist es?*** how far is it?; **2.** *adv* far; ***bei ~em*** by far; ***von ~em*** from a distance; **~ *verbreitet*** widespread; ***zu ~ gehen*** go* too far
weiter 1. *adj* further; ***e-e ~e ...*** another; **2.** *adv* on, further; ***nichts ~*** nothing else; ***und so ~*** and so on; **~...** *arbeiten etc.*: *mst* go* on *doing s.th.*; **≈bildung** *f* continuing education; *berufliche*: further training; **~fahren** go* on; **~geben** pass (***an*** to); **~gehen** move on; *fig.* continue; **~kommen** get* on (*fig.* in life); **~können** be* able to go on; **~machen** go* on, continue
weit|sichtig longsighted, *Am. u. fig.* farsighted; **≈sprung** *m* long (*Am.* broad) jump; **~verbreitet** widespread; **≈winkel(objektiv** *n*) *m phot.* wide-angle lens
Weizen *m* wheat
welch 1. *interr pron* what, which; **~*e*(*r*)?** which one?; **2.** *rel pron* who, which, that
Wellblech *n* corrugated iron
Welle *f* wave; *tech.* shaft
wellen: (***sich***) **~** wave; **≈länge** *f* wavelength (*a. fig.*); **≈linie** *f* wavy line; **≈sittich** *m* budgerigar, F budgi
wellig wavy
Welt *f* world; ***auf der ganzen ~*** all over the world; **~all** *n* universe; **≈berühmt** world-famous; **~krieg** *m* world war; ***Erster*** (***Zweiter***) **~** World War I (II); **≈lich** worldly; **~meister(in)** world champion; **~raum** *m* (outer) space; **~reise** *f* world trip; **~rekord** *m* world record; **~stadt** *f* metropolis; **≈weit** worldwide

wem (to) whom, who ... to; ***von*** ~ who ... from
wen who(m); ***an*** ~ to whom, who ... to
Wende *f* turn; *Änderung*: change; ***die*** ~ *pol. hist.* the opening of the Berlin wall; **~hals** *m* F *pol.* turncoat
Wendeltreppe *f* spiral staircase
wende|n: (***sich***) ~ turn (***nach*** to; ***gegen*** against; ***an j-n um Hilfe*** to s.o. for help); bitte ~! please turn over!; **2punkt** *m* turning point
wenig little; ~(***e***) *pl* few *pl*; **~er** less; *pl* fewer; *math.* minus; ***am ~sten*** least (of all); **~stens** at least
wenn when; *falls*: if
wer who; *auswählend*: which; ***~ von euch?*** which of you? ***~ auch*** (***immer***) who(so)ever
Werbe|fernsehen *n* TV commercials (*Brt. a.* adverts) *pl*; **~funk** *m* radio commercials (*Brt. a.* adverts) *pl*; **2n** advertise (***für et.*** s.th.); ~ ***um*** court; **~spot** *m* commercial
Werbung *f* advertising, (sales) promotion; *a. pol. etc.*: publicity
werden become*, *mit adj*: *mst* get*; *allmählich*: grow*; *blass ~ etc.*: turn; *Futur*: will; *Passiv*: ***geliebt*** ~ be* loved (***von*** by); ***was willst du ~?*** what do you want to be?
werfen throw* (*a. zo.*) ([***mit***] ***et. nach*** s.th. at; ***sich*** o.s.); *aviat. Bomben*: drop
Werft *f* shipyard
Werk *n* work; *Tat*: *a.* deed; *tech.* works *pl*; *Fabrik*: factory; **~meister(in)** fore|man (-woman); **~statt** *f* workshop; repair shop; **~tag** *m* workday; ***an ~en*** on weekdays; **~zeug** *n* tool(s *pl*); *feines*: instrument
wert worth
Wert *m* value; *Sinn, Nutzen*: use; **~e** *pl* data *sg, pl*, figures *pl*; ***~ legen auf*** attach importance to; **2gegenstand** *m* article of value; **~los** worthless; **2papiere** *pl* securities *pl*; **2sachen** *pl* valuables *pl*; **~voll** valuable
Wesen *n* being, creature; *Kern*: essence; *Natur*: nature, character; **2tlich** essential
weshalb → ***warum***
Wespe *f* wasp
wessen whose; *beschuldigt etc.*: what ... of
Weste *f* waistcoat, *Am.* vest
West|(**en** *m*) west; **2lich** western; *Wind etc.*: west(erly); *pol.* West(ern)
Wett|bewerb *m* competition; **~e** *f* bet; **2en** bet* (***mit j-m um et.*** s.o. s.th.)
Wetter *n* weather; **~bericht** *m* weather report; **~lage** *f* weather situation; **~vorhersage** *f* weather forecast
Wett|kampf *m* competition; **~kämpfer(in)** competitor;

~lauf *m*, **~rennen** *n* race; **~rüsten** *n* arms race; **~streit** *m* contest
wichtig important; **½keit** *f* importance
wickeln wind*; *Baby*: change
Widder *m* ram; *astr.* Aries
wider against, contrary to; **½haken** *m* barb; **~legen** refute, disprove; **~lich** disgusting, sickening; **~setzen: sich ~** oppose; **~spenstig** unruly (*a. Haar*), stubborn; **~sprechen** contradict; **½spruch** *m* contradiction (***in sich*** in terms); **½stand** *m* resistance (*a. phys.*); **~standsfähig** resistant; **~strebend** reluctantly; **~wärtig** disgusting; **½wille** *m* aversion; *Ekel*: disgust; **~willig** reluctant
widm|en dedicate (***sich*** o.s.); **½ung** *f* dedication
wie how; ***~ geht es dir?*** how are you?; ***~ ist er?*** what's he like? ***~ wäre es mit ...?*** what *od.* how about ...?; ***~ viel...?*** how much (*pl* many) ...? ***~ viele ...?*** how many ...?; ***~ ich*** (***neu***) like me (new); ***~ er sagte*** as he said; → ***so***
wieder again; ***immer ~*** again and again; ***~ aufnehmen*** resume; ***~ beleben*** resuscitate; *fig.* revive; ***~ erkennen*** recognize (***an*** by); ***~ gutmachen*** make* up for; (***sich***) ***~ sehen*** see (each other) again; ***~ verwerten*** *Abfall*: recycle; **½aufbau** *m* reconstruction; **½aufbereitungsanlage** *f* (nuclear fuel) reprocessing plant; **~bekommen** get* back; **½belebung** *f* resuscitation; *fig.* revival; **½belebungsversuch** *m* attempt at resuscitation; **~bringen** bring* back; **~geben** give* back, return; *schildern*: describe; **~herstellen** restore; **~holen** repeat; **½holung** *f* repetition; **~kommen** come* back, return; **½sehen** *n* reunion; ***auf ~!*** good-bye!, F bye!; **½vereinigung** *f* reunification; **½verwertung** *f* recycling
Wiege *f* cradle; **½n** weigh; *Baby*: rock; **~nlied** *n* lullaby
wiehern neigh; F guffaw
Wiese *f* meadow
Wiesel *n* weasel
wie|so → ***warum***; **~viel** → ***viel***; **~vielte: *der ½ ist heute?*** what's the date today?
wild 1. *adj* wild (*a. fig.*; ***auf*** about); **2. ½** *n* game; *gastr. mst* venison; **½erer** *m* poacher; **½leder** *n* suede; **½nis** *f* wilderness; **½park** *m* game (*od.* deer) park; **½reservat** *n* game reserve; **½schwein** *n* wild boar
Wille *m* will; ***s-n ~n durchsetzen*** have* one's way; **~nskraft** *f* willpower
willkommen welcome
wimm|eln swarm (***von*** with); **~ern** whimper
Wimpel *m* pennant

Wimper *f* eyelash; **~ntusche** *f* mascara
Wind *m* wind
Windel *f* nappy, *Am.* diaper
winden wind* (*a.* ***sich*** ~); ***sich ~ vor*** writhe in
wind|ig windy; *fig.* shady; **ꝏmühle** *f* windmill; **ꝏpocken** *pl* chicken pox *sg*; **ꝏschutzscheibe** *f* windscreen, *Am.* windshield; **ꝏstärke** *f* wind force; **ꝏstille** *f* calm; **ꝏstoß** *m* gust; **ꝏsurfen** *n* windsurfing
Windung *f* bend, turn
Wink *m* sign; *fig.* hint
Winkel *m math.* angle; *Ecke*: corner; ***rechter ~*** right angle
winken wave (***mit et.*** s.th.)
winseln whimper, whine
Winter *m* winter; **ꝏlich** wintry; **~sport** *m* winter sports *pl*
Winzer(in) winegrower
winzig tiny, diminutive
Wipfel *m* (tree)top
wir we; ***~ beide*** the two of us; ***~ sinds*** it's us
Wirbel *m* whirl (*a. fig.*); *anat.* vertebra; *Haar*ꝏ: cowlick; F *Getue*: fuss; **ꝏn** whirl; **~säule** *f* spine; **~sturm** *m* cyclone, tornado
wirk|en work; be* effective (***gegen*** against); *erscheinen*: look, seem; **~lich** real(ly), actual(ly); **ꝏlichkeit** *f* reality; **~sam** effective; **ꝏung** *f* effect; **~ungsvoll** effective
wirr confused; *Haar*: tousled; **ꝏwarr** *m* mix-up, chaos
Wirt(in) land|lord (-lady)
Wirtschaft *f* economy; *Geschäftswelt*: business; → ***Gastwirtschaft***; **ꝏlich** economic; *sparsam*: economical; **~sminister** *m* minister for economic affairs
wischen wipe; → ***Staub***
wissen 1. know* (***von*** about); **2.** ꝏ *n* knowledge
Wissenschaft *f* science; **~ler(in)** scientist; **ꝏlich** scientific
wissenswert worth knowing; **ꝏes** useful facts *pl*
witter|n scent, smell*; **ꝏung** *f* weather; *hunt.* scent
Witwe *f* widow; **~r** *m* widower
Witz *m* joke; **~bold** *m* joker; **ꝏig** funny; *geistreich*: witty
wo where; **~anders(hin)** somewhere else
Woche *f* week; **~nende** *n* weekend; **ꝏnlang** for weeks; **~nlohn** *m* weekly wages *pl*; **~nschau** *f* newsreel; **~ntag** *m* weekday
wöchentlich weekly; ***einmal ~*** once a week
wo|durch how; *durch was*: through which; **~für** for which; **~?** what (...) for?
Woge *f* wave (*a. fig.*)
wogegen whereas, while
wo|her where ... from; **~hin** where (... to)
wohl 1. well; *vermutlich*: I suppose; ***sich ~ fühlen*** be* well; *seelisch*: feel* good;

2. ♀ *n s.o.'s* well-being; ***zum ~!*** your health!, F cheers!; **~behalten** safely; **♀fahrts...** welfare ...; **~habend** well-to-do; **~ig** cosy, snug; **♀stand** *m* prosperity; **♀tat** *f fig.* pleasure, relief; **~tätig** charitable; **♀tätigkeits...** *Konzert etc.*: benefit ...; **~tuend** pleasant; **~verdient** well-deserved; **♀wollen** *n* goodwill; **~wollend** benevolent

wohn|en live (***in*** in; ***bei*** *j-m* with *s.o.*); *vorübergehend*: stay (at; with); **♀gemeinschaft** *f*: ***in e-r ~ leben*** share a flat (*Am.* an apartment) (*od.* a house); **♀mobil** *n* camper (van); **♀siedlung** *f* housing estate (*Am.* development); **♀sitz** *m* residence; **♀ung** *f* flat, *Am.* apartment; **♀wagen** *m* caravan, *Am.* trailer; **♀zimmer** *n* living room

wölb|en: (*sich*) ~ arch; **♀ung** *f* vault, arch

Wolf *m* wolf

Wolke *f* cloud; **~nbruch** *m* cloudburst; **~nkratzer** *m* skyscraper; **♀nlos** cloudless

wolkig cloudy, clouded

Woll|... *Decke etc.*: wool(l)en ...; **~e** *f* wool

wollen want (to); ***lieber ~*** prefer; ***~ wir (...)?*** shall we (...)?; ***~ Sie bitte ...*** will you please ...; ***sie will, dass ich ...*** she wants me to *inf*

wo|mit which ... with; ***~?*** what ... with?; **~möglich** perhaps; if possible; **~nach** what ... for?; **~ran: *~ denkst du?*** what are you thinking of?; **~rauf** after (*örtlich*: on) which; ***~ wartest du?*** what are you waiting for?; **~raus** from which; ***~ ist es?*** what is it made of?; **~rin** in which; ***~?*** where?

Wort *n* word; ***beim ~ nehmen*** take* *s.o.* at his word

Wörterbuch *n* dictionary

wörtlich literal

wort|los without a word; **♀schatz** *m* vocabulary; **♀stellung** *f* word order; **♀wechsel** *m* argument

wo|rüber what ... about?; **~rum: *~ handelt es sich?*** what is it about?; **~von** what ... about?; **~vor** what ... of?; **~zu** what ... for?

Wrack *n* wreck

wringen wring*

Wucher *m* usury; **♀n** grow* rampant; **~ung** *f* growth

Wuchs *m* growth; build

Wucht *f* force; **♀ig** heavy

wühlen dig*; *Schwein*: root; *fig.* ***~ in*** rummage in

wulstig *Lippen*: thick

wund sore; ***~e Stelle*** sore; **♀e** *f* wound

Wunder *n* miracle; **♀bar** wonderful, marvel(l)ous; **♀n** surprise; ***sich ~*** be* surprised (***über*** at); **♀schön** lovely; **♀voll** wonderful

Wundstarrkrampf *m* tetanus

Wunsch *m* wish (*a. Glück*≈); *Bitte*: request
wünschen wish, want (*a.* ***sich*** **~**); **~swert** desirable
Würde *f* dignity
würdig worthy (*gen* of); **~en** appreciate
Wurf *m* throw; *zo.* litter
Würfel *m* cube; *Spiel*≈: dice; **≈n** (play) dice; *gastr.* dice; **~zucker** *m* lump sugar
Wurf|geschoss *n*, **~geschoß** *n östr.* missile
würgen choke
Wurm *m* worm; **≈en** gall; **≈stichig** wormeaten
Wurst *f* sausage
Würze *f* spice; *fig. a.* zest
Wurzel *f* root (*a. math. u. fig*)
würz|en spice, season; **~ig** spicy, well-seasoned
wüst F messy; *wild*: wild; *öde*: waste
Wüste *f* desert
Wut *f* rage, fury
wüten rage; **~d** furious

X, Y

X-Beine *pl* knock knees *pl*
x-beliebig: ***jede*(*r*, *-s*) ≈*e* ...** any (... you like)
x-mal umpteen times
x-te: ***zum ~n Male*** for the umpteenth time
Xylophon *n* xylophone

Yacht *f* yacht
Yoga *m*, *n* yoga

Z

Zack|e *f*, **~en** *m* (sharp) point; **≈ig** jagged
zaghaft timid
zäh tough; **~flüssig** thick, viscous; *fig.* slow-moving
Zahl *f* number; *Ziffer*: figure; **≈bar** payable
zählbar countable
zahlen pay*; **~, *bitte!*** the bill (*Am. a.* check), please!
zähle|n count; **~ *zu*** rank with; **≈r** *m* counter; meter
Zahl|karte *f* paying-in (*Am.* deposit) slip; **≈los** countless; **≈reich 1.** *adj* numerous; **2.** *adv* in great number; **~tag** *m* payday; **~ung** *f* payment
zahm, zähmen tame
Zahn *m* tooth; *tech. a.* cog; **~arzt** *m*, **~ärztin** *f* dentist; **~bürste** *f* toothbrush; **~fleisch** *n* gums *pl*; **~füllung** *f* filling; **~hals** *m* neck of the tooth; **≈los** toothless; **~lücke** *f* gap between the teeth; **~pasta** *f* toothpaste; **~rad** *n* cogwheel; **~radbahn** *f* rack railway; **~schmerzen**

pl toothache *sg*; **~spange** *f* brace; **~stein** *m* tartar; **~stocher** *m* toothpick
Zange *f* pliers *pl*; *Kneif*℞: pincers *pl*; *med.* forceps *pl*; *Greif*℞: tongs *pl*; *zo.* pincer
zanken → ***streiten***
zänkisch quarrelsome
Zäpfchen *n anat.* uvula; *med.* suppository
Zapf|en *m Fass*: tap, *Am.* faucet; *Pflock*: peg; **℞en** tap; **~hahn** *m* tap, *Am.* faucet; **~säule** *f* petrol (*Am.* gas) pump
zappeln fidget, wriggle
zappen *TV* F zap
zart tender; *sanft*: gentle
zärtlich tender, affectionate; **℞keit** *f* affection; *Liebkosung*: caress
Zauber *m* magic, spell, charm (*alle a. fig.*); **~er** *m* magician, sorcerer, wizard; **℞haft** charming; **~in** *f* sorceress; **~künstler(in)** illusionist, conjurer; **℞n** *v/t* conjure; do* magic (tricks)
Zaum *m* bridle (*a.* **~zeug**)
Zaun *m* fence
Zebra *n* zebra; **~streifen** *m* zebra crossing
Zeche *f* bill; (coal) mine
Zecke *f* tick
Zeh *m*, **~e** *f* toe; *Knoblauch*: clove; **~ennagel** *m* toenail; **~enspitze** *f* tip of the toe; ***auf ~n gehen*** tiptoe
zehn ten; **℞kampf** *m* decathlon; **~te, ℞tel** *n* tenth
Zeichen *n* sign; *Merk*℞: *a.* mark; *Signal*: signal; **~block** *m* drawing block; **~papier** *n* drawing paper; **~trickfilm** *m* (animated) cartoon
zeichn|en draw*; *kenn~*: mark (*a. fig.*); **℞er(in)** draughts|man (-woman), *Am.* drafts|man (-woman); **℞ung** *f* drawing; *zo.* marking
Zeige|finger *m* forefinger, index finger; **℞n** show* (*a.* ***sich*** *~*); *~* ***auf*** (***nach***) point at (to); **~r** *m Uhr*℞: hand; *tech.* pointer, needle
Zeile *f* line
Zeit *f* time; *gr.* tense; ***in letzter*** *~* recently; ***lass dir*** *~* take your time; **~alter** *n* age; **℞gemäß** modern, up-to-date; **~genosse, ~genossin, ℞genössisch** contemporary; **~karte** *f* season ticket; **℞lich 1.** *adj* time ...; **2.** *adv*: *~* ***planen*** *etc.* time *s.th.*; **~lupe** *f* slow motion; **~punkt** *m* moment; date, (point of) time; **~raum** *m* period (of time); **~schrift** *f* magazine
Zeitung *f* (news)paper
Zeitungs|artikel *m* newspaper article; **~ausschnitt** *m* newspaper cutting (*Am.* clipping); **~junge** *m* paper boy; **~kiosk** *m* newsstand; **~notiz** *f* press item; **~papier** *n* newspaper; **~verkäufer(in)** newsvendor, *Am.* newsdealer
Zeit|verlust *m* loss of time;

~verschwendung *f* waste of time; **~vertreib** *m* pastime; **&weise** for a time; **~zeichen** *n* time signal

Zell|e *f* cell; *tel.* booth; **~stoff** *m*, **~ulose** *f* cellulose

Zelt *n* tent; **&en** camp; go* camping; **~lager** *n* camp; **~platz** *m* campsite

Zement *m* cement

Zensur *f* censorship; *Schule*: mark, grade

Zentimeter *m*, *n* centimet|re, *Am.* -er

Zentner *m* 50 kilograms

zentral central; **&e** *f* headquarters *sg*, *pl*; **&einheit** *f Computer*: central processing unit, CPU; **&heizung** *f* central heating; **&verriegelung** *f mot.* central locking

Zentrum *n* cent|re, *Am.* -er

zerbrech|en break*; ***sich den Kopf*** ~ rack one's brains; **~lich** fragile

Zeremonie *f* ceremony

Zerfall *m* decay; **&en** disintegrate, decay (*a. fig.*)

zer|fetzen tear* to pieces; **~fließen** melt; **~fressen** eat*; *chem.* corrode; **~gehen** melt; **~kauen** chew; **~kleinern** cut* (*od.* chop) up; *mahlen*: grind*; **~knirscht** remorseful; **~knittern** (c)rumple, crease; **~knüllen** crumple up; **~kratzen** scratch; **~legen** take* apart (*od.* to pieces); *Fleisch*: carve; **~lumpt** ragged; **~mahlen** grind*; **~platzen** burst*; explode; **~quetschen** crush; **~reiben** grind*, pulverize; **~reißen** *v/t* tear* up (*od.* to pieces); ***sich*** ~ *Hose etc.*: tear*; *v/i* tear*; *Seil etc*: break*

zerr|en drag; *med.* strain; ~ ***an*** tug at; **&ung** *f* strain

zer|sägen saw* up; **~schellen** be* smashed (*Schiff*: wrecked); *aviat. a.* crash; **~schlagen** break*, smash (*a. fig. Drogenring etc.*); **~schneiden** cut* (up *od.* into pieces); **~setzen: (*sich*)** ~ decompose; **~splittern** shatter; *Holz etc., fig.*: splinter; **~springen** burst*; *Glas*: crack

Zerstäuber *m* atomizer

zerstör|en destroy; **&er** *m* destroyer (*a. naut.*); **&ung** *f* destruction; **&ungswut** *f* vandalism

zerstreu|en disperse, scatter; ***sich*** ~ *fig.* take* one's mind off things; **~t** absent-minded; **&ung** *f* distraction

zer|stückeln cut*up; **~teilen** divide; *Fleisch*: carve; **~treten** crush (*a. fig.*); **~trümmern** smash; **~zaust** tousled

Zettel *m* slip (of paper); *Nachricht*: note

Zeug *n* stuff (*a. fig. contp.*); *Sachen*: things *pl*

Zeug|e *m* witness; **&en** become* the father of; *biol.* procreate; **~enaussage** *f*

testimony, evidence; **~in** *f* witness; **~nis** *n* (school) report, *Am.* report card; certificate, diploma; *vom Arbeitgeber*: reference

Zickzack *m* zigzag (*a.* ***im ~ fahren*** *etc.*)

Ziege *f* (she-)goat; F witch

Ziegel *m* brick; *Dach*2: tile; **~stein** *m* brick

Ziegen|bock *m* he-goat; **~leder** *n* kid

ziehen *v/t* pull, draw* (*a. Strich*); *Blumen*: grow*; *heraus~*: pull (*od.* take*) out; ***j-n ~ an*** pull s.o. by; ***auf sich ~*** *Aufmerksamkeit etc.*: attract; ***sich ~*** run*; *dehnen*: stretch; *v/i* pull (***an*** at); *sich bewegen, um~*: move; *Vögel, Volk*: migrate; *gehen*: go*; *reisen*: travel; *ziellos*: wander; ***es zieht*** there is a draught (*Am.* draft)

Zieh|harmonika *f* accordion; **~ung** *f Lotto etc.*: draw(ing)

Ziel *n* aim; *fig. a.* goal, objective; *Sport*: finish; *Reise*2: destination; **2en** (take*) aim (***auf*** at); **~gerade** *f* home stretch (*od.* straight); **~linie** *f* finishing line; **2los** aimless; **~scheibe** *f* target

ziemlich 1. *adj* quite a; **2.** *adv* fairly, rather, F pretty

Zier|de *f* (***zur*** as a) decoration; **2en:** adorn; decorate; ***sich ~*** make* a fuss; **2lich** dainty

Ziffer *f* figure; **~blatt** *n* dial, face

Zigarette *f* cigarette; **~nautomat** *m* cigarette machine

Zigarre *f* cigar

Zigeuner(in) gipsy, *Am.* gypsy

Zimmer *n* room; **~mädchen** *n* chambermaid; **~mann** *m* carpenter

zimperlich fussy; *prüde*: prudish

Zimt *m* cinnamon

Zink *n* zinc

Zinke *f* tooth; *Gabel*: prong

Zinn *n* pewter; *chem.* tin

Zins|en *pl* interest *sg*; **~satz** *m* interest rate

Zipfel *m* corner; *Mütze*: tip, point; *Wurst*2: end; **~mütze** *f* pointed (*od.* tassel[l]ed) cap

Zirk|el *m* circle (*a. fig.*); *math.* compasses *pl*; **2ulieren** circulate; **~us** *m* circus

zischen hiss; *Fett*: sizzle

Zit|at *n* quotation; **2ieren** quote; ***falsch ~*** misquote

Zitrone *f* lemon

zittern tremble, shake* (***vor*** with)

zivil 1. *adj* civil; **2.** 2 *n* civilian (*Polizei*: plain) clothes *pl*; **2bevölkerung** *f* civilians *pl*; **2dienst** *m* alternative (*od.* community) service

Zivil|isation *f* civilization; **2ist** *m* civilian

zögern hesitate

Zoll *m* customs *sg*; *Abgabe*: duty; *Maß*: inch; **~abferti-**

gung *f* customs clearance; **~amt** *n* customs office; **~beamte** *m*, **~beamtin** *f* customs officer; **~erklärung** *f* customs declaration; **＆frei** duty-free; **~kontrolle** *f* customs examination; **＆pflichtig** liable to duty, dutiable
Zone *f* zone
Zoo *m* zoo
Zoologie *f* zoology
Zopf *m* plait; *Kind*: pigtail
Zorn *m* anger; **＆ig** angry
zottig shaggy
zu 1. *prp Richtung*: to, toward(s); *Ort, Zeit*: at; *Zweck, Anlass*: for; **~ *Weihnachten*** *schenken etc.*: for Christmas; ***Schlüssel*** *etc.* **~** key *etc.* to; **2.** *adv* too; F *geschlossen*: closed, shut; **~ *viel*** too much (*pl* many); **~ *wenig*** too little (*pl* few); ***Tür ~!*** shut the door!; **~allererst** first of all
Zubehör *n* accessories *pl*
zuberei|ten prepare; **＆tung** *f* preparation
zubinden tie (up)
Zubringerstraße *f* feeder (*od.* access) road
Zucht *f zo.* breeding; *bot.* cultivation; *Rasse*: breed; *fig.* discipline
züchte|n breed*; *bot.* grow*; **＆r(in)** breeder; grower
Zuchthaus *n* prison; **~strafe** *f* imprisonment
zucken jerk; twitch (***mit et.*** s.th.); *vor Schmerz*: wince; *Blitz*: flash; → ***Achsel***
Zucker *m* sugar; **~dose** *f* sugar bowl; **＆krank, ~kranke** *m, f* diabetic; **~l** *n östr.* → ***Bonbon***; **＆n** sugar; **~rohr** *n* sugarcane; **~rübe** *f* sugar beet
Zuckungen *pl* convulsions *pl*
zudecken cover (***sich*** o.s.)
zu|drehen turn off; **~dringlich**: **~ *werden*** get* fresh (***zu*** with)
zuerst first; *anfangs*: at first
Zufahrt *f* approach; **~sstraße** *f* access road
Zu|fall *m* (***durch*** by) chance; **＆fällig 1.** *adj* accidental; **2.** *adv* by accident, by chance; **~flucht** *f* refuge, shelter
zufrieden content(ed), satisfied; ***j-n ~ stellen*** satisfy s.o.; **~ *stellend*** satisfactory; **＆heit** *f* contentment; satisfaction
zu|frieren freeze* over; **~fügen** do*, cause; ***Schaden* ~** *a.* harm; **＆fuhr** *f* supply
Zug *m* train; *Menschen, Wagen etc.*: procession; *Fest＆*: parade; *Gesichts＆*: feature; *Charakter＆*: trait; *Luft＆, Schluck*: draught, *Am.* draft; *Schach etc.*: move; *Ziehen*: pull; *Rauchen*: *a.* puff
Zu|gabe *f* extra; *thea.* encore; **~gang** *m* access (*a. fig.*); **＆gänglich** accessible (***für*** to) (*a. fig.*)
Zugbrücke *f* drawbridge
zu|geben add; *fig.* admit;

~gehen *Tür etc.*: close, shut*; *geschehen*: happen; **~ *auf*** walk up to, approach (*a. fig.*)
Zügel *m* rein (*a. fig.*); **2los** uncontrolled
Zuge|ständnis *n* concession; **2tan** attached (*dat* to)
zugig draughty, *Am.* drafty
zügig brisk, speedy
Zugkraft *f* traction; *fig.* draw, appeal
zugleich at the same time
Zugluft *f* draught, *Am.* draft
zugreifen grab it; *sich bedienen*: help o.s.; *kaufen*: buy*
Zugriffszeit *f Computer*: access time
zugrunde: ~ *gehen* perish; **~ *richten*** ruin
zugunsten in favo(u)r of
Zugvogel *m* migratory bird
zu|haben be* closed; **2hälter** *m* pimp
Zuhause 1. *n* home; **2. 2** *adv östr. u. Schweiz*: (at) home
zuhöre|n listen (*dat* to); **2r(in)** listener; *pl a.* audience *sg, pl*
zu|jubeln cheer; **~kleben** seal; **~knallen** slam; **~knöpfen** button (up); **~kommen: ~ *auf*** come* up to; ***et. auf sich ~ lassen*** wait and see
Zu|kunft *f* future; **2künftig 1.** *adj* future; **2.** *adv* in future
zu|lächeln smile at; **2lage** *f* bonus; **~lassen** allow; *j-n*: admit; *amtlich*: licen|se, *Am. a.* -ce, register (*a. mot.*); F keep* closed; **2lassung** *f* admission; *mot. etc.* licen|ce, *Am.* -se; **~letzt** in the end; *als Letzte(r, -s)*: last; **~liebe** for *s.o.'s* sake; **2lieferer** *m econ.* supplier(s *pl*); **~machen** close; F hurry
zumindest at least
zumut|en: *j-m et.* ~ expect s.th. of s.o.; **2ung** *f* unreasonable demand
zunächst first of all; *vorerst*: for the present
Zu|nahme *f* increase; **~name** *m* surname
zünd|en *tech.* ignite, fire; **2holz** *n* match; **2kerze** *f* spark(ing) plug; **2schlüssel** *m* ignition key; **2ung** *f* ignition
zunehmen increase (***an*** in); *Person*: put* on weight
Zuneigung *f* affection
Zunge *f* tongue
zunichte: ~ *machen* destroy
zu|nicken nod to; **~nutze: *sich ~ machen*** utilize, make* use of; **~packen** *fig.* work hard
zupfen pluck (***an*** at)
zurechnungsfähig of sound mind; responsible
zurecht|finden: *sich* ~ find* one's way; **~kommen** get* on (***mit j-m*** with s.o.); manage, cope (***mit et.*** with s.th.); **~machen** get* ready, prepare; ***sich* ~** do* (*Am.* fix) o.s. up
zureden encourage *s.o.*
zurück back; *hinten*: behind;

~bringen, *-fahren*, *-nehmen*, *-schicken etc.*: ... back; **~bekommen** get* back; **~bleiben** stay behind; *fig.* fall* behind; **~blicken** look back; **~führen** lead* back; **~ auf** attribute to; **~geben** give* back, return; **~geblieben** *fig.* backward; *geistig*: retarded; **~gehen** go* back, return; *fig.* decrease; **~ auf** *Zeit etc.*: date back to; **~gezogen** secluded; **~halten** hold* back; ***sich*** **~** control o.s.; **~haltend** reserved; **2haltung** *f* reserve; **~kommen** come* back, return (*beide*: *fig.* ***auf*** to); **~lassen** leave* (behind); **~legen** put* back (*Geld*: aside); *Strecke*: cover; **~schlagen** *v/t Angriff*: beat* off; *Decke etc.*: throw* back; *Ball*: return; *v/i* hit* back; **~schrecken** shrink* (***vor*** from); **~setzen** *mot.* back (up); *fig.* neglect *s.o.*; **~stellen** put* (*Uhr*: set*) back; *fig.* put* aside; *mil.* defer; **~treten** step (*od.* stand*) back; resign (***von*** *Amt*: from); withdraw* (***von*** *Vertrag*: from); **~weisen** turn down; **~werfen** throw* back (*a. fig.*); **~zahlen** pay* back (*a. fig.*); **~ziehen** draw* back; *fig.* withdraw*; ***sich*** **~** retire, withdraw*; *mil. a.* retreat

Zuruf *m* shout; **2en** shout (***j-m*** **et.** s.th. to s.o.)

zurzeit at the moment

Zusage *f* acceptance; *Versprechen*: promise; *Einwilligung*: assent; **2n** promise; accept (an invitation); ***j-m*** **~** appeal to s.o., be* to s.o.'s liking

zusammen together; **2arbeit** *f* cooperation; **~arbeiten** work together; cooperate; **~brechen** break* down, collapse; **2bruch** *m* breakdown, (*a. med.*), *völliger*: collapse; **~fallen** collapse; *zeitlich*: coincide; **~fassen** summarize; sum up; **2fassung** *f* summary; **~gehören** belong together; **2hang** *m* connection; *textlich*: context; **~hängen** be* connected; **~hängend** coherent; **~klappen** fold up; *fig.* break* down; **~kommen** meet*; **2kunft** *f* meeting; **~legen** fold up; *Geld*: club (*Am.* pool) together; **~nehmen** *Mut etc.*: muster (up); ***sich*** **~** pull o.s. together; **~packen** pack up; **~passen** match, harmonize; **2prall** *m* collision; **~prallen** collide; **~rechnen** add up; **~rücken** move up; **~schlagen** *Hände*: clap; beat* *s.o.* up; **~setzen** put* (***sich*** get*) together; *tech.* assemble; ***sich*** **~ *aus*** consist of; **2setzung** *f* composition; *chem.*, *ling.* compound; **~stellen** put* together; *anordnen*: arrange; **⁀stoß** *m* collision; *fig. a.* clash; **~stoßen** collide; *fig. a.* clash; **~treffen** meet*; *zeitlich*: coincide; **~zählen** add up; **~ziehen** contract (*a.* ***sich ~***)

Zu|satz *m* addition; *chem. etc.* additive; **⁀sätzlich** additional, extra

zuschau|en look on, watch; **⁀er(in)** spectator; *TV* viewer; *pl* audience *sg*, *pl*; **⁀erraum** *m thea.* auditorium

zuschicken send* (*dat* to)

Zuschlag *m* surcharge (*a. Post*); **⁀en** strike*; *Tür etc.*: slam shut; *fig.* strike

zu|schließen lock (up); **~schnappen** *Hund*: snap; *Tür*: snap shut; **~schneiden** cut* out; *Holz*: cut* (to size); **~schrauben** screw shut; **⁀schrift** *f* letter; **⁀schuss** *m* allowance; *staatlich*: subsidy; **~sehen** → ***zuschauen***; **~sehends** *schnell*: rapidly; **~senden** send* to; **~setzen:** ***j-m ~*** press s.o. (hard)

zusicher|n: ***j-m et. ~*** assure s.o. of s.th.; **⁀ung** *f* assurance

Zu|spiel *n Sport*: pass(es *pl*); **⁀spitzen:** ***sich ~*** become* critical; **~stand** *m* condition, state, F shape; **⁀stande:** ***~ bringen*** manage; ***~ kommen*** come* about; **⁀ständig** responsible, in charge; **⁀stehen:** ***j-m steht et. zu*** s.o. is entitled to (do) s.th.

zustell|en deliver; **⁀ung** *f* delivery

zustimm|en (*dat*) agree (to *s.th.*; with *s.o.*); **⁀ung** *f* approval, consent

zustoßen happen to *s.o.*

Zutaten *pl* ingredients *pl*

zuteilen assign, allot

zu|tragen: ***sich ~*** happen; **~trauen:** ***j-m et. ~*** credit s.o. with s.th.; **⁀trauen** *n* confidence (***zu*** in); **~traulich** trusting; *Tier*: friendly

zutreffen be* true; ***~ auf*** apply to; **~d** right, correct

zutrinken: ***j-m ~*** drink* to s.o.

Zutritt *m* → ***Eintritt***

zuverlässig reliable; **⁀keit** *f* reliability

Zuversicht *f* confidence; **⁀lich** confident, optimistic

zuviel → ***zu***

zuvor before, previously; **~kommen** anticipate; **~kommend** obliging

Zuwachs *m* increase

zu|weilen at times; **~weisen** assign; **~wenden:** (***sich***) ~ turn (*dat* to); **~wenig** → ***zu;*** **~werfen** *Tür*: slam (shut); ***j-m et. ~*** throw* to s.o.; *Blick*: cast* at s.o.; **~wider:** ***... ist mir ~*** I hate (*od.* detest) ...; **~winken** wave to; signal to; **~ziehen** *v/t Vorhänge*: draw*; *Schlinge etc.*: pull tight; ***sich ~*** *med.* catch*; *v/i* move in; **~züglich** plus

Zwang *m* compulsion; *Gewalt*: force
zwängen squeeze (***sich*** o.s.)
zwanglos informal; *entspannt*: relaxed
zwanzig twenty; **~ste** twentieth
zwar: ***ich kenne ihn ~, aber*** I do know him, but; ***und ~*** that is, namely
Zweck *m* purpose; ***guter ~*** good cause; ***es hat keinen ~*** (***zu*** *inf*) it's no use (*ger*); **2los** useless; **2mäßig** practical; *angebracht*: wise
zwei 1. *adj* two; **2.** 2 *f Note*: B, good; **~deutig** ambiguous; **~erlei** two kinds of; **~fach** double; **2familienhaus** *n* two-family (*Am.* duplex) house
Zweifel *m* doubt; **2haft** doubtful, dubious; **2los** no doubt; **2n** doubt (***an et.*** s.th.)
Zweig *m* branch (*a. fig.*); *kleiner*: twig; **~geschäft** *n*, **~stelle** *f* branch
Zwei|kampf *m* duel; **2mal** twice; **2motorig** twin-engined; **2seitig** two-sided; *pol.* bilateral; *Fotokopie etc*: double-sided; **~sitzer** *m* two-seater; **2sprachig** bilingual; **2spurig** *mot.* two-lane; **2stöckig** two-stor|eyed, *Am.* -ied
zweit second; ***aus ~er Hand*** second-hand; ***wir sind zu ~*** there are two of us; ***~beste etc.***: second-...
zweiteilig two-piece
zweitens secondly
zweit|klassig second-class; **~rangig** of secondary importance, secondary; *contp.* second-rate
Zwerchfell *n* diaphragm
Zwerg(in) dwarf; midget
Zwetsch|(g)e *f*, **~ke** *f östr.* plum
zwicken pinch, nip
Zwieback *m* rusk, zwieback
Zwiebel *f* onion; *Blumen2*: bulb
Zwie|licht *n* twilight; **~spalt** *m* conflict; **~tracht** *f* discord
Zwilling|e *pl* twins *pl*; *astr.* Gemini *sg*; **~s...** *Bruder etc.*: twin ...
zwing|en force; **2er** *m* kennels *sg*
zwinkern wink, blink
Zwirn *m* thread, yarn
zwischen between; *unter*: among; **~durch** in between; **2ergebnis** *n* intermediate result; **2fall** *m* incident; **2händler** *m* middleman; **2landung** *f* stopover; **2raum** *m* space, interval; **2stecker** *m* adapter; **2stück** *n* connection; **2wand** *f* partition; **2zeit** *f*: ***in der ~*** meanwhile
zwitschern twitter, chirp
Zwitter *m* hermaphrodite
zwölf twelve; ***um ~*** (***Uhr***) at twelve (o'clock); at noon; at midnight; **~te** twelfth

Zyankali *n* cyanide
Zylind|er *m* top hat; *math.*, *tech.* cylinder
zynisch cynical
Zypresse *f* cypress
Zyste *f* cyst

Anhang

Zahlwörter

Grundzahlen

0 zero, nought [nɔːt]
1 one *eins*
2 two *zwei*
3 three *drei*
4 four *vier*
5 five *fünf*
6 six *sechs*
7 seven *sieben*
8 eight *acht*
9 nine *neun*
10 ten *zehn*
11 eleven *elf*
12 twelve *zwölf*
13 thirteen *dreizehn*
14 fourteen *vierzehn*
15 fifteen *fünfzehn*
16 sixteen *sechzehn*
17 seventeen *siebzehn*
18 eighteen *achtzehn*
19 nineteen *neunzehn*
20 twenty *zwanzig*
21 twenty-one *einundzwanzig*
22 twenty-two *zweiundzwanzig*
30 thirty *dreißig*
31 thirty-one *einunddreißig*
40 forty *vierzig*
41 forty-one *einundvierzig*
50 fifty *fünfzig*
51 fifty-one *einundfünfzig*
60 sixty *sechzig*
61 sixty-one *einundsechzig*
70 seventy *siebzig*
80 eighty *achtzig*
90 ninety *neunzig*
100 a *od.* one hundred *(ein)hundert*
101 a hundred and one *hundert(und)eins*
200 two hundred *zweihundert*
572 five hundred and seventy-two *fünfhundert(und)zweiundsiebzig*
1000 a *od.* one thousand *(ein)tausend*
1066 *als Jahreszahl*: ten sixty-six *tausendsechsundsechzig*
1998 *als Jahreszahl*: nineteen (hundred and) ninety-eight *neunzehnhundertachtundneunzig*
2000 two thousand *zweitausend*
5044 *tel.* five 0 [əʊ] (*Am. a.* zero) double four *fünfzig vierundvierzig*
1,000,000 a *od.* one million *eine Million*
2,000,000 two million *zwei Millionen*
1,000,000,000 a *od.* one billion *eine Milliarde*

Ordnungszahlen

1st first *erste*
2nd second *zweite*
3rd third *dritte*
4th fourth *vierte*
5th fifth *fünfte*
6th sixth *sechste*
7th seventh *sieb(en)te*
8th eighth *achte*
9th ninth *neunte*
10th tenth *zehnte*
11th eleventh *elfte*
12th twelfth *zwölfte*
13th thirteenth *dreizehnte*
14th fourteenth *vierzehnte*
15th fifteenth *fünfzehnte*
16th sixteenth *sechzehnte*
17th seventeenth *siebzehnte*
18th eighteenth *achtzehnte*
19th nineteenth *neunzehnte*
20th twentieth *zwanzigste*
21st twenty-first *einundzwanzigste*
22nd twenty-second *zweiundzwanzigste*
23rd twenty-third *dreiundzwanzigste*
30th thirtieth *dreißigste*
31st thirty-first *einunddreißigste*
40th fortieth *vierzigste*
41st forty-first *einundvierzigste*
50th fiftieth *fünfzigste*
51st fifty-first *einundfünfzigste*
60th sixtieth *sechzigste*
61st sixty-first *einundsechzigste*
70th seventieth *siebzigste*
80th eightieth *achtzigste*
90th ninetieth *neunzigste*
100th (one) hundredth *hundertste*
101st hundred and first *hundert(und)erste*
200th two hundredth *zweihundertste*
300th three hundredth *dreihundertste*
572nd five hundred and seventy-second *fünfhundert(und)zweiundsiebzigste*
1000th (one) thousandth *tausendste*
1,000,000th (one) millionth *millionste*

Britische und amerikanische Maße und Gewichte

1. Längenmaße

1 inch = 2,54 cm
1 foot = 30,48 cm
1 yard = 91,439 cm
1 mile = 1,609 km

2. Flächenmaße

1 square inch = 6,452 cm^2
1 square foot = 929,029 cm^2
1 square yard = 8361,26 cm^2
1 acre = 40,47 a
1 square mile = 258,998 ha

3. Raummaße

1 cubic inch = 16,387 cm^3
1 cubic foot = 0,028 m^3
1 cubic yard = 0,765 m^3
1 register ton = 2,832 m^3

4. Hohlmaße

1 British *od.* imperial pint = 0,568 l, *Am.* 0,473 l
1 British *od.* imperial quart = 1,136 l, *Am.* 0,946 l
1 British *od.* imperial gallon = 4,546 l, *Am.* 3,785 l
1 British *od.* imperial barrel = 163,656 l, *Am.* 119,228 l

5. Handelsgewichte

1 grain = 0,065 g
1 ounce = 28,35 g
1 pound = 453,592 g
1 quarter = 12,701 kg
1 hundredweight = 112 pounds = 50,802 kg (= *Am.* 100 pounds = 45,359 kg)
1 ton = 1016,05 kg, *Am.* 907,185 kg
1 stone = 14 pounds = 6,35 kg

Temperatur-Entsprechungen

	°F	°C
Siedepunkt	212°	100°
	194°	90°
	176°	80°
	158°	70°
	140°	60°
	122°	50°
	104°	40°
	86°	30°
	68°	20°
	50°	10°
Gefrierpunkt	32°	0°
	14°	−10°
	0°	−17.8°

Temperatur-Umrechnung

$$°\text{Fahrenheit} = (\tfrac{9}{5}°\text{C}) + 32$$

$$°\text{Celsius} = (°\text{F} - 32) \cdot \tfrac{5}{9}$$

Englische Währung

£ 1 = 100 pence

Münzen	Banknoten
1 p (a penny)	**£ 5** (five pounds)
2 p (two pence)	**£ 10** (ten pounds)
5 p (five pence)	**£ 20** (twenty pounds)
10 p (ten pence)	**£ 50** (fifty pounds)
20 p (twenty pence)	
50 p (fifty pence)	
£ 1 (one *od.* a pound)	

Amerikanische Währung

1 $ = 100 cents

Münzen	Banknoten
1 ¢ (one *od.* a cent, a penny)	**$ 1** (one *od.* a dollar, F a buck)
5 ¢ (five cents, a nickel)	**$ 5** (five dollars)
10 ¢ (ten cents, a dime)	**$ 10** (ten dollars)
25 ¢ (twenty-five cents, a quarter)	**$ 20** (twenty dollars)
	$ 50 (fifty dollars)
50 ¢ (fifty cents, a half-dollar)	**$ 100** (one *od.* a hundred dollars)

Unregelmäßige englische Verben

Die an erster Stelle stehende Form bezeichnet das Präsens (present tense), nach dem ersten Gedankenstrich steht das Präteritum (past tense), nach dem zweiten das Partizip Perfekt (past participle).

alight – alighted, alit – alighted, alit
arise – arose – arisen
awake – awoke, awaked – awoken
be – was (were) – been
bear – bore – borne *getragen*, born *geboren*
beat – beat – beaten, beat
become – became – become
beget – begot – begotten
begin – began – begun
bend – bent – bent
bet – bet, betted – bet, betted
bid – bid – bid
bind – bound – bound
bite – bit – bitten
bleed – bled – bled
bless – blessed, blest – blessed, blest
blow – blew – blown
break – broke – broken
breed – bred – bred
bring – brought – brought
broadcast – broadcast – broadcast
build – built – built
burn – burnt, burned – burnt, burned
burst – burst – burst
buy – bought – bought
can – could
cast – cast – cast
catch – caught – caught
choose – chose – chosen
cling – clung – clung
come – came – come
cost – cost – cost
creep – crept – crept
cut – cut – cut
deal – dealt – dealt
dig – dug – dug
do – did – done
draw – drew – drawn
dream – dreamed, dreamt – dreamed, dreamt
drink – drank – drunk
drive – drove – driven
dwell – dwelt, dwelled – dwelt, dwelled
eat – ate – eaten
fall – fell – fallen
feed – fed – fed
feel – felt – felt
fight – fought – fought
find – found – found
flee – fled – fled
fling – flung – flung
fly – flew – flown
forbid – forbad(e) – forbid(den)

forecast – forecast(ed) – forecast(ed)
forget – forgot – forgotten
forsake – forsook – forsaken
freeze – froze – frozen
get – got – got, *Am. a.* gotten
give – gave – given
go – went – gone
grind – ground – ground
grow – grew – grown
hang – hung – hung
have – had – had
hear – heard – heard
hew – hewed – hewed, hewn
hide – hid – hidden
hit – hit – hit
hold – held – held
hurt – hurt – hurt
keep – kept – kept
kneel – knelt, kneeled – knelt, kneeled
knit – knitted, knit – knitted, knit
know – knew – known
lay – laid – laid
lead – led – led
lean – leant, leaned – leant, leaned
leap – leapt, leaped – leapt, leaped
learn – learned, learnt – learned, learnt
leave – left – left
lend – lent – lent
let – let – let
lie – lay – lain
light – lighted, lit – lighted, lit
lose – lost – lost
make – made – made
may – might
mean – meant – meant
meet – met – met
mow – mowed – mowed, mown
pay – paid – paid
prove – proved – proved, *Am. a.* proven
put – put – put
quit – quit(ted) – quit(ted)
read – read – read
rid – rid, *a.* ridded – rid, *a.* ridded
ride – rode – ridden
ring – rang – rung
rise – rose – risen
run – ran – run
saw – sawed – sawn, sawed
say – said – said
see – saw – seen
seek – sought – sought
sell – sold – sold
send – sent – sent
set – set – set
sew – sewed – sewn, sewed
shake – shook – shaken
shall – should
shear – sheared – sheared, shorn
shed – shed – shed
shine – shone – shone
shit – shit, shat – shit, shat
shoot – shot – shot
show – showed – shown, showed
shrink – shrank – shrunk
shut – shut – shut
sing – sang – sung
sink – sank, sunk – sunk
sit – sat – sat
sleep – slept – slept

slide – slid – slid
sling – slung – slung
slit – slit – slit
smell – smelt, smelled – smelt, smelled
sow – sowed – sown, sowed
speak – spoke – spoken
speed – sped, speeded – sped, speeded
spell – spelt, spelled – spelt, spelled
spend – spent – spent
spill – spilt, spilled – spilt, spilled
spin – spun – spun
spit – spat, *Am. a.* spit – spat, *Am. a.* spit
split – split – split
spoil – spoiled, spoilt – spoiled, spoilt
spread – spread – spread
spring – sprang, *Am. a.* sprung – sprung
stand – stood – stood
steal – stole – stolen
stick – stuck – stuck
sting – stung – stung
stink – stank, stunk – stunk
stride – strode – stridden
strike – struck – struck
string – strung – strung
swear – swore – sworn
sweat – sweated, *Am. a.* sweat – sweated, *Am. a.* sweat
sweep – swept – swept
swell – swelled – swollen, swelled
swim – swam – swum
swing – swung – swung
take – took – taken
teach – taught – taught
tear – tore – torn
tell – told – told
think – thought – thought
throw – threw – thrown
thrust – thrust – thrust
tread – trod – trodden
wake – woke, waked – woken, waked
wear – wore – worn
weave – wove – woven
weep – wept – wept
wet – wet, wetted – wet, wetted
will – would
win – won – won
wind – wound – wound
wring – wrung – wrung
write – wrote – written

Kennzeichnung der Kinofilme in Großbritannien

U Universal. Suitable for all ages.
Für alle Altersstufen geeignet.

PG Parental Guidance. Some scenes may be unsuitable for young children.
Einige Szenen ungeeignet für Kinder. Erklärung und Orientierung durch Eltern sinnvoll.

15 No person under 15 years admitted when a "15" film is in the programme.
Nicht freigegeben für Jugendliche unter 15 Jahren.

18 No person under 18 years admitted when an "18" film is in the programme.
Nicht freigegeben für Jugendliche unter 18 Jahren.

Kennzeichnung der Kinofilme in USA

G All ages admitted. General audiences.
Für alle Altersstufen geeignet.

PG Parental guidance suggested. Some material may not be suitable for children.
Einige Szenen ungeeignet für Kinder. Erklärung und Orientierung durch Eltern sinnvoll.

R Restricted. Under 17 requires accompanying parent or adult guardian.
Für Jugendliche unter 17 Jahren nur in Begleitung eines Erziehungsberechtigten.

X No one under 17 admitted.
Nicht freigegeben für Jugendliche unter 17 Jahren.